CHUMASH

WITH

RASHI'S COMMENTARY

TRANSLATED INTO ENGLISH

EDITED BY

RABBI A. M. SILBERMANN

חמשה חומשי תורה

עם

תרגום אונקלוס, ההפטרות

ועם

פירוש רש״י

מתורגם אנגלית

ע״י

הרב א. מ. זילברמן

בהשתתפות עם

רעוו. מ. רוזנבוים

ספר דברים

ירושלים

בהוצאת בני הרב אברהם משה זילברמן ז״ל

תשמ״ה

CHUMASH

WITH

TARGUM ONKELOS, HAPHTAROTH

AND

RASHI'S COMMENTARY

TRANSLATED INTO ENGLISH AND ANNOTATED

BY

RABBI A. M. SILBERMANN

IN COLLABORATION WITH

REV. M. ROSENBAUM

DEVARIM

JERUSALEM

PUBLISHED BY THE SILBERMANN FAMILY

5745

Authorised Edition

Published by the Silbermann Family
by arrangement with
Routledge & Kegan Paul Ltd.
successors to
Shapiro Valentine & Co.

The set of 5 volumes: ISBN 0-87306-019-9

Distributed by

Philipp Feldheim Inc.
200 Airport Executive Park
Spring Valley, NY 10977

Feldheim Publishers Ltd
POB 6525/Jerusalem, Israel

Printed in Israel

DEVARIM

א אֵ֣לֶּה הַדְּבָרִ֗ים אֲשֶׁ֨ר דִּבֶּ֤ר מֹשֶׁה֙ אֶל־כָּל־יִשְׂרָאֵ֔ל בְּעֵ֖בֶר הַיַּרְדֵּ֑ן בַּמִּדְבָּ֡ר בָּֽעֲרָבָה֩ מ֨וֹל ס֜וּף בֵּֽין־פָּארָ֧ן וּבֵֽין־תֹּ֛פֶל וְלָבָ֥ן וַחֲצֵרֹ֖ת וְדִ֥י זָהָֽב׃ ב אַחַ֨ד עָשָׂ֥ר יוֹם֙ מֵֽחֹרֵ֔ב דֶּ֖רֶךְ הַר־שֵׂעִ֑יר עַ֖ד קָדֵ֥שׁ בַּרְנֵֽעַ׃ ג וַֽיְהִי֙ בְּאַרְבָּעִ֣ים שָׁנָ֔ה בְּעַשְׁתֵּֽי־עָשָׂ֥ר חֹ֖דֶשׁ בְּאֶחָ֣ד

אונקלוס

א אִלֵּין פִּתְגָּמַיָּא דִּי מַלִּיל מֹשֶׁה עִם כָּל יִשְׂרָאֵל בְּעִבְרָא דְיַרְדְּנָא אוֹכַח יָתְהוֹן עַל דְּחָבוּ בְמַדְבְּרָא וְעַל דְּאַרְגִּיזוּ בְּמֵישְׁרָא לָקֳבֵל יַם סוּף בְּפָארָן דְּאִתַּפְּלוּ עַל מַנָּא וּבַחֲצֵרוֹת דְּאַרְגִּיזוּ עַל בִּשְׂרָא וְעַל דַּעֲבָדוּ עֵגֶל דִּדְהַב׃ ב מַהֲלַךְ חַד עֲשַׂר יוֹמִין מֵחֹרֵב אֹרַח טוּרָא דְשֵׂעִיר עַד רְקַם גֵּיאָה׃ ג וַהֲוָה בְּאַרְבְּעִין שְׁנִין בְּחַד עֲשַׂר יַרְחָא

רש״י

א (א) אלה הדברים. לְפִי שֶׁהֵן דִּבְרֵי תוֹכָחוֹת וּמָנָה כָּאן כָּל הַמְּקוֹמוֹת שֶׁהִכְעִיסוּ לִפְנֵי הַמָּקוֹם בָּהֶן, לְפִיכָךְ סָתַם אֶת הַדְּבָרִים וְהִזְכִּירָם בְּרֶמֶז מִפְּנֵי כְבוֹדָן שֶׁל יִשְׂרָאֵל (עי׳ ספרי): אל כל ישראל. אִלּוּ הוֹכִיחַ מִקְצָתָן, הָיוּ אֵלּוּ שֶׁבַּשּׁוּק אוֹמְרִים אַתֶּם הֱיִיתֶם שׁוֹמְעִים מִבֶּן עַמְרָם וְלֹא הֲשִׁיבוֹתֶם דָּבָר מִכָּךְ וְכָךְ?! אִלּוּ הָיִינוּ שָׁם הָיִינוּ מְשִׁיבִים אוֹתוֹ! לְכָךְ כִּנְּסָם כֻּלָּם וְאָמַר לָהֶם הֲרֵי כֻּלְּכֶם כָּאן, כָּל מִי שֶׁיֵּשׁ לוֹ תְשׁוּבָה יָשִׁיב (ספרי): במדבר. לֹא בַמִּדְבָּר הָיוּ אֶלָּא בְּעַרְבוֹת מוֹאָב, וּמַהוּ בַּמִּדְבָּר? אֶלָּא בִּשְׁבִיל מַה שֶּׁהִכְעִיסוּהוּ בַּמִּדְבָּר שֶׁאָמְרוּ (שמ׳ ט״ז) מִי יִתֵּן מוּתֵנוּ וְגוֹ׳: בערבה. בִּשְׁבִיל הָעֲרָבָה, שֶׁחָטְאוּ בְּבַעַל פְּעוֹר בְּשִׁטִּים בְּעַרְבוֹת מוֹאָב: מול סוף. עַל מַה שֶּׁהִמְרוּ בְּיַם סוּף בְּבוֹאָם לְיַם סוּף, שֶׁאָמְרוּ (שם י״ד) הֲמִבְּלִי אֵין קְבָרִים בְּמִצְרַיִם, וְכֵן בְּנָסְעָם מִתּוֹךְ הַיָּם, שֶׁנֶּאֱמַר (תה׳ ק״ו) וַיַּמְרוּ עַל יָם בְּיַם סוּף כִּדְאִיתָא בַּעֲרָכִין (דף ט״ו): בין פארן ובין תפל ולבן. אָמַר רַבִּי יוֹחָנָן חָזַרְנוּ עַל כָּל הַמִּקְרָא וְלֹא מָצִינוּ מָקוֹם שֶׁשְּׁמוֹ תֹּפֶל וְלָבָן, אֶלָּא הוֹכִיחָן עַל הַדְּבָרִים שֶׁתָּפְלוּ עַל הַמָּן, שֶׁהוּא לָבָן, שֶׁאָמְרוּ (במ׳ כ״א) וְנַפְשֵׁנוּ קָצָה בַּלֶּחֶם הַקְּלֹקֵל, וְעַל מַה שֶּׁעָשׂוּ בְּמִדְבַּר פָּארָן עַל יְדֵי הַמְרַגְּלִים: וחצרת. בְּמַחֲלָקְתּוֹ שֶׁל קֹרַח; דָּבָר אַחֵר אָמַר לָהֶם הָיָה לָכֶם לִלְמוֹד מִמַּה שֶּׁעָשִׂיתִי לְמִרְיָם בַּחֲצֵרוֹת בִּשְׁבִיל לָשׁוֹן הָרָע, וְאַתֶּם נִדְבַּרְתֶּם בַּמָּקוֹם: ודי זהב. הוֹכִיחָן עַל הָעֵגֶל שֶׁעָשׂוּ בִּשְׁבִיל רוֹב זָהָב שֶׁהָיָה לָהֶם, שֶׁנֶּאֱמַר (הושע ב׳) וְכֶסֶף הִרְבֵּיתִי לָהּ וְזָהָב עָשׂוּ לַבָּעַל (עי׳ ספרי; ברי׳ ל״ב): (ב) אחד עשר יום מחרב. אָמַר לָהֶם מֹשֶׁה רְאוּ מַה גְּרַמְתֶּם! אֵין לָכֶם דֶּרֶךְ קְצָרָה מֵחוֹרֵב לְקָדֵשׁ בַּרְנֵעַ כְּדֶרֶךְ הַר שֵׂעִיר, וְאַף הוּא מַהֲלַךְ י״א יוֹם, וְאַתֶּם הֲלַכְתֶּם אוֹתָהּ בִּשְׁלֹשָׁה יָמִים — שֶׁהֲרֵי בְּעֶשְׂרִים בְּאִיָּר נָסְעוּ מֵחוֹרֵב, שֶׁנֶּאֱמַר (במ׳ י׳) וַיְהִי בַּשָּׁנָה הַשֵּׁנִית בַּחֹדֶשׁ הַשֵּׁנִי בְּעֶשְׂרִים יוֹם שְׁלֹשִׁים וְגוֹ׳, וּבְכ״ט בְּסִיוָן שָׁלְחוּ אֶת הַמְרַגְּלִים מִקָּדֵשׁ בַּרְנֵעַ (תעני׳ כ״ט), צֵא מֵהֶם ל׳ יוֹם שֶׁעָשׂוּ בְּקִבְרוֹת הַתַּאֲוָה שֶׁאָכְלוּ הַבָּשָׂר חֹדֶשׁ יָמִים, וְשִׁבְעָה יָמִים שֶׁעָשׂוּ בַּחֲצֵרוֹת לְהִסָּגֵר שָׁם מִרְיָם, נִמְצָא בִּשְׁלֹשָׁה יָמִים הָלְכוּ כָּל אוֹתוֹ הַדֶּרֶךְ — וְכָל כַּךְ הָיְתָה הַשְּׁכִינָה מִתְלַבֶּטֶת בִּשְׁבִילְכֶם לְמַהֵר בִּיאַתְכֶם לָאָרֶץ, וּבִשְׁבִיל שֶׁקִּלְקַלְתֶּם הֵסֵב אֶתְכֶם סְבִיבוֹת הַר שֵׂעִיר אַרְבָּעִים שָׁנָה (עי׳ ספרי): (ג) ויהי בארבעים שנה בעשתי עשר חדש באחד לחדש. מְלַמֵּד שֶׁלֹּא הוֹכִיחָן אֶלָּא סָמוּךְ לַמִּיתָה; מִמִּי לָמַד? מִיַּעֲקֹב, שֶׁלֹּא הוֹכִיחַ אֶת בָּנָיו אֶלָּא סָמוּךְ לַמִּיתָה, אָמַר, רְאוּבֵן בְּנִי אֲנִי אוֹמֵר לְךָ מִפְּנֵי מַה לֹא הוֹכַחְתִּיךָ כָּל הַשָּׁנִים הַלָּלוּ, כְּדֵי שֶׁלֹּא תַּנִּיחֵנִי וְתֵלֵךְ וְתִדַּבֵּק בְּעֵשָׂו אָחִי; וּמִפְּנֵי אַרְבָּעָה דְבָרִים אֵין מוֹכִיחִין אֶת הָאָדָם אֶלָּא סָמוּךְ לַמִּיתָה, כְּדֵי שֶׁלֹּא יְהֵא מוֹכִיחוֹ וְחוֹזֵר וּמוֹכִיחוֹ, וְשֶׁלֹּא יְהֵא חֲבֵרוֹ רוֹאֵהוּ וּמִתְבַּיֵּשׁ מִמֶּנּוּ, כּוּ׳ כִּדְאִיתָא בְּסִפְרֵי. וְכֵן יְהוֹשֻׁעַ לֹא הוֹכִיחַ אֶת יִשְׂרָאֵל

1. [1]These *are* the words which Moses spake unto all Israel on *this* side of the Jordan in the desert, in the plain over against the Red *sea*, between Paran, and Tophel, and Laban, and Hazeroth, and Dizahab. [2]Eleven days' *journey* from Horeb on the way of mount Seir unto Kadesh-barnea. [3]And it came to pass in the fortieth year, in the eleventh month, on the first

רש"י

1. (1) אלה הדברים THESE ARE THE WORDS — Because these are words of reproof and he is enumerating here all the places where they provoked God to anger, therefore he suppresses *all mention of* the matters *in which they sinned* and refers to them *only* by a *mere* allusion *contained in the names of these places* out of regard for Israel[1]) (cf. Siphre, Onkelos and Targ. Jon.). אל כל ישראל [THE WORDS WHICH HE SPAKE] TO ALL ISRAEL — If he had reproved *only* some of them, those who were *then* in the street (i. e. those who were absent) might have said, "You heard from the son of Amram, and did not answer a *single* word regarding this and that[2]); had we been there, we would have given him an answer!". On this account he assembled all of them, and said to them, "See, you are all here: he who has anything to say in reply, let him reply!" (Siphre). במדבר IN THE WILDERNESS — They, however, were not *then* in the wilderness, but in the plains of Moab (cf. Num. XXXVI. 13 and further on verse 5): What, *therefore,* is *the meaning of* במדבר? *It does not mean "in the wilderness"*, but *the meaning is: he reproved them* on account of that wherein they had provoked Him to anger in the wilderness — that they said, (Ex. XVI. 3) "Would that we had died [by the hand of the Lord]" (cf. Siphre). בערבה IN THE PLAIN — *i. e. he reproved them* regarding the plain: that they had sinned through Baal Peor at Shittim in the plains of Moab (ib.). מול סוף OVER AGAINST SUPH — *i. e. he reproved them* regarding that in which they had shown themselves rebellious at the Red Sea (סוף): *viz.,* on their arrival at the Red Sea — that they said, (Ex. XIV. 11) "Is it because there are no graves in Egypt [that thou hast brought us to die in the wilderness?]"; and similarly when they left the midst of the Sea, as it is said, (Ps. CVI. 7) "They murmured because of the Sea, at the Red Sea",[3]) as it is *related* in *Treatise* Arachin (15a) (cf. Rashi on Num. XIV. 22 and Siphre). בין פארן ובין תפל ולבן BETWEEN PARAN, AND TOPHEL AND LABAN — R. Jochanan said: We have gone through the whole Bible and we have found no place the name of which is Tophel or Laban! But *the meaning is that* he reproved them because of the calumnious statements (טפלו)[4]) they had made regarding the Manna which was white (לבן) *in colour* — that they said, (Num. XXI. 5) "And our soul loathes this light bread"; and because of what they had done in the wilderness of Paran through the spies. וחצרת AND HAZEROTH — *i. e. regarding what they had done there* at the insurrection of Korah. — Another explanation: He said to them, "You ought to have taken a lesson from what I did to Miriam at Hazeroth because of the slander *she uttered,* and yet you *even after that* spoke against the Omnipresent. ודי זהב AND DI ZAHAB (the name is taken in the sense of "sufficiency of gold") — He reproved them on account of the *golden* calf which they had made in consequence of the abundance of gold which they had, as it is said, (Hosea II. 10) "And silver did I give them in abundance and gold: they, however, made it into a Baal" (cf. Siphre; Ber. 32a). **(2)** אחד עשר יום מחרב ELEVEN DAYS *JOURNEY* FROM HOREB — Moses said to them: "See what you brought about! There is no route from Horeb to Kadesh-Barnea as short as the way through Mount Seir, and even that is a journey of eleven days. You, *however*, traversed it in three days!" — for you see that they journeyed from Horeb on the twentieth of Eyar, as it is said, (Num. X. 11—12) "And it came to pass in the second year, in the second month, on the twentieth of the month,

NOTES

For Notes 1—4 see Appendix.

לַחֹדֶשׁ דִּבֶּר מֹשֶׁה אֶל־בְּנֵי יִשְׂרָאֵל כְּכֹל אֲשֶׁר צִוָּה יְהוָה אֹתוֹ אֲלֵהֶם׃ ד אַחֲרֵי הַכֹּתוֹ אֵת סִיחֹן מֶלֶךְ הָאֱמֹרִי אֲשֶׁר יוֹשֵׁב בְּחֶשְׁבּוֹן וְאֵת עוֹג מֶלֶךְ הַבָּשָׁן אֲשֶׁר־יוֹשֵׁב בְּעַשְׁתָּרֹת בְּאֶדְרֶעִי׃ ה בְּעֵבֶר הַיַּרְדֵּן בְּאֶרֶץ מוֹאָב הוֹאִיל מֹשֶׁה בֵּאֵר אֶת־הַתּוֹרָה הַזֹּאת לֵאמֹר׃ ו יְהוָה אֱלֹהֵינוּ דִּבֶּר אֵלֵינוּ בְּחֹרֵב לֵאמֹר רַב־לָכֶם שֶׁבֶת בָּהָר הַזֶּה׃ ז פְּנוּ ׀ וּסְעוּ לָכֶם וּבֹאוּ הַר הָאֱמֹרִי וְאֶל־כָּל־שְׁכֵנָיו בָּעֲרָבָה בָהָר וּבַשְּׁפֵלָה וּבַנֶּגֶב וּבְחוֹף הַיָּם אֶרֶץ הַכְּנַעֲנִי וְהַלְּבָנוֹן

אונקלוס

בְּחַד לְיַרְחָא מַלִּיל מֹשֶׁה עִם בְּנֵי יִשְׂרָאֵל כְּכֹל דִּי פַקִּיד יְיָ יָתֵהּ לְהוֹן׃ ד בָּתַר דִּמְחָא יָת סִיחוֹן מַלְכָּא דֶּאֱמֹרָאָה דְּיָתֵיב בְּחֶשְׁבּוֹן וְיָת עוֹג מַלְכָּא דְמַתְנַן דְּיָתֵיב בְּעַשְׁתָּרָת בְּאֶדְרֶעִי׃ ה בְּעִבְרָא דְיַרְדְּנָא בְּאַרְעָא דְמוֹאָב שָׁרִי מֹשֶׁה פָּרֵשׁ יָת אוּלְפַן אוֹרָיְתָא הָדָא לְמֵימָר׃ ו יְיָ אֱלָהַנָא מַלִּיל עִמָּנָא בְּחֹרֵב לְמֵימַר סַגִּי לְכוֹן דִּיתֶבְתּוּן בְּטוּרָא הָדֵין׃ ז אִתְפְּנוּ וְטוּלוּ לְכוֹן וְעוּלוּ לְטוּרָא דֶּאֱמֹרָאָה וּלְכָל מָגִירוֹהִי בְּמֵישְׁרָא בְּטוּרָא וּבִשְׁפֵלְתָּא וּבִדְרוֹמָא וּבִסְפַר יַמָּא אַרְעָא דִּכְנַעֲנָאָה וְלִבְנָן עַד נַהֲרָא רַבָּא נַהֲרָא פְרָת׃

רש"י

אֶלָּא סָמוּךְ לַמִּיתָה, וְכֵן שְׁמוּאֵל שֶׁנֶּאֱמַר (ש"א י"ב), הִנְנִי עֲנוּ בִי, וְכֵן דָּוִד אֶת שְׁלֹמֹה בְּנוֹ (מ"א ב'): (ד) אחרי הכתו. אָמַר מֹשֶׁה אִם אֲנִי מוֹכִיחָם קוֹדֶם שֶׁיִּכָּנְסוּ לִקְצַת הָאָרֶץ, יֹאמְרוּ מַה לָּזֶה עָלֵינוּ? מַה הֵטִיב לָנוּ? אֵינוֹ בָּא אֶלָּא לְקַנְתֵּר וְלִמְצוֹא עִלָּה, שֶׁאֵין בּוֹ כֹּחַ לַהֲכְנִיסֵנוּ לָאָרֶץ! לְפִיכָךְ הִמְתִּין עַד שֶׁהִפִּיל סִיחוֹן וְעוֹג לִפְנֵיהֶם וְהוֹרִישָׁם אֶת אַרְצָם וְאַחַר כָּךְ הוֹכִיחָן (ספרי): סיחן אשר יושב בחשבון. אִלּוּ לֹא הָיָה סִיחוֹן קָשֶׁה וְהָיָה שָׁרוּי בְּחֶשְׁבּוֹן, הָיָה קָשֶׁה, שֶׁהַמְּדִינָה קָשָׁה, וְאִלּוּ הָיְתָה עִיר אַחֶרֶת וְסִיחוֹן שָׁרוּי בְּתוֹכָהּ, הָיְתָה קָשָׁה, שֶׁהַמֶּלֶךְ קָשֶׁה, עַל אַחַת כַּמָּה וְכַמָּה שֶׁהַמֶּלֶךְ קָשֶׁה וְהַמְּדִינָה קָשָׁה (שם): אשר יושב בעשתרת. הַמֶּלֶךְ קָשֶׁה וְהַמְּדִינָה קָשָׁה: עשתרת. הוּא לְשׁוֹן צוּקִין וְקוֹשִׁי, כְּמוֹ עַשְׁתְּרֹת קַרְנַיִם (בר' י"ד) וְעַשְׁתָּרוֹת זֶה הוּא עַשְׁתְּרוֹת קַרְנַיִם, שֶׁהָיוּ שָׁם רְפָאִים שֶׁהִכָּה אַמְרָפֶל, שֶׁנֶּאֱמַר (שם) וַיַּכּוּ אֶת רְפָאִים בְּעַשְׁתְּרֹת קַרְנַיִם, וְעוֹג נִמְלַט מֵהֶם, וְהוּא שֶׁנֶּאֱמַר (שם) וַיָּבֹא הַפָּלִיט, וְאוֹמֵר (דב' ג') כִּי רַק עוֹג מֶלֶךְ הַבָּשָׁן נִשְׁאַר מִיֶּתֶר הָרְפָאִים: באדרעי. שֵׁם הַמַּלְכוּת: (ה) הואיל. הִתְחִיל, כְּמוֹ (בר' י"ח) הִנֵּה נָא הוֹאַלְתִּי (עי' ספרי): באר את התורה. בְּשִׁבְעִים לָשׁוֹן פֵּרְשָׁהּ לָהֶם (תנח'; עי' סוטה ל"ב): (ו) רב לכם שבת. כִּפְשׁוּטוֹ; וְיֵשׁ מ"א, הַרְבֵּה לָכֶם גְּדֻלָּה וְשָׂכָר עַל יְשִׁיבַתְכֶם בָּהָר הַזֶּה — עֲשִׂיתֶם מִשְׁכָּן, מְנוֹרָה, וְכֵלִים, קִבַּלְתֶּם תּוֹרָה, מִנִּיתֶם לָכֶם סַנְהֶדְרִין, שָׂרֵי אֲלָפִים וְשָׂרֵי מֵאוֹת (עי' ספרי): (ז) פנו וסעו לכם. זוֹ דֶרֶךְ עֲרָד וְחָרְמָה: ובאו הר האמרי. כְּמַשְׁמָעוֹ: ואל כל שכניו. עַמּוֹן וּמוֹאָב וְהַר שֵׂעִיר: בערבה. זֶה מִישׁוֹר שֶׁל יַעַר: בהר. זֶה הַר הַמֶּלֶךְ: ובשפלה. זוֹ שְׁפֵלַת דָּרוֹם: ובנגב ובחוף הים. אַשְׁקְלוֹן וְעַזָּה וְקֵסָרִי וְכוּ' כִּדְאִיתָא בְּסִפְרֵי: עד הנהר

day of the month, *that* Moses spake unto the children of Israel, according unto all that the Eternal had commanded him for them; [4]After he had smitten Sihon king of the Amorites, who abode in Heshbon, and Og king of Bashan, who abode at Astaroth in Edrei: [5]On *this* side of the Jordan, in the land of Moab, began Moses to *explain* this law, saying, [6]The Eternal our God spake unto us in Horeb, saying, Ye have abode long enough in this mount: [7]Turn you, and journey, and go to the mount of the Amorite, and unto all his neighbours, in the plain, in the mountain, and in the low land, and in the south, and by the sea coast, to the land of the Canaanites, and unto Lebanon,

רש״י

[the cloud went up and the children of Israel journeyed out of the desert of Sinai" (which is Horeb)] and on the twenty-ninth of Sivan they sent out the spies from Kadesh Barnea[1]), (an interval of 40 days; cf. Taan. 29a); deduct from these the thirty days they spent at Kibroth Hataavah, where they ate the flesh "a month of days", and seven days they spent at Hazeroth for Miriam to be shut up there *as a leper,* it follows that in three days they traversed all that way. — To such an extent did the Shechinah exert itself[2]) to hasten your coming to the land *of Canaan,* but because you became degenerate, He made you travel round about Mount Seir for forty years (Siphre). **(3)** ויהי בארבעים שנה בעשתי עשר חדש באחד לחדש AND IT CAME TO PASS IN THE FORTIETH YEAR, IN THE ELEVENTH MONTH, ON THE FIRST OF THE MONTH, [MOSES SPAKE] — This tells us that he reproved them only shortly before his death (Jewish tradition holds that Moses died on the seventh day of the twelfth month; cf. Meg. 13b). From whom did he learn *this?* From Jacob, who reproved his sons only shortly before his death. He said, "Reuben, my son, I will tell you why I have not reproved you *for your unfilial conduct* during all these years: *it was* in order that you should not leave me and go and join Esau, my *wicked* brother". — And on account of four things one should not reprove a person except shortly before one's death: that one should not reprove him and again *have to* reprove him; and that his fellow *whom he reproves* should not, *when he afterwards happens to* see him, feel ashamed before him, etc.; as it is *set forth* in Siphre[3]). And similarly, Joshua reproved Israel only shortly before his death (cf. Josh. XXIV. 1—29), and so, *too,* Samuel, as it is said, (1 Sam. XII. 3) "Behold, testify against me"[4]), and so, *also,* David *reproved* his son Solomon *only shortly before his death* (cf. 1 Kings II. 1—9). **(4)** אחרי הכתו AFTER HE HAD SMITTEN [SIHON] — Moses said: If I reprove them before they enter *at least* a part of the land, they will say, "What *claim* has this man upon us? What good has he ever conferred upon us? He only comes (his purpose is only) to vex us and to discover some pretext *for leaving us in the wilderness,* for he *really* has not the power to bring us into the land" On this account he waited until he had defeated Sihon and Og before them and had given them possession of their land — and *only* after that did he reprove them. סיחן . . . אשר יושב בחשבון [AFTER HE HAD SMITTEN] SIHON . . . WHO DWELT IN HESHBON — Even if Sihon *himself* had not been difficult *to defeat,* but had resided at Heshbon, he would have been difficult *to defeat,* because the city was a difficult one *to capture:* and if it had been *a matter of* some other city, but Sihon had resided in it, it would have been difficult *to capture,* because its king, *at least,* would have been difficult *to defeat.* How much more was this so *now* when the king was difficult *to defeat* and the land difficult *to capture* (Siphre; cf. Rashi on Num. XXI. 23). אשר יושב בעשתרת [AND OG] WHO DWELT AT ASHTAROTH — *here, too,* the king was difficult *to defeat* and the city difficult *to capture* (Siphre). עשתרת — This is an expression denoting rocks and anything hard, just as (Gen. XIV. 5) "Ashtaroth Karnaim", (i. e. the hard rocks of Karnaim). And

NOTES

For Notes 1—4 see Appendix.

עַד־הַנָּהָר הַגָּדֹל נְהַר־פְּרָת: ח רְאֵה נָתַתִּי לִפְנֵיכֶם אֶת־הָאָרֶץ בֹּאוּ וּרְשׁוּ אֶת־הָאָרֶץ אֲשֶׁר נִשְׁבַּע יְהוָה לַאֲבֹתֵיכֶם לְאַבְרָהָם לְיִצְחָק וּלְיַעֲקֹב לָתֵת לָהֶם וּלְזַרְעָם אַחֲרֵיהֶם: ט וָאֹמַר אֲלֵכֶם בָּעֵת הַהִוא לֵאמֹר לֹא־אוּכַל לְבַדִּי שְׂאֵת אֶתְכֶם: י יְהוָה אֱלֹהֵיכֶם הִרְבָּה אֶתְכֶם וְהִנְּכֶם הַיּוֹם כְּכוֹכְבֵי הַשָּׁמַיִם לָרֹב: יא יְהוָה אֱלֹהֵי אֲבוֹתֵכֶם יֹסֵף עֲלֵיכֶם כָּכֶם אֶלֶף פְּעָמִים וִיבָרֵךְ אֶתְכֶם כַּאֲשֶׁר דִּבֶּר

אונקלוס

ח חֲזוּ יְהָבִית קֳדָמֵיכוֹן יָת אַרְעָא עוּלוּ וְאַחֲסִינוּ יָת אַרְעָא דִּי קַיֵּים יְיָ לַאֲבָהָתְכוֹן לְאַבְרָהָם לְיִצְחָק וּלְיַעֲקֹב לְמִתַּן לְהוֹן וְלִבְנֵיהוֹן בַּתְרֵיהוֹן: ט וַאֲמָרִית לְכוֹן בְּעִדָּנָא הַהִיא לְמֵימַר לֵית אֲנָא יָכִיל בִּלְחוֹדִי לְסוֹבָרָא יָתְכוֹן: י יְיָ אֱלָהֲכוֹן אַסְגֵּי יָתְכוֹן וְהָא אִיתֵיכוֹן יוֹמָא דֵין כְּכוֹכְבֵי שְׁמַיָּא לְמִסְגֵּי: יא יְיָ אֱלָהָא דַאֲבָהָתְכוֹן יוֹסֵף עֲלֵיכוֹן

רש"י

הגדל. מִפְּנֵי שֶׁנִּזְכָּר עִם אֶרֶץ יִשְׂרָאֵל קוֹרְאוֹ גָּדוֹל, מָשָׁל הֶדְיוֹט אוֹמֵר „עֶבֶד מֶלֶךְ מֶלֶךְ", „הִדָּבֵק לְשַׁחֲוָר וְיִשְׁתַּחֲווּ לָךְ", „קְרַב לְגַבֵּי דְּהִינָא וְאִדְּהַן" (שבועות מ"ז): (ח) ראה נתתי. בְּעֵינֵיכֶם אַתֶּם רוֹאִים, אֵינִי אוֹמֵר לָכֶם מֵאֹמֶד וּמִשְּׁמוּעָה (ספרי): באו ורשו. אֵין מְעַרְעֵר בַּדָּבָר, וְאֵינְכֶם צְרִיכִים לְמִלְחָמָה, אִלּוּ לֹא שָׁלְחוּ מְרַגְּלִים לֹא הָיוּ צְרִיכִים לִכְלֵי זַיִן (עי' שם): לאבתיכם. לָמָּה הִזְכִּיר שׁוּב לְאַבְרָהָם לְיִצְחָק וּלְיַעֲקֹב? אֶלָּא אַבְרָהָם כְּדַאי לְעַצְמוֹ, יִצְחָק כְּדַאי לְעַצְמוֹ, יַעֲקֹב כְּדַאי לְעַצְמוֹ (שם): (ט) ואמר אלכם בעת ההוא לאמר. מַהוּ לֵאמֹר? אָמַר לָהֶם מֹשֶׁה, לֹא מֵעַצְמִי אֲנִי אוֹמֵר לָכֶם, אֶלָּא מִפִּי הַקָּבָּ"ה (שם): לא אוכל לבדי וגו'. אֶפְשָׁר שֶׁלֹּא הָיָה מֹשֶׁה יָכוֹל לָדוּן אֶת יִשְׂרָאֵל? אָדָם שֶׁהוֹצִיאָם מִמִּצְרַיִם, וְקָרַע לָהֶם אֶת הַיָּם, וְהוֹרִיד אֶת הַמָּן, וְהֵגִיז הַשְּׂלָו, לֹא הָיָה יָכוֹל לְדוּנָם? אֶלָּא כָּךְ אָמַר לָהֶם, ה' אלהיכם הרבה אתכם — הִגְדִּיל וְהֵרִים אֶתְכֶם עַל דַּיָּנֵיכֶם, נָטַל אֶת הָעֹנֶשׁ מִכֶּם וּנְתָנוֹ עַל הַדַּיָּנִין; וְכֵן אָמַר שְׁלֹמֹה (מ"א ג') כִּי מִי יוּכַל לִשְׁפֹּט אֶת עַמְּךָ הַכָּבֵד הַזֶּה; אֶפְשָׁר מִי שֶׁכָּתוּב בּוֹ (שם ה') וַיֶּחְכַּם מִכָּל הָאָדָם, אוֹמֵר מִי יוּכַל לִשְׁפֹּט?! אֶלָּא כָּךְ אָמַר שְׁלֹמֹה, אֵין דַּיָּנֵי אֻמָּה זוֹ כְּדַיָּנֵי שְׁאָר הָאֻמּוֹת, שֶׁאִם דָּן וְהוֹרֵג וּמַכֶּה וְחוֹנֵק וּמַטֶּה אֶת דִּינוֹ וְגוֹזֵל אֵין בְּכָךְ כְּלוּם, אֲנִי אִם חִיַּבְתִּי מָמוֹן שֶׁלֹּא כַּדִּין, נְפָשׁוֹת אֲנִי נִתְבָּע, שֶׁנֶּאֱמַר (מש' כ"ב) וְקָבַע אֶת קֹבְעֵיהֶם נָפֶשׁ (ספרי; סנה' ז'): (י) והנכם היום ככוכבי השמים. וְכִי כְּכוֹכְבֵי הַשָּׁמַיִם הָיוּ בְּאוֹתוֹ הַיּוֹם, וַהֲלֹא לֹא הָיוּ אֶלָּא שִׁשִּׁים רִבּוֹא, מַהוּ וְהִנְּכֶם הַיּוֹם? הִנְּכֶם מְשׁוּלִים כַּיּוֹם — קַיָּמִים לְעוֹלָם כַּחַמָּה וְכַלְּבָנָה וְכַכּוֹכָבִים (עי' ספרי): (יא) יסף עליכם ככם אלף פעמים. מַהוּ שׁוּב ויברך אתכם כאשר דבר לכם? אֶלָּא אָמְרוּ לוֹ, מֹשֶׁה אַתָּה נוֹתֵן קִצְבָה לְבִרְכוֹתֵינוּ! כְּבָר הִבְטִיחַ הַקָּבָּ"ה אֶת אַבְרָהָם אֲשֶׁר אִם יוּכַל אִישׁ לִמְנוֹת וגו' (בר' י"ג), אָמַר לָהֶם זוֹ מִשֶּׁלִּי הִיא, אֲבָל הוּא

unto the great river, the river Euphrates. [8]Behold, I have set the land before you: go in and possess the land which the Eternal sware unto your fathers, Abraham, Isaac, and Jacob, to give unto them and to their seed after them. [9]And I spake unto you at that time, saying, I am not able to bear you myself alone: [10]The Eternal your God hath multiplied you, and, behold, ye *are* this day as the stars of heaven for multitude. [11]May the Eternal God of your fathers add to you a thousand times so many more as ye *are*, and bless you, as he hath spoken

רש״י

indeed this Ashtaroth is *identical with* Ashtaroth Karnaim where the Rephaim (the giants) were, whom Amraphel smote, as it is said, (ib.) "And they smote the Rephaim in Ashtaroth Karnaim". Og, *alone,* escaped of them, and that is *the meaning of* what is stated, (ib. 13; cf. Rashi) "And the one who escaped (הפליט) came", for it further states, (III. 11) "For only Og, king of Bashan, remained of the remnant of the Rephaim". באדרעי IN EDREI — the name of the royal city. **(5)** הואיל *means* HE BEGAN, just as (Gen. XVIII. 27) "Behold, now I have begun (הואלתי)"[1]) (cf. Siphre). באר את התורה [MOSES BEGAN] TO EXPLAIN THIS LAW — in the seventy languages *of the ancient world* did he explain it to them (Tanch.; Gen. R. 49; cf. Sota 32a and Rashi on XXVII. 8). **(6)** רב לכם שבת — *Explain this* according to its plain sense: YE HAVE DWELT LONG ENOUGH [IN THIS MOUNT]. — But there is an Agadic explanation: He has given you much distinction and reward for your having dwelt in this mount: you made the Tabernacle, the candlestick and the *other sacred* articles, you received the Torah, you appointed a Sanhedrin for yourselves, captains over thousands and captains over hundreds (cf. Siphre). **(7)** פנו וסעו לכם TURN YOU AND JOURNEY — this was the journey to Arad and Hormah *mentioned in Num. XXI. 1—3.* ובאו הר האמרי — *Understand this* according to what it literally implies[2]). ואל כל שכניו AND TO ALL ITS NEIGHBOURING PLACES — Ammon, and Moab, and Mount Seir. בערבה IN THE PLAIN — this is the plain of the forest. בהר IN THE MOUNTAIN — this is the King's mountain[3]). ובשפלה AND IN THE LOW LAND — this is the low land of the south country[4]). ובנגב ובחוף הים AND IN THE SOUTH COUNTRY AND BY THE SEA COAST — Ashkelon and Gaza and Caesarea, etc., *all* as is *stated* in Siphre. עד הנהר הגדל TO THE GREAT RIVER [THE RIVER EUPHRATES] — Because it is mentioned in connection with the Land of Israel, it terms it "great". A popular proverb says: A king's servant is a king, attach yourself to a captain and people will bow down to you; go near to an anointed (a distinguished) person and you become anointed (distinguished) yourself (cf. Rashi on Sheb. 47b and Gen. XV. 18). **(8)** ראה נתתי SEE, I HAVE GIVEN [THE LAND BEFORE THEE] — With your own eyes do you see *this:* I do not tell you *this*

NOTES

1) But on this verse Rashi explains the word by רציתי, "I wish". Here, however, he follows the Siphre on this passage.

For Notes 2—4 see Appendix.

לָכֶם: שני יב אֵיכָ֥ה אֶשָּׂ֖א לְבַדִּ֑י טָרְחֲכֶ֥ם וּמַֽשַּׂאֲכֶ֖ם
וְרִֽיבְכֶֽם: יג הָב֣וּ לָ֠כֶם אֲנָשִׁ֨ים חֲכָמִ֧ים וּנְבֹנִ֛ים וִידֻעִ֖ים
לְשִׁבְטֵיכֶ֑ם וַאֲשִׂימֵ֖ם בְּרָאשֵׁיכֶֽם: יד וַתַּֽעֲנ֖וּ אֹתִ֑י
וַתֹּ֣אמְר֔וּ טֽוֹב־הַדָּבָ֥ר אֲשֶׁר־דִּבַּ֖רְתָּ לַעֲשֽׂוֹת: טו וָאֶקַּ֞ח
אֶת־רָאשֵׁ֣י שִׁבְטֵיכֶ֗ם אֲנָשִׁ֤ים חֲכָמִים֙ וִֽידֻעִ֔ים וָאֶתֵּ֥ן
אֹתָ֛ם רָאשִׁ֖ים עֲלֵיכֶ֑ם שָׂרֵ֨י אֲלָפִ֜ים וְשָׂרֵ֣י מֵא֗וֹת

אונקלום

כְּוָתְכוֹן אֱלַף זִמְנִין וִיבָרֵךְ יָתְכוֹן כְּמָא דִי מַלִיל לְכוֹן: יב אֶכְדֵּין אֶסוֹבַר בִּלְחוֹדַי
טָרְחֲכוֹן וְעִסְקֵיכוֹן וְדִינְכוֹן: יג הָבוּ לְכוֹן גֻּבְרִין חַכִּימִין וְסוּכְלְתָנוּן וּמַנְדְּעָן לְשִׁבְטֵיכוֹן
וַאֲמַנִּנּוּן רֵישִׁין עֲלֵיכוֹן: יד וַאֲתֵבְתּוּן יָתִי וַאֲמַרְתּוּן תַּקֵּין פִּתְגָּמָא דִי מַלֵּלְתָּא לְמֶעְבָּד:
טו וּדְבָרֵית יָת רֵישֵׁי שִׁבְטֵיכוֹן גֻּבְרִין חַכִּימִין וּמַנְדְּעָן וּמַנֵּיתִי יָתְהוֹן רֵישִׁין עֲלֵיכוֹן:

רש"י

יְבָרֵךְ אֶתְכֶם כַּאֲשֶׁר דִּבֶּר לָכֶם (ספרי): (יב) אֵיכָה אֶשָּׂא לְבַדִּי. אִם אוֹמַר לְקַבֵּל שָׂכָר, לֹא
אוּכַל, זוֹ הִיא שֶׁאָמַרְתִּי לָכֶם לֹא מֵעַצְמִי אֲנִי אוֹמֵר לָכֶם אֶלָּא מִפִּי הַקָּבָּ"ה: טָרְחֲכֶם.
מְלַמֵּד שֶׁהָיוּ יִשְׂרָאֵל טַרְחָנִין — הָיָה אֶחָד מֵהֶם רוֹאֶה אֶת בַּעַל דִּינוֹ נוֹצֵחַ בַּדִּין, אוֹמֵר
יֵשׁ לִי עֵדִים לְהָבִיא, יֵשׁ לִי רְאָיוֹת לְהָבִיא, מוֹסִיף אֲנִי עֲלֵיכֶם דַּיָּנִין: וּמַשַּׂאֲכֶם. מְלַמֵּד
שֶׁהָיוּ אֶפִּיקוֹרְסִין, הִקְדִּים מֹשֶׁה לָצֵאת, אָמְרוּ מַה רָאָה בֶן עַמְרָם לָצֵאת? שֶׁמָּא אֵינוֹ שָׁפוּי
בְּתוֹךְ בֵּיתוֹ! אֵחַר לָצֵאת, אָמְרוּ מַה רָאָה בֶן עַמְרָם שֶׁלֹּא לָצֵאת? מַה אַתֶּם סְבוּרִים?
יוֹשֵׁב וְיוֹעֵץ עֲלֵיכֶם עֵצוֹת רָעוֹת וְחוֹשֵׁב עֲלֵיכֶם מַחֲשָׁבוֹת: וְרִיבְכֶם. מְלַמֵּד שֶׁהָיוּ רוֹגְנִים
(ספרי): (יג) הָבוּ לָכֶם. הַזְמִינוּ עַצְמְכֶם לַדָּבָר: אֲנָשִׁים. וְכִי תַעֲלֶה עַל דַּעְתְּךָ נָשִׁים, מַה
תַּ"ל אֲנָשִׁים? צַדִּיקִים, כְּסוּפִים: חֲכָמִים וּנְבֹנִים. מְבִינִים דָּבָר מִתּוֹךְ דָּבָר; זוֹ הִיא שֶׁשָּׁאַל
אַרְיוּס אֶת רַבִּי יוֹסֵי מַה בֵּין חֲכָמִים לִנְבוֹנִים? חָכָם דּוֹמֶה לְשֻׁלְחָנִי עָשִׁיר, כְּשֶׁמְּבִיאִין לוֹ
דִּינָרִין לִרְאוֹת רוֹאֶה, וּכְשֶׁאֵין מְבִיאִין לוֹ יוֹשֵׁב וְתוֹהֶא, נָבוֹן דּוֹמֶה לְשֻׁלְחָנִי תַּגָּר, כְּשֶׁמְּבִיאִין
לוֹ מָעוֹת לִרְאוֹת רוֹאֶה, וּכְשֶׁאֵין מְבִיאִין לוֹ, הוּא מְחַזֵּר וּמֵבִיא מִשֶּׁלּוֹ (ספרי): וִידֻעִים
לְשִׁבְטֵיכֶם. שֶׁהֵם נִכָּרִים לָכֶם, שֶׁאִם בָּא לְפָנַי מְקֻשָּׁף בְּטַלִּיתוֹ, אֵינִי יוֹדֵעַ מִי הוּא וּמֵאֵי
זֶה שֵׁבֶט הוּא, וְאִם שֶׁבֶּן הָגוּן הוּא, אֲבָל אַתֶּם מַכִּירִין בּוֹ, שֶׁאַתֶּם גִּדַּלְתֶּם אוֹתוֹ, לְכָךְ נֶאֱמַר
וִידֻעִים לְשִׁבְטֵיכֶם (ספרי): בְּרָאשֵׁיכֶם. רָאשִׁים וּמְכֻבָּדִים עֲלֵיכֶם — שֶׁתִּהְיוּ נוֹהֲגִין בָּהֶם
כָּבוֹד וְיִרְאָה: וָאֲשִׂימֵם. וְאַשְׁמֵם. חָסֵר יֹו"ד, לִמֵּד שֶׁאַשְׁמוֹתֵיהֶם שֶׁל יִשְׂרָאֵל תְּלוּיוֹת בְּרָאשֵׁי
דַּיָּנֵיהֶם, שֶׁהָיָה לָהֶם לִמְחוֹת וּלְכַוֵּן אוֹתָם לַדֶּרֶךְ הַיְשָׁרָה (ספרי): (יד) וַתַּעֲנוּ אֹתִי וְגו'.
חֲלַטְתֶּם אֶת הַדָּבָר לַהֲנָאַתְכֶם; הָיָה לָכֶם לְהָשִׁיב, מֹשֶׁה רַבֵּנוּ, מִמִּי נָאֶה לִלְמוֹד, מִמְּךָ
אוֹ מִתַּלְמִידְךָ? לֹא מִמְּךָ שֶׁנִּצְטַעֵרְתָּ עָלֶיהָ?! אֶלָּא יָדַעְתִּי מַחְשְׁבוֹתֵיכֶם, הֱיִיתֶם אוֹמְרִים
עַכְשָׁו יִתְמַנּוּ עָלֵינוּ דַּיָּנִין הַרְבֵּה, אִם אֵין מַכִּירֵנוּ, אָנוּ מְבִיאִין לוֹ דּוֹרוֹן וְהוּא נוֹשֵׂא לָנוּ פָנִים
(שם): לַעֲשׂוֹת. אִם הָיִיתִי מִתְעַצֵּל, אַתֶּם אוֹמְרִים עֲשֵׂה מְהֵרָה (שם): (טו) וָאֶקַּח אֶת רָאשֵׁי
שִׁבְטֵיכֶם. מְשַׁכְתִּים — אֲשָׁרֵיכֶם, עַל מִי בָּאתֶם לְהִתְמַנּוֹת? עַל בְּנֵי אַבְרָהָם יִצְחָק וְיַעֲקֹב,
עַל בְּנֵי אָדָם שֶׁנִּקְרְאוּ אַחִים וְרֵעִים, חֵלֶק וְנַחֲלָה, וְכָל לְשׁוֹן חִבָּה (שם): אֲנָשִׁים חֲכָמִים
וִידֻעִים. אֲבָל נְבוֹנִים לֹא מָצָאתִי; זוֹ אַחַת מִשֶּׁבַע מִדּוֹת שֶׁאָמַר יִתְרוֹ לְמֹשֶׁה וְלֹא מָצָא
אֶלָּא שָׁלֹשׁ, אֲנָשִׁים, צַדִּיקִים, וִידֻעִים (שם): רָאשִׁים עֲלֵיכֶם. שֶׁתִּנְהֲגוּ בָהֶם

concerning you! [12]How can I myself alone bear your cumbrance, and your burden, and your strife? [13]Get you wise men, and understanding, and known among your tribes, and I will make them heads over you. [14]And ye answered me, and said, The thing which thou hast spoken *is* good *for us* to do. [15]So I took the heads of your tribes, wise men, and known, and made them heads over you, officers over thousands, and officers over hundreds,

רש"י

by conjecture or hearsay (Siphre). באו ורשו GO IN AND POSSESS [THE LAND] — There is no one who will contest the matter, and you will not need to *wage* war. *Indeed*, had they not sent the spies, *but had trusted in God's promise*, they would not have needed weapons *of war* (cf. Siphre). לאבתיכם [THE LAND WHICH THE LORD SWARE] UNTO YOUR FATHERS ... [TO GIVE TO THEM] — Why does he further mention *their names:* to Abraham, to Isaac, and to Jacob? But *it is to suggest the following: The merit of* Abraham would itself suffice, *that of* Isaac would itself suffice, *that of* Jacob would itself suffice, *that I should give the land to you* (cf. Siphre; see also Rashi on Lev. XXVI. 42). **(9)** ואמר אלכם בעת ההוא לאמר AND I SPAKE UNTO YOU AT THAT TIME, SAYING — What is the force of לאמר, (lit., to say. i. e. being bidden to say)? Moses, *in effect*, said unto them: Not of myself do I tell you *that I am not able to bear you,* but by the bidding of the Holy One, blessed be He[1]) (Siphre). לא אוכל לבדי וגו' I AM NOT ABLE [TO BEAR YOU] ALONE — Is it possible that Moses was not able to judge Israel? The man who brought them forth from Egypt, and divided the sea for them, and made the Manna fall, and collected the quails, was not he able to judge them?! But thus did he say unto them, ה' אלהיכם הרבה אתכם THE LORD YOUR GOD HATH MADE YOU GREAT (הרבה) — He has made you superior to and has placed you higher than your judges, inasmuch as He takes the punishment off you and places it upon your judges *if they could have prevented your wrongdoing and did not do so.* Solomon made a similar statement (namely that the Jewish judge may easily make himself liable to punishment): "For who is able to judge this thy grievous people?" (1 Kings III. 9). Is it possible that he of whom it is said, (ib. V. 11) "He was wiser than all men", should say, "Who is able to judge"? But this did Solomon mean: The judges of this people are not like the judges of other peoples, for if one *of the latter* gives judgment and *wrongly* sentences *a person* to death *by the sword,* or to flagellation, or to strangulation,

NOTES

[1]) See Appendix.

רש״י

or wrests his justice and thus robs him *of his due*, it is regarded as of little importance (lit., there is nothing at all in that); I, however, if I *unjustly* sentence *a person to pay even a sum of* money, my life is required of me, as it is said, (Prov. XXII. 23) "And He robs of their life those who rob them" (Siphre; Sanh. 7a). **(10)** והנכם היום ככוכבי השמים AND, BEHOLD, YE ARE THIS DAY AS THE STARS OF THE HEAVEN — But were they that day as the stars of the heaven? Were they not, indeed, only sixty myriads? What, then, is the meaning of "And, behold, ye are this day (היום lit., the day)"? *It means:* Behold ye may be compared to the day (the sun), existing for ever just as the sun and the moon and the stars (cf. Siphre). **(11)** יסף עליכם ככם אלף פעמים MAY HE ADD TO YOU A THOUSAND TIMES AS MANY MORE AS YE ARE — What is *the force* of *saying* further: ויברך אתכם כאשר דבר לכם AND MAY HE BLESS YOU EVEN AS HE HATH SPOKEN CONCERNING YOU? But *the explanation is:* They said to him, "Moses, you are setting a limit to our blessings (only a thousand times)! The Holy One, blessed be He, has already made a *boundless* promise to Abraham (Gen. XIII. 16) "... if one can count [the dust of the earth, then can thy seed also be counted]"! Moses replied to them: This (a thousand times) is from me (it is my blessing); but may He bless you even as He hath spoken concerning you!" (Siphre). **(12)** איכה אשא לבדי HOW CAN I MYSELF ALONE BEAR [YOUR CUMBRANCE, etc.]? — If I were to say, *"I will do so* in order to receive a reward *for it"*, I may not do so. This is what I have already said to you: not of myself do I tell you *that I am not able to bear you*, but by the bidding of the Holy One, blessed be He (see Rashi v. 9)[1]. טרחכם YOUR CUMBRANCE — *Moses' use of this word regarding them* teaches *us* that the Israelites were troublesome: if one of them perceived that his opponent in a law suit was about to be victor in the case he would say: I have witnesses to bring, *further* proof to adduce, I will add judges to you *who are sitting*. ומשאכם YOUR BURDEN — *this* teaches that they were Epicorsim (that they treated the judges with scant respect): if Moses went forth early *from his tent* they said, "Why does the son of Amram leave *so early*? Perhaps he is not at ease at home?" If he left late, they said, "What do you think? He is sitting and devising evil schemes against you, and is plotting against you". וריבכם AND YOUR STRIFE — *this* teaches that they were *always* litigious (Siphre). **(13)** הבו לכם *means* GET

NOTES

[1]) On verse 9 Rashi explains that Moses said, "I am unable to bear you alone", because he feared the responsibility and the punishment that would fall upon him if he gave wrong judgment. Here, however, he states "How can I alone bear your cumbrance and your burden — all the trouble you give me?" Rashi therefore states that Moses in effect says: Even if I undertook to do so for the sake of receiving a reward for this, I could not, for I am under God's bidding not to do so. — This appears to be the explanation of the Rashi as we have it. Heinemann, however, in his edition of the Biur, states that in a Rashi in his possession the word שכר is missing. The translation would then be: If I thought of accepting the cumbrance and burden of you, I may not do so, etc.

רש"י

YOURSELVES READY for the matter (cf. Rashi on Gen. XI. 3). אנשים MEN — But would it enter your mind *that he would take* w o m e n? Why then does it state *here* m e n? *It means that he should take* r i g h t e o u s , d e s i r a b l e [1]) men (cf. Siphre). חכמים ונבנים WISE AND UNDERSTANDING [MEN] — *i. e.* men who can understand a matter out of (i. e. by comparison with) another matter. — This is what Arius asked R. Jose: what is the difference between wise men and understanding men? A wise man is like a r i c h money changer: when people bring him dinars to examine (to value) he examines them; and when they do not bring to him, he sits and does nothing (he does not go out to seek any). An understanding man, however, is like a m e r c h a n t money changer: when they bring him coins to examine, he examines them; and when they do not bring to him, he goes about and brings of his own money (i. e. he himself buys coins)[2]) (cf. Siphre). וידעים לשבטיכם AND [MEN] KNOWN AMONGST YOUR TRIBES — *i. e.* men who are known to y o u. For if he were to come before m e wrapped in his robe, "I" would not know who he is and of what tribe he is, and whether he is fitted *for the office:* but y o u know him for you have been brought up with him. On this account it states: known amongst your t r i b e s (Siphre). בראשיכם [AND I WILL PLACE THEM] AT YOUR HEADS — *as* chiefs and persons honoured by you, *i. e.*, that ye should pay them respect and reverence. ואשמם — *This word* lacks *the letter* י (after the ש; our editions, however, have it): this teaches that Israel's transgressions (אשם) are placed upon the heads of their judges, because it is their duty to prevent them *from sinning,* and to direct them into the right path (Siphre)[3]). **(14)** ותענו אתי וגו׳ AND YE ANSWERED ME, etc. — You at once decided the matter to your benefit. You should *really* have replied: Our teacher, Moses! From whom is it more fitting to learn, from you or from your disciple? Is it not from y o u who have taken such pains about it? But I knew your thoughts: you said, "M a n y judges will now be appointed over us; if one *of them* does not happen to be an acquaintance of ours, we shall bring him a gift and he will show us favour[4]) (Siphre). לעשות TO DO — If I showed myself remiss, you said: a c t quickly[5]) (Siphre). **(15)** ואקח את ראשי שבטיכם SO I TOOK THE HEADS OF YOUR TRIBES — I took them by *fine* words: Happy are you! Over whom are you about to be appointed? Over the sons of Abraham, Isaac and Jacob — over the sons of people who are called *God's* brethren and friends, *God's* portion and inheritance and *to whom is applied* every *other* expression denoting affection (Siphre; cf. Targ. Jon.). אנשים חכמים וידעים [AND I TOOK] MEN, WISE AND KNOWN — but u n d e r s t a n d i n g men I could not find (Ned. 20b). This, *too,* was one of the seven[6]) qualifications which Jethro mentioned to Moses, but he found only three: men, *i. e.* righteous men, wise and known (Siphre). ראשים עליכם [AND I MADE THEM] HEADS OVER YOU — *i. e.* that you should pay them respect — *regard them as* first

NOTES

For Notes 1—4 see Appendix.

5) The translation is: The matter of which you have spoken is good — there is to do (it should be done, and done q u i c k l y).

6) See Appendix.

וְשָׂרֵי חֲמִשִּׁים וְשָׂרֵי עֲשָׂרֹת וְשֹׁטְרִים לְשִׁבְטֵיכֶם׃
טז וָאֲצַוֶּה אֶת־שֹׁפְטֵיכֶם בָּעֵת הַהִוא לֵאמֹר שָׁמֹעַ
בֵּין־אֲחֵיכֶם וּשְׁפַטְתֶּם צֶדֶק בֵּין־אִישׁ וּבֵין־אָחִיו
וּבֵין גֵּרוֹ׃ יז לֹא־תַכִּירוּ פָנִים בַּמִּשְׁפָּט כַּקָּטֹן כַּגָּדֹל
תִּשְׁמָעוּן לֹא תָגוּרוּ מִפְּנֵי־אִישׁ כִּי הַמִּשְׁפָּט לֵאלֹהִים
הוּא וְהַדָּבָר אֲשֶׁר יִקְשֶׁה מִכֶּם תַּקְרִבוּן אֵלַי
וּשְׁמַעְתִּיו׃ יח וָאֲצַוֶּה אֶתְכֶם בָּעֵת הַהִוא אֵת כָּל־

אונקלוס

רַבָּנֵי אַלְפִין וְרַבָּנֵי מָאוָתָא וְרַבָּנֵי חַמְשִׁין וְרַבָּנֵי עַשׂוֹרְיָתָא וְסָרְכִין לְשִׁבְטֵיכוֹן׃ טז וּפַקֵּדִית יָת דַּיָּנֵיכוֹן בְּעִדָּנָא הַהִיא לְמֵימַר שְׁמַעוּ בֵּין אֲחֵיכוֹן וּתְדוּנוּן קוּשְׁטָא בֵּין גַּבְרָא וּבֵין אֲחוּהִי וּבֵין גִּיּוֹרֵהּ׃ יז לָא תִשְׁתְּמוֹדְעוּן אַפִּין בְּדִינָא מִלֵּי זְעֵירָא כְּרַבָּא תְּקַבְּלוּן לָא תִדְחֲלוּן מִן קֳדָם גַּבְרָא אֲרֵי דִּינָא דַּייָ הוּא וּפִתְגָּמָא דִּי יִקְשֵׁי מִנְּכוֹן תְּקָרְבוּן לְוָתִי וְאֶשְׁמְעִנֵּהּ׃ יח וּפַקֵּדִית יָתְכוֹן בְּעִדָּנָא הַהִיא יָת כָּל פִּתְגָּמַיָּא דִּי

רש"י

כָּבוֹד, רָאשִׁים בְּמֶקַח, רָאשִׁים בְּמִמְכָּר, רָאשִׁים בְּמַשָּׂא וּמַתָּן, נִכְנָס אַחֲרוֹן וְיוֹצֵא רִאשׁוֹן (שם): שרי אלפים. אֶחָד מְמֻנֶּה עַל אֶלֶף: שרי מאות. אֶחָד מְמֻנֶּה עַל מֵאָה: ושטרים מִנִּיתִי עֲלֵיכֶם לשבטיכם; אֵלּוּ הַכּוֹפְתִין וְהַמַּכִּין בִּרְצוּעָה עַל פִּי הַדַּיָּנִין (עי׳ שם): (טז) ואצוה את שפטיכם. אָמַרְתִּי לָהֶם הֱווּ מְתוּנִין בַּדִּין — אִם בָּא דִין לְפָנֶיךָ פַּעַם אַחַת, שְׁתַּיִם, וְשָׁלֹשׁ, אַל תֹּאמַר כְּבָר בָּא דִין לְפָנַי פְּעָמִים הַרְבֵּה, אֶלָּא הֱיוּ נוֹשְׂאִים וְנוֹתְנִים בּוֹ (שם): בעת ההוא. מִשֶּׁמִּנִּיתִים אָמַרְתִּי לָהֶם אֵין עַכְשָׁיו כְּלְשֶׁעָבַר, לְשֶׁעָבַר הֱיִיתֶם בִּרְשׁוּת עַצְמְכֶם, עַכְשָׁיו הֲרֵי אַתֶּם מְשֻׁעְבָּדִים לַצִּבּוּר (שם): שמע. לְשׁוֹן הֹוֶה, אודנ"ט בְּלַעַז, כְּמוֹ זָכוֹר, שָׁמוֹר: ובין גרו. זֶה בַּעַל דִּינוֹ שֶׁאוֹגֵר עָלָיו דְּבָרִים; דָּ"אַ ובין גרו, אַף עַל עִסְקֵי דִירָה בֵּין חֲלוּקַת אַחִים, אֲפִילוּ בֵּין תַּנּוּר לְכִירַיִם (שם; סנה׳ ז׳): (יז) לא תכירו פנים במשפט. זֶה הַמְמֻנֶּה לְהוֹשִׁיב הַדַּיָּנִין, שֶׁלֹּא יֹאמַר אִישׁ פְּלוֹנִי נָאֶה אוֹ גִּבּוֹר, אוֹשִׁיבֶנּוּ דַיָּן, אִישׁ פְּלוֹנִי קְרוֹבִי, אוֹשִׁיבֶנּוּ דַיָּן בָּעִיר, וְהוּא אֵינוֹ בָקִי בְדִינִין, נִמְצָא מְחַיֵּב אֶת הַזַּכַּאי וּמְזַכֶּה אֶת הַחַיָּב, מַעֲלֶה אֲנִי עַל מִי שֶׁמִּנָּהוּ כְּאִלּוּ הִכִּיר פָּנִים בַּדִּין: כקטן כגדל תשמעון. שֶׁיְּהֵא חָבִיב עָלֶיךָ דִּין שֶׁל פְּרוּטָה כְּדִין שֶׁל מֵאָה מָנֶה, שֶׁאִם קָדַם וּבָא לְפָנֶיךָ, לֹא תְסַלְּקֶנּוּ לְאַחֲרוֹן. דָּ"אַ כקטן כגדל תשמעון כְּתַרְגּוּמוֹ, שֶׁלֹּא תֹאמַר זֶה עָנִי הוּא וַחֲבֵרוֹ עָשִׁיר וּמִצְוָה לְפַרְנְסוֹ, אֲזַכֶּה אֶת הֶעָנִי וְנִמְצָא מִתְפַּרְנֵס בִּנְקִיּוּת; דָּ"אַ שֶׁלֹּא תֹאמַר הֵיאַךְ אֲנִי פוֹגֵם כְּבוֹדוֹ שֶׁל עָשִׁיר זֶה בִּשְׁבִיל דִּינָר, אֲזַכֶּנּוּ עַכְשָׁיו, וּכְשֶׁיּוֹצֵא לַחוּץ אוֹמֵר לוֹ תֵּן לוֹ שֶׁאַתָּה חַיָּב לוֹ (שם): לא תגורו מפני איש. לֹא תִירְאוּ; דָּ"אַ לא תגורו לֹא תַכְנִיס דְּבָרֶיךָ מִפְּנֵי אִישׁ, לְשׁוֹן אוֹגֵר בַּקַּיִץ (מש׳ י׳): כי המשפט לאלהים הוא. מַה שֶּׁאַתָּה נוֹטֵל מִזֶּה שֶׁלֹּא כַדִּין, אַתָּה מַזְקִיקֵנִי לְהַחֲזִיר לוֹ, נִמְצָא שֶׁהִטִּיתָ עָלַי הַמִּשְׁפָּט (סנה׳ ח׳): תקרבון אלי. עַל דָּבָר זֶה נִסְתַּלֵּק מִמֶּנּוּ מִשְׁפַּט בְּנוֹת צְלָפְחָד (שם); וְכֵן שְׁמוּאֵל אָמַר לְשָׁאוּל (ש"א ט׳) אָנֹכִי הָרֹאֶה, אָמַר לוֹ הַקָּבָּ"ה חַיֶּיךָ שֶׁאֲנִי מוֹדִיעֲךָ שֶׁאֵין אַתָּה רוֹאֶה, וְאֵימָתַי הוֹדִיעוֹ? כְּשֶׁבָּא לִמְשׁוֹחַ אֶת דָּוִד (ש"א ט"ז) וַיַּרְא אֶת אֱלִיאָב וַיֹּאמֶר אַךְ

and officers over fifties, and officers over tens, and bailiffs among your tribes. [16]And I commanded your judges at that time, saying, Hear *the causes* between your brethren, and judge righteously between *every* man and his brother, and between the stranger with him. [17]Ye shall not respect persons in judgment; *but* ye shall hear the small as well as the great; ye shall not stand in awe of the face of man; for the judgment *is* God's: and the cause that is too hard for you, bring *it* unto me, and I will hear it. [18]And I commanded you at that time all the things

רש"י

in buying, first in selling, first in *all matters of* business — coming *into the Synagogue and House of Study* last and leave first (so that all should rise out of respect)[1]) (cf. Siphre). שרי אלפים *means,* one *officer* who is appointed over o n e thousand. שרי מאות *means,* one who is appointed over o n e hundred. ושטרים AND COURT-OFFICERS — *i. e.,* and *also*[2]) I a p p o i n t e d court-officers over you, לשבטיכם ACCORDING TO YOUR TRIBES — these are they who bind and flog with the lash at the bidding of the judges (cf. Siphre). **(16)** ואצוה את שפטיכם AND I COMMANDED YOUR JUDGES — I said to them: be deliberate in judgment: if a *certain point of* law comes before you once, twice, three times, do not say, "This *point of* law has already come before me several times", but discuss it well *on that occasion also* (Siphre). בעת ההוא [AND I COMMANDED YOUR JUDGES] AT THAT TIME — As soon as I appointed them, I said to them, "It is not now as heretofore: heretofore you were your o w n masters (lit., under your own control), now you are in the service of the C o m m u n i t y!" (Siphre). שמע — *This grammatical form* expresses constant doing: oyant in O. F., *be hearing,* just as זכור and שמור (see Rashi on Num. XXV. 17). ובין גרו AND BETWEEN HIS גר — this is his opponent in the lawsuit who *merely* heapes up (אוגר) words against him[3]). Another explanation of AND BETWEEN HIS גר — also in a matter concerning a dwelling house (גור = to dwell), — in the division *of property* amongst brothers, even if it be *a dispute* about an oven and a kitchen range (cf. Siphre); Sanh. 7b). **(17)** לא תכירו פנים במשפט YE SHALL NOT RESPECT PERSONS IN JUDGMENT — This is *addressed to him* whose office it is to appoint judges — that he should not say, Mr. So-and-so is a fine or a strong man, I will make him a judge; Mr. So-and-so is my relative, I will make him a judge in the city, — whilst, *really,* he is not expert in the laws, *and* consequently he will condemn the innocent and acquit the guilty — I will account it unto him who appointed him as though h e had shown favour in judgment (Siphre). כקטן כגדל תשמעון YE SHALL HEAR THE SMALL AS WELL AS THE GREAT, *i. e.* that a lawsuit regarding a peruta shall be as dear to you (shall be as of equal importance) as a lawsuit regarding a hundred maneh — that if it (the former) comes before you first, you should not set it aside until the last (Sanh. 8a). — Another explanation of YE SHALL HEAR THE SMALL AS WELL AS THE GREAT — *Understand it* as the Targum *has it: Ye shall hearken unto the words of the small as to those of the great*[4]) — *i. e.* that you should not say: This is a poor man and his fellow (opponent) is rich, and is *in any case* bidden to support him; I will find in favour of the poor man, and he will consequently obtain some support in a respectable fashion (see Rashi on Lev. XIX. 15). — Another explanation is: that you should not say, "How can I offend against the honour of this rich man because of one dinar? I will for the moment decide in his favour, and when he goes outside (leaves the court) I will say to him, 'Give it to him because *i n f a c t* you owe it to him'" (Siphre). לא תגורו מפני איש *means:* YE SHALL NOT FEAR [ANY MAN]. — Another explanation of לא תגורו: Ye shall not gather in (shall not restrain) your words before any man. *The word has* the same meaning as *in* (Prov. X. 5), "Gathering (אוגר) in summer" (cf. Sanh. 8a).

NOTES

For Notes 1—4 see Appendix.

הַדְּבָרִים אֲשֶׁר תַּעֲשׂוּן: יט וַנִּסַּע מֵחֹרֵב וַנֵּלֶךְ אֵת
כָּל־הַמִּדְבָּר הַגָּדוֹל וְהַנּוֹרָא הַהוּא אֲשֶׁר רְאִיתֶם
דֶּרֶךְ הַר הָאֱמֹרִי כַּאֲשֶׁר צִוָּה יְהוָה אֱלֹהֵינוּ אֹתָנוּ
וַנָּבֹא עַד קָדֵשׁ בַּרְנֵעַ: כ וָאֹמַר אֲלֵכֶם בָּאתֶם עַד־
הַר הָאֱמֹרִי אֲשֶׁר־יְהוָה אֱלֹהֵינוּ נֹתֵן לָנוּ: כא רְאֵה
נָתַן יְהוָה אֱלֹהֶיךָ לְפָנֶיךָ אֶת־הָאָרֶץ עֲלֵה רֵשׁ
כַּאֲשֶׁר דִּבֶּר יְהוָה אֱלֹהֵי אֲבֹתֶיךָ לָךְ אַל־תִּירָא
וְאַל־תֵּחָת: שלישי כב וַתִּקְרְבוּן אֵלַי כֻּלְּכֶם וַתֹּאמְרוּ
נִשְׁלְחָה אֲנָשִׁים לְפָנֵינוּ וְיַחְפְּרוּ־לָנוּ אֶת־הָאָרֶץ
וְיָשִׁבוּ אֹתָנוּ דָּבָר אֶת־הַדֶּרֶךְ אֲשֶׁר נַעֲלֶה־בָּהּ וְאֵת
הֶעָרִים אֲשֶׁר נָבֹא אֲלֵיהֶן: כג וַיִּיטַב בְּעֵינַי הַדָּבָר

אונקלוס

תַּעְבְּדוּן: יט וּנְטַלְנָא מֵחֹרֵב וְהַלֵּיכְנָא יָת כָּל מַדְבְּרָא רַבָּא וּדְחִילָא הַהוּא דִּי חֲזֵיתוּן אֹרַח טוּרָא דֶּאֱמֹרָאָה כְּמָא דִּי פַקִּיד יְיָ אֱלָהָנָא יָתָנָא וַאֲתֵינָא עַד רְקַם גֵּיאָה: כ וַאֲמָרִית לְכוֹן אֲתֵיתוּן עַד טוּרָא דֶּאֱמֹרָאָה דַּייָ אֱלָהָנָא יָהֵב לָנָא: כא חֲזִי יְהַב יְיָ אֱלָהָךְ קֳדָמָךְ יָת אַרְעָא סַק אַחְסֵן כְּמָא דִּי מַלִּיל אֱלָהָא דַּאֲבָהָתָךְ לָךְ לָא תִדְחַל וְלָא תִתְּבַר: כב וּקְרֶבְתּוּן לְוָתִי כֻּלְּכוֹן וַאֲמַרְתּוּן נִשְׁלַח גֻּבְרִין קֳדָמַנָא וִיאַלְּלוּן לָנָא יָת אַרְעָא וִיתִיבוּן יָתָנָא פִּתְגָּמָא יָת אָרְחָא דִּי נִסַּק בַּהּ וְיָת קִרְוַיָּא דִּי נֵעוֹל לְוָתְהוֹן: כג וּשְׁפַר בְּעֵינַי פִּתְגָּמָא וּדְבָרִית מִנְּכוֹן תְּרֵין עֲשַׂר גֻּבְרִין גֻּבְרָא חַד לְשִׁבְטָא:

רש״י

נֶגֶד ה׳ מְשִׁיחוֹ, אָמַר לוֹ הַקָּבָּ״ה וְלֹא אָמַרְתָּ אָנֹכִי הָרֹאֶה? אַל תַּבֵּט אֶל מַרְאֵהוּ (ספרי): (יח) את כל הדברים אשר תעשון. אֵלּוּ עֲשֶׂרֶת הַדְּבָרִים שֶׁבֵּין דִּינֵי מָמוֹנוֹת לְדִינֵי נְפָשׁוֹת (שם): (יט) המדבר הגדול והנורא. שֶׁהָיוּ בוֹ נְחָשִׁים כִּקוֹרוֹת, וְעַקְרַבִּים כִּקְשָׁתוֹת (שם): (כב) ותקרבון אלי כלכם. בְּעִרְבּוּבְיָא; וּלְהַלָּן הוּא אוֹמֵר (דב׳ ה׳) וַתִּקְרְבוּן אֵלַי כָּל רָאשֵׁי שִׁבְטֵיכֶם וְזִקְנֵיכֶם וַתֹּאמְרוּ הֵן הֶרְאָנוּ וְגו׳, אוֹתָהּ קְרִיבָה הָיְתָה הוֹגֶנֶת — יְלָדִים מְכַבְּדִים אֶת הַזְּקֵנִים וּשְׁלָחוּם לִפְנֵיהֶם, וּזְקֵנִים מְכַבְּדִים אֶת הָרָאשִׁים לָלֶכֶת לִפְנֵיהֶם, אֲבָל כָּאן וַתִּקְרְבוּן אֵלַי כֻּלְּכֶם בְּעִרְבּוּבְיָא — יְלָדִים דּוֹחֲפִין אֶת הַזְּקֵנִים, וּזְקֵנִים דּוֹחֲפִין אֶת הָרָאשִׁים (ספרי): וישבו אתנו דבר. בְּאֵיזֶה לָשׁוֹן הֵם מְדַבְּרִים: את הדרך אשר נעלה בה. אֵין דֶּרֶךְ שֶׁאֵין בָּהּ עֲקַמִּימוּת: ואת הערים אשר נבא אליהן תְּחִלָּה לִכְבּוֹשׁ (שם): (כג) וייטב בעיני הדבר. בְּעֵינַי וְלֹא בְּעֵינֵי הַמָּקוֹם; וְאִם בְּעֵינֵי מֹשֶׁה הָיָה טוֹב לָמָּה אֲמָרָהּ בְּתוֹכָחוֹת? מָשָׁל לְאָדָם שֶׁאוֹמֵר לַחֲבֵרוֹ מְכוֹר לִי חֲמוֹרְךָ זֶה, אָמַר לוֹ הֵן, נוֹתְנוֹ אַתָּה לִי לְנִסָּיוֹן? אָמַר לוֹ הֵן, בֶּהָרִים וּבַגְּבָעוֹת? אָמַר לוֹ הֵן, כֵּיוָן שֶׁרָאָה שֶׁאֵין

which ye should do. [19]And when we journeyed from Horeb, we went through all that great and fearful desert, which ye saw by the way of the mountain of the Amorites, as the Eternal our God commanded us; and we came to Kadesh-barnea. [20]And I said unto you, You are come unto the mountain of the Amorites, which the Eternal our God doth give unto us. [21]Behold, the Eternal, thy God hath set the land before thee: go up *and* possess *it*, as the Eternal God of thy fathers hath said unto thee: fear not, neither be dismayed. [22]And ye approached unto me all of ye, and said, We will send men before us, and they shall search us out the land, and bring us word again by what way we must go up, and into what cities we shall come. [23]And the thing pleased me well,

רש"י

כי המשפט לאלהים הוא FOR THE JUDGMENT IS GOD'S — Whatever you take from this man unjustly you will compel Me to restore to him; it follows, therefore, that you have wrested judgment against M e (Sanh. 8a). תקרבון אלי [AND THE CAUSE THAT IS TOO HARD FOR YOU] BRING TO ME [AND I WILL HEAR IT] — On account of this utterance (that h e could decide difficult cases) the law regarding the daughters of Zelophehad evaded him (Sanh. 8a; see Rashi on Num. XXVII. 5). Similarly, Samuel said to Saul (1 Sam. IX. 19), "I" am the seer. Whereupon the Holy One, blessed be He, said to him, "By your life, I will let you know that you are n o t a seer". And when did he let him know *this?* When he came to anoint David. *For Scripture states*, (1 Sam. XVI. 6, 7) "And when he saw Eliab he said, Surely before the Lord stands his anointed one". The Holy One, blessed be He, said to him: "Did you not say, "I" am the seer? Look not at the outward appearance" (Siphre)[1]). **(18)** את כל הדברים אשר תעשון [AND I COMMANDED YOU ...] ALL THE THINGS THAT YE SHOULD DO — These are the ten things *that constitute the difference* between civil cases and capital cases (Siphre; cf. Sanh. 32a)[2]). **(19)** המדבר הגדול והנורא [THAT]. GREAT AND FEARFUL WILDERNESS — *It is termed fearful* because there were in it serpents *thick* as beams and scorpions as bows (Siphre). **(22)** ותקרבון אלי כלכם AND YE APPROACHED ME ALL OF YOU — *a l l o f y o u:* in a crowd. But further on (V. 20, 21) it states, "Ye approached me, even all the heads of your tribes, and your elders, and ye said, Behold [the Eternal our God] hath shown us [His glory and His greatness]": T h a t a p p r o a c h *to me* was a fitting one — young people showing respect to *their* elders, letting these precede them, and the elders showing respect to the heads *of the tribes* that t h e s e should precede t h e m. Here, however, ye approached me, a l l o f y o u , in a crowd, the young pushing aside *their* elders, the elders pushing aside the heads (Siphre). וישבו אתנו דבר AND THEY SHALL BRING US WORD — *i. e. they shall report to us* in what language they speak. את הדרך אשר נעלה בה BY WHAT WAY WE MUST GO UP — you will *rarely* find a road in which there is not some zigzag course[3]). ואת הערים אשר נבא אליהן AND UNTO WHAT CITIES WE SHALL COME first to capture them (cf. Siphre). **(23)** וייטב בעיני הדבר AND THE MATTER WAS GOOD IN MY SIGHT — in m y sight, *said Moses,* but not in the sight of the Omnipresent God. — But if it was good in Moses' sight why did he mention it in *these* reproofs? A parable! *It may be compared* to *the case of* a man who says to his fellow, "Sell me this ass of yours". He replies to him, "Yes". *He asks him,* "Will you give it to me on trial?" He replies: "Yes". — "*May I try it* on hills and mountains?" *Again* he replies, "Yes". — When he sees that he puts no obstacles in his way, the *would-be* purchaser says to himself: "This man is quite confident

NOTES

For Notes 1—2 see Appendix.

3) Such roads they wished to avoid and therefore the spies, who were to traverse the land, were to advise them of the roads they were to follow.

וָאֶקַּח מִכֶּם שְׁנֵים עָשָׂר אֲנָשִׁים אִישׁ אֶחָד לַשָּׁבֶט׃ כד וַיִּפְנוּ וַיַּעֲלוּ הָהָרָה וַיָּבֹאוּ עַד־נַחַל אֶשְׁכֹּל וַיְרַגְּלוּ אֹתָהּ׃ כה וַיִּקְחוּ בְיָדָם מִפְּרִי הָאָרֶץ וַיּוֹרִדוּ אֵלֵינוּ וַיָּשִׁבוּ אֹתָנוּ דָבָר וַיֹּאמְרוּ טוֹבָה הָאָרֶץ אֲשֶׁר־יְהוָה אֱלֹהֵינוּ נֹתֵן לָנוּ׃ כו וְלֹא אֲבִיתֶם לַעֲלֹת וַתַּמְרוּ אֶת־פִּי יְהוָה אֱלֹהֵיכֶם׃ כז וַתֵּרָגְנוּ בְאָהֳלֵיכֶם וַתֹּאמְרוּ בְּשִׂנְאַת יְהוָה אֹתָנוּ הוֹצִיאָנוּ מֵאֶרֶץ מִצְרָיִם לָתֵת אֹתָנוּ בְּיַד הָאֱמֹרִי לְהַשְׁמִידֵנוּ׃ כח אָנָה ׀ אֲנַחְנוּ עֹלִים אַחֵינוּ הֵמַסּוּ אֶת־לְבָבֵנוּ לֵאמֹר עַם גָּדוֹל וָרָם מִמֶּנּוּ עָרִים גְּדֹלֹת וּבְצוּרֹת בַּשָּׁמָיִם וְגַם־בְּנֵי עֲנָקִים רָאִינוּ שָׁם׃ כט וָאֹמַר אֲלֵכֶם לֹא־תַעַרְצוּן וְלֹא־תִירְאוּן

אונקלוס

כד ואתפניו וסליקו לטורא ואתו עד נחלא דאתכלא ואלילו יתה: כה ונסיבו בידיהון מאבא דארעא ואחיתו לנא ואתיבו יתנא פתגמא ואמרו טבא ארעא דיי אלהנא יהיב לנא: כו ולא אביתון למסק וסרבתון על גזירת מימרא דיי אלהכון: כז ואתרעמתון במשכניכון ואמרתון בדסני יי יתנא אפקנא מארעא דמצרים למסר יתנא בידא דאמוראה לשציותנא: כח לאן אנחנא סלקין אחנא תברו ית לבנא למימר עם סני ותקיף מננא קרוין רברבן וכריכן עד צית שמיא ואף בני

רש״י

מעכבו כלום, אמר הלוקח בלבו בטוח הוא זה שלא אמצא בו מום, מיד אמר לו טול מעותיך איני מנסהו מעתה, אף אני הודיתי לדבריכם, שמא תחזרו בכם כשתראו שאיני מעכב, ואתם לא חזרתם בכם (ספרי): ואקח מכם. מן הברורים שבכם, מן המסלתים שבכם (שם): שנים עשר אנשים איש אחד לשבט. מגיד שלא היה שבט לוי עמהם (שם): (כד) עד נחל אשכל. מגיד שנקרא על שם סופו (שם): וירגלו אתה. מלמד שהלכו בה ארבעה אמנין שתי וערב (שם): (כה) ויורדו אלינו. מגיד שארץ ישראל גבוהה מכל הארצות (שם): ויאמרו טובה הארץ. מי הם שאמרו טובתה? יהושע וכלב (שם): (כו) ותמרו. לשון התרסה – התרסתם כנגד מאמרו: (כז) ותרגנו. לשון הרע, וכן דברי נרגן (מש׳ י״ח) – אדם המוציא דבה: בשנאת ה׳ אתנו. והוא היה אוהב אתכם, אבל אתם שונאים אותו; משל הדיוט אומר מה דבלבך על רחמך מה דבלביה עלך (ספרי): בשנאת ה׳ אתנו הוציאנו מארץ מצרים. הוצאתו לשנאה היתה; משל למלך בשר ודם שהיו לו שני בנים ויש לו שתי שדות, אחת של שקיא ואחת של בעל, למי שהוא אוהב נותן של שקיא, ולמי שהוא שונא נותן לו של בעל, ארץ מצרים של שקיא היא, שנילוס עולה ומשקה אותה, וארץ כנען של בעל, והוציאנו ממצרים לתת לנו את ארץ

and I took twelve men of you, one man out of a tribe: [24]And they turned and went up into the mountain, and came unto the brook of Eshcol, and spied it out. [25]And they took of the fruit of the land in their hands, and brought *it* down unto us, and brought us word again, and said, *It is* a good land which the Eternal our God doth give us. [26]Notwithstanding ye would not go up, but rebelled against the commandment of the Eternal your God: [27]And ye murmured in your tents, and said, Because the Eternal hated us, he hath brought us forth out of the land of Egypt, to give us into the hand of the Amorites, to exterminate us. [28]Whither shall we go up? our brethren have discouraged our heart, saying, The people *is* greater and loftier than we; the cities *are* great and fortified to heaven; and moreover we have seen the sons of the Anakim there. [29]Then I said unto you, Be not terrified, neither be afraid

רש"י

that I shall not find any defect in it", and he at once says to him, "Take your money, I need not now put it to trial". I, too, consented to your words, *thinking* that you would perhaps turn back on yourselves (re-consider the question of sending spies) when you saw that I put no obstacle in your way, but you did n o t re-consider (Siphre). ואקח מכם AND I TOOK OF YOU — of the choicest that were amongst you, of the finest that were amongst you (Siphre). שנים עשר אנשים איש אחד לשבט [AND I TOOK] . . . TWELVE MEN, ONE MAN FOR A TRIBE — *This* (the statement: "twelve men") tells *us* that the tribe of Levi was not with them *in this request* (Siphre; cf. Rashi on Num. XXXI. 4). **(24)** עד נחל אשכל [AND THEY CAME] TO THE BROOK OF ESHCOL — *This* tells *us* that it was *so* called on account of what was e v e n t u a l l y to happen there *viz., that they took from there a cluster* (אשכל) *of grapes* (Siphre). וירגלו אתה AND THEY SPIED IT OUT — *This* teaches *us* that they passed through it along four lines, along the length and the breadth (Siphre; cf. Rashi on Num. XIII. 21)[1]). **(25)** ויורדו אלינו AND THEY BROUGHT IT DOWN TO US — *This* tells *us* that the land of Israel is *situated* higher than all *other* countries (Siphre). ויאמרו טובה הארץ AND THEY SAID, THE LAND IS GOOD — Who were they who spake of it being good? Joshua and Caleb (Siphre)[2]). **(26)** ותמרו — *This is* an expression denoting setting oneself in opposition: ye opposed yourselves to His words. **(27)** ותרגנו — *This is* an expression denoting slander. Similar is, (Prov. XVIII. 8) "The words of a נרגן" *i.e.* of a man who brings a false report (cf. Siphre). בשנאת ה׳ אתנו BECAUSE THE LORD HATETH US — *Really, however,* He l o v e d you, but you hated H i m. A common proverb says: What is in your own mind about your friend, *you imagine is* what is in his mind about you (Siphre). בשנאת ה׳ אתנו הוציאנו מארץ מצרים BECAUSE THE LORD HATETH US HE HATH BROUGHT US FORTH FROM THE LAND OF EGYPT — His bringing *us* forth was out of hatred[3]). A parable! *It may be compared* to an earthly king who had two sons, and who had two fields, one well-watered, the other arid (dependent upon rain only). To him whom he loved best *of his sons* he gave the well-watered field, and to him whom he loved less he gave the arid one. The land of Egypt is a well-

NOTES

[1]) See Appendix.

[2]) It states afterwards, "But ye would not go up". If all the spies had agreed that the land was good, there would have been no reason why they should refuse. Consequently Rashi points out that when Moses states that they said it was a good land, he had not in mind that they had reported that it was a land flowing with milk and honey (Num. XIII. 27), but he refers to the encouragement offered by Joshua and Caleb who stated (ib. XIV. 7): "The land is a very good (טובה) land".

[3]) See Appendix.

מֵהֶם׃ ל יְהוָה אֱלֹהֵיכֶם הַהֹלֵךְ לִפְנֵיכֶם הוּא יִלָּחֵם
לָכֶם כְּכֹל אֲשֶׁר עָשָׂה אִתְּכֶם בְּמִצְרַיִם לְעֵינֵיכֶם׃
לא וּבַמִּדְבָּר אֲשֶׁר רָאִיתָ אֲשֶׁר נְשָׂאֲךָ יְהוָה אֱלֹהֶיךָ
כַּאֲשֶׁר יִשָּׂא־אִישׁ אֶת־בְּנוֹ בְּכָל־הַדֶּרֶךְ אֲשֶׁר
הֲלַכְתֶּם עַד־בֹּאֲכֶם עַד־הַמָּקוֹם הַזֶּה׃ לב וּבַדָּבָר
הַזֶּה אֵינְכֶם מַאֲמִינִם בַּיהוָה אֱלֹהֵיכֶם׃ לג הַהֹלֵךְ
לִפְנֵיכֶם בַּדֶּרֶךְ לָתוּר לָכֶם מָקוֹם לַחֲנֹתְכֶם בָּאֵשׁ
לַיְלָה לַרְאֹתְכֶם בַּדֶּרֶךְ אֲשֶׁר תֵּלְכוּ־בָהּ וּבֶעָנָן יוֹמָם׃
לד וַיִּשְׁמַע יְהוָה אֶת־קוֹל דִּבְרֵיכֶם וַיִּקְצֹף וַיִּשָּׁבַע
לֵאמֹר׃ לה אִם־יִרְאֶה אִישׁ בָּאֲנָשִׁים הָאֵלֶּה הַדּוֹר
הָרָע הַזֶּה אֵת הָאָרֶץ הַטּוֹבָה אֲשֶׁר נִשְׁבַּעְתִּי לָתֵת
לַאֲבֹתֵיכֶם׃ לו זוּלָתִי כָּלֵב בֶּן־יְפֻנֶּה הוּא יִרְאֶנָּה וְלוֹ־

אונקלוס

גִּבָּרֵי חֲזֵינָא תַמָּן׃ כט וַאֲמָרִית לְכוֹן לָא תִתָּבְרוּן וְלָא תִדְחֲלוּן מִנְּהוֹן׃ ל יְיָ אֱלָהֲכוֹן
דִּמְדַבַּר קֳדָמֵיכוֹן מֵימְרֵיהּ יְגִיחַ לְכוֹן כְּכֹל דִּי עֲבַד עִמְּכוֹן בְּמִצְרַיִם לְעֵינֵיכוֹן׃
לא וּבְמַדְבְּרָא דִּי חֲזֵיתָא דִּי סוֹבְרָךְ יְיָ אֱלָהָךְ כְּמָא דִּי מְסוֹבַר גְּבַר יָת בְּרֵהּ בְּכָל
אָרְחָא דִּי הַלֶּכְתּוּן עַד מֵיתֵיכוֹן עַד אַתְרָא הָדֵין׃ לב וּבְפִתְגָּמָא הָדֵין לֵיתֵיכוֹן
מְהֵימְנִין בְּמֵימְרָא דַּייָ אֱלָהֲכוֹן׃ לג דִּי מְדַבַּר קֳדָמֵיכוֹן בְּאָרְחָא לְאַתְקָנָא לְכוֹן אֲתַר
בֵּית מֵישְׁרֵי לְאַשְׁרָיוּתְכוֹן בְּעַמּוּדָא דְּאֶשָּׁתָא בְּלֵילְיָא לְאַחֲזָיוּתְכוֹן בְּאָרְחָא דִּי תְהָכוּן
בַּהּ וּבְעַמּוּדָא דַּעֲנָנָא בִּימָמָא׃ לד וּשְׁמִיעַ קֳדָם יְיָ יָת קָל פִּתְגָּמֵיכוֹן וּרְגֵז וְקַיֵּים לְמֵימָר׃
לה אִם יֶחֱזֵי גְּבַר בְּגֻבְרַיָּא הָאִלֵּין דָּרָא בִישָׁא הָדֵין יָת אַרְעָא טַבְתָא דִּי קַיֵּימִית לְמִתַּן
לַאֲבָהָתְכוֹן׃ לו אֱלָהֵן כָּלֵב בַּר יְפֻנֶּה הוּא יֶחֱזִנַּהּ וְלֵהּ אֶתֵּן יָת אַרְעָא דִּי דְרַךְ בַּהּ

רש״י

כְּנָעַן (במ״ר י״ז)׃ (כח) ערים גדלת ובצורת בשמים. דִּבְּרוּ הַכְּתוּבִים לְשׁוֹן הֲבַאי (ספרי; חולי׳ צ׳)׃ (כט) לא תערצון. לְשׁוֹן שְׁבִירָה, כְּתַרְגּוּמוֹ, וְדוֹמֶה לוֹ (איוב ל׳) בַּעֲרוּץ נְחָלִים לִשְׁכֹּן — בְּשִׁבּוּר נְחָלִים׃ (ל) ילחם לכם. בִּשְׁבִילְכֶם׃ (לא) ובמדבר אשר ראית. מוּסָב עַל מִקְרָא שֶׁלְּמַעְלָה הֵימֶנּוּ — ככל אשר עשה אתכם במצרים, וְעָשָׂה אַף במדבר אשר ראית אשר נשאך וגו׳׃ כאשר ישא איש את בנו. כְּמוֹ שֶׁפֵּרַשְׁתִּי אֵצֶל וַיִּסַּע מַלְאַךְ הָאֱלֹהִים הַהֹלֵךְ לִפְנֵי מַחֲנֵה יִשְׂרָאֵל וְגוֹ׳ (שמ׳ י״ד) מָשָׁל לִמְהַלֵּךְ בַּדֶּרֶךְ וּבְנוֹ לְפָנָיו, בָּאוּ לִסְטִים לִשְׁבּוֹתוֹ, וְכוּ׳׃ (לב) ובדבר הזה — שֶׁהוּא מַבְטִיחֲכֶם לַהֲבִיאֲכֶם אֶל הָאָרֶץ —

of them. [30]The Eternal your God who goeth before you, he shall fight for you, according to all that he did for you in Egypt before your eyes: [31]And in the desert, where thou hast seen how that the Eternal thy God bare thee, as a man doth bear his son, in all the way that ye went, until ye came into this place. [32]Yet in this thing ye did not believe the Eternal your God, [33]Who went in the way before you, to search you out a place to encamp *in*, in fire by night, to show you by what way ye should go, and in a cloud by day. [34]And the Eternal heard the voice of your words, and was angry, and sware, saying, [35]If one of these men of this evil generation see that good land, which I sware to give unto your fathers, [36]Save Caleb the son of Jephunneh: he shall see it, and to him

רש"י

watered country, for the Nile rises and irrigates it, whilst the land of Canaan is an arid country — and He brought us forth from *well-watered* Egypt to give us the *arid* land of Canaan (Bam. R. 17). **(28)** ערים גדלת ובצורת בשמים THE CITIES ARE GREAT AND FORTIFIED TO HEAVEN — Scriptural texts *sometimes* speak in exaggerated terms (Siphre; Chul. 90b). **(29)** לא תערצון — *This is* an expression denoting breaking, as the Targum *translates it: You should not let yourselves be broken by them.* Similar to it is, (Job XXX. 6) "To dwell in ערוץ נחלים", *i. e.* in the fissure of the valleys. **(30)** ילחם לכם *means*, [HE WILL FIGHT] ON YOUR BEHALF. **(31)** ובמדבר אשר ראית — This is to be connected with the verse preceding: "according to all that He did for you in Egypt" "and" which He also did "in the wilderness, where thou hast seen how that [the Lord thy God] bore thee, etc.". כאשר ישא איש את בנו AS A MAN DOTH BEAR HIS SON — *The meaning is* just as I have explained in connection with *the verse* (Ex. XIV. 19—20), "And the angel of the Lord that went before the camp of the Israelites moved, etc.". A parable! *It may be compared* to one who is proceeding on a journey, his son *walking* in front of him. If now brigands came to take him (the son) captive, *he takes him away from in front of him and places him behind himself, etc.* **(32)** ובדבר הזה YET IN REGARD TO THIS THING that He promised you, *viz.*, to bring you to the Land, you did not

אֶתֵּן אֶת־הָאָרֶץ אֲשֶׁר דָּֽרַךְ־בָּהּ וּלְבָנָיו יַעַן אֲשֶׁר
מִלֵּא אַחֲרֵי יְהֹוָה: לז גַּם־בִּי הִתְאַנַּף יְהֹוָה בִּגְלַלְכֶם
לֵאמֹר גַּם־אַתָּה לֹא־תָבֹא שָׁם: לח יְהוֹשֻׁעַ בִּן־נוּן
הָעֹמֵד לְפָנֶיךָ הוּא יָבֹא שָׁמָּה אֹתוֹ חַזֵּק כִּי־הוּא
יַנְחִלֶנָּה אֶת־יִשְׂרָאֵל: רביעי לט וְטַפְּכֶם אֲשֶׁר
אֲמַרְתֶּם לָבַז יִהְיֶה וּבְנֵיכֶם אֲשֶׁר לֹא־יָדְעוּ הַיּוֹם
טוֹב וָרָע הֵמָּה יָבֹאוּ שָׁמָּה וְלָהֶם אֶתְּנֶנָּה וְהֵם
יִירָשׁוּהָ: מ וְאַתֶּם פְּנוּ לָכֶם וּסְעוּ הַמִּדְבָּרָה דֶּרֶךְ
יַם־סוּף: מא וַתַּעֲנוּ ׀ וַתֹּאמְרוּ אֵלַי חָטָאנוּ לַיהֹוָה
אֲנַחְנוּ נַעֲלֶה וְנִלְחַמְנוּ כְּכֹל אֲשֶׁר־צִוָּנוּ יְהֹוָה אֱלֹהֵינוּ
וַתַּחְגְּרוּ אִישׁ אֶת־כְּלֵי מִלְחַמְתּוֹ וַתָּהִינוּ לַעֲלֹת
הָהָרָה: מב וַיֹּאמֶר יְהֹוָה אֵלַי אֱמֹר לָהֶם לֹא תַעֲלוּ
וְלֹא תִלָּחֲמוּ כִּי אֵינֶנִּי בְּקִרְבְּכֶם וְלֹא תִּנָּגְפוּ לִפְנֵי

אונקלוס

וְלִבְנוֹהִי חֲלַף דִּי אַשְׁלִים בָּתַר דַּחַלְתָּא דַיָי: לז אַף עֲלַי הֲוָה רְגַז מִן קֳדָם יְיָ בְּדִילְכוֹן
לְמֵימַר אַף אַתְּ לָא תֵעוּל תַּמָּן: לח יְהוֹשֻׁעַ בַּר נוּן דְּקָאֵם קֳדָמָךְ הוּא יֵעוּל תַּמָּן יָתֵהּ
תַּקֵּף אֲרֵי הוּא יַחְסְנִנַּהּ לְיִשְׂרָאֵל: לט וְטַפְלְכוֹן דִּי אֲמַרְתּוּן לְבִזָּא יְהוֹן וּבְנֵיכוֹן דִּי
לָא יָדְעוּ יוֹמָא דֵין טַב וּבִישׁ אִנּוּן יֵעֲלוּן לְתַמָּן וּלְהוֹן אֶתְּנִנַּהּ וְאִנּוּן יֵירְתֻנַּהּ: מ וְאַתּוּן
אִתְפְּנוּ לְכוֹן וְטוּלוּ לְמַדְבְּרָא אֹרַח יַמָּא דְסוּף: מא וַאֲתֵבְתּוּן וַאֲמַרְתּוּן לִי חַבְנָא קֳדָם
יְיָ אֲנַחְנָא נִסַּק וּנְגִיחַ בַּהּ קְרָב כְּכֹל דִּי פַקְּדָנָא יְיָ אֱלָהָנָא וְזָרֶזְתּוּן גְּבַר יָת מָנֵי קְרָבֵהּ
וְשָׁרֵיתוּן לְמִסַּק לְטוּרָא: מב וַאֲמַר יְיָ לִי אֱמַר לְהוֹן לָא תִסְקוּן וְלָא תְגִיחוּן קְרָב אֲרֵי

רש"י

אֵינְכֶם מַאֲמִינִים בּוֹ: (לג) לראתכם. כְּמוֹ לְהַרְאוֹתְכֶם, וְכֵן (שמ׳ י״ג) לַנְחֹתָם הַדֶּרֶךְ, וְכֵן
(תה׳ כ״ו) לַשְׁמִעַ בְּקוֹל תּוֹדָה, וְכֵן (מ״ב ט׳) לָלֶכֶת לַנִּיד בְּיִזְרְעֶאל: (לו) אשר דרך בה.
חֶבְרוֹן; שֶׁנֶּאֱמַר (במ׳ י״ג) וַיָּבֹא עַד חֶבְרוֹן: (לז) התאנף. נִתְמַלֵּא רוֹגֶז: (מ) פנו לכם.
אָמַרְתִּי לְהַעֲבִיר אֶתְכֶם דֶּרֶךְ רֹחַב אֶרֶץ אֱדוֹם לְצַד צָפוֹן לִכָּנֵס לָאָרֶץ, קִלְקַלְתֶּם וּגְרַמְתֶּם
לָכֶם עִכּוּב: פנו לכם. לַאֲחוֹרֵיכֶם וְתֵלְכוּ בַּמִּדְבָּר לְצַד יַם סוּף — שֶׁהַמִּדְבָּר שֶׁהָיוּ
מְהַלְּכִים בּוֹ לִדְרוֹמוֹ שֶׁל הַר שֵׂעִיר הָיָה מַפְסִיק בֵּין יַם סוּף לְהַר שֵׂעִיר — עַתָּה הִמָּשְׁכוּ
לְצַד הַיָּם וְתִסְבְּבוּ אֶת הַר שֵׂעִיר כָּל דְּרוֹמוֹ מִן הַמַּעֲרָב לַמִּזְרָח: (מא) ותהינו. לְשׁוֹן
הִנֶּנּוּ וְעָלִינוּ אֶל הַמָּקוֹם (במ׳ י״ד), זֶה הַלָּשׁוֹן שֶׁאֲמַרְתֶּם לְשׁוֹן הֵן, כְּלוֹמַר נִזְדַּמַּנְתֶּם:

will I give the land that he hath trodden upon, and to his children, because he hath wholly followed the Eternal. ... [37]Also the Eternal was wroth with me for your sakes, saying, Thou also shalt not go in thither. [38]*But* Joshua the son of Nun, who standeth before thee, he shall go in thither: strengthen him: for he shall cause Israel to inherit it. [39]Moreover your little ones, whom ye said should be a prey, and your children, who in that day did not know between good and evil, they shall go in thither, and unto them will I give it, and they shall possess it. [40]But *as for* you, turn ye, and journey into the desert by the way of the Red sea. [41]Then ye answered and said unto me, We have sinned against the Eternal, we will go up and fight, according to all that the Eternal our God commanded us. And when ye had girded on every man his weapon of war, ye insisted to go up into the mountain. [42]And the Eternal said unto me, Say unto them, Go not up, neither fight; for I *am* not among you; lest ye be smitten before

רש"י

believe in Him (because the promise has not yet been fulfilled). **(33)** לראתכם — *This word* is the same as לְהַרְאֹתְכֶם. Similar, too, is לנחתם הדרך (for לְהַנְחֹתָם; see Rashi on Ex. XIII. 21). So also (Ps. XXVI. 7) לשמיע בקול תודה (for לְהַשְׁמִיעַ) and so, also, (2 Kings IX. 15) ללכת לגיד ביזרעל (for לְהַגִּיד). **(36)** אשר דרך בה [AND TO HIM WILL I GIVE THE LAND] THAT HE TROD UPON — *viz.*, Hebron, as it is said, (Num. XIII. 22) "And he (Caleb) came to Hebron". **(37)** התאנף *means* HE WAS FILLED WITH ANGER. **(40)** פנו לכם TURN YE — I thought to let you pass across the breadth of the land of Edom in a northerly direction and thus enter the Land (cf. Rashi on Num. XXXIV. 3); you, however, became degenerate and caused *this* delay for yourselves. פנו לכם TURN YE backwards, and proceed through the wilderness towards the Red Sea; — for the wilderness through which they were travelling was to the south of Mount Seir separating the Red Sea from Mount Seir. — Now proceed in the direction of the Sea and travel round Mount Seir along the whole of its south side from the west to the east. **(41)** ותהינו — *This is* an expression *derived from the word* הננו *in* (Num. XIV. 40) "Here we are (הננו) and we will go up to the place". This is the expression which you uttered — the expression הן, "yes". *The word, therefore,* means as much as: ye expressed your readiness *to go up into the*

אֹיְבֵיכֶם׃ מג וָאֲדַבֵּר אֲלֵיכֶם וְלֹא שְׁמַעְתֶּם וַתַּמְרוּ
אֶת־פִּי יְהוָה וַתָּזִדוּ וַתַּעֲלוּ הָהָרָה׃ מד וַיֵּצֵא הָאֱמֹרִי
הַיֹּשֵׁב בָּהָר הַהוּא לִקְרַאתְכֶם וַיִּרְדְּפוּ אֶתְכֶם
כַּאֲשֶׁר תַּעֲשֶׂינָה הַדְּבֹרִים וַיַּכְּתוּ אֶתְכֶם בְּשֵׂעִיר
עַד־חָרְמָה׃ מה וַתָּשֻׁבוּ וַתִּבְכּוּ לִפְנֵי יְהוָה וְלֹא־שָׁמַע
יְהוָה בְּקֹלְכֶם וְלֹא הֶאֱזִין אֲלֵיכֶם׃ מו וַתֵּשְׁבוּ בְקָדֵשׁ
יָמִים רַבִּים כַּיָּמִים אֲשֶׁר יְשַׁבְתֶּם׃ ב א וַנֵּפֶן
וַנִּסַּע הַמִּדְבָּרָה דֶּרֶךְ יַם־סוּף כַּאֲשֶׁר דִּבֶּר יְהוָה
אֵלָי וַנָּסָב אֶת־הַר־שֵׂעִיר יָמִים רַבִּים׃ ס
חמישי ב וַיֹּאמֶר יְהוָה אֵלַי לֵאמֹר׃ ג רַב־לָכֶם סֹב
אֶת־הָהָר הַזֶּה פְּנוּ לָכֶם צָפֹנָה׃ ד וְאֶת־הָעָם צַו

אונקלוס

לֵית שְׁכִנְתִּי (שָׁרְיָא) בֵּינֵיכוֹן וְלָא תִתַּבְרוּן קֳדָם בַּעֲלֵי דְבָבֵיכוֹן׃ מג וּמַלֵּלִית עִמְּכוֹן
וְלָא קַבֶּלְתּוּן וְסָרֵבְתּוּן עַל (גְּזֵרַת) מֵימְרָא דַיְיָ וְאַרְשַׁעְתּוּן וּסְלֵקְתּוּן לְטוּרָא׃ מד וּנְפַק
אֱמֹרָאָה דְּיָתֵב בְּטוּרָא הַהוּא לְקַדָּמוּתְכוֹן וּרְדָפוּ יָתְכוֹן כְּמָא דִי נָתְזָן דַּבְרִיָתָא וּטְרָדוּ
יָתְכוֹן בְּשֵׂעִיר עַד חָרְמָה׃ מה וְתַבְתּוּן וּבְכֵיתוּן קֳדָם יְיָ וְלָא קַבִּיל יְיָ צְלוֹתְכוֹן וְלָא
אֲצֵית לְמִלֵּיכוֹן׃ מו וִיתֵבְתּוּן בְּרְקַם יוֹמִין סַגִּיאִין כְּיוֹמַיָּא דִּי יְתֵבְתּוּן׃ א וְאִתְפְּנֵינָא
וּנְטַלְנָא לְמַדְבְּרָא אֹרַח יַמָּא דְסוּף כְּמָא דִי מַלִּיל יְיָ עִמִּי וְאַקֵּפְנָא יָת טוּרָא דְשֵׂעִיר
יוֹמִין סַגִּיאִין׃ ב וַאֲמַר יְיָ לִי לְמֵימָר׃ ג סַגִּי לְכוֹן דְּאַקֵּפְתּוּן יָת טוּרָא הָדֵין אִתְפְּנִיו
לְכוֹן צִפּוּנָא׃ ד וְיָת עַמָּא פַּקֵּד לְמֵימַר אַתּוּן עָבְרִין בִּתְחוּם אֲחוּכוֹן בְּנֵי עֵשָׂו דְּיָתְבִין

רש"י

(מב) לא תעלו. לֹא עֲלִיָּה תְהֵא לָכֶם אֶלָּא יְרִידָה׃ (מד) כאשר תעשינה הדברים. מַה הַדְּבוֹרָה הַזֹּאת כְּשֶׁהִיא מַכָּה אֶת הָאָדָם מִיָּד מֵתָה, אַף הֵם כְּשֶׁהָיוּ נוֹגְעִים בָּכֶם מִיָּד מֵתִים׃ (מה) ולא שמע ה' בקלכם. כִּבְיָכוֹל עֲשִׂיתֶם מִדַּת רַחֲמָיו כְּאִלּוּ אַכְזָרִי׃ (מו) ותשבו בקדש ימים רבים. י"ט שָׁנָה, שֶׁנֶּאֱמַר כימים אשר ישבתם בִּשְׁאָר הַמַּסָּעוֹת, וְהֵם הָיוּ ל"ח שָׁנָה, י"ט מֵהֶם עָשׂוּ בְּקָדֵשׁ וי"ט שָׁנָה הוֹלְכִים וּמְטֹרָפִים וְחָזְרוּ לְקָדֵשׁ, כְּמוֹ שֶׁנֶּאֱמַר (במ' ל"ב) וַיְנִעֵם בַּמִּדְבָּר; כָּךְ מָצָאתִי בְּסֵדֶר עוֹלָם׃

ב (א) ונפן ונסע המדברה. אִלּוּ לֹא חָטְאוּ הָיוּ עוֹבְרִים דֶּרֶךְ הַר שֵׂעִיר לִכָּנֵס לָאָרֶץ מִן דְּרוֹמוֹ לִצְפוֹנוֹ, וּבִשְׁבִיל שֶׁקִּלְקְלוּ הָפְכוּ לְצַד הַמִּדְבָּר, שֶׁהוּא בֵּין יַם סוּף לִדְרוֹמוֹ שֶׁל הַר שֵׂעִיר, וְהָלְכוּ אֵצֶל דְּרוֹמוֹ מִן הַמַּעֲרָב לַמִּזְרָח׃ דרך ים סוף. דֶּרֶךְ יְצִיאָתָן מִמִּצְרַיִם שֶׁהוּא בְּמִקְצוֹעַ דְּרוֹמִית מַעֲרָבִית; מִשָּׁם הָיוּ הוֹלְכִים לְצַד הַמִּזְרָח׃ ונסב את הר שעיר. כָּל דְּרוֹמוֹ עַד אֶרֶץ מוֹאָב׃ (ג) פנו לכם צפנה. סְבּוּ לָכֶם לְרוּחַ מִזְרָחִית, מִן הַדָּרוֹם

your enemies. [43]So I spake unto you; and ye would not hear, but rebelled against the commandment of the Eternal, and acted presumptuously and went up into the mountain. [44]And the Amorites, abiding in that mountain, came out towards you, and pursued you, as bees do, and dispersed you in Seir, *even* unto Hormah. [45]And ye returned and wept before the Eternal; but the Eternal would not hear your voice, nor give ear unto you. [46]So ye abode in Kadesh many days, according unto the days that ye abode *there*.

2. [1]Then we turned, and journeyed into the desert by the way of the Red sea, as the Eternal spake unto me: and we compassed mount Seir many days. [2]And the Eternal spake unto me, saying, [3]Ye have compassed this mountain long enough: turn you northward. [4]And command thou the

רש"י

mountain. **(42)** לא תעלו "GO NOT UP" — There will be no "ascent" for you, but *only* a descent (defeat)[1]) (cf. Rashi on Num. XVI. 12 and Bam. R. 17). **(44)** כאשר תעשינה הדברים [AND THEY PURSUED YOU] AS BEES DO — How is *it in the case of* a bee? When it stings a person it dies forthwith! Similarly they (the Amorites): when they attacked you they died forthwith (Bam. R. 17). **(45)** ולא שמע ה׳ בקלכם BUT THE LORD WOULD NOT HEAR YOUR VOICE — If it is at all possible *to say so of God*, you made His attribute of mercy as though it were cruel (ib.)[2]). **(46)** ותשבו בקדש ימים רבים SO YE ABODE IN KADESH MANY DAYS — *viz.*, nineteen years, as it is said *here* כימים אשר ישבתם, ACCORDING TO THE DAYS THAT YE ABODE, *i.e. abode* at *all* the other stations. They (the total years) were thirtyeight years; nineteen of them they spent at Kadesh, and nineteen years they went moving about *aimlessly*, and then they returned to Kadesh, as it is said, (Num. XXXII. 13) "And he made them move about in the wilderness". — Thus have I found in Seder Olam (ch. 8).

2. (1) ונפן ונסע המדברה THEN WE TURNED AND JOURNEYED INTO THE WILDERNESS — If they had not sinned, they would have passed by the way of Mount Seir to enter the Land from its south to its north, but because they became degenerate they had to turn towards the wilderness which is between the Red Sea and the south of Mount Seir, and they proceeded along its southern side from the west to the east, דרך ים סוף BY THE ROUTE FROM THE RED SEA — *i.e.* by the route which they had taken on leaving Egypt which is at the south-west corner. From there (where they were at that moment) they went towards the east. ונסב את הר שעיר AND WE COMPASSED MOUNT SEIR, the whole of the south side as far as the land of Moab. **(3)** פנו לכם צפנה TURN YOU NORTHWARD — Turn you along the eastern side *of Moab*, from the south to

NOTES

[1]) A negative command is ordinarily expressed by אל with the jussive. Here we have the future with לא, which is a statement of fact: Ye will not be going up, i. e. there will be no "ascent" for you.

[2]) See Appendix.

לֵאמֹר אַתֶּם עֹבְרִים בִּגְבוּל אֲחֵיכֶם בְּנֵי־עֵשָׂו
הַיֹּשְׁבִים בְּשֵׂעִיר וְיִירְאוּ מִכֶּם וְנִשְׁמַרְתֶּם מְאֹד:
ה אַל־תִּתְגָּרוּ בָם כִּי לֹא־אֶתֵּן לָכֶם מֵאַרְצָם עַד
מִדְרַךְ כַּף־רָגֶל כִּי־יְרֻשָּׁה לְעֵשָׂו נָתַתִּי אֶת־הַר
שֵׂעִיר: ו אֹכֶל תִּשְׁבְּרוּ מֵאִתָּם בַּכֶּסֶף וַאֲכַלְתֶּם
וְגַם־מַיִם תִּכְרוּ מֵאִתָּם בַּכֶּסֶף וּשְׁתִיתֶם: ז כִּי
יְהוָה אֱלֹהֶיךָ בֵּרַכְךָ בְּכֹל מַעֲשֵׂה יָדֶךָ יָדַע לֶכְתְּךָ
אֶת־הַמִּדְבָּר הַגָּדֹל הַזֶּה זֶה ׀ אַרְבָּעִים שָׁנָה יְהוָה
אֱלֹהֶיךָ עִמָּךְ לֹא חָסַרְתָּ דָּבָר: ח וַנַּעֲבֹר מֵאֵת
אַחֵינוּ בְנֵי־עֵשָׂו הַיֹּשְׁבִים בְּשֵׂעִיר מִדֶּרֶךְ הָעֲרָבָה
מֵאֵילַת וּמֵעֶצְיֹן גָּבֶר ס וַנֵּפֶן וַנַּעֲבֹר דֶּרֶךְ

אונקלוס

בְּשֵׂעִיר וְיִדְחֲלוּן מִנְּכוֹן וְתִסְתַּמְּרוּן לַחֲדָא: ה לָא תִתְגָּרוּן בְּהוֹן אֲרֵי לָא אֶתֵּן לְכוֹן מֵאַרְעֲהוֹן עַד מִדְרַךְ פַּרְסַת רִגְלָא אֲרֵי יְרֻתָּא לְעֵשָׂו יְהָבִית יָת טוּרָא דְשֵׂעִיר: ו עִבוּרָא תִּזְבְּנוּן מִנְּהוֹן בְּכַסְפָּא וְתֵיכְלוּן וְאַף מַיָּא תִּכְרוּן מִנְּהוֹן בְּכַסְפָּא וְתִשְׁתּוּן: ז אֲרֵי יְיָ אֱלָהָךְ בָּרְכָךְ בְּכֹל עוֹבַד יְדָךְ סְפֵק לָךְ צָרְכָךְ בְּמֵהָכָךְ יָת מַדְבְּרָא רַבָּא הָדֵין דְּנַן אַרְבְּעִין שְׁנִין (מֵימְרָא דַ)יְיָ אֱלָהָךְ בְּסַעְדָּךְ לָא חֲסַרְתָּא מִדָּעַם: ח וַעֲבַרְנָא מִלְוָת אֲחוּנָא בְּנֵי עֵשָׂו דְיָתְבִין בְּשֵׂעִיר מֵאֹרַח מֵישְׁרָא מֵאֵילַת וּמֵעֶצְיוֹן גָּבֶר וְאִתְפְּנֵינָא

רש״י

לַצָּפוֹן, פְּנֵיכֶם לַצָּפוֹן, נִמְצְאוּ הוֹלְכִין אֶת רוּחַ מִזְרָחִית וְזֶהוּ שֶׁנֶּאֱמַר (שופ׳ י״א) וַיָּבוֹאוּ (וַיָּבֹא) מִמִּזְרַח שֶׁמֶשׁ לְאֶרֶץ מוֹאָב: (ד) ונשמרתם מאד. וּמַהוּ הַשְּׁמִירָה? אל תתגרו בם: (ה) עד מדרך כף רגל. אֲפִילוּ מִדְרַךְ כַּף רֶגֶל, כְּלוֹמַר אֲפִילוּ דְרִיסַת הָרֶגֶל אֵינִי מַרְשֶׁה לָכֶם לַעֲבוֹר בְּאַרְצָם שֶׁלֹּא בִרְשׁוּת. וּמִדְרַשׁ אַגָּדָה עַד שֶׁיָּבוֹא יוֹם דְּרִיסַת כַּף רֶגֶל עַל הַר הַזֵּיתִים, שֶׁנֶּאֱמַר (זכ׳ י״ד) וְעָמְדוּ רַגְלָיו וגו׳: ירשה לעשו. מֵאַבְרָהָם, עֲשָׂרָה עֲמָמִים נָתַתִּי לוֹ, שִׁבְעָה לָכֶם וְקֵינִי וּקְנִזִּי וְקַדְמוֹנִי הֵן עַמּוֹן וּמוֹאָב וְשֵׂעִיר, אֶחָד מֵהֶם לְעֵשָׂו וְהַשְּׁנַיִם לִבְנֵי לוֹט, בִּשְׂכַר שֶׁהָלַךְ אִתּוֹ לְמִצְרַיִם וְשָׁתַק עַל מַה שֶּׁהָיָה אוֹמֵר עַל אִשְׁתּוֹ אֲחוֹתִי הִיא, עֲשָׂאוֹ כִּבְנוֹ (ב״ר נ״א): (ו) תכרו. לְשׁוֹן מֶקַח, וְכֵן אֲשֶׁר כָּרִיתִי לִי (בר׳ נ׳), שֶׁכֵּן בִּכְרַכֵּי הַיָּם קוֹרִין לִמְכִירָה כִּירָה (ר״ה כ״ו): (ז) כי ה׳ אלהיך ברכך. לְפִיכָךְ לֹא תִכְפּוּ אֶת טוֹבָתוֹ לְהֵרָאוֹת כְּאִלּוּ אַתֶּם עֲנִיִּים. אֶלָּא הַרְאוּ עַצְמְכֶם עֲשִׁירִים: (ח) ונפן

people, saying, Ye *are* to pass through the boundary of your brethren the children of Esau, who abide in Seir; and they shall be afraid of you: take ye good heed unto yourselves therefore: [5]Contend not with them; for I will not give you of their land, no, not so much as a foot breadth; because I have given mount Seir unto Esau *for* a possession. [6]Ye shall buy food of them for money, that ye may eat; and even water you dig for, shall be from them for money, that ye may drink. [7]For the Eternal thy God hath blessed thee in all the works of thy hand: he knoweth thy walking through this great desert: these forty years the Eternal thy God *hath been* with thee; thou hast lacked nothing. [8]And when we passed by from our brethren the children of Esau, who abode in Seir, through the way of the plain from Elath, and from Ezion-gaber, ... we turned and passed by the way

רש"י

the north, your faces directed to the north[1]). Consequently they were travelling along the east side *of Moab*, and this is what is meant by (Judges XI. 18) "And they came by the east side of the land of Moab". **(4)** ונשמרתם מאד TAKE YE GOOD HEED TO YOURSELVES — And what is this "taking heed"? *What follows:* אל תתגרו בם CONTEND NOT WITH THEM[2]). **(5)** עד מדרך כף רגל — *This means,* E v e n מדרך כף רגל, as much as to say: even *only* treading with the feet (a single step). *The text means,* I do not permit you to pass into their land without *their* permission. — A Midrashic explanation is: *I shall not give you of their land* until there come the day of the treading of the sole of foot upon Mount Olivet (the Messianic period), as it is said, (Zech. XIV. 4) "And his feet shall stand [in that day upon the Mount of Olives etc.]". ירשה לעשו [I HAVE GIVEN MOUNT SEIR] TO ESAU AS AN INHERITANCE from Abraham. *The territory of* ten clans I gave (promised) him (Abraham); seven of them will be yours (the seven clans of Canaan), and the Kenites, the Kenizzites and the Kadmonites, — who are Ammon, Moab and Seir — one of them *already belongs* to Esau, and the *other* two to the children of Lot (cf. Ber. R. 44; and Rashi on Gen. XV. 19); as a reward because he (Lot) went with him (Abraham) to Egypt, and kept silent about what he said regarding his wife, "She is my sister", he treated him as his son (and therefore he, through his children Amon and Moab, inherited part of the land promised to him) (cf. Rashi on Gen. XIX. 29 and Gen. R. 51). **(6)** תכרו — *This is* an expression denoting purchase. Similar is (Gen. L. 5; see Rashi thereon), "which I have bought (כריתי) for myself", for thus in the coast cities do they use for "trading" the term כירה (R. Hash. 26a). **(7)** כי ה׳ אלהיך ברכך FOR THE LORD THY GOD HATH BLESSED THEE — therefore you should not show yourselves ungrateful to Him by behaving as though you were poor, but act as rich people. **(8)** ונעבר ונסן

NOTES

[1]) Rashi suggests that פנו לכם צפונה, "turn ye northwards", signifies literally "set your faces (פנים) northwards".

[2]) See Appendix.

מִדְבַּר מוֹאָב: ט וַיֹּאמֶר יְהוָה אֵלַי אַל־תָּצַר אֶת־מוֹאָב וְאַל־תִּתְגָּר בָּם מִלְחָמָה כִּי לֹא־אֶתֵּן לְךָ מֵאַרְצוֹ יְרֻשָּׁה כִּי לִבְנֵי־לוֹט נָתַתִּי אֶת־עָר יְרֻשָּׁה: י הָאֵמִים לְפָנִים יָשְׁבוּ בָהּ עַם גָּדוֹל וְרַב וָרָם כָּעֲנָקִים: יא רְפָאִים יֵחָשְׁבוּ אַף־הֵם כָּעֲנָקִים וְהַמֹּאָבִים יִקְרְאוּ לָהֶם אֵמִים: יב וּבְשֵׂעִיר יָשְׁבוּ הַחֹרִים לְפָנִים וּבְנֵי עֵשָׂו יִירָשׁוּם וַיַּשְׁמִידוּם מִפְּנֵיהֶם וַיֵּשְׁבוּ תַּחְתָּם כַּאֲשֶׁר עָשָׂה יִשְׂרָאֵל לְאֶרֶץ יְרֻשָּׁתוֹ אֲשֶׁר־נָתַן יְהוָה לָהֶם: יג עַתָּה קֻמוּ וְעִבְרוּ לָכֶם אֶת־נַחַל זָרֶד וַנַּעֲבֹר אֶת־נַחַל זָרֶד: יד וְהַיָּמִים אֲשֶׁר־הָלַכְנוּ מִקָּדֵשׁ בַּרְנֵעַ עַד אֲשֶׁר־עָבַרְנוּ אֶת־נַחַל זֶרֶד שְׁלֹשִׁים וּשְׁמֹנֶה שָׁנָה עַד־תֹּם כָּל־הַדּוֹר

אונקלוס

וַעֲבַרְנָא אֹרַח מַדְבְּרָא דְמוֹאָב: ט וַאֲמַר יְיָ לִי לָא תְצוּר לְמוֹאָבָאֵי וְלָא תִתְגָּרֵי לְמֶעְבַּד עִמְּהוֹן קְרָב אֲרֵי לָא אֶתֵּן לָךְ מֵאַרְעֵהּ יְרֻתָּא אֲרֵי לִבְנֵי לוֹט יְהָבִית יָת לְחָיַת יְרֻתָּא: י אֵימְתָנֵי מִלְקַדְמִין יְתִבִין בַּהּ עַם רַב וְסַגִּי וְתַקִּיף כְּגִבָּרַיָּא: יא גִּבָּרָאֵי מִתְחַשְׁבִין אַף אִנּוּן כְּגִבָּרָאֵי וּמוֹאָבָאֵי קָרַן לְהוֹן אֵימְתָנֵי: יב וּבְשֵׂעִיר יְתִיבוּ חֹרָאֵי מִלְּקַדְמִין וּבְנֵי עֵשָׂו תָּרֵכְנוּן וְשֵׁיצִינוּן מִקֳּדָמֵיהוֹן וִיתִיבוּ בְּאַתְרֵיהוֹן כְּמָא דִי עֲבַד יִשְׂרָאֵל לַאֲרַע יְרֻתְּתֵהּ דִּיהַב יְיָ לְהוֹן: יג כְּעַן קוּמוּ וְעִבָרוּ לְכוֹן יָת נַחֲלָא דְזֶרֶד וַעֲבַרְנָא יָת נַחֲלָא דְזָרֶד: יד וְיוֹמַיָּא דִּי הַלֶּכְנָא מֵרְקַם גֵּיאָה עַד דִּי עֲבַרְנָא יָת נַחֲלָא דְזֶרֶד תְּלָתִין וְתַמְנֵי

רש״י

ונעבר. לְצַד צָפוֹן הָפַכְנוּ פָּנִים לַהֲלוֹךְ רוּחַ מִזְרָחִית: (ט) ואל תתגר בם וגו׳. לֹא אָסַר לָהֶם עַל מוֹאָב אֶלָּא מִלְחָמָה, אֲבָל מְיָרְאִים הָיוּ אוֹתָם, וְנִרְאִים לָהֶם כְּשֶׁהֵם מְזֻיָּנִים, לְפִיכָךְ כְּתִיב (במ׳ כ״ב) וַיָּגָר מוֹאָב מִפְּנֵי הָעָם, שֶׁהָיוּ שׁוֹלְלִים וּבוֹזְזִים אוֹתָם; אֲבָל בִּבְנֵי עַמּוֹן נֶאֱמַר (פסוק י״ט) וְאַל תִּתְגָּר בָּם – שׁוּם גֵּרוּי, בִּשְׂכַר צְנִיעוּת אִמָּם, שֶׁלֹּא פִרְסְמָה עַל אָבִיהָ כְּמוֹ שֶׁעָשְׂתָה הַבְּכִירָה שֶׁקָּרְאָה שֵׁם בְּנָהּ מוֹאָב (ב״ק ל״ח): ער. שֵׁם הַמְּדִינָה: (י) האמים לפנים וגו׳. אַתָּה סָבוּר שֶׁזּוֹ אֶרֶץ רְפָאִים שֶׁנָּתַתִּי לוֹ לְאַבְרָהָם, לְפִי שֶׁהָאֵמִים שֶׁהֵם רְפָאִים יָשְׁבוּ בָהּ לְפָנִים, אֲבָל לֹא זוֹ הִיא, כִּי אוֹתָן רְפָאִים הוֹרַשְׁתִּי מִפְּנֵי בְנֵי לוֹט וְהוֹשַׁבְתִּים תַּחְתָּם: (יא) רפאים יחשבו וגו׳. רְפָאִים הָיוּ נֶחֱשָׁבִין אוֹתָם אֵמִים, כָּעֲנָקִים הַנִּקְרָאִים רְפָאִים עַל שֵׁם שֶׁכָּל הָרוֹאֶה אוֹתָם יָדָיו מִתְרַפּוֹת (ב״ר כ״ו); אמים. עַל שֵׁם שֶׁאֵימָתָם מֻטֶּלֶת עַל הַבְּרִיּוֹת (שם), וְכֵן בְּשֵׂעִיר יָשְׁבוּ הַחֹרִים וּנְתָתִים לִבְנֵי עֵשָׂו;

of the desert of Moab. [9]And the Eternal said unto me, Distress not the Moabites, neither contend with them in war: for I will not give thee of their land *for* a possession; because I have given Ar unto the children of Lot *for* a possession. [10]The Emim abode therein formerly, a people great, and many, and lofty, as the Anakim; [11]Who also were accounted giants, as the Anakim; but the Moabites call them Emim. [12]The Horim also abode in Seir formerly; but the children of Esau succeeded them when they had exterminated them from before them, and abode in their stead; as Israel did unto the land of his possession, which the Eternal gave unto them. [13]Now rise up, *said I,* and pass ye over the brook Zered. And we had passed over the brook Zered. [14]And the space in which we came from Kadesh-barnea, until we had passed over the brook Zered, *was* thirty and eight years; until all the generation of the men of war were wasted out

רש"י

AND WE TURNED AND PASSED, towards the north; we turned our faces to proceed along the eastern side (see Rashi on v. 3). **(9)** ואל תתגר בם וגו׳ AND DO NOT CONTEND WITH THEM [IN WAR] — As regards Moab He forbade them (the Israelites) only war *against them,* but they might affrighten them, appearing before them when equipped for war; therefore it is written, (Num. XXII. 3) "And Moab was afraid because of the people", because they took plunder and loot from them. But about the children of Ammon it is said, (v. 19) "Do not contend with them" — no provocation of any kind, — as a reward for the reserve shown by their ancestress, *Lot's younger daughter,* who did not publicly divulge regarding her father's conduct, as *his* elder daughter did, who called her son's name "Moab" (i. e. *born* of the father) (B. Kam. 38b; see Rashi on Gen. XIX. 37). ער is the name of the district. **(10)** האמים לפנים וגו׳ THE EMIM [ABODE THERE] FORMERLY — You might think that this is the land of the Rephaim which I gave (promised) to Abraham (Gen. XV. 20), because the Emim who are Rephaim, dwelt there formerly (and they are one of the seven clans whose land you were to possess), but this is not that *land,* because those Rephaim I drove out from before the children of Lot and settled these in their stead (cf. Rashi on III. 13). **(11)** רפאים יחשבו וגו׳ THEY [ALSO] ARE ACCOUNTED REPHAIM, [AS THE ANAKIM] — As Rephaim are those Emim accounted, even as the Anakim — who are *also* termed Rephaim[1]) because the hands of everyone who beheld them became weak (רפה) (cf. Num. R. 26). אמים — *so called* because the dread (אימה) of them lay upon the people. — So, too, (v. 12) the Horim dwelt *formerly* in Seir and I gave them over unto the children

NOTES

1) The text may be translated: The Rephaim are also accounted as Anakim. Such a statement, however, is of no interest here, for Scripture is not speaking of the Rephaim, but of the Emim. Rashi therefore explains that the verse is an abridgment of the following: רפאים יחשבו אף הם, כאשר יחשבו הענקים לרפאים.

אַנְשֵׁ֤י הַמִּלְחָמָה֙ מִקֶּ֣רֶב הַֽמַּחֲנֶ֔ה כַּאֲשֶׁ֛ר נִשְׁבַּ֥ע
יְהוָ֖ה לָהֶֽם׃ טו וְגַ֤ם יַד־יְהוָה֙ הָ֣יְתָה בָּ֔ם לְהֻמָּ֖ם
מִקֶּ֣רֶב הַֽמַּחֲנֶ֑ה עַ֖ד תֻּמָּֽם׃ טז וַיְהִ֨י כַאֲשֶׁר־תַּ֜מּוּ
כָּל־אַנְשֵׁ֧י הַמִּלְחָמָ֛ה לָמ֖וּת מִקֶּ֥רֶב הָעָֽם׃ ס
יז וַיְדַבֵּ֥ר יְהוָ֖ה אֵלַ֥י לֵאמֹֽר׃ יח אַתָּ֨ה עֹבֵ֥ר הַיּ֛וֹם אֶת־
גְּב֥וּל מוֹאָ֖ב אֶת־עָֽר׃ יט וְקָרַבְתָּ֗ מ֚וּל בְּנֵ֣י עַמּ֔וֹן אַל־
תְּצֻרֵ֖ם וְאַל־תִּתְגָּ֣ר בָּ֑ם כִּ֣י לֹֽא־אֶ֠תֵּן מֵאֶ֨רֶץ בְּנֵֽי־
עַמּ֤וֹן לְךָ֙ יְרֻשָּׁ֔ה כִּ֥י לִבְנֵי־ל֖וֹט נְתַתִּ֥יהָ יְרֻשָּֽׁה׃
כ אֶֽרֶץ־רְפָאִ֥ים תֵּחָשֵׁ֖ב אַף־הִ֑וא רְפָאִ֤ים יָֽשְׁבוּ־בָהּ֙
לְפָנִ֔ים וְהָֽעַמֹּנִ֔ים יִקְרְא֥וּ לָהֶ֖ם זַמְזֻמִּֽים׃ כא עַ֣ם גָּד֥וֹל
וְרַ֛ב וָרָ֖ם כַּֽעֲנָקִ֑ים וַיַּשְׁמִידֵ֤ם יְהוָה֙ מִפְּנֵיהֶ֔ם וַיִּֽירָשֻׁ֖ם

אונקלוס

שְׁנִין עַד סָף כָּל דָּרָא גֻּבְרֵי מְגִיחֵי קְרָבָא מִגּוֹ מַשְׁרִיתָא כְּמָא דִי קַיֵּים יְיָ לְהוֹן: טו וְאַף מָחָא מִן קֳדָם יְיָ הֲוָת בְּהוֹן לְשֵׁיצָיוּתְהוֹן מִגּוֹ מַשְׁרִיתָא עַד דִּשְׁלִימוּ: טז וַהֲוָה כַּד שְׁלִימוּ כָּל גֻּבְרֵי מְגִיחֵי קְרָבָא לִמְמָת מִגּוֹ עַמָּא: יז וּמַלִּיל יְיָ עִמִּי לְמֵימָר: יח אַתְּ עָבַר יוֹמָא דֵין יָת תְּחוּם מוֹאָב יָת לְחָיַת: יט וְתִקְרַב לָקֳבֵל בְּנֵי עַמּוֹן לָא תְצוּר עֲלֵיהוֹן וְלָא תִתְגָּרֵי לְמֶעְבַּד עִמְּהוֹן קְרָב אֲרֵי לָא אֶתֵּן מֵאַרְעָא בְנֵי עַמּוֹן לָךְ יְרֻתָּא אֲרֵי לִבְנֵי לוֹט יְהַבְתַּהּ יְרֻתָּא: כ אַרְעָא גִבָּרַיָּא מִתְחַשְׁבָא אַף הִיא גִּבָּרִין יְתִיבוּ בַהּ מִלְּקַדְמִין וְעַמּוֹנָאֵי קָרַן לְהוֹן חֻשְׁבָּנֵי: כא עַם רַב וְסַגִּי וְתַקִּיף כְּגִבָּרַיָּא וְשֵׁיצְנוּן יְיָ

רש״י

(יב) יירשום. לְשׁוֹן הֹוֶה, כְּלוֹמַר נָתַתִּי בָהֶם כֹּחַ שֶׁהָיוּ מוֹרִישִׁים אוֹתָם וְהוֹלְכִים: (טו) היתה בם. לְמַהֵר וּלְהָמָם בְּתוֹךְ אַרְבָּעִים שָׁנָה, שֶׁלֹּא יִגְרְמוּ לִבְנֵיהֶם עוֹד לְהִתְעַכֵּב בַּמִּדְבָּר: (טז–יז) ויהי כאשר תמו וגו׳ וידבר ה׳ אלי וגו׳. אֲבָל מִשִּׁלּוּחַ הַמְרַגְּלִים עַד כָּאן לֹא נֶאֱמַר בְּפָרָשָׁה זוֹ וַיְדַבֵּר אֶלָּא וַיֹּאמֶר, לְלַמֶּדְךָ שֶׁכָּל ל״ח שָׁנָה שֶׁהָיוּ יִשְׂרָאֵל נְזוּפִים, לֹא נִתְיַחֵד עִמּוֹ הַדִּבּוּר בִּלְשׁוֹן חִבָּה, פָּנִים אֶל פָּנִים וְיִשּׁוּב הַדַּעַת — לְלַמֶּדְךָ שֶׁאֵין הַשְּׁכִינָה שׁוֹרָה עַל הַנְּבִיאִים אֶלָּא בִּשְׁבִיל יִשְׂרָאֵל (מכי׳ שמ׳ י״ב): אנשי המלחמה. מִבֶּן עֶשְׂרִים שָׁנָה הַיּוֹצְאִים בַּצָּבָא: (יח–יט) אתה עבר היום את גבול מואב, וקרבת מול בני עמון. מִכָּאן שֶׁאֶרֶץ עַמּוֹן לְצַד צָפוֹן: (כ) ארץ רפאים תחשב. אֶרֶץ רְפָאִים נֶחְשֶׁבֶת אַף הִיא, לְפִי שֶׁהָרְפָאִים יָשְׁבוּ בָהּ לְפָנִים, אֲבָל לֹא זוֹ הִיא שֶׁנָּתַתִּי לְאַבְרָהָם: (כג) והעוים הישבים בחצרים וגו׳. עַוִּים מִפְּלִשְׁתִּים הֵם, שֶׁעִמָּהֶם הֵם נֶחְשָׁבִים בְּסֵפֶר יְהוֹשֻׁעַ, שֶׁנֶּאֱמַר (יהוש׳ י״ג) חֲמֵשֶׁת סַרְנֵי פְלִשְׁתִּים הָעַזָּתִי וְהָאַשְׁדּוֹדִי הָאֶשְׁקְלוֹנִי הַגִּתִּי

of the camp, as the Eternal sware unto them. [15]For indeed the hand of the Eternal was against them, to destroy them from among the camp, until they were consumed. [16]So it came to pass, when all the men of war were consumed and dead from among the people, [17]That the Eternal spake unto me, saying, [18]Thou art to pass over through Ar, the boundary of Moab, this day: [19]And *when* thou approachest over against the children of Ammon, distress them not, nor contend with them: for I will not give thee of the land of the children of Ammon *any* possession; because I have given it unto the children of Lot *for* a possession. [20]That also was accounted a land of Refaim: Refaim abode therein formerly, and the Ammonites call them Zamzummim; [21]A people great, and many, and lofty, as the Anakim; but the Eternal exterminated them before them: and they succeeded them, and

רש"י

of Esau[1]). **(12)** יירשום — *This is* a present *frequentative* form *of the verb;* it is as much as to say, I gave them power that they might go on driving them out continuously. **(15)** היתה בם [FOR INDEED THE HAND OF THE LORD] WAS AGAINST THEM [TO DESTROY THEM] speedily within *a period of* forty years, so that they should no longer be the cause for their children to tarry in the wilderness[2]). **(16—17)** ויהי כאשר תמו וגו׳ וידבר ה׳ אלי וגו׳ SO IT CAME TO PASS WHEN [ALL THE MEN OF WAR] HAD COME TO AN END ... THAT THE LORD SPAKE TO ME etc. — But from when the spies were sent forth until now, *the word* וידבר is not mentioned in this section, but ויאמר, to teach you that during these entire thirtyeight years during which the Israelites were lying under God's censure, the divine Utterance (דבור) was not specially vouchsafed to him in affectionate language, face to face, and tranquillity of mind — to teach you that the Shechinah rests upon the prophets only for Israel's sake (Mech. Ex. XII. 1; Siphre Lev. I. 1; cf. Rashi on Lev. I. 1 towards end)[3]). אנשי המלחמה THE MEN OF WAR — men from twenty years old and upwards, wo *alone* went to the war (cf. Num. XIV. 29 and Rashi thereon). **(18—19)** אתה עבר היום את גבול מואב ... וקרבת מול בני עמון THOU ART TO PASS THIS DAY THE BOUNDARY OF MOAB ... AND THOU WILT APPROACH OPPOSITE THE CHILDREN OF AMMON — from here *we see* that the land of Ammon was on the north *of Moab*[4]). **(20)** ארץ רפאים תחשב IT (AMMON) ALSO WAS ACCOUNTED A LAND OF REPHAIM. — It also is accounted a land of Rephaim because the Rephaim formerly dwelt in it, but *yet* it is not that *land* which I gave to Abraham. **(23)** והעוים הישבים בחצרים וגו׳ BUT THE AVIM WHO DWELL IN HAZERIM etc. — The Avim are part of the Philistine people, for they are enumerated together with them in the Book of Joshua (XIII. 3), as it is said, "The five lords of the Philistines, the Gazathites,

NOTES

1) Rashi means that v. 12 is to be connected with v. 9: Just as I have given the Emim (who are the Rephaim) to the sons of Lot, so I gave the land of the Horim to the sons of Esau who gradually drove them out. Verses 10 and 11 are a parenthesis.

For Notes 2—4 see Appendix.

וַיֵּשְׁבוּ תַחְתָּם: כב כַּאֲשֶׁר עָשָׂה לִבְנֵי עֵשָׂו הַיֹּשְׁבִים
בְּשֵׂעִיר אֲשֶׁר הִשְׁמִיד אֶת־הַחֹרִי מִפְּנֵיהֶם וַיִּרָשֻׁם
וַיֵּשְׁבוּ תַחְתָּם עַד הַיּוֹם הַזֶּה: כג וְהָעַוִּים הַיֹּשְׁבִים
בַּחֲצֵרִים עַד־עַזָּה כַּפְתֹּרִים הַיֹּצְאִים מִכַּפְתֹּר
הִשְׁמִידֻם וַיֵּשְׁבוּ תַחְתָּם: כד קוּמוּ סְּעוּ וְעִבְרוּ אֶת־
נַחַל אַרְנֹן רְאֵה נָתַתִּי בְיָדְךָ אֶת־סִיחֹן מֶלֶךְ־חֶשְׁבּוֹן
הָאֱמֹרִי וְאֶת־אַרְצוֹ הָחֵל רָשׁ וְהִתְגָּר בּוֹ מִלְחָמָה:
כה הַיּוֹם הַזֶּה אָחֵל תֵּת פַּחְדְּךָ וְיִרְאָתְךָ עַל־פְּנֵי
הָעַמִּים תַּחַת כָּל־הַשָּׁמָיִם אֲשֶׁר יִשְׁמְעוּן שִׁמְעֲךָ
וְרָגְזוּ וְחָלוּ מִפָּנֶיךָ: כו וָאֶשְׁלַח מַלְאָכִים מִמִּדְבַּר
קְדֵמוֹת אֶל־סִיחוֹן מֶלֶךְ חֶשְׁבּוֹן דִּבְרֵי שָׁלוֹם לֵאמֹר:
כז אֶעְבְּרָה בְאַרְצֶךָ בַּדֶּרֶךְ בַּדֶּרֶךְ אֵלֵךְ לֹא אָסוּר
יָמִין וּשְׂמֹאול: כח אֹכֶל בַּכֶּסֶף תַּשְׁבִּרֵנִי וְאָכַלְתִּי

אונקלוס

מִקֳּדָמֵיהוֹן וְתָרְכֻנּוּן וִיתִיבוּ בְּאַתְרֵיהוֹן: כב כְּמָא דִּי עֲבַד לִבְנֵי עֵשָׂו דְּיָתְבִין בְּשֵׂעִיר
דִּי שֵׁצִי יָת חוֹרָאֵי מִקֳּדָמֵיהוֹן וְתָרְכֻנּוּן וִיתִיבוּ בְּאַתְרֵיהוֹן עַד יוֹמָא הָדֵין: כג וְעַוָּאֵי
דְּיָתְבִין בִּרְפִיחַ עַד עַזָּה קַפּוּטְקָאֵי דִּנְפַקוּ מִקַּפּוּטְקְיָא שֵׁיצִאֻנּוּן וִיתִיבוּ
בְּאַתְרֵיהוֹן: כד קוּמוּ טוּלוּ וְעִבָרוּ יָת נַחְלָא דְאַרְנוֹן חֲזִי (ד)מְסָרִית
בִּידָךְ יָת סִיחוֹן מַלְכָּא דְחֶשְׁבּוֹן אֱמוֹרָאָה וְיָת אַרְעֵהּ שָׁרֵי לְתָרְכוּתֵהּ
וְאִתְגָּרֵי לְמֶעְבַּד עִמֵּהּ קְרָבָא: כה יוֹמָא הָדֵין אֲשָׁרֵי לְמִתַּן זִעְתָךְ וְדַחַלְתָּךְ עַל אַפֵּי
עַמְמַיָּא דִּי תְחוֹת כָּל שְׁמַיָּא דִּי יִשְׁמְעוּן שִׁמְעָךְ וִיזוּעוּן וְיִדְחֲלוּן מִן קֳדָמָךְ: כו וּשְׁלָחִית
אִזְגַּדִּין מִמַּדְבְּרָא דִקְדֵמוֹת לְוָת סִיחוֹן מַלְכָּא דְחֶשְׁבּוֹן פִּתְגָּמֵי שְׁלָמָא לְמֵימָר:
כז אֶעְבַּר בְּאַרְעָךְ בְּאָרְחָא בְּאָרְחָא אֵזֵיל לָא אֶסְטֵי יַמִּינָא וּשְׂמָאלָא: כח עֲבוּרָא

רש"י

וְהָעֶקְרוֹנִי וְהָעַוִּים, וּמִפְּנֵי הַשְּׁבוּעָה שֶׁנִּשְׁבַּע אַבְרָהָם לַאֲבִימֶלֶךְ לֹא יָכְלוּ יִשְׂרָאֵל לְהוֹצִיא
אַרְצָם מִיָּדָם, וְהֵבֵאתִי עֲלֵיהֶם כַּפְתּוֹרִים וְהִשְׁמִידוּם וַיֵּשְׁבוּ תַחְתָּם, וְעַכְשָׁיו אַתֶּם מוּתָּרִים
לְקַחְתָּהּ מִיָּדָם (חולי' ס'): **(כה) תחת כל השמים.** לִמֵּד שֶׁעָמְדָה חַמָּה לְמֹשֶׁה בְּיוֹם
מִלְחֶמֶת עוֹג וְנוֹדַע הַדָּבָר תַּחַת כָּל הַשָּׁמַיִם (ע"ז כ"ה): **(כו) ממדבר קדמות.** אע"פ שֶׁלֹּא

abode in their stead: [22]As he did to the children of Esau, who abode in Seir, when he exterminated the Horim from before them; and they succeeded them, and abode in their stead even unto this day: [23]And the Avim, who abode in Hazerim, *even* unto Azzah, the Caphtorim, who came forth out of Caphtor, exterminated them, and abode in their stead. [24]Rise ye, journey, and pass over the river Arnon: behold, I have given into thine hand Sihon the Amorite, king of Heshbon, and his land: begin to possess *it,* and contend with him in war. [25]This day will I begin to put the dread of thee and the fear of thee upon the nations *that are* under the whole heaven, who shall hear report of thee, and shall shake, and be in anguish because of thee. [26]And I sent messengers out of the desert of Kedemoth unto Sihon king of Heshbon with words of peace, saying, [27]Let me pass through thy land: I will go along by the high way, I will neither turn unto the right *hand* nor the left. [28]Thou shalt sell me food for money, that I may eat;

רש"י

and the Ashdothites, and the Eshkalonites, the Gittites, and the Ekronites; also the Avim". But because of the oath which Abraham had sworn to Abimelech, *king of the Philistines* (Gen. XXI. 24), Israel would have been unable to take their land out of their possession; but, *says God,* I brought the Caphtorites against them and they destroyed them and dwelt in their stead, and now you are permitted to take it (that land) from their (the Caphtorites') possession (Chul. 60b). **(25)** תחת כל השמים [THIS DAY I BEGIN TO PUT THE DREAD OF THEE ... UPON THE NATIONS THAT ARE] UNDER THE WHOLE HEAVEN — This (the statement that the nations under the entire heaven will dread the Israelites) teaches that the sun stood still for Moses on the day of the battle with Og[1]), and the matter was *consequently* known under the whole heaven (Ab. Zar. 25a). **(26)** ממדבר קדמות [AND I SENT MESSENGERS] FROM THE WILDERNESS OF KEDEMOTH — Although the Omnipresent had not commanded me to proclaim peace unto Sihon I learnt *to do so* from

NOTES

1) See Appendix.

וּמַיִם בַּכֶּסֶף תִּתֶּן־לִי וְשָׁתִיתִי רַק אֶעְבְּרָה בְרַגְלָי׃ כט כַּאֲשֶׁר עָשׂוּ־לִי בְּנֵי עֵשָׂו הַיֹּשְׁבִים בְּשֵׂעִיר וְהַמּוֹאָבִים הַיֹּשְׁבִים בְּעָר עַד אֲשֶׁר־אֶעֱבֹר אֶת־הַיַּרְדֵּן אֶל־הָאָרֶץ אֲשֶׁר־יְהוָה אֱלֹהֵינוּ נֹתֵן לָנוּ׃ ל וְלֹא אָבָה סִיחֹן מֶלֶךְ חֶשְׁבּוֹן הַעֲבִרֵנוּ בּוֹ כִּי־הִקְשָׁה יְהוָה אֱלֹהֶיךָ אֶת־רוּחוֹ וְאִמֵּץ אֶת־לְבָבוֹ לְמַעַן תִּתּוֹ בְיָדְךָ כַּיּוֹם הַזֶּה׃ ס ששי לא וַיֹּאמֶר יְהוָה אֵלַי רְאֵה הַחִלֹּתִי תֵּת לְפָנֶיךָ אֶת־סִיחֹן וְאֶת־אַרְצוֹ הָחֵל רָשׁ לָרֶשֶׁת אֶת־אַרְצוֹ׃ לב וַיֵּצֵא סִיחֹן לִקְרָאתֵנוּ הוּא וְכָל־עַמּוֹ לַמִּלְחָמָה יָהְצָה׃ לג וַיִּתְּנֵהוּ יְהוָה אֱלֹהֵינוּ לְפָנֵינוּ וַנַּךְ אֹתוֹ וְאֶת־בָּנָו וְאֶת־כָּל־עַמּוֹ׃ לד וַנִּלְכֹּד אֶת־כָּל־עָרָיו בָּעֵת הַהִוא וַנַּחֲרֵם

אונקלוס

בְּכַסְפָּא תְּזַבֵּן לִי וְאֵיכוּל וּמַיָּא בְּכַסְפָּא תִּתֵּן לִי וְאֶשְׁתֵּי לְחוּד אֶעְבַּר בְּרַגְלָי׃ כט כְּמָא דִי עֲבַדוּ לִי בְּנֵי עֵשָׂו דְּיָתְבִין בְּשֵׂעִיר וּמוֹאֲבָאֵי דְּיָתְבִין בִּלְחָיַת עַד דְּאֶעְבַּר יָת יַרְדְּנָא לְאַרְעָא דַּיְיָ אֱלָהַנָא יָהֵב לַנָא׃ ל וְלָא אֲבִי סִיחוֹן מַלְכָּא דְחֶשְׁבּוֹן לְמִשְׁבְּקָנָא לְמֶעְבַּר בִּתְחוּמֵהּ אֲרֵי אַקְשֵׁי יְיָ אֱלָהָךְ יָת רוּחֵהּ וְתַקִּיף יָת לִבֵּהּ בְּדִיל לְמִמְסְרֵהּ בִּידָךְ כְּיוֹמָא הָדֵין׃ לא וַאֲמַר יְיָ לִי חֲזִי שָׁרִיתִי לְמִמְסַר קֳדָמָךְ יָת סִיחוֹן וְיָת אַרְעֵהּ שָׁרִי לְתָרָכוּתֵהּ לְמֵירַת יָת אַרְעֵהּ׃ לב וּנְפַק סִיחוֹן לְקַדָּמוּתָנָא הוּא וְכָל עַמֵּהּ לַאֲגָחָא קְרָבָא לְיָהַץ׃ לג וּמְסָרֵהּ יְיָ אֱלָהַנָא קֳדָמַנָא וּמְחֵנָא יָתֵהּ וְיָת בְּנוֹהִי וְיָת כָּל עַמֵּהּ׃ לד וּכְבַשְׁנָא יָת

רש"י

צִנְנִי הַמָּקוֹם לִקְרוֹא לְסִיחוֹן לְשָׁלוֹם, לָמַדְתִּי מִמִּדְבַּר סִינַי – מִן הַתּוֹרָה שֶׁקָּדְמָה לָעוֹלָם – כְּשֶׁבָּא הַקָּבָּ"ה לִתְּנָהּ לְיִשְׂרָאֵל חָזַר אוֹתָהּ עַל עֵשָׂו וְיִשְׁמָעֵאל, וְגָלוּי לְפָנָיו שֶׁלֹּא יְקַבְּלוּהָ, וְאַעַ"פ כֵּן פָּתַח לָהֶם בְּשָׁלוֹם, אַף אֲנִי קִדַּמְתִּי אֶת סִיחוֹן בְּדִבְרֵי שָׁלוֹם; ד"א ממדבר קדמות – מִמְּךָ לָמַדְתִּי, שֶׁקָּדַמְתָּ לָעוֹלָם, יָכוֹל הָיִיתָ לִשְׁלוֹחַ בָּרָק אֶחָד וְלִשְׂרוֹף אֶת הַמִּצְרִים, אֶלָּא שְׁלַחְתַּנִי מִן הַמִּדְבָּר אֶל פַּרְעֹה לֵאמֹר (שמ' ה') שַׁלַּח אֶת עַמִּי, בְּמִתּוּן (תנח'): (כט) כאשר עשו לי בני עשו. לֹא לְעִנְיַן לַעֲבוֹר בְּאַרְצָם, אֶלָּא לְעִנְיַן מֶכֶר אוֹכֶל וּמַיִם: עד אשר אעבר את הירדן. מוּסָב עַל אֶעְבְּרָה בְאַרְצֶךָ: (לא) החלתי תת לפניך. כָּפָה שַׂר שֶׁל אֱמוֹרִיִּים שֶׁלְּמַעְלָה תַּחַת רַגְלָיו שֶׁל מֹשֶׁה וְהִדְרִיכוֹ עַל צַוָּארוֹ: (לב) ויצא סיחון. לֹא שָׁלַח בִּשְׁבִיל עוֹג לַעֲזוֹר לוֹ, לְלַמֶּדְךָ שֶׁלֹּא הָיוּ צְרִיכִים זֶה לָזֶה: (לג) ואת

and give me water for money, that I may drink: only I will pass through on my feet: [29]As the children of Esau who abide in Seir, and the Moabites who abide in Ar, did unto me; until I shall pass over the Jordan into the land which the Eternal our God giveth us. [30]But Sihon king of Heshbon would not let us pass by him: for the Eternal thy God allowed his spirit to be hardened and his heart to be obstinate, that he might give him into thy hand, as at this day. [31]And the Eternal said unto me, Behold, I have begun to give Sihon and his land before thee: begin to possess, that thou mayest possess his land. [32]Then Sihon came out towards us, he and all his people, to war at Jahaz. [33]And the Eternal our God gave him *up* unto us; and we smote him, and his sons, and all his people. [34]And we conquered all his cities at that time, and doomed *to destruction*

רש"י

what happened in the wilderness of Sinai, *i. e.* from an incident that relates to the Torah which pre-existed (קדמה) the world. For when the Holy One, blessed be He, was about to give it (the Torah) to Israel, he took it round to Esau and Ishmael. It was manifest before Him that they would not accept it, but yet He opened unto them with peace. Similarly I first approached Sihon with words of peace. — Another explanation of ממדבר קדמות: *Moses said to God,* "I learnt this *from what Thou didst say in the wilderness* — from Thee Who wast in existence before (קדמת) the world. Thou couldst have sent one flash of lightning to burn up the Egyptians, but Thou didst send me from the wilderness to Pharaoh, to say gently, (Ex. V. 1) "Let my people go" (Tanch.). **(29)** כאשר עשו לי בני עשו AS THE CHILDREN OF ESAU DID TO ME — This does not refer to passing through their land (רק אעברה ברגלי) *for Edom refused this,* (cf. Num. XX. 18) but to the matter of selling food and water (also mentioned in the preceding verse). עד אשר אעבר את הירדן UNTIL I SHALL PASS OVER THE JORDAN — This is to be connected with "Let me pass through thy land" (v. 27)[1]). **(31)** החלתי תת לפניך I HAVE BEGUN TO GIVE [SIHON] BEFORE THEE — He cast down the tutelary angel of the Amorites, who was in the upper spheres, beneath Moses' feet and made him tread upon his neck (cf. Rashi on Num. XXIV. 2)[2]). **(32)** ויצא סיחן AND SIHON WENT FORTH — He did not send for Og to help him: *this serves* to teach you that they did not require one another's *help, so mighty was each of them.* **(33)** ואת בנו [AND WE SMOTE

NOTES

For Notes 1—2 see Appendix.

אֶת־כָּל־עִיר מְתִם וְהַנָּשִׁים וְהַטָּף לֹא הִשְׁאַרְנוּ
שָׂרִיד׃ לה רַק הַבְּהֵמָה בָּזַזְנוּ לָנוּ וּשְׁלַל הֶעָרִים
אֲשֶׁר לָכָדְנוּ׃ לו מֵעֲרֹעֵר אֲשֶׁר עַל־שְׂפַת־נַחַל
אַרְנֹן וְהָעִיר אֲשֶׁר בַּנַּחַל וְעַד־הַגִּלְעָד לֹא הָיְתָה
קִרְיָה אֲשֶׁר שָׂגְבָה מִמֶּנּוּ אֶת־הַכֹּל נָתַן יְהוָה
אֱלֹהֵינוּ לְפָנֵינוּ׃ לז רַק אֶל־אֶרֶץ בְּנֵי־עַמּוֹן לֹא
קָרָבְתָּ כָּל־יַד נַחַל יַבֹּק וְעָרֵי הָהָר וְכֹל אֲשֶׁר־צִוָּה
יְהוָה אֱלֹהֵינוּ׃ ג א וַנֵּפֶן וַנַּעַל דֶּרֶךְ הַבָּשָׁן וַיֵּצֵא
עוֹג מֶלֶךְ־הַבָּשָׁן לִקְרָאתֵנוּ הוּא וְכָל־עַמּוֹ לַמִּלְחָמָה
אֶדְרֶעִי׃ ב וַיֹּאמֶר יְהוָה אֵלַי אַל־תִּירָא אֹתוֹ כִּי
בְיָדְךָ נָתַתִּי אֹתוֹ וְאֶת־כָּל־עַמּוֹ וְאֶת־אַרְצוֹ וְעָשִׂיתָ
לּוֹ כַּאֲשֶׁר עָשִׂיתָ לְסִיחֹן מֶלֶךְ הָאֱמֹרִי אֲשֶׁר יוֹשֵׁב

אונקלוס

כָּל קִרְווֹהִי בְּעִדָּנָא הַהִיא וְגַמַּרְנָא יָת כָּל קִרְוֵי גֻבְרַיָּא וּנְשַׁיָּא וְטַפְלָא לָא אַשְׁאַרְנָא
מְשֵׁיזֵב׃ לה לְחוֹד בְּעִירָא בַּזָּנָא לָנָא וַעֲדִי קִרְוַיָּא דִּי כְבַשְׁנָא׃ לו מֵעֲרֹעֵר דִּי עַל כֵּיף
נַחְלָא דְאַרְנֹן וְקִרְתָּא דִּי בְנַחְלָא וְעַד גִּלְעָד לָא הֲוָת קַרְתָּא דִּי תְקֵפַת מִנַּנָא יָת כֹּלָּא
מְסַר יְיָ אֱלָהָנָא קֳדָמָנָא׃ לז לְחוֹד לְאַרְעָא בְנֵי עַמּוֹן לָא קְרֵבְתָּא כָּל כֵּיף נַחְלָא
יוּבְקָא וְקִרְוֵי טוּרָא וְכֹל דִּי פַקִּיד יְיָ אֱלָהָנָא׃ א וְאִתְפְּנֵינָא וּסְלֵקְנָא אֹרַח דְּמַתְנַן
וּנְפַק עוֹג מַלְכָּא דְמַתְנַן לְקַדָּמוּתָנָא הוּא וְכָל עַמֵּהּ לַאֲגָחָא קְרָבָא אֶדְרֶעִי׃ ב וַאֲמַר
יְיָ לִי לָא תִדְחַל מִינֵּהּ אֲרֵי בִידָךְ מְסָרִית יָתֵהּ וְיָת כָּל עַמֵּהּ וְיָת אַרְעֵהּ וְתַעְבֵּד לֵהּ

רש״י

בניו. בְּנוֹ כְתִיב, שֶׁהָיָה לוֹ בֵּן גִּבּוֹר כְּמוֹתוֹ (תנח׳ חקת)׃ (לד) מתם. אֲנָשִׁים, בְּבִזַּת סִיחוֹן
נֶאֱמַר בָּזַזְנוּ לָנוּ. לְשׁוֹן בִּזָּה, שֶׁהָיְתָה חֲבִיבָה עֲלֵיהֶם וּבוֹזְזִים אִישׁ לוֹ, וּכְשֶׁבָּאוּ לְבִזַּת עוֹג,
כְּבָר הָיוּ שְׂבֵעִים וּמְלֵאִים, וְהָיְתָה בְּזוּיָה בְּעֵינֵיהֶם, וּמְקָרְעִין וּמַשְׁלִיכִין בְּהֵמָה וּבְגָדִים,
וְלֹא נָטְלוּ כִּי אִם כֶּסֶף וְזָהָב, לְכָךְ נֶאֱמַר בָּזוֹנוּ לָנוּ. לְשׁוֹן בִּזָּיוֹן, כָּךְ נִדְרַשׁ בְּסִפְרֵי בְּפ׳
וַיֵּשֶׁב יִשְׂרָאֵל בַּשִּׁטִּים׃ (לז) כל יד נחל יבק. כָּל אֵצֶל נַחַל יַבּוֹק׃ וכל אשר צוה ה׳
אלהינו שֶׁלֹּא לִכְבּוֹשׁ, הִנַּחְנוּ׃

ג (א) ונפן ונעל. כָּל צַד צָפוֹן הוּא עֲלִיָּה׃ (ב) אל תירא אתו. וּבְסִיחוֹן לֹא הֻצְרַךְ לוֹמַר

the men, and the women, and the little ones, of every city, we left none remain: [35]Only the beasts we took unto ourselves, and the spoil of cities which we conquered, [36]From Aroer, which *is* by the brink of the brook of Arnon, and *from* that city that *is* by the brook, even unto Gilead, there was not one town too strong for us: the Eternal our God gave all unto us. [37]Only unto the land of the children of Ammon thou camest not, *nor* unto any place of the brook Jabbok, nor unto the cities in the mountains, and all as the Eternal our God commanded us.

3. [1]Then we turned, and went up the way to Bashan: and Og the king of Bashan went out towards us, he and all his people, to war at Edrei. [2]And the Eternal said unto me, Fear him not: for I will give him, and all his people, and his land, into thy hand; and thou shalt do unto him as thou didst unto Sihon king of the Amorites, who abode

רש״י

HIM] AND HIS SONS — It is written בנו, "his son" (although read as בניו "his sons"), for he had a son who was as mighty as himself (cf. Tanch. end of חקת). **(34)** מתם *means* MEN. — Of the spoil taken from Sihon it is stated (v. 35) בזזנו לנו, an expression denoting plunder (בזה), because *then* this was an object of desire to them, so that each man took spoil for himself. But when they came to the plundering of Og, they were already full to satiety, and it was contemptible in their eyes, so that they tore in pieces and cast away cattle and garments, and took only silver and gold. On this account it is said (III. 37) בָּזֹנוּ לנו, which is an expression denoting "holding in contempt" (בזיון). Thus is it expounded in Siphre in the chapter *beginning with* "And Israel dwelt in Shittim" (Num. ch. XXV.). **(37)** כל יד נחל יבק *means,* ALL THE DISTRICT BESIDE THE BROOK OF JABBOK. וכל אשר צוה ה׳ אלהינו לנו — *This means,* AND ALL WHICH THE LORD OUR GOD COMMANDED US not to capture, we left.

3. (1) ונפן ונעל AND WE TURNED AND WENT UP — every *journey* towards the north (from the wilderness towards Canaan) is "uphill". **(2)** אל תירא אתו DO NOT FEAR HIM — In the case of Sihon, however, it did not feel it necessary to state, "Do not fear him"!? But *in the*

בְּחֶשְׁבּוֹן: ג וַיִּתֵּן יְהֹוָה אֱלֹהֵינוּ בְּיָדֵנוּ גַּם אֶת־עוֹג מֶלֶךְ־הַבָּשָׁן וְאֶת־כָּל־עַמּוֹ וַנַּכֵּהוּ עַד־בִּלְתִּי הִשְׁאִיר־לוֹ שָׂרִיד: ד וַנִּלְכֹּד אֶת־כָּל־עָרָיו בָּעֵת הַהִוא לֹא הָיְתָה קִרְיָה אֲשֶׁר לֹא־לָקַחְנוּ מֵאִתָּם שִׁשִּׁים עִיר כָּל־חֶבֶל אַרְגֹּב מַמְלֶכֶת עוֹג בַּבָּשָׁן: ה כָּל־אֵלֶּה עָרִים בְּצֻרֹת חוֹמָה גְבֹהָה דְּלָתַיִם וּבְרִיחַ לְבַד מֵעָרֵי הַפְּרָזִי הַרְבֵּה מְאֹד: ו וַנַּחֲרֵם אוֹתָם כַּאֲשֶׁר עָשִׂינוּ לְסִיחֹן מֶלֶךְ חֶשְׁבּוֹן הַחֲרֵם כָּל־עִיר מְתִם הַנָּשִׁים וְהַטָּף: ז וְכָל־הַבְּהֵמָה וּשְׁלַל הֶעָרִים בַּזּוֹנוּ לָנוּ: ח וַנִּקַּח בָּעֵת הַהִוא אֶת־הָאָרֶץ מִיַּד שְׁנֵי מַלְכֵי הָאֱמֹרִי אֲשֶׁר בְּעֵבֶר הַיַּרְדֵּן מִנַּחַל אַרְנֹן עַד־הַר חֶרְמוֹן: ט צִידֹנִים יִקְרְאוּ לְחֶרְמוֹן שִׂרְיֹן

אונקלוס

כְּמָא דִי עֲבַדְתָּא לְסִיחֹן מַלְכָּא דַאֲמֹרָאָה דִי יָתֵב בְּחֶשְׁבּוֹן: ג וִיהַב יְיָ אֱלָהָנָא בִּידָנָא אַף יָת עוֹג מַלְכָּא דְמַתְנָן וְיָת כָּל עַמֵּהּ וּמְחֵנוֹהִי עַד דְּלָא אַשְׁתָּאַר לֵהּ מְשֵׁזַב: ד וּכְבַשְׁנָא יָת כָּל קִרְווֹהִי בְּעִדָּנָא הַהִיא לָא הֲוָת קַרְתָּא דִי לָא נְסֵבְנָא מִנְּהוֹן שִׁתִּין קִרְוִין כָּל בֵּית פֶּלֶךְ טְרָכוֹנָא מַלְכְּוָתָא דְעוֹג בְּמַתְנָן: ה כָּל אִלֵּין קִרְוִין כְּרִיכָן מַקְּפָן שׁוּר (רָם) דִּילְהֵן דָּשִׁין וְעַבְּרִין בַּר מִקִּרְוֵי פַצְחַיָּא סַגִּי לַחֲדָא: ו וְגַמַּרְנָא יָתְהוֹן כְּמָא דִי עֲבַדְנָא לְסִיחֹן מַלְכָּא דַחֲשְׁבּוֹן גַּמָּרָנָא כָּל קִרְוֵי גֻבְרַיָּא נְשַׁיָּא וְטַפְלָא: ז וְכָל בְּעִירָא וַעֲדִי קִרְוַיָּא בַּזְנָא לָנָא: ח וּכְבַשְׁנָא בְּעִדָּנָא הַהִיא יָת אַרְעָא מִיְּדָא דְתָרֵין מַלְכֵי אֱמֹרָאָה דִי בְּעִבְרָא דְיַרְדְּנָא מִנַּחְלָא דְאַרְנֹן עַד טוּרָא דְחֶרְמוֹן: ט צִידֹנָאֵי

רש"י

אֶל תִּירָא אוֹתוֹ: אֶלָּא מִתְיָרֵא הָיָה מֹשֶׁה שֶׁלֹּא תַּעֲמֹד לוֹ זְכוּת שֶׁשִּׁמֵּשׁ לְאַבְרָהָם, שֶׁנֶּאֱמַר (בר' י"ד) וַיָּבֹא הַפָּלִיט. וְהוּא עוֹג: (ה) חֶבֶל אַרְגֹּב. מְתַרְגְּמִינָן בֵּית פֶּלֶךְ טְרָכוֹנָא, וְרָאִיתִי תַּרְגּוּם יְרוּשַׁלְמִי בִּמְגִלַּת אֶסְתֵּר קוֹרֵא פַּלְטִין טְרָכוֹנִין, לִמְדֵי חֶבֶל אַרְגֹּב הַטְּרַכְיָא – הֵיכַל מֶלֶךְ, כְּלוֹמַר שֶׁהַמַּלְכוּת נִקְרֵאת עַל שְׁמָהּ; וְכֵן אֶת הָאַרְגּוֹב דִּמְלָכִים (מ"ב ט"ו). אֵצֶל הֵיכַל מֶלֶךְ הָרַע סָתַך בֶּן רְמַלְיָהוּ לִסְקֹתַיָה בֶּן מְנַחֵם, לִמְדֵי שֶׁכָּךְ נִקְרָא שֵׁם הַפַּלְטֵרְכְיָא: (ה) מֵעָרֵי הַפְּרָזִי. פְּרָזוֹת וּפְתוּחוֹת בְּלֹא חוֹמָה, וְכֵן (זכ' ב') פְּרָזוֹת תֵּשֵׁב יְרוּשָׁלַיִם: (ו) הַחֲרֵם. לְשׁוֹן הֹוֶה – הָלוֹךְ וְכַלּוֹת: (ח) מִיַּד. מְרָשׁוּת: (ט) צִידֹנִים

at Heshbon. [3]So the Eternal our God gave into our hands Og also, the king of Bashan, and all his people: and we smote him until no remnant remained unto him. [4]And we conquered all his cities at that time, there was not a town which we took not from them, threescore cities, all the line of Argob, the kingdom of Og in Bashan. [5]All these cities *were* fortified with high walls, doors, and bolts; besides unwalled cities a great many [6]And we doomed them to destruction, as we did unto Sihon king of Heshbon, dooming to destruction the men, women, and little ones, of every city. [7]But all the beasts, and the spoil of the cities, we took for a prey to ourselves. [8]And we took at that time out of the hand of the two kings of the Amorites the land that *was* on this side of the Jordan, from the brook of Arnon unto mount Hermon; [9]*Which* Hermon the Sidonians call Sirion;

רש"י

case of Og Moses feared lest the merit that he (Og) had been of service to Abraham might avail him, as it is said, (Gen. XIV. 13: see Rashi thereon), "And the fugitive came", and that was Og (see Rashi on Num. XXI. 34). **(4)** חבל ארגב [ALL] THE LINE OF ARGOB — We render this in the Targum by בית פלך טרכונא. Now I have seen that the Jerusalem Targum of the Scroll of Esther terms a palace טרכונין. I learn *from this that* חבל ארגב *signifies* "the province of the Royal Palace", denoting that the province[1]) is called after its name (after the name of the palace). Similarly, also the term ארגוב *found in the Book* of Kings (2 XV. 25) *where the meaning is that* Pekah the son of Remaliah slew Pekahia the son of Menahem near the king's palace (את ארגוב), [I learn that thus (after the palace) was the province named]. **(5)** מערי הפרזי [BESIDES] UNWALLED CITIES — unconfined and open, *i. e.* without a wall. Similar is, (Zech. II. 8) "As open spaces (פרזות) shall Jerusalem be inhabited". **(6)** החרם — This has a present *frequentative* meaning: going on and destroying (see Rashi on Num. XXV. 17). **(8)** מיד means, FROM THE CONTROL OF. **(9)** צידנים יקראו לחרמון וגו׳ THE SIDONIANS CALL HERMON SIRION — But

NOTES

1) Rashi uses the term מלכות because the text speaks of the חבל ארגב being ממלכת עוג.

וְהָאֱמֹרִי יִקְרְאוּ־לוֹ שְׂנִיר: י כֹּל ׀ עָרֵי הַמִּישֹׁר וְכָל־הַגִּלְעָד וְכָל־הַבָּשָׁן עַד־סַלְכָה וְאֶדְרֶעִי עָרֵי מַמְלֶכֶת עוֹג בַּבָּשָׁן: יא כִּי רַק־עוֹג מֶלֶךְ הַבָּשָׁן נִשְׁאַר מִיֶּתֶר הָרְפָאִים הִנֵּה עַרְשׂוֹ עֶרֶשׂ בַּרְזֶל הֲלֹה הִוא בְּרַבַּת בְּנֵי עַמּוֹן תֵּשַׁע אַמּוֹת אָרְכָּהּ וְאַרְבַּע אַמּוֹת רָחְבָּהּ בְּאַמַּת־אִישׁ: יב וְאֶת־הָאָרֶץ הַזֹּאת יָרַשְׁנוּ בָּעֵת הַהִוא מֵעֲרֹעֵר אֲשֶׁר־עַל־נַחַל אַרְנֹן וַחֲצִי הַר־הַגִּלְעָד וְעָרָיו נָתַתִּי לָרְאוּבֵנִי וְלַגָּדִי: יג וְיֶתֶר הַגִּלְעָד וְכָל־הַבָּשָׁן מַמְלֶכֶת עוֹג נָתַתִּי לַחֲצִי שֵׁבֶט הַמְנַשֶּׁה כֹּל חֶבֶל הָאַרְגֹּב לְכָל־הַבָּשָׁן הַהוּא יִקָּרֵא אֶרֶץ רְפָאִים: יד יָאִיר בֶּן־מְנַשֶּׁה לָקַח אֶת־כָּל־חֶבֶל אַרְגֹּב עַד־גְּבוּל הַגְּשׁוּרִי וְהַמַּעֲכָתִי וַיִּקְרָא אֹתָם

אונקלוס

קָרָאן לְחֶרְמוֹן סְרְיוֹן וֶאֱמוֹרָאֵי קָרָאן לֵהּ טוּר תַּלְגָּא: י כֹּל קִרְוֵי מֵישְׁרָא וְכָל גִּלְעָד וְכָל דְּמַתְנָן עַד סַלְכָה וְאֶדְרֶעִי קִרְוֵי מַלְכוּתָא דְעוֹג (בְּ)מַתְנָן: יא אֲרֵי לְחוֹד עוֹג מַלְכָּא דְמַתְנָן אִשְׁתְּאַר מִשְּׁאָר גִּבָּרַיָּא הָא עַרְסֵהּ עַרְסָא דְפַרְזְלָא הֲלָא הִיא בְּרַבַּת בְּנֵי עַמּוֹן תְּשַׁע אַמִּין אָרְכַּהּ וְאַרְבַּע אַמִּין פְּתָיַהּ בְּאַמַּת מְלַךְ: יב וְיָת אַרְעָא הָדָא יְרִיתְנָא בְּעִדָּנָא הַהִיא מֵעֲרֹעֵר דִּי עַל נַחֲלָא דְאַרְנוֹן וּפַלְגּוּת טוּרָא דְגִלְעָד וְקִרְווֹהִי יְהָבִית לְשִׁבְטָא דִרְאוּבֵן וּלְשִׁבְטָא דְגָד: יג וּשְׁאָר גִּלְעָד וְכָל דְּמַתְנָן מַלְכוּתָא דְעוֹג יְהָבִית לְפַלְגּוּת שִׁבְטָא דִמְנַשֶּׁה כֹּל בֵּית פְּלַךְ טְרָכוֹנָא לְכָל מַתְנָן הַהוּא מִתְקְרֵי אַרְעָא גִּבָּרַיָּא: יד יָאִיר בַּר מְנַשֶּׁה נְסִיב יָת כָּל בֵּית פְּלַךְ טְרָכוֹנָא עַד תְּחוּם גְּשׁוּרָאָה

רש״י

יקראו לחרמון וגו׳. וּבְמָקוֹם אַחֵר הוּא אוֹמֵר (דב׳ ד׳) וְעַד הַר שִׂיאֹן הוּא חֶרְמוֹן, הֲרֵי לוֹ אַרְבָּעָה שֵׁמוֹת, לָמָּה הֻצְרְכוּ לִכָּתֵב? לְהַגִּיד שֶׁבַח אֶרֶץ יִשְׂרָאֵל — שֶׁהָיוּ אַרְבַּע מַלְכֻיּוֹת מִתְפָּאֲרוֹת בָּהּ, זוֹ אוֹמֶרֶת עַל שְׁמִי יִקָּרֵא, וְזוֹ אוֹמֶרֶת עַל שְׁמִי יִקָּרֵא: שניר. הוּא שֶׁלֶג בִּלְשׁוֹן אַשְׁכְּנַז וּבִלְשׁוֹן כְּנַעַן: (יא) מיתר הרפאים. שֶׁהָרַג אַמְרָפֶל וַחֲבֵרָיו בְּעַשְׁתְּרוֹת קַרְנַיִם, וְהוּא פָּלַט מִן הַמִּלְחָמָה שֶׁנֶּאֱמַר (בר׳ י״ד) וַיָּבֹא הַפָּלִיט — זֶהוּ עוֹג: באמת איש. בְּאַמַּת עוֹג: (יב) ואת הארץ הזאת. הָאֲמוּרָה לְמַעְלָה, מִנַּחַל אַרְנֹן עַד הַר חֶרְמוֹן, ירשנו בעת ההוא: מערער אשר על נחל ארנן. אֵינוֹ מְחֻבָּר לְרֹאשׁוֹ שֶׁל מִקְרָא אֶלָּא לְסוֹפוֹ — עַל נָתַתִּי לָרְאוּבֵנִי וְלַגָּדִי, אֲבָל לְעִנְיַן יְרוּשָּׁה עַד הַר חֶרְמוֹן הָיָה: (יג) ההוא יקרא ארץ

and the Amorites call it Shenir; [10]All the cities of the level, and all Gilead, and all Bashan, unto Salchah and Edrei, cities of the kingdom of Og in Bashan. [11]For only Og king of Bashan remained of the rest of Refaim; behold, his bedstead *was* a bedstead of iron; *is* it not in Rabbah of the children of Ammon? nine cubits *was* the length thereof, and four cubits the breadth of it, after the cubit of a man. [12]And this land, *which* we possessed at that time, from Aroer, which *is* by the brook Arnon, and half mount Gilead, and the cities thereof, gave I unto the Reubenites and to the Gadites. [13]And the rest of Gilead, and all Bashan, *being* the kingdom of Og, gave I unto the half tribe of Manasseh; all the line of Argob, with all Bashan, which was called the land of Refaim. [14]Jair the son of Manasseh took all the line of Argob unto the boundaries of Geshuri and Maachathi; and called them

רש"י

in another passage it states, (Deut. IV. 48) "Even unto Mount Sion which is Hermon". So you see it had four names. And why had they all to be written *in Scripture?* To tell the praise of the land of Israel: that there were four kingdoms (kings) priding themselves in this — one saying, "After me shall it be named", and another saying, "After me shall it be named" (Siphre עקב; cf. Chul. 60b). שניר SHENIR — This signifies "snow" in the German language (Schnee) and in the Canaanite (Slav) language (Snih)[1]. **(11)** מיתר הרפאים [ONLY OG ... REMAINED] OF THE REST OF THE REPHAIM whom Amraphel and his allies slew in Ashteroth-Karnaim (Gen. XIV. 5), and he (Og) escaped from the battle, as it is said, (ib. 13) "And the fugitive came", and that was Og (cf. Rashi ib.). באמת איש AFTER THE CUBIT OF A MAN — *i. e.* after the cubit of Og[2]). **(12)** ואת הארץ הזאת AND THIS LAND mentioned above (v. 8), "from the brook of Arnon to Mount Hermon", ירשנו בעת ההוא WE POSSESSED AT THAT TIME. מערער אשר על נחל ארנן FROM AROER, WHICH IS BY THE BROOK ARNON — this must not be connected with the first part of this verse (defining הארץ הזאת) but with its conclusion — with נתתי לראבני ולגדי I GAVE TO THE REUBENITES AND TO THE GADITES; however, as respects possession (taking by conquest) that was "[from the brook of Arnon] to Mount Hermon" (v. 8). **(13)** ההוא יקרא ארץ רפאים IT IS THAT WHICH IS

NOTES

1) See Appendix.

2) A cubit has its name in Hebrew from the word אמה, the "forearm", the length of an average man's forearm being taken as a standard of measurment. Since Scripture mentions the size of the beadstead in order to show Og's gigantic stature, it adds that the measurment it mentions in cubits are according to the forearm of Og, not according to that of an ordinary man.

עַל־שְׁמוֹ אֶת־הַבָּשָׁן חַוֺּת יָאִיר עַד הַיּוֹם הַזֶּה׃ שביעי
טו וּלְמָכִיר נָתַתִּי אֶת־הַגִּלְעָד׃ טז וְלָרֽאוּבֵנִי וְלַגָּדִי
נָתַתִּי מִן־הַגִּלְעָד וְעַד־נַחַל אַרְנֹן תּוֹךְ הַנַּחַל וּגְבֻל
וְעַד יַבֹּק הַנַּחַל גְּבוּל בְּנֵי עַמּוֹן׃ יז וְהָעֲרָבָה וְהַיַּרְדֵּן
וּגְבֻל מִכִּנֶּרֶת וְעַד יָם הָעֲרָבָה יָם הַמֶּלַח תַּחַת
אַשְׁדֹּת הַפִּסְגָּה מִזְרָחָה׃ יח וָאֲצַו אֶתְכֶם בָּעֵת
הַהִוא לֵאמֹר יְהוָה אֱלֹהֵיכֶם נָתַן לָכֶם אֶת־הָאָרֶץ
הַזֹּאת לְרִשְׁתָּהּ חֲלוּצִים תַּעַבְרוּ לִפְנֵי אֲחֵיכֶם בְּנֵי־
יִשְׂרָאֵל כָּל־בְּנֵי־חָיִל׃ יט רַק נְשֵׁיכֶם וְטַפְּכֶם
וּמִקְנֵכֶם יָדַעְתִּי כִּי־מִקְנֶה רַב לָכֶם יֵשְׁבוּ בְּעָרֵיכֶם
אֲשֶׁר נָתַתִּי לָכֶם׃ מפטיר כ עַד אֲשֶׁר־יָנִיחַ יְהוָה ׀
לַאֲחֵיכֶם כָּכֶם וְיָרְשׁוּ גַם־הֵם אֶת־הָאָרֶץ אֲשֶׁר

אונקלוס

וַאפְּקֵירוֹס וּקְרָא יָתְהוֹן עַל שְׁמֵהּ יָת מַתְנַן כַּפְרָנֵי יָאִיר עַד יוֹמָא הָדֵין׃ טו וּלְמָכִיר יְהָבִית יָת גִּלְעָד׃ טז וּלְשִׁבְטָא דִרְאוּבֵן וּלְשִׁבְטָא דְגָד יְהָבִית מִן גִּלְעָד וְעַד נַחְלָא דְאַרְנוֹן גּוֹי נַחְלָא וּתְחוּם וְעַד יוּבְקָא נַחְלָא תְּחוּם בְּנֵי עַמּוֹן׃ יז וּמֵישְׁרָא וְיַרְדְּנָא וּתְחוּמֵהּ מִגִּנּוֹסַר וְעַד יַמָּא דְמֵישְׁרָא יַמָּא דְמִלְחָא תְּחוֹת מַשְׁפַּךְ מְרָמָתָא מָדִינְחָא׃ יח וּפַקֵּדִית יָתְכוֹן בְּעִדָּנָא הַהִיא לְמֵימַר יְיָ אֱלָהֲכוֹן יְהַב לְכוֹן יָת אַרְעָא הָדָא לְמֵירְתַהּ מְזָרְזִין תַּעְבְּרוּן קֳדָם אֲחֵיכוֹן בְּנֵי יִשְׂרָאֵל כָּל מְזָרְזֵי חֵילָא׃ יט לְחוֹד נְשֵׁיכוֹן וְטַפְלְכוֹן וּבְעִירְכוֹן יְדַעְנָא אֲרֵי בְעִיר סַגִּי לְכוֹן יֵתְבוּן בְּקִרְוֵיכוֹן דִּי יְהָבִית לְכוֹן׃ כ עַד דִּי יְנִיחַ יְיָ לַאֲחֵיכוֹן כְּוָתְכוֹן וְיֵירְתוּן אַף אִנּוּן יָת אַרְעָא דַּייָ אֱלָהֲכוֹן

רש״י

רפאים. הִיא אוֹתָהּ שֶׁנָּתַתִּי לְאַבְרָהָם: (טז) תוך הנחל וגבל. כָּל הַנַּחַל וְעוֹד מֵעֵבֶר לִשְׂפָתוֹ, כְּלוֹמַר עַד וְעַד בִּכְלָל וְיוֹתֵר מִכֵּן: (יז) מכנרת. מֵעֵבֶר הַיַּרְדֵּן הַמַּעֲרָבִי, וְנַחֲלַת בְּנֵי גָד מֵעֵבֶר הַיַּרְדֵּן מִזְרָחִי, וְנָפַל בְּגוֹרָלָם רוֹחַב הַיַּרְדֵּן כְּנֶגְדָּם, וְעוֹד מֵעֵבֶר שְׂפָתוֹ עַד כִּנֶּרֶת, וְזֶהוּ שֶׁנֶּאֱמַר והירדן וגבל — הַיַּרְדֵּן וּמֵעֵבֶר לוֹ: (יח) ואצו אתכם. לִבְנֵי רְאוּבֵן וּבְנֵי גָד הָיָה מְדַבֵּר: לפני אחיכם. הֵם הָיוּ הוֹלְכִים לִפְנֵי יִשְׂרָאֵל לַמִּלְחָמָה לְפִי שֶׁהָיוּ גִּבּוֹרִים, וְאוֹיְבִים נוֹפְלִים לִפְנֵיהֶם, שֶׁנֶּאֱמַר (דב׳ ל״ג) וְטָרַף זְרוֹעַ אַף קָדְקֹד:

after his own name, Bashan-havoth-jair, unto this day. [15]And I gave Gilead unto Machir. [16]And unto the Reubenites and unto the Gadites I gave from Gilead even unto the midst of the brook Arnon, and the boundary even unto the brook Jabbok, *which is* the boundary of the children of Ammon; [17]The plain also, and the Jordan, and the boundary *thereof*, from Chinnereth even unto the sea of the plain, *even* the salt sea, under the ravines of Pisgah eastward. [18]And I commanded you at that time, saying, The Eternal your God hath given you his land to possess it: ye shall pass over equipped before your brethren the children of Israel, all *that are* meet for the war. [19]But your wives, and your little ones, and your cattle, *for* I know that ye have much cattle, shall abide in your cities which I have given you; [20]Until the Eternal have given rest unto your brethren, as well as unto you, and *until* they also possess the land which

רש"י

CALLED THE LAND OF REPHAIM — it is that which I gave to Abraham (cf. Rashi on II. 20). **(16)** תוך הנחל וגבול THE MIDST OF THE BROOK AND THE TERRITORY, *i. e.*, all the brook and in addition, *land* on its opposite bank. *The words therefore are* as much as to say, עד "unto" *the Brook of Arnon*, ועד "and" *that which is mentioned as being* "unto" (i. e. the Brook itself) is included (by the words תוך הנחל), and even more than this (namely, the גבול, land on the other side of the brook). **(17)** מכנרת FROM CHINNERETH — This is on the western side of Jordan. The inheritance of the children of Gad was in the east side of the Jordan, and there fell as their lot the width of the Jordan, adjoining their territory, and in addition, *land* on its opposite bank up to Chinnereth. This is the meaning of what is said *here*, "And the Jordan and the territory thereof", *i. e.* the Jordan and *some land* on its opposite bank. **(18)** ואצו אתכם AND I COMMANDED YOU — He *now* addresses himself to the sons of Reuben and the sons of Gad. לפני אחיכם [YE SHALL PASS OVER EQUIPPED] BEFORE YOUR BRETHREN — they used to go in front of the *other* Israelites into battle because they were mighty men, and the enemy fell before them, as it is said *of Gad*, (XXXIII. 20) "he teareth the arm, yea the crown of the head" (cf. Rashi on Num. XXXII. 17).

יְהוָה אֱלֹהֵיכֶם נֹתֵן לָהֶם בְּעֵבֶר הַיַּרְדֵּן וְשַׁבְתֶּם אִישׁ לִירֻשָּׁתוֹ אֲשֶׁר נָתַתִּי לָכֶם׃ כא וְאֶת־יְהוֹשׁוּעַ צִוֵּיתִי בָּעֵת הַהִוא לֵאמֹר עֵינֶיךָ הָרֹאֹת אֵת כָּל־אֲשֶׁר עָשָׂה יְהוָה אֱלֹהֵיכֶם לִשְׁנֵי הַמְּלָכִים הָאֵלֶּה כֵּן־יַעֲשֶׂה יְהוָה לְכָל־הַמַּמְלָכוֹת אֲשֶׁר אַתָּה עֹבֵר שָׁמָּה׃ כב לֹא תִּירָאוּם כִּי יְהוָה אֱלֹהֵיכֶם הוּא הַנִּלְחָם לָכֶם׃

ומפטירין חזון ישעיהו בטעיס. בסימן א׳. ק״ס מלכי״ה סימן:

ס ס ס

כג וָאֶתְחַנַּן אֶל־יְהוָה בָּעֵת הַהִוא לֵאמֹר׃ כד אֲדֹנָי יְהוִה אַתָּה הַחִלּוֹתָ לְהַרְאוֹת אֶת־עַבְדְּךָ אֶת־גָּדְלְךָ וְאֶת־יָדְךָ הַחֲזָקָה אֲשֶׁר מִי־אֵל בַּשָּׁמַיִם

אונקלוס

יָהֵיב לְהוֹן בְּעִבְרָא דְיַרְדְּנָא וּתְתוּבוּן גְּבַר לִירֻתְּתֵהּ דִּי יְהָבִית לְכוֹן׃ כא וְיָת יְהוֹשֻׁעַ פַּקֵּידִית בְּעִדָּנָא הַהִיא לְמֵימָר עֵינָיךְ חֲזָאָה יָת כָּל דִּי עֲבַד יְיָ אֱלָהֲכוֹן לִתְרֵין מַלְכַיָּא הָאִלֵּין כֵּן יַעְבֵּד יְיָ לְכָל מַלְכְוָתָא דִּי אַתְּ עָבַר לְתַמָּן׃ כב לָא תִדְחֲלוּן מִנְּהוֹן אֲרֵי יְיָ אֱלָהֲכוֹן מֵימְרֵהּ מְגִיחַ לְכוֹן׃ ס ס ס

כג וְצַלֵּיתִי קֳדָם יְיָ בְּעִדָּנָא הַהִיא לְמֵימָר׃ כד יְיָ אֱלֹהִים אַתְּ שָׁרֵיתָא לְאַחֲזָאָה יָת עַבְדָּךְ יָת רְבוּתָךְ וְיָת יְדָךְ תַּקִּיפָא דִּי אַתְּ הוּא אֱלָהָא דִּשְׁכִנְתָּךְ בִּשְׁמַיָּא

רש״י

(כג) ואתחנן. אֵין חִנּוּן בְּכָל מָקוֹם אֶלָּא לְשׁוֹן מַתְּנַת חִנָּם – אַעַ״פּ שֶׁיֵּשׁ לָהֶם לַצַּדִּיקִים לִתְלוֹת בְּמַעֲשֵׂיהֶם הַטּוֹבִים אֵין מְבַקְשִׁים מֵאֵת הַמָּקוֹם אֶלָּא מַתְּנַת חִנָּם, (לְפִי שֶׁאָמַר לוֹ וְחַנֹּתִי אֶת אֲשֶׁר אָחֹן אָמַר לוֹ בִּלְשׁוֹן וָאֶתְחַנַּן); דָּ״אַ זֶה אֶחָד מֵעֲשָׂרָה לְשׁוֹנוֹת שֶׁנִּקְרֵאת תְּפִלָּה, כִּדְאִיתָא בְּסִפְרֵי: בעת ההוא. לְאַחַר שֶׁכָּבַשְׁתִּי אֶרֶץ סִיחוֹן וְעוֹג דִּמִּיתִי שֶׁמָּא הוּתַּר הַנֶּדֶר: לאמר. זֶה אֶחָד מִג׳ מְקוֹמוֹת שֶׁאָמַר משֶׁה לִפְנֵי הַמָּקוֹם אֵינִי מַנִּיחֲךָ עַד שֶׁתּוֹדִיעֵנִי אִם תַּעֲשֶׂה שְׁאֵלָתִי אִם לָאו (ספרי): (כד) ה׳ אלהים. רַחוּם בַּדִּין: אתה החלות להראות את עבדך. פֶּתַח, לִהְיוֹת עוֹמֵד וּמִתְפַּלֵּל אַעַ״פּ שֶׁנִּגְזְרָה גְזֵרָה; אָמַר לוֹ מִמְּךָ לָמַדְתִּי, שֶׁאָמַרְתָּ לִי (שמ׳ ל״ב) וְעַתָּה הַנִּיחָה לִי, וְכִי תוֹפֵס הָיִיתִי בְךָ? אֶלָּא לִפְתּוֹחַ פֶּתַח, שֶׁבִּי הָיָה תָלוּי לְהִתְפַּלֵּל עֲלֵיהֶם, כְּמוֹ כֵן הָיִיתִי סָבוּר לַעֲשׂוֹת עַכְשָׁיו (ספרי): את גדלך. זוֹ מִדַּת טוּבְךָ, וְכֵן הוּא אוֹמֵר (במ׳ י״ד) וְעַתָּה יִגְדַּל נָא כֹּחַ ה׳: ואת ידך. זוֹ יְמִינְךָ שֶׁהִיא פְשׁוּטָה לְכָל בָּאֵי עוֹלָם: החזקה, שֶׁאַתָּה כוֹבֵשׁ בְּרַחֲמִים אֶת מִדַּת הַדִּין בְּחָזְקָה (ספרי): אשר מי אל וגו׳. אֵינְךָ דּוֹמֶה לְמֶלֶךְ בָּשָׂר וָדָם שֶׁיֵּשׁ לוֹ יוֹעֲצִין וְסַנְקָתֶדְרִין הַמּוֹחִין בְּיָדוֹ

the Eternal your God hath given them on the other side of the Jordan; and *then* shall ye return every man unto his possession, which I have given you. [21]And I commanded Joshua at that time, saying, Thine eyes have seen all that the Eternal your God hath done unto these two kings: so shall the Eternal do unto all the kingdoms whither thou passest. [22]Ye shall not fear them: for it is the Eternal your God that fighteth for you. [23]And I besought the Eternal at that time, saying, [24]O Eternal God, thou hast begun to show thy servant thy greatness, and thy strong hand: for what God *is there* in heaven

רש"י

ואתחנן

(23) ואתחנן — All *forms of the verb* חנן signify an ex gratia gift. Although the righteous might make *a claim to reward* depend upon their good deeds, yet they solicit from the Omnipresent only an ex gratia gift. [Because He had said to him, (Ex. XXXIII. 19) "I will show grace (וחנתי) unto him to whom I will show grace", he (Moses) *when referring to his entreaty of God* uses the expression (lit., spoke to Him) "I implored grace (ואתחנן)"] — Another explanation *is that the idea of an ex gratia gift is not to be stressed; but* this is *merely* one of the ten terms by which prayer is described, as are *enumerated* in Siphre. בעת ההוא [I IMPLORED GRACE OF GOD] AT THAT TIME — After I had subdued the land of Sihon and Og I thought that perhaps the vow *that I should not enter the land* was annulled, *since this was part of the land of Canaan* (cf. Siphre and Rashi on Num. XXVII. 12). לאמר TO SAY (i. e. that God should say) — This is one of the three[1]) occasions where Moses spake before the Omnipresent: I will not let Thee go until Thou tellest me whether Thou wilt fulfil my request or not (Siphre; cf. Rashi on Num. XII. 13). **(24)** אדני אלהים O LORD, GOD — *O Thou Who art* merciful (ה׳) in judgment (אלהים) (cf. Siphre). אתה החלות להראות את עבדך THOU DIDST BEGIN TO SHOW THY SERVANT an opening to stand and offer prayer, although the decree has been enacted; he said to Him: I learned *to do so* from T h e e , for Thou didst say to me, (Ex. XXXII. 10; cf. Rashi thereon) "And now, leave Me alone". Was I, then, holding Thee? But *Thou didst say this* to open the door *and to show* that it depended upon m e to pray for them. Just so do I think to act now (Siphre). את גדלך [TO SHOW] THY GREATNESS — This means Thy attribute of goodness. Similarly it states, (Num. XIV. 17, 18) "And now, I beseech Thee, let the strength of my Lord be g r e a t , [according as thou hast spoken, saying: The Lord is long-suffering and of much mercy, etc."]. ואת ידך AND THY [STRONG] HAND — This refers to Thy right hand which is extended to all who enter the world (all human beings) *to receive them in penitence.* החזקה [THY] STRONG [HAND] — *I speak of it as Thy* s t r o n g *hand,* because by *showing* mercy Thou forcibly (בחזקה) subduest the attribute of strict justice (Siphre on Num. XXVII. 12)[2]). אשר מי אל וגו׳ FOR WHAT GOD IS THERE [. . . WHO CAN DO ACCORDING TO THY WORKS] — Thou art unlike a mortal king who has counsellors and assessors who would prevent him when he wishes to show kindness and to forgo what is due to him: Thou, *however,* — there is none who

NOTES

1) See Appendix.

2) Rashi feels compelled to give the phrase ידך החזקה this meaning, because usually it refers to God's hand in punishment (ביד חזקה ובזרוע נטויה)

וּבָאָ֔רֶץ אֲשֶׁר־יַעֲשֶׂ֥ה כְמַעֲשֶׂ֖יךָ וְכִגְבוּרֹתֶֽךָ׃
כה אֶעְבְּרָה־נָּ֗א וְאֶרְאֶה֙ אֶת־הָאָ֣רֶץ הַטּוֹבָ֔ה אֲשֶׁ֖ר
בְּעֵ֣בֶר הַיַּרְדֵּ֑ן הָהָ֥ר הַטּ֛וֹב הַזֶּ֖ה וְהַלְּבָנֹֽן׃ כו וַיִּתְעַבֵּ֨ר
יְהוָ֥ה בִּי֙ לְמַ֣עַנְכֶ֔ם וְלֹ֥א שָׁמַ֖ע אֵלָ֑י וַיֹּ֨אמֶר יְהוָ֤ה
אֵלַי֙ רַב־לָ֔ךְ אַל־תּ֗וֹסֶף דַּבֵּ֥ר אֵלַ֛י ע֖וֹד בַּדָּבָ֥ר הַזֶּֽה׃
כז עֲלֵ֣ה ׀ רֹ֣אשׁ הַפִּסְגָּ֗ה וְשָׂ֥א עֵינֶ֛יךָ יָ֧מָּה וְצָפֹ֛נָה
וְתֵימָ֥נָה וּמִזְרָ֖חָה וּרְאֵ֣ה בְעֵינֶ֑יךָ כִּי־לֹ֥א תַעֲבֹ֖ר
אֶת־הַיַּרְדֵּ֥ן הַזֶּֽה׃ כח וְצַ֥ו אֶת־יְהוֹשֻׁ֖עַ וְחַזְּקֵ֣הוּ וְאַמְּצֵ֑הוּ
כִּי־ה֣וּא יַעֲבֹ֗ר לִפְנֵי֙ הָעָ֣ם הַזֶּ֔ה וְה֤וּא יַנְחִיל֙ אוֹתָ֔ם

אונקלוס

מַלְּלָא וְשַׁלִּיט בְּאַרְעָא וְלֵית דְּיַעְבֵּד כְּעוֹבָדָיךְ וּכְגְבוּרְתָּךְ׃ כה אֶעְבַּר כְּעַן וְאֶחֱזֵי
יָת אַרְעָא טַבְתָא דִּי בְּעִבְרָא דְיַרְדְּנָא טוּרָא טָבָא הָדֵין וּבֵית מַקְדְּשָׁא׃ כו וַהֲוָה
רְגַז מִן קֳדָם יְיָ עֲלַי בְּדִילְכוֹן וְלָא קַבִּיל מִנִּי וַאֲמַר יְיָ לִי סַגִּי לָךְ לָא תּוֹסֵף
לְמַלָּלָא קֳדָמַי עוֹד בְּפִתְגָּמָא הָדֵין׃ כז סַק לְרֵישׁ רָמָתָא וּזְקוֹף עֵינָךְ לְמַעְרְבָא
וּלְצִפּוּנָא וְלִדְרוֹמָא וּלְמָדִינְחָא וַחֲזֵי בְעֵינָךְ אֲרֵי לָא תְעִבַּר יָת יַרְדְּנָא הָדֵין׃
כח וּפַקֵּד יָת יְהוֹשֻׁעַ וְתַקְּפֵהִי וְאַלְּמֵהִי אֲרֵי הוּא יִעְבַּר קֳדָם עַמָּא הָדֵין וְהוּא

רש"י

כְּשֶׁרוֹצֶה לַעֲשׂוֹת חֶסֶד וְלַעֲבוֹר עַל מִדּוֹתָיו, אַתָּה אֵין מִי יִמְחֶה בְיָדְךָ אִם תִּמְחוֹל לִי
וְתְבַטֵּל גְּזֵרָתְךָ; וּלְפִי פְשׁוּטוֹ אַתָּה הַחִלּוֹתָ לְהַרְאוֹת אֶת עַבְדְּךָ מִלְחֶמֶת סִיחוֹן וְעוֹג,
— כִּדְכְתִיב (דב׳ ב׳) רְאֵה הַחִלֹּתִי תֵּת לְפָנֶיךָ, — הַרְאֵנִי מִלְחֶמֶת ל״א מְלָכִים׃ (כה) אעברה
נא. אֵין נָא אֶלָּא לְשׁוֹן בַּקָּשָׁה׃ ההר הטוב הזה. זוֹ יְרוּשָׁלַיִם׃ והלבנן. זֶה בֵּית הַמִּקְדָּשׁ
(ספרי)׃ (כו) ויתעבר ה׳. נִתְמַלֵּא חֵמָה׃ למענכם. אַתֶּם גְּרַמְתֶּם לִי, וְכֵן הוּא אוֹמֵר
(תה׳ ק״ו) וַיַּקְצִיפוּ עַל מֵי מְרִיבָה וַיֵּרַע לְמשֶׁה בַּעֲבוּרָם׃ רב לך. שֶׁלֹּא יֹאמְרוּ הָרַב כַּמָּה
קָשֶׁה וְהַתַּלְמִיד כַּמָּה סַרְבָן, מַפְצִיר (סוטה י״ג); דָּ״אַ רב לך, הַרְבֵּה מִזֶּה שָׁמוּר לְךָ רַב טוּב
הַצָּפוּן לָךְ (ספרי)׃ (כז) וראה בעיניך. בִּקַּשְׁתָּ מִמֶּנִּי וְאֶרְאֶה אֶת הָאָרֶץ הַטּוֹבָה, אֲנִי
מַרְאֶה לְךָ אֶת כֻּלָּהּ. שֶׁנֶּאֱמַר (דב׳ ל״ד) וַיַּרְאֵהוּ ה׳ אֶת כָּל הָאָרֶץ׃ (כח) וצו את יהושע
עַל הַטְּרָחוֹת וְעַל הַמַּשָּׂאוֹת וְעַל הַמְּרִיבוֹת׃ וחזקהו ואמצהו בִּדְבָרֶיךָ, שֶׁלֹּא יֵרַךְ לִבּוֹ
לוֹמַר כְּשֵׁם שֶׁנֶּעֱנַשׁ רַבִּי עֲלֵיהֶם, כַּךְ סוֹפִי לֵעָנֵשׁ עֲלֵיהֶם, מַבְטִיחוֹ אֲנִי כִּי הוּא יַעֲבוֹר
וְהוּא יַנְחִיל (עי׳ ספרי)׃ כי הוא יעבר. אִם יַעֲבוֹר לִפְנֵיהֶם יִנְחָלוּ, וְאִם לָאו לֹא יִנְחָלוּ;
וְכֵן אַתָּה מוֹצֵא כְּשֶׁשָּׁלַח מִן הָעָם אֶל הָעַי וְהוּא יָשַׁב, וַיַּכּוּ מֵהֶם אַנְשֵׁי הָעַי וְגו׳ (יהוש ז׳)
וְכֵיוָן שֶׁנָּפַל עַל פָּנָיו אָמַר לוֹ „קֻם לָךְ״ — קֻם לך כְּתִיב, אַתָּה הוּא הָעוֹמֵד בִּמְקוֹמְךָ
וּמְשַׁלֵּחַ אֶת בָּנַי לַמִּלְחָמָה לָמָּה זֶה אַתָּה נֹפֵל עַל פָּנֶיךָ? לֹא כָךְ אָמַרְתִּי לְמשֶׁה רַבְּךָ אִם

or in earth, that can do according to thy works, and according to thy might? [25]I pray thee, let me pass over, and see the good land that *is* on the other side of the Jordan, that goodly mountain, and Lebanon. [26]But the Eternal was incensed against me for your sakes, and would not hear me: and the Eternal said unto me, Let it suffice thee; continue not to speak unto me of this thing. [27]Go up into the top of Pisgah, and lift up thine eyes westward, and northward, and southward, and eastward, and see *it* with thine eyes: for thou shalt not pass over this Jordan. [28]But command Joshua, and strengthen him, and make him firm: for he shall pass over before this people, and he shall cause them to inherit

רש"י

can prevent Thee if Thou pardonest me and dost annul Thy decree[1]). But according to its plain sense *it means:* "Thou hast begun to show Thy servant the war with Sihon and Og, as it is written, (II. 31) "Behold I have begun to give [Sihon and his land] before thee"; let me behold *also* the war with the thirty-one kings *of Canaan.* **(25)** אעברה נא LET ME PASS OVER, I PRAY THEE — The term נא is a term of request (it does not here signify "now"). ההר הטוב הזה THAT GOODLY MOUNTAIN, *i. e.* Jerusalem (that was situated on hills) (Siphre on Num. XXVII. 12). והלבנן AND LEBANON — this is *a term for* the Temple[2]) (Siphre). **(26)** ויתעבר ה׳ *This means,* GOD WAS FILLED WITH WRATH (Siphre). למענכם ON ACCOUNT OF YOU — You caused this for me (that God was wroth with me); similarly it states, (Ps. CVI. 32) "And they provoked Him at the waters of Meriba, and He did evil to Moses on their account"[3]). רב לך LET IT SUFFICE THEE (i. e. pray no more), so that people should not say, "How harsh is the Master, and how obstinate *and* importunate[4]) is the disciple (Sota 13b). Another explanation of רב לך (lit., there is much for thee) — more than this is reserved for thee: much is the goodness that is stored up for thee (Siphre). **(27)** וראה בעיניך [LIFT UP THINE EYES ...] AND SEE IT WITH THINE EYES — Thou didst request of Me, (v. 25) "Let me see the good land"; I will let thee see the whole of it (not the good territory alone), as it is said, (XXXIV. 1) "And the Lord showed him all the land" (cf. Siphre on Num. XXVII. 12). **(28)** וצו את יהושע AND GIVE JOSHUA CHARGE regarding the cumbrance, the burdens and strifes *that he will have to bear* (cf. I. 12). וחזקהו ואמצהו AND STRENGTHEN HIM AND MAKE HIM FIRM through thy words, so that he may not become faint-hearted, saying, "Just as my master was punished on account of them, so eventually will I be punished on account of them *and not enter the land.* I promise him "that he shall pass over [before this people] and he shall cause [them] to inherit [the land]" (cf. Siphre). כי הוא יעבר (this may mean: if he passes) — If he will pass before them, they will possess *the land,* and if not, they will not possess it. So, indeed, you find that when he sent some of the people against Ai and he remained *in the camp,* "the men of Ai smote of them [thirtysix men]" (Joshua VII. 5). And when he fell on his face, He said to him, קם לך: *the verb* is written קם (without ו, so that it may be read קַם) *i. e.* "It is thou who standest in thy place and sendest My children to war, *who hast brought about this defeat*[5]). Why is it that thou

NOTES

1) See Appendix.

2) The Service in the Temple is stated to have made Israel's sins as white (לבן) as snow (cf. Is. I. 18: אם יהיו חטאיכם כשנים כשלג ילבינו).

3) Usually למען points to the purpose for which something is done: for the sake of. Here, however, it cannot mean: God was angry with me for your sake; it means that God was angry with me through you.

4) The reading is כמה סרבן. Rashi appears to have added מסציר as an explanation of the word סרבן, for the copulative ו is missing.

5) See Appendix.

אֶת־הָאָרֶץ אֲשֶׁר תִּרְאֶה׃ כט וַנֵּשֶׁב בַּגָּיְא מוּל
בֵּית פְּעוֹר׃ פ

ד א וְעַתָּה יִשְׂרָאֵל שְׁמַע אֶל־הַחֻקִּים וְאֶל־
הַמִּשְׁפָּטִים אֲשֶׁר אָנֹכִי מְלַמֵּד אֶתְכֶם לַעֲשׂוֹת
לְמַעַן תִּחְיוּ וּבָאתֶם וִירִשְׁתֶּם אֶת־הָאָרֶץ אֲשֶׁר
יְהוָה אֱלֹהֵי אֲבֹתֵיכֶם נֹתֵן לָכֶם׃ ב לֹא תֹסִפוּ עַל־
הַדָּבָר אֲשֶׁר אָנֹכִי מְצַוֶּה אֶתְכֶם וְלֹא תִגְרְעוּ
מִמֶּנּוּ לִשְׁמֹר אֶת־מִצְוֺת יְהוָה אֱלֹהֵיכֶם אֲשֶׁר אָנֹכִי
מְצַוֶּה אֶתְכֶם׃ ג עֵינֵיכֶם הָרֹאוֹת אֵת אֲשֶׁר־עָשָׂה
יְהוָה בְּבַעַל פְּעוֹר כִּי כָל־הָאִישׁ אֲשֶׁר הָלַךְ אַחֲרֵי
בַעַל־פְּעוֹר הִשְׁמִידוֹ יְהוָה אֱלֹהֶיךָ מִקִּרְבֶּךָ׃ ד וְאַתֶּם
הַדְּבֵקִים בַּיהוָה אֱלֹהֵיכֶם חַיִּים כֻּלְּכֶם הַיּוֹם׃ שני
ה רְאֵה ׀ לִמַּדְתִּי אֶתְכֶם חֻקִּים וּמִשְׁפָּטִים כַּאֲשֶׁר
צִוַּנִי יְהוָה אֱלֹהָי לַעֲשׂוֹת כֵּן בְּקֶרֶב הָאָרֶץ אֲשֶׁר

אונקלוס

יַחְסֵן יָתְהוֹן יָת אַרְעָא דִּי תֶחֱזֵי׃ כט וִיתֵבְנָא בְּחֵילְתָא לָקֳבֵיל בֵּית פְּעוֹר׃ א וּכְעַן
יִשְׂרָאֵל שְׁמַע לִקְיָמַיָּא וּלְדִינַיָּא דִּי אֲנָא מְאַלֵּף יָתְכוֹן לְמֶעְבַּד בְּדִיל דְּתֵיחוּן
וְתֵיתוּן וְתֵירְתוּן יָת אַרְעָא דִּי יְיָ אֱלָהָא דַּאֲבָהָתְכוֹן יָהֵב לְכוֹן׃ ב לָא תוֹסְפוּן עַל
פִּתְגָּמָא דִּי אֲנָא מְפַקֵּד יָתְכוֹן וְלָא תִמְנְעוּן מִנֵּהּ לְמִטַּר יָת פִּקּוֹדַיָּא דַּייָ אֱלָהֲכוֹן
דִּי אֲנָא מְפַקֵּד יָתְכוֹן׃ ג עֵינֵיכוֹן חֲזָן יָת דִּי עֲבַד יְיָ בְּפָלְחֵי בַעַל פְּעוֹר אֲרֵי כָּל
גַּבְרָא דְּהַלִּיךְ בָּתַר בַּעַל פְּעוֹר שֵׁיצְיֵהּ יְיָ אֱלָהָךְ מִבֵּינָךְ׃ ד וְאַתּוּן דְּאַדְבֶּקְתּוּן
בְּדַחְלְתָא דַּייָ אֱלָהֲכוֹן קַיָּמִין כָּלְכוֹן יוֹמָא דֵין׃ ה חֲזוֹ דְּאַלֵּפִית יָתְכוֹן קְיָמַיָּא
וְדִינַיָּא כְּמָא דִּי פַקְדַנִי יְיָ אֱלָהִי לְמֶעְבַּד כֵּן בְּגוֹ אַרְעָא דִּי אַתּוּן עָלִּין תַּמָּן

רש"י

הוּא עוֹבֵר עוֹבְרִין וְאִם לָאו אֵין עוֹבְרִין! (ספרי): (כט) ונשב בגיא וגו'. וְנִצְמַדְתֶּם לַעֲ"ז, וְאַעַ"פּ כן ועתה ישראל שמע אל החקים, וְהַכֹּל מָחוּל לָךְ, וַאֲנִי לֹא זָכִיתִי לִמְחֹל לִי:

ד (ב) לא תספו. כְּגוֹן חָמֵשׁ פָּרָשִׁיּוֹת בַּתְּפִלִּין, חֲמֵשֶׁת מִינִין בַּלּוּלָב, וְחָמֵשׁ צִיצִיּוֹת,

the land which thou shalt see. [29]So we abode in the glen over against Beth-peor.

4. [1]Now therefore hearken, O Israel, unto the statutes and unto the judgments which I teach you, for to do *them,* that ye may live, and go in and possess the land which the Eternal God of your fathers giveth you. [2]Ye shall not add unto the word which I command you, neither shall you diminish *ought* from it, that ye may keep the commandments of the Eternal your God which I command you. [3]Your eyes have seen what the Eternal did because of Baal-peor: for every man that went after Baal-peor, the Eternal thy God hath exterminated him from among you. [4]But ye that did cleave unto the Eternal your God *are* alive all of you this day. [5]Behold, I have taught you statutes, and judgments, even as the Eternal my God commanded me, that ye should do so in the land whither

רש"י

fallest on thy face? Did I not thus tell thy master, Moses: If he will pass, they will pass on, but if not, they will not pass on? (Siphre). **(29)** ונשב בגיא וגו' SO WE ABODE IN THE VALLEY [OVER AGAINST BETH PEOR], — and ye associated yourselves with idol-worship, yet, however, ועתה ישראל שמע אל החקים NOW, O ISRAEL, HEARKEN TO THE STATUTES and everything will be forgiven thee. But I — I was not privileged that it was forgiven me (Siphre)[1]),

4. (2) לא תספו YE SHALL NOT ADD — For instance, *to place* five chapters in the Tephillin, *to employ* five species *of fruit and plants* in the *fulfilment of*

NOTES

1) See Appendix.

אַתֶּם בָּאִים שָׁמָּה לְרִשְׁתָּהּ׃ ו וּשְׁמַרְתֶּם וַעֲשִׂיתֶם
כִּי הִוא חָכְמַתְכֶם וּבִינַתְכֶם לְעֵינֵי הָעַמִּים אֲשֶׁר
יִשְׁמְעוּן אֵת כָּל־הַחֻקִּים הָאֵלֶּה וְאָמְרוּ רַק עַם־
חָכָם וְנָבוֹן הַגּוֹי הַגָּדוֹל הַזֶּה׃ ז כִּי מִי־גוֹי גָּדוֹל אֲשֶׁר־
לוֹ אֱלֹהִים קְרֹבִים אֵלָיו כַּיהוָה אֱלֹהֵינוּ בְּכָל־קָרְאֵנוּ
אֵלָיו׃ ח וּמִי גּוֹי גָּדוֹל אֲשֶׁר־לוֹ חֻקִּים וּמִשְׁפָּטִים
צַדִּיקִם כְּכֹל הַתּוֹרָה הַזֹּאת אֲשֶׁר אָנֹכִי נֹתֵן לִפְנֵיכֶם
הַיּוֹם׃ ט רַק הִשָּׁמֶר לְךָ וּשְׁמֹר נַפְשְׁךָ מְאֹד פֶּן־
תִּשְׁכַּח אֶת־הַדְּבָרִים אֲשֶׁר־רָאוּ עֵינֶיךָ וּפֶן־יָסוּרוּ
מִלְּבָבְךָ כֹּל יְמֵי חַיֶּיךָ וְהוֹדַעְתָּם לְבָנֶיךָ וְלִבְנֵי בָנֶיךָ׃
י יוֹם אֲשֶׁר עָמַדְתָּ לִפְנֵי יְהוָה אֱלֹהֶיךָ בְּחֹרֵב בֶּאֱמֹר
יְהוָה אֵלַי הַקְהֶל־לִי אֶת־הָעָם וְאַשְׁמִעֵם אֶת־דְּבָרָי
אֲשֶׁר יִלְמְדוּן לְיִרְאָה אֹתִי כָּל־הַיָּמִים אֲשֶׁר הֵם

אונקלוס

לְמֵירְתַהּ׃ ו וְתִטְּרוּן וְתַעְבְּדוּן אֲרֵי הִיא חָכְמַתְכוֹן וְסוּכְלְתָנוּתְכוֹן לְעֵינֵי עַמְמַיָּא
דִּי יִשְׁמְעוּן יָת כָּל קְיָמַיָּא הָאִלֵּין וְיֵימְרוּן לְחוּד עַם חַכִּים וְסוּכְלְתָן עַמָּא רַבָּא
הָדֵין׃ ז אֲרֵי מָן עַם רַב דִּי לֵהּ אֱלָהָא קָרִיב לֵהּ לְקַבָּלָא צְלוֹתֵהּ בְּעִדַּן עָקְתֵהּ
כַּיְיָ אֱלָהָנָא בְּכָל עִדָּן דַּאֲנַחְנָא מְצַלַּן קֳדָמוֹהִי׃ ח וּמָן עַם רַב דִּי לֵהּ קְיָמִין
וְדִינִין קְשִׁיטִין כְּכֹל אוֹרַיְתָא הָדָא דִּי אֲנָא יָהֵב קֳדָמֵיכוֹן יוֹמָא דֵין׃ ט לְחוּד
אִסְתְּמַר לָךְ וְטַר נַפְשָׁךְ לַחֲדָא דִּילְמָא תִנְשֵׁי יָת פִּתְגָּמַיָּא דִּי חֲזוֹ עֵינָךְ וְדִילְמָא
יְעִדּוּן מִלִּבָּךְ כֹּל יוֹמֵי חַיָּךְ וּתְהוֹדְעִנּוּן לִבְנָךְ וְלִבְנֵי בְנָךְ׃ י יוֹמָא דִּי קַמְתָּא
קֳדָם יְיָ אֱלָהָךְ בְּחֹרֵב כַּדַּאֲמַר יְיָ לִי כְּנוֹשׁ קֳדָמַי יָת עַמָּא וְאַשְׁמְעִנּוּן יָת פִּתְגָּמַי

רש״י

וְכֵן לֹא תִגְרְעוּ (עי׳ ספרי פ׳ ראה): (ו) ושמרתם. זוֹ מִשְׁנָה. ועשיתם. כְּמַשְׁמָעוֹ (שם):
כי הוא חכמתכם ובינתכם וגו׳. בְּזֹאת תֵּחָשְׁבוּ חֲכָמִים וּנְבוֹנִים לְעֵינֵי הָעַמִּים: (ח) חקים
ומשפטים צדיקם. הֲגוּנִים וּמְקֻבָּלִים: (ט) רק השמר לך... פן תשכח את הדברים. אָז,
כְּשֶׁלֹּא תִשְׁכָּחוּ אוֹתָם וְתַעֲשׂוּם עַל אֲמִתָּתָם, תֵּחָשְׁבוּ חֲכָמִים וּנְבוֹנִים, וְאִם תְּעַוְּתוּ אוֹתָם
מִתּוֹךְ שִׁכְחָה, תֵּחָשְׁבוּ שׁוֹטִים: (י) יום אשר עמדת. מוּסָב עַל מִקְרָא שֶׁלְּמַעְלָה מִמֶּנּוּ אשר
ראו עיניך — יום אשר עמדת בחרב אֲשֶׁר רָאִיתָ הַקּוֹלוֹת וְאֶת הַלַּפִּידִים: ילמדון. יַלְפוּן —

ye go to possess it. [6]Keep, therefore, and do *them:* for this *is* your wisdom and your understanding in the eyes of the peoples, who shall hear all these statutes, and say, Only this great people *is* a wise and understanding nation. [7]For what great nation *is there* who *hath* God *so* nigh unto them, as the Eternal our God *is* at all *times that* we call upon him? [8]And what great nation *is there* that hath statutes and judgments *so* righteous as all this law, which I set before you this day? [9]Only take heed to thyself, and keep thy soul diligently, lest thou forget the things which thine eyes have seen, and lest they depart from thy heart all the days of thy life; but make them known to thy sons, and thy sons' sons; [10]The day that thou stoodest before the Eternal thy God in Horeb, when the Eternal said unto me, Assemble me the people together, and I will make them hear my words, that they may learn to fear me all the days that

רש"י

the command of Lulab and *to place* five fringes *on one's garment.* Thus, too, *must we explain the following words* ולא תגרעו, Ye shall not diminish [from it]". **(6)** ושמרתם AND YE SHALL BE ON THE WATCH [TO DO] — This refers to the study *of the laws,* ועשיתם — *this must be explained* according to what it implies: AND YE SHALL DO. כי היא חכמתכם ובינתכם וגו׳ FOR THIS IS YOUR WISDOM AND UNDERSTANDING [IN THE EYES OF THE PEOPLES] — *i.e.* through this ye will be accounted wise and understanding men in the eyes of the peoples[1]). **(8)** חקים ומשפטים צדיקים STATUTES AND RIGHTEOUS JUDGMENTS — *i.e.* proper and acceptable ones. **(9)** רק השמר לך ... פן תשכח את הדברים ONLY TAKE HEED TO THYSELF ... LEST THOU FORGET THE THINGS — *But only* then when you do not forget them but will do them in their correct manner, will you be accounted wise and understanding men, but if you do them in an incorrect manner through forgetfulness, you will be accounted foolish[2]). **(10)** יום אשר עמדת THE DAY THAT THOU STOODEST — *This is* to be connected with the preceding verse *thus:* [The things] which thine eyes saw ... on the day that thou stoodest ... at Horeb, — where thou didst perceive the

NOTES

For Notes 1—2 see Appendix.

חַיִּים עַל־הָאֲדָמָה וְאֶת־בְּנֵיהֶם יְלַמֵּדוּן׃ יא וַתִּקְרְבוּן
וַתַּעַמְדוּן תַּחַת הָהָר וְהָהָר בֹּעֵר בָּאֵשׁ עַד־לֵב
הַשָּׁמַיִם חֹשֶׁךְ עָנָן וַעֲרָפֶל׃ יב וַיְדַבֵּר יְהוָה אֲלֵיכֶם
מִתּוֹךְ הָאֵשׁ קוֹל דְּבָרִים אַתֶּם שֹׁמְעִים וּתְמוּנָה
אֵינְכֶם רֹאִים זוּלָתִי קוֹל׃ יג וַיַּגֵּד לָכֶם אֶת־בְּרִיתוֹ
אֲשֶׁר צִוָּה אֶתְכֶם לַעֲשׂוֹת עֲשֶׂרֶת הַדְּבָרִים וַיִּכְתְּבֵם
עַל־שְׁנֵי לֻחוֹת אֲבָנִים׃ יד וְאֹתִי צִוָּה יְהוָה בָּעֵת
הַהִוא לְלַמֵּד אֶתְכֶם חֻקִּים וּמִשְׁפָּטִים לַעֲשֹׂתְכֶם
אֹתָם בָּאָרֶץ אֲשֶׁר אַתֶּם עֹבְרִים שָׁמָּה לְרִשְׁתָּהּ׃
טו וְנִשְׁמַרְתֶּם מְאֹד לְנַפְשֹׁתֵיכֶם כִּי לֹא רְאִיתֶם כָּל־
תְּמוּנָה בְּיוֹם דִּבֶּר יְהוָה אֲלֵיכֶם בְּחֹרֵב מִתּוֹךְ הָאֵשׁ׃
טז פֶּן־תַּשְׁחִתוּן וַעֲשִׂיתֶם לָכֶם פֶּסֶל תְּמוּנַת כָּל־סָמֶל
תַּבְנִית זָכָר אוֹ נְקֵבָה׃ יז תַּבְנִית כָּל־בְּהֵמָה אֲשֶׁר
בָּאָרֶץ תַּבְנִית כָּל־צִפּוֹר כָּנָף אֲשֶׁר תָּעוּף בַּשָּׁמָיִם׃

אונקלוס

דִּי יַלְפוּן לְמִדְחַל יָתִי כָּל יוֹמַיָּא דִּי אִנּוּן קַיָּמִין עַל אַרְעָא וְיָת בְּנֵיהוֹן יַלְּפוּן׃
יא וּקְרֵבְתּוּן וְקַמְתּוּן בְּשִׁפּוֹלֵי טוּרָא וְטוּרָא בָּעֵר בְּאִשָּׁתָא עַד צֵית שְׁמַיָּא חֲשׁוֹכָא
עֲנָנָא וַאֲמִיטְתָא׃ יב וּמַלִּיל יְיָ עִמְּכוֹן מִגּוֹ אִשָּׁתָא קָל פִּתְגָּמִין אַתּוּן שָׁמְעִין וּדְמוּת
לֵיתֵיכוֹן חָזַן אֱלָהֵן קָלָא׃ יג וְחַוִּי לְכוֹן יָת קְיָמֵהּ דִּי פַקֵּיד יָתְכוֹן לְמֶעְבַּד עַשְׂרַת
פִּתְגָּמִין וּכְתַבִנּוּן עַל תְּרֵין לוּחֵי אַבְנַיָּא׃ יד וְיָתִי פַּקֵּיד יְיָ בְּעִדָּנָא הַהִיא לְאַלָּפָא
יָתְכוֹן קְיָמִין וְדִינִין לְמֶעְבַּדְכוֹן יָתְהוֹן בְּאַרְעָא דִּי אַתּוּן עָבְרִין תַּמָּן לְמֵירְתַהּ׃
טו וְתִסְתַּמְרוּן לַחֲדָא לְנַפְשָׁתֵיכוֹן אֲרֵי לָא חֲזֵיתוּן כָּל דְּמוּת בְּיוֹמָא דִּי מַלִּיל יְיָ
עִמְּכוֹן בְּחוֹרֵב מִגּוֹ אִשָּׁתָא׃ טז דִּילְמָא תְחַבְּלוּן וְתַעְבְּדוּן לְכוֹן צְלֵם דְּמוּת כָּל
צוּרָא דְּמוּת דְּכַר אוֹ נֻקְבָּא׃ יז דְּמוּת כָּל בְּעִירָא דִּי בְאַרְעָא דְּמוּת כָּל צִפַּר

רש"י

לְעַצְמָם; יְלַמֵּדוּן, יַאלְפוּן – לַאֲחֵרִים; (יד) ואתי צוה ה' ללמד אתכם תוֹרָה שֶׁבְּעַל פֶּה:

they shall live upon the ground, and *that* they may teach their children. [11]And ye approached, and stood under the mountain; and the mountain burned with fire unto the midst of heaven, with darkness, clouds, and dark clouds. [12]And the Eternal spake unto you out of the midst of the fire: ye heard the voice of the words, but saw no similitude; only *ye heard* a voice. [13]And he told you his covenant, which he commanded you to do, *even* ten words; and he wrote them upon two tablets of stone. [14]And the Eternal commanded me at that time to teach you statutes and judgments, that ye might do them in the land whither ye pass over to possess it. [15]Take ye therefore good heed unto yourselves, for ye saw not any similitude on the day *that* the Eternal spake unto you in Horeb out of the midst of the fire. [16]Lest ye corrupt *yourselves*, and make you a graven image, the similitude of any figure, the likeness of male or female; [17]The likeness of any beast that *is* on the earth, the likeness of any winged bird that flieth in the heaven;

רש"י

thunder and lightning. יִלְמְדוּן: — *The Targum is* יֵלְפוּן, "They shall learn" (more lit., *the action reverts* to themselves), *whilst of* יְלַמֵּדוּן *the Targum* is יְאַלְפוּן, "They shall teach" (more lit., *the action reverts* to others). **(14)** ואתי צוה ה' ללמד אתכם AND THE LORD COMMANDED ME TO TEACH YOU, the

יח תַּבְנִית כָּל־רֹמֵשׂ בָּאֲדָמָה תַּבְנִית כָּל־דָּגָה אֲשֶׁר־
בַּמַּיִם מִתַּחַת לָאָרֶץ׃ יט וּפֶן־תִּשָּׂא עֵינֶיךָ הַשָּׁמַיְמָה
וְרָאִיתָ אֶת־הַשֶּׁמֶשׁ וְאֶת־הַיָּרֵחַ וְאֶת־הַכּוֹכָבִים כֹּל
צְבָא הַשָּׁמַיִם וְנִדַּחְתָּ וְהִשְׁתַּחֲוִיתָ לָהֶם וַעֲבַדְתָּם
אֲשֶׁר חָלַק יְהוָֹה אֱלֹהֶיךָ אֹתָם לְכֹל הָעַמִּים תַּחַת
כָּל־הַשָּׁמָיִם׃ כ וְאֶתְכֶם לָקַח יְהוָֹה וַיּוֹצִא אֶתְכֶם
מִכּוּר הַבַּרְזֶל מִמִּצְרָיִם לִהְיוֹת לוֹ לְעַם נַחֲלָה כַּיּוֹם
הַזֶּה׃ כא וַיהוָֹה הִתְאַנַּף־בִּי עַל־דִּבְרֵיכֶם וַיִּשָּׁבַע
לְבִלְתִּי עָבְרִי אֶת־הַיַּרְדֵּן וּלְבִלְתִּי־בֹא אֶל־הָאָרֶץ
הַטּוֹבָה אֲשֶׁר יְהוָֹה אֱלֹהֶיךָ נֹתֵן לְךָ נַחֲלָה׃ כב כִּי
אָנֹכִי מֵת בָּאָרֶץ הַזֹּאת אֵינֶנִּי עֹבֵר אֶת־הַיַּרְדֵּן
וְאַתֶּם עֹבְרִים וִירִשְׁתֶּם אֶת־הָאָרֶץ הַטּוֹבָה הַזֹּאת׃
כג הִשָּׁמְרוּ לָכֶם פֶּן־תִּשְׁכְּחוּ אֶת־בְּרִית יְהוָֹה

אונקלוס

נַגְדָּפָא דִי פָרַח בַּאֲוִיר רְקִיעַ שְׁמַיָּא: יח דְּמוּת כָּל רִחְשָׁא דִי בְאַרְעָא דְּמוּת כָּל נוּנֵי דִי בְמַיָּא מִלְּרַע לְאַרְעָא: יט וְדִילְמָא תִזְקוֹף עֵינָךְ לִשְׁמַיָּא וְתֶחֱזֵי יָת שִׁמְשָׁא וְיָת סִיהֲרָא וְיָת כּוֹכְבַיָּא כָּל חֵילֵי שְׁמַיָּא וְתִטְעֵי וְתִסְגּוּד לְהוֹן וְתִפְלְחִנּוּן דִּי זַמִּין יְיָ אֱלָהָךְ יָתְהוֹן לְכֹל עַמְמַיָּא תְּחוֹת כָּל שְׁמַיָּא: כ וְיָתְכוֹן קָרִיב יְיָ לְדַחַלְתֵּהּ וְאַפֵּק יָתְכוֹן מִכּוּרָא דְפַרְזְלָא מִמִּצְרָיִם לְמֶהֱוֵי לֵהּ לְעַמָּא אַחְסָנָא כְּיוֹמָא הָדֵין: כא וּמִן קֳדָם יְיָ הֲוָה רְגַז עֲלַי עַל פִּתְגָּמֵיכוֹן וְקַיֵּים בְּדִיל דְּלָא אֶעֱבַר יָת יַרְדְּנָא וּבְדִיל דְּלָא לְמֵיעַל לְאַרְעָא טָבָא דִּי יְיָ אֱלָהָךְ יָהֵב לָךְ אַחְסָנָא: כב אֲרֵי אֲנָא מָאֵית בְּאַרְעָא הָדָא לֵית אֲנָא עָבַר יָת יַרְדְּנָא וְאַתּוּן עָבְרִין וְתֵירְתוּן יָת אַרְעָא טָבְתָא הָדָא: כג אִסְתַּמָּרוּ לְכוֹן דִּילְמָא תִתְנְשׁוֹן יָת קְיָמָא דַּיְיָ אֱלָהֲכוֹן דִּי גְזַר

רש"י

(טז) סמל. צוּרָה: (יט) ופן תשא עיניך. לְהִסְתַּכֵּל בַּדָּבָר וְלָתֵת לֵב לִטְעוֹת אַחֲרֵיהֶם: אשר חלק ה'. לְהָאִיר לָהֶם (מגי' ט'); ד"א לֶאֱלוֹהוֹת, לֹא מְנָעָן מִלִּטְעוֹת אַחֲרֵיהֶם אֶלָּא הֶחֱלִיקָם בְּדִבְרֵי הַבְלֵיהֶם לְטָרְדָם מִן הָעוֹלָם, וְכֵן הוּא אוֹמֵר (תה' ל"ו) כִּי הֶחֱלִיק אֵלָיו בְּעֵינָיו לִמְצֹא עֲוֹנוֹ לִשְׂנֹא (ע"ז נ"ה): (כ) מכור. כּוּר הוּא כְּלִי שֶׁמְּזַקְּקִים בּוֹ אֶת הַזָּהָב: (כא) התאנף. נִתְמַלֵּא רֹגֶז: על דבריכם. עַל אוֹדוֹתֵיכֶם, עַל עִסְקֵיכֶם: (כב) כי אנכי

[18]The likeness of any thing that creepeth on the ground, the likeness of any fish that *is* in the waters beneath the earth: [19]And lest thou lift up thine eyes unto heaven, and seest the sun, and the moon, and the stars, *even* all the host of heaven, and be drawn away to worship them, and serve them, which the Eternal thy God hath alloted unto all peoples under the whole heaven. [20]But you the Eternal hath taken, and brought you forth out of the iron furnace, *even* out of Egypt, to be unto him a people of inheritance, as *ye are* this day. [21]Furthermore, the Eternal was wroth with me for your sakes, and sware that I should not pass over the Jordan, and that I should not come unto that good land which the Eternal thy God giveth thee *for* an inheritance: [22]But I must die in this land, I must not pass over the Jordan: but ye shall pass over, and possess that good land. [23]Take heed unto yourselves, lest ye forget the covenant of the Eternal

רש"י

Oral Law. **(16)** סמל *means* "form". **(19)** ופן תשא עיניך AND LEST THOU LIFT UP THINE EYES to ponder on the matter, and to set your heart to go astray after them[1]). אשר חלק ה' WHICH THE LORD ASSIGNED to give light to them (to all peoples) (Meg. 9b). — Another explanation: *which God assigned to them* as deities; He did not prevent them from going astray after them, but He allowed them to err (to slip) through vain speculations, in order to drive them out from the world. Similarly it states, (Ps. XXXVI. 3) "He (God) made him err (slip) through his eyes (i. e. through what his eyes behold) until his iniquity be found and he be hated" (Ab. Zar. 55a). **(20)** מכור — a כור is a vessel in which one refines gold. **(21)** התאנף *means*, HE WAS FILLED WITH WRATH. על דבריכם *means*, "on your account", "because of your doings". **(22)** כי אנכי מת וגו' אינני עבר BUT I MUST DIE [IN THIS LAND],

NOTES

1) The text does not prohibit the contemplation of the phenomena of nature, but doing so with the intention of adoring the heavenly bodies.

אֱלֹהֵיכֶם אֲשֶׁר כָּרַת עִמָּכֶם וַעֲשִׂיתֶם לָכֶם פֶּסֶל תְּמוּנַת כֹּל אֲשֶׁר צִוְּךָ יְהוָה אֱלֹהֶיךָ׃ כד כִּי יְהוָה אֱלֹהֶיךָ אֵשׁ אֹכְלָה הוּא אֵל קַנָּא׃ פ

כה כִּי־תוֹלִיד בָּנִים וּבְנֵי בָנִים וְנוֹשַׁנְתֶּם בָּאָרֶץ וְהִשְׁחַתֶּם וַעֲשִׂיתֶם פֶּסֶל תְּמוּנַת כֹּל וַעֲשִׂיתֶם הָרַע בְּעֵינֵי־יְהוָה אֱלֹהֶיךָ לְהַכְעִיסוֹ׃ כו הַעִידֹתִי בָכֶם הַיּוֹם אֶת־הַשָּׁמַיִם וְאֶת־הָאָרֶץ כִּי־אָבֹד תֹּאבֵדוּן מַהֵר מֵעַל הָאָרֶץ אֲשֶׁר אַתֶּם עֹבְרִים אֶת־הַיַּרְדֵּן שָׁמָּה לְרִשְׁתָּהּ לֹא־תַאֲרִיכֻן יָמִים עָלֶיהָ כִּי הִשָּׁמֵד תִּשָּׁמֵדוּן׃ כז וְהֵפִיץ יְהוָה אֶתְכֶם בָּעַמִּים וְנִשְׁאַרְתֶּם מְתֵי מִסְפָּר בַּגּוֹיִם אֲשֶׁר יְנַהֵג יְהוָה אֶתְכֶם שָׁמָּה׃ כח וַעֲבַדְתֶּם־שָׁם אֱלֹהִים מַעֲשֵׂה יְדֵי אָדָם עֵץ

אונקלוס

עִמְּכוֹן וְתַעְבְּדוּן לְכוֹן צְלֵם דְּמוּת כֹּלָּא דִּי פַקְדָךְ יְיָ אֱלָהָךְ׃ כד אֲרֵי יְיָ אֱלָהָךְ מֵימְרֵהּ אֶשָּׁא אָכְלָא הוּא אֵל קַנָּא׃ כה אֲרֵי תוֹלְדוּן בְּנִין וּבְנֵי בְנִין וְתִתְעַתְּקוּן בְּאַרְעָא וּתְחַבְּלוּן וְתַעְבְּדוּן צְלֵם דְּמוּת כֹּלָּא וְתַעְבְּדוּן דְּבִישׁ קֳדָם יְיָ אֱלָהָךְ לְאַרְגָּזָא קֳדָמוֹהִי׃ כו אַסְהֵדִית בְּכוֹן יוֹמָא דֵין יָת שְׁמַיָּא וְיָת אַרְעָא אֲרֵי מֵיבַד תֵּיבְדוּן בִּפְרִיעַ מֵעַל אַרְעָא דִּי אַתּוּן עָבְרִין יָת יַרְדְּנָא לְתַמָּן לְמֵירְתַהּ לָא תוֹרְכוּן יוֹמִין עֲלַהּ אֲרֵי אִשְׁתֵּצָאָה תִשְׁתֵּצוּן׃ כז וִיבַדַּר יְיָ יָתְכוֹן בְּעַמְמַיָּא וְתִשְׁתַּאֲרוּן עַם דִּמְנָן בְּעַמְמַיָּא דִּי יְדַבַּר יְיָ יָתְכוֹן לְתַמָּן׃ כח וְתִפְלְחוּן תַּמָּן לְעַמְמַיָּא פָּלְחֵי טַעֲוָתָא

רש"י

מת וגו' אינני עבר. מֵאַחַר שֶׁמֵּת מֵהֵיכָן יַעֲבוֹר? אֶלָּא אַף עַצְמוֹתַי אֵינָם עוֹבְרִים (ספרי במ' כ"ז): (כג) תמונת כל. תְּמוּנַת כָּל דָּבָר: אשר צוך ה'. אֲשֶׁר צִוְּךָ שֶׁלֹּא לַעֲשׂוֹת: (כד) אל קנא. מְקַנֵּא לִנְקוֹם, אנפר"מנט בְּלַעַז, מִתְחָרֶה עַל רָגְזוֹ לְהִפָּרַע מֵעוֹבְדֵי ע"ז: (כה) ונושנתם. רָמַז לָהֶם שֶׁיִּגְלוּ מִמֶּנָּה לְסוֹף שְׁמוֹנֶה מֵאוֹת וַחֲמִשִּׁים וּשְׁתַּיִם שָׁנָה כְּמִנְיַן "וְנוֹשַׁנְתֶּם", וְהוּא הִקְדִּים וְהִגְלָם לְסוֹף שְׁמֹנֶה מֵאוֹת וַחֲמִשִּׁים, וְהִקְדִּים שְׁתֵּי שָׁנִים לְוְנוֹשַׁנְתֶּם, כְּדֵי שֶׁלֹּא יִתְקַיֵּם בָּהֶם כִּי אָבֹד תֹּאבֵדוּן, וְזֶה שֶׁנֶּאֱמַר (דני' ט') וַיִּשְׁקֹד ה' עַל הָרָעָה וַיְבִיאֶהָ עָלֵינוּ כִּי צַדִּיק ה' אֱלֹהֵינוּ — צְדָקָה עָשָׂה עִמָּנוּ שֶׁמִּהֵר לַהֲבִיאָהּ שְׁתֵּי שָׁנִים לִפְנֵי זְמַנָּהּ (סנה' ל"ח; גיט' פ"ח): (כו) העידתי בכם. הֲרֵינִי מְזַמְּנָם לִהְיוֹת עֵדִים שֶׁהִתְרֵיתִי בָּכֶם: (כח) ועבדתם שם אלהים. כְּתַרְגּוּמוֹ, מִשֶּׁאַתֶּם עוֹבְדִים לְעוֹבְדֵיהֶם כְּאִלּוּ

your God, which he made with you, and make you a graven image, *or* the likeness of any *thing,* which the Eternal thy God hath forbidden thee. [24]For the Eternal thy God *is* a consuming fire, *even* a jealous God. [25]When thou shalt beget children and children's children, and shalt have been long established in the land, and shall corrupt *yourselves,* and make a graven image, *or* the likeness of any *thing,* and shall do evil in the eyes of the Eternal thy God, to provoke him to anger; [26]I call heaven and earth to witness against you this day, that ye shall soon utterly perish from off the land whereunto you pass over the Jordan to possess it; ye shall not prolong *your* days upon it, but shall utterly be exterminated. [27]And the Eternal shall scatter you among the peoples, and ye shall remain few in number among the nations whither the Eternal shall lead you. [28]And there ye shall serve gods, the work of men's hands, wood

רש״י

I MUST NOT PASS OVER [THE JORDAN] — Since he was to die, how could he pass over? But *he meant: I must die* and even my bones will not pass over (Siphre on Num. XXVII. 12). **(23)** תמונת כל *means,* THE LIKENESS OF ANYTHING[1]). אשר צוך WHICH THE LORD [THY GOD] COMMANDED THEE — *i.e.* which He commanded thee not to make. **(24)** אל קנא A JEALOUS GOD — jealous to take vengeance, in O.F. emportment; glowing in his anger to exact punishment from those who worship idols (cf. Rashi on Num. XXV. 11). **(25)** ונושנתם AND YE SHALL HAVE BEEN LONG [IN THE LAND] — He gave them a vague intimation that they would be exiled from it at the end of 852 years, according to the numerical value of *the word* ונושנתם, but He sent them into exile earlier, at the end of 850 years. He did this two years earlier than *the numerical value of* ונושנתם, in order that *the prophecy* should not be fulfilled in them "that ye shall utterly perish" (v. 26). This is *the meaning of* what is said, (Dan. IX. 14) "And the Lord hastened in regard to the evil, and He brought it upon us, for the Lord our God is צדיק" — *i. e.*, He acted charitably (צדקה) with us, in that He brought it (the evil) two years before its *assigned* time (Sanh. 38a; Gitt. 88a). **(26)** העידתי בכם I CALL AS WITNESSES AGAINST YOU [THE HEAVENS AND THE EARTH] — Behold I summons them to be witnesses that I have warned you[2]). **(28)** ועבדתם שם אלהים AND THERE YE SHALL SERVE GODS — *Understand this* as the Targum *does: And there ye shall serve*

NOTES

1) See Appendix.

2) It cannot mean that God calls heaven and earth as witnesses that they will utterly perish. One may summons witnesses to testify that a thing did or did not happen but not that it will happen. Heaven and earth therefore are declared to be witnesses to the fact that God had warned them of the consequences of sinning against His commands.

וָאֶבֶן אֲשֶׁר לֹא־יִרְאוּן וְלֹא יִשְׁמְעוּן וְלֹא יֹאכְלוּן
וְלֹא יְרִיחֻן׃ כט וּבִקַּשְׁתֶּם מִשָּׁם אֶת־יְהוָה אֱלֹהֶיךָ
וּמָצָאתָ כִּי תִדְרְשֶׁנּוּ בְּכָל־לְבָבְךָ וּבְכָל־נַפְשֶׁךָ׃
ל בַּצַּר לְךָ וּמְצָאוּךָ כֹּל הַדְּבָרִים הָאֵלֶּה בְּאַחֲרִית
הַיָּמִים וְשַׁבְתָּ עַד־יְהוָה אֱלֹהֶיךָ וְשָׁמַעְתָּ בְּקֹלוֹ׃
לא כִּי אֵל רַחוּם יְהוָה אֱלֹהֶיךָ לֹא יַרְפְּךָ וְלֹא יַשְׁחִיתֶךָ
וְלֹא יִשְׁכַּח אֶת־בְּרִית אֲבֹתֶיךָ אֲשֶׁר נִשְׁבַּע לָהֶם׃
לב כִּי שְׁאַל־נָא לְיָמִים רִאשֹׁנִים אֲשֶׁר־הָיוּ לְפָנֶיךָ
לְמִן־הַיּוֹם אֲשֶׁר בָּרָא אֱלֹהִים ׀ אָדָם עַל־הָאָרֶץ
וּלְמִקְצֵה הַשָּׁמַיִם וְעַד־קְצֵה הַשָּׁמָיִם הֲנִהְיָה
כַּדָּבָר הַגָּדוֹל הַזֶּה אוֹ הֲנִשְׁמַע כָּמֹהוּ׃ לג הֲשָׁמַע
עָם קוֹל אֱלֹהִים מְדַבֵּר מִתּוֹךְ־הָאֵשׁ כַּאֲשֶׁר־

אונקלוס

עֲבַד יְדֵי אֱנָשָׁא אָעָא וְאַבְנָא דִּי לָא חָזַן וְלָא שָׁמְעִין וְלָא אָכְלִין וְלָא מְרִיחִין׃
כט וְתִבְעוֹן מִתַּמָּן דַּחֲלְתָא דַּיְיָ אֱלָהָךְ וְתַשְׁכַּח אֲרֵי תִבְעֵי מִן קֳדָמוֹהִי בְּכָל לִבָּךְ
וּבְכָל נַפְשָׁךְ׃ ל כַּד יֵעוּק לָךְ וְיַשְׁכְּחֻנָּךְ כֹּל פִּתְגָּמַיָּא הָאִלֵּין בְּסוֹף יוֹמַיָּא וּתְתוּב
עַד דַּחֲלְתָא דַּיְיָ אֱלָהָךְ וּתְקַבֵּל בְּמֵימְרֵהּ׃ לא אֲרֵי אֱלָהָא רַחֲמָנָא יְיָ אֱלָהָךְ לָא
יִשְׁבְּקִנָּךְ וְלָא יְחַבְּלִנָּךְ וְלָא יִנְשֵׁי יָת קְיָמָא דַּאֲבָהָתָךְ דִּי קַיֵּים לְהוֹן׃ לב אֲרֵי שְׁאַל
כְּעַן לְיוֹמַיָּא קַדְמָאֵי דַּהֲווֹ קֳדָמָךְ לְמִן יוֹמָא דִּי בְרָא יְיָ אָדָם עַל אַרְעָא וּלְמִסְּיָפֵי
שְׁמַיָּא וְעַד סְיָפֵי שְׁמַיָּא הַהֲוָה כְּפִתְגָּמָא רַבָּא הָדֵין אוֹ הַאִשְׁתְּמַע כְּוָתֵהּ׃
לג הֲשְׁמַע עַמָּא קָל מֵימְרָא דַּיְיָ מְמַלֵּל מִגּוֹ אֶשָּׁתָא כְּמָא דִּי שְׁמַעְתְּ אַתְּ וְאִתְקַיָּם׃

רש״י

אַתֶּם עוֹבְדִים לָהֶם׃ (לא) לא ירפך. מִלְּהַחֲזִיק בְּךָ בְּיָדָיו, וּלְשׁוֹן לֹא יַרְפְּךָ לְשׁוֹן לֹא
יַפְעִיל הוּא — לֹא יִתֵּן לְךָ רִפְיוֹן, לֹא יַפְרִישׁ אוֹתְךָ מֵאֶצְלוֹ, וְכֵן אֲחַזְתִּיו וְלֹא אַרְפֶּנּוּ
(שה״ש ג׳) שֶׁלֹּא נָקֻד אֲרַפֶּנּוּ; כָּל לְשׁוֹן רִפְיוֹן מוּסַב עַל לְשׁוֹן מַפְעִיל וּמִתְפַּעֵל, כְּמוֹ
הַרְפֵּה לָהּ (מ״ב ד׳) — תֵּן לָהּ רִפְיוֹן, הֶרֶף מִמֶּנִּי (דב׳ ט׳) — הִתְרַפֵּה מִמֶּנִּי׃ (לב) לימים
ראשנים. עַל יָמִים רִאשׁוֹנִים׃ ולמקצה השמים. וְגַם שְׁאַל לְכָל הַבְּרוּאִים אֲשֶׁר מִקָּצֶה
אֶל קָצֶה, זֶהוּ פְּשׁוּטוֹ; וּמִדְרָשׁוֹ מְלַמֵּד עַל קוֹמָתוֹ שֶׁל אָדָם שֶׁהָיְתָה מִן הָאָרֶץ עַד הַשָּׁמַיִם,
וְהוּא הַשִּׁעוּר עַצְמוֹ אֲשֶׁר מִקָּצֶה אֶל קָצֶה (סנה׳ ל״ח)׃ הנהיה כדבר הגדול הזה. וּמַהוּ

and stone, which neither see, nor hear, nor eat, nor smell. [29]But if from thence thou shalt seek the Eternal thy God, thou shalt find *him*, if thou seek him with all thy heart and with all thy soul. [30]When thou art in tribulation, and all these things are come upon thee, *even* in the remoteness of days, if thou turn to the Eternal thy God, and obey his voice. [31]For the Eternal thy God *is* a merciful God, he will not fail thee, neither destroy thee, nor forget the convenant of thy fathers, which he sware unto them. [32]For ask now of the days that are past, which were before thee, since the day that God created man upon the earth, and *ask* from the *one* extremity of heaven unto the other extremity of heaven, whether there hath been *any such thing* as this great thing *is*, or hath been heard like it? [33]Did *ever* people hear the voice of God speaking out of the midst of the fire,

רש"י

peoples who serve idols, for since you serve those who serve them (idols) it will be as though you serve them. **(31)** לא ירפך *means, He will not let loose of thee* so as not to hold thee fast by His hands. The expression לא ירפך is an expression signifying: He will not cause something (our Hiphil) — He will not give thee any looseness, *i.e.* He will not separate you from Him. Similar is (Song III. 4) "I hold him fast, and I will not let him loose (אַרְפֶּנּוּ)", which is not vowelled אֶרְפֶּנּוּ (which is Kal and an impossible form of the root רפה "to be loose"). Always the expression "letting slack (רפה)" *in the Hiphil* refers to one who causes looseness to others or to one who causes it to himself. For example (2 Kings IV. 2) הרפה לה *means,* "give her looseness"; (IX. 14) הרף ממני *means,* "Give looseness to thyself from off me". **(32)** לימים ראשנים *is the same as* על ימים ראשנים [ASK NOW] REGARDING THE FORMER DAYS. ולמקצה השמים AND FROM ONE END OF HEAVEN — *i.e.* and also ask of all the creatures from one end to *the other* end *of heaven.* This is its plain sense, but a Midrashic explanation is: it teaches us regarding Adam's height, that it reached from earth to heaven, and *that* this is the very same measurement as from one end *of heaven* to the other (Sanh. 38b)[1]. הנהיה כדבר הגדול הזה [ASK] . . . WHETHER THERE HATH BEEN ANYTHING LIKE THIS GREAT THING

NOTES

1) See Appendix.

שָׁמַעְתָּ אַתָּה וַיֶּחִי: לד אוֹ ׀ הֲנִסָּה אֱלֹהִים לָבוֹא
לָקַחַת לוֹ גוֹי מִקֶּרֶב גּוֹי בְּמַסֹּת בְּאֹתֹת וּבְמוֹפְתִים
וּבְמִלְחָמָה וּבְיָד חֲזָקָה וּבִזְרוֹעַ נְטוּיָה וּבְמוֹרָאִים
גְּדֹלִים כְּכֹל אֲשֶׁר־עָשָׂה לָכֶם יְהוָה אֱלֹהֵיכֶם
בְּמִצְרַיִם לְעֵינֶיךָ: לה אַתָּה הָרְאֵתָ לָדַעַת כִּי יְהוָה
הוּא הָאֱלֹהִים אֵין עוֹד מִלְּבַדּוֹ: לו מִן־הַשָּׁמַיִם
הִשְׁמִיעֲךָ אֶת־קֹלוֹ לְיַסְּרֶךָּ וְעַל־הָאָרֶץ הֶרְאֲךָ אֶת־
אִשּׁוֹ הַגְּדוֹלָה וּדְבָרָיו שָׁמַעְתָּ מִתּוֹךְ הָאֵשׁ:
לז וְתַחַת כִּי אָהַב אֶת־אֲבֹתֶיךָ וַיִּבְחַר בְּזַרְעוֹ אַחֲרָיו
וַיּוֹצִאֲךָ בְּפָנָיו בְּכֹחוֹ הַגָּדֹל מִמִּצְרָיִם: לח לְהוֹרִישׁ
גּוֹיִם גְּדֹלִים וַעֲצֻמִים מִמְּךָ מִפָּנֶיךָ לַהֲבִיאֲךָ לָתֶת־

אונקלוס

לד או נסין די עבד יי לאתגלאה למפרק ליה עם מגו עם בנסין באתין ובמופתין
ובקרבא ובידא תקיפא ובדרעא מרמא ובחזונין רברבין ככל די עבד לכון יי
אלהכון במצרים לעיניך: לה את אתחזיתא למדע ארי יי הוא אלהים לית עוד
בר מינה: לו מן שמיא אשמעך ית קל מימריה לאלפותך ועל ארעא אחזיך ית
אשתה רבתא ופתגמוהי שמעת מגו אשתא: לז וחלף ארי רחים ית אבהתך
ואתרעי בבנוהי בתרוהי ואפקך במימריה בחילה רבא ממצרים: לח לתרכא
עממין רברבין ותקיפין מנך מן קדמך לאעלותך למתן לך ית ארעהון אחסנא

רש"י

הדבר הגדול: השמע עם וגו': (לד) הנסה אלהים. הכי עשה נסים שום אלוה לבוא
לקחת לו גוי וגו'. כל ההי"ן הללו תמיהות הן, לכך נקודות הן בחטף פתח: הנהיה,
הנשמע, השמע, הנסה: במסת. על ידי נסיונות הודיעם גבורותיו, כגון התפאר עלי
(שמ' ח') אם אוכל לעשות כן, הרי זה נסיון: באתת. בסימנין, להאמין שהוא שלוחו
של מקום, כגון מה זה בידך (שם ד'): ובמופתים. הם נפלאות, שהביא עליהם מכות
מופלאות: ובמלחמה. בים, שנאמר כי ה' נלחם להם (שם י"ד): (לה) הראת. כתרגומו
אתחזיתא: כשנתן הקב"ה את התורה פתח להם שבעה רקיעים, וכשם שקרע את
העליונים כך קרע את התחתונים, וראו שהוא יחידי, לכך נאמר אתה הראת לדעת:
(לז) ותחת כי אהב. וכל זה תחת אשר אהב: ויוצאך בפניו. כאדם המנהיג בנו
לפניו, שנאמר ויסע מלאך האלהים ההלך וגו' וילך מאחריהם (שם): ד"א
ויוצאך בפניו — בפני אבותיו, כמה שנאמר נגד אבותם עשה פלא (תה' ע"ח): ואל
תתמה על שהזכירם בלשון יחיד, שהרי כתבם בלשון יחיד — ויבחר בזרעו
אחריו: (לח) ממך מפניך. פרשהו ודרשהו: להוריש מפניך גוים גדולים ועצומים

as thou hast heard, and live? [34]Or hath God tried to go, *and* take him a nation from the midst of *another* nation, by trials, by signs, and by wonders, and by war, and by a strong hand, and by a stretched-out arm, and by great dread, according to all that the Eternal your God did for you in Egypt before your eyes? [35]Unto thee it was shewed that thou mightest know that the Eternal he *is* God; *there is* none else besides him. [36]Out of heaven he made thee to hear his voice, that he might instruct thee: and upon earth he shewed thee his great fire; and thou heardest his words out of the midst of the fire. [37]And for that he loved thy fathers, and chose their seed after them, and brought thee out in his sight with his great strength out of Egypt; [38]To dispossess nations before thee, greater and mightier than thou *art*, to bring thee in, to give

רש"י

— And what is the great thing? *What is stated in the two following verses:* השמע עם וגו' DID EVER A PEOPLE HEAR, etc., *and* **(34)** הנסה אלהים *which means,* HAS ANY GOD DONE MIRACLES (נס), לבוא לקחת לו גוי וגו' TO GO AND TAKE HIM A NATION [FROM THE MIDST OF A NATION] etc. — All these letters ה are interrogative *prefixes*, and therefore they are vowelled with Chataph Patach: הֲנהיה, הֲנשמע, הֲשמע, הֲנסה. במסות BY TRIALS — through trials *imposed upon Him* He showed them His mighty deeds, as e. g., (Ex. VIII. 5) "Boast yourself over Me", whether I am able to do so: here you have a trial (putting God to the proof). באתת *i. e.* BY SIGNS to confirm that he is the messenger of the Omnipresent, as e. g., (Ex. IV. 2) "What is that in thine hand?" ובמפתים these are WONDERS: — that He brought upon them (the Egyptians) wondrous plagues. ובמלחמה AND BY WAR, at the *Red* Sea, as it is said, (ib. XIV. 25) "For the Lord fought for them". **(35)** הראת — *Understand this* as the Targum *has it:* Thou hast been shown. When the Holy One, blessed be He, gave the Torah, He rent open to them the seven heavens, and just as he rent open the higher regions so did He rend open the lower, so that they saw that He was alone (sole God). On this account it is stated, Thou hast been shown that thou mayest know [that the Lord is God, there is none besides Him]". **(37)** ותחת כי אהב AND BECAUSE HE LOVED — *i. e.*, and all this was because He loved *thy fathers*[1]). ויוצאך בפניו AND HE BROUGHT THEE OUT BEFORE HIM — like a man who leads his son before him, as it is said, (Ex. XIV. 19) "And the angel of the Lord that went [before them] moved and went behind them" (see Rashi on that verse). — Another explanation of ויוצאך בפניו AND HE BROUGHT THEE FORTH IN HIS PRESENCE: — *i. e.* in the presence of his fathers, as it is said, (Ps. LXXVIII. 12; see Rashi on that verse), "In the presence of their fathers He did wonders". Do not be surprised that it refers to them (the fathers) in the singular number (by בפניו), for you see it has *already* written about them in the singular number, *viz.*, "And he chose his seed after him" (instead of "their seed after them"). **(38)** ממך מפניך — Invert it (the order of the words) and then explain it *accordingly:* to dispossess from before thee (מפניך) nations greater and mightier

NOTES

[1]) See Appendix.

לְךָ אֶת־אַרְצָם נַחֲלָה כַּיּוֹם הַזֶּה: לט וְיָדַעְתָּ הַיּוֹם וַהֲשֵׁבֹתָ אֶל־לְבָבֶךָ כִּי יְהוָה הוּא הָאֱלֹהִים בַּשָּׁמַיִם מִמַּעַל וְעַל־הָאָרֶץ מִתָּחַת אֵין עוֹד: מ וְשָׁמַרְתָּ אֶת־חֻקָּיו וְאֶת־מִצְוֹתָיו אֲשֶׁר אָנֹכִי מְצַוְּךָ הַיּוֹם אֲשֶׁר יִיטַב לְךָ וּלְבָנֶיךָ אַחֲרֶיךָ וּלְמַעַן תַּאֲרִיךְ יָמִים עַל־הָאֲדָמָה אֲשֶׁר יְהוָה אֱלֹהֶיךָ נֹתֵן לְךָ כָּל־הַיָּמִים: פ

שלישי

מא אָז יַבְדִּיל מֹשֶׁה שָׁלֹשׁ עָרִים בְּעֵבֶר הַיַּרְדֵּן מִזְרְחָה שָׁמֶשׁ: מב לָנֻס שָׁמָּה רוֹצֵחַ אֲשֶׁר יִרְצַח אֶת־רֵעֵהוּ בִּבְלִי־דַעַת וְהוּא לֹא־שֹׂנֵא לוֹ מִתְּמֹל שִׁלְשֹׁם וְנָס אֶל־אַחַת מִן־הֶעָרִים הָאֵל וָחָי: מג אֶת־בֶּצֶר בַּמִּדְבָּר בְּאֶרֶץ הַמִּישֹׁר לָרֻאוּבֵנִי וְאֶת־רָאמֹת בַּגִּלְעָד לַגָּדִי וְאֶת־גּוֹלָן בַּבָּשָׁן לַמְנַשִּׁי: מד וְזֹאת

אונקלוס

כְּיוֹמָא הָדֵין: לט וְתִדַּע יוֹמָא דֵין וּתְתִיב לְלִבָּךְ אֲרֵי יְיָ הוּא אֱלֹהִים דִּשְׁכִנְתֵּהּ בִּשְׁמַיָּא מִלְּעֵלָּא וְשַׁלִּיט עַל אַרְעָא מִלְּרַע לֵית עוֹד: מ וְתִטַּר יָת קְיָמוֹהִי וְיָת פִּקּוֹדוֹהִי דִּי אֲנָא מְפַקְּדָךְ יוֹמָא דֵין דִּי יֵיטַב לָךְ וְלִבְנָיךְ בַּתְרָךְ וּבְדִיל דְּתוֹרִיךְ יוֹמִין עַל אַרְעָא דִּי יְיָ אֱלָהָךְ יָהֵב לָךְ כָּל יוֹמַיָּא: מא בְּכֵן יַפְרֵשׁ מֹשֶׁה תְּלָת קִרְוִין בְּעִבְרָא דְּיַרְדְּנָא מַדְנַח שִׁמְשָׁא: מב לְמֶעֱרוֹק תַּמָּן קָטוֹלָא דִּי יִקְטוֹל יָת חַבְרֵהּ בְּלָא מַנְדְּעֵי וְהוּא לָא סָנֵי לֵהּ מֵאִתְמָלֵי וּמִדְּקַמּוֹהִי וְיֵעֱרוֹק לַחֲדָא מִן קִרְוַיָּא הָאִלֵּין וְיִתְקַיַּם: מג יָת בֶּצֶר בְּמַדְבְּרָא בְּאַרְעָא מֵישְׁרָא לְשִׁבְטָא דִּרְאוּבֵן וְיָת רָאמוֹת בְּגִלְעָד לְשִׁבְטָא דְּגָד וְיָת גּוֹלָן בְּמַתְנָן לְשִׁבְטָא דִמְנַשֶּׁה: מד וְדָא אוֹרַיְתָא

רש"י

מִמַּךְ: כַּיּוֹם הַזֶּה. כַּאֲשֶׁר אַתָּה רוֹאֶה הַיּוֹם: (מא) אָז יַבְדִּיל. נָתַן לֵב לִהְיוֹת חָרֵד לַדָּבָר שֶׁיַּבְדִּילֵם, וְאַף עַל פִּי שֶׁאֵינָן קוֹלְטוֹת עַד שֶׁיֻּבְדְּלוּ אוֹתָן שֶׁל אֶרֶץ כְּנַעַן, אָמַר מֹשֶׁה מִצְוָה שֶׁאֶפְשָׁר לְקַיְּמָהּ אֲקַיְּמֶנָּה (מכות ז'): בְּעֵבֶר הַיַּרְדֵּן מִזְרְחָה שָׁמֶשׁ. בְּאוֹתוֹ עֵבֶר שֶׁבְּמִזְרָחוֹ שֶׁל יַרְדֵּן: מִזְרְחָה שָׁמֶשׁ. לְפִי שֶׁהוּא דָּבוּק, נָקוּד בְּ רֵי"שׁ בַּחֲטָף, מִזְרַח שֶׁל שָׁמֶשׁ – מְקוֹם

thee their land *for* an inheritance, as *it is* this day. [39]Thou shalt know this day, and consider *it* in thine heart, that the Eternal he *is* God in heaven above, and upon the earth beneath: *there is* none else. [40]Thou shalt keep therefore his statutes, and his commandments, which I command thee this day, that it may be well with thee, and with thy children after thee, and that thou mayest prolong *thy* days upon the ground, which the Eternal thy God giveth thee, for ever. [41]Then Moses separated three cities on this side of the Jordan, towards the sun-rising; [42]That the slayer might flee thither, who should kill his fellow unawares, and hated him not in time past; and that, fleeing unto one of these cities, he might live. [43]*Namely,* Bezer in the desert, in the plain country of the Reubenites; and Ramoth in Gilead, of the Gadites; and Golan in Bashan, of the Manassites. [44]And this

רש"י

than thee (ממך). כיום הזה AS AT THIS DAY — *i. e.*, even as thou seest to-day. **(41)** אז יבדיל — *The imperfect form* יבדיל *instead of* הבדיל *is to be thus explained* (cf. Rashi on Ex. XV. 1): He set his attention to be zealous for the matter, — to set them apart. And although they were not to serve as cities of refuge until those of Canaan proper (the western side of the Jordan) were set apart *for that purpose,* Moses said, Any duty that it is possible *for me* to perform I will perform (Macc. 10a). בעבר הירדן מזרחה שמש ON THE SIDE OF THE JORDAN TOWARDS THE SUN-RISING — *i. e.* on that side which is on the east of Jordan (not the side of the Jordan that is east of Canaan proper)[1]). מזרחה שמש — Because it (the word מזרחה) is in the construct state the ר is vowelled with Chataph (vocal

NOTES

[1]) See Appendix.

הַתּוֹרָה אֲשֶׁר־שָׂם מֹשֶׁה לִפְנֵי בְּנֵי יִשְׂרָאֵל: מה אֵלֶּה הָעֵדֹת וְהַחֻקִּים וְהַמִּשְׁפָּטִים אֲשֶׁר דִּבֶּר מֹשֶׁה אֶל־בְּנֵי יִשְׂרָאֵל בְּצֵאתָם מִמִּצְרָיִם: מו בְּעֵבֶר הַיַּרְדֵּן בַּגַּיְא מוּל בֵּית פְּעוֹר בְּאֶרֶץ סִיחֹן מֶלֶךְ הָאֱמֹרִי אֲשֶׁר יוֹשֵׁב בְּחֶשְׁבּוֹן אֲשֶׁר הִכָּה מֹשֶׁה וּבְנֵי־יִשְׂרָאֵל בְּצֵאתָם מִמִּצְרָיִם: מז וַיִּירְשׁוּ אֶת־אַרְצוֹ וְאֶת־אֶרֶץ עוֹג מֶלֶךְ־הַבָּשָׁן שְׁנֵי מַלְכֵי הָאֱמֹרִי אֲשֶׁר בְּעֵבֶר הַיַּרְדֵּן מִזְרַח שָׁמֶשׁ: מח מֵעֲרֹעֵר אֲשֶׁר עַל־שְׂפַת־נַחַל אַרְנֹן וְעַד־הַר שִׂיאֹן הוּא חֶרְמוֹן: מט וְכָל־הָעֲרָבָה עֵבֶר הַיַּרְדֵּן מִזְרָחָה וְעַד יָם הָעֲרָבָה תַּחַת אַשְׁדֹּת הַפִּסְגָּה: פ

רביעי

ה א וַיִּקְרָא מֹשֶׁה אֶל־כָּל־יִשְׂרָאֵל וַיֹּאמֶר אֲלֵהֶם שְׁמַע יִשְׂרָאֵל אֶת־הַחֻקִּים וְאֶת־הַמִּשְׁפָּטִים אֲשֶׁר אָנֹכִי דֹּבֵר בְּאָזְנֵיכֶם הַיּוֹם וּלְמַדְתֶּם אֹתָם וּשְׁמַרְתֶּם

אונקלוס

דִּי סַדַּר מֹשֶׁה קֳדָם בְּנֵי יִשְׂרָאֵל: מה אִלֵּין סָהֲדְוָתָא וּקְיָמַיָּא וְדִינַיָּא דִּי מַלִּיל מֹשֶׁה עִם בְּנֵי יִשְׂרָאֵל בְּמִפַּקְהוֹן מִמִּצְרָיִם: מו בְּעִבְרָא דְיַרְדְּנָא בְּחֵילְתָא לָקֳבֵל בֵּית פְּעוֹר בְּאַרְעָא דְסִיחֹן מַלְכָּא דֶּאֱמֹרָאָה דִּי יָתֵב בְּחֶשְׁבּוֹן דִּי מְחָא מֹשֶׁה וּבְנֵי יִשְׂרָאֵל בְּמִפַּקְהוֹן מִמִּצְרָיִם: מז וִירִיתוּ יָת אַרְעֵהּ וְיָת אַרְעָא דְעוֹג מַלְכָּא דְמַתְנַן תְּרֵין מַלְכֵי אֱמֹרָאָה דִּי בְּעִבְרָא דְיַרְדְּנָא מַדְנַח שִׁמְשָׁא: מח מֵעֲרֹעֵר דִּי עַל כֵּיף נַחְלָא דְאַרְנֹן וְעַד טוּרָא דְשִׂיאֹן הוּא חֶרְמוֹן: מט וְכָל מֵישְׁרָא עִבְרָא דְיַרְדְּנָא לְמַדִּנְחָא וְעַד יַמָּא דְמֵישְׁרָא תְּחוֹת מַשְׁפַּךְ מְרָמָתָא: א וּקְרָא מֹשֶׁה לְכָל יִשְׂרָאֵל וַאֲמַר לְהוֹן שְׁמַע יִשְׂרָאֵל יָת קְיָמַיָּא וְיָת דִּינַיָּא דִּי אֲנָא מְמַלֵּל קֳדָמֵיכוֹן יוֹמָא

רש"י

וְזָרְחַת הַשֶּׁמֶשׁ: (מד) וְזֹאת הַתּוֹרָה. זוֹ שֶׁהוּא עָתִיד לְסַדֵּר לְסֵדֶר אַחַר פָּרָשָׁה זוּ: (מה—מט) אֵלֶּה הָעֵדֹת, אֲשֶׁר דִּבֶּר. הֵם הֵם אֲשֶׁר דִּבֶּר בְּצֵאתָם מִמִּצְרַיִם, חָזַר וּשְׁנָאָה לָהֶם בְּעַרְבוֹת מוֹאָב אֲשֶׁר בְּעֵבֶר הַיַּרְדֵּן. שֶׁהוּא בְּמִזְרָח, שֶׁהָעֵבֶר הַשֵּׁנִי הָיָה בְּמַעֲרָב:

is the law which Moses put before the children of Israel: [45]These *are* the testimonies, and the statutes, and the judgments, which Moses spake unto the children of Israel, after they came forth out of Egypt, [46]On this side of the Jordan, in the glen over against Beth-peor, in the land of Sihon king of the Amorites, who abode at Heshbon, whom Moses and the children of Israel smote, after they were come forth out of Egypt. [47]And they possessed his land, and the land of Og king of Bashan, two kings of the Amorites, who *were* on this side of the Jordan, towards the sun-rising; [48]From Aroer, which *is* by the bank of the river Arnon, even unto mount Sion, which *is* Hermon; [49]And all the plain of this side of the Jordan eastward, even unto the sea of the plain, under the ravines of Pisgah.

5. [1]And Moses called all Israel, and said unto them, Hear, O Israel, the statutes and judgments which I speak in your ears this day, that ye may learn them, and keep, and do

רש"י

Sheva), *the meaning being,* "the rising of the sun", *i.e.*, the place of the sun's rising. **(44)** וזאת התורה AND THIS IS THE LAW — this which he was about to set forth after this chapter[1]). **(45—49)** אלה העדות ... אשר דבר THESE ARE THE TESTIMONIES ... WHICH [MOSES] SPAKE — Those are the very same *testimonies etc.*, which he spake when they came forth from Egypt; and he again repeated it (this law) to them in the plains of Moab which are on the side of Jordan, which is on the east — because the other side was on the west[2]).

NOTES

For Notes 1—2 see Appendix.

לַעֲשֹׂתָם׃ ב יְהוָה אֱלֹהֵינוּ כָּרַת עִמָּנוּ בְּרִית בְּחֹרֵב׃
ג לֹא אֶת־אֲבֹתֵינוּ כָּרַת יְהוָה אֶת־הַבְּרִית הַזֹּאת
כִּי אִתָּנוּ אֲנַחְנוּ אֵלֶּה פֹה הַיּוֹם כֻּלָּנוּ חַיִּים׃
ד פָּנִים׀ בְּפָנִים דִּבֶּר יְהוָה עִמָּכֶם בָּהָר מִתּוֹךְ
הָאֵשׁ׃ ה אָנֹכִי עֹמֵד בֵּין־יְהוָה וּבֵינֵיכֶם בָּעֵת הַהִוא
לְהַגִּיד לָכֶם אֶת־דְּבַר יְהוָה כִּי יְרֵאתֶם מִפְּנֵי הָאֵשׁ
וְלֹא־עֲלִיתֶם בָּהָר לֵאמֹר׃ ס ו אָנֹכִי יְהוָה
אֱלֹהֶיךָ אֲשֶׁר הוֹצֵאתִיךָ מֵאֶרֶץ מִצְרַיִם מִבֵּית
עֲבָדִים׃ ז לֹא־יִהְיֶה לְךָ אֱלֹהִים אֲחֵרִים עַל־פָּנָיַ׃
ח לֹא־תַעֲשֶׂה־לְךָ פֶסֶל׀ כָּל־תְּמוּנָה אֲשֶׁר בַּשָּׁמַיִם׀
מִמַּעַל וַאֲשֶׁר בָּאָרֶץ מִתָּחַת וַאֲשֶׁר בַּמַּיִם׀ מִתַּחַת
לָאָרֶץ׃ ט לֹא־תִשְׁתַּחֲוֶה לָהֶם וְלֹא תָעָבְדֵם כִּי
אָנֹכִי יְהוָה אֱלֹהֶיךָ אֵל קַנָּא פֹּקֵד עֲוֺן אָבוֹת עַל־

אונקלוס

דֵין וְתַלְפוּן יָתְהוֹן וְתִטְּרוּן לְמֶעְבַּדְהוֹן׃ ב יְיָ אֱלָהָנָא גְזַר עִמָּנָא קְיָם בְּחֹרֵב׃
ג לָא עִם אֲבָהָתָנָא גְזַר יְיָ יָת קְיָמָא הָדָא אֲרֵי עִמָּנָא אֲנַחְנָא אִלֵּין הָכָא יוֹמָא
דֵין כֻּלָּנָא קַיָּמִין׃ ד מְמַלַּל עִם מְמַלַּל מַלֵּיל יְיָ עִמְּכוֹן בְּטוּרָא מִגּוֹ אֶשָּׁתָא׃ ה אֲנָא
הֲוֵיתִי קָאֵם בֵּין מֵימְרָא דַייָ וּבֵינֵיכוֹן בְּעִדָּנָא הַהִיא לְחַוָּאָה לְכוֹן יָת פִּתְגָּמָא דַייָ
אֲרֵי דְחֶלְתּוּן מִקֳּדָם אֶשָּׁתָא וְלָא סְלֶקְתּוּן בְּטוּרָא לְמֵימָר׃ ו אֲנָא יְיָ אֱלָהָךְ דִּי
אַפֵּקְתָּךְ מֵאַרְעָא דְמִצְרַיִם מִבֵּית עַבְדוּתָא׃ ז לָא יְהֵי לָךְ אֱלָהּ אָחֳרָן בַּר מִנִּי׃
ח לָא תַעְבֵּד לָךְ צֶלֶם כָּל דְּמוּת דִּי בִשְׁמַיָּא מִלְּעֵלָּא וְדִי בְאַרְעָא מִלְּרַע וְדִי
בְמַיָּא מִלְּרַע לְאַרְעָא׃ ט לָא תִסְגּוּד לְהוֹן וְלָא תִפְלְחִנּוּן אֲרֵי אֲנָא יְיָ אֱלָהָךְ אֵל

רש״י

ה (ג–ד) לא את אבתינו בִּלְבַד כרת ה׳ וגו׳. כי אתנו וגו׳. פנים בפנים. א״ר בֶּרֶכְיָה:
כָּךְ אָמַר משֶׁה אַל תֹּאמְרוּ אֲנִי מַטְעֶה אֶתְכֶם עַל לֹא דָבָר, כְּדֶרֶךְ שֶׁהַסַּרְסוּר עוֹשֶׂה בֵּין
הַמּוֹכֵר לַלּוֹקֵחַ, הֲרֵי הַמּוֹכֵר עַצְמוֹ מְדַבֵּר עִמָּכֶם (פסי׳ ר׳): (ה) לאמר. מוּסָב עַל דבר ה׳ עמכם
בהר מתוך האש, לאמר אנכי ה׳ וגו׳ ואנכי עמד בין ה׳ וביניכם: (ז) על פני. בְּכָל
מָקוֹם אֲשֶׁר אֲנִי שָׁם, וְהוּא כָּל הָעוֹלָם. ד״א כָּל זְמַן שֶׁאֲנִי קַיָּם. עֲשֶׂרֶת הַדִּבְּרוֹת כְּבָר

them. [2]The Eternal our God made a covenant with us in Horeb. [3]The Eternal made not this covenant with our fathers, but with us, *even* us, who *are* all of us here alive this day. [4]The Eternal talked with you face to face in the mount out of the midst of the fire. [5]I stood between the Eternal and you at that time, to tell you the word of the Eternal: for ye were afraid by reason of the fire, and went not up into the mount: saying, [6]I *am* the Eternal thy God, who brought thee out of the land of Egypt, out of the house of servants. [7]Thou shalt have no other gods before my face. [8]Thou shalt not make unto thee any graven image, or any likeness, *of any thing* that is in the heaven above, or that *is* in the water under the earth: [9]Thou shalt not prostrate thyself to them, nor serve them: for I the Eternal thy God *am* a jealous God, visiting the iniquity of the fathers upon

רש"י

5. (3—4) לא את אבתינו NOT WITH OUR FATHERS — *i. e. not with them* alone, כרת ה׳ וגו׳ DID THE LORD MAKE [THIS COVENANT], כי אתנו BUT WITH US etc., פנים בפנים FACE TO FACE — R. Berechia said, "Thus did Moses, *in effect,* say: Do not think that I am misleading you with something which does not exist at all, as an agent does *acting* between the vendor and the purchaser; behold, the seller Himself is speaking to you (God who transmitted the Torah to you) (cf. Pes. Rabb. פ׳ י׳ הדברות קמייתא)[1]. **(5)** לאמר SAYING — This is to be connected with (v. 4), דבר ה׳ עמכם כדור מתוך האש "[face to face] the Lord spake with you in the mount out of the midst of the fire", — לאמר, אנכי וגו׳, saying, "I am the Lord, etc.", ואנכי עמד בין ה׳ וביניכם WHILST I STOOD BETWEEN THE LORD AND YOU. **(7)** על פני BEFORE ME — *i. e.* in any place where I am, and that is the entire world. Another explanation: so long as I exist (i. e.

NOTES

1) See Appendix.

בָּנִ֛ים וְעַל־שִׁלֵּשִׁ֥ים וְעַל־רִבֵּעִ֖ים לְשֹׂנְאָֽי׃ י וְעֹ֤שֶׂה חֶ֨סֶד֙ לַאֲלָפִ֔ים לְאֹהֲבַ֖י וּלְשֹׁמְרֵ֥י מִצְוֹתָֽו׃ ס

יא לֹ֥א תִשָּׂ֛א אֶת־שֵׁם־יְהוָ֥ה אֱלֹהֶ֖יךָ לַשָּׁ֑וְא כִּ֣י לֹ֤א יְנַקֶּה֙ יְהוָ֔ה אֵ֛ת אֲשֶׁר־יִשָּׂ֥א אֶת־שְׁמ֖וֹ לַשָּֽׁוְא׃ ס

יב שָׁמ֛וֹר אֶת־י֥וֹם הַשַּׁבָּ֖ת לְקַדְּשׁ֑וֹ כַּאֲשֶׁ֥ר צִוְּךָ֖ ׀ יְהוָ֥ה אֱלֹהֶֽיךָ׃ יג שֵׁ֤שֶׁת יָמִים֙ תַּעֲבֹ֔ד וְעָשִׂ֖יתָ כָּל־מְלַאכְתֶּֽךָ׃ יד וְי֙וֹם֙ הַשְּׁבִיעִ֜֔י שַׁבָּ֖֣ת ׀ לַיהוָ֣ה אֱלֹהֶ֑֗יךָ לֹ֣א תַעֲשֶׂ֣ה כָל־מְלָאכָ֡ה אַתָּ֣ה ׀ וּבִנְךָֽ־וּבִתֶּ֣ךָ וְעַבְדְּךָֽ־וַ֠אֲמָתֶ֠ךָ וְשׁוֹרְךָ֨ וַחֲמֹֽרְךָ֜ וְכָל־בְּהֶמְתֶּ֗ךָ וְגֵֽרְךָ֙ אֲשֶׁ֣ר בִּשְׁעָרֶ֔יךָ לְמַ֗עַן יָנ֛וּחַ עַבְדְּךָ֥ וַאֲמָתְךָ֖ כָּמֽוֹךָ׃ טו וְזָכַרְתָּ֗ כִּ֣י־עֶ֤בֶד הָיִ֙יתָ֙ ׀ בְּאֶ֣רֶץ מִצְרַ֔יִם וַיֹּצִאֲךָ֨ יְהוָ֤ה אֱלֹהֶ֙יךָ֙ מִשָּׁ֔ם בְּיָ֥ד חֲזָקָ֖ה וּבִזְרֹ֣עַ נְטוּיָ֑ה עַל־כֵּ֗ן צִוְּךָ֙ יְהוָ֣ה אֱלֹהֶ֔יךָ לַעֲשׂ֖וֹת אֶת־י֥וֹם הַשַּׁבָּֽת׃ ס

ס מצותי ק׳ ס בצבור קורין בטעם העליון

אונקלוס

קַנָּא מַסְעַר חוֹבֵי אֲבָהָן עַל בְּנִין מָרָדִין עַל דָּר תְּלִיתַי וְעַל דָּר רְבִיעַי לְסָנְאַי כַּד מַשְׁלְמִין בְּנַיָּא לְמֶחֱטֵי בָּתַר אֲבָהָתְהוֹן׃ י וְעָבֵד טִיבוּ לְאַלְפֵי דָרִין לְרָחֲמַי וּלְנָטְרֵי פִקּוֹדָי׃ יא לָא תֵימֵי בִשְׁמָא דַייָ אֱלָהָךְ לְמַגָּנָא אֲרֵי לָא יְזַכֵּי יְיָ יָת דִּי יֵימֵי בִשְׁמֵהּ לְשִׁקְרָא׃ יב טַר יָת יוֹמָא דְשַׁבְּתָא לְקַדָּשׁוּתֵהּ כְּמָא דִי פַקְּדָךְ יְיָ אֱלָהָךְ׃ יג שִׁתָּא יוֹמִין תִּפְלַח וְתַעְבֵּד כָּל עֲבִדְתָּךְ׃ יד וְיוֹמָא שְׁבִיעָאָה שַׁבְּתָא קֳדָם יְיָ אֱלָהָךְ לָא תַעְבֵּד כָּל עֲבִידָא אַתְּ וּבְרָךְ וּבְרַתָּךְ וְעַבְדָּךְ וְאַמְתָּךְ וְתוֹרָךְ וַחֲמָרָךְ וְכָל בְּעִירָךְ וְגִיּוֹרָךְ דִּי בְקִרְוָךְ בְּדִיל דִּי יְנוּחַ עַבְדָּךְ וְאַמְתָּךְ כְּוָתָךְ׃ טו וְתִדְכַּר אֲרֵי עַבְדָּא הֲוֵיתָא בְּאַרְעָא דְמִצְרַיִם וְאַפְּקָךְ יְיָ אֱלָהָךְ מִתַּמָּן בִּידָא תַקִּיפָא וּבִדְרָעָא מְרָמָא

רש״י

פָּרַשְׁתִּים: (יב) שמור. וּבָרִאשׁוֹנוֹת הוּא אוֹמֵר זָכוֹר, שְׁנֵיהֶם בְּדִבּוּר אֶחָד וּבְתֵיבָה אַחַת נֶאֶמְרוּ, וּבִשְׁמִיעָה אַחַת נִשְׁמְעוּ (מכי׳): כאשר צוך. קוֹדֶם מַתַּן תּוֹרָה בְּמָרָה (שבת פ״ז): (טו) וזכרת כי עבד היית וגו׳. עַל מְנָת כֵּן פְּדָאֲךָ שֶׁתִּהְיֶה לוֹ עֶבֶד וְתִשְׁמוֹר מִצְוֹתָיו:

the children unto the third and fourth *generation* of them that hate me. [10]And shewing mercy unto thousand *generations* of them that love me. and keep my commandments. [11]Thou shalt not take the name of the Eternal thy God in vain: for the Eternal will not hold him guiltless that taketh his name in vain. [12]Keep the sabbath day, to sanctify it, as the Eternal thy God hath commanded thee. [13]Six days thou mayest labour, and do all thy work: [14]But the seventh day *is* the sabbath of the Eternal thy God: *in it* thou shalt not do any work, thou, nor thy son, nor thy daughter, thy *man*-servant, nor thy maid-servant, nor any of thy herd, nor thine ass, nor thy beasts, nor thy stranger that is within thy gates, that thy *man*-servant and thy maid-servant may rest as well as thou. [15]And remember that thou wast a servant in the land of Egypt, and that the Eternal thy God brought thee out thence through a mighty hand and by a stretched out arm: therefore the Eternal thy God commanded thee to keep the sabbath day.

רש"י

always) (Mechilta). — The Ten Commandments — I have already explained them. **(12)** שמור OBSERVE [THE SABBATH DAY] — But in the former *Ten Commandments* (i. e. where they were first promulgated, in Ex. XX.), it states, "Remember [the Sabbath day]"! The explanation is: Both of them (זכור and שמור) were spoken in one utterance and as one word, and were heard in one hearing (i. e. were heard simultaneously) (Mech.). כאשר צוך [OBSERVE THE SABBATH DAY TO SANCTIFY IT] AS [THE LORD THY GOD] COMMANDED THEE before the giving of the Law, at Marah (Sabb. 87b). **(15)** וזכרת כי עבד היית וגו' AND THOU SHALT REMEMBER THAT THOU WAST A SLAVE [IN THE LAND OF EGYPT ... AND THE LORD BROUGHT THEE FORTH FROM THERE ... THEREFORE HE COMMANDS THEE TO KEEP THE SABBATH DAY] — On that condition He freed you — that you should be a servant to Him

טז כַּבֵּד אֶת־אָבִיךָ וְאֶת־אִמֶּךָ כַּאֲשֶׁר צִוְּךָ יְהוָה אֱלֹהֶיךָ לְמַעַן ׀ יַאֲרִיכֻן יָמֶיךָ וּלְמַעַן יִיטַב לָךְ עַל הָאֲדָמָה אֲשֶׁר־יְהוָה אֱלֹהֶיךָ נֹתֵן לָךְ: ס יז לֹא תִּרְצָח: ס וְלֹא תִּנְאָף: ס וְלֹא תִּגְנֹב: ס וְלֹא־תַעֲנֶה בְרֵעֲךָ עֵד שָׁוְא: ס יח וְלֹא תַחְמֹד אֵשֶׁת רֵעֶךָ ס וְלֹא תִתְאַוֶּה בֵּית רֵעֶךָ שָׂדֵהוּ וְעַבְדּוֹ וַאֲמָתוֹ שׁוֹרוֹ וַחֲמֹרוֹ וְכֹל אֲשֶׁר לְרֵעֶךָ: ס חמישי יט אֶת־הַדְּבָרִים הָאֵלֶּה דִּבֶּר יְהוָה אֶל־כָּל־קְהַלְכֶם בָּהָר מִתּוֹךְ הָאֵשׁ הֶעָנָן וְהָעֲרָפֶל קוֹל גָּדוֹל וְלֹא יָסָף וַיִּכְתְּבֵם עַל־שְׁנֵי לֻחֹת אֲבָנִים וַיִּתְּנֵם אֵלָי: כ וַיְהִי כְּשָׁמְעֲכֶם אֶת־הַקּוֹל מִתּוֹךְ הַחֹשֶׁךְ וְהָהָר בֹּעֵר בָּאֵשׁ וַתִּקְרְבוּן אֵלַי כָּל־רָאשֵׁי שִׁבְטֵיכֶם וְזִקְנֵיכֶם: כא וַתֹּאמְרוּ הֵן

אונקלום

עַל כֵּן פַּקְּדָךְ יְיָ אֱלָהָךְ לְמֶעְבַּד יָת יוֹמָא דְשַׁבְּתָא: טז יַקֵּר יָת אֲבוּךְ וְיָת אִמָּךְ כְּמָא דִי פַקְּדָךְ יְיָ אֱלָהָךְ בְּדִיל דְּיוֹרְכוּן יוֹמָיךְ וּבְדִיל דְּיוֹטַב לָךְ עַל אַרְעָא דַּיְיָ אֱלָהָךְ יָהֵב לָךְ: יז לָא תִקְטוֹל נְפָשׁ. וְלָא תְגוּף. וְלָא תִגְנוֹב (נַפְשָׁא). וְלָא תַסְהֵד בְּחַבְרָךְ סַהֲדוּתָא דְשִׁקְרָא: יח וְלָא תַחְמַד אִתַּת חַבְרָךְ וְלָא תֵרוֹג בֵּית חַבְרָךְ חַקְלֵהּ וְעַבְדֵּהּ וְאַמְתֵהּ תּוֹרֵהּ וַחֲמָרֵהּ וְכֹל דִּי לְחַבְרָךְ: יט יָת פִּתְגָּמַיָּא הָאִלֵּין מַלֵּיל יְיָ עִם כָּל קְהַלְכוֹן בְּטוּרָא מִגּוֹ אֶשָּׁתָא עֲנָנָא וַאֲמִיטְתָא קָל רַב וְלָא פָסָק וּכְתַבְנוּן עַל תְּרֵין לוּחֵי אַבְנַיָּא וִיהַבְנוּן לִי: כ וַהֲוָה כַּד שְׁמַעֲכוֹן יָת קָלָא מִגּוֹ חֲשׁוֹכָא וְטוּרָא בָּעַר בְּאֶשָּׁתָא וּקְרֶבְתּוּן לְוָתִי כָּל רֵישֵׁי שִׁבְטֵיכוֹן וְסָבֵיכוֹן:

רש"י

(טז) כאשר צוך. אַף עַל כִּבּוּד אָב וָאֵם נִצְטַוּוּ בְמָרָה שֶׁנֶּאֱמַר (שמ' ט"ו) שָׁם שָׂם לוֹ חֹק וּמִשְׁפָּט (סנה' נ"ו:): יז וְלֹא תִנְאָף. אֵין לְשׁוֹן נִאוּף אֶלָּא בְּאֵשֶׁת אִישׁ: (יח) ולא תתאוה. וְלֹא תַיְרוֹג. אַף הוּא לְשׁוֹן חֶמְדָּה. כְּמוֹ נֶחְמָד לְמַרְאֶה (בר' ב') דִּמְתַרְגְּמִינָן דִּמְרַגֵּג לְמֶחֱזֵי: (יט) ולא יסף. מְתַרְגְּמִינָן וְלָא פָסָק (לְפִי שֶׁמִּדַּת בָּשָׂר וָדָם אֵינָן יְכוֹלִין לְדַבֵּר כָּל דִּבְרֵיהֶם בִּנְשִׁימָה אַחַת וּמִדַּת הַקָּבָּ"ה אֵינוֹ כֵן. לֹא הָיָה פוֹסֵק וּמִשֶּׁלֹּא הָיָה פוֹסֵק לֹא הָיָה מוֹסִיף) כִּי קוֹלוֹ חָזָק וְקַיָּם לְעוֹלָם (סנה' י"ז:) דְּא"א וְלֹא יָסָף לֹא הוֹסִיף לְהֵרָאוֹת

[16]Honour thy father and thy mother, as the Eternal thy God hath commanded thee, that thy days may be prolonged, and that it may go well with thee on the ground which the Eternal thy God giveth thee. [17]Thou shalt not murder, Neither shalt thou commit adultery, Neither shalt thou steal, Neither shalt thou bear false witness against thy fellow-*man*. [18]Neither shalt thou covet thy fellow-*man's* wife, Neither shalt thou desire thy fellow-*man's* house, his field, or his *man*-servant, or his maid-servant, any of his herd, or his ass, or any *thing* that is thy fellow-*man's*. [19]These words the Eternal spake unto all your assembly in the mount out of the midst of the fire, of the cloud, and of the thick cloud, with a great voice: and he added no more. And he wrote them in two tablets of stone, and gave them unto me. [20]And it came to pass, when ye heard the voice out of the midst of the darkness, for the mountain was consuming with fire, that ye approached unto me, *even* all the heads of your tribes, and your elders; [21]And ye said, Behold,

רש"י

and observe His commandments. **(16)** כאשר צוך [HONOUR THY FATHER AND THY MOTHER] AS THE LORD THY GOD HATH COMMANDED THEE — Also regarding honouring parents they received command at Marah, as it is said, (Ex. XV. 25) "There He appointed for them a statute and a judgement" (cf. Rashi on that passage and Note p. 243) (Sanh. 56b). **(17)** ולא תנאף AND THOU SHALT NOT COMMIT ADULTERY — *The term* ניאוף, "adultery", is *technically* only *applicable* in *the case of* a married woman. **(18)** ולא תתאוה — *The Targum renders this by* ולא תירוג which, too, is an expression denoting "desiring" (חמד the word used in the preceding part of this verse), just as (Gen. II. 9) "נחמד to the eyes", we render in the Targum by "desirable (רגג) to behold". **(19)** ולא יסף — We render this in the Targum by ולא פסק "and He did not cease", — [Because it is characteristic of human beings that they are unable to utter all their words in one breath (but must make pauses) and it is characteristic of the Holy One, blessed be He, that this is not so, *therefore* He did not pause, and since He did not pause, He did not have to resume], — for His voice is strong and goes on continuously (Sanh. 17a). — Another explanation of ולא יסף: He did not again ever reveal himself

הֶרְאָנוּ יְהוָה אֱלֹהֵינוּ אֶת־כְּבֹדוֹ וְאֶת־גָּדְלוֹ וְאֶת־
קֹלוֹ שָׁמַעְנוּ מִתּוֹךְ הָאֵשׁ הַיּוֹם הַזֶּה רָאִינוּ כִּי־יְדַבֵּר
אֱלֹהִים אֶת־הָאָדָם וָחָי׃ כב וְעַתָּה לָמָּה נָמוּת כִּי
תֹאכְלֵנוּ הָאֵשׁ הַגְּדֹלָה הַזֹּאת אִם־יֹסְפִים | אֲנַחְנוּ
לִשְׁמֹעַ אֶת־קוֹל יְהוָה אֱלֹהֵינוּ עוֹד וָמָתְנוּ׃ כג כִּי
מִי כָל־בָּשָׂר אֲשֶׁר שָׁמַע קוֹל אֱלֹהִים חַיִּים מְדַבֵּר
מִתּוֹךְ־הָאֵשׁ כָּמֹנוּ וַיֶּחִי׃ כד קְרַב אַתָּה וּשֲׁמָע אֵת
כָּל־אֲשֶׁר יֹאמַר יְהוָה אֱלֹהֵינוּ וְאַתְּ | תְּדַבֵּר אֵלֵינוּ
אֵת כָּל־אֲשֶׁר יְדַבֵּר יְהוָה אֱלֹהֵינוּ אֵלֶיךָ וְשָׁמַעְנוּ
וְעָשִׂינוּ׃ כה וַיִּשְׁמַע יְהוָה אֶת־קוֹל דִּבְרֵיכֶם בְּדַבֶּרְכֶם
אֵלָי וַיֹּאמֶר יְהוָה אֵלַי שָׁמַעְתִּי אֶת־קוֹל דִּבְרֵי הָעָם
הַזֶּה אֲשֶׁר דִּבְּרוּ אֵלֶיךָ הֵיטִיבוּ כָּל־אֲשֶׁר דִּבֵּרוּ׃
כו מִי־יִתֵּן וְהָיָה לְבָבָם זֶה לָהֶם לְיִרְאָה אֹתִי וְלִשְׁמֹר
אֶת־כָּל־מִצְוֺתַי כָּל־הַיָּמִים לְמַעַן יִיטַב לָהֶם

אונקלוס

כא וַאֲמַרְתּוּן הָא אַחְזְיָנָא יְיָ אֱלָהָנָא יָת יְקָרֵהּ וְיָת רְבוּתֵהּ וְיָת קָל מֵימְרֵהּ
שְׁמַעְנָא מִגּוֹ אֶשָּׁתָא יוֹמָא הָדֵין חֲזֵינָא אֲרֵי יְמַלֵּל יְיָ עִם אֲנָשָׁא וְיִתְקַיָּם׃
כב וּכְעַן לְמָא נְמוּת אֲרֵי תֵיכְלִנָּנָא אֶשָּׁתָא רַבְּתָא הָדָא אִם יוֹסְפִין אֲנַחְנָא
לְמִשְׁמַע יָת קָל [מֵימְרָא] דַיְיָ אֱלָהָנָא עוֹד וּמָיְתִין אֲנַחְנָא׃ כג אֲרֵי מָן כָּל בִּשְׂרָא
דִי שְׁמַע קָל מֵימְרָא דַיְיָ קַיָּמָא מְמַלֵּל מִגּוֹ אֶשָּׁתָא כְּוָתָנָא וְאִתְקַיָּם׃ כד קְרַב
אַתְּ וּשְׁמַע יָת כָּל דִי יֵימַר יְיָ אֱלָהָנָא וְאַתְּ תְּמַלֵּל עִמָּנָא יָת כָּל דִימַלֵּל יְיָ אֱלָהָנָא
עִמָּךְ וּנְקַבֵּל וְנַעְבֵּד׃ כה וּשְׁמִיעַ קֳדָם יְיָ יָת קָל פִּתְגָמֵיכוֹן בְּמַלָּלוּתְכוֹן עִמִּי וַאֲמַר
יְיָ לִי שְׁמִיעַ קֳדָמַי יָת קָל פִּתְגָמֵי עַמָּא הָדֵין דִי מַלִּילוּ עִמָּךְ אַתְקִינוּ כָּל דִי
מַלִּילוּ׃ כו לְוַי דִי יְהֵי לִבָּא הָדֵין לְהוֹן לְמִדְחַל קֳדָמַי וּלְמִטַּר יָת כָּל פִּקּוֹדַי כָּל

רש״י

בְּאוֹתוֹ פּוּמְבֵּי: (כד) ואת תדבר אלינו. הִתַּשְׁתֶּם אֶת כֹּחִי כִּנְקֵבָה, שֶׁנִּצְטַעַרְתִּי עֲלֵיכֶם
וְרִפִּיתֶם אֶת יָדַי כִּי רָאִיתִי שֶׁאֵינְכֶם חֲרֵדִים לְהִתְקָרֵב אֵלָיו מֵאַהֲבָה, וְכִי לֹא הָיָה יָפֶה
לָכֶם לִלְמֹד מִפִּי הַגְּבוּרָה וְלֹא לִלְמֹד מִמֶּנִּי?!:

the Eternal our God hath shewed us his glory and his greatness, and we have heard his voice out of the midst of the fire: we have seen this day that God may speak to man, and he yet remain alive. [22]Now, therefore, wherefore should we die? for this great fire will consume us: if we hear the voice of the Eternal our God any more, then we shall die. [23]For who *is there of* all flesh, that hath heard the voice of the living God speaking out of the midst of the fire, as we *have,* and lived? [24]Approach thou, and hear all that the Eternal our God shall say: and speak thou unto us all that the Eternal our God shall speak unto thee: and we will hear *it,* and do *it.* [25]And the Eternal heard the voice of your words, when ye spake unto me; and the Eternal said unto me, I have heard the voice of the words of this people, which they have spoken unto thee: they have well *said* all that they have spoken. [26]O that there were such an heart in them, that they would fear me, and keep all my commandments all the days, that it might be well with them.

רש"י

with such publicity[1]). **(24)** ואת תדבר אלינו AND SPEAK THOU (את the feminine form of the pronoun) TO US — you weakened my strength as *that of* a woman, (cf. Rashi on Num. XI. 15), for I was distressed because of you (because of your words) and you weakened my hands, since I saw that you were not anxious to approach Him out of love. Indeed, was it not better for you to learn from the mouth of the Almighty *God,* and not to learn from me?!

NOTES

[1]) See Appendix.

וְלִבְנֵיהֶם לְעֹלָם׃ כז לֵךְ אֱמֹר לָהֶם שׁוּבוּ לָכֶם
לְאָהֳלֵיכֶם׃ כח וְאַתָּה פֹּה עֲמֹד עִמָּדִי וַאֲדַבְּרָה אֵלֶיךָ
אֵת כָּל־הַמִּצְוָה וְהַחֻקִּים וְהַמִּשְׁפָּטִים אֲשֶׁר תְּלַמְּדֵם
וְעָשׂוּ בָאָרֶץ אֲשֶׁר אָנֹכִי נֹתֵן לָהֶם לְרִשְׁתָּהּ׃
כט וּשְׁמַרְתֶּם לַעֲשׂוֹת כַּאֲשֶׁר צִוָּה יְהוָה אֱלֹהֵיכֶם
אֶתְכֶם לֹא תָסֻרוּ יָמִין וּשְׂמֹאל׃ ל בְּכָל־הַדֶּרֶךְ
אֲשֶׁר צִוָּה יְהוָה אֱלֹהֵיכֶם אֶתְכֶם תֵּלֵכוּ לְמַעַן
תִּחְיוּן וְטוֹב לָכֶם וְהַאֲרַכְתֶּם יָמִים בָּאָרֶץ אֲשֶׁר
תִּירָשׁוּן׃ ו א וְזֹאת הַמִּצְוָה הַחֻקִּים וְהַמִּשְׁפָּטִים
אֲשֶׁר צִוָּה יְהוָה אֱלֹהֵיכֶם לְלַמֵּד אֶתְכֶם לַעֲשׂוֹת
בָּאָרֶץ אֲשֶׁר אַתֶּם עֹבְרִים שָׁמָּה לְרִשְׁתָּהּ׃
ב לְמַעַן תִּירָא אֶת־יְהוָה אֱלֹהֶיךָ לִשְׁמֹר אֶת־כָּל־
חֻקֹּתָיו וּמִצְוֹתָיו אֲשֶׁר אָנֹכִי מְצַוֶּךָ אַתָּה וּבִנְךָ וּבֶן־
בִּנְךָ כֹּל יְמֵי חַיֶּיךָ וּלְמַעַן יַאֲרִכֻן יָמֶיךָ׃ ג וְשָׁמַעְתָּ
יִשְׂרָאֵל וְשָׁמַרְתָּ לַעֲשׂוֹת אֲשֶׁר יִיטַב לְךָ וַאֲשֶׁר

אונקלוס

יוֹמַיָּא בְּדִיל דְּיֵיטַב לְהוֹן וְלִבְנֵיהוֹן לְעָלָם: כז אֵזֵל אֱמַר לְהוֹן תּוּבוּ לְכוֹן
לְמַשְׁכְּנֵיכוֹן: כח וְאַתְּ הָכָא קוּם קֳדָמַי וַאֲמַלֵּל עִמָּךְ יָת כָּל תַּפְקֵדְתָּא וּקְיָמַיָּא
וְדִינַיָּא דִּי תַלְפִינוּן וְיַעְבְּדוּן בְּאַרְעָא דִּי אֲנָא יָהֵב לְהוֹן לְמֵירְתַהּ: כט וְתִטְּרוּן
לְמֶעְבַּד כְּמָא דִּי פַקִּיד יְיָ אֱלָהֲכוֹן יָתְכוֹן לָא תִסְטוּן יַמִּינָא וּשְׂמָאלָא: ל בְּכָל
אָרְחָא דִּי פַקִּיד יְיָ אֱלָהֲכוֹן יָתְכוֹן תְּהָכוּן בְּדִיל דְּתֵיחוּן וְיֵיטַב לְכוֹן וְתוֹרְכוּן יוֹמִין
בְּאַרְעָא דִּי תֵירְתוּן: א וְדָא תַּפְקֵדְתָּא קְיָמַיָּא וְדִינַיָּא דִּי פַקִּיד יְיָ אֱלָהֲכוֹן לְאַלָּפָא
יָתְכוֹן לְמֶעְבַּד בְּאַרְעָא דִּי אַתּוּן עָבְרִין תַּמָּן לְמֵירְתַהּ: ב בְּדִיל דְּתִדְחַל יָת יְיָ
אֱלָהָךְ לְמִטַּר יָת כָּל קְיָמוֹהִי וּפִקּוֹדוֹהִי דִּי אֲנָא מְפַקֵּד לָךְ אַתְּ וּבְרָךְ וּבַר בְּרָךְ כֹּל
יוֹמֵי חַיָּךְ וּבְדִיל דְּיוֹרְכוּן יוֹמָךְ: ג וּתְקַבֵּל יִשְׂרָאֵל וְתִטַּר לְמֶעְבַּד דִּי יֵיטַב לָךְ
וְדִי תִסְגּוּן לַחֲדָא כְּמָא דִּי מַלִּיל יְיָ אֱלָהָא דַאֲבָהָתָךְ לָךְ אַרְעָא עָבְדָא חֲלַב

and with their children for ever! [27]Go say to them, Return you into your tents. [28]But as for thee, stand thou here by me, and I will speak unto the all the commandments, and the statutes, and the judgments, which thou shalt teach them, that they may do *them* in the land which I give them to possess it. [29]Ye shall keep *them* to do as the Eternal your God hath commanded you: ye shall not depart to the right *hand* or to the left. [30]Ye shall walk in all the ways which the Eternal your God hath commanded you, that ye may live, and *that it may be* well with you, and *that* ye may prolong *your* days in the land which ye shall possess.

6. [1]Now these *are* the commandments, the statutes, and the judgments, which the Eternal your God commanded to teach you, that ye might do *them* in the land whither ye pass to possess it: [2]That thou mightest fear the Eternal thy God, to keep all his ordinances and his commandments, which I command thee, thou, and thy son, and thy son's son, all the days of thy life; and that thy days may be prolonged. [3]Hear, therefore, O Israel, and observe to do *it*; that it may be well with thee, and that

תִּירְבוּן מְאֹד כַּאֲשֶׁר דִּבֶּר יְהוָה אֱלֹהֵי אֲבֹתֶיךָ לָךְ
אֶרֶץ זָבַת חָלָב וּדְבָשׁ: פ ששי

ד שְׁמַע יִשְׂרָאֵל יְהוָה אֱלֹהֵינוּ יְהוָה ׀ אֶחָד:
ה וְאָהַבְתָּ אֵת יְהוָה אֱלֹהֶיךָ בְּכָל-לְבָבְךָ וּבְכָל-נַפְשְׁךָ
וּבְכָל-מְאֹדֶךָ: ו וְהָיוּ הַדְּבָרִים הָאֵלֶּה אֲשֶׁר אָנֹכִי
מְצַוְּךָ הַיּוֹם עַל-לְבָבֶךָ: ז וְשִׁנַּנְתָּם לְבָנֶיךָ וְדִבַּרְתָּ
בָּם בְּשִׁבְתְּךָ בְּבֵיתֶךָ וּבְלֶכְתְּךָ בַדֶּרֶךְ וּבְשָׁכְבְּךָ
וּבְקוּמֶךָ: ח וּקְשַׁרְתָּם לְאוֹת עַל-יָדֶךָ וְהָיוּ לְטֹטָפֹת

אונקלוס

וּדְבַשׁ: ד שְׁמַע יִשְׂרָאֵל יְיָ אֱלָהָנָא יְיָ חָד: ה וְתִרְחַם יָת יְיָ אֱלָהָךְ בְּכָל לִבָּךְ
וּבְכָל נַפְשָׁךְ וּבְכָל נִכְסָךְ: ו וִיהוֹן פִּתְגָּמַיָּא הָאִלֵּין דִּי אֲנָא מְפַקְּדָךְ יוֹמָא דֵין עַל
לִבָּךְ: ז וּתְתַנִּנּוּן לִבְנָיךְ וּתְמַלֵּל בְּהוֹן בְּמִתְּבָךְ בְּבֵיתָךְ וּבִמְהָכָךְ בְּאָרְחָא וּבְמִשְׁכְּבָךְ

רש"י

ו (ד) אלהינו ה' אחד. ה' שהוא אלהינו עַתָּה, וְלֹא אֱלֹהֵי הָאֻמּוֹת, הוּא עָתִיד לִהְיוֹת
ה' אֶחָד, שֶׁנֶּאֱמַר (צפ' ח') כִּי אָז אֶהְפֹּךְ אֶל עַמִּים שָׂפָה בְרוּרָה לִקְרֹא כֻלָּם בְּשֵׁם ה',
וְנֶאֱמַר (זכ' י"ד) בַּיּוֹם הַהוּא יִהְיֶה ה' אֶחָד וּשְׁמוֹ אֶחָד: (ה-ו) ואהבת. עֲשֵׂה
דְּבָרָיו מֵאַהֲבָה, א"ג: דוֹמֶה הָעוֹשֶׂה מֵאַהֲבָה לָעוֹשֶׂה מִיִּרְאָה, הָעוֹשֶׂה אֵצֶל רַבּוֹ מִיִּרְאָה,
כְּשֶׁהוּא מַטְרִיחַ עָלָיו מַנִּיחוֹ וְהוֹלֵךְ לוֹ (שם): בכל לבבך. בִּשְׁנֵי יְצָרֶיךָ (ספרי; בר' נ"ד):
דָּבָר אַחֵר בְּכָל לְבָבְךָ שֶׁלֹּא יִהְיֶה לִבְּךָ חָלוּק עַל הַמָּקוֹם (ספרי): ובכל נפשך. אֲפִלּוּ
הוּא נוֹטֵל אֶת נַפְשְׁךָ (ספרי; בר' נ"ד): ובכל מאדך. בְּכָל מָמוֹנְךָ, יֵשׁ לְךָ אָדָם שֶׁמָּמוֹנוֹ
חָבִיב עָלָיו מִגּוּפוֹ (בר' נ"ד), לְכָךְ נֶאֱמַר בְּכָל מְאֹדֶךָ. ד"א וּבְכָל מְאֹדֶךָ בְּכָל מִדָּה וּמִדָּה
שֶׁמּוֹדֵד לְךָ, בֵּין בְּמִדָּה טוֹבָה בֵּין בְּמִדַּת פֻּרְעָנוּת, וְכֵן דָּוִד הוּא אוֹמֵר (תה' קט"ז) כּוֹס
יְשׁוּעוֹת אֶשָּׂא צָרָה וְיָגוֹן אֶמְצָא וְגוֹ' (עי' ספרי): ומהו הָאַהֲבָה? והיו הדברים
האלה, שֶׁמִּתּוֹךְ כָּךְ אַתָּה מַכִּיר בְּהַקָּבָּ"ה וּמִדַּבֵּק בִּדְרָכָיו (ספרי): אשר אנכי
מצוך היום. לֹא יִהְיוּ בְּעֵינֶיךָ כִּדְיוֹטַגְמָא יְשָׁנָה שֶׁאֵין אָדָם סוֹפְנָה, אֶלָּא כַּחֲדָשָׁה שֶׁהַכֹּל
רָצִין לִקְרָאתָהּ; דְּיוֹטַגְמָא — מִצְוַת הַמֶּלֶךְ הַבָּאָה בְמִכְתָּב (ספרי): (ז) ושננתם. לְשׁוֹן חִדּוּד
הוּא, שֶׁיִּהְיוּ מְחֻדָּדִים בְּפִיךָ, שֶׁאִם יִשְׁאָלְךָ אָדָם דָּבָר לֹא תְהֵא צָרִיךְ לְגַמְגֵּם בּוֹ אֶלָּא
אֱמֹר לוֹ מִיָּד (ספרי; קיד' ל'): לבניך. אֵלּוּ הַתַּלְמִידִים, מָצִינוּ בְּכָל מָקוֹם שֶׁהַתַּלְמִידִים
קְרוּיִים בָּנִים, שֶׁנֶּאֱמַר (דב' י"ד) בָּנִים אַתֶּם לַה' אֱלֹהֵיכֶם, וְאוֹמֵר (מ"ב ב') בְּנֵי הַנְּבִיאִים אֲשֶׁר
בֵּית אֵל, וְכֵן בְּחִזְקִיָּהוּ, שֶׁלִּמֵּד תּוֹרָה לְכָל יִשְׂרָאֵל, וּקְרָאָם בָּנִים שֶׁנֶּאֱמַר (דה"י"ב ל"ט)
בָּנַי עַתָּה אַל תִּשָּׁלוּ. וּכְשֵׁם שֶׁהַתַּלְמִידִים קְרוּיִים בָּנִים (שֶׁנֶּאֱמַר בָּנִים אַתֶּם לַה' אֱלֹהֵיכֶם)
כָּךְ הָרַב קָרוּי אָב, שֶׁנֶּאֱמַר (מ"ב ב') אָבִי אָבִי רֶכֶב יִשְׂרָאֵל וְגוֹ' (ספרי): ודברת בם.
שֶׁלֹּא יְהֵא עִקַּר דִּבּוּרְךָ אֶלָּא בָּם — עֲשֵׂם עִקָּר וְאַל תַּעֲשֵׂם טָפֵל (שם): ובשכבך. יָכוֹל
אֲפִלּוּ שָׁכַב בַּחֲצִי הַיּוֹם, וּבְקוּמֶךָ יָכוֹל אֲפִלּוּ עָמַד בַּחֲצִי הַלַּיְלָה, ת"ל בְּשִׁבְתְּךָ בְּבֵיתֶךָ
וּבְלֶכְתְּךָ בַדֶּרֶךְ — דֶּרֶךְ אֶרֶץ דִּבְּרָה תוֹרָה, זְמַן שְׁכִיבָה וּזְמַן קִימָה (שם): (ח) וקשרתם
לאות על ידך. אֵלּוּ תְּפִלִּין שֶׁבַּזְּרוֹעַ. והיו לטטפת בין עיניך. אֵלּוּ תְּפִלִּין שֶׁבָּרֹאשׁ, וְעַל

ye may increase mightily, as the Eternal God of thy fathers hath promised thee, in the land flowing with milk and honey. [4]Hear, O Israel: The Eternal our God the Eternal *is* one. [5]And thou shalt love the Eternal thy God, with all thine heart, and with all thy soul, and with all thy intensity. [6]And these words, which I command thee this day, shall be in thine heart: [7]And thou shalt enjoin them on thy children, and shalt speak of them when thou sittest in thine house, and when thou walkest by the way, and when thou liest down, and when thou risest up. [8]And thou shalt bind them for a sign upon thine hand, and they shall be as

רש"י

6. (4) ה' אלהינו ה' אחד *means,* The Lord who is now o u r God and not the God of the *other* peoples *of the world,* He will at some future time be the O n e (s o l e) ה', as it is said, (Zeph. III. 9) "For then I will turn to the p e o p l e s a pure language that they may a l l call upon the name of the Lord", and it is *f u r t h e r* said, (Zech. XIV. 9) "In that day shall the Lord be One (אחד) and His name One" (cf. Siphre). **(5—6)** ואהבת AND THOU SHALT LOVE [THE LORD] — Fulfil His commands out of l o v e , *for* one who acts out of love is not like him (is on a higher plane than one) who acts out of fear. He who serves his master out of fear, if he (the master) troubles him overmuch, leaves him and goes away (Siphre). בכל לבבך [THOU SHALT LOVE THE LORD] WITH ALL THY HEART — *The form of the noun with t w o* ב *instead of the usual form* לבך *suggests: Love Him* with thy t w o inclinations (the יצר הטוב and the יצר הרע) (Siphre; Ber. 54a). Another explanation of בכל לבבך, *with a l l thy heart, is* that thy heart should not be at variance (i. e. divided, not w h o l e) with the Omnipresent God (Siphre). ובכל נפשך AND WITH ALL THY SOUL — even though He take thy soul (even though you have to suffer martyrdom to show your love of God) (Siphre; Ber. 54a, 61b). ובכל מאדך AND WITH ALL THY MIGHT, *i. e.* with all thy property. You have people whose property is dearer to them than their bodies (life), *and it is* on this account that there is added, "and with all thy property" (Siphre). — Another explanation of ובכל מאדך is: — *Thou shalt love Him* whatever measure (מדה) it may be that He metes out to thee, whether it be the measure of good or the measure of calamity. Thus also did David say, (Ps. CXVI. 13 and 3) "If I lift up the c u p o f s a l v a t i o n , [I will call upon the name of the Lord]; If I find t r o u b l e a n d s o r r o w , [I will call upon the name of the Lord]". — What is the "love" *that is here commanded? The next verse tells us:* והיו הדברים האלה THESE WORDS [WHICH I COMMAND THEE] SHALL BE [UPON THINE HEART] — for thereby thou wilt arrive at a recognition of the Holy One, blessed be He, and wilt cleave to His ways (Siphre). אשר אנכי מצוך היום [THESE WORDS] WHICH I COMMAND THEE THIS DAY — *t h i s d a y* — they should not be in thine eyes as an antiquated דיוטגמא which no one minds, but as one newly given which everyone gladly welcomes (Siphre; cf. our first Note on p. 248 in this edition of Exodus). — *The word* דיוטגמא *in this Midrash signifies:* a royal command committed to writing. **(7)** ושננתם AND THOU SHALT TEACH THEM DILIGENTLY — *This word expresses* the idea of being sharply impressed, *the meaning being,* that they should be impressed (familiar) in thy mouth, so that if a person asks you anything *concerning them,* you will not need to stammer (hesitate) about it, but tell him forthwith (Siphre; Kidd. 30a)[1]) לבניך [AND THOU SHALT TEACH THEM DILIGENTLY] UNTO THY CHILDREN — These are the disciples. Everywhere[2]) do we find that disciples are termed בנים, as it is said, (XIV. 1) "Ye are c h i l d r e n (בנים) of the Lord your God"; and it says, (2 Kings II. 3), "The s o n s of (בני) the prophets who were in Bethel". So, too, *do we find* in *the case of* Hezekiah that he taught Torah to all Israel and termed them בנים, as it is said, (2 Chron. XXIX. 11), "My

NOTES

For Notes 1—2 see Appendix.

בֵּין עֵינֶיךָ׃ ט וּכְתַבְתָּם עַל־מְזֻזוֹת בֵּיתֶךָ וּבִשְׁעָרֶיךָ׃ ס
וְהָיָה כִּי־יְבִיאֲךָ ׀ יְהוָה אֱלֹהֶיךָ אֶל־הָאָרֶץ אֲשֶׁר
נִשְׁבַּע לַאֲבֹתֶיךָ לְאַבְרָהָם לְיִצְחָק וּלְיַעֲקֹב לָתֶת
לָךְ עָרִים גְּדֹלֹת וְטֹבֹת אֲשֶׁר לֹא־בָנִיתָ׃ יא וּבָתִּים
מְלֵאִים כָּל־טוּב אֲשֶׁר לֹא־מִלֵּאתָ וּבֹרֹת חֲצוּבִים
אֲשֶׁר לֹא־חָצַבְתָּ כְּרָמִים וְזֵיתִים אֲשֶׁר לֹא־נָטָעְתָּ
וְאָכַלְתָּ וְשָׂבָעְתָּ׃ יב הִשָּׁמֶר לְךָ פֶּן־תִּשְׁכַּח אֶת־
יְהוָה אֲשֶׁר הוֹצִיאֲךָ מֵאֶרֶץ מִצְרַיִם מִבֵּית עֲבָדִים׃
יג אֶת־יְהוָה אֱלֹהֶיךָ תִּירָא וְאֹתוֹ תַעֲבֹד וּבִשְׁמוֹ
תִּשָּׁבֵעַ׃ יד לֹא תֵלְכוּן אַחֲרֵי אֱלֹהִים אֲחֵרִים מֵאֱלֹהֵי
הָעַמִּים אֲשֶׁר סְבִיבוֹתֵיכֶם׃ טו כִּי אֵל קַנָּא יְהוָה
אֱלֹהֶיךָ בְּקִרְבֶּךָ פֶּן־יֶחֱרֶה אַף־יְהוָה אֱלֹהֶיךָ בָּךְ

אונקלוס

וּבִמְקִימָךְ: ח וְתִקְטְרִנּוּן לְאָת עַל יְדָךְ וִיהוֹן לִתְפִלִּין בֵּין עֵינָךְ: ט וְתִכְתְּבִנּוּן עַל מְזוּזָן וְתִקְבְּעִנּוּן בְּסִפֵּי בֵיתָךְ וּבְתַרְעָיךְ: י וִיהֵי אֲרֵי יָעֵלִנָּךְ יְיָ אֱלָהָךְ לְאַרְעָא דִּי קַיֵּים לַאֲבָהָתָךְ לְאַבְרָהָם לְיִצְחָק וּלְיַעֲקֹב לְמִתַּן לָךְ קִרְוִין רַבְרְבָן וְטָבָן דִּי לָא בְנֵיתָא: יא וּבָתִּין מְלָן כָּל טוּב דִּי לָא מַלֵּיתָא וְגֻבִּין פְּסִילָן דִּי לָא פְסַלְתָּא כַּרְמִין וְזֵיתִין דִּי לָא נְצַבְתָּא וְתֵיכוּל וְתִשְׂבָּע: יב אִסְתַּמַּר לָךְ דִּילְמָא תִנְשֵׁי יָת (דַּחַלְתָּא דַ) יְיָ דִּי אַפְּקָךְ מֵאַרְעָא דְמִצְרַיִם מִבֵּית עַבְדוּתָא: יג יָת יְיָ אֱלָהָךְ תִּדְחַל וְקֳדָמוֹהִי תִּפְלַח וּבִשְׁמֵהּ תְּקַיֵּם: יד לָא תְהָכוּן בָּתַר טָעֲוַת עַמְמַיָּא מִטָּעֲוַת עַמְמַיָּא דִּי בְּסַחֲרָנֵיכוֹן: טו אֲרֵי אֵל קַנָּא יְיָ אֱלָהָךְ (שְׁכִנְתֵּהּ) בֵּינָךְ דִּילְמָא יִתְקַף

רש״י

שֵׁם מִנְיַן פַּרְשִׁיּוֹתֵיהֶם נִקְרְאוּ טוֹטָפוֹת, טט בְּכַתְפִּי שְׁתַּיִם פת בְּאַפְרִיקִי שְׁתַּיִם (סנה׳ ד׳): (ט) מזוזות ביתך. מְזֻזַת כְּתִיב, שֶׁאֵין צָרִיךְ אֶלָּא אַחַת: ובשעריך. לְרַבּוֹת שַׁעֲרֵי חֲצֵרוֹת וְשַׁעֲרֵי מְדִינוֹת וְשַׁעֲרֵי עֲיָרוֹת (יומא י״א): (יא) חצובים. לְפִי שֶׁהָיָה מְקוֹם טְרָשִׁין וּסְלָעִים נוֹפֵל בּוֹ לְשׁוֹן חֲצִיבָה: (יב) מבית עבדים. כְּתַרְגּוּמוֹ מִבֵּית עַבְדוּתָא — מִמָּקוֹם שֶׁהֱיִיתֶם שָׁם עֲבָדִים: (יג) ובשמו תשבע. אִם יֵשׁ בְּךָ כָּל הַמִּדּוֹת הַלָּלוּ, שֶׁאַתָּה יָרֵא אֶת שְׁמוֹ וְעוֹבֵד אוֹתוֹ, אָז בִּשְׁמוֹ תִּשָּׁבֵעַ, שֶׁמִּתּוֹךְ שֶׁאַתָּה יָרֵא אֶת שְׁמוֹ תְּהֵא זָהִיר בִּשְׁבוּעָתְךָ, וְאִם לָאו לֹא תִשָּׁבֵעַ: (יד) מאלהי העמים אשר סביבותיכם. הוּא הַדִּין לָרְחוֹקִים, אֶלָּא לְפִי

frontlets between thine eyes. [9]And thou shalt write them upon the door posts of thy house, and in thy gates. [10]And it shall be, when the Eternal thy God shall have brought thee into the land which he sware unto thy fathers, to Abraham, to Isaac, and to Jacob, to give thee great and goodly cities, which thou buildedst not, [11]And houses full of all good things, which thou filledst not, and wells hewn out, which thou hewedst not, vineyards and olive trees, which thou plantedst not; when thou shalt have eaten and be satisfied; [12]*Then* take heed lest thou forget the Eternal, who brought thee forth out of the land of Egypt, from the house of servants. [13]Thou shalt fear the Eternal thy God, and serve him, and shalt swear by his name. [14]Ye shall not go after other gods, of the gods of the peoples which *are* round about you; [15]For the Eternal thy God *is* a jealous God among you lest the wrath of the Eternal thy God glow against thee,

רש"י

sons (בני) be not now negligent". And even as disciples are termed בנים, "children", so the teacher is termed אב, "father", as it is said, (2 Kings II. 12) *that Elisha referred to his teacher Elijah by the words,* "My father, my father, the chariot of Israel, etc." (Siphre). ודברת בם AND THOU SHALT SPEAK OF THEM — *i.e.* that your principal topic of conversation should be only about them: make them the principal, and do not make them of secondary importance (Siphre). ובשכבך AND WHEN THOU LIEST DOWN — One might *think that this means:* even if one lies down (retires to bed) in the middle of the day[1]), *and that* ובקומך AND WHEN THOU RISEST UP *means:* even if you rise up in the middle of the night! It, however, states בשבתך בביתך ובלכתך בדרך WHEN THOU SITTEST IN THY HOUSE AND WHEN THOU WALKEST BY THE WAY: The Torah is *thus* speaking of the usual way of living, *and this therefore means,* the *usual* time of lying down and the *usual* time of rising up (cf. Siphre). **(8)** וקשרתם AND THOU SHALT BIND THEM [. . . UPON THY HAND] — These are the Tephillin that are *placed* on the arm, והיו לטטפת בין עיניך AND THEY SHALL BE FOR FRONTLETS BETWEEN THINE EYES — these are the Tephillin that are *placed* upon the head. It is in reference to the number of the Scriptural sections contained in them that they are termed טטפת, for טט *denotes* "two" in Katpi and פת in Afriki *denotes* "two" (Sanh. 4b; cf. Rashi on Ex. XIII. 16). **(9)** מזזות ביתך THE DOORPOSTS OF THY HOUSE — *The word is* written מזזת, *to indicate* that it is necessary *to fix* only one מזוזה *to a door* (cf. Men. 34a)[2]). ובשעריך AND UPON THY GATES — *the plural is used* to include also the gates of courts and the gates of provinces and the gates of cities (Joma 11a). **(11)** חצובים [CISTERNS] HEWN OUT — Because it (Palestine) was a country of stony ground and rocks, the term "hewn" is applicable here. **(12)** מבית עבדים — *Understand this* as the Targum *does:* from the house of slavery, *i.e.* a place where ye were slaves (not from the house that belonged to slaves; cf. Rashi on Ex. XX. 2). **(13)** ובשמו תשבע AND THOU SHALT SWEAR BY HIS NAME — If thou hast all the characteristics *mentioned here, i.e.* that thou reverest His name and servest Him, then thou mayest take an oath by *mention of* His name, for just because thou reverest His name, thou wilt be cautious with thy oath; but if not, thou shalt not so swear[3]). **(14)** מאלהי העמים אשר סביבותיכם OF THE GODS OF THE PEOPLE WHO ARE AROUND YOU — The same prohibition applies respecting *the gods of* those *peoples* who are distant from you; but, just because you see those who are

NOTES

For Notes 1—2 see Appendix.

[3]) According to this explanation ובשמו תשבע is not co-ordinate with the preceding phrases, but the apodosis to them, they forming the protasis: If thou fearest the Lord, etc., then thou mayest swear by His Name.

וְהִשְׁמִידְךָ מֵעַל פְּנֵי הָאֲדָמָה: ס טז לֹא
תְנַסּוּ אֶת־יְהוָה אֱלֹהֵיכֶם כַּאֲשֶׁר נִסִּיתֶם בַּמַּסָּה:
יז שָׁמוֹר תִּשְׁמְרוּן אֶת־מִצְוֹת יְהוָה אֱלֹהֵיכֶם
וְעֵדֹתָיו וְחֻקָּיו אֲשֶׁר צִוָּךְ: יח וְעָשִׂיתָ הַיָּשָׁר וְהַטּוֹב
בְּעֵינֵי יְהוָה לְמַעַן יִיטַב לָךְ וּבָאתָ וְיָרַשְׁתָּ אֶת־
הָאָרֶץ הַטֹּבָה אֲשֶׁר־נִשְׁבַּע יְהוָה לַאֲבֹתֶיךָ:
יט לַהֲדֹף אֶת־כָּל־אֹיְבֶיךָ מִפָּנֶיךָ כַּאֲשֶׁר דִּבֶּר
יְהוָה: ס כ כִּי־יִשְׁאָלְךָ בִנְךָ מָחָר לֵאמֹר מָה
הָעֵדֹת וְהַחֻקִּים וְהַמִּשְׁפָּטִים אֲשֶׁר צִוָּה יְהוָה
אֱלֹהֵינוּ אֶתְכֶם: כא וְאָמַרְתָּ לְבִנְךָ עֲבָדִים הָיִינוּ
לְפַרְעֹה בְּמִצְרָיִם וַיֹּצִיאֵנוּ יְהוָה מִמִּצְרַיִם בְּיָד
חֲזָקָה: כב וַיִּתֵּן יְהוָה אוֹתֹת וּמֹפְתִים גְּדֹלִים וְרָעִים
בְּמִצְרַיִם בְּפַרְעֹה וּבְכָל־בֵּיתוֹ לְעֵינֵינוּ: כג וְאוֹתָנוּ
הוֹצִיא מִשָּׁם לְמַעַן הָבִיא אֹתָנוּ לָתֶת לָנוּ אֶת־

אונקלוס

רַגְזָא דַייָ אֱלָהָךְ בָּךְ וִישֵׁיצִינָךְ מֵעַל אַפֵּי אַרְעָא: טז לָא תְנַסּוּן יָת יְיָ אֱלָהֲכוֹן כְּמָא
דִי נַסֵּיתוּן בְּנִסֵּיתָא: יז מִטַּר תִּטְּרוּן יָת פִּקּוֹדַיָּא דַייָ אֱלָהֲכוֹן וְסָהֲדָוָתֵהּ וּקְיָמוֹהִי
דִי פַקְדָךְ: יח וְתַעְבֵּד דְּכָשַׁר וּדְתָקֵן קֳדָם יְיָ בְּדִיל דְּיֵיטַב לָךְ וְתֵעוּל וְתֵירַת יָת
אַרְעָא טַבְתָא דִי קַיֵּים יְיָ לַאֲבָהָתָךְ: יט לְמִתְבַּר יָת כָּל בַּעֲלֵי דְבָבָךְ מִקֳּדָמָךְ
כְּמָא דִי מַלִּיל יְיָ: כ אֲרֵי יִשְׁאֲלִנָּךְ בְּרָךְ מְחַר לְמֵימַר מָא סָהֲדָוָתָא וּקְיָמַיָּא
וְדִינַיָּא דִי פַקִּיד יְיָ אֱלָהַנָא יָתְכוֹן: כא וְתֵימַר לִבְרָךְ עַבְדִין הֲוֵינָא לְפַרְעֹה
בְּמִצְרַיִם וְאַפְּקָנָא יְיָ מִמִּצְרַיִם בִּידָא תַקִּיפָא: כב וִיהַב יְיָ אָתִין וּמוֹפְתִין רַבְרְבִין
וּבִישִׁין בְּמִצְרַיִם בְּפַרְעֹה וּבְכָל אֱנָשׁ בֵּיתֵהּ לְעֵינָנָא: כג וְיָתָנָא אַפֵּיק מִתַּמָּן בְּדִיל

רש"י

שֶׁאַתָּה רוֹאֶה אֶת סְבִיבוֹתֶיךָ תּוֹעִים אַחֲרֵיהֶם, הֻצְרַךְ לְהַזְהִיר עֲלֵיהֶם בְּיוֹתֵר: **(טז) במסה.** כְּשֶׁיָּצְאוּ מִמִּצְרַיִם שֶׁנִּסּוּהוּ בַּמַּיִם, שֶׁנֶּאֱמַר הֲיֵשׁ ה' בְּקִרְבֵּנוּ (שמ' י"ז): **(יח) הישר והטוב.** זוֹ פְּשָׁרָה לִפְנִים מִשּׁוּרַת הַדִּין: **(יט) כאשר דבר.** וְהֵיכָן דִּבֶּר? וְהַמֹּתִי אֶת כָּל הָעָם וְגוֹ' (שמ' כ"ג): **(כ) כי ישאלך בנך מחר.** יֵשׁ מָחָר שֶׁהוּא אַחַר זְמַן:

and exterminate thee from off the face of the ground. [16]Ye shall not try the Eternal your God, as ye tried *him* in Massah. [17]Ye shall diligently keep the commandments of the Eternal your God, and his testimonies, and his statutes, which he hath commanded thee. [18]And thou shalt do *that which is* right and good in the eyes of the Eternal: that it may be well with thee, and that thou mayest go in and possess the good land which the Eternal sware unto thy fathers, [19]To thrust out all thine enemies from before thee, as the Eternal hath spoken. [20]When thy son asketh thee in time to come, saying, What *mean* the testimonies, and the statutes, and the judgments, which the Eternal our God hath commanded you? [21]Then thou shalt say unto thy son, We were Pharaoh's servants in Egypt; and the Eternal brought us out of Egypt with a strong hand: [22]And the Eternal shewed signs and wonders, great and evil, upon Egypt, upon Pharaoh, and upon all his household, before our eyes: [23]And he brought us out from thence, that he might bring us *in*, to give us the

רש"י

around you going astray after them, it felt the necessity specially to warn your about them. **(16) במסה** IN MASSAH, when they went forth from Egypt: that they put Him to the test in respect to water, as it is said, (Ex. XVII. 7) *that they asked*, "Is the Lord amongst us or not?"[1]). **(18) הישר והטוב** [AND THOU SHALT DO] THAT WHICH IS RIGHT AND GOOD [IN THE EYES OF THE LORD] — This refers to a compromise within the line of the law (within strict equity) (cf. Rashi B. Mets. 108a)[2]). **(19) כאשר דבר** [TO THRUST OUT ALL THINE ENEMIES] AS [THE LORD] HATH SAID — And where did He promise *this*? When He said, (Ex. XXIII. 27) "And I will confound all the peoples, etc.". **(20) כי ישאלך בנך מחר** WHEN THY SON ASKETH THEE — There is *a usage of the word* מחר that refers to *a day that only comes* after *the lapse of some* time *and this is so here* (i. e. it here means "in time to come", not "to-morrow").

NOTES

For Notes 1—2 see Appendix.

הָאָרֶץ אֲשֶׁר נִשְׁבַּע לַאֲבֹתֵינוּ: כד וַיְצַוֵּנוּ יְהוָה
לַעֲשׂוֹת אֶת־כָּל־הַחֻקִּים הָאֵלֶּה לְיִרְאָה אֶת־יְהוָה
אֱלֹהֵינוּ לְטוֹב לָנוּ כָּל־הַיָּמִים לְחַיֹּתֵנוּ כְּהַיּוֹם הַזֶּה:
כה וּצְדָקָה תִּהְיֶה־לָּנוּ כִּי־נִשְׁמֹר לַעֲשׂוֹת אֶת־כָּל־
הַמִּצְוָה הַזֹּאת לִפְנֵי יְהוָה אֱלֹהֵינוּ כַּאֲשֶׁר צִוָּנוּ: ס
שביעי ז א כִּי יְבִיאֲךָ יְהוָה אֱלֹהֶיךָ אֶל־הָאָרֶץ אֲשֶׁר־
אַתָּה בָא־שָׁמָּה לְרִשְׁתָּהּ וְנָשַׁל גּוֹיִם־רַבִּים ׀
מִפָּנֶיךָ הַחִתִּי וְהַגִּרְגָּשִׁי וְהָאֱמֹרִי וְהַכְּנַעֲנִי וְהַפְּרִזִּי
וְהַחִוִּי וְהַיְבוּסִי שִׁבְעָה גוֹיִם רַבִּים וַעֲצוּמִים מִמֶּךָּ:
ב וּנְתָנָם יְהוָה אֱלֹהֶיךָ לְפָנֶיךָ וְהִכִּיתָם הַחֲרֵם תַּחֲרִים
אֹתָם לֹא־תִכְרֹת לָהֶם בְּרִית וְלֹא תְחָנֵּם: ג וְלֹא
תִתְחַתֵּן בָּם בִּתְּךָ לֹא־תִתֵּן לִבְנוֹ וּבִתּוֹ לֹא־תִקַּח
לִבְנֶךָ: ד כִּי־יָסִיר אֶת־בִּנְךָ מֵאַחֲרַי וְעָבְדוּ אֱלֹהִים

אונקלוס

לְאַעָלָא יָתָנָא לְמִתַּן לָנָא יָת אַרְעָא דִּי קַיֵּים לַאֲבָהָתָנָא: כד וּפַקְּדָנָא יְיָ לְמֶעְבַּד יָת כָּל קְיָמַיָּא הָאִלֵּין לְמִדְחַל יָת יְיָ אֱלָהָנָא לְטַב לָנָא כָּל יוֹמַיָּא לְקַיָּמוּתָנָא כְּיוֹמָא הָדֵין: כה וְזָכוּתָא תְּהֵי לָנָא אֲרֵי נִטַּר לְמֶעְבַּד יָת כָּל תַּפְקֶדְתָּא הָדָא קֳדָם יְיָ אֱלָהָנָא כְּמָא דִּי פַקְּדָנָא: א אֲרֵי יַעְלִנָּךְ יְיָ אֱלָהָךְ לְאַרְעָא דִּי אַתְּ עָלֵל לְתַמָּן לְמֵירְתַהּ וִיתָרֵךְ עַמְמִין סַגִּיאִין מִן קֳדָמָךְ חִתָּאֵי וְגִרְגְּשָׁאֵי וֶאֱמֹרָאֵי וּכְנַעֲנָאֵי וּפְרִזָּאֵי וְחִוָּאֵי וִיבוּסָאֵי שִׁבְעָא עַמְמִין סַגִּיאִין וְתַקִּיפִין מִנָּךְ: ב וְיִמְסְרִנּוּן יְיָ אֱלָהָךְ קֳדָמָךְ וְתִמְחִנּוּן גַּמָּרָא תְּגַמַּר יָתְהוֹן לָא תִגְזַר לְהוֹן קְיָם וְלָא תְרַחֵם עֲלֵיהוֹן: ג וְלָא תִתְחַתַּן בְּהוֹן בְּרַתָּךְ לָא תִתֵּן לִבְרֵהּ וּבְרַתֵּהּ לָא תִסַּב לִבְרָךְ: ד אֲרֵי יְטְעֵי

רש״י

ז (א) ונשל. לְשׁוֹן הַשְׁלָכָה וְהַתָּזָה, וְכֵן וְנָשַׁל הַבַּרְזֶל (דב׳ י״ט): (ב) ולא תחנם. לֹא תִתֵּן לָהֶם חֵן, אָסוּר לוֹ לְאָדָם לוֹמַר „כַּמָּה נָאֶה גּוֹי זֶה!״ דָּבָר אַחֵר, לֹא תִתֵּן לָהֶם חֲנָיָה בָּאָרֶץ (ע״ז כ׳): (ד) כי יסיר את בנך מאחרי. בְּנוֹ שֶׁל גּוֹי כְּשֶׁיִּשָּׂא אֶת בִּתְּךָ יָסִיר אֶת בִּנְךָ אֲשֶׁר תֵּלֵד לוֹ בִתְּךָ מֵאַחֲרָי, לִמְּדָנוּ שֶׁבֶּן בִּתְּךָ הַבָּא מִן הַגּוֹי קָרוּי בִּנְךָ, אֲבָל בֶּן בִּנְךָ הַבָּא מִן הַגּוֹיָה אֵינוֹ קָרוּי בִּנְךָ אֶלָּא בְּנָהּ, שֶׁהֲרֵי לֹא נֶאֱמַר עַל בִּתּוֹ לֹא תִקַּח, כִּי תָסִיר

land which he sware unto our fathers. [24]And the Eternal commanded us to do all these statutes, to fear the Eternal our God, for our good all the days, that he might keep us alive, as *it is* at this day. [25]And it shall be righteousness to us, if we observe to do all these commandments before the Eternal our God, as he hath commanded us.

7. [1]When the Eternal thy God shall bring thee into the land whither thou goest to possess it, and hath cast out many nations before thee, the Hittites, and the Girgashites, and the Amorites, and the Canaanites, and the Perizzites, and the Hivites, and the Jebusites, seven nations more numerous and mightier than thou; [2]And when the Eternal thy God shall have given them before thee, and thou shalt have smitten them, thou shalt utterly doom them *to destruction;* thou shalt make no covenant with them, nor be gracious unto them: [3]Neither shalt thou intermarry with them; thy daughter thou shalt not give unto his son, nor his daughter shalt thou take unto thy son. [4]For he will turn away thy son from following me, that they may serve other gods:

רש"י

7. (1) ונשל *This is* an expression denoting casting away, and throwing to a distance, and similar is, (XIX. 5) "and the iron flies off" (ונשל). **(2)** ולא תחנם *means,* THOU SHALT NOT ASCRIBE GRACE (חן) TO THEM: it is forbidden to a person to say "How beautiful is this heathen". Another explanation: thou shalt not grant them a חניה, an encampment (a settlement) in the land (Ab. Zar. 20a). **(4)** כי יסיר את בנך מאחרי FOR HE WILL TURN AWAY THY SON FROM FOLLOWING ME — *i. e.,* the son of the heathen when he marries thy daughter, will turn away thy son (grandson) whom thy daughter will bear unto him from following Me. This teaches us, that thy daughter's son who is born of a heathen is termed thy son, but thy son's son, who is born of a heathen woman, is not termed thy son, but her son, for, you see, in regard to *the*

אחרים וחרה אף־יהוה בכם והשמידך מהר:
ה כי־אם־כה תעשו להם מזבחתיהם תתצו ומצבתם
תשברו ואשירהם תגדעון ופסיליהם תשרפון
באש: ו כי עם־קדוש אתה ליהוה אלהיך בך
בחר ׀ יהוה אלהיך להיות לו לעם סגלה מכל
העמים אשר על־פני האדמה: ז לא מרבכם
מכל־העמים חשק יהוה בכם ויבחר בכם כי־
אתם המעט מכל־העמים: ח כי מאהבת יהוה
אתכם ומשמרו את־השבעה אשר נשבע
לאבתיכם הוציא יהוה אתכם ביד חזקה ויפדך
מבית עבדים מיד פרעה מלך־מצרים: מפטיר
ט וידעת כי־יהוה אלהיך הוא האלהים האל

אונקלוס

ית בנך מבתר פלחני ויפלחון לטעות עממיא ויתקף רגזא דיי בכון וישיצינך בפריע: ה ארי אם כדין תעבדון להון אגוריהון תתרעון וקמתהון תתברון ואשריהון תקוצצון וצלמי טעותהון תוקדון בנורא: ו ארי עם קדיש את קדם יי אלהך בך אתרעי יי אלהך למהוי לה לעם חביב מכל עממיא די על אפי ארעא: ז לא מדסגיאין אתון מכל עממיא צבי יי בכון ואתרעי בכון ארי אתון זערין מכל עממיא: ח ארי מדרחם יי יתכון ומדנטר ית קימא די קיים לאבהתכון אפק יי יתכון בידא תקיפא ופרקך מבית עבדותא מידא דפרעה מלכא דמצרים: ט ותדע ארי יי אלהך הוא אלהים אלהא מהימנא נטר קימא

רש"י

את בנך מאחרי: (ה) מזבחתיהם. של בנין: ומצבתם. אבן אחת: ואשירהם. אילנות שעובדין אותן: ופסיליהם. צלמים: (ז) לא מרבכם. כפשוטו; ומדרשו לפי שאין אתם מגדילים עצמכם כשאני משפיע לכם טובה, לפיכך חשק... בכם, כי אתם המעט — הממעטין עצמכם, כגון אברהם שאמר (בר' כ"ח) ואנכי עפר ואפר, וכגון משה ואהרן שאמרו (שמ' ט"ז) ונחנו מה, לא כנבוכדנאצר שאמר (יש' י"ד) אדמה לעליון, וסנחריב (שם ל"ו) שאמר מי בכל אלהי הארצות, וחירם שאמר (יח' כ"ח) אל אני מושב אלהים ישבתי (חול' פ"ט): כי אתם המעט. הרי כי משמש בלשון דהא: (ח) כי מאהבת ה'. הרי כי משמש בלשון אלא — לא מרבכם חשק ה' בכם, אלא מאהבת ה' אתכם: ומשמרו את השבעה. מחמת שמרו את השבועה: (ט) לאלף דור. ולהלן (דב' ה') הוא

so will the wrath of the Eternal glow against you, and exterminate thee suddenly. [5]But thus shall ye do to them; ye shall pull down their altars, and break down their monuments, and cut down their groves, and burn their graven images with fire. [6]For thou *art* an holy people unto the Eternal thy God: the Eternal thy God hath chosen thee to be a people of a select portion unto himself, from all the peoples that *are* upon the face of the ground. [7]The Eternal did not delight in you, nor choose you, because ye were more numerous than any people; for ye *were* the fewest of all the peoples: [8]But because the Eternal loved you, and because he would keep the oath which he had sworn unto your fathers, hath the Eternal brought you out with a strong hand, and released you out of the house of servants, from the hand of Pharaoh king of Egypt. [9]Know therefore that the Eternal thy God, he *is* God, the faithful God,

רש״י

statement: "his daughter thou shalt not take [to thy son]" it does not add "For she will turn away thy son (grandson) from following Me" (Jeb. 23a)[1]). **(5)** מזבחתיהם — *a* מזבח *is something* built up *of several stones, whilst* ומצבתם *alludes to* a single stone (cf. Rashi on XII. 3). ואשירהם — Trees which they worship (Ab. Zar. 48a). ופסליהם — *These are* images. **(7)** לא מרבכם NOT ON ACCOUNT OF YOUR BEING [MORE] NUMEROUS — *This is to be understood* according to its plain sense. But its Midrashic explanation (taking לא מרבכם in the sense of "not because you are great") is: Because you do not regard yourselves as great when I shower good upon you, therefore חשק . . . בכם DID [THE LORD] DELIGHT IN YOU, כי אתם המעט FOR YOU ARE LITTLE — you regard yourselves as small, as, e. g., Abraham *did* who said, (Gen. XXVIII. 27) "For I am dust and ashes", and as, e. g., Moses and Aaron *did* who said, (Ex. XVI. 7) "And we, what are we?". Not as Nebuchadnezzar who said, (Is. XIV. 14) "I will be like the Most High", and Sennacherib who said, (ib. XXXVI. 20) "Who are they among all the gods of these countries [that have delivered their countries out of my hand?]", and Hiram who said, (Ez. XXVIII. 2), "I am a god, I sit in the seat of God" (Chul. 89a). כי אתם המעט — Here you have *the word* כי used in the sense of "because". **(8)** כי מאהבת — Here, however, you have *the word* כי used in the sense of "but": NOT ON ACCOUNT THAT YE WERE MORE NUMEROUS ... DID GOD DELIGHT IN YOU ... BUT ON ACCOUNT OF THE LORD'S LOVE TO YOU. ומשמרו את השבועה *means,* on account of His keeping the oath[2]). **(9)** לאלף דור TO A THOUSAND GENERATIONS — But elsewhere (V. 10) it states: to thousands *of generations! The explanation is:* Here

NOTES

For Notes 1—2 see Appendix.

הַנֶּאֱמָן שֹׁמֵר הַבְּרִית וְהַחֶסֶד לְאֹהֲבָיו וּלְשֹׁמְרֵי
מִצְוֹתָו לְאֶלֶף דּוֹר: י וּמְשַׁלֵּם לְשֹׂנְאָיו אֶל־פָּנָיו
לְהַאֲבִידוֹ לֹא יְאַחֵר לְשֹׂנְאוֹ אֶל־פָּנָיו יְשַׁלֶּם־לוֹ:
יא וְשָׁמַרְתָּ אֶת־הַמִּצְוָה וְאֶת־הַחֻקִּים וְאֶת־
הַמִּשְׁפָּטִים אֲשֶׁר אָנֹכִי מְצַוְּךָ הַיּוֹם לַעֲשׂוֹתָם:

ומפטירין. נחמו נחמו עמי. ביהושע בסימן מ': קי"ח. עזאל. סימן:

פ פ פ

יב וְהָיָה עֵקֶב תִּשְׁמְעוּן אֵת הַמִּשְׁפָּטִים הָאֵלֶּה
וּשְׁמַרְתֶּם וַעֲשִׂיתֶם אֹתָם וְשָׁמַר יְהוָה
אֱלֹהֶיךָ לְךָ אֶת־הַבְּרִית וְאֶת־הַחֶסֶד אֲשֶׁר נִשְׁבַּע
לַאֲבֹתֶיךָ: יג וַאֲהֵבְךָ וּבֵרַכְךָ וְהִרְבֶּךָ וּבֵרַךְ פְּרִי־
בִטְנְךָ וּפְרִי־אַדְמָתֶךָ דְּגָנְךָ וְתִירֹשְׁךָ וְיִצְהָרֶךָ שְׁגַר־
אֲלָפֶיךָ וְעַשְׁתְּרֹת צֹאנֶךָ עַל הָאֲדָמָה אֲשֶׁר־נִשְׁבַּע

אונקלוס

וְחִסְדָּא לְרַחֲמוֹהִי וּלְנָטְרֵי פִקּוֹדוֹהִי לְאַלְפֵי דָרִין: י וּמְשַׁלֵּם לְסָנְאוֹהִי טָבְן דִּי אִנּוּן עָבְדִין קֳדָמוֹהִי בְּחַיֵּיהוֹן לְאוֹבָדֵיהוֹן לָא מְאַחַר עֲבַד טָב לְסָנְאוֹהִי טַבְוָן דִּי אִנּוּן עָבְדִין קֳדָמוֹהִי בְּחַיֵּיהוֹן מְשַׁלֵּם לְהוֹן: יא וְתִטַּר יָת תַּפְקֶדְתָּא וְיָת קְיָמַיָּא וְיָת דִּינַיָּא דִּי אֲנָא מְפַקֵּדָךְ יוֹמָא דֵין לְמֶעְבְּדְהוֹן: פ (ו) פ

יב וִיהֵי חֲלַף (דִּי) תְקַבְּלוּן יָת דִּינַיָּא הָאִלֵּין וְתִטְּרוּן וְתַעְבְּדוּן יָתְהוֹן וְיִטַּר יְיָ אֱלָהָךְ לָךְ יָת קְיָמָא וְיָת חִסְדָּא דִּי קַיֵּים לַאֲבָהָתָךְ: יג וְיִרְחֲמִנָּךְ וִיבָרְכִנָּךְ וְיַסְגִּנָּךְ וִיבָרֵךְ וַלְדָּא דִמְעָךְ וְאִבָּא דְאַרְעָךְ עֲבוּרָךְ וְחַמְרָךְ וּמִשְׁחָךְ בַּקְרֵי תוֹרָיךְ וְעֶדְרֵי

רש"י

אומר לַאֲלָפִים. כָּאן שֶׁהוּא סָמוּךְ אֵצֶל לְשׁוֹמְרֵי מִצְוֹתָיו, הוּא אוֹמֵר לאלף, וּלְהַלָּן שֶׁהוּא סָמוּךְ אֵצֶל לְאוֹהֲבַי, הוּא אוֹמֵר לַאֲלָפִים (סוטה ל"א): לאהביו. אֵלּוּ הָעוֹשִׂין מֵאַהֲבָה: ולשמרי מצותיו. אֵלּוּ הָעוֹשִׂין מִיִּרְאָה: (י) ומשלם לשנאיו אל פניו. בְּחַיָּיו מְשַׁלֵּם לוֹ גְּמוּלוֹ הַטּוֹב, כְּדֵי לְהַאֲבִידוֹ מִן הָעוֹלָם הַבָּא: (יא) היום לעשותם. וּלְמָחָר, לָעוֹלָם הַבָּא, לִטּוֹל שְׂכָרָם (ערי' כ"ב):

(יב) והיה עקב תשמעון. אִם הַמִּצְוֹת קַלּוֹת שֶׁאָדָם דָּשׁ בַּעֲקֵבָיו תִּשְׁמְעוּן, ושמר ה' וגו'. יִשְׁמֹר לְךָ הַבְטָחָתוֹ (עי' תנח'): (יג) שגר אלפים. וַלְדֵי בְקָרְךָ שֶׁהַנְּקֵבָה מְשַׁגֶּרֶת מִמֵּעֶיהָ:

who keepeth the covenant and mercy with them that love him and keep his commandments to a thousand generations. [10]And repayeth them that hate him to their face, to cause them to perish: he will not delay to him that hateth him, he will repay him to his face. [11]Thou shalt therefore keep the commandments, and the statutes, and the judgments, which I command thee this day to do them. [12]And the consequence will be, *if* ye hearken to these judgments, and keep, and do them, that the Eternal thy God shall keep unto thee convenant and the mercy which he sware unto thy fathers: [13]And he will love thee, and bless thee, and multiply thee: he will also bless the fruit of thy womb, and the fruit of thy ground, thy corn, and thy must, and thine oil, the offspring dropped by thy kine, and the breeds of thy flock, in the land which he sware

רש"י

where it is connected with (refers to) "those who keep His commandments" it states *that God's grace is extended* to a thousand generations; but there where it is associated with "those who love Him" it states *that it is extended* to thousands of generations (Sota 31a); *because* לאהביו are those who do *the commandments* out of love, and ולשמרי מצותיו are those who do *them* out of fear. **(10)** ומשלם לשנאיו אל פניו AND HE REPAYETH THEM THAT HATE HIM TO THEIR FACE [IN ORDER TO MAKE THEM PERISH] — *i.e.* during their lifetime (cf. Rashi on Gen. XI. 28 s. v. על פני:) he repayeth them their good recompense, in order to cause them to perish from out of the future world (cf. Onkelos). **(11)** היום לעשותם [WHICH I COMMANDED THEE] TO-DAY TO DO THEM — *to do them to-day*[1]), but *only* in the time to come — in the future world — to receive the reward for them (Erub. 22a).

עקב

(12) והיה עקב תשמעון AND THE CONSEQUENCE WILL BE, IF YE HEARKEN (The Hebrew text may be taken to signify if you will hear the heel, עקב) — If, even the lighter commands which a person *usually* treads on with his heels (i. e. which a person is inclined to treat lightly), ye will hearken to, ושמר ה' וגו' THEN THE LORD [THY GOD] WILL KEEP FOR THEE His promise[2]). **(13)** שגר אלפיך *means* the offspring of thy oxen which the female casts out (שגר) from its womb.

NOTES

1) This is suggested by reading the two words together. Really, however, היום should be connected with מצוך: which I command you to-day.

2) See Appendix.

לַאֲבֹתֶיךָ לָתֶת לָךְ: יד בָּרוּךְ תִּהְיֶה מִכָּל־הָעַמִּים

לֹא־יִהְיֶה בְךָ עָקָר וַעֲקָרָה וּבִבְהֶמְתֶּךָ: טו וְהֵסִיר

יְהוָה מִמְּךָ כָּל־חֹלִי וְכָל־מַדְוֵי מִצְרַיִם הָרָעִים

אֲשֶׁר יָדַעְתָּ לֹא יְשִׂימָם בָּךְ וּנְתָנָם בְּכָל־שֹׂנְאֶיךָ:

טז וְאָכַלְתָּ אֶת־כָּל־הָעַמִּים אֲשֶׁר יְהוָה אֱלֹהֶיךָ נֹתֵן

לָךְ לֹא־תָחוֹס עֵינְךָ עֲלֵיהֶם וְלֹא תַעֲבֹד אֶת־

אֱלֹהֵיהֶם כִּי־מוֹקֵשׁ הוּא לָךְ: ס יז כִּי תֹאמַר

בִּלְבָבְךָ רַבִּים הַגּוֹיִם הָאֵלֶּה מִמֶּנִּי אֵיכָה אוּכַל

לְהוֹרִישָׁם: יח לֹא תִירָא מֵהֶם זָכֹר תִּזְכֹּר אֵת

אֲשֶׁר־עָשָׂה יְהוָה אֱלֹהֶיךָ לְפַרְעֹה וּלְכָל־מִצְרָיִם:

יט הַמַּסֹּת הַגְּדֹלֹת אֲשֶׁר־רָאוּ עֵינֶיךָ וְהָאֹתֹת

וְהַמֹּפְתִים וְהַיָּד הַחֲזָקָה וְהַזְּרֹעַ הַנְּטוּיָה אֲשֶׁר

הוֹצִאֲךָ יְהוָה אֱלֹהֶיךָ כֵּן־יַעֲשֶׂה יְהוָה אֱלֹהֶיךָ לְכָל־

אונקלוס

עֲנָךְ עַל אַרְעָא דִּי קַיֵּים לַאֲבָהָתָךְ לְמִתַּן לָךְ: יד בְּרִיךְ תְּהֵי מִכָּל עַמְמַיָּא לָא יְהֵי
בָךְ עֲקַר וַעֲקָרָא וּבִבְעִירָךְ: טו וְיַעְדֵּי יְיָ מִנָּךְ כָּל מַרְעִין וְכָל מַכְתָּשֵׁי מִצְרַיִם
בִּישַׁיָּא דִּי יְדַעְתָּ לָא יְשַׁוִּנּוּן בָּךְ וְיִתְּנִנּוּן בְּכָל סָנְאָךְ: טז וּתְגַמַּר יָת כָּל עַמְמַיָּא
דִּי יְיָ אֱלָהָךְ יָהֵב לָךְ לָא תְחוּס עֵינָךְ עֲלֵיהוֹן וְלָא תִפְלַח יָת טַעֲוָתְהוֹן אֲרֵי
לְתַקְלָא יְהוֹן לָךְ: יד דִּילְמָא תֵימַר בְּלִבָּךְ סַגִּיאִין עַמְמַיָּא הָאִלֵּין מִנִּי אֶכְדֵין
אִכּוֹל לְתָרָכוּתְהוֹן: יח לָא תִדְחַל מִנְּהוֹן מִדְכַּר תִּדְכַּר יָת דִּי עֲבַד יְיָ אֱלָהָךְ
לְפַרְעֹה וּלְכָל מִצְרָיִם: יט נִסִּין רַבְרְבִין דִּי חֲזוֹ עֵינָךְ וְאָתַיָּא וּמוֹפְתַיָּא וִידָא
תַקִּיפָא וּדְרָעָא מְרַמְמָא דִּי אַפְקָךְ יְיָ אֱלָהָךְ כֵּן יַעְבֵּד יְיָ אֱלָהָךְ לְכָל עַמְמַיָּא דִּי

רש"י

וְעַשְׁתְּרֹת צֹאנֶךָ. מְנַחֵם פֵּרֵשׁ אַבִּירֵי בָשָׁן (תה' כ"ב) – מִבְחַר הַצֹּאן, כְּמוֹ עַשְׁתְּרֹת קַרְנַיִם
(בְּרֵ' י"ד). לְשׁוֹן חֹזֶק. וְאוּנְקְלוֹס תִּרְגֵּם וְעֶדְרֵי עָנָךְ. וְרַבּוֹתֵינוּ אָמְרוּ לָמָּה נִקְרָא שְׁמָם
עַשְׁתְּרוֹת שֶׁמְּעַשְּׁרוֹת אֶת בַּעֲלֵיהֶן (חוּל' פ"ד): (יד) עָקָר. שֶׁאֵינוֹ מוֹלִיד: (יז) כִּי תֹאמַר
בִּלְבָבְךָ. עַל כָּרְחֲךָ לְשׁוֹן דִּילְמָא הוּא, שֶׁמָּא תֹאמַר בִּלְבָבְךָ מִפְּנֵי שֶׁהֵם רַבִּים לֹא אוּכַל
לְהוֹרִישָׁם, אַל תֹּאמַר כֵּן, לֹא תִירָא מֵהֶם. וְלֹא יִתָּכֵן לְפָרְשׁוֹ בְּאַחַת מִשְּׁאָר לְשׁוֹנוֹת שֶׁל
כִּי שֶׁיִּפּוֹל עָלָיו שׁוּב לֹא תִירָא מֵהֶם: (יט) הַמַּסֹּת. נִסְיוֹנֹת. וְהָאֹתֹת. כְּגוֹן וַיְהִי לְנָחָשׁ

unto thy fathers to give thee. [14]Thou shalt be blessed above all the people: there shall not be male or female barren among you, or among your beasts. [15]And the Eternal will remove from thee all sickness, and will put none of the evil diseases of Egypt, which thou knowest, upon thee; but will lay them upon all *them* that hate thee. [16]And thou shalt consume all the peoples which the Eternal thy God shall give thee; thine eye shall not spare them: neither shalt thou serve their gods: for that *will be* a snare unto thee. [17]If thou shalt say in thine heart, These nations *are* more numerous than I; how can I dispossess them? [18]Thou shalt not be afraid of them: *but* shalt well remember what the Eternal thy God did unto Pharaoh, and unto all Egypt; [19]The great trials which thine eyes saw, and the signs, and the wonders, and the strong hand, and the stretched out arm, whereby the Eternal thy God brought thee out: so shall the Eternal

רש"י

ועשתרות צאנך AND THE BREEDS OF THY FLOCK — Menachem *ben Seruk* explains *this expression to be parallel to* אבירי בשן, *which means:* "the strong rams of Bashan" (Ps. XXII. 13), *i.e.* the choicest of the sheep, similar to (Gen. XIV. 5), "Ashteroth (עשתרות) Karnaim", *where also it is* an expression for "strength" (so that **עשתרות** denotes "the strong ones"). Onkelos, however, translates it: "and the flocks of thy sheep". Our Rabbis said: Why is their name called **עשתרות**? Because they enrich (עשר) their owner (through the sale of their wool, etc.) (cf. Chul. 84b). **(14)** עקר *means,* a man who cannot procreate[1]). **(17)** כי תאמר בלבבך — You must admit that *the word* כי *here* denotes "perhaps": perhaps thou wilt say in thy heart, "Because they are many, I shall be unable to dispossess them". Do not speak thus: **לא תירא מהם** THOU SHALT NOT BE AFRAID OF THEM. — For it is not possible to explain it in one of the *three* other meanings of כי so that the words **לא תירא מהם** will then appropriately fit in with it. **(19)** **המסות** *means,* THE TRIALS (cf. Rashi on IV. 34). **והאתת** AND THE SIGNS, for example (Ex. IV. 3) "and it

NOTES

[1]) See Appendix.

הָעַמִּים אֲשֶׁר־אַתָּה יָרֵא מִפְּנֵיהֶם׃ כ וְגַם אֶת־
הַצִּרְעָה יְשַׁלַּח יְהוָה אֱלֹהֶיךָ בָּם עַד־אֲבֹד הַנִּשְׁאָרִים
וְהַנִּסְתָּרִים מִפָּנֶיךָ׃ כא לֹא תַעֲרֹץ מִפְּנֵיהֶם כִּי־
יְהוָה אֱלֹהֶיךָ בְּקִרְבֶּךָ אֵל גָּדוֹל וְנוֹרָא׃ כב וְנָשַׁל
יְהוָה אֱלֹהֶיךָ אֶת־הַגּוֹיִם הָאֵל מִפָּנֶיךָ מְעַט מְעָט
לֹא תוּכַל כַּלֹּתָם מַהֵר פֶּן־תִּרְבֶּה עָלֶיךָ חַיַּת
הַשָּׂדֶה׃ כג וּנְתָנָם יְהוָה אֱלֹהֶיךָ לְפָנֶיךָ וְהָמָם
מְהוּמָה גְדֹלָה עַד הִשָּׁמְדָם׃ כד וְנָתַן מַלְכֵיהֶם
בְּיָדֶךָ וְהַאֲבַדְתָּ אֶת־שְׁמָם מִתַּחַת הַשָּׁמָיִם לֹא־
יִתְיַצֵּב אִישׁ בְּפָנֶיךָ עַד הִשְׁמִדְךָ אֹתָם׃ כה פְּסִילֵי
אֱלֹהֵיהֶם תִּשְׂרְפוּן בָּאֵשׁ לֹא־תַחְמֹד כֶּסֶף וְזָהָב
עֲלֵיהֶם וְלָקַחְתָּ לָךְ פֶּן תִּוָּקֵשׁ בּוֹ כִּי תוֹעֲבַת יְהוָה

אונקלוס

אַתְּ דָּחֵיל מִקֳּדָמֵיהוֹן: כ וְאַף יָת עֲרָעִיתָא יְגָרֵי יְיָ אֱלָהָךְ בְּהוֹן עַד דְּיֵיבְדוּן
דְּיִשְׁתָּאֲרוּ וּדְיִטַּמְּרוּ מִקֳּדָמָךְ: כא לָא תִתְּבַר מִקֳּדָמֵיהוֹן אֲרֵי יְיָ אֱלָהָךְ שְׁכִנְתֵּהּ
בֵּינָךְ אֱלָהָא רַבָּא וּדְחִילָא: כב וִיתָרֵךְ יְיָ אֱלָהָךְ יָת עַמְמַיָּא הָאִלֵּין מִקֳּדָמָךְ זְעֵר
זְעֵר לָא תִכּוּל לְשֵׁיצָיוּתְהוֹן בִּפְרִיעַ דִּילְמָא תִסְגֵּי עֲלָךְ חֵיוַת בָּרָא: כג וְיִמְסְרִנּוּן יְיָ
אֱלָהָךְ קֳדָמָךְ וִישַׁגֵּשִׁנּוּן שִׁגּוּשׁ רַב עַד דְּיִשֵּׁיצִנּוּן: כד וְיִמְסַר מַלְכֵיהוֹן בִּידָךְ וְתוֹבֵד
יָת שְׁמְהוֹן מִתְּחוֹת שְׁמַיָּא לָא יִתְעַתַּד אֱנַשׁ מִקֳּדָמָךְ עַד דְּתִשֵּׁיצֵי יָתְהוֹן:
כה צַלְמֵי טַעֲוָתְהוֹן תּוֹקְדוּן בְּנוּרָא לָא תַחְמֵד כַּסְפָּא וְדַהֲבָא דִּי עֲלֵיהוֹן וְתִסַּב

רש"י

(שמ' ד'), וְהָיוּ לְדָם בַּיַּבָּשֶׁת (שם): והמפתים. הַמַּכּוֹת הַמּוּפְלָאוֹת: והיד החזקה. זוֹ הַדֶּבֶר: והזרע הנטויה. זוֹ הַחֶרֶב שֶׁל מַכַּת בְּכוֹרוֹת: (כ) הצרעה. מִין שֶׁרֶץ הָעוֹף שֶׁהָיְתָה זוֹרֶקֶת בָּהֶם מָרָה וּמְסָרַסְתָּן וּמְסַמְּאָה אֶת עֵינֵיהֶם בְּכָל מָקוֹם שֶׁהָיוּ נִסְתָּרִין שָׁם (סוטה ל"ו): (כב) פן תרבה עליך חית השדה. וַהֲלֹא אִם עוֹשִׂין רְצוֹנוֹ שֶׁל מָקוֹם אֵין מִתְיָרְאִין מִן הַחַיָּה, שֶׁנֶּאֱמַר (איוב ה') וְחַיַּת הַשָּׂדֶה הָשְׁלְמָה לָךְ?! אֶלָּא גָּלוּי הָיָה לְפָנָיו שֶׁעֲתִידִין לַחֲטוֹא: (כג) והמם. נָקוּד קָמַץ כֻּלּוֹ, לְפִי שֶׁאֵין מ"ם אַחֲרוֹנָה מִן הַיְסוֹד, וַהֲרֵי הוּא כְּמוֹ וְהֵם אוֹתָם. אֲבָל וְהָמַם גַּלְגַּל עֶגְלָתוֹ (יש' כ"ח) כֻּלּוֹ יְסוֹד, לְפִיכָךְ חֶצְיוֹ קָמַץ וְחֶצְיוֹ פַּתָּח, כִּשְׁאָר פֹּעַל שֶׁל שָׁלֹשׁ אוֹתִיּוֹת:

thy God do unto all the peoples of whom thou art afraid. [20]Moreover the Eternal thy God will send forth the hornet among them, until they that remain and are hidden from thee, perish. [21]Thou shalt not be terrified at them: for the Eternal thy God *is* among you, a great God and fearful. [22]And the Eternal thy God will put out those nations before thee by little and little: thou mayest not be able to consume them speedily, lest the animals of the field increase upon thee. [23]But the Eternal thy God shall give them unto thee, and shall confound them with a great confusion, until they by exterminated. [24]And he shall give their kings into thine hand, and thou shalt cause their name to perish from under the heaven: there shall not a man be able to stand against thee, until thou have exterminated them. [25]The graven images of their gods shall ye burn with fire: thou shalt not covet the silver or gold *that is* on them, nor take *it* unto thee, lest thou be snared therein: for it *is* an abomination to the Eternal

רש"י

became a serpent", *and* (ib. 9) "It became blood on the dry land". והמפתים AND THE WONDERS, *viz.*, the wondrous plagues. והיה החזקה AND THE STRONG HAND — this refers to the pestilence (cf. the Passover Haggadah). והזרע הנטיה AND THE OUTSTRETCHED ARM, this refers to the sword for the smiting of the firstborn (cf. ib.). **(20)** הצרעה — a species of flying insect which injected poison into them, and castrated them and blinded their eyes wherever they hid themselves (Sota 36a). **(22)** פן תרבה עליך חית השדה LEST THE BEASTS OF THE FIELD INCREASE UPON THEE — But is it not a fact that if people perform the will of the Omnipresent they will not have to fear the beasts, as it is said, (Job V. 23) "And the beasts of the field shall be at peace with thee"?! But *it states this because* it was manifest before Him that they would in future sin. **(23)** והמם AND HE WILL CONFOUND THEM — This *word* is vowelled entirely (both syllables) with Kametz, because the last ם is not part of the root, and it is equivalent to וְהָם, "And he will confuse", אותם "them". But in (Is. XXVIII. 28) וְהָמַם גלגל עגלתו *the verb* המם consists entirely of root *letters*, therefore half of it (one syllable) has Kametz and half of it Patach, just like any other verb of three consonants[1]).

NOTES

[1]) See Appendix.

אֱלֹהֶיךָ הוּא׃ כו וְלֹא־תָבִיא תוֹעֵבָה אֶל־בֵּיתֶךָ וְהָיִיתָ
חֵרֶם כָּמֹהוּ שַׁקֵּץ ׀ תְּשַׁקְּצֶנּוּ וְתַעֵב ׀ תְּתַעֲבֶנּוּ כִּי־
חֵרֶם הוּא׃ פ

ח א כָּל־הַמִּצְוָה אֲשֶׁר אָנֹכִי מְצַוְּךָ הַיּוֹם תִּשְׁמְרוּן
לַעֲשׂוֹת לְמַעַן תִּחְיוּן וּרְבִיתֶם וּבָאתֶם וִירִשְׁתֶּם
אֶת־הָאָרֶץ אֲשֶׁר־נִשְׁבַּע יְהוָה לַאֲבֹתֵיכֶם׃ ב וְזָכַרְתָּ
אֶת־כָּל־הַדֶּרֶךְ אֲשֶׁר הוֹלִיכְךָ יְהוָה אֱלֹהֶיךָ זֶה
אַרְבָּעִים שָׁנָה בַּמִּדְבָּר לְמַעַן עַנֹּתְךָ לְנַסֹּתְךָ לָדַעַת
אֶת־אֲשֶׁר בִּלְבָבְךָ הֲתִשְׁמֹר מִצְוֹתָו אִם־לֹא׃
ג וַיְעַנְּךָ וַיַּרְעִבֶךָ וַיַּאֲכִלְךָ אֶת־הַמָּן אֲשֶׁר לֹא־יָדַעְתָּ
וְלֹא יָדְעוּן אֲבֹתֶיךָ לְמַעַן הוֹדִיעֲךָ כִּי לֹא עַל־הַלֶּחֶם
לְבַדּוֹ יִחְיֶה הָאָדָם כִּי עַל־כָּל־מוֹצָא פִי־יְהוָה יִחְיֶה
הָאָדָם׃ ד שִׂמְלָתְךָ לֹא בָלְתָה מֵעָלֶיךָ וְרַגְלְךָ לֹא

אונקלוס

לָךְ דִּילְמָא תִּתְּקַל בֵּהּ אֲרֵי מְרַחֲקָא דַּייָ אֱלָהָךְ הוּא׃ כו וְלָא תָעֵיל דִּמְרָחַק לְבֵיתָךְ וּתְהֵי חֶרְמָא כְּוָתֵהּ שַׁקָּצָא תְּשַׁקְּצִנֵּהּ וְרַחָקָא תְּרַחֲקִנֵּהּ אֲרֵי חֶרְמָא הוּא׃ א כָּל תַּפְקֵידְתָּא דִּי אֲנָא מְפַקֵּדָךְ יוֹמָא דֵין תִּטְּרוּן לְמֶעְבַּד בְּדִיל דְּתֵיחוּן וְתִסְגּוּן וְתֵיעֲלוּן וְתֵירְתוּן יָת אַרְעָא דִּי קַיֵּים יְיָ לַאֲבָהָתְכוֹן׃ ב וְתִדְכַּר יָת כָּל אָרְחָא דִּי דַבְּרָךְ יְיָ אֱלָהָךְ דְּנַן אַרְבְּעִין שְׁנִין בְּמַדְבְּרָא בְּדִיל לְעַנָּיוּתָךְ לְנַסָּיוּתָךְ לְמִדַּע יָת דִּי בְלִבָּךְ הֲתִטַּר פִּקּוֹדוֹהִי אִם לָא׃ ג וְעַנְּיָךְ וְאַכְפְּנָךְ וְאוֹכְלָךְ יָת מַנָּא דִּי לָא יְדַעְתָּא וְלָא יְדַעוּן אֲבָהָתָךְ בְּדִיל לְאוֹדָעוּתָךְ אֲרֵי לָא עַל לַחְמָא בִּלְחוֹדוֹהִי מִתְקַיַּם אֲנָשָׁא אֲרֵי עַל כָּל אַפָּקוּת מֵימְרָא דַּייָ יִתְקַיַּם אֲנָשָׁא׃ ד כְּסוּתָךְ לָא בְלִיאַת

רש״י

ח (א) כל המצוה. כִּפְשׁוּטוֹ; וּמִדְרַשׁ אַגָּדָה אִם הִתְחַלְתָּ בְּמִצְוָה גְּמוֹר אוֹתָהּ, שֶׁאֵינָהּ נִקְרֵאת אֶלָּא עַל שֵׁם הַגּוֹמְרָהּ, שֶׁנֶּאֱמַר וְאֶת עַצְמוֹת יוֹסֵף אֲשֶׁר הֶעֱלוּ בְנֵי יִשְׂרָאֵל מִמִּצְרַיִם קָבְרוּ בִשְׁכֶם (יה׳ כ״ד), וַהֲלֹא משֶׁה לְבַדּוֹ נִתְעַסֵּק בָּהֶם לְהַעֲלוֹתָם?! אֶלָּא לְפִי שֶׁלֹּא הִסְפִּיק לְגָמְרָהּ וּגְמָרוּהָ יִשְׂרָאֵל נִקְרֵאת עַל שְׁמָם (תנח׳): (ב) התשמר מצותו. שֶׁלֹּא תְנַסֵּהוּ וְלֹא תְהַרְהֵר אַחֲרָיו: (ד) שמלתך לא בלתה. עֲנָנֵי כָבוֹד הָיוּ שָׁפִים בִּכְסוּתָם וּמְגַהֲצִים אוֹתָם כְּמִין כֵּלִים מְגֻהָצִים, וְאַף קְטַנֵּיהֶם כְּמוֹ שֶׁהָיוּ גְדֵלִים הָיָה גָדֵל לְבוּשָׁן

thy God. [26]Neither shalt thou bring an abomination into thine house, lest thou be a doomed thing like it: *but* thou shalt utterly detest it, and thou shalt utterly abhor it; for it *is* a doomed thing.

8. [1]Every commandment which I command thee this day shall ye observe to do, that ye may live, and increase, and go in and possess the land which the Eternal sware unto your fathers. [2]And thou shalt remember all the way which the Eternal thy God led thee these forty years in the desert to afflict thee, *and* to try thee, to know what was in thine heart, whether thou wouldest keep his commandments, or not. [3]And he afflicted thee, and suffered thee to hunger, and gave thee manna to eat, which thou knewest not, neither did thy fathers know; that he might make thee know that man doth not live by bread only, but by whatever the mouth of the Eternal bringeth forth doth man live. [4]Thy raiment did not fade from off thee, neither did thy foot

רש"י

8. (1) כל המצוה — *Explain this* in its plain sense: EVERY COMMANDMENT. — And a Midrashic explanation is (taking it to mean, "the whole of the commandment ... shall ye be heedful to do"): If thou hast *once* made a beginning with a meritorious deed, carry it out to the end, because it bears the name only of him (it is attributed only to him) who does the last part of it, as it is said, (Josh. XXIV. 32) "And the bones of Joseph which the children of Israel brought up from Egypt they buried in Shechem". But did not Moses alone busy himself with them to bring them up (cf. Ex. XIII. 19)? But because he had no opportunity to complete this (to inter them), the *children of* Israel completed it, it was called by their name (Tanch.). **(2)** התשמר מצותו [THAT HE MIGHT KNOW WHAT WAS IN THY HEART] WHETHER THOU WOULDST KEEP HIS COMMANDMENTS — *viz., the commandment* that ye should not put Him to the proof, and that you should not criticise Him[1]). **(4)** שמלתך לא בלתה THY RAIMENT DID NOT WEAR OUT — the clouds of *Divine* Glory used to rub *the dirt off* their clothes and bleach them *so that they looked* like *new* white articles, and, also, their children, as

NOTES

1) See Appendix.

בָצֵקָה זֶה אַרְבָּעִים שָׁנָה׃ ה וְיָדַעְתָּ עִם־לְבָבֶךָ כִּי
כַּאֲשֶׁר יְיַסֵּר אִישׁ אֶת־בְּנוֹ יְהוָה אֱלֹהֶיךָ מְיַסְּרֶךָּ׃
ו וְשָׁמַרְתָּ אֶת־מִצְוֺת יְהוָה אֱלֹהֶיךָ לָלֶכֶת בִּדְרָכָיו
וּלְיִרְאָה אֹתוֹ׃ ז כִּי יְהוָה אֱלֹהֶיךָ מְבִיאֲךָ אֶל־אֶרֶץ
טוֹבָה אֶרֶץ נַחֲלֵי מָיִם עֲיָנֹת וּתְהֹמֹת יֹצְאִים בַּבִּקְעָה
וּבָהָר׃ ח אֶרֶץ חִטָּה וּשְׂעֹרָה וְגֶפֶן וּתְאֵנָה וְרִמּוֹן
אֶרֶץ־זֵית שֶׁמֶן וּדְבָשׁ׃ ט אֶרֶץ אֲשֶׁר לֹא בְמִסְכֵּנֻת
תֹּאכַל־בָּהּ לֶחֶם לֹא־תֶחְסַר כֹּל בָּהּ אֶרֶץ אֲשֶׁר
אֲבָנֶיהָ בַרְזֶל וּמֵהֲרָרֶיהָ תַּחְצֹב נְחֹשֶׁת׃ י וְאָכַלְתָּ
וְשָׂבָעְתָּ וּבֵרַכְתָּ אֶת־יְהוָה אֱלֹהֶיךָ עַל־הָאָרֶץ הַטֹּבָה
אֲשֶׁר נָתַן־לָךְ׃ שני יא הִשָּׁמֶר לְךָ פֶּן־תִּשְׁכַּח אֶת־
יְהוָה אֱלֹהֶיךָ לְבִלְתִּי שְׁמֹר מִצְוֺתָיו וּמִשְׁפָּטָיו וְחֻקֹּתָיו
אֲשֶׁר אָנֹכִי מְצַוְּךָ הַיּוֹם׃ יב פֶּן־תֹּאכַל וְשָׂבָעְתָּ
וּבָתִּים טֹבִים תִּבְנֶה וְיָשָׁבְתָּ׃ יג וּבְקָרְךָ וְצֹאנְךָ

אונקלוס

מִנָּךְ וּמְסָנָךְ לָא יְחַפוֹ דְּנַן אַרְבְּעִין שְׁנִין׃ ה וְתִדַּע עִם לִבָּךְ אֲרֵי כְּמָא דִי מַלִּיף
גַּבְרָא יָת בְּרֵהּ יְיָ אֱלָהָךְ מְאַלֵּף לָךְ׃ ו וְתִטַּר יָת פִּקּוֹדַיָּא דַּייָ אֱלָהָךְ לִמְהָךְ
בְּאָרְחָן דְּתַקְנָן קֳדָמוֹהִי וּלְמִדְחַל יָתֵהּ׃ ז אֲרֵי יְיָ אֱלָהָךְ מַעֲלָךְ לְאַרְעָא טָבָא
אַרְעָא נָגְדָא נַחֲלִין דְּמַיִן מַבּוּעֵי עֲיָנָן וּתְהוֹמִין נָפְקִין בְּבִקְעָן וּבְטוּרִין׃ ח אַרְעָא
חִטִּין וְסַעֲרִין וְגוּפְנִין וּתְאֵנִין וְרִמּוֹנִין אַרְעָא דְּזֵיתָהָא עָבְדִין מִשְׁחָא וְהִיא עָבְדָא
דְבַשׁ׃ ט אַרְעָא דִּי לָא בְמִסְכְּנוּת תֵּיכוּל בַּהּ לַחְמָא לָא תֶחְסַר כָּל מִדְּעַם בַּהּ
אַרְעָא דִּי אַבְנַהָא פַּרְזְלָא וּמִטּוּרָהָא תִּפְסוֹל נְחָשָׁא׃ י וְתֵיכוּל וְתִשְׂבַּע וּתְבָרֵךְ יָת
יְיָ אֱלָהָךְ עַל אַרְעָא טָבָא דִּיהַב לָךְ׃ יא אִסְתְּמַר לָךְ דִּילְמָא תִתְנְשֵׁי יָת דַּחַלְתָּא
דַּייָ אֱלָהָךְ בְּדִיל דְּלָא לְמִטַּר פִּקּוֹדוֹהִי וְדִינוֹהִי וּקְיָמוֹהִי דִּי אֲנָא מְפַקֵּד לָךְ יוֹמָא
דֵין׃ יב דִּילְמָא תֵיכוּל וְתִשְׂבַּע וּבָתִּין שַׁפִּירִין תִּבְנֵי וְתֵיתֵב׃ יג וְתוֹרָךְ וְעָנָךְ יִסְגּוּן

רש"י

עִמָּהֶם, כִּלְבוּשׁ הַזֶּה שֶׁל חוֹמֶט שֶׁגָּדֵל עִמּוֹ (עי' ילק' תת"ן): **לא בצקה.** לֹא נְפוּחָה כְּבָצֵק, כְּדֶרֶךְ הוֹלְכֵי יָחֵף שֶׁרַגְלֵיהֶם נְפוּחוֹת: **(ח) זית שמן.** זֵיתִים הָעוֹשִׂים שֶׁמֶן:

swell these forty years. [5]Thou shalt also know in thine heart, that, as a man chasteneth his son, *so* the Eternal thy God chasteneth thee.,

[6]Therefore thou shalt keep the commandments of the Eternal thy God, to go in his ways, and to fear him.

[7]For the Eternal thy God bringeth thee into a good land, a land of brooks of water, of fountains and murmuring depths, that come out in deep valleys and mountains;

[8]A land of wheat, and barley, and vines, and fig trees, and pomegranates; a land of oil olive, and honey;

[9]A land wherein thou shalt eat bread without scarceness, thou shalt not lack any *thing* in it; a land whose stones *are* iron, and out of whose mountains thou mayest hew copper.

[10]When thou hast eaten and art satisfied, then thou shalt bless the Eternal thy God for the good land which he hath given thee.

[11]Take heed that thou forget not the Eternal thy God, in not keeping his commandments, and his judgments, and his ordinances, which I command thee this day:

[12]Lest *when* thou hast eaten and art satisfied, and hast built goodly houses, and dwelt *therein;*

[13]And *when* thy herds and thy flocks

רש"י

they grew, their clothes grew with them, just like the clothes (shell) of a snail which grows with it (cf. Yalk. I. 850). **לא בצקה** *This means:* [AND THY FOOT] DID NOT SWELL like dough (בצק), as is usual with those who walk barefoot — that their feet become swollen[1]). **(8) זית שמן** (lit., the olive of oil) *means,* olives that produce oil (i. e. good olives, not hard fruits that give no oil).

NOTES

1) See Appendix.

יִרְבְּיֻן וְכֶסֶף וְזָהָב יִרְבֶּה־לָּךְ וְכֹל אֲשֶׁר־לְךָ יִרְבֶּה׃ יד וְרָם לְבָבֶךָ וְשָׁכַחְתָּ אֶת־יְהוָה אֱלֹהֶיךָ הַמּוֹצִיאֲךָ מֵאֶרֶץ מִצְרַיִם מִבֵּית עֲבָדִים׃ טו הַמּוֹלִיכְךָ בַּמִּדְבָּר הַגָּדֹל וְהַנּוֹרָא נָחָשׁ ׀ שָׂרָף וְעַקְרָב וְצִמָּאוֹן אֲשֶׁר אֵין־מָיִם הַמּוֹצִיא לְךָ מַיִם מִצּוּר הַחַלָּמִישׁ׃ טז הַמַּאֲכִלְךָ מָן בַּמִּדְבָּר אֲשֶׁר לֹא־יָדְעוּן אֲבֹתֶיךָ לְמַעַן עַנֹּתְךָ וּלְמַעַן נַסֹּתֶךָ לְהֵיטִבְךָ בְּאַחֲרִיתֶךָ׃ יז וְאָמַרְתָּ בִּלְבָבֶךָ כֹּחִי וְעֹצֶם יָדִי עָשָׂה לִי אֶת־הַחַיִל הַזֶּה׃ יח וְזָכַרְתָּ אֶת־יְהוָה אֱלֹהֶיךָ כִּי הוּא הַנֹּתֵן לְךָ כֹּחַ לַעֲשׂוֹת חָיִל לְמַעַן הָקִים אֶת־בְּרִיתוֹ אֲשֶׁר־נִשְׁבַּע לַאֲבֹתֶיךָ כַּיּוֹם הַזֶּה׃ פ

יט וְהָיָה אִם־שָׁכֹחַ תִּשְׁכַּח אֶת־יְהוָה אֱלֹהֶיךָ וְהָלַכְתָּ אַחֲרֵי אֱלֹהִים אֲחֵרִים וַעֲבַדְתָּם וְהִשְׁתַּחֲוִיתָ לָהֶם הַעִדֹתִי בָכֶם הַיּוֹם כִּי אָבֹד תֹּאבֵדוּן׃ כ כַּגּוֹיִם אֲשֶׁר יְהוָה מַאֲבִיד מִפְּנֵיכֶם כֵּן תֹּאבֵדוּן עֵקֶב לֹא תִשְׁמְעוּן

אונקלוס

וְכַסְפָּא וְדַהֲבָא יִסְגֵּא לָךְ וְכֹל דִּי לָךְ יִסְגֵּא׃ יד וְיִרִים לִבָּךְ וְתִנְשֵׁי יָת דַּחַלְתָּא דַּייָ אֱלָהָךְ דִּי אַפְּקָךְ מֵאַרְעָא דְּמִצְרַיִם מִבֵּית עַבְדוּתָא׃ טו דִּדְבָרָךְ בְּמַדְבְּרָא רַבָּא וּדְחִילָא אֲתַר חִיוָן קָלָן וְעַקְרַבִּין וּבֵית צַהֲוָנָא אֲתַר דְּלֵית מַיָּא דְּאַפֵּק לָךְ מַיָּא מִטִּנָּרָא תַּקִּיפָא׃ טז דְּאוֹכְלָךְ מַנָּא בְּמַדְבְּרָא דִּי לָא יְדַעוּן אֲבָהָתָךְ בְּדִיל לְעַנּוֹיוּתָךְ וּבְדִיל לְנַסָּיוּתָךְ לְאוֹטָבָא לָךְ בְּסוֹפָךְ׃ יז וְתֵימַר בְּלִבָּךְ חֵילִי וּתְקֵף יְדִי קְנָא לִי יָת נִכְסַיָּא הָדֵין׃ יח וְתִדְכַּר יָת יְיָ אֱלָהָךְ אֲרֵי הוּא דְּיָהֵב לָךְ עֵצָה לְמִקְנֵי נִכְסִין בְּדִיל לְקַיָּמָא יָת קְיָמֵיהּ דִּי קַיֵּים לַאֲבָהָתָךְ כְּיוֹמָא הָדֵין׃ יט וִיהֵי אִם מִנְשָׁא תִנְשֵׁי יָת דַּחַלְתָּא דַּייָ אֱלָהָךְ וּתְהָךְ בָּתַר טָעֲוָת עַמְמַיָּא וְתִפְלְחִנּוּן וְתִסְגּוֹד לְהוֹן אַסְהֵדִית בְּכוֹן יוֹמָא דֵין אֲרֵי מֵיבַד תֵּיבְדוּן׃ כ כְּעַמְמַיָּא דִּי יְיָ מַאֲבִיד מִקֳּדָמֵיכוֹן

increase, and thy silver and thy gold is increased, and all that thou hast is increased;

[14]Then thine heart be exalted, and thou forget the Eternal thy God, who brought thee forth out of the land of Egypt, from the land of servants;

[15]Who led thee through that great and fearful desert, *wherein were* burning serpents, and scorpions, and drought, where *there was* no water; who brought thee forth water out of the solid rock;

[16]Who gave thee manna to eat in the desert, which thy fathers knew not, that he might afflict thee, and that he might try thee, to do thee good at thy latter end;

[17]And thou say in thine heart, My strength and the might of *mine* hand hath gotten me this wealth.

[18]But thou shalt remember the Eternal thy God: for *it is* he that giveth thee strength to get wealth, that he may establish his covenant which he sware unto thy fathers, as *it is* this day.

[19]And it shall be, if thou do at all forget the Eternal thy God, and go after other gods, and serve them, and prostrate thyself to them, I testify against you this day that ye shall surely perish.

[20]As the nations which the Eternal causeth to perish before your face, so shall ye perish; because ye would not be obedient

בְּקוֹל יְהוָה אֱלֹהֵיכֶם: פ

ט א שְׁמַע יִשְׂרָאֵל אַתָּה עֹבֵר הַיּוֹם אֶת־הַיַּרְדֵּן לָבֹא לָרֶשֶׁת גּוֹיִם גְּדֹלִים וַעֲצֻמִים מִמֶּךָּ עָרִים גְּדֹלֹת וּבְצֻרֹת בַּשָּׁמָיִם: ב עַם־גָּדוֹל וָרָם בְּנֵי עֲנָקִים אֲשֶׁר אַתָּה יָדַעְתָּ וְאַתָּה שָׁמַעְתָּ מִי יִתְיַצֵּב לִפְנֵי בְּנֵי עֲנָק: ג וְיָדַעְתָּ הַיּוֹם כִּי יְהוָה אֱלֹהֶיךָ הוּא־הָעֹבֵר לְפָנֶיךָ אֵשׁ אֹכְלָה הוּא יַשְׁמִידֵם וְהוּא יַכְנִיעֵם לְפָנֶיךָ וְהוֹרַשְׁתָּם וְהַאֲבַדְתָּם מַהֵר כַּאֲשֶׁר דִּבֶּר יְהוָה לָךְ: שלישי ד אַל־תֹּאמַר בִּלְבָבְךָ בַּהֲדֹף יְהוָה אֱלֹהֶיךָ אֹתָם ׀ מִלְּפָנֶיךָ לֵאמֹר בְּצִדְקָתִי הֱבִיאַנִי יְהוָה לָרֶשֶׁת אֶת־הָאָרֶץ הַזֹּאת וּבְרִשְׁעַת הַגּוֹיִם הָאֵלֶּה יְהוָה מוֹרִישָׁם מִפָּנֶיךָ: ה לֹא בְצִדְקָתְךָ וּבְיֹשֶׁר לְבָבְךָ אַתָּה בָא לָרֶשֶׁת אֶת־אַרְצָם כִּי בְּרִשְׁעַת ׀ הַגּוֹיִם הָאֵלֶּה יְהוָה אֱלֹהֶיךָ מוֹרִישָׁם

אונקלוס

כֵּן תֵּיבְדוּן חֲלָף (ד׳)לָא קַבֵּלְתּוּן בְּמֵימְרָא דַּייָ אֱלָהֲכוֹן: א שְׁמַע יִשְׂרָאֵל אַתְּ עָבַר יוֹמָא דֵין יָת יַרְדְּנָא לְמֵעַל לְמֵירַת עַמְמִין רַבְרְבִין וְתַקִּיפִין מִנָּךְ קִרְוִין רַבְרְבָן וּכְרִיכָן עַד צֵית שְׁמַיָּא: ב עַם רַב וְתַקִּיף בְּנֵי גִבָּרַיָּא דִּי אַתְּ יְדַעְתְּ וְאַתְּ שְׁמַעַתְּ מַן יָכוֹל לְמֵיקַם קֳדָם בְּנֵי גִבָּרַיָּא: ג וְתִדַּע יוֹמָא דֵין אֲרֵי יְיָ אֱלָהָךְ הוּא דְעָבַר קֳדָמָךְ מֵימְרֵהּ אֶשָּׁא אָכְלָא הוּא יְשֵׁיצִנּוּן וְהוּא יְתַבְרִנּוּן קֳדָמָךְ וּתְתָרֵכִנּוּן וְתוֹבְדִנּוּן בִּפְרִיעַ כְּמָא דִי מַלֵּיל יְיָ לָךְ: ד לָא תֵימַר בְּלִבָּךְ כַּד יִתְבַּר יְיָ אֱלָהָךְ יָתְהוֹן מִקֳּדָמָךְ לְמֵימַר בִּזְכוּתִי אַעֲלַנִי יְיָ לְמֵירַת יָת אַרְעָא הָדָא וּבְחוֹבֵי עַמְמַיָּא הָאִלֵּין יְיָ מְתָרֵיךְ לְהוֹן מִקֳּדָמָךְ: ה לָא בִזְכוּתָךְ וּבְקַשִּׁיטוּת לִבָּךְ אַתְּ עָלֵל לְמֵירַת יָת אַרְעֲהוֹן אֲרֵי בְּחוֹבֵי עַמְמַיָּא הָאִלֵּין יְיָ אֱלָהָךְ מְתָרֵיכְהוֹן מִקֳּדָמָךְ וּבְדִיל

רש״י

ט (א) גדלים ועצמים ממך. אַתָּה עָצוּם וְהֵם עֲצוּמִים מִמְּךָ (ספרי דב׳ י״א): (ד) אל תאמר בלבבך צִדְקָתִי וְרִשְׁעַת הַגּוֹיִם גָּרְמוּ. (ה) לא בצדקתך, אתה בא לרשת, כי

unto the voice of the Eternal your God.

9. [1]Hear, O Israel: Thou *art* to pass over the Jordan this day, to go in to posses nations greater and mightier than thyself, cities great and fortified up to heaven.

[2]A people great and lofty, the children of the Anakim, whom thou knowest, and *of whom* thou hast heard *say,* Who can stand against the children of Anak!

[3]Know therefore this day, that the Eternal thy God *is* he who passeth over before thee; *as* a consuming fire he shall exterminate them, and he shall humble them before thy face: so shalt thou dispossess them, and cause them to perish quickly, as the Eternal hath said unto thee.

[4]Speak not thou in thine heart, after that the Eternal thy God hath thrust them out from before thee, saying. For my righteousness the Eternal hath brought me in to possess this land: and for the wickedness of these nations the Eternal doth dispossess them from before thee.

[5]Not for thy righteousness, or for the uprightness of thine heart, dost thou go to possess their land: but for the wickedness of these nations the Eternal thy God doth dispossess them

רש״י

9. (1) גדלים ועצמים ממך [NATIONS] GREATER AND MIGHTIER THAN THYSELF — Y e are mighty but t h e y are still mightier than you (cf. Rashi on XI. 24). **(4)** אל תאמר בלבבך SAY NOT IN THY HEART, "My righteousness a n d the wickedness of these nations brought it about *that I possess the land;* **(5)** לא בצדקתך אתה בא לרשת ... כי ברשעת הגוים NOT FOR THY RIGHTEOUS-

מִפָּנֶיךָ וּלְמַעַן הָקִים אֶת־הַדָּבָר אֲשֶׁר נִשְׁבַּע יְהוָה
לַאֲבֹתֶיךָ לְאַבְרָהָם לְיִצְחָק וּלְיַעֲקֹב׃ ו וְיָדַעְתָּ כִּי
לֹא בְצִדְקָתְךָ יְהוָה אֱלֹהֶיךָ נֹתֵן לְךָ אֶת־הָאָרֶץ
הַטּוֹבָה הַזֹּאת לְרִשְׁתָּהּ כִּי עַם־קְשֵׁה־עֹרֶף אָתָּה׃
ז זְכֹר אַל־תִּשְׁכַּח אֵת אֲשֶׁר־הִקְצַפְתָּ אֶת־יְהוָה
אֱלֹהֶיךָ בַּמִּדְבָּר לְמִן־הַיּוֹם אֲשֶׁר־יָצָאתָ ׀ מֵאֶרֶץ
מִצְרַיִם עַד־בֹּאֲכֶם עַד־הַמָּקוֹם הַזֶּה מַמְרִים
הֱיִיתֶם עִם־יְהוָה׃ ח וּבְחֹרֵב הִקְצַפְתֶּם אֶת־יְהוָה
וַיִּתְאַנַּף יְהוָה בָּכֶם לְהַשְׁמִיד אֶתְכֶם׃ ט בַּעֲלֹתִי
הָהָרָה לָקַחַת לוּחֹת הָאֲבָנִים לוּחֹת הַבְּרִית אֲשֶׁר־
כָּרַת יְהוָה עִמָּכֶם וָאֵשֵׁב בָּהָר אַרְבָּעִים יוֹם
וְאַרְבָּעִים לַיְלָה לֶחֶם לֹא אָכַלְתִּי וּמַיִם לֹא שָׁתִיתִי׃
י וַיִּתֵּן יְהוָה אֵלַי אֶת־שְׁנֵי לוּחֹת הָאֲבָנִים כְּתֻבִים
בְּאֶצְבַּע אֱלֹהִים וַעֲלֵיהֶם כְּכָל־הַדְּבָרִים אֲשֶׁר
דִּבֶּר יְהוָה עִמָּכֶם בָּהָר מִתּוֹךְ הָאֵשׁ בְּיוֹם הַקָּהָל׃

אונקלוס

לַאֲקָמָא יָת פִּתְגָּמָא דִּי קַיֵּים יְיָ לַאֲבָהָתָךְ לְאַבְרָהָם לְיִצְחָק וּלְיַעֲקֹב׃ ו וְתִדַּע אֲרֵי
לָא בִזְכוּתָךְ יְיָ אֱלָהָךְ יָהֵב לָךְ יָת אַרְעָא טָבְתָא הָדָא לְמֵירְתַהּ אֲרֵי עַם קְשֵׁי
קְדָל אַתְּ׃ ז הֱוֵי דְכִיר לָא תִנְשֵׁי יָת דִּי אַרְגֵּזְתָּא קֳדָם יְיָ אֱלָהָךְ בְּמַדְבְּרָא לְמִן
יוֹמָא דִּי נְפַקְתָּא מֵאַרְעָא דְמִצְרַיִם עַד מֵיתֵיכוֹן עַד אַתְרָא הָדֵין מְסָרְבִין הֲוֵיתוֹן
קֳדָם יְיָ׃ ח וּבְחֹרֵב אַרְגֶּזְתּוּן קֳדָם יְיָ וַהֲוָה רְגַז מִן קֳדָם יְיָ בְּכוֹן לְשֵׁיצָאָה יָתְכוֹן׃
ט בְּמִסְּקִי לְטוּרָא לְמִסַּב לוּחֵי אַבְנַיָּא לוּחֵי קְיָמָא דִּי גְזַר יְיָ עִמְּכוֹן וִיתֵבִית
בְּטוּרָא אַרְבְּעִין יְמָמִין וְאַרְבְּעִין לֵילָוָן לַחְמָא לָא אֲכָלִית וּמַיָּא לָא שְׁתֵיתִי׃
י וִיהַב יְיָ לִי יָת תְּרֵין לוּחֵי אַבְנַיָּא כְּתִיבִין בְּאֶצְבְּעָא דַייָ וַעֲלֵיהוֹן כְּכָל פִּתְגָּמַיָּא

רש״י

ברשעת הגוים. הֲרֵי כִּי מְשַׁמֵּשׁ בִּלְשׁוֹן אֶלָּא: (ט) **ואשב בהר.** אֵין יְשִׁיבָה אֶלָּא לְשׁוֹן

from before thee, and that he may perform the word which the Eternal sware unto thy fathers, Abraham, Isaac, and Jacob.

[6]Know, therefore, that the Eternal thy God giveth thee not this land to possess it for thy righteousness; for thou *art* a stiffnecked people.

[7]Remember, *and* forget not, how thou madest angry the Eternal thy God in the desert; from the day that thou didst depart out of the land of Egypt, until ye came unto this place, ye have been rebellious against the Eternal.

[8]Also in Horeb ye made the Eternal angry, so that the Eternal was wrath with you to have exterminated you.

[9]When I was gone up into the mount to receive the tablets of stone, *even* the tablets of the covenant which the Eternal made with you, then I abode in the mount forty days and forty nights, I neither did eat bread nor drink water:

[10]And the Eternal gave unto me two tablets of stone written with the finger of God; and on them *was written* according to all the words, the Eternal spake with you in the mount out of the midst of the fire in the day of the assembly.

רש"י

NESS ... DOST THOU GO TO POSSESS [THEIR LAND], but (כי) for the wickedness of these nations. — Here you have *the word* כי used in the sense of "but". **(9)** ואשב בהר — *The verb* ישב *here* means only "staying" (not "sitting";

יא וַיְהִ֗י מִקֵּץ֙ אַרְבָּעִ֣ים י֔וֹם וְאַרְבָּעִ֖ים לָ֑יְלָה נָתַ֨ן
יְהוָ֜ה אֵלַ֗י אֶת־שְׁנֵ֛י לֻחֹ֥ת הָאֲבָנִ֖ים לֻח֥וֹת הַבְּרִֽית׃
יב וַיֹּ֨אמֶר יְהוָ֜ה אֵלַ֗י ק֣וּם רֵ֤ד מַהֵר֙ מִזֶּ֔ה כִּ֚י שִׁחֵ֣ת
עַמְּךָ֔ אֲשֶׁ֥ר הוֹצֵ֖אתָ מִמִּצְרָ֑יִם סָ֣רוּ מַהֵ֗ר מִן־הַדֶּ֙רֶךְ֙
אֲשֶׁ֣ר צִוִּיתִ֔ם עָשׂ֥וּ לָהֶ֖ם מַסֵּכָֽה׃ יג וַיֹּ֥אמֶר יְהוָ֖ה
אֵלַ֣י לֵאמֹ֑ר רָאִ֙יתִי֙ אֶת־הָעָ֣ם הַזֶּ֔ה וְהִנֵּ֥ה עַם־קְשֵׁה־
עֹ֖רֶף הֽוּא׃ יד הֶ֤רֶף מִמֶּ֙נִּי֙ וְאַשְׁמִידֵ֔ם וְאֶמְחֶ֣ה אֶת־
שְׁמָ֔ם מִתַּ֖חַת הַשָּׁמָ֑יִם וְאֶֽעֱשֶׂה֙ אֽוֹתְךָ֔ לְגוֹי־עָצ֥וּם
וָרָ֖ב מִמֶּֽנּוּ׃ טו וָאֵ֗פֶן וָֽאֵרֵד֙ מִן־הָהָ֔ר וְהָהָ֖ר בֹּעֵ֣ר
בָּאֵ֑שׁ וּשְׁנֵי֙ לוּחֹ֣ת הַבְּרִ֔ית עַ֖ל שְׁתֵּ֥י יָדָֽי׃ טז וָאֵ֗רֶא
וְהִנֵּ֤ה חֲטָאתֶם֙ לַיהוָ֣ה אֱלֹהֵיכֶ֔ם עֲשִׂיתֶ֣ם לָכֶ֔ם עֵ֖גֶל
מַסֵּכָ֑ה סַרְתֶּ֣ם מַהֵ֔ר מִן־הַדֶּ֕רֶךְ אֲשֶׁר־צִוָּ֥ה יְהוָ֖ה
אֶתְכֶֽם׃ יז וָאֶתְפֹּשׂ֙ בִּשְׁנֵ֣י הַלֻּחֹ֔ת וָֽאַשְׁלִכֵ֔ם מֵעַ֖ל
שְׁתֵּ֣י יָדָ֑י וָאֲשַׁבְּרֵ֖ם לְעֵינֵיכֶֽם׃ יח וָֽאֶתְנַפַּל֩ לִפְנֵ֨י

אונקלוס

דִּי מַלִּיל יְיָ עִמְּכוֹן בְּטוּרָא מִגּוֹ אֶשָּׁתָא בְּיוֹמָא דִקְהָלָא׃ יא וַהֲוָא מִסּוֹף אַרְבְּעִין יְמָמִין וְאַרְבְּעִין לֵילָוָן יְהַב יְיָ לִי יָת תְּרֵין לוּחֵי אַבְנַיָּא לוּחֵי קְיָמָא׃ יב וַאֲמַר יְיָ לִי קוּם חוּת בִּפְרִיעַ מִכָּא אֲרֵי חַבִּיל עַמָּךְ דִּי אַפֵּקְתָּא מִמִּצְרָיִם סָטוּ בִּפְרִיעַ מִן אָרְחָא דִּי פַקֵּדְתִּנּוּן עֲבַדוּ לְהוֹן מַתְּכָא׃ יג וַאֲמַר יְיָ לִי לְמֵימַר גְּלֵי קֳדָמַי יָת עַמָּא הָדֵין וְהָא עַם קְשֵׁי קְדָל הוּא׃ יד אַנַּח בָּעוּתָךְ מִקֳּדָמַי וַאֲשֵׁיצִנּוּן וְאֶמְחֵי יָת שְׁמְהוֹן מִתְּחוֹת שְׁמַיָּא וְאַעְבֵּד יָתָךְ לְעַם תַּקִּיף וְסַגִּי מִנְּהוֹן׃ טו וְאִתְפְּנֵיתִי וּנְחָתִית מִן טוּרָא וְטוּרָא בָּעֵר בְּאֶשָּׁתָא וּתְרֵין לוּחֵי קְיָמָא עַל תַּרְתֵּין יְדָי׃ טז וַחֲזֵיתִי וְהָא חַבְתּוּן קֳדָם יְיָ אֱלָהֲכוֹן עֲבַדְתּוּן לְכוֹן עֵגֶל מַתְּכָא סְטֵיתוּן בִּפְרִיעַ מִן אָרְחָא דִּי פַקֵּיד יְיָ יָתְכוֹן׃ יז וַאֲחַדִית בִּתְרֵין לוּחַיָּא וּרְמֵיתִנּוּן מֵעַל תַּרְתֵּין יְדָי וְתַבַּרְתִּנּוּן לְעֵינֵיכוֹן׃ יח וְאִשְׁתַּטַּחִית קֳדָם יְיָ כְּקַדְמֵיתָא אַרְבְּעִין יְמָמִין וְאַרְבְּעִין לֵילָוָן לַחְמָא

רש״י

עֲקֵבָה (מגי׳ כ״א)׃ (י) לוחת. לוחת כְּתִיב שֶׁשְּׁתֵּיהֶן שָׁווֹת (תנח׳)׃ (יח) ואתנפל לפני ה׳

[11]And it came to pass at the end of forty days and forty nights, *that* the Eternal gave me the two tablets of stone, *even* the tablets of the covenant.

[12]And the Eternal said unto me, Arise, go down quickly from hence; for thy people which thou hast brought forth out of Egypt, have corrupted *themselves;* they are quickly departed from the way which I commanded them; they have made them a molten image.

[13]Furthermore the Eternal spake unto me, saying, I have seen this people, and, behold, it *is* a stiffnecked people:

[14]Let me alone, that I may exterminate them, and blot out their name from under heaven: and I will make of thee a nation mightier and more numerous than they.

[15]So I turned and came down from the mount, and the mount was consuming in fire: and the two tablets of the covenant *were* on my two hands.

[16]And I saw, and, behold, ye had sinned against the Eternal your God, *and* had made you a molten calf: ye had departed quickly from the way which the Eternal had commanded you.

[17]And I caught the two tablets, and cast them out of my two hands, and brake them before your eyes.

[18]And I threw myself before

רש"י

it means: I stayed on the mountain)[1]) (Meg. 21a). **(10)** לוחת TABLETS — *This word* is written *without a* ו *before the* ת, *so that it may be read* לוחת *(a singular form), to indicate* that both of them were alike (Tanch.; cf. Rashi on Ex. XXXI. 18 and Note thereon). **(18)** ואתנפל לפני ה׳ כראשנה ארבעים יום AND

NOTES

[1]) See Appendix.

יְהוָ֜ה כָּרִאשֹׁנָ֗ה אַרְבָּעִ֥ים יוֹם֙ וְאַרְבָּעִ֣ים לַ֔יְלָה לֶ֚חֶם
לֹ֣א אָכַ֔לְתִּי וּמַ֖יִם לֹ֣א שָׁתִ֑יתִי עַ֤ל כָּל־חַטַּאתְכֶם֙
אֲשֶׁ֣ר חֲטָאתֶ֔ם לַעֲשׂ֥וֹת הָרַ֛ע בְּעֵינֵ֥י יְהוָ֖ה לְהַכְעִיסֽוֹ׃
יט כִּ֣י יָגֹ֗רְתִּי מִפְּנֵ֤י הָאַף֙ וְהַ֣חֵמָ֔ה אֲשֶׁ֨ר קָצַ֧ף יְהוָ֛ה
עֲלֵיכֶ֖ם לְהַשְׁמִ֣יד אֶתְכֶ֑ם וַיִּשְׁמַ֤ע יְהוָה֙ אֵלַ֔י גַּ֖ם
בַּפַּ֥עַם הַהִֽוא׃ כ וּֽבְאַהֲרֹ֗ן הִתְאַנַּ֧ף יְהוָ֛ה מְאֹ֖ד
לְהַשְׁמִיד֑וֹ וָֽאֶתְפַּלֵּ֛ל גַּם־בְּעַ֥ד אַהֲרֹ֖ן בָּעֵ֥ת הַהִֽוא׃
כא וְֽאֶת־חַטַּאתְכֶ֞ם אֲשֶׁר־עֲשִׂיתֶ֣ם אֶת־הָעֵ֗גֶל לָקַ֘חְתִּי֮
וָאֶשְׂרֹ֣ף אֹת֣וֹ ׀ בָּאֵשׁ֒ וָאֶכֹּ֨ת אֹת֜וֹ טָח֤וֹן הֵיטֵב֙ עַ֥ד
אֲשֶׁר־דַּ֖ק לְעָפָ֑ר וָֽאַשְׁלִךְ֙ אֶת־עֲפָר֔וֹ אֶל־הַנַּ֖חַל
הַיֹּרֵ֥ד מִן־הָהָֽר׃ כב וּבְתַבְעֵרָה֙ וּבְמַסָּ֔ה וּבְקִבְרֹ֖ת

אונקלוס

לָא אֲכָלִית וּמַיָא לָא שְׁתִית עַל כָּל חוֹבַתְכוֹן דִּי חַבְתּוּן לְמֶעְבַּד דְּבִישׁ קֳדָם יְיָ לְאַרְגָּזָא קֳדָמוֹהִי: יט אֲרֵי דְחֵלִית מִקֳּדָם רָגְזָא וְחֶמְתָּא דִּי רְגַז יְיָ עֲלֵיכוֹן לְשֵׁיצָאָה יָתְכוֹן וְקַבִּיל יְיָ צְלוֹתִי אַף בְּזִמְנָא הַהִיא: כ וְעַל אַהֲרֹן הֲוָה רְגַז מִן קֳדָם יְיָ לַחֲדָא לְשֵׁיצָיוּתֵהּ וְצַלֵּיתִי אַף עַל אַהֲרֹן בְּעִדָּנָא הַהִיא: כא וְיָת חוֹבַתְכוֹן דִּי עֲבַדְתּוּן יָת עֶגְלָא נְסֵבִית וְאוֹקֵדִית יָתֵהּ בְּנוּרָא וְשָׁפִית יָתֵהּ בְּשׁוּפִינָא יָאוּת עַד דִּי הֲוָא דַּקִּיק לְעַפְרָא וּרְמֵית יָת עַפְרֵהּ לְנַחְלָא דְּנָחֵת מִן טוּרָא: כב וּבִדְלֶקְתָּא

רש"י

כראשנה ארבעים יום. שֶׁנֶּאֱמַר (שמ' ל"ב) וְעַתָּה אֶעֱלֶה אֶל ה' אוּלַי אֲכַפְּרָה, בְּאוֹתָהּ עֲלִיָּה נִתְעַכַּבְתִּי אַרְבָּעִים יוֹם, נִמְצְאוּ כָּלִים בכ"ט בְּאָב, שֶׁהוּא עָלָה בִּשְׁמוֹנָה עָשָׂר בְּתַמּוּז, בּוֹ בַּיּוֹם נִתְרַצָּה לְיִשְׂרָאֵל וְאָמַר לוֹ לְמֹשֶׁה פְּסָל לְךָ שְׁנֵי לֻחֹת (שם ל"ד) עָשָׂה עוֹד אַרְבָּעִים יוֹם, נִמְצְאוּ כָלִים בְּיוֹם הַכִּפּוּרִים, בּוֹ בַּיּוֹם נִתְרַצָּה הַקָּבָּ"ה לְיִשְׂרָאֵל בְּשִׂמְחָה וְאָמַר לוֹ לְמֹשֶׁה סָלַחְתִּי כִּדְבָרֶךָ (במ' י"ד), לְכָךְ הֻקְבַּע לִמְחִילָה וְלִסְלִיחָה, וּמִנַּיִן שֶׁנִּתְרַצָּה בְּרָצוֹן שָׁלֵם, שֶׁנֶּאֱמַר בָּאַרְבָּעִים שֶׁל לֻחוֹת אַחֲרוֹנוֹת (דב' י') וְאָנֹכִי עָמַדְתִּי בָהָר כַּיָּמִים הָרִאשֹׁנִים, מַה הָרִאשׁוֹנִים בְּרָצוֹן אַף אַחֲרוֹנִים בְּרָצוֹן, אֱמוֹר מֵעַתָּה אֶמְצָעִיִּים הָיוּ בְּכַעַס: (כ) ובאהרן התאנף ה'. לְפִי שֶׁשָּׁמַע לָכֶם: להשמידו. זֶה כִּלּוּי בָּנִים, וְכֵן הוּא אוֹמֵר (עמוס ב') וָאַשְׁמִיד פִּרְיוֹ מִמַּעַל: ואתפלל גם בעד אהרן. וְהוֹעִילָה תְּפִלָּתִי לְכַפֵּר מֶחֱצָה, וָמֵתוּ שְׁנַיִם וְנִשְׁאֲרוּ הַשְּׁנַיִם: (כא) טחון. לְשׁוֹן הֹוֶה, כְּמוֹ הָלוֹךְ וְכָלוֹת,

the Eternal, as at the first, forty days and forty nights: I did neither eat bread, nor drink water, because of all your sins, which ye sinned, in doing wickedly in the eyes of the Eternal to provoke him to anger. [19]For I stood in awe of the wrath and the fury wherewith the Eternal was angry with you to exterminate you; and the Eternal hearkened unto me at that time also. [20]And with Aaron the Eternal was very angry to have exterminated him; and I prayed for Aaron also the same time. [21]And I took your sin, the calf, which ye had made, and burned it with fire, and I beat it, grinding it well, until it was as small as dust; and I cast the dust thereof into the brook that descended out of the mountain. [22]And at Taberah, and at Massah, and at Kibroth-

רש"י

I FELL DOWN BEFORE THE LORD, AS AT THE FIRST, FORTY DAYS, as it is said (Ex. XXXII. 30) "And now I will go up to the Lord, perhaps I may atone [for your sin]". At that ascent, *which was the second I made,* I tarried *there* forty days — consequently these terminated on the twenty-ninth of Ab, since he had ascended on the eighteenth of Tammuz. On that same day *in Ab* He became reconciled with Israel and said to Moses (Ex. XXXIV. 1) "Hew thee out two tablets". He stayed there another forty days; consequently these terminated on the Day of Atonement (the tenth of Tishri). On that same day. the Holy One, blessed be He, was g l a d l y reconciled (i. e. completely reconciled) with Israel and said to Moses, I have forgiven according to thy word[1]). On this account it was appointed for pardon and forgiveness. And whence *do we know* that He was reconciled with them with complete good-will? Because it is stated in respect to the forty *days* of the last tablets (in respect to third period of forty days) (X. 10), "And I stayed in the mountain according to the f i r s t days"! What was the case with the first days? They were passed in *God's* goodwill! (for they had not yet committed the sin of worshipping the golden calf). So, too, the last *forty days* were in *God's* goodwill![2]). You must now say (admit) that the intervening forty days *were passed* in *God's* anger (Tanch., cf. Rashi on Ex. XVIII. 13). **(20)** ובאהרן התאנף ה׳ AND WITH AARON THE LORD WAS ANGRY, because he listened to you[3]). להשמידו TO DESTROY HIM — this denotes the extermination of one's children, and so, too, it states, (Amos II. 9) "And I destroyed (ואשמיד) his fruit (o f f s p r i n g) from above". (Pes. Rab. on אחרי מות). ואתפלל גם בעד אהרן AND I PRAYED FOR AARON ALSO, and my prayer availed to atone h a l f, so that *only* two *of his sons* died, and two remained *alive.* **(21)** טחון — This is a present tense *of continuous action* like הלוך וכלות "going on destroying";[4])

NOTES

1) See Appendix.

2) The statement: "I remained in the mount a s t h e f o r m e r d a y s" is not taken to mean that the number of days was the same in each case, since forty days is expressly mentioned here. The comparison the Torah makes between the two occasions is therefore to be explained as Rashi does.

For Notes 3—4 see Appendix.

הַתַּאֲוָה מַקְצִפִים הֱיִיתֶם אֶת־יְהוָה׃ כג וּבִשְׁלֹחַ
יְהוָה אֶתְכֶם מִקָּדֵשׁ בַּרְנֵעַ לֵאמֹר עֲלוּ וּרְשׁוּ אֶת־
הָאָרֶץ אֲשֶׁר נָתַתִּי לָכֶם וַתַּמְרוּ אֶת־פִּי יְהוָה
אֱלֹהֵיכֶם וְלֹא הֶאֱמַנְתֶּם לוֹ וְלֹא שְׁמַעְתֶּם בְּקֹלוֹ׃
כד מַמְרִים הֱיִיתֶם עִם־יְהוָה מִיּוֹם דַּעְתִּי אֶתְכֶם׃
כה וָאֶתְנַפַּל לִפְנֵי יְהוָה אֵת־אַרְבָּעִים הַיּוֹם וְאֶת־
אַרְבָּעִים הַלַּיְלָה אֲשֶׁר הִתְנַפָּלְתִּי כִּי־אָמַר יְהוָה
לְהַשְׁמִיד אֶתְכֶם׃ כו וָאֶתְפַּלֵּל אֶל־יְהוָה וָאֹמַר
אֲדֹנָי יְהוִה אַל־תַּשְׁחֵת עַמְּךָ וְנַחֲלָתְךָ אֲשֶׁר פָּדִיתָ
בְּגָדְלֶךָ אֲשֶׁר־הוֹצֵאתָ מִמִּצְרַיִם בְּיָד חֲזָקָה׃ כז זְכֹר
לַעֲבָדֶיךָ לְאַבְרָהָם לְיִצְחָק וּלְיַעֲקֹב אַל־תֵּפֶן אֶל־
קְשִׁי הָעָם הַזֶּה וְאֶל־רִשְׁעוֹ וְאֶל־חַטָּאתוֹ׃ כח פֶּן־
יֹאמְרוּ הָאָרֶץ אֲשֶׁר הוֹצֵאתָנוּ מִשָּׁם מִבְּלִי יְכֹלֶת
יְהוָה לַהֲבִיאָם אֶל־הָאָרֶץ אֲשֶׁר־דִּבֶּר לָהֶם

אונקלוס

וּבְנִסְּתָא וּבְקִבְרֵי דְמַשְׁאֲלֵי מַרְגְּזִין הֲוֵיתוֹן קֳדָם יְיָ׃ כג וְכַד שְׁלַח יְיָ יָתְכוֹן מֵרְקַם גֵּיאָה לְמֵימַר סַקוּ וְאַחֲסִינוּ יָת אַרְעָא דִּי יְהָבִית לְכוֹן וְסָרֵבְתּוּן עַל גְּזֵרַת מֵימְרָא דַּייָ אֱלָהֲכוֹן וְלָא הֵימֵנְתּוּן לֵהּ וְלָא קַבֶּלְתּוּן לְמֵימְרֵהּ׃ כד מְסָרְבִין הֲוֵיתוֹן קֳדָם יְיָ מִיּוֹמָא דִּידָעִית יָתְכוֹן׃ כה וְאִשְׁתַּטַּחִית קֳדָם יְיָ יָת אַרְבְּעִין יְמָמִין וְיָת אַרְבְּעִין לֵילָוָן דִּי אִשְׁתַּטַּחִית אֲרֵי אֲמַר יְיָ לְשֵׁיצָאָה יָתְכוֹן׃ כו וְצַלֵּיתִי קֳדָם יְיָ וַאֲמָרִית יְיָ אֱלֹהִים לָא תְחַבֵּל עַמָּךְ וְאַחֲסַנְתָּךְ דִּי פְרַקְתָּא בְּתֻקְפָךְ דִּי אַפֶּקְתָּא מִמִּצְרַיִם בִּידָא תַקִּיפָא׃ כז אִדְּכַר לְעַבְדָּיךְ לְאַבְרָהָם לְיִצְחָק וּלְיַעֲקֹב לָא תִתְפְּנֵי לְקַשְׁיוּת עַמָּא הָדֵין וּלְחוֹבֵיהוֹן וּלְחֶטְאֵיהוֹן׃ כח דִּילְמָא יֵימְרוּן דָּיְרֵי אַרְעָא דִּי אַפֶּקְתָּנָא מִתַּמָּן מִדְּלֵית יוּכְלָא דַּייָ לְאַעָלוּתְהוֹן לְאַרְעָא דִּי מַלִּיל לְהוֹן וּמִדְּסָנֵי יָתְהוֹן

רש״י

מולא"נט בְּלַעַז׃ (כה) ואתנפל וגו׳. אֵלּוּ הֵן עַצְמָם הָאֲמוּרִים לְמַעְלָה, וְכָפְלָן כָּאן, לְפִי שֶׁכָּתוּב כָּאן סֵדֶר תְּפִלָּתוֹ, שֶׁנֶּאֱמַר ה׳ אלהים אל תשחת עמך וגו׳׃

Hattavah, ye provoked the Eternal to anger.

[23]Likewise when the Eternal sent you from Kadesh-Barnea, saying, Go up and possess the land which I have given you; then ye rebelled against the commandment of the Eternal your God, and ye believed him not, nor hearkened to his voice.

[24]Ye have been rebellious against the Eternal from the day that I knew you.

[25]And I threw myself before the Eternal the forty days and the forty nights which I had thrown myself; because the Eternal had said to exterminate you.

[26]And I prayed therefore unto the Eternal, and said, O Lord Eternal, destroy not thy people and thine inheritance, which thou hast released through thy greatness, which thou hast brought forth out of Egypt with a strong hand.

[27]Remember thy servants, Abraham, Isaac, and Jacob; look not unto the stubbornness of this people, nor to their wickedness, nor to their sin:

[28]Lest the land whence thou broughtest us out say, from inability of the Eternal to bring them into the land which he promised them,

רש"י

moulant in O. F. *Engl. grinding* (cf. Rashi on III. 6). **(25) ואתנפל וגו'** AND I FELL DOWN [BEFORE THE LORD ... THE FORTY DAYS ... WHICH I HAD FALLEN DOWN] — These are the very same *forty days* mentioned above (v. 18), and it mentions them a second time here, because there is written here (in the next verse) the wording of his prayer, as it is said, "O Lord God, destroy not thy people, etc."[1]).

NOTES

[1]) See Appendix.

וּמִשִּׂנְאָתוֹ אוֹתָם הוֹצִיאָם לְהֲמִתָם בַּמִּדְבָּר׃
כט וְהֵם עַמְּךָ וְנַחֲלָתֶךָ אֲשֶׁר הוֹצֵאתָ בְּכֹחֲךָ הַגָּדֹל
וּבִזְרֹעֲךָ הַנְּטוּיָה׃ פ רביעי

י א בָּעֵת הַהִוא אָמַר יְהוָה אֵלַי פְּסָל־לְךָ שְׁנֵי־
לוּחֹת אֲבָנִים כָּרִאשֹׁנִים וַעֲלֵה אֵלַי הָהָרָה וְעָשִׂיתָ
לְּךָ אֲרוֹן עֵץ׃ ב וְאֶכְתֹּב עַל־הַלֻּחֹת אֶת־הַדְּבָרִים
אֲשֶׁר הָיוּ עַל־הַלֻּחֹת הָרִאשֹׁנִים אֲשֶׁר שִׁבַּרְתָּ
וְשַׂמְתָּם בָּאָרוֹן׃ ג וָאַעַשׂ אֲרוֹן עֲצֵי שִׁטִּים וָאֶפְסֹל
שְׁנֵי־לֻחֹת אֲבָנִים כָּרִאשֹׁנִים וָאַעַל הָהָרָה וּשְׁנֵי
הַלֻּחֹת בְּיָדִי׃ ד וַיִּכְתֹּב עַל־הַלֻּחֹת כַּמִּכְתָּב הָרִאשׁוֹן
אֵת עֲשֶׂרֶת הַדְּבָרִים אֲשֶׁר דִּבֶּר יְהוָה אֲלֵיכֶם
בָּהָר מִתּוֹךְ הָאֵשׁ בְּיוֹם הַקָּהָל וַיִּתְּנֵם יְהוָה אֵלָי׃
ה וָאֵפֶן וָאֵרֵד מִן־הָהָר וָאָשִׂם אֶת־הַלֻּחֹת בָּאָרוֹן

אונקלוס

אַפֵּקִנּוּן לְקַטָּלוּתְהוֹן בְּמַדְבְּרָא׃ כט וְאִנּוּן עַמָּךְ וְאַחֲסַנְתָּךְ דִּי אַפֶּקְתָּא בְּחֵילָךְ
רַבָּא וּבִדְרָעָךְ מְרָמְמָא׃
א בְּעִדָּנָא הַהִיא אֲמַר יְיָ לִי פְּסַל לָךְ תְּרֵין לוּחֵי אַבְנַיָּא כְּקַדְמָאֵי וְסַק לְקֳדָמַי לְטוּרָא
וְתַעְבֵּד לָךְ אֲרוֹנָא דְאָעָא׃ ב וְאֶכְתּוֹב עַל לוּחַיָּא יָת פִּתְגָמַיָּא דִּי הֲווֹ עַל לוּחַיָּא
קַדְמָאֵי דִּי תַבַּרְתָּא וּתְשַׁוִּנּוּן בַּאֲרוֹנָא׃ ג וַעֲבָדִית אֲרוֹנָא דְאָעֵי שִׁטִּין וּפְסָלִית
תְּרֵין לוּחֵי אַבְנַיָּא כְּקַדְמָאֵי וּסְלֵקִית לְטוּרָא וּתְרֵין לוּחַיָּא בִּידִי׃ ד וּכְתַב עַל
לוּחַיָּא כִּכְתָבָא קַדְמָאָה יָת עַשְׂרָא פִתְגָמַיָּא דִּי מַלִּיל יְיָ עִמְּכוֹן בְּטוּרָא מִגּוֹ
אֶשָּׁתָא בְּיוֹמָא דִקְהָלָא וִיהָבִנּוּן יְיָ לִי׃ ה וְאִתְפְּנֵיתִי וּנְחָתִית מִן טוּרָא וְשַׁוֵּיתִי

רש"י

י (א) בעת ההוא. לְסוֹף אַרְבָּעִים יוֹם נִתְרַצָּה לִי וְאָמַר לִי פסל לך, וְאַחַר כָּךְ ועשית
לך ארון, וַאֲנִי עָשִׂיתִי אָרוֹן תְּחִלָּה, שֶׁכְּשֶׁאָבוֹא וְהַלֻּחוֹת בְּיָדִי הֵיכָן אֶתְּנֵם? וְלֹא זֶה הוּא
הָאָרוֹן שֶׁעָשָׂה בְּצַלְאֵל, שֶׁהֲרֵי מִשְׁכָּן לֹא נִתְעַסְּקוּ בוֹ עַד לְאַחַר יוֹם הַכִּפּוּרִים, כִּי בְרִדְתּוֹ
מִן הָהָר צִוָּה לָהֶם עַל מְלֶאכֶת הַמִּשְׁכָּן, וּבְצַלְאֵל עָשָׂה מִשְׁכָּן תְּחִלָּה וְאַחַר כָּךְ אָרוֹן וְכֵלִים,
נִמְצָא זֶה אָרוֹן אַחֵר הָיָה, וְזֶהוּ שֶׁהָיָה יוֹצֵא עִמָּהֶם לַמִּלְחָמָה, וְאוֹתוֹ שֶׁעָשָׂה בְצַלְאֵל לֹא

and from hatred to them he hath brought them out to put them to death in the desert. [29]Yet they are thy people, and thine inheritance, which thou broughtest out by thy great strength, and by thy stretched out arm.

10. [1]At that time the Eternal said unto me, Hew thee two tablets of stone like unto the first, and come up unto me into the mount, and make thee an ark of wood; [2]And I will write on the tablets the words that were in the first tablets, which thou brakest in pieces, and thou shalt put them in the ark. [3]And I made an ark of acacia wood, and hewed two tablets of stone like unto the first, and went up into the mountain, having the two tablets in mine hand. [4]And he wrote on the tablets, according to the first writing, the ten words, which the Eternal spake unto you in the mountain out of the midst of the fire, in the day of the assembly: and the Eternal gave them unto me. [5]And I turned myself, and came down from the mountain, and put the tablets in the ark

רש"י

10. (1) בעת ההוא AT THAT TIME — At the end of forty days He was reconciled with me and said to me, פסל לך HEW FOR THYSELF [TWO TABLETS] and afterwards, ועשית לך ארון עץ MAKE THEE AN ARK OF WOOD. I, however, (see v. 3) made the Ark first (Tanch.), because when I came with the tablets in my hand where could I place them? Now this was not the Ark which Bezaleel made *for the Tabernacle,* because with the Tabernacle they did not occupy themselves until after the Day of Atonement, for *only* when he came down from the mountain *on that day* did he give them the command regarding *the construction of* the Tabernacle, and Bezaleel made the Tabernacle first and afterwards the Ark and the *other* articles (Ber. 55a). It follows, therefore, that this was another Ark; and it was this that went forth with them

אֲשֶׁר עָשִׂיתִי וַיִּהְיוּ שָׁם כַּאֲשֶׁר צִוַּנִי יְהוָה׃ ו וּבְנֵי
יִשְׂרָאֵל נָסְעוּ מִבְּאֵרֹת בְּנֵי־יַעֲקָן מוֹסֵרָה שָׁם מֵת
אַהֲרֹן וַיִּקָּבֵר שָׁם וַיְכַהֵן אֶלְעָזָר בְּנוֹ תַּחְתָּיו׃ ז מִשָּׁם
נָסְעוּ הַגֻּדְגֹּדָה וּמִן־הַגֻּדְגֹּדָה יָטְבָתָה אֶרֶץ נַחֲלֵי־
מָיִם׃ ח בָּעֵת הַהִוא הִבְדִּיל יְהוָה אֶת־שֵׁבֶט הַלֵּוִי
לָשֵׂאת אֶת־אֲרוֹן בְּרִית־יְהוָה לַעֲמֹד לִפְנֵי יְהוָה
לְשָׁרְתוֹ וּלְבָרֵךְ בִּשְׁמוֹ עַד הַיּוֹם הַזֶּה׃ ט עַל־כֵּן
לֹא־הָיָה לְלֵוִי חֵלֶק וְנַחֲלָה עִם־אֶחָיו יְהוָה הוּא
נַחֲלָתוֹ כַּאֲשֶׁר דִּבֶּר יְהוָה אֱלֹהֶיךָ לוֹ׃ י וְאָנֹכִי

אונקלוס

יָת לוּחַיָּא בַּאֲרוֹנָא דִּי עֲבָדִית וַהֲווֹ תַמָּן כְּמָא דִּי פַקְדַנִי יְיָ׃ ו וּבְנֵי יִשְׂרָאֵל נְטַלוּ
מִבְּאֵרוֹת בְּנֵי יַעֲקָן לְמוֹסֵרָה תַּמָּן מִית אַהֲרֹן וְאִתְקְבַר תַּמָּן וְשַׁמֵּשׁ אֶלְעָזָר בְּרֵהּ
תְּחוֹתוֹהִי׃ ז מִתַּמָּן נְטַלוּ לְגֻדְגֹּד וּמִן גֻּדְגֹּד לְיָטְבַת אַרְעָא נָגְדָן נַחֲלִין דְּמַיִן׃
ח בְּעִדָּנָא הַהִיא אַפְרֵשׁ יְיָ יָת שִׁבְטָא דְלֵוִי לְמִטַּל יָת אֲרוֹן קְיָמָא דַייָ לְמֵקַם
קֳדָם יְיָ לְשַׁמָּשׁוּתֵהּ וּלְבָרָכָא בִּשְׁמֵהּ עַד יוֹמָא הָדֵין׃ ט עַל כֵּן לָא הֲוָה לְלֵוִי
חֲלָק וְאַחֲסָנָא עִם אֲחוֹהִי מַתְּנָן דִּיהַב לֵהּ יְיָ אִנּוּן אַחֲסַנְתֵּהּ כְּמָא דִּי מַלִּיל יְיָ

רש״י

יָצָא לַמִּלְחָמָה אֶלָּא בִּימֵי עֵלִי וְנֶעֶנְשׁוּ עָלָיו וְנִשְׁבָּה (ירוש׳ שקלים ו׳)׃ (ו–ז) ובני ישראל נסעו מבארת בני יעקן מוסרה. מַה עִנְיָן זֶה לְכָאן? וְעוֹד, וְכִי מִבְּאֵרוֹת בְּנֵי יַעֲקָן נָסְעוּ לְמוֹסֵרָה, וַהֲלֹא מִמּוֹסֵרָה בָּאוּ לִבְנֵי יַעֲקָן, שֶׁנֶּאֱמַר וַיִּסְעוּ מִמֹּסֵרוֹת וְגוֹ׳ (במ׳ ל״ג), וְעוֹד, שָׁם מֵת אַהֲרֹן, וַהֲלֹא בְּהֹר הָהָר מֵת, צֵא וַחֲשׁוֹב וְתִמְצָא שְׁמֹנֶה מַסָּעוֹת מִמּוֹסֵרוֹת לְהֹר הָהָר!? אֶלָּא אַף זוֹ מִן הַתּוֹכָחָה, וְעוֹד זֹאת עֲשִׂיתֶם כְּשֶׁמֵּת אַהֲרֹן בְּהֹר הָהָר לְסוֹף אַרְבָּעִים שָׁנָה וְנִסְתַּלְּקוּ עַנְנֵי כָבוֹד, יְרֵאתֶם לָכֶם מִמִּלְחֶמֶת מֶלֶךְ עֲרָד, וּנְתַתֶּם רֹאשׁ לַחֲזוֹר לְמִצְרַיִם וַחֲזַרְתֶּם לַאֲחוֹרֵיכֶם שְׁמֹנֶה מַסָּעוֹת עַד בְּנֵי יַעֲקָן, וּמִשָּׁם לְמוֹסֵרָה, שָׁם נִלְחֲמוּ בָכֶם בְּנֵי לֵוִי וְהָרְגוּ מִכֶּם וְאַתֶּם מֵהֶם, עַד שֶׁהֶחֱזִירוּ אֶתְכֶם בְּדֶרֶךְ חֲזָרַתְכֶם, וּמִשָּׁם חֲזַרְתֶּם הַגֻּדְגֹּדָה הוּא חֹר הַגִּדְגָּד, ומן הגדגדה וגו׳, וּבְמוֹסֵרָה עֲשִׂיתֶם אֵבֶל כָּבֵד עַל מִיתָתוֹ שֶׁל אַהֲרֹן שֶׁנִּגְרְמָה לָכֶם זֹאת וְנִדְמָה לָכֶם כְּאִלּוּ מֵת שָׁם (ירוש׳ סוטה א׳; מכי׳ שמ׳ ט״ו; תנח׳ חקת); וְסָמַךְ מֹשֶׁה תוֹכָחָה זוֹ לִשְׁבּוּר הַלּוּחוֹת לוֹמַר שֶׁקָּשָׁה מִיתָתָן שֶׁל צַדִּיקִים לִפְנֵי הַקָּבָּ״ה כְּיוֹם שֶׁנִּשְׁתַּבְּרוּ בוֹ הַלּוּחוֹת, וּלְהוֹדִיעֲךָ שֶׁהוּקְשָׁה לוֹ מַה שֶּׁאָמְרוּ נִתְּנָה רֹאשׁ (במד׳ י״ד) לִפְרוֹשׁ מִמֶּנּוּ — כַּיּוֹם שֶׁעָשׂוּ בוֹ אֶת הָעֵגֶל (ויק״ר כ׳)׃ (ח) בעת ההוא הבדיל ה׳ וגו׳. מוּסָב לָעִנְיָן הָרִאשׁוֹן — בעת ההוא, בַּשָּׁנָה הָרִאשׁוֹנָה לְצֵאתְכֶם מִמִּצְרַיִם, וּטְעִיתֶם בָּעֵגֶל וּבְנֵי לֵוִי לֹא טָעוּ, הִבְדִּילָם הַמָּקוֹם מִכֶּם; וְסָמַךְ מִקְרָא זֶה לַחֲזָרַת בְּנֵי יַעֲקָן לוֹמַר שֶׁאַף בְּזוֹ לֹא טָעוּ בָהּ בְּנֵי לֵוִי אֶלָּא עָמְדוּ בֶּאֱמוּנָתָם׃ לשאת את ארון. הַלְוִיִּם׃ לעמד לפני ה׳ לשרתו ולברך בשמו. הַכֹּהֲנִים, וְהוּא נְשִׂיאַת כַּפַּיִם

which I had made; and there they are, as the Eternal commanded me. [6]And the children of Israel journeyed from Beeroth of the children of Jaakan to Mosera: there Aaron died, and there he was buried; and Eleazar his son ministered as priest in his stead. [7]From thence they journeyed unto Gudgodah; and from Gudgodah to Jotbath, a land of brooks of waters. [8]At that time the Eternal separated the tribe of Levi, to bear the ark of the covenant of the Eternal, to stand before the Eternal, to minister unto him, and to bless in his name, unto this day. [9]Wherefore Levi hath no portion nor inheritance with his brethren: the Eternal *is* his inheritance, according as the Eternal thy God promised him. [10]And I

רש"י

to battle, whilst that which Bezaleel made went forth to battle only *once,* in the days of Eli — and they were punished for this, for it was captured *by the Philistines* (cf. Jer. Shek. VI. 1). **(6—7)** ובני ישראל נסעו מבארת בני יעקן מוסרה AND THE CHILDREN OF ISRAEL JOURNEYED FROM BEEROTH OF THE CHILDREN OF JAAKAN TO MOSERA — What has this matter to do with *what has been related* here? Further: Did they indeed journey f r o m Beeroth of the children of Jaakan t o Mosera; did they not come f r o m Mosera t o *Beeroth of* the children of Jaakan, as it is said, (Num. XXXIII. 31) "And they journeyed from Moseroth, [and they encamped in Bene Jaakan]"? And further: *it states here,* "T h e r e (at Mosera) did Aaron die". But did he not die at Mount Hor? Go and count and you will find that there are eight stations from Mosera to Mount Hor! — But really this also is part of the reproof *offered by Moses. In effect he said,* "This, also, ye did: when Aaron died on Mount Hor at the end of forty years and the clouds of Divine Glory departed, ye feared war with the king of Arad and you appointed a leader that ye might return to Egypt, and ye turned backwards eight[1]) stages unto Bene Jaakan and hence to Mosera. There the sons of Levi fought with you, and they slew some of you, and you some of them, until they forced you back on the road along which you had retreated. From there (Mosera) ye returned to Gudgodah, — that is identical with Hor Hagidgod (Num. XXXIII. 32), ומן הגדגדה וגו' AND FROM GUDGODAH [TO JOTBATH etc.] — And at Mosera ye made a great mourning on account of the death of Aaron which was the cause of this your *retreat,* and it seemed to you as though he dad died t h e r e" (Jer. Sota I, at end; Mech. Ex. XV. 22; cf. Tanch. חקת and Pirke d'R. Eliezer, ch. 14; see Rashi on Num. XXI. 4). — Moses placed this reproof immediately after the *mention of the* breaking of the tablets to intimate that the death of the righteous is as grievous before the Holy One, blessed be He, as the day on which the tablets were broken, and to tell you that is was displeasing to Him when they said, (Num. XIV. 4) "Let us set up a head (another god; see Rashi on that verse) in order to apostacize from Him, as was the day on which they made the *golden* calf (Lev. R. XX.). **(8)** בעת ההוא הבדיל ה' וגו' AT THAT TIME THE LORD SEPARATED [THE TRIBE OF LEVI] — This is to be connected with the former narrative (that which speaks of the tablets of stone, ending at v. 5; vv. 6—8 which contain reference to Aaron's death being interpolated for the reason given by Rashi); בעת ההוא AT THAT TIME *accordingly means:* In the first year of the Exodus from Egypt, when y e sinned by *worshipping* the *golden* calf, but the sons of Levi did n o t *thus* sin, — *at that time* God separated them from you. It places this verse in juxtaposition with the retreat to Bene Jaakon to tell *you* that in this matter also, the sons of Levi did not sin, but stood steadfast in their faith. לשאת את ארון TO BEAR THE ARK [OF THE COVENANT] — *This was the function of* the Levites (such as were not כהנים). לעמד לפני ה' לשרתו ולברך בשמו TO STAND BEFORE THE LORD, TO MINISTER UNTO HIM AND TO BLESS IN HIS NAME — *This (to bless in His Name) was the function of* the priests and refers to the "raising of the hands" (a technical term for reciting the

NOTES

1) Rashi on Num. XXI. 4 has s e v e n. Cf. our Note thereon.

עָמַדְתִּי בָהָר כַּיָּמִים הָרִאשֹׁנִים אַרְבָּעִים יוֹם וְאַרְבָּעִים לָיְלָה וַיִּשְׁמַע יְהוָה אֵלַי גַּם בַּפַּעַם הַהִוא לֹא־אָבָה יְהוָה הַשְׁחִיתֶךָ׃ יא וַיֹּאמֶר יְהוָה אֵלַי קוּם לֵךְ לְמַסַּע לִפְנֵי הָעָם וְיָבֹאוּ וְיִירְשׁוּ אֶת־הָאָרֶץ אֲשֶׁר־נִשְׁבַּעְתִּי לַאֲבֹתָם לָתֵת לָהֶם׃ פ

חמישי

יב וְעַתָּה יִשְׂרָאֵל מָה יְהוָה אֱלֹהֶיךָ שֹׁאֵל מֵעִמָּךְ כִּי אִם־לְיִרְאָה אֶת־יְהוָה אֱלֹהֶיךָ לָלֶכֶת בְּכָל־דְּרָכָיו וּלְאַהֲבָה אֹתוֹ וְלַעֲבֹד אֶת־יְהוָה אֱלֹהֶיךָ בְּכָל־לְבָבְךָ וּבְכָל־נַפְשֶׁךָ׃ יג לִשְׁמֹר אֶת־מִצְוֺת יְהוָה וְאֶת־חֻקֹּתָיו אֲשֶׁר אָנֹכִי מְצַוְּךָ הַיּוֹם לְטוֹב לָךְ׃ יד הֵן לַיהוָה אֱלֹהֶיךָ הַשָּׁמַיִם וּשְׁמֵי הַשָּׁמָיִם הָאָרֶץ וְכָל־אֲשֶׁר־בָּהּ׃ טו רַק בַּאֲבֹתֶיךָ חָשַׁק יְהוָה

אונקלוס

אֱלָהָךְ לֵהּ׃ י וַאֲנָא הֲוֵיתִי קָאֵם בְּטוּרָא כְּיוֹמִין קַדְמָאִין אַרְבְּעִין יְמָמִין וְאַרְבְּעִין לֵילָוָן וְקַבִּיל יְיָ צְלוֹתִי אַף בְּזִמְנָא הַהוּא לָא אֲבִי יְיָ לְחַבָּלוּתָךְ׃ יא וַאֲמַר יְיָ לִי קוּם זִיל לְמִטּוּל קֳדָם עַמָּא וְיֵיעֲלוּן וְיֵירְתוּן יָת אַרְעָא דִּי קַיֵּמִית לַאֲבָהָתְהוֹן לְמִתַּן לְהוֹן׃ יב וּכְעַן יִשְׂרָאֵל מָא יְיָ אֱלָהָךְ תָּבַע מִנָּךְ אֱלָהֵן לְמִדְחַל קֳדָם יְיָ אֱלָהָךְ לִמְהַךְ בְּכָל אָרְחָן דְּתַקְנָן קֳדָמוֹהִי וּלְמִרְחַם יָתֵהּ וּלְמִפְלַח קֳדָם יְיָ אֱלָהָךְ בְּכָל לִבָּךְ וּבְכָל נַפְשָׁךְ׃ יג לְמִטַּר יָת פִּקּוֹדַיָּא דַּייָ וְיָת קְיָמוֹהִי דַּאֲנָא מְפַקְּדָךְ יוֹמָא דֵּין לְטַב לָךְ׃ יד הָא דַּייָ אֱלָהָךְ שְׁמַיָּא וּשְׁמֵי שְׁמַיָּא אַרְעָא וְכָל דִּי בַהּ׃ טו לְחוּד

רש"י

(ערכ׳ י"א): **(ט) על כן לא היה ללוי חלק.** לְפִי שֶׁהֻבְדְּלוּ לַעֲבוֹדַת מִזְבֵּחַ וְאֵינָן פְּנוּיִין לַחֲרוֹשׁ וְלִזְרוֹעַ: **ה׳ הוא נחלתו.** נוֹטֵל פְּרַס מְזֻמָּן מִבֵּית הַמֶּלֶךְ: **(י) ואנכי עמדתי בהר.** לְקַבֵּל הַלּוּחוֹת הָאַחֲרוֹנוֹת, וּלְפִי שֶׁלֹּא פֵרַשׁ לְמַעְלָה כַּמָּה עָמַד בָּהָר בַּעֲלִיָּה אַחֲרוֹנָה זוֹ, חָזַר וְהִתְחִיל בָּהּ: **כימים הראשנים.** שֶׁל לוּחוֹת הָרִאשׁוֹנוֹת, מָה הֵם בְּרָצוֹן אַף אֵלּוּ בְּרָצוֹן, אֲבָל הָאֶמְצָעִיִּים שֶׁעָמַדְתִּי שָׁם לְהִתְפַּלֵּל עֲלֵיכֶם הָיוּ בְּכַעַס: **(יא) ויאמר ה׳ אלי וגו׳.** אַף עַל פִּי שֶׁסַּרְתֶּם מֵאַחֲרָיו וּטְעִיתֶם בָּעֵגֶל, אָמַר לִי לֵךְ נְחֵה אֶת הָעָם (שמ׳ ל"ב): **(יב) ועתה ישראל.** אַף עַל פִּי שֶׁעֲשִׂיתֶם כָּל זֹאת, עוֹדֶנּוּ רַחֲמָיו וְחִבָּתוֹ עֲלֵיכֶם, וּמִכָּל מַה שֶּׁחֲטָאתֶם לְפָנָיו אֵינוֹ שׁוֹאֵל מִכֶּם כִּי אִם לִירְאָה וְגוֹ׳. וְרַבּוֹתֵינוּ דָּרְשׁוּ מִכָּאן הַכֹּל בִּידֵי שָׁמַיִם חוּץ מִיִּרְאַת שָׁמַיִם (בר׳ ל"ג): **(יג) לשמר את מצות ה׳.** וְאַף הִיא לֹא

stayed in the mountain, according to the first days, forty days and forty nights; and the Eternal hearkened unto me at that time also, *and* the Eternal would not destroy thee. [11]And the Eternal said unto me, Arise, go on the journey before the people, that they may go on and possess the land, which I sware unto their fathers to give unto them. [12]And now, Israel, what doth the Eternal thy God demand of thee, but to fear the Eternal thy God, to walk in all his ways, and to love him, and to serve the Eternal thy God with all thy heart, and with all thy soul, [13]To keep the commandments of the Eternal, and his ordinances, which I command thee this day for thy good? [14]Behold, the heaven and the heaven of heavens *belongs* to the Eternal thy God, the earth *also,* with all that therein *is.* [15]Yet the Eternal delighted in thy fathers

רש״י

priestly benediction which is done with uplifted hands) (Arach. 11a). **(9)** על כן לא היה ללוי חלק WHEREFORE LEVI HATH NO PORTION — because they have been singled out for the service of the altar (v. 8), and *therefore* were not free to plough and sow. ה׳ הוא נחלתו THE LORD IS HIS INHERITANCE — he receives his daily fare ready *for him* from the King's house (from the Temple; the dues from the sacrifices, etc.). **(10)** ואנכי עמדתי בהר AND I REMAINED ON THE MOUNT to receive the last (second) tablets. — Since it does not state above (v. 2) how long he remained on the mount at this last ascent, he begins again with it (with that incident). כימים הראשנים AS THE FORMER DAYS — *those* of the first tablets. How was it with those? *They were passed* in *God's* goodwill! So these, too, were *passed* in *God's* goodwill. But the intervening *forty days* when I remained there to pray for you *were passed* in *God's* anger (cf. Rashi on IX. 18). **(11)** ויאמר ה׳ אלי וגו׳ AND THE LORD SPAKE TO ME, [ARISE, GO ON THE JOURNEY BEFORE THE PEOPLE] — Although you had turned away from Him and had sinned by *worshipping* the *golden* calf, yet He said to me, (Ex. XXXII. 34) "Go, lead the people". **(12)** ועתה ישראל AND NOW, O ISRAEL, [WHAT DOTH THE LORD THY GOD ASK OF THEE] — Although you did all this, yet His mercy and His love are *extended* over you, and in spite of all that you sinned against Him, He asks nothing of you כי אם ליראה וגו׳ EXCEPT TO FEAR [THE LORD YOUR GOD, etc.]. — Our Rabbis derived from this ("and now, what does God ask from y o u") *that* everything is in the hands of God except the fear of God (Ber. 33b). **(13)** לשמר את מצות ה׳ TO KEEP THE COM-

לְאַהֲבָה אוֹתָם וַיִּבְחַר בְּזַרְעָם אַחֲרֵיהֶם בָּכֶם מִכָּל־
הָעַמִּים כַּיּוֹם הַזֶּה: טז וּמַלְתֶּם אֵת עָרְלַת לְבַבְכֶם
וְעָרְפְּכֶם לֹא תַקְשׁוּ עוֹד: יז כִּי יְהוָה אֱלֹהֵיכֶם הוּא
אֱלֹהֵי הָאֱלֹהִים וַאֲדֹנֵי הָאֲדֹנִים הָאֵל הַגָּדֹל הַגִּבֹּר
וְהַנּוֹרָא אֲשֶׁר לֹא־יִשָּׂא פָנִים וְלֹא יִקַּח שֹׁחַד:
יח עֹשֶׂה מִשְׁפַּט יָתוֹם וְאַלְמָנָה וְאֹהֵב גֵּר לָתֶת לוֹ
לֶחֶם וְשִׂמְלָה: יט וַאֲהַבְתֶּם אֶת־הַגֵּר כִּי־גֵרִים
הֱיִיתֶם בְּאֶרֶץ מִצְרָיִם: כ אֶת־יְהוָה אֱלֹהֶיךָ תִּירָא
אֹתוֹ תַעֲבֹד וּבוֹ תִדְבָּק וּבִשְׁמוֹ תִּשָּׁבֵעַ: כא הוּא
תְהִלָּתְךָ וְהוּא אֱלֹהֶיךָ אֲשֶׁר־עָשָׂה אִתְּךָ אֶת־
הַגְּדֹלֹת וְאֶת־הַנּוֹרָאֹת הָאֵלֶּה אֲשֶׁר רָאוּ עֵינֶיךָ: כב
בְּשִׁבְעִים נֶפֶשׁ יָרְדוּ אֲבֹתֶיךָ מִצְרָיְמָה וְעַתָּה שָׂמְךָ

אונקלוס

בַּאֲבָהָתָךְ צְבִי יְיָ לְמִרְחַם יָתְהוֹן וְאִתְרְעִי בִּבְנֵיהוֹן בָּתְרֵיהוֹן בְּכוֹן מִכָּל עַמְמַיָּא כְּיוֹמָא הָדֵין: טז וְתַעְדּוּן יָת טַפְשׁוּת לִבְּכוֹן וְקָדָלְכוֹן לָא תַקְשׁוּן עוֹד: יז אֲרֵי יְיָ אֱלָהֲכוֹן הוּא אֱלָהָא דַּיָּנִין וּמָרֵי מַלְכִין אֱלָהָא רַבָּא גִּבָּרָא וּדְחִילָא דִּי לֵית קֳדָמוֹהִי מַסַּב אַפִּין וְאַף לָא לְקַבָּלָא שׁוֹחֲדָא: יח עָבֵד דִּין יַתַּם וְאַרְמְלָא וְרָחֵם גִּיּוֹרָא לְמִתַּן לֵהּ מְזוֹנָא וּכְסוּ: יט וּתְרַחֲמוּן יָת גִּיּוֹרָא אֲרֵי דַיָּרִין הֲוֵיתוּן בְּאַרְעָא דְמִצְרָיִם: כ יָת יְיָ אֱלָהָךְ תִּדְחַל וּקְדָמוֹהִי תִּפְלַח וּלְדַחַלְתֵּהּ תִּקְרַב וּבִשְׁמֵהּ תְּקַיֵּם: כא הוּא תֻשְׁבַּחְתָּךְ וְהוּא אֱלָהָךְ דַּעֲבַד עִמָּךְ יָת רַבְרְבָתָא וְיָת חֲסִינָתָא הָאִלֵּין דִּי חֲזוֹ עֵינָךְ: כב בְּשַׁבְעִין נַפְשָׁן נְחַתוּ אֲבָהָתָךְ לְמִצְרָיִם וּכְעַן שַׁוְּיָךְ יְיָ

רש"י

לְחִנָּם, אֶלָּא לְטוֹב לְךָ שֶׁתְּקַבְּלוּ שָׂכָר: (יד) הן לה' אלהיך. הַכֹּל, אַף עַל פִּי כֵן (טו) רק באבתיך חשק ה' מִן הַכֹּל: בכם. כְּמוֹ שֶׁאַתֶּם רוֹאִים אֶתְכֶם חֲשׁוּקִים מכל העמים היום הזה: (טז) ערלת לבבכם. אוֹטֶם לְבַבְכֶם וְכִסּוּיוֹ: (יז) ואדני האדנים. לא יוּכַל שׁוּם אָדוֹן לְהַצִּיל אֶתְכֶם מִיָּדוֹ: לא ישא פנים. אִם תִּפְרְקוּ עֻלּוֹ: ולא יקח שחד. לְפַיְּסוֹ בְּמָמוֹן: (יח) עשה משפט יתום ואלמנה. הֲרֵי גְבוּרָה, וְאֵצֶל גְּבוּרָתוֹ אַתָּה מוֹצֵא עַנְוְתָנוּתוֹ (מגי' ל"א): ואהב גר לתת לו לחם ושמלה. וְדָבָר חָשׁוּב הוּא זֶה, שֶׁכָּל עַצְמוֹ שֶׁל יַעֲקֹב אָבִינוּ עַל זֶה נִתְפַּלֵּל (בר' כ"ח) וְנָתַן לִי לֶחֶם לֶאֱכֹל וּבֶגֶד לִלְבֹּשׁ (ב"ר ע'):

to love them, and he chose their seed after them, *even* you from all peoples, as *it is* this day. [16]Circumcise therefore the foreskin of your heart, and be no more stiffnecked. [17]For the Eternal your God *is* God of gods, and Lord of the lords, the great God, the mighty, and the fearful, who regardeth not persons, nor taketh bribery: [18]He doth the judgment of the fatherless and widow, and loveth the stranger, in giving him bread and raiment. [19]Love ye, therefore, the stranger: for ye were strangers in the land of Egypt. [20]Thou shalt fear the Eternal thy God; him shalt thou serve, and to him shalt thou cleave, and swear by his name. [21]He *is* thy praise, and he *is* thy God, that hath done for thee these great and fearful things, which thine eyes have seen. [22]Thy fathers went down into Egypt with threescore and ten souls, and now the Eternal thy God hath made thee

רש"י

MANDMENTS OF THE LORD — and this, too, not unrequited, but לטוב לך FOR THY GOOD — that you should receive a reward *for doing so*. **(14)** הן לה' אלהיך BEHOLD, UNTO THE LORD THY GOD BELONGS the whole Universe ("the heavens . . . and the earth and all that therein is"), and yet **(15)** רק באבתיך חשק ה' ONLY IN THY FATHERS DID THE LORD TAKE PLEASURE out of the whole Universe. בכם [AND HE CHOSE . . .] YOU, even as you see yourselves the object of His pleasure מכל העמים, כיום הזה MORE THAN ALL OTHER PEOPLES THIS DAY[1]). **(16)** ערלת לבבכם [YE SHALL CIRCUMCISE] THE FORESKIN OF YOUR HEART — *This means: ye shall remove* the closure and cover that is on your hearts, which prevent My words gaining entrance to them (cf. Rashi on Ex. VI. 12 and Lev. XIX. 23). **(17)** ואדני האדנים [FOR THE LORD YOUR GOD IS . . .] LORD OF LORDS (i. e. He is Lord over those who are lords, kings, governors, etc.) — so that no lord is able to deliver you from His hand. לא ישא פנים HE WILL NOT REGARD PERSONS, if you cast off His yoke, ולא יקח שחד NOR WILL HE TAKE A BRIBE, that one should appease Him by money. **(18)** עשה משפט יתום ואלמנה HE EXECUTETH JUDGMENT OF THE FATHERLESS AND THE WIDOW — You have *mention of His* power (in the preceding verse)[2]) and together with His power you find *mention of* His humility *here* ("He executeth judgment of the fatherless and the widow"). ואהב גר לתת לו לחם ושמלה AND HE LOVETH THE STRANGER IN GIVING HIM BREAD AND RAIMENT — and this (bread and raiment) is a matter of importance, for the very self of (all the energies of) Jacob, our ancestor, was to pray for this, (Gen. XXVIII. 20) "Let Him give me bread to eat and raiment to put on" (Gen. R. 70).

NOTES

For Notes 1—2 see Appendix.

יְהוָה אֱלֹהֶיךָ כְּכוֹכְבֵי הַשָּׁמַיִם לָרֹב׃ יא א וְאָהַבְתָּ
אֵת יְהוָה אֱלֹהֶיךָ וְשָׁמַרְתָּ מִשְׁמַרְתּוֹ וְחֻקֹּתָיו
וּמִשְׁפָּטָיו וּמִצְוֺתָיו כָּל־הַיָּמִים׃ ב וִידַעְתֶּם הַיּוֹם
כִּי ׀ לֹא אֶת־בְּנֵיכֶם אֲשֶׁר לֹא־יָדְעוּ וַאֲשֶׁר לֹא־רָאוּ
אֶת־מוּסַר יְהוָה אֱלֹהֵיכֶם אֶת־גָּדְלוֹ אֶת־יָדוֹ הַחֲזָקָה
וּזְרֹעוֹ הַנְּטוּיָה׃ ג וְאֶת־אֹתֹתָיו וְאֶת־מַעֲשָׂיו אֲשֶׁר
עָשָׂה בְּתוֹךְ מִצְרָיִם לְפַרְעֹה מֶלֶךְ־מִצְרַיִם וּלְכָל־
אַרְצוֹ׃ ד וַאֲשֶׁר עָשָׂה לְחֵיל מִצְרַיִם לְסוּסָיו וּלְרִכְבּוֹ
אֲשֶׁר הֵצִיף אֶת־מֵי יַם־סוּף עַל־פְּנֵיהֶם בְּרָדְפָם
אַחֲרֵיכֶם וַיְאַבְּדֵם יְהוָה עַד הַיּוֹם הַזֶּה׃ ה וַאֲשֶׁר
עָשָׂה לָכֶם בַּמִּדְבָּר עַד־בֹּאֲכֶם עַד־הַמָּקוֹם הַזֶּה׃
ו וַאֲשֶׁר עָשָׂה לְדָתָן וְלַאֲבִירָם בְּנֵי אֱלִיאָב בֶּן־
רְאוּבֵן אֲשֶׁר פָּצְתָה הָאָרֶץ אֶת־פִּיהָ וַתִּבְלָעֵם וְאֶת־

אונקלוס

אֱלָהָךְ כְּכוֹכְבֵי שְׁמַיָּא לְמִסְגֵּי׃ א וְתִרְחַם יָת יְיָ אֱלָהָךְ וְתִטַּר מַטְּרַת מֵימְרֵהּ
וּקְיָמוֹהִי וְדִינוֹהִי וּפִקּוֹדוֹהִי כָּל יוֹמַיָּא׃ ב וְתִדְּעוּן יוֹמָא דֵין אֲרֵי לָא יָת בְּנֵיכוֹן
דִּי לָא יְדַעוּ וְדִי לָא חֲזוֹ יָת אֻלְפָּנָא דַּייָ אֱלָהֲכוֹן יָת רְבוּתֵהּ יָת יְדֵהּ תַּקִּיפָא
וּדְרָעֵהּ מְרָמְמָא׃ ג וְיָת אָתְוָתֵהּ וְיָת עוֹבָדוֹהִי דִּי עֲבַד בְּגוֹ מִצְרָיִם לְפַרְעֹה
מַלְכָּא דְמִצְרַיִם וּלְכָל אַרְעֵהּ׃ ד וְדִי עֲבַד לְמַשִּׁרְיַת מִצְרַיִם לְסוּסָוָתֵהּ וּלְרְתִיכוֹהִי
דִּי אַטֵּיף יָת מֵי יַמָּא דְסוּף עַל אַפֵּיהוֹן בְּמִרְדְּפְהוֹן בַּתְרֵיכוֹן וְאוֹבְדִנּוּן יְיָ עַד
יוֹמָא הָדֵין׃ ה וְדִי עֲבַד לְכוֹן בְּמַדְבְּרָא עַד מֵיתֵיכוֹן עַד אַתְרָא הָדֵין׃ ו וְדִי עֲבַד
לְדָתָן וְלַאֲבִירָם בְּנֵי אֱלִיאָב בַּר רְאוּבֵן דִּי פְתַחַת אַרְעָא יָת פּוּמַהּ וּבְלַעְתְּנוּן

רש"י

(יט) כי גרים הייתם. מום שבך אל תאמר לחברך (ב"מ נ"ט): (כ) את ה' אלהיך תירא. ותעבוד לו ותדבק בו, ולאחר שיהיו בך כל המדות הללו, אז בשמו תשבע:

יא (ב) וידעתם היום. תנו לב לדעת ולהבין ולקבל תוכחתי: כי לא את בניכם אני מדבר עכשיו, שיוכלו לומר אנו לא ידענו ולא ראינו בכל זה: (ו) בקרב כל ישראל. כל מקום שהיה אחד מהם בורח הארץ נבקעת מתחתיו ובולעתו, אלו דברי רבי יהודה, אמר לו רבי נחמיה והלא כבר נאמר (במ' ט"ז) ותפתח הארץ את פיה – ולא פיותיה! אמר לו ומה אני מקים בקרב כל ישראל? אמר לו שנעשית הארץ מדרון כמשפך,

as the stars of heaven for multitude.

11. [1]Therefore thou shalt love the Eternal thy God, and keep his charge, and his ordinances, and his judgments, and his commandments, always. [2]And know you this day: for *I speak* not with your children who have not known, and who have not seen the chastisement of the Eternal your God, his greatness, his strong hand, and his stretched out arm, [3]And his signs, and his acts which he did in the midst of Egypt, unto Pharaoh king of Egypt, and unto all his land; [4]And what he did unto the force of Egypt, unto their horses, and to their chariots; how he made the water of the Red Sea to overflow them as they pursued after you, and *how* the Eternal hath destroyed them unto this day; [5]And what he did unto you in the desert, until ye came into this place; [6]And what he did unto Dathan and Abiram, the sons of Eliab, the son of Reuben: how the earth opened wide her mouth, and swallowed them up, and

רש"י

(19) כי גרים הייתם [LOVE THE STRANGER] FOR YE WERE STRANGERS — Do not reproach thy fellow man for a fault which is also thine (cf. Rashi on Ex. XXII. 20; B. Mets. 59b)[1]). **(20)** את ה' אלהיך תירא THOU SHALT FEAR THE LORD THY GOD, and serve Him and cleave to Him; and after you possess all these qualities, *then* you may swear by His Name (cf. Rashi on VI. 13 and Note thereon).

11. (2) וידעתם היום AND KNOW YE THIS DAY — Set your heart to know and comprehend, and to accept my reproof, כי לא את בניכם FOR NOT WITH YOUR CHILDREN am I now speaking who might say, "We do not know nor have we seen all this"[2]). **(6)** בקרב כל ישראל [AND THE EARTH SWALLOWED THEM UP] IN THE MIDST OF ALL ISRAEL — Wherever one of them fled the earth was riven beneath him and swallowed him up. This is the view of R. Judah. Rabbi Nehemiah said to him: But is it not already stated, (Num. XVI. 32) "And the earth opened its mouth", and *it does* not *state* "its mouths"? *Whereupon* he (R. Judah) asked him: "But how, then, can I explain *the words:* "in the midst of all Israel" (if there was but one spot at which they were swallowed up, as you suggest Scripture states by the word פיה, "its mouth")? He replied

NOTES

1) The similar phrase in Exodus, Rashi explains thus: if you vex the stranger, he can vex you also, saying to you: "You also descend from strangers". Therefore do not reproach, etc.

2) The meaning is not: Know ye this day, that not with your children *am I speaking*. The bidding "Know ye" is an absolute one: Understand ye what I am saying in reproof, for it is intended for you who have seen all God's wonders.

בָּתֵּיהֶם וְאֶת־אָהֳלֵיהֶם וְאֵת כָּל־הַיְקוּם אֲשֶׁר
בְּרַגְלֵיהֶם בְּקֶרֶב כָּל־יִשְׂרָאֵל׃ ז כִּי עֵינֵיכֶם הָרֹאֹת
אֶת כָּל־מַעֲשֵׂה יְהוָה הַגָּדֹל אֲשֶׁר עָשָׂה׃
ח וּשְׁמַרְתֶּם אֶת־כָּל־הַמִּצְוָה אֲשֶׁר אָנֹכִי מְצַוְּךָ הַיּוֹם
לְמַעַן תֶּחֶזְקוּ וּבָאתֶם וִירִשְׁתֶּם אֶת־הָאָרֶץ אֲשֶׁר
אַתֶּם עֹבְרִים שָׁמָּה לְרִשְׁתָּהּ׃ ט וּלְמַעַן תַּאֲרִיכוּ
יָמִים עַל־הָאֲדָמָה אֲשֶׁר נִשְׁבַּע יְהוָה לַאֲבֹתֵיכֶם
לָתֵת לָהֶם וּלְזַרְעָם אֶרֶץ זָבַת חָלָב וּדְבָשׁ׃ ס
ששי י כִּי הָאָרֶץ אֲשֶׁר אַתָּה בָא־שָׁמָּה לְרִשְׁתָּהּ
לֹא כְאֶרֶץ מִצְרַיִם הִוא אֲשֶׁר יְצָאתֶם מִשָּׁם אֲשֶׁר

אונקלוס

וְיָת אֱנָשׁ בָּתֵּיהוֹן וְיָת מַשְׁכְּנֵיהוֹן וְיָת כָּל יְקוּמָא דִּי עִמְּהוֹן בְּגוֹ כָּל יִשְׂרָאֵל: ז אֲרֵי עֵינֵיכוֹן חֲזָאָה יָת כָּל עוֹבָדָא דַּיְיָ רַבָּא דִּי עֲבַד: ח וְתִטְּרוּן יָת (כָּל) תַּפְקֶדְתָּא דִּי אֲנָא מְפַקֵּדְךְ יוֹמָא דֵין בְּדִיל דְּתִתְקְפוּן וְתֵיעֲלוּן וְתֵירְתוּן יָת אַרְעָא דִּי אַתּוּן עָבְרִין תַּמָּן לְמֵירְתַהּ: ט וּבְדִיל דְּתוֹרְכוּן יוֹמִין עַל אַרְעָא דִּי קַיִּים יְיָ לַאֲבָהָתְכוֹן לְמִתַּן לְהוֹן וְלִבְנֵיהוֹן אַרְעָא עָבְדָא חֲלַב וּדְבָשׁ: י אֲרֵי אַרְעָא דִּי אַתְּ עָלֵל לְתַמָּן לְמֵירְתַהּ לָא כְּאַרְעָא דְמִצְרַיִם הִיא דִּי נְפַקְתּוּן מִתַּמָּן דִּי תִזְרַע יָת זַרְעָךְ וּמַשְׁקֵת

רש"י

וְכָל מָקוֹם שֶׁהָיָה אֶחָד מֵהֶם הָיָה מִתְגַּלְגֵּל וּבָא עַד מְקוֹם הַבְּקִיעָה (עי' ילק' תשנ"ב): ואת כל היקום אשר ברגליהם. זֶה מָמוֹנוֹ שֶׁל אָדָם שֶׁמַּעֲמִידוֹ עַל רַגְלָיו (סנה' ק"י): (ז) כי עיניכם הראת. מוּסָב עַל הַמִּקְרָא הָאָמוּר לְמַעְלָה — כִּי לֹא אֶת בְּנֵיכֶם אֲשֶׁר לֹא יָדְעוּ כִּי אִם עִמָּכֶם אֲשֶׁר עֵינֵיכֶם הָרוֹאוֹת וְגוֹ': (י) לא כארץ מצרים הוא. אֶלָּא טוֹבָה הֵימֶנָּה, וְנֶאֶמְרָה הַבְטָחָה זוֹ לְיִשְׂרָאֵל בִּיצִיאָתָם מִמִּצְרַיִם, שֶׁהָיוּ אוֹמְרִים שֶׁמָּא לֹא נָבוֹא אֶל אֶרֶץ טוֹבָה וְיָפָה כָּזוֹ. יָכוֹל בִּגְנוּתָהּ הַכָּתוּב מְדַבֵּר, וְכָךְ אָמַר לָהֶם לֹא כְאֶ"ץ מִצְרַיִם הִ"א אֶלָּא רָעָה הֵימֶנָּה? תַּ"ל וְחֶבְרוֹן שֶׁבַע שָׁנִים נִבְנְתָה לִפְנֵי וְגוֹ' (במ' י"ג) אָדָם אֶחָד בְּנָאָן, חָם בָּנָה צֹעַן לְמִצְרַיִם בְּנוֹ, וְחֶבְרוֹן לִכְנַעַן. דֶּרֶךְ אֶרֶץ אָדָם בּוֹנֶה אֶת הַנָּאֶה וְאַחַר כָּךְ בּוֹנֶה אֶת הַגָּרוּעַ, שֶׁפְּסָלְתּוֹ שֶׁל רִאשׁוֹן הוּא נוֹתֵן בַּשֵּׁנִי, וּבְכָל מָקוֹם הֶחָבִיב קוֹדֵם, הָא לָמַדְתָּ חֶבְרוֹן יָפָה מִצּוֹעַן; וּמִצְרַיִם מְשֻׁבַּחַת מִכָּל הָאֲרָצוֹת שֶׁנֶּאֱמַר (בר' י"ג) כְּגַן ה' כְּאֶרֶץ מִצְרַיִם, וְצוֹעַן שֶׁבַח מִצְרַיִם הִיא שֶׁהִיא מְקוֹם מַלְכוּת, שֶׁכֵּן הוּא אוֹמֵר (יש' ל') הָיוּ בְצֹעַן שָׂרָיו. וְחֶבְרוֹן פְּסָלְתָּהּ שֶׁל יִשְׂרָאֵל, לְכָךְ הֻקְצָה לִקְבוּרַת מֵתִים, וְאַף עַל פִּי כֵן הִיא יָפָה מִצּוֹעַן. וּבִכְתֻבּוֹת (דף קי"ב) דָּרְשׁוּ בְּעִנְיָן אַחֵר, אֶפְשָׁר אָדָם בּוֹנֶה בַּיִת לִבְנוֹ הַקָּטָן וְאַחַר כָּךְ לִבְנוֹ הַגָּדוֹל?! אֶלָּא שֶׁמְּבֻנָּה עַל אֶחָד מִשִּׁבְעָה בְּצוֹעַן: אשר יצאתם

their houses, and their tents, and all the substance that *was* at their feet, in the midst of all Israel: [7]But your eyes have seen all the great acts of the Eternal which he did. [8]Therefore shall ye keep all the commandments which I command you this day, that ye may be strong, and come and possess the land whither ye go to possess it; [9]And that ye may prolong *your* days on the ground, which the Eternal sware unto your fathers to give unto them and to their seed, a land flowing with milk and honey. [10]For the land whither thou goest in to possess it, *is* not as the land of Egypt, from whence ye came out, where

רש"י

to him: *you can reconcile the two texts by assuming* that the earth became a declivity, — *something* like a funnel, — and wherever it was that one of them happened to be, he rolled down until he reached the place where the fissure was (cf. Yalk. I. 752). ואת כל היקום אשר ברגליהם AND ALL THE SUBSTANCE THAT WAS AT THEIR FEET — This *means* a man's money, that places him on his feet (Sanh. 110a). **(7)** כי עיניכם הראת BUT YOUR EYES HAVE SEEN — This is to be connected with the verse mentioned above (v. 2), *thus:* (2) For not with your children *am I speaking* who do not know (all that God did for you, and what He did to Egypt, and for you in the wilderness, and to Dathan and Abiram, as related in vv. 2—6), (7) but with you whose eyes have seen, etc. **(10)** לא כארץ מצרים הוא [THE LAND WHITHER THOU GOEST . . .] IS NOT AS THE LAND OF EGYPT, but it is better than it. *He mentions Egypt* because this assurance was made to Israel on their departure from Egypt, for they said: Perhaps we shall not come to a land as good and beautiful as this. — One might, however, *think* that Scripture is *here* speaking to its (the Land's) disparagement, and that he states the following to them: It is not as the land of Egypt — but it is w o r s e than it! It, however, states, (Num. XIII. 22; see Rashi thereon) "And Hebron was built seven years before Zoan in Egypt etc.". One person built *both of* them: Ham built Zoar for Mizrajim (Egypt), his son, and Hebron for Canaan, *another son.* The usual way is that a man *first* builds the better city, and afterwards builds the inferior *one,* because what is not good enough for the first he puts into the second, and, *besides,* the better is usually first. Thus you may learn *that* Hebron was *a* finer *city* than Zoan. Now Egypt is superior to all *other* lands, for it is stated *of it,* (Gen. XIII. 10) "L i k e t h e g a r d e n o f t h e L o r d , viz., l i k e t h e l a n d o f E g y p t", and Zoan was the best *city* in Egypt, because it was the seat of royalty, for thus does it state, (Is. XXX. 4) "For in Zoan were its princes"; Hebron was the worst *city* in Canaan, — for this reason, indeed, they set it apart for a place of burial, — and yet it was finer than Zoan (cf Siphre). — In *the Talmud, Treatise* Ketuboth (112a), they derived *this* in another manner: Is it likely that a man would first build a house for his younger son (here Canaan), and a f t e r w a r d s for his elder son (Mizrajim)? But *the meaning of* שבע שנים נבנתה וכו׳ *is* that it (Hebron) was furnished (built up) with all excellencies seven times better than Zoan. אשר יצאתם משם [THE LAND OF EGYPT] FROM

תִּזְרַע אֶת־זַרְעֲךָ וְהִשְׁקִיתָ בְרַגְלְךָ כְּגַן הַיָּרָק׃ יא וְהָאָרֶץ אֲשֶׁר אַתֶּם עֹבְרִים שָׁמָּה לְרִשְׁתָּהּ אֶרֶץ הָרִים וּבְקָעֹת לִמְטַר הַשָּׁמַיִם תִּשְׁתֶּה־מָּיִם׃ יב אֶרֶץ אֲשֶׁר־יְהוָה אֱלֹהֶיךָ דֹּרֵשׁ אֹתָהּ תָּמִיד עֵינֵי יְהוָה אֱלֹהֶיךָ בָּהּ מֵרֵשִׁית הַשָּׁנָה וְעַד אַחֲרִית שָׁנָה׃ ס יג וְהָיָה אִם־שָׁמֹעַ תִּשְׁמְעוּ אֶל־מִצְוֺתַי אֲשֶׁר אָנֹכִי מְצַוֶּה אֶתְכֶם הַיּוֹם לְאַהֲבָה אֶת־יְהוָה אֱלֹהֵיכֶם וּלְעָבְדוֹ בְּכָל־לְבַבְכֶם וּבְכָל־

חסר א

אונקלוס

לה בְּרַגְלָךְ כְּגִנְּתָא דְיַרְקָא׃ יא וְאַרְעָא דִּי אַתּוּן עָבְרִין תַּמָּן לְמֵירְתַהּ אֲרַע טוּרִין וּבִקְעָן לִמְטַר שְׁמַיָּא שָׁתְיָא מַיָּא׃ יב אַרְעָא דַּייָ אֱלָהָךְ תָּבַע יָתַהּ תְּדִירָא עֵינֵי יְיָ אֱלָהָךְ בַּהּ מֵרֵישָׁא דְשַׁתָּא וְעַד סוֹפָא דְשַׁתָּא׃ יג וִיהֵי אִם קַבָּלָא תְקַבְּלוּן לְפִקּוּדַי דִּי אֲנָא מְפַקֵּד יָתְכוֹן יוֹמָא דֵין לְמִרְחַם יָת יְיָ אֱלָהֲכוֹן וּלְמִפְלַח קֳדָמוֹהִי

רש״י

משם. אֲפִילוּ אֶרֶץ רַעְמְסֵס אֲשֶׁר יְשַׁבְתֶּם בָּהּ וְהִיא בְּמֵיטַב אֶרֶץ מִצְרַיִם, שֶׁנֶּאֱמַר בְּמֵיטַב הָאָרֶץ וְגוֹ׳ (בר׳ מ״ז), אַף הִיא אֵינָהּ כְּאֶרֶץ יִשְׂרָאֵל: והשקית ברגלך. אֶרֶץ מִצְרַיִם הָיְתָה צְרִיכָה לְהָבִיא מַיִם מִנִּילוּס בְּרַגְלְךָ, וּלְהַשְׁקוֹתָהּ — צָרִיךְ אַתָּה לִנְדֹּד מִשְּׁנָתְךָ וְלַעֲמוֹל, וְהַנָּמוּךְ שׁוֹתֶה וְלֹא הַגָּבוֹהַּ, וְאַתָּה מַעֲלֶה הַמַּיִם מִן הַנָּמוּךְ לַגָּבוֹהַּ, אֲבָל זוֹ „למטר השמים תשתה מים״ — אַתָּה יָשֵׁן עַל מִטָּתְךָ וְהַקָּבָּ״ה מַשְׁקֶה נָמוּךְ וְגָבוֹהַּ גָּלוּי וְשֶׁאֵינוֹ גָּלוּי כְּאַחַת (ספרי): כגן הירק. שֶׁאֵין דַּי לוֹ בִּגְשָׁמִים וּמַשְׁקִין אוֹתוֹ בְּרֶגֶל וּבִכְתֵף: (יא) ארץ הרים ובקעת. מְשֻׁבָּח הָהָר מִן הַמִּישׁוֹר, שֶׁהַמִּישׁוֹר בְּבֵית כּוֹר אַתָּה זוֹרֵעַ כּוֹר, אֲבָל הָהָר בֵּית כּוֹר מִמֶּנּוּ חֲמֵשֶׁת כּוֹרִין — אַרְבָּעָה מֵאַרְבָּעָה שִׁפּוּעָיו וְאֶחָד בְּרֹאשׁוֹ: ובקעת. הֵן מִישׁוֹר: (יב) אשר ה׳ אלהיך דרש אתה. וַהֲלֹא כָּל הָאֲרָצוֹת דּוֹרֵשׁ, שֶׁנֶּאֱמַר לְהַמְטִיר עַל אֶרֶץ לֹא אִישׁ (איוב ל״ח)? אֶלָּא כִּבְיָכוֹל אֵינוֹ דּוֹרֵשׁ אֶלָּא אוֹתָהּ, וְעַל יְדֵי אוֹתָהּ דְּרִישָׁה שֶׁדּוֹרְשָׁהּ, דּוֹרֵשׁ אֶת כָּל הָאֲרָצוֹת עִמָּהּ: תמיד עיני ה׳ אלהיך בה. לִרְאוֹת מַה הִיא צְרִיכָה, וּלְחַדֵּשׁ בָּהּ גְּזֵרוֹת, עִתִּים לְטוֹבָה עִתִּים לְרָעָה, כְּו׳ כִּדְאִיתָא בְּר״ה (דף י״ז): מרשית השנה. מֵרֹאשׁ הַשָּׁנָה נִדּוֹן מַה יְּהֵא בְּסוֹפָהּ (שם ח׳): (יג) והיה אם שמע. וְהָיָה מוּסָב עַל הָאָמוּר לְמַעְלָה, לִמְטַר הַשָּׁמַיִם תִּשְׁתֶּה מָּיִם: והיה אם שמע תשמעו. אִם שָׁמוֹעַ בַּיָּשָׁן תִּשְׁמְעוּ בֶּחָדָשׁ, וְכֵן אִם שָׁכֹחַ תִּשְׁכַּח (דב׳ ח׳) — אִם הִתְחַלְתָּ לִשְׁכּוֹחַ סוֹפְךָ שֶׁתִּשְׁכַּח כֻּלָּהּ, שֶׁכֵּן כְּתִיב בִּמְגִלָּה אִם תַּעַזְבֵנִי יוֹם יוֹמַיִם אֶעֶזְבֶךָּ: מצוה אתכם היום. שֶׁיִּהְיוּ עֲלֵיכֶם חֲדָשִׁים, כְּאִלּוּ שְׁמַעְתֶּם בּוֹ בַּיּוֹם (ספרי): לאהבה את ה׳. שֶׁלֹּא תֹאמַר הֲרֵי אֲנִי לוֹמֵד בִּשְׁבִיל שֶׁאֶהְיֶה עָשִׁיר, בִּשְׁבִיל שֶׁאֶקָּרֵא רַב, בִּשְׁבִיל שֶׁאֲקַבֵּל שָׂכָר, אֶלָּא כָּל מַה שֶׁתַּעֲשֶׂה עֲשֵׂה מֵאַהֲבָה וְסוֹף הַכָּבוֹד לָבֹא (שם): ולעבדו בכל לבבכם. עֲבוֹדָה שֶׁהִיא בַּלֵּב, וְזוֹ הִיא תְּפִלָּה, שֶׁהַתְּפִלָּה קְרוּיָה עֲבוֹדָה, שֶׁנֶּאֱמַר אֱלָהָךְ דִּי אַנְתְּ פָּלַח לֵהּ בִּתְדִירָא (דנ׳ ו׳) וְכִי יֵשׁ פּוּלְחָן בְּבָבֶל? אֶלָּא עַל שֶׁהָיָה מִתְפַּלֵּל שֶׁנֶּאֱמַר (שם) וְכַוִּין

thou sowedst thy seed, and wateredst *it* with thy foot, as a garden of green *herbs;* [11]But the land, whither ye go to possess it, *is* a land of mountains and deep valleys, *and* drinketh water of the rain of heaven; [12]A land which the Eternal thy God careth for: the eyes of the Eternal thy God *are* always upon it, from the beginning of the year even unto the end of the year. [13]And it shall come to pass, if you shall hearken diligently unto my commandments which I command you this day, to love the Eternal your God, and to serve him with all your heart, and with

רש״י

WHICH YE WENT FORTH — even the district of Raamses in which ye dwelt and which was in the best part of the land Egypt, as it is said, (Gen. XLVII. 11) "[And Joseph placed his father and his brethren] in the best part of the land, [in the land of Raamses]" — even that is not *as good* as the land of Israel (cf. Siphre)[1]). והשקית ברגלך [LIKE THE LAND OF EGYPT] WHICH THOU DIDST WATER WITH THY FOOT — The land of Egypt *was such that you* had to bring water from the Nile through your foot (i. e. you had to go to the Nile to bring water) to irrigate it — you had to rise from your sleep and to toil. *Then again,* the lowlying *parts alone* drank (were irrigated by the Nile) and not the higher *land,* and you had to take up water from the lower to the higher *parts:* but this *land (Canaan),* למטר השמים תשתה מים DRINKETH WATER OF THE RAIN OF HEAVEN — You may sleep *soundly* on your beds, and the Holy One, blessed be He, waters *both* low and high *districts, both* what is exposed and what is not exposed alike (Siphre). כגן הירק AS A GARDEN OF HERBS, which has not enough from rain *alone,* and one has to water it through the foot and shoulder (one has to run about to bring water which one has to carry on one's schoulder). **(11)** ארץ הרים ובקעת [THE LAND WHITHER THOU ART PASSING IS] A LAND OF HILLS AND VALLEYS — The mountain is better than the plain because in the plain, in *an area that takes* a Kor of seed, you can sow only a Kor, but *in* the mountain *the summit of* which is *an area that takes* a Kor, from it *you have areas for* five Kors *of seed:* four from its four slopes and one on its summit (Siphre). ובקעת — these are the plain lands[2]). **(12)** אשר ה׳ אלהיך דרש אתה [A LAND] WHICH THE LORD THY GOD CARETH FOR — But does He not care for all lands, as it said, (Job. XXXVIII. 26) "[Who hath cleft a way for the lightning of the thunder . . .] to cause rain even on a land where no man is"? But, if one can *say so of God,* He cares for that land alone, but through the care which He bestows on it, He cares also for all other lands with it (Siphre). תמיד עיני ה׳ אלהיך בה THE EYES OF THE LORD THY GOD ARE ALWAYS UPON IT, to see what it requires, and to make new dispensations for it, sometimes for good and sometimes for bad, as is *stated* in *Treatise* Rosh Hashanah (17b). מרשית השנה FROM THE BEGINNING OF THE YEAR [TO THE END OF THE YEAR] — At the beginning of the year it is decided *by God* what will be right up to the end of it (R. Hash. 8a)[3]). **(13)** והיה אם שמע AND IT SHALL COME TO PASS IF YE WILL HEARKEN — *The word* והיה is to be connected with what is said above (v. 11): "it drinketh water of the rain of heaven"[4]). והיה אם שמע תשמעו *lit.,* AND IT WILL COME TO PASS IF HEARKENING YE WILL HEARKEN — If you hearken to the old (if you hear again what you have already learnt, i. e. if you repeatedly study the old lessons), you will hearken to the new (you will the more easily gain new knowledge) (Succ. 46b; cf. Rashi on Ex. XIX. 5). Similar *is the meaning of* אם שכח תשכח (Deut. VIII. 19): If you have begun to forget, your end will be that you will forget all of it. So, too, is written in a *certain* Scroll[5]): If thou forgettest Me one day, I will forget thee two days[6]) (cf. Siphre on v. 22; Talmud Jer. end of Berachoth). מצוה אתכם היום [MY COMMANDMENTS WHICH I] COMMAND YOU THIS DAY — *This suggests* that they should *ever* be to you as new *commandments,* as though you had heard them *for the first*

NOTES

For Notes 1—6 see Appendix.

נַפְשְׁכֶם׃ יד וְנָתַתִּי מְטַר־אַרְצְכֶם בְּעִתּוֹ יוֹרֶה וּמַלְקוֹשׁ וְאָסַפְתָּ דְגָנֶךָ וְתִירֹשְׁךָ וְיִצְהָרֶךָ׃ טו וְנָתַתִּי עֵשֶׂב בְּשָׂדְךָ לִבְהֶמְתֶּךָ וְאָכַלְתָּ וְשָׂבָעְתָּ׃ טז הִשָּׁמְרוּ לָכֶם פֶּן־יִפְתֶּה לְבַבְכֶם וְסַרְתֶּם וַעֲבַדְתֶּם אֱלֹהִים אֲחֵרִים וְהִשְׁתַּחֲוִיתֶם לָהֶם׃ יז וְחָרָה אַף־יְהֹוָה בָּכֶם וְעָצַר אֶת־הַשָּׁמַיִם וְלֹא־יִהְיֶה מָטָר וְהָאֲדָמָה לֹא תִתֵּן אֶת־יְבוּלָהּ וַאֲבַדְתֶּם מְהֵרָה מֵעַל הָאָרֶץ

אונקלוס

בְּכָל לִבְּכוֹן וּבְכָל נַפְשְׁכוֹן׃ יד וְאֶתֵּן מְטַר אַרְעֲכוֹן בְּעִדָּנֵהּ בַּכִּיר וְלַקִּישׁ וְתִכְנוֹשׁ עֲבוּרָךְ וְחַמְרָךְ וּמִשְׁחָךְ׃ טו וְאֶתֵּן עִשְׂבָּא בְּחַקְלָךְ לִבְעִירָךְ וְתֵיכוֹל וְתִשְׂבַּע׃ טז אִסְתַּמָּרוּ לְכוֹן דִּילְמָא יִטְעֵה לִבְּכוֹן וְתִסְטוֹן וְתִפְלְחוּן לְטַעֲוַת עַמְמַיָּא וְתִסְגְּדוּן לְהוֹן׃ יז וְיִתְקוֹף רָגְזָא דַּייָ בְּכוֹן וְיֵחוֹד יָת שְׁמַיָּא וְלָא יְהֵא מִטְרָא

רש"י

פּוֹתְחָן לָהּ וְגוֹ'; וְכֵן בְּדָוִד הוּא אוֹמֵר (תה' קמ"א) תִּכּוֹן תְּפִלָּתִי קְטֹרֶת לְפָנֶיךָ׃ בכל לבבכם ובכל נפשכם. וַהֲלֹא כְּבָר הִזְהִיר בְּכָל לְבָבְךָ וּבְכָל נַפְשְׁךָ (דב' ו') אֶלָּא אַזְהָרָה לְיָחִיד, אַזְהָרָה לְצִבּוּר (ספרי)׃ (יד) ונתתי מטר ארצכם. עֲשִׂיתֶם מַה שֶּׁעֲלֵיכֶם אַף אֲנִי אֶעֱשֶׂה מַה שֶּׁעָלַי (שם)׃ בעתו. בַּלֵּילוֹת שֶׁלֹּא יַטְרִיחוּ אֶתְכֶם; ד"א בְּעִתּוֹ בְּלֵילֵי שַׁבָּתוֹת שֶׁהַכֹּל מְצוּיִן בְּבָתֵּיהֶם; יורה. הִיא רְבִיעָה הַנּוֹפֶלֶת לְאַחַר הַזְּרִיעָה, שֶׁמַּרְוָה אֶת הָאָרֶץ וְאֶת הַזְּרָעִים׃ מלקוש. רְבִיעָה הַיּוֹרֶדֶת סָמוּךְ לַקָּצִיר, לְמַלֹּאת הַתְּבוּאָה בְּקַשֶּׁיהָ. וּלְשׁוֹן מַלְקוֹשׁ דָּבָר הַמְאוּחָר כִּדְמְתַרְגְּמִינָן (בר' ל') וְהָיָה הָעֲטֻפִים לְלָבָן — לַקִּשַּׁיָּא; ד"א לְכָךְ נִקְרֵאת מַלְקוֹשׁ, שֶׁיּוֹרֶדֶת עַל הַמְּלִילוֹת וְעַל הַקַּשִּׁין׃ ואספת דגנך. אַתָּה תַּאַסְפֶנּוּ אֶל הַבַּיִת וְלֹא אוֹיְבֶיךָ, כָּעִנְיָן שֶׁנֶּאֱמַר אִם אֶתֵּן דְּגָנֵךְ וְגוֹ' כִּי מְאַסְפָיו יֹאכְלֻהוּ (יש' ס"ב) וְלֹא כָעִנְיָן שֶׁנֶּאֱמַר וְהָיָה אִם זָרַע יִשְׂרָאֵל וגו' (שופ' ו')׃ (טו) ונתתי עשב בשדך. שֶׁלֹּא תִצְטָרֵךְ לְהוֹלִיכָהּ לַמִּדְבָּרוֹת׃ ד"א שֶׁתְּהֵא גוֹזֵז תְּבוּאָתְךָ כָּל יְמוֹת הַגְּשָׁמִים וּמַשְׁלִיךְ לִפְנֵי בְהֶמְתְּךָ; וְאַתָּה מוֹנֵעַ יָדְךָ מִמֶּנָּה שְׁלֹשִׁים יוֹם קוֹדֶם לַקָּצִיר וְאֵינָהּ פּוֹחֶתֶת מִדְּגָנָהּ (ספרי)׃ ואכלת ושבעת. הֲרֵי זוֹ בְּרָכָה אַחֶרֶת שֶׁתְּהֵא בְרָכָה מְצוּיָה בַּפַּת בְּתוֹךְ הַמֵּעַיִם ואכלת ושבעת׃ (טז) השמרו לכם. כֵּיוָן שֶׁתִּהְיוּ אוֹכְלִים וּשְׂבֵעִים הִשָּׁמְרוּ לָכֶם שֶׁלֹּא תִבְעֲטוּ, שֶׁאֵין אָדָם מוֹרֵד בְּהַקָּדוֹשׁ בָּרוּךְ הוּא אֶלָּא מִתּוֹךְ שְׂבִיעָה. שֶׁנֶּאֱמַר פֶּן תֹּאכַל וְשָׂבָעְתָּ וּבְקָרְךָ וְצֹאנְךָ יִרְבְּיֻן (דב' ח') מַה הוּא אוֹמֵר אַחֲרָיו? וְרָם לְבָבֶךָ וְשָׁכַחְתָּ׃ וסרתם. לִפְרוֹשׁ מִן הַתּוֹרָה, וּמִתּוֹךְ כָּךְ ועבדתם אלהים אחרים, שֶׁכֵּיוָן שֶׁאָדָם פּוֹרֵשׁ מִן הַתּוֹרָה הוֹלֵךְ וּמִדַּבֵּק בַּעֲ"ז, וְכֵן דָּוִד אוֹמֵר כִּי גֵרְשׁוּנִי הַיּוֹם מֵהִסְתַּפֵּחַ בְּנַחֲלַת ה' לֵאמֹר לֵךְ עֲבֹד וְגוֹ' (ש"א כ"ו), וּמִי אָמַר לוֹ כֵּן? אֶלָּא כֵּיוָן שֶׁאֲנִי מְגֹרָשׁ מִלַּעֲסוֹק בַּתּוֹרָה, הֲרֵינִי קָרוֹב לַעֲבוֹד אֱלֹהִים אֲחֵרִים׃ אלהים אחרים. שֶׁהֵם אֲחֵרִים לְעוֹבְדֵיהֶם — צוֹעֵק אֵלָיו וְאֵינוֹ עוֹנֵהוּ, נִמְצָא עָשׂוּי לוֹ כְּנָכְרִי (ספרי)׃ (יז) את יבולה. אַף מַה שֶּׁאַתָּה מוֹבִיל לָהּ, כָּעִנְיָן שֶׁנֶּאֱמַר (חגי א') זְרַעְתֶּם הַרְבֵּה וְהָבֵא מְעָט (ספרי)׃ ואבדתם מהרה. עַל כָּל שְׁאָר הַיִּסּוּרִין אַגְלֶה אֶתְכֶן מִן הָאֲדָמָה שֶׁגָּרְמָה לָכֶם לַחֲטוֹא; מָשָׁל לְמֶלֶךְ שֶׁשָּׁלַח בְּנוֹ לְבֵית הַמִּשְׁתֶּה וְהָיָה יוֹשֵׁב וּמְפַקְּדוֹ אַל תֹּאכַל יוֹתֵר מִצָּרְכְּךָ, שֶׁתָּבֹא נָקִי לְבֵיתְךָ, וְלֹא הִשְׁגִּיחַ הַבֵּן הַהוּא, אָכַל וְשָׁתָה יוֹתֵר

הַטֹּבָה אֲשֶׁר יְהוָה נֹתֵן לָכֶם׃ יח וְשַׂמְתֶּם אֶת־
דְּבָרַי אֵלֶּה עַל־לְבַבְכֶם וְעַל־נַפְשְׁכֶם וּקְשַׁרְתֶּם
אֹתָם לְאוֹת עַל־יֶדְכֶם וְהָיוּ לְטוֹטָפֹת בֵּין עֵינֵיכֶם׃
יט וְלִמַּדְתֶּם אֹתָם אֶת־בְּנֵיכֶם לְדַבֵּר בָּם בְּשִׁבְתְּךָ
בְּבֵיתֶךָ וּבְלֶכְתְּךָ בַדֶּרֶךְ וּבְשָׁכְבְּךָ וּבְקוּמֶךָ׃
כ וּכְתַבְתָּם עַל־מְזוּזוֹת בֵּיתֶךָ וּבִשְׁעָרֶיךָ׃ כא לְמַעַן
יִרְבּוּ יְמֵיכֶם וִימֵי בְנֵיכֶם עַל הָאֲדָמָה אֲשֶׁר נִשְׁבַּע
יְהוָה לַאֲבֹתֵיכֶם לָתֵת לָהֶם כִּימֵי הַשָּׁמַיִם עַל־
הָאָרֶץ׃ ס שביעי ומפטיר כב כִּי אִם־שָׁמֹר
תִּשְׁמְרוּן אֶת־כָּל־הַמִּצְוָה הַזֹּאת אֲשֶׁר אָנֹכִי מְצַוֶּה
אֶתְכֶם לַעֲשֹׂתָהּ לְאַהֲבָה אֶת־יְהוָה אֱלֹהֵיכֶם לָלֶכֶת

אונקלוס

ואַרעא לא תתן ית עללתה ותיבדון בפריע מעל ארעא טבתא דיי יהב לכון׃ יח ותשוון ית פתגמי אלין על לבכון ועל נפשכון ותקטרון יתהון לאת על ידכון ויהון לתפלין בין עיניכון׃ יט ותלפון יתהון ית בניכון למללא בהון במתבך בביתך ובמהכך בארחא ובמשכבך ובמקימך׃ כ ותכתבנון על מזוזין ותקבענון בספי ביתך ובתרעך׃ כא בדיל (ד)יסגון יומיכון ויומי בניכון על ארעא די קיים יי לאבהתכון למתן להין כיומי שמיא על ארעא׃ כב ארי אם מטר תטרון ית כל פקודתא הדא די אנא מפקד יתכון למעבדה למרחם ית יי אלהכון

רש״י

מערכו, והקיא ושטף את כל בני המסבה, נטלוהו בידיו וברגליו וזרקוהו אחורי פלטרין (שם)׃ מדרה. איני נותן לכם ארבא, ואם תאמרו והלא נתנה ארבא לדור המבול שנאמר והיו ימיו מאה ועשרים שנה (ברי׳ ו) דור המבול לא היה להם ממי ללמוד ואתם יש לכם ממי ללמוד (ספרי)׃ (יח) ושמתם את דברי. אף לאחר שתגלו היו מצינים במצות, הניחו תפלין, עשו מזוזות, כדי שלא יהיו לכם חדשים כשתחזרו, וכן הוא אומר (יר׳ ל״א) הציבי לך צינים (ספרי)׃ (יט) לדבר בם. משעה שהבן יודע לדבר, למדהו „תורה צוה לנו משה" שיהא זה למוד דבורו; מכאן אמרו כשהתינוק מתחיל לדבר אביו משיח עמו בלשון הקדש ומלמדו תורה, ואם לא עשה כן הרי הוא כאלו קוברו, שנאמר ולמדתם אתם את בניכם לדבר בם וגו׳. (כא) למען ירבו ימיכם וימי בניכם. אם עשיתם כן ירבו, ואם לאו לא ירבו. שדברי תורה נדרשין מכלל לאו הן ומכלל הן לאו (ספרי)׃ לתת להם. לתת לכם אין כתיב כאן, אלא לתת

all your soul, [14]That I will give *you* the rain of your land in its season, the first rain and the latter rain, that thou mayest gather in thy corn and thy must, and thine oil. [15]And I will give grass in thy fields for thy beasts, that thou mayest eat and be satisfied. [16]Take heed to yourselves that your heart mislead *you* not, and ye turn aside, and serve other gods, and prostrate yourselves before them; [17]And *then* the wrath of the Eternal will glow against you, and he will restrain the heaven, that there be no rain, and that the ground give not its increase; and ye shall perish quickly from off the good land

רש"י

time on that day (Siphre on v. 32). לאהבה את ה' TO LOVE THE LORD — *This means* that you should not say: Well, I will learn, but in order that I may become rich, in order that I may obtain the title Rabbi, in order that I may receive a prize, — but whatever you do, do *it* out of love *for God*, and ultimately the honour *which you desire* will *certainly* come (Siphre). ולעבדו בכל לבבכם AND TO SERVE HIM WITH ALL YOUR HEART — *i.e. to serve Him with* a service that is in the heart: that is prayer, for prayer is termed service (עבודה), as it is said, (Dan. VI. 17) "Thy God whom thou servest continually". But was there service (i. e. sacrificial service, the technical term for which is עבודה) in Babylon? But *the term is used* because he offered prayer *there*, as it is said, (ib. v. 11) "Now his windows were open [in his upper chamber towards Jerusalem and he kneeled upon his knees three times a day and prayed]". And so, too, it states in *the case of* David (Ps. CXLI. 2): "Let my prayer be set forth as incense before Thee" (incense being part of the sacrificial service) (Siphre). בכל לבבכם ובכל נפשכם [TO LOVE THE LORD] WITH ALL YOUR HEART AND WITH ALL YOUR SOUL — But has it not already admonished *us to love God, by the words* (VI. 5) "[Thou shalt love the Lord thy God] with all thy heart and with all thy soul"? But *that was* an admonition addressed to each and every individual ("with all thy heart"), *whilst here it is* an admonition addressed to *them as* a community ("with all your heart") (Siphre). **(14)** ונתתי מטר ארצכם I WILL GIVE THE RAIN OF YOUR LAND [IN ITS SEASON] — You will *then* have done what devolved upon you, I, too, shall do what devolves upon Me (Siphre; cf. Rashi on XXVI. 15). בעתו [RAIN ...] IN ITS SEASON — *i. e.* at night time, so that it may not cause you any trouble. — Another explanation of בעתו IN ITS SEASON is: on Sabbath (Friday) nights when everyone is usually at home (cf. Siphre; Taan. 23a; see Rashi on Lev. XXVI. 4). יורה THE FIRST RAIN — This is the rain that falls after the sowing-time, which thoroughly drenches (מרוה) the soil and the seed (Siphre; Taan. 6a). מלקוש THE LATTER RAIN is the rain that descends just before the harvest time to make the grain full (ripe) on its stalk. The term מלקוש refers to something that is late, just as in the Targum we translate והיה העטפים ללבן (Gen. XXX. 42; see Rashi thereon) "those born late were Laban's" *by* לקשיא. — Another explanation: The reason why it is called מלקוש is because it falls *at the same period* upon the ears (מלילות) and the stalks (קש) (i. e. just before the harvest). ואספת דגנך AND THOU SHALT GATHER IN THY CORN *means:* and thou shalt gather it into thy house, and not thy enemies, just as it is said, (Is. LXII. 8—9) "[The Lord hath sworn ...], surely I will no more give thy corn [to be food for thine enemies], but they that have gathered it shall eat it"; and not as it is said, (Judg. VI. 3) "And so it was when Israel had sown that the Midianites came up [and destroyed the produce of the land]" (Siphre). **(15)** ונתתי עשב בשדך AND I WILL GIVE GRASS IN THY FIELD [FOR THY CATTLE] — *in thy field:* so that you will not need to lead them to distant pasture grounds. Another explanation: *it means* that you will be able to cut your grain all the rainy season and cast it before

which the Eternal giveth you. [18]Therefore shall ye put these my words in your heart and in your soul, and bind them for a sign upon your hand, and they shall be as frontlets between your eyes. [19]And ye shall teach them your children, speaking of them when thou sittest in thine house, and when thou walkest by the way, and when thou liest down, and when thou risest up. [20]And thou shalt write them upon the door-posts of thine house, and in thy gates; [21]That your days may increase, and the days of your children, on the ground which the Eternal sware unto your fathers to give them, as the days of heaven upon the earth. [22]For if ye shall diligently keep my commandments which I command you, to do them, to love the Eternal your God, to go

רש״י

thy cattle as fodder[1]), and if you withdraw your hand from it (stop doing this) *only* thirty days before the harvest, it will not give you less of its corn *than if you had not fed your cattle with it* (as is implied by ואכלת ושבעת, you will eat to the full) (Siphre). ואכלת ושבעת AND THOU SHALT EAT AND BE SATISFIED — This is quite another (a separate) blessing;[2]) *it means* that a blessing will be on the bread within the stomach (see Rashi Lev. XXV. 19). ואכלת ושבעת — **(16)** השמרו לכם AND THOU SHALT EAT AND BE SATISFIED, (16) TAKE HEED [THAT YOUR HEART MISLEAD YOU NOT]* — when you have eaten and are full, take heed to yourselves that you kick not *against God;* for *usually* no man rebels against the Holy One, blessed be He, except out of satiety, as it is said, (VIII. 12—14) "Lest thou eat and art full ... and thy herds and flocks increase". What is stated after this? "And thy heart be lifted up and thou forget [the Lord thy God]". **וסרתם** AND YE TURN ASIDE, to depart from the Torah, and through this, **ועבדתם אלהים אחרים** YE WILL SERVE OTHER GODS, for so soon as a man departs from the Torah he goes and clings to idol-worship. Similarly did David say, (1 Sam. XXVI. 19) "For they have driven me out this day, that I should not cleave to the inheritance of the Lord (the Torah) saying, Go, serve other gods". But who had *really* said thus to him?! But *he meant:* Since I am driven out so that I can no longer occupy myself with the Torah, I am nearly *exposed to the danger of* serving other gods (Siphre). **אלהים אחרים** OTHER GODS — *i. e.* gods that are o t h e r (alien) to those who worship them: one calls to it, and it does not answer him; consequently it becomes to him like a stranger. **(17) את יבולה** [THE GROUND WILL NOT GIVE] ITS יבול — *it will not yield* even as much as what you have brought (יבול) to it (even the same quantity of seed you have sown in it), just as it is said, (Hag. I. 6) "You sow much, but bring in little" (Siphre; cf. Rashi on Lev. XXVI. 20). **ואבדתם מהרה** AND YE SHALL PERISH QUICKLY — In addition to all the other sufferings I will banish you from the soil which made you sin (Siphre)[3]). A parable! *It may be compared* to *the case of* a king who sent his son to the banqueting hall and earnestly charged him, "Do not eat more than you need, in order that you may come home clean!" The son, however, took no notice *of this;* he ate and drank more than he needed, and vomited *it* up and befouled all the company. They took him by his hands and feet and cast him out of the palace (ib.). **מהרה** [AND YE SHALL PERISH] QUICKLY — I will give you no respite. But if you ask: Was not respite given to the generation of the flood, as it is said, (Gen. VI. 3) "His days shall be (i. e. a respite shall be given him for) one hundred and twenty years"? *Then I reply:* The generation of flood had no one from whom to learn, but you have someone from whom to learn (Siphre). **(18) ושמתם את דברי** AND YE SHALL PLACE MY WORDS [UPON YOUR HEART] — Even after you have been banished make yourselves distinctive by means of *My* commands: lay Tephillin, attach

NOTES

For Notes 1—3 see Appendix.

בְּכָל־דְּרָכָיו וּלְדָבְקָה־בוֹ: כג וְהוֹרִישׁ יְהוָה אֶת־כָּל־הַגּוֹיִם הָאֵלֶּה מִלִּפְנֵיכֶם וִירִשְׁתֶּם גּוֹיִם גְּדֹלִים וַעֲצֻמִים מִכֶּם: כד כָּל־הַמָּקוֹם אֲשֶׁר תִּדְרֹךְ כַּף־רַגְלְכֶם בּוֹ לָכֶם יִהְיֶה מִן־הַמִּדְבָּר וְהַלְּבָנוֹן מִן־הַנָּהָר נְהַר־פְּרָת וְעַד הַיָּם הָאַחֲרוֹן יִהְיֶה גְּבֻלְכֶם: כה לֹא־יִתְיַצֵּב אִישׁ בִּפְנֵיכֶם פַּחְדְּכֶם וּמוֹרַאֲכֶם יִתֵּן ׀ יְהוָה אֱלֹהֵיכֶם עַל־פְּנֵי כָל־הָאָרֶץ אֲשֶׁר תִּדְרְכוּ־בָהּ כַּאֲשֶׁר דִּבֶּר לָכֶם:

ומפטירין עניה סערה בישעיה בסימן נ״ד. קי״א ח״ק. יעל״א. סימן.

ס ס ס

כו רְאֵה אָנֹכִי נֹתֵן לִפְנֵיכֶם הַיּוֹם בְּרָכָה וּקְלָלָה: כז אֶת־הַבְּרָכָה אֲשֶׁר תִּשְׁמְעוּ אֶל־מִצְוֹת

אונקלוס

לִמְהָךְ בְּכָל אָרְחָן דְּתַקְנָן קֳדָמוֹהִי וּלְאִתְקָרָבָא לְדַחַלְתֵּהּ: כג וִיתָרֵךְ יְיָ יָת כָּל עַמְמַיָּא הָאִלֵּין מִקֳּדָמֵיכוֹן וְתֵירְתוּן עַמְמִין סַגִּיאִין וְתַקִּיפִין מִנְּכוֹן: כד כָּל אַתְרָא דִּי תִדְרוֹךְ פַּרְסַת רַגְלְכוֹן בֵּהּ לְכוֹן יְהֵי מִן מַדְבְּרָא וְלִבְנָן מִן נַהְרָא נְהַר פְּרָת וְעַד יַמָּא מַעַרְבָא יְהֵי תְחוּמְכוֹן: כה לָא יִתְעַתַּד אֱנָשׁ קֳדָמֵיכוֹן דַּחַלְתְּכוֹן וְאֵימָתְכוֹן יִתֵּן יְיָ אֱלָהֲכוֹן עַל אַפֵּי כָל אַרְעָא דִּי תִדְרְכוּן בַּהּ כְּמָא דִּי מַלִּיל לְכוֹן:

כו חֲזוֹ דִּי אֲנָא יָהֵב קֳדָמֵיכוֹן יוֹמָא דֵּין בִּרְכָן וּלְוָטִין: כז יָת בִּרְכָן דִּי תְקַבְּלוּן

רש״י

לָהֶם, מִכָּאן מָצִינוּ לְמֵדִים תְּחִיַּת הַמֵּתִים מִן הַתּוֹרָה: (כב) שמר תשמרון. אַזְהָרַת שְׁמִירוֹת הַרְבֵּה, לְהִזָּהֵר בְּתַלְמוּדוֹ שֶׁלֹּא יִשְׁתַּכַּח (שם): ללכת בכל דרכיו. הוּא רַחוּם וְאַתָּה תְּהֵא רַחוּם, הוּא גּוֹמֵל חֲסָדִים וְאַתָּה גּוֹמֵל חֲסָדִים (שם): ולדבקה בו. אֶפְשָׁר לוֹמַר כֵּן? וַהֲלֹא אֵשׁ אוֹכְלָה הוּא? אֶלָּא הִדָּבֵק בְּתַלְמִידִים וּבַחֲכָמִים וּמַעֲלֶה אֲנִי עָלֶיךָ כְּאִלּוּ נִדְבַּקְתָּ בוֹ (ספרי): (כג) והוריש ה׳ עֲשִׂיתֶם מַה שֶּׁעֲלֵיכֶם, אַף אֲנִי אֶעֱשֶׂה מַה שֶּׁעָלַי (שם): ועצמים מכם. אַתֶּם גִּבּוֹרִים, וְהֵם גִּבּוֹרִים מִכֶּם, שֶׁאִם לֹא שֶׁיִּשְׂרָאֵל גִּבּוֹרִים מַה הַשֶּׁבַח הַהוּא שֶׁמְּשַׁבֵּחַ אֶת הָאֱמוֹרִיִּים לוֹמַר וַעֲצוּמִים מִכֶּם? אֶלָּא אַתֶּם גִּבּוֹרִים מִשְּׁאָר הָאֻמּוֹת, וְהֵם גִּבּוֹרִים מִכֶּם (עי׳ שם): (כה) לא יתיצב איש וגו׳. אֵין לִי אֶלָּא אִישׁ אֻמָּה וּמִשְׁפָּחָה וְאִשָּׁה בִּכְשָׁפֶיהָ מִנַּיִן? תַּלְמוּד לוֹמַר לֹא יִתְיַצֵּב מִכָּל מָקוֹם, אִם כֵּן מַה תַּלְמוּד לוֹמַר אִישׁ? אֲפִילוּ כְּעוֹג מֶלֶךְ הַבָּשָׁן (שם): פחדכם ומוראכם. וַהֲלֹא פַּחַד הוּא מוֹרָא? אֶלָּא פַּחְדְּכֶם עַל הַקְּרוֹבִים וּמוֹרַאֲכֶם עַל הָרְחוֹקִים; פַּחַד לְשׁוֹן בְּעִיתַת פִּתְאוֹם, מוֹרָא לְשׁוֹן דְּאָגָה מִיָּמִים רַבִּים: כאשר דבר לכם. וְהֵיכָן דִּבֵּר? (שמ׳ כ״ג) אֶת אֵימָתִי אֲשַׁלַּח לְפָנֶיךָ וְגו׳ (ספרי):

in all his ways, and to cleave unto him; [23]Then will the Eternal dispossess all these nations before you, and ye shall possess greater nations and mightier than yourselves. [24]Every place whereon the soles of your feet shall tread shall be yours: from the desert and Lebanon, from the river, the river Euphrates, even unto the back sea, shall your boundary be. [25]There shall no man be able to stand before you: *for* the Eternal your God shall lay the dread of you and the terribleness of you upon all the land that ye shall tread upon, as he hath said unto you. [26]Behold, I set before you this day a blessing and a curse: [27]The blessing, if ye obey the commandments of

רש"י

Mezuzoth *to your doorposts,* so that these shall not be novelties to you when you return. Similarly does it state, (Jer. XXXI. 21) "Set thee up distinquishing marks" (cf. Siphre)[1]). **(19)** לדבר בם [AND YE SHALL TEACH THEM UNTO YOUR CHILDREN,] TO SPEAK OF THEM — From the moment when your son knows how to speak, teach him *the text* (XXXIII. 4) "Moses commanded us the Torah as a possession of the congregation of Jacob" — so that this should be the means of teaching him to speak[2]) (Succ. 42a). From this they (the Rabbis) derived *their teaching:* When the babe begins to speak, his father should speak with him in the Holy Tongue, and should instruct him in the Torah. If he does not do this, it is as though he buries him, as it is said *here,* "And ye shall teach them unto your children to speak of them, etc.", **(21)** למען ירבו ימיכם וימי בניכם IN ORDER THAT YOUR DAYS MAY BE INCREASED AND THE DAYS OF YOUR CHILDREN — *We may learn from this that* if you do so, then they will be increased, but if not, they will not be increased, for the statements of the Torah may be expounded so as to derive from the negative the positive, and from the positive, the negative (Siphre). לתת להם [THE LAND WHICH THE LORD SWARE UNTO YOUR FATHERS] TO GIVE TO THEM — It is not written here "to give to you", but "to give to them". From this we are able to derive that *the tenet of* the "Resurrection of the Dead" is of Biblical origin (more lit., is from the Torah) (Siphre). **(22)** שמר תשמרון [IF] YE SHALL DILIGENTLY OBSERVE [ALL THESE COMMANDMENTS] — *The repetition of the verb implies* an admonition to be very much on one's guard: to be careful in respect to one's study *of the Torah* that it should not be forgotten (cf. Siphre). ללכת בכל דרכיו TO WALK IN ALL HIS WAYS — He is merciful, be thou merciful; He bestows lovingkindness, bestow thou lovingkindness (Siphre). ולדבקה בו AND TO CLEAVE TO HIM — Is it possible to say this? Is He not "a consuming fire" (IV. 24)? But *it means:* cleave to the scholars and sages, and I will account it unto you as though you cleave to Him (Siphre). **(23)** הוריש ה׳ THEN THE LORD WILL DRIVE OUT [ALL THESE NATIONS FROM BEFORE YOU] — If you do what devolves upon you, "I" will do what devolves upon Me (Siphre; cf. Rashi on v. 14). ועצמים מכם [YE SHALL POSSESS NATIONS] MIGHTIER THAN YOURSELVES — You are mighty, but they are mightier than you; for if *this does* not *mean to suggest* that the Israelites are mighty, what superiority is it that he ascribes to the Amorites by saying "mightier than yourselves"? But *the meaning must be:* you are mightier than other nations and they are mightier than you (cf. Siphre). **(25)** לא יתיצב איש וגו׳ NO MAN SHALL STAND [BEFORE YOU] — I have *here* the *statement* only *regarding* a man! Whence *may I derive that the same applies* to a nation or a family or a woman with her witchcraft? Because it states: לא יתיצב, "there shall be no standing *before you*" — under any circumstances. — If *this be* so, why does it speak of a man? *It means a man,*

NOTES

[1]) The quotation is an apt one, for the words were addressed to the Israelites in exile in Babylon (cf. Jer. XXXI. 1).

[2]) The verse is taken to mean: "And ye shall teach them to your children to speak through them, i. e. that they should speak by means of them.

יְהוָה אֱלֹהֵיכֶם אֲשֶׁר אָנֹכִי מְצַוֶּה אֶתְכֶם הַיּוֹם: כח וְהַקְּלָלָה אִם־לֹא תִשְׁמְעוּ אֶל־מִצְוֹת יְהוָה אֱלֹהֵיכֶם וְסַרְתֶּם מִן־הַדֶּרֶךְ אֲשֶׁר אָנֹכִי מְצַוֶּה אֶתְכֶם הַיּוֹם לָלֶכֶת אַחֲרֵי אֱלֹהִים אֲחֵרִים אֲשֶׁר לֹא־יְדַעְתֶּם: ס כט וְהָיָה כִּי יְבִיאֲךָ יְהוָה אֱלֹהֶיךָ אֶל־הָאָרֶץ אֲשֶׁר־אַתָּה בָא־שָׁמָּה לְרִשְׁתָּהּ וְנָתַתָּה אֶת־הַבְּרָכָה עַל־הַר גְּרִזִים וְאֶת־הַקְּלָלָה עַל־הַר עֵיבָל: ל הֲלֹא־הֵמָּה בְּעֵבֶר הַיַּרְדֵּן אַחֲרֵי דֶּרֶךְ מְבוֹא הַשֶּׁמֶשׁ בְּאֶרֶץ הַכְּנַעֲנִי הַיֹּשֵׁב בָּעֲרָבָה מוּל הַגִּלְגָּל אֵצֶל אֵלוֹנֵי מֹרֶה: לא כִּי אַתֶּם עֹבְרִים אֶת־הַיַּרְדֵּן לָבֹא לָרֶשֶׁת אֶת־הָאָרֶץ אֲשֶׁר־יְהוָה

אונקלוס

לְפִקּוֹדַיָּא דַּייָ אֱלָהֲכוֹן דִּי אֲנָא מְפַקֵּד יָתְכוֹן יוֹמָא דֵין: כח וּלְוָטַיָּא אִם לָא תְקַבְּלוּן לְפִקּוֹדַיָּא דַּייָ אֱלָהֲכוֹן וְתִסְטוּן מִן אָרְחָא דִּי אֲנָא מְפַקֵּד יָתְכוֹן יוֹמָא דֵין לִמְהָךְ בָּתַר טַעֲוַת עַמְמַיָּא דִּי לָא יְדַעְתּוּן: כט וִיהֵי אֲרֵי יַעֲלִנָּךְ יְיָ אֱלָהָךְ לְאַרְעָא דִּי אַתְּ עָלֵל תַּמָּן לְמֵירְתַהּ וְתִתֵּן יָת מְבָרְכַיָּא עַל טוּרָא דִגְרִזִּין וְיָת מְלָטְטַיָּא עַל טוּרָא דְעֵיבָל: ל הֲלָא אִנּוּן בְּעִבְרָא דְיַרְדְּנָא אֲחוֹרֵי אֹרַח מַעְלָנֵי שִׁמְשָׁא בְּאַרְעָא כְּנַעֲנָאָה דְּיָתֵב בְּמֵישְׁרָא לָקֳבֵל גִּלְגְּלָא בִּסְטַר מֵישְׁרֵי מוֹרֶה: לא אֲרֵי אַתּוּן עָבְרִין יָת יַרְדְּנָא לְמֵיעַל לְמֵירַת יָת אַרְעָא דַּייָ אֱלָהֲכוֹן יָהֵב לְכוֹן

רש״י

(כו) ראה אנכי... ברכה וקללה. הָאֲמוּרוֹת בְּהַר גְּרִזִים וּבְהַר עֵיבָל: (כז) את הברכה. עַל מְנָת אשר תשמעו: (כח) מן הדרך אשר אנכי מצוה אתכם היום ללכת וגו׳. הָא לָמַדְתָּ כָּל הָעוֹבֵד עֲ״זָ הֲרֵי הוּא סָר מִכָּל הַדֶּרֶךְ שֶׁנִּצְטַוּוּ יִשְׂרָאֵל מִכָּאן אָמְרוּ הַמּוֹדֶה בַּעֲ״זָ כְּכוֹפֵר בְּכָל הַתּוֹרָה כֻּלָּהּ (ספרי): (כט) ונתתה את הברכה. כְּתַרְגּוּמוֹ יָת מְבָרְכַיָּא — אֶת הַמְבָרְכִים: על הר גרזים. כְּלַפֵּי הַר גְּרִזִים הוֹפְכִין פְּנֵיהֶם וּפָתְחוּ בִּבְרָכָה בָּרוּךְ הָאִישׁ אֲשֶׁר לֹא יַעֲשֶׂה פֶסֶל וּמַסֵּכָה וְגוֹ׳. כָּל הָאֲרוּרִים שֶׁבַּפָּרָשָׁה אָמְרוּ תְּחִלָּה בִּלְשׁוֹן בָּרוּךְ וְאַחַר כָּךְ הָפְכוּ פְּנֵיהֶם כְּלַפֵּי הַר עֵיבָל וּפָתְחוּ בִּקְלָלָה (סוטה ל״ג): (ל) הלא המה. נָתַן בָּהֶם סִימָן: אחרי. אַחַר הַעֲבָרַת הַיַּרְדֵּן הַרְבֵּה וְהָלְאָה לְמֶרְחוֹק: תָהוּ לְשׁוֹן אַחֲרַי, כָּל מָקוֹם שֶׁנֶּאֱמַר אַחֲרֵי מֻפְלָג הוּא: דרך מבוא השמש. לְהַלָּן מִן הַיַּרְדֵּן לְצַד מַעֲרָב, וְטַעַם הַמִּקְרָא מוֹכִיחַ שֶׁהֵם שְׁנֵי דְבָרִים, שֶׁנִּקְּדוּ בִשְׁנֵי טְעָמִים, „אַחֲרֵי" נָקוּד בְּפַשְׁטָא, „דֶּרֶךְ" וְ„דֶרֶךְ" נָקוּד בְּמַשְׁפֵּל, וְהוּא דָגֵשׁ, וְאִם הָיָה „אַחֲרֵי דֶרֶךְ" דִּבּוּר אֶחָד, הָיָה נָקוּד אַחֲרֵי בִּמְשָׁרֵת, בְּשׁוֹפָר הָפוּךְ, וְדֶרֶךְ בְּפַשְׁטָא וְרָפֶה: מול הגלגל. רָחוֹק מִן

the Eternal your God, which I command you this day; [28]And a curse, if ye will not obey the commandments of the Eternal your God, but depart from the way which I command you this day, to go after other gods, which ye have not known. [29]And it shall come to pass, when the Eternal thy God hath brought thee in unto the land whither thou goest to possess it, that thou shalt put the blessing upon mount Gerizim, and the curse upon mount Ebal. [30]*Are* they not on the other side of the Jordan, behind the way of the setting of the sun, in the land of the Canaanites, who abide in the plains over against Gilgal, beside the terebinths of Moreh? [31]For ye shall pass over the Jordan, to go in to possess the land which the Eternal

רש״י

be he even as Og, king of Bashan (Siphre; cf. Rashi on III. 11). פחדכם ומוראכם THE DREAD OF YOU AND THE FEAR OF YOU [THE LORD WILL PLACE UPON ALL THE LAND] — Is not, however, פחד the same as מורא? But פחדכם, "the dread of you", refers to peoples near by, and מוראכם, "the fear of you" to those far away, *for* פחד denotes "sudden terror", and מורא denotes apprehension enduring for many days (cf. Rashi on Sota 20b and Nidd. 71a; see also Rashi on Ex. XV. 16 and Note p. 241 there). כאשר דבר לכם AS HE HATH SAID TO YOU — And where did He say *this? In Exodus XXIII. 27:* "I will send My terror before thee" (Siphre).

ראה

(26) ראה אנכי ... ברכה וקללה BEHOLD I [SET BEFORE YOU THIS DAY] A BLESSING AND A CURSE — *those* which are *later* to be recited on Mount Gerizim and on Mount Ebal *respectively* (cf. v. 29)[1]). **(27)** את הברכה [I SET BEFORE YOU] THE BLESSING — with the view that ye should obey (אשר תשמעו)[2]). **(28)** מן הדרך אשר אנכי מצוה אתכם היום ללכת וגו׳ [IF YE DEPART] FROM THE WAY WHICH I COMMAND YOU THIS DAY, TO GO [AFTER OTHER GODS] etc. — You thus learn that he who serves idols departs from the entire path *of life* that Israel has been commanded. From this *passage it was, that* they (the Rabbis) taught *the well-known dictum that* he who acknowledges *the divinity of* an idol is as though he denied the Torah in its entirety (Siphre). **(29)** ונתת את הברכה THEN THOU SHALT PUT THE BLESSING [UPON MOUNT GERIZIM] — *Understand this* as the Targum *renders it:* ית מברכיא, those who pronounce the blessing. על הר גרזים *means* "towards Mount Gerizim": they (the Levites) turned their faces *towards it* and began with a *formula of* blessing: "Blessed be the man that doth not make any graven or molten image etc.". *For* each of the *paragraphs beginning with the expression* ארור *as set forth* in the chapter (XXVII.), they first recited *in a converse form, beginning* with the expression ברוך, "Blessed be *etc.*" and *only* afterwards did they turn their faces towards Mount Ebal and began to recite the *corresponding* curse (Sota 32a; cf. Rashi on XXVII. 12)[3]). **(30)** הלא המה ARE THEY NOT [AT THE PASSAGE OF THE JORDAN ...]? — He gave *geographical* indications regarding them (the mountains)[4]). אחרי [AT THE PASSAGE OF THE JORDAN,] AFTER — *This means:* behind the passage of the Jordan much further on in a distance, for that is *the force of* the expression אחרי, *because* wherever *the term* אחרי (in contradistinction to אחר; cf. Rashi on Gen. XV. 1) is used it signifies "greatly separated" (cf. Siphre; Sota 33b). דרך מבוא השמש [AT THE PASSAGE OF THE JORDAN, FAR DISTANT FROM IT] ON THE WAY OF THE SETTING

NOTES

For Notes 1—3 see Appendix.

[4]) There is a difference of opinion in the Talmud (Sota 33b) whether the descriptions given here refer to the mountain or whether it is a general description of the way they should take when entering the country. Rashi adopts the former view as being much more in accordance with the literal sense of the text, since הלא המה can only refer to the mountains just mentioned (cf. also Siphre).

אֱלֹהֵיכֶם נֹתֵן לָכֶם וִירִשְׁתֶּם אֹתָהּ וִישַׁבְתֶּם־בָּהּ:
לב וּשְׁמַרְתֶּם לַעֲשׂוֹת אֵת כָּל־הַחֻקִּים וְאֶת־
הַמִּשְׁפָּטִים אֲשֶׁר אָנֹכִי נֹתֵן לִפְנֵיכֶם הַיּוֹם: יב אֵלֶּה
הַחֻקִּים וְהַמִּשְׁפָּטִים אֲשֶׁר תִּשְׁמְרוּן לַעֲשׂוֹת
בָּאָרֶץ אֲשֶׁר נָתַן יְהֹוָה אֱלֹהֵי אֲבֹתֶיךָ לְךָ לְרִשְׁתָּהּ
כָּל־הַיָּמִים אֲשֶׁר־אַתֶּם חַיִּים עַל־הָאֲדָמָה: ב אַבֵּד
תְּאַבְּדוּן אֶת־כָּל־הַמְּקֹמוֹת אֲשֶׁר עָבְדוּ־שָׁם
הַגּוֹיִם אֲשֶׁר אַתֶּם יֹרְשִׁים אֹתָם אֶת־אֱלֹהֵיהֶם עַל־
הֶהָרִים הָרָמִים וְעַל־הַגְּבָעוֹת וְתַחַת כָּל־עֵץ רַעֲנָן:
ג וְנִתַּצְתֶּם אֶת־מִזְבְּחֹתָם וְשִׁבַּרְתֶּם אֶת־מַצֵּבֹתָם
וַאֲשֵׁרֵיהֶם תִּשְׂרְפוּן בָּאֵשׁ וּפְסִילֵי אֱלֹהֵיהֶם תְּגַדֵּעוּן
וְאִבַּדְתֶּם אֶת־שְׁמָם מִן־הַמָּקוֹם הַהוּא: ד לֹא־
תַעֲשׂוּן כֵּן לַיהֹוָה אֱלֹהֵיכֶם: ה כִּי אִם־אֶל־הַמָּקוֹם

אונקלוס

וְתֵירְתוּן יָתַהּ וְתֵיתְבוּן בַּהּ: לב וְתִטְּרוּן לְמֶעְבַּד יָת כָּל קְיָמַיָּא וְיָת דִּינַיָּא דִּי
אֲנָא יָהֵב קֳדָמֵיכוֹן יוֹמָא דֵין: א אִלֵּין קְיָמַיָּא וְדִינַיָּא דִּי תִטְּרוּן לְמֶעְבַּד בְּאַרְעָא
דִּיהַב יְיָ אֱלָהָא דַאֲבָהָתָךְ לָךְ לְמֵירְתַהּ כָּל יוֹמַיָּא דִּי אַתּוּן קַיָּמִין עַל אַרְעָא:
ב אַבָּדָא תְאַבְּדוּן יָת כָּל אַתְרַיָּא דִּי פְלָחוּ תַמָּן עַמְמַיָּא דִּי אַתּוּן יָרְתִין יָתְהוֹן יָת
טַעֲוָתְהוֹן עַל טוּרַיָּא רָמַיָּא וְעַל רָמָתָא וּתְחוֹת כָּל אִילָן עֲבוּף: ג וּתְתָרְעוּן יָת
אֱגוֹרֵיהוֹן וּתְתַבְּרוּן יָת קָמָתְהוֹן וַאֲשֵׁרֵיהוֹן תּוֹקְדוּן בְּנוּרָא וְצַלְמֵי טַעֲוָתְהוֹן
תְּקוּצְצוּן וְתוֹבְדוּן יָת שְׁמְהוֹן מִן אַתְרָא הַהוּא: ד לָא תַעְבְּדוּן כֵּן קֳדָם יְיָ אֱלָהֲכוֹן:
ה אֱלָהֵן לְאַתְרָא דִּי יִתְרְעֵי יְיָ אֱלָהֲכוֹן מִכָּל שִׁבְטֵיכוֹן לְאַשְׁרָאָה שְׁכִנְתֵּהּ תַּמָּן

רש"י

הַגִּלְגָּל: אֵלוֹנֵי מֹרֶה. שְׁכֶם הוּא, שֶׁנֶּאֱמַר (בר' י"ב) עַד מְקוֹם שְׁכֶם עַד אֵלוֹן מוֹרֶה (ספרי):
(לא) כִּי אַתֶּם עֹבְרִים אֶת הַיַּרְדֵּן וְגו'. נִסִּים שֶׁל יַרְדֵּן יִהְיוּ סִימָן בְּיֶדְכֶם שֶׁתָּבֹאוּ
וִתִירְשׁוּ אֶת הָאָרֶץ (עי' ספרי):

יב (ב) אַבֵּד תְּאַבְּדוּן. אַבֵּד וְאַחַר כַּךְ תְּאַבְּדוּן! מִכַּאן לַעוֹקֵר עֲ"ז שֶׁצָּרִיךְ לְשָׁרֵשׁ
אַחֲרֶיהָ (ע"ז מ"ה): אֶת כָּל הַמְּקֹמוֹת אֲשֶׁר עָבְדוּ שָׁם וְגו'. וּמַה תְּאַבְּדוּן מֵהֶם? אֶת
אֱלֹהֵיהֶם אֲשֶׁר עַל הֶהָרִים: (נ) מִזְבֵּחַ. שֶׁל אֲבָנִים הַרְבֵּה, מַצֵּבָה. שֶׁל אֶבֶן אַחַת, וְהִיא

your God giveth you, and ye shall possess it, and abide therein. [32]And ye shall observe to do all the statutes and judgments which I set before you this day.

12. [1]These *are* the statutes and judgments which ye shall observe to do in the land which the Eternal God of thy fathers giveth thee to possess it, all the days that ye live upon the ground. [2]Ye shall utterly destroy all the places wherein the nations which ye shall possess served their gods, upon the lofty mountains and upon the hills, and under every bushy tree: [3]And you shall pull down their altars, and break their monuments in pieces, and burn their groves with fire; and you shall cut down the graven images of their gods, and destroy the names of them out of that place. [4]Ye shall not do so unto the Eternal your God. [5]But unto the

רש"י

OF THE SUN — *i. e.* beyond the Jordan towards the West. The accents in the verse prove that they (the word אחרי and the phrase דרך מבוא השמש) are two *unconnected* phrases since they bear two *separate* accents *of a different character, viz., the word* אחרי is marked by a Pashta (a disjunctive accent), and the word דרך is marked by a משפל (our Yetib), and *also* has a Dagesh. If, however, אחרי דרך formed one phrase, the word אחרי should be marked by a conjunctive accent, a שופר הפוך (our Mahpach) and דרך by a Pashta, whilst the ד of דרך would be "weak" (i. e. have no Dagesh; cf. Rashi on Josh. VII. 15)[1]). מול הגלגל *means*, distant from Gilgal (not near Gilgal)[2]). אלוני מורה [BESIDE] THE TEREBINTHS OF MOREH — *This is* Shechem, for it states, (Gen. XII. 6): "unto the place of Shechem, unto the terebinth of Moreh" (cf. Rashi on that verse). **(31)** כי אתם עברים את הירדן וגו' FOR YE SHALL PASS OVER THE JORDAN etc., — The miracles *that will be wrought for you during your crossing* of the Jordan shall be an omen for you that you will indeed come into and inherit the land (cf. Siphre)[3]).

12. (2) אבד תאבדון YE SHALL UTTERLY DESTROY — Destroy and again destroy! (i. e. utterly destroy). From here *we learn* that he who would extirpate an object of idol-worship must thoroughly root it up (i. e. remove every trace of it) (Ab. Zar. 45b). את כל המקמות אשר עבדו שם וגו' [YE SHALL UTTERLY DESTROY] ALL THE PLACES (according to Rashi: FROM ALL THE PLACES) WHEREIN [THE NATIONS . . .] SERVED — And what shall ye destroy from them? Their gods which are upon the mountains[4]). **(3)** מזבח *consists* of many stones, מצבה of one stone *only*. It is the

NOTES

For Notes 1—4 see Appendix.

אֲשֶׁר־יִבְחַר יְהוָה אֱלֹהֵיכֶם מִכָּל־שִׁבְטֵיכֶם לָשׂוּם
אֶת־שְׁמוֹ שָׁם לְשִׁכְנוֹ תִדְרְשׁוּ וּבָאתָ שָׁמָּה׃
ו וַהֲבֵאתֶם שָׁמָּה עֹלֹתֵיכֶם וְזִבְחֵיכֶם וְאֵת מַעְשְׂרֹתֵיכֶם
וְאֵת תְּרוּמַת יֶדְכֶם וְנִדְרֵיכֶם וְנִדְבֹתֵיכֶם וּבְכֹרֹת
בְּקַרְכֶם וְצֹאנְכֶם׃ ז וַאֲכַלְתֶּם־שָׁם לִפְנֵי יְהוָה
אֱלֹהֵיכֶם וּשְׂמַחְתֶּם בְּכֹל מִשְׁלַח יֶדְכֶם אַתֶּם
וּבָתֵּיכֶם אֲשֶׁר בֵּרַכְךָ יְהוָה אֱלֹהֶיךָ׃ ח לֹא תַעֲשׂוּן
כְּכֹל אֲשֶׁר אֲנַחְנוּ עֹשִׂים פֹּה הַיּוֹם אִישׁ כָּל־הַיָּשָׁר
בְּעֵינָיו׃ ט כִּי לֹא־בָאתֶם עַד־עָתָּה אֶל־הַמְּנוּחָה
וְאֶל־הַנַּחֲלָה אֲשֶׁר־יְהוָה אֱלֹהֶיךָ נֹתֵן לָךְ׃ י וַעֲבַרְתֶּם
אֶת־הַיַּרְדֵּן וִישַׁבְתֶּם בָּאָרֶץ אֲשֶׁר־יְהוָה אֱלֹהֵיכֶם

אונקלוס

לְבֵית שְׁכִנְתֵּהּ תִּתְבְּעוּן וְתֵיתוּן לְתַמָּן: ו וְתַיְתוּן לְתַמָּן עֲלָוָתֵיכוֹן וְנִכְסַת קוּדְשֵׁיכוֹן
וְיָת מַעְשְׂרָתֵיכוֹן וְיָת אַפְרָשׁוּת יֶדְכוֹן וְנִדְרֵיכוֹן וְנִדְבָתֵיכוֹן וּבְכוֹרֵי תוֹרְכוֹן וְעָנְכוֹן:
ז וְתֵיכְלוּן תַּמָּן קֳדָם יְיָ אֱלָהֲכוֹן וְתֶחֱדוּן בְּכֹל אוֹשָׁטוּת יֶדְכוֹן אַתּוּן וֶאֱנָשׁ בָּתֵּיכוֹן
דִּי בָרְכָךְ יְיָ אֱלָהָךְ: ח לָא תַעְבְּדוּן כְּכֹל דִּי אֲנַחְנָא עָבְדִין הָכָא יוֹמָא דֵין גְּבַר
כָּל מַן דְּכָשַׁר קֳדָמוֹהִי: ט אֲרֵי לָא אֲתֵיתוּן עַד כְּעַן לְבֵית נְיָחָא וּלְאַחְסָנָא דַּייָ
אֱלָהָךְ יָהֵב לָךְ: י וְתַעְבְּרוּן יָת יַרְדְּנָא וְתֵיתְבוּן בְּאַרְעָא דַּייָ אֱלָהֲכוֹן מַחְסֵן

רש״י

בִּימוּס שֶׁשְּׁנוּיָה בְּמִשְׁנָה (ע״ז מ״ז): אֶבֶן שֶׁחֲצָבָהּ מִתְּחִלָּתָהּ לְבִימוּס: אשרה. אִילָן הַנֶּעֱבָד: ואבדתם את שמם. לְכַנּוֹת לָהֶם שֵׁם לִגְנַאי, בֵּית גַּלְיָא קוֹרִין לָהּ בֵּית כַּרְיָא, עֵין כֹּל עֵין קוֹץ (שם ל״ו): (ד) לא תעשון כן. לְהַקְטִיר לַשָּׁמַיִם בְּכָל מָקוֹם, כִּי אִם בַּמָּקוֹם אֲשֶׁר יִבְחַר: ד״א ונתצתם את מזבחתם, ואבדתם את שמם, לא תעשון כן. אַזְהָרָה לַמּוֹחֵק אֶת הַשֵּׁם וְלַנּוֹתֵץ אֶבֶן מִן הַמִּזְבֵּחַ אוֹ מִן הָעֲזָרָה (מכ׳ כ״ב). אָמַר רַ׳ יִשְׁמָעֵאל וְכִי תַעֲלֶה עַל דַּעְתְּךָ שֶׁיִּשְׂרָאֵל נוֹתְצִין אֶת הַמִּזְבְּחוֹת? אֶלָּא שֶׁלֹּא תַעֲשׂוּ כְּמַעֲשֵׂיהֶם וְיִגְרְמוּ עֲוֹנוֹתֵיכֶם לְמִקְדַּשׁ אֲבוֹתֵיכֶם שֶׁיִּתְחָרֵב (ספרי): לשכנו תדרשו. זֶה מִשְׁכַּן שִׁילֹה: (ו) וזבחיכם. שְׁלָמִים שֶׁל חוֹבָה: מעשרתיכם. מַעְשַׂר בְּהֵמָה וּמַעֲשֵׂר שֵׁנִי, לֶאֱכוֹל לִפְנִים מִן הַחוֹמָה: תרומת ידכם. אֵלּוּ הַבִּכּוּרִים, שֶׁנֶּאֱמַר (דב׳ כ״ו) בָּהֶם וְלָקַח הַכֹּהֵן הַטֶּנֶא מִיָּדֶךָ (עי׳ ספרי): ובכרת בקרכם. לִתְּנָם לַכֹּהֵן וְיַקְרִיבֵם שָׁם: (ז) אשר ברכך ה׳. לְפִי הַבְּרָכָה הָבֵא (ספרי): (ח) לא תעשון בכל אשר אנחנו עשים וגו׳. מוּסָב לְמַעְלָה עַל כִּי אתם עברים את הירדן וגו׳, כְּשֶׁתַּעַבְרוּ אֶת הַיַּרְדֵּן מִיַּד אַתֶּם מֻתָּרִים לְהַקְרִיב בְּבָמָה כָּל י״ד שָׁנָה שֶׁל כִּבּוּשׁ וְחִלּוּק, וּבְבָמָה לֹא תַקְרִיבוּ כָּל מַה שֶּׁאַתֶּם מַקְרִיבִים פה היום בַּמִּשְׁכָּן, שֶׁהוּא עִמָּכֶם וְנִמְשַׁח וְהוּא כָּשֵׁר לְהַקְרִיב בּוֹ חַטָּאוֹת וַאֲשָׁמוֹת נְדָרִים וּנְדָבוֹת, אֲבָל בְּבָמָה אֵין קָרֵב אֶלָּא הַנֶּדֶר וְהַנְּדָבָה, וְזֶהוּ איש כל הישר בעיניו, נְדָרִים וּנְדָבוֹת, שֶׁאַתֶּם

place which the Eternal your God shall choose out of all your tribes to put his name there, *even* after his residence shall ye inquire, and thither thou shalt come: [6]And thither ye shall bring your burnt-offerings, and your sacrifices, and your tithes, and heave-offerings of your hand, and your vows, and your free-will-offerings, and the firstlings of your herds and of your flocks: [7]And there ye shall eat before the Eternal your God, and ye shall rejoice in every performance of your hand, you and your house*holds,* wherein the Eternal your God hath blessed thee. [8]Ye shall not do after all *the things* that we do here this day, every man whatsoever *is* right in his own eyes. [9]For ye are not as yet come to the rest and to the inheritance, which the Eternal your God giveth you. [10]But *when* ye go over the Jordan, and abide in the land which the Eternal your God

רש"י

בימוס, the pedestal for idolatrous statuary, of which we learn in the Mishna (Ab. Zar. III. 7): A stone which one originally hewed for an idol's pedestal *is forbidden for use.* אשרה is a tree that had been worshipped[1]). ואבדתם את שמם AND DESTROY THEIR NAMES by giving them contemptuous nicknames. *What they call* בית גליא, "a sublime house", you should call בית כריא, "a base house", *what they call* עין כל, "the universal eye", *you call,* עין קוץ "the thorn eye" (Ab. Zar. 46a). **(4)** לא תעשון כן YE SHALL NOT DO SO [UNTO THE LORD YOUR GOD] — *i. e.* to burn offerings to God at any place *you choose (as do the idolators, cf. v. 2),* but at the place which He will choose (cf. vv. 5—6). — Another explanation is: ונתצתם את מזבחתם . . . ואבדתם את שמם . . . לא תעשון כן YE SHALL PULL DOWN THEIR ALTARS ... YE SHALL DESTROY THEIR NAMES ... *BUT* YE SHALL NOT DO THIS [TO THE LORD YOUR GOD] — It is a prohibition *addressed* to one who would blot out the Name *of God from any writing,* or would pull out a stone from the altar or from the forecourt[2]) (cf. Siphre; Macc. 22a). R. Ishmael said: "But can the idea enter your mind that the Israelites would pull down the altars *of God?*" But *the meaning of* לא תעשון כן *is* that you should not do like their doings so that your sins would c a u s e the Sanctuary of (built by) your fathers to be laid waste (Siphre). לשכנו תדרשו AFTER HIS RESIDENCE SHALL YE INQUIRE — This refers to the Tabernacle at Shiloh[3]). **(6)** וזבחיכם AND YOUR SACRIFICES — O b l i g a t o r y feast-offerings[4]). מעשרתיכם [THERE YOU SHALL BRING] YOUR TITHES — *i. e. both* the tithe of the cattle and the second tithe, in order to consume *them* within the wall[5]). תרומת ידכם THE HEAVE-OFFERING OF YOUR HAND — These are the first-fruits of which it is said, (XXVI. 4) "And the priest shall take the basket out of thine h a n d". ובכרת בקרכם AND THE FIRSTLINGS OF YOUR HERD — in order to give them to the priest that he may offer them there (cf. Siphre). **(7)** אשר ברכך ה׳ ACCORDING AS THE LORD [YOUR GOD] HATH BLESSED THEE — in accordance with the blessing bring *the offerings of festive rejoicing* (Siphre)[6]). **(8)** לא תעשון ככל אשר אנחנו עשים וגו׳ YE SHALL NOT DO AFTER ALL [THE THINGS] THAT WE DO [HERE THIS DAY] — This refers *back* to *what is stated* above (XI. 31) "for ye shall pass over the Jordan etc.", *the meaning being:* when ye have crossed the Jordan, you are at once permitted to offer on Bamahs, *during* all the fourteen years of subjugating and dividing *the land amongst the tribes:* but on these Bamahs you must not sacrifice a l l that you sacrifice "h e r e t h i s d a y", in the Tabernacle that is with you and that has been anointed and is *thus* fit to offer s i n a n d g u i l t o f f e r i n g s and vows and free-will offerings on it, whilst on a Bamah only that may be sacrificed which has been made the subject of a vow or a f r e e - w i l l offering. And that is *the meaning of* איש כל הישר בעיניו, "every man whatsoever is right in his eyes" — vows and

NOTES

For Notes 1—6 see Appendix.

מַנְחִ֥יל אֶתְכֶ֖ם וְהֵנִ֨יחַ לָכֶ֧ם מִכָּל־אֹיְבֵיכֶ֛ם מִסָּבִ֖יב
וִישַׁבְתֶּם־בֶּֽטַח׃ שני יא וְהָיָ֣ה הַמָּק֗וֹם אֲשֶׁר־יִבְחַר֩
יְהֹוָ֨ה אֱלֹהֵיכֶ֥ם בּוֹ֙ לְשַׁכֵּ֣ן שְׁמוֹ֒ שָׁ֚ם שָׁ֣מָּה תָבִ֔יאוּ
אֵ֛ת כָּל־אֲשֶׁ֥ר אָנֹכִ֖י מְצַוֶּ֣ה אֶתְכֶ֑ם עוֹלֹתֵיכֶ֣ם וְזִבְחֵיכֶ֗ם
מַעְשְׂרֹֽתֵיכֶם֙ וּתְרֻמַ֣ת יֶדְכֶ֔ם וְכֹל֙ מִבְחַ֣ר נִדְרֵיכֶ֔ם
אֲשֶׁ֥ר תִּדְּר֖וּ לַֽיהֹוָֽה׃ יב וּשְׂמַחְתֶּ֗ם לִפְנֵי֮ יְהֹוָ֣ה
אֱלֹהֵיכֶם֒ אַתֶּ֗ם וּבְנֵיכֶם֙ וּבְנֹ֣תֵיכֶ֔ם וְעַבְדֵיכֶ֖ם
וְאַמְהֹתֵיכֶ֑ם וְהַלֵּוִי֙ אֲשֶׁ֣ר בְּשַֽׁעֲרֵיכֶ֔ם כִּ֣י אֵ֥ין ל֛וֹ חֵ֥לֶק
וְנַחֲלָ֖ה אִתְּכֶֽם׃ יג הִשָּׁ֣מֶר לְךָ֔ פֶּֽן־תַּעֲלֶ֖ה עֹלֹתֶ֑יךָ
בְּכָל־מָק֖וֹם אֲשֶׁ֥ר תִּרְאֶֽה׃ יד כִּ֣י אִם־בַּמָּק֞וֹם אֲשֶׁר־
יִבְחַ֤ר יְהֹוָה֙ בְּאַחַ֣ד שְׁבָטֶ֔יךָ שָׁ֖ם תַּעֲלֶ֣ה עֹלֹתֶ֑יךָ וְשָׁ֣ם

אונקלוס

יָתְכוֹן וִינִיחַ לְכוֹן מִכָּל בַּעֲלֵי דְבָבֵיכוֹן מִסְחוֹר סְחוֹר וְתִיתְבוּן לְרָחְצָן: יא וִיהֵי אַתְרָא דִּי יִתְרְעֵי יְיָ אֱלָהֲכוֹן בֵּהּ לְאַשְׁרָאָה שְׁכִנְתֵּהּ תַּמָּן לְתַמָּן תַּיְתוֹן יָת כָּל דִּי אֲנָא מְפַקֵּד יָתְכוֹן עֲלָוָתֵיכוֹן וְנִכְסַת קוּדְשֵׁיכוֹן מַעְשְׂרָתֵיכוֹן וְאַפְרָשׁוּת יְדְכוֹן וְכֹל שְׁפַר נִדְרֵיכוֹן דִּי תִדְּרוּן קֳדָם יְיָ: יב וְתֶחְדּוּן קֳדָם יְיָ אֱלָהֲכוֹן אַתּוּן וּבְנֵיכוֹן וּבְנָתֵיכוֹן וְעַבְדֵיכוֹן וְאַמְהָתֵיכוֹן וְלֵוָאָה דִּי בְקִרְוֵיכוֹן אֲרֵי לֵית לֵהּ חֲלָק וְאַחֲסָנָא עִמְּכוֹן: יג אִסְתַּמַּר לָךְ דִּילְמָא תַסֵּק עֲלָוָתָךְ בְּכָל אַתְרָא דִּי תֶחֱזֵי: יד אֱלָהֵן בְּאַתְרָא דִּי יִתְרְעֵי יְיָ בְּחַד מִן שִׁבְטָיךְ תַּמָּן תַּסֵּק עֲלָוָתָךְ וְתַמָּן תַּעְבֵּד כָּל דִּי

רש״י

מִתְנַדְּבִים ע״י שֶׁיָּשָׁר בְּעֵינֵיכֶם לַהֲבִיאָם וְלֹא ע״י חוֹבָה, אוֹתָם תַּקְרִיבוּ בְּבָמָה (שם; זבח׳ קי״ז): (ט) כי לא באתם. כָּל אוֹתָן י״ד שָׁנָה: עד עתה. כְּמוֹ עֲדַיִין: אל המנוחה. זוּ שִׁילֹה: נחלה. זוּ יְרוּשָׁלַיִם (ספרי; זב׳ קי״ט): (י) ועברתם את הירדן וישבתם בארץ. שֶׁתְּחַלְּקוּהָ וִיהֵא כָּל אֶחָד מַכִּיר אֶת חֶלְקוֹ וְאֶת שִׁבְטוֹ: והניח לכם. לְאַחַר כִּבּוּשׁ וְחִלּוּק וּמְנוּחָה מִן הַגּוֹיִם אֲשֶׁר הִנִּיחַ ה׳ לְנַסּוֹת בָּם אֶת יִשְׂרָאֵל — וְאֵין זוֹ אֶלָּא בִּימֵי דָוִד — אָז (יא) והיה המקום וגו׳. בְּנוּ לָכֶם בֵּית הַבְּחִירָה בִּירוּשָׁלַיִם, וְכֵן הוּא אוֹמֵר בְּדָוִד וַיְהִי כִּי יָשַׁב הַמֶּלֶךְ בְּבֵיתוֹ וַה׳ הֵנִיחַ לוֹ מִסָּבִיב מִכָּל אֹיְבָיו וַיֹּאמֶר הַמֶּלֶךְ אֶל נָתָן הַנָּבִיא רְאֵה אָנֹכִי יוֹשֵׁב בְּבֵית אֲרָזִים, וַאֲרוֹן הָאֱלֹהִים יֹשֵׁב בְּתוֹךְ הַיְרִיעָה (ש״ב ז׳): שמה תביאו וגו׳. לְמַעְלָה אָמוּר לְעִנְיַן שִׁילֹה וְכָאן אָמוּר לְעִנְיַן יְרוּשָׁלַיִם, וּלְכָךְ חִלְּקָם הַכָּתוּב לִתֵּן הֶתֵּר בֵּין זוֹ לְזוֹ, מִשֶּׁחָרְבָה שִׁילֹה וּבָאוּ לְנוֹב וְחָרְבָה נוֹב וּבָאוּ לְגִבְעוֹן הָיוּ הַבָּמוֹת מֻתָּרוֹת עַד שֶׁבָּאוּ יְרוּשָׁלַיִם (זב׳ קיט): מבחר נדריכם. מְלַמֵּד שֶׁיָּבִיא מִן הַמֻּבְחָר (ספרי): (יג) השמר לך. לִתֵּן לֹא תַעֲשֶׂה עַל הַדָּבָר: בכל מקום אשר תראה. אֲשֶׁר יַעֲלֶה בְּלִבְּךָ, אֲבָל אַתָּה

giveth you to inherit, and *when* he giveth you rest from all your enemies round about, so that ye abide safely, [11]Then it shall be that ye shall bring to the place which the Eternal your God will choose to establish his name there, even thither shall ye bring all that I command you; your burnt-offerings, and your sacrifices, your tithes, and the heave-offering of your hand, and all your choice vows which ye vow unto the Eternal: [12]And ye shall rejoice before the Eternal your God, ye, and your sons, and your daughters, and your men-servants, and your maid-servants, and the Levite that *is* within your gates; forasmuch as he hath no portion nor inheritance with you. [13]Take heed to thyself lest thou offer thy burnt offerings in every place that thou seest: [14]But in the place which the Eternal shall choose in one of thy tribes, there thou shalt offer thy burnt-offerings, and there

רש"י

free-will offerings which you dedicate because it is pleasing in your eyes to bring them, and not because of an obligation *imposed upon you*, such may you offer on Bamahs, *but not sacrifices that are to be offered in consequence of an obligation (sin and guilt offerings)* (Siphre; Zeb. 117b)[1]). **(9)** כי לא באתם FOR YE SHALL NOT HAVE COME [UNTO THE REST] all those fourteen years *of conquering and dividing the land*[2]). עד עתה is the same as "by that time". אל המנוחה [FOR YE SHALL NOT HAVE COME YET] TO THE REST — This refers to Shiloh, נחלה [AND TO] THE INHERITANCE — This refers to Jerusalem (Siphre; Zeb. 119a). **(10)** ועברתם את הירדן וישבתם בארץ BUT WHEN YE GO OVER THE JORDAN, AND SETTLE IN THE LAND — *This means*, that ye shall have divided it amongst the tribes and every man knows his portion and *the territory of* his tribe, והניח לכם AND WHEN HE GIVETH YOU REST — *i.e.*, after having conquered and divided *the land* and *having obtained* rest from the nations "which the Lord left by which to prove Israel" (Judg. III. 1) — which was only in the days of David (cf. Siphre) — then, **(11)** והיה המקום וגו' IT SHALL BE [THAT YE SHALL BRING TO] THE PLACE [WHICH THE LORD YOUR GOD SHALL CHOOSE ... EVEN THITHER YE SHALL BRING ALL THAT I COMMAND YOU] — *then* build the "Chosen House" for yourselves in Jerusalem. And so indeed it states of David, (2 Sam. VII. 1, 2): "And it came to pass when the king sat in his house, and the Lord had given him rest round about from all his enemies, that the king said unto Nathan the prophet, 'See now, I dwell in the house of cedar, but the Ark of God dwelleth within curtains ...'" (cf. Rashi on that verse). שמה תביאו THITHER SHALL YE BRING [ALL THAT I COMMAND YOU] — Above (v. 6) it (the same expression) is said in reference to Shiloh, but here it is said in reference to Jerusalem. It is for the following reason that Scripture divides the matter *into two paragraphs:* to give permission *to offer on a Bamah in the intermediate period* between *the existence of* the one *sanctuary* and the other; *viz.*, that after Shiloh was destroyed and they came to Nob *and erected the Tabernacle there*, and then *again* when Nob was destroyed and they came to Gibeon, *sacrificing on* the Bamah was allowed until they *finally* came to Jerusalem (Zeb. 119a and Mishna Zeb. XIV. 1). מבחר נדריכם YOUR CHOICE VOWS — This teaches that one should bring *one's offerings* from the choicest (Siphre). **(13)** השמר לך TAKE HEED TO THYSELF [LEST THOU OFFER THY BURNT OFFERINGS IN EVERY PLACE THAT THOU SEEST] — *This negative form of the positive command in v. 11, is stated* in order to attach a negative command (לאו) to this matter. בכל מקום אשר תראה IN EVERY PLACE THAT "THOU" SEEST — *i.e.*, that enters thy mind, but thou mayest offer

NOTES

For Notes 1—2 see Appendix.

תַּעֲשֶׂה כֹּל אֲשֶׁר אָנֹכִי מְצַוֶּךָּ׃ טו רַק בְּכָל־אַוַּת נַפְשְׁךָ תִּזְבַּח ׀ וְאָכַלְתָּ בָשָׂר כְּבִרְכַּת יְהוָה אֱלֹהֶיךָ אֲשֶׁר נָתַן־לְךָ בְּכָל־שְׁעָרֶיךָ הַטָּמֵא וְהַטָּהוֹר יֹאכְלֶנּוּ כַּצְּבִי וְכָאַיָּל׃ טז רַק הַדָּם לֹא תֹאכֵלוּ עַל־הָאָרֶץ תִּשְׁפְּכֶנּוּ כַּמָּיִם׃ יז לֹא־תוּכַל לֶאֱכֹל בִּשְׁעָרֶיךָ מַעְשַׂר דְּגָנְךָ וְתִירֹשְׁךָ וְיִצְהָרֶךָ וּבְכֹרֹת בְּקָרְךָ וְצֹאנֶךָ וְכָל־נְדָרֶיךָ אֲשֶׁר תִּדֹּר וְנִדְבֹתֶיךָ וּתְרוּמַת יָדֶךָ׃ יח כִּי אִם־לִפְנֵי יְהוָה אֱלֹהֶיךָ תֹּאכְלֶנּוּ בַּמָּקוֹם אֲשֶׁר יִבְחַר יְהוָה אֱלֹהֶיךָ בּוֹ אַתָּה וּבִנְךָ וּבִתֶּךָ וְעַבְדְּךָ וַאֲמָתֶךָ וְהַלֵּוִי אֲשֶׁר בִּשְׁעָרֶיךָ וְשָׂמַחְתָּ

אונקלוס

אֲנָא מְפַקֵּיד לָךְ: טו לְחוֹד בְּכָל רְעוּת נַפְשָׁךְ תִּכּוֹס וְתֵיכוּל בִּשְׂרָא כְּבִרְכְּתָא דַּייָ אֱלָהָךְ דִּיהַב לָךְ בְּכָל קִרְוָיךְ מְסָאֲבָא וְדַכְיָא יֵיכְלִנֵּיהּ כִּבְשַׂר טַבְיָא וְאַיְלָא: טז לְחוֹד דְּמָא לָא תֵיכְלוּן עַל אַרְעָא תִּשְׁדְּנֵיהּ כְּמַיָּא: יז לֵית לָךְ רְשׁוּ לְמֵיכַל בְּקִרְוָיךְ מַעְשַׂר עֲבוּרָךְ חַמְרָךְ וּמִשְׁחָךְ וּבְכוֹרֵי תוֹרָךְ וְעָנָךְ וְכָל נִדְרָךְ דִּי תִדַּר וְנִדְבָתָיךְ וְאַפְרָשׁוּת יְדָךְ: יח אֱלָהֵן קֳדָם יְיָ אֱלָהָךְ תֵּיכְלִנֵּיהּ בְּאַתְרָא דִּי יִתְרְעֵי יְיָ

רש"י

מַקְרִיב ע"פ נָבִיא כְּגוֹן אֵלִיָּהוּ בְּהַר הַכַּרְמֶל (שם): (יד) באחד שבטיך. בְּחֶלְקוֹ שֶׁל בִּנְיָמִין, וּלְמַעְלָה הוּא אוֹמֵר מִכָּל שִׁבְטֵיכֶם, הָא כֵּיצַד? כְּשֶׁקָּנָה דָוִד אֶת הַגּוֹרֶן מֵאֲרַוְנָה הַיְבוּסִי גָּבָה הַזָּהָב מִכָּל הַשְּׁבָטִים וּמִכָּל מָקוֹם הַגּוֹרֶן בְּחֶלְקוֹ שֶׁל בִּנְיָמִין הָיָה (שם): (טו) רק בכל אות נפשך. בַּמֶּה הַכָּתוּב מְדַבֵּר? אִם בִּבְשַׂר תַּאֲוָה לְהַתִּירָהּ לָהֶם בְּלֹא הַקְרָבַת אֵמוּרִים הֲרֵי הוּא אוֹמֵר בְּמָקוֹם אַחֵר (פסוק כ׳) כִּי יַרְחִיב ה׳ אֱלֹהֶיךָ אֶת גְּבֻלְךָ וגו׳ וְאָמַרְתָּ אֹכְלָה בָשָׂר וגו׳, בַּמֶּה זֶה מְדַבֵּר? בְּקָדָשִׁים שֶׁנָּפַל בָּהֶם מוּם שֶׁיִּפָּדוּ וְיֵאָכְלוּ בְּכָל מָקוֹם, יָכוֹל יִפָּדוּ עַל מוּם עוֹבֵר, ת"ל רַק (ספרי): תזבח ואכלת. אֵין לְךָ בָּהֶם הֶתֵּר גִּזָּה וְחָלָב אֶלָּא אֲכִילָה עַל יְדֵי זְבִיחָה (בכ׳ ו׳): הטמא והטהר. לְפִי שֶׁבָּאוּ מִכֹּחַ קָדָשִׁים שֶׁנֶּאֱמַר בָּהֶם וְהַבָּשָׂר אֲשֶׁר יִגַּע בְּכָל טָמֵא לֹא יֵאָכֵל (ויק׳ ז׳), הֻצְרַךְ לְהַתִּיר בּוֹ שֶׁטָּמֵא וְטָהוֹר אוֹכְלִים בִּקְעָרָה אַחַת כצבי וכאיל שֶׁאֵין קָרְבָּן בָּא מֵהֶם: כצבי וכאיל. לְפָטְרָן מִן הַזְּרוֹעַ וְהַלְּחָיַיִם וְהַקֵּבָה (ספרי): (טז) רק הדם לא תאכלו. אע"פ שֶׁאָמַרְתִּי שֶׁאֵין לְךָ בּוֹ זְרִיקַת דָּם בַּמִּזְבֵּחַ, לֹא תֹאכְלֶנּוּ: תשפכנו כמים. לוֹמַר לְךָ שֶׁאֵין צָרִיךְ כִּסּוּי (ספרי; חול׳ פ"ד). ד"א הֲרֵי הוּא כַּמַּיִם לְהַכְשִׁיר אֶת הַזְּרָעִים (שם ל"ה): (יז) לא תוכל. בָּא הַכָּתוּב לִתֵּן לֹא תַעֲשֶׂה עַל הַדָּבָר: לא תוכל. רַבִּי יְהוֹשֻׁעַ בֶּן קָרְחָה אוֹמֵר יָכוֹל אַתָּה, אֲבָל אֵינְךָ רַשַּׁאי, כַּיּוֹצֵא בוֹ (יהוש׳ ט"ו) וְאֶת הַיְבוּסִי יוֹשְׁבֵי יְרוּשָׁלַיִם לֹא יָכְלוּ בְנֵי יִשְׂרָאֵל (יְהוּדָה) לְהוֹרִישָׁם, יְכוֹלִים הָיוּ, אֶלָּא שֶׁאֵינָן רַשָּׁאִין לְפִי שֶׁכָּרַת לָהֶם אַבְרָהָם בְּרִית כְּשֶׁלָּקַח מֵהֶם מְעָרַת הַמַּכְפֵּלָה; וְלֹא יְבוּסִים הָיוּ, אֶלָּא חִתִּים הָיוּ, אֶלָּא

thou shalt do all that I command thee. [15]However thou mayest slaughter and eat flesh in all thy gates, in every longing of thy soul, according to the blessing of the Eternal thy God which he hath given thee: the unclean and the clean may eat thereof, as of the gazelle, and as of the hart. [16]Only ye shall not eat the blood; ye shall pour it upon the earth as water. [17]Thou mayest not eat within thy gates the tithe of thy corn, or of thy must, or of thy oil, or the firstlings of thy herds or of thy flock, nor any of thy vows which thou vowest, nor thy free-will-offerings, or heave-offering of thine hand: [18]But thou must eat them before the Eternal thy God, in the place which the Eternal thy God shall choose, thou, and thy son, and thy daughter, and thy man-servant, and thy maid-servant, and the Levite that *is* within thy gates: and thou shalt rejoice

רש"י

anywhere by the command of a prophet, as, for instance, Elijah *did* on Mount Carmel (1 Kings XVIII. 21 ff.) (Siphre). **(14)** באחד שבטיך [BUT IN THE PLACE WHICH THE LORD SHALL CHOOSE] IN ONE OF THY TRIBES — *namely* in the allotment of Benjamin (in whose territory the Temple stood). But above (v. 5) it states, "*the place which the Lord ... shall choose* from all your tribes"? How *can* this *be reconciled with that? In the following manner:* when David bought the threshing-floor from Araunah the Jebusite (2 Sam. XXIV. 24) *to build the Temple thereon,* he collected money from all the tribes; however, the threshing-floor itself was *situated* in the territory of Benjamin (Siphre). **(15)** רק בכל אות נפשך HOWEVER [THOU MAYEST SLAUGHTER AND EAT FLESH IN ALL THY GATES] IN EVERY LONGING OF THY SOUL — About what is Scripture *here* speaking? If *you say that it speaks* about בשר תאוה (flesh eaten for satisfying the appetite — an ordinary meal of meat and not a sacrificial meal) *and that this verse is intended* to permit it to them without offering the fat portions *on the altar,* behold, it states in another passage (v. 20) "When the Lord thy God shall enlarge thy boundary ... and thou shalt say, I will eat flesh, [because thy soul longeth to eat flesh; thou mayest eat flesh in every longing of thy soul]"! About what, *then,* is this verse speaking? About consecrated *animals* which had become blemished, — that they must be redeemed and may *then* be eaten in any place (בכל שעריך). One might *think* that they may be redeemed *and thus divested of their holy character* also on account of a transitory blemish! Scripture, however, uses the expression רק (which word has a limitative force) (Siphre)[1].

NOTES

[1]) See Appendix.

לפני יהוה אלהיך בכל משלח ידך: יט השמר לך פן־תעזב את־הלוי כל־ימיך על־אדמתך: ס
כ כי־ירחיב יהוה אלהיך את־גבלך כאשר דבר־לך ואמרת אכלה בשר כי־תאוה נפשך לאכל בשר בכל־אות נפשך תאכל בשר: כא כי־ירחק ממך המקום אשר יבחר יהוה אלהיך לשום שמו שם וזבחת מבקרך ומצאנך אשר נתן יהוה לך כאשר צויתך ואכלת בשעריך בכל אות נפשך: כב אך כאשר יאכל את־הצבי ואת־האיל כן תאכלנו הטמא והטהור יחדו יאכלנו: כג רק חזק לבלתי אכל הדם כי הדם הוא

אונקלוס

אלהך בה את וברך וברתך ועבדך ואמתך וליואה די בקרויך ותחדי קדם יי אלהך בכל אושטות ידך: יט אסתמר לך דילמא תשבוק ית ליואי כל יומיך על ארעך: כ ארי יפתי יי אלהך ית תחומך כמא די מליל לך ותימר איכול בשרא ארי תתרעי נפשך למיכל בשרא בכל רעות נפשך תיכול בשרא: כא ארי יתרחק מנך אתרא די יתרעי יי אלהך לאשראה שכנתה תמן ותכוס מתורך ומענך די יהב יי לך כמא די פקדתך ותיכול בקרויך בכל רעות נפשך: כב ברם כמא די מתאכל בשר טביא ואילא כן תיכלנה מסאבא ודכיא כחדא יכלנה: כג לחוד תקף בדיל דלא למיכל דמא ארי דמא הוא נפשא ולא תיכול

רש״י

על שם העיר ששמה יבוס, כך מפורש בפרקי דרבי אליעזר (פ׳ ל״ו) והוא שנאמר כי אם הסירך העורים והפסחים (ש״ב ה׳) — צלמים שכתבו עליהם את השבועה: ובכרת בקרך. אזהרה לכהנים: ותרומת ידך. אלו הבכורים (ספרי; מכ׳ י״ז): (יח) לפני ה׳. לפנים מן החומה: והלוי אשר בשעריך. אם אין לך לתת לו מחלקו, כגון מעשר ראשון, תן לו מעשר עני, אין לך מעשר עני, הזמינהו על שלמיך (ספרי): (יט) השמר לך. לתן לא תעשה על הדבר (ספרי): על אדמתך. אבל בגולה אינך מוזהר עליו יותר מעניי ישראל (שם): (כ) כי ירחיב וגו׳. למדה תורה דרך ארץ שלא יתאוה אדם לאכול בשר אלא מתוך רחבת ידים ועושר (חול׳ פ״ד): כל אות נפשך וגו׳. אבל במדבר נאסר להם בשר חלין אלא אם כן מקדישה ומקריבה שלמים (שם ט״ז): (כא) כי ירחק ממך המקום. ולא תוכל לבא ולעשות שלמים בכל יום כמו עכשיו שהמשכן הולך עמכם, וזבחת... כאשר צויתך. למדנו שיש צווי בזביחה היאך ישחוט, והן הלכות שחיטה שנאמרו למשה בסיני (שם כ״ח): (כב) אך כאשר יאכל את הצבי וגו׳. אינך מוזהר

before the Eternal thy God in every performance of thy hand. [19]Take heed to thyself lest thou forsake the Levite as long as thou livest upon the ground. [20]When the Eternal thy God shall enlarge thy boundary, as he hath promised thee, and thou shalt say, I will eat flesh, because thy soul longeth to eat flesh, thou mayest eat flesh, in every longing of thy soul. [21]If the place which the Eternal thy God hath chosen to put his name there be too far from thee, then thou mayest sacrifice of thy herd and of thy flock, which the Eternal hath given thee, as I have commanded thee, and thou mayest eat in thy gates in every longing of thy soul. [22]But only as the gazelle and the hart is eaten, so thou shalt eat them; the unclean and the clean shall eat *of* them alike. [23]Only be sure that thou eat not the blood: for the blood *is*

רש"י

תזבח ואכלת THOU MAYEST SLAUGHTER AND EAT [FLESH] — You have no permission to use their fleece or milk (those of consecrated animals that had become blemished), but only the eating *of their f l e s h* after *ritual* slaughtering *is permitted* (cf. Siphre; Bech. 15, b)[1]). הטמא והטהור THE UNCLEAN AND THE CLEAN [MAY EAT THEREOF] — Because they (the consecrated animals that had become blemished) came *to their present status* by virtue of *once having been* c o n s e c r a t e d animals, of which it is stated, (Lev. VII. 19) "And the flesh *of offerings* that toucheth any unclean thing shall not be eaten", it felt it necessary *explicitly* to permit in their case that an unclean and a clean *person* may eat out of the same dish (i. e. together) (cf. Siphre), כצבי וכאיל AS OF THE GAZELLE AND OF THE HART of which no sacrifice is *ever* brought. כצבי וכאיל AS OF THE GAZELLE, AND OF THE HART — *These apparently redundant words are intended* to exempt them (the פסולי המקדשין שנפדו) from *the dues of* "the shoulder, the two cheeks and the maw" (XVIII. 3) *which are compulsory gifts to the priests in the case of non-holy* (חולין) *animals* (Chul. 130a; Siphre)[2]). **(16)** רק הדם לא תאכלו ONLY

NOTES

[1]) See Appendix.

[2]) The permission to eat the flesh in a state of uncleanness might have been clearly enough expressed by the words הטמא והטהור יאכלנו. But just because the permission to eat the flesh in a state of uncleanness might create the impression that פסולי המקדשין are in every respect to be treated like חולין, Scripture was compelled to state that they are exempt from זרוע והלחיים והקיבה. It did this by comparing them to these animals which are exempt from these dues, since Scripture prescribes them only in the case of שור ושה (cf. Rashi on XVIII. 3).

רש"י

YE SHALL NOT EAT THE BLOOD — Although I have told *you* that there is no sprinkling of blood on the altar in its case (it being blemished and thus unfit for the altar), you shall *nevertheless* not eat it[1]). תשפכנו כמים YE SHALL POUR IT [UPON THE EARTH] AS WATER — *This latter word is intended* to tell you that *although they are compared to these* חיות, *yet* it (the blood) requires no covering *with dust as prescribed in the case of these* חיות *in Lev. XVII. 13* (Siphre; Chul. 84a). Another explanation is *that the word* כמים *is intended to suggest:* It is like water *in so far as* to make seed (food) receptive to uncleanness *just as water does* (cf. Lev. XI. 38) (Siphre; Chul. 35b). **(17)** לא תוכל THOU MAYEST NOT [EAT WITHIN THY GATES THE TITHE OF THY CORN etc.] — Scripture *thereby* intends to attach to this matter (the eating of מעשר, בכור etc. outside the walls of Jerusalem) a negative command *also* (the positive command being contained in v. 11). לא תוכל THOU MAYEST NOT (lit., thou canst not) [EAT etc.] — Rabbi Joshua the son of Korcha said: You can, but you are not allowed to (i. e. לא תוכל does not mean: you are unable for some reason or another to do so, but it expresses the inability to do it because of a legal restriction). A similar case *we have in* (Josh. XV. 63) "As to the Jebusites, the inhabitants of Jerusalem, the children of Judah could not drive them out" — they could have done so, but they were not allowed to (Siphre); because Abraham had made a covenant with them when he bought from them the cave of Machpelah *that they would be spared at the conquest of the Land. — As a matter fact* they were not Jebusites but Hittites (the people mentioned in Gen. XXIII. at the purchase of the cave), but *they were called Jebusites* after the city the name of which was Jebus. Thus is it explained in the Pirke d'R. Eliezer (ch. 36). And this is *the meaning of* what is stated, *that when David was about to drive out the Jebusites, they said to him* (2 Sam. V. 6) "Except thou take away the blind and the lame [thou shalt not come in hither]" — *by "the blind and the lame" they meant* the idols (that stood at the gates) upon which they had written the oath *which Abraham had taken.* ובכרת בקרך [THOU MAYEST NOT EAT WITHIN THY GATES THE TITHE OF THY CORN ...] AND THE FIRSTLINGS OF THY HERD — *This, in contradistinction to* מעשר דגנך וכו׳, *is of course* a prohibition *addressed* to the priests (since the Israelites were not at all permitted to eat firstlings; cf. Zeb. V. 1: הבכור נאכל לכהנים והמעשר לכל אדם). ותרומת ידך AND THE HEAVE-OFFERINGS OF THY HAND — This refers to the first-fruits (cf. XXVI. 4) (Siphre; Macc. 17a). **(18)** לפני ה׳ [BUT THOU MUST EAT THEM]

NOTES

1) The reason for prohibiting the eating of blood is given in Lev. VII. 11—12: "I have given it to you on the altar to make an expiation for your souls ... therefore I said unto the Children of Israel, 'No soul of you shall eat blood' ". But since these animals, being blemished, may not be brought on the altar, it might be assumed that the blood might be eaten. For this reason it must be explicitly stated that this is not permissible.

רש"י

BEFORE THE LORD — *i. e.* within the walls *of the city of Jerusalem*[1]). והלוי אשר בשעריך [BUT THOU MUST EAT THEM BEFORE THE LORD, THOU ...] AND THE LEVITE THAT IS WITHIN THY GATES — If you have nought to give him *that is due to him* as his portion, as, for instance, the first tithe, give him the "tithe of the poor" (the tithe that replaces the "second tithe" in the 3rd and 6th year of the Sabbatical period); and if you have no "tithe of the poor", invite him to your feast-offering meal (Siphre)[2]). **(19)** השמר לך TAKE HEED TO THYSELF [LEST THOU FORSAKE THE LEVITE] — *This is intended in addition to the positive command expressed in the previous verse,* to attach to it (the neglect of the Levite) a negative command, *also.* על אדמתך [TAKE HEED TO THYSELF LEST THOU FORSAKE THE LEVITE] UPON THY GROUND — but in exile (outside the Holy Land) you are not admonished as regards him more than as regards the poor of the *ordinary* Israelites (Siphre; Jer. Talm. Hor. end). **(20)** כי ירחיב וגו' WHEN [THE LORD THY GOD] SHALL ENLARGE [THY BOUNDARY ... AND THOU SHALT SAY, I WILL EAT FLESH ... THOU MAYEST EAT FLESH] — The Torah teaches the proper rule of life — that one should not desire to eat flesh except *he lives* amidst abundance and wealth (cf. Siphre; Chul. 84a; see also Rashi on Lev. XVII. 13)[3]). בכל אות נפשך וגו' [THOU MAYEST EAT FLESH] IN EVERY LONGING OF THY SOUL — In the wilderness, however, the flesh of a non-holy *animal* was forbidden to them *as food,* unless one first dedicated it *to the altar* and offered it as a peace-offering (Siphre; Chul. 16b)[4]). **(21)** כי ירחק ממך המקום IF THE PLACE [WHICH THE LORD THY GOD HAS CHOSEN TO PUT HIS NAME THERE] BE TOO FAR FROM THEE and thou therefore art unable to come and prepare peace-offerings at *any* time, as *thou doest* now when the Tabernacle accompanies you, וזבחת ... כאשר צויתך THEN THOU MAYEST SLAUGHTER ... AS I HAVE COMMANDED THEE — This teaches us that there was *already* a commandment regarding the slaughtering *of animals* — as to *how* one should slaughter; *it is not written in the Torah but it comprises* the *traditional* regulations regarding the slaughter of animals that were given orally (נאמרו) to Moses on *Mount* Sinai (Siphre; Chul. 28a). **(22)** אך כאשר יאכל את הצבי וגו' BUT ONLY AS THE GAZELLE [AND THE HART] IS EATEN, [SO THOU SHALT EAT THEM] — *i. e.* thou art not admonished to eat them in a state of cleanness *as*

NOTES

1) Here לפני ה' refers to the precincts of the whole city since Scripture defines it closely by במקום אשר יבחר, whilst e. g. in Lev. VI. 18 ושחט את החטאת לפני ה' denotes the north side of the altar only.

2) See Appendix.

3) In the Talmud and Siphre the reading is: למדה תורה ד"א שלא יאכל אדם בשר אלא לתאבון יכול יקח אדם מן השוק ויאכל בשר ת"ל מבקרך ומצאנך, הא אין אדם אוכל בשר עד שיהי' לו בקר וצאן Scripture teaches you that one should not eat meat unless (1) he really craves for it, and (2) unless he can afford to do so by using his *own* oxen and sheep. Scripture allows you to eat meat כי תאוה נפשך, if you have a strong craving for it, but Rashi points out that you should not *permit* yourself to have this craving (שלא יתאוה) unless your means allow of your satisfying it. Rashi condenses the second part of the rule and omits the first.

4) Cf. our Note on p. 177 in this edition of *Leviticus*.

הַנֶּפֶשׁ וְלֹא־תֹאכַל הַנֶּפֶשׁ עִם־הַבָּשָׂר׃ כד לֹא
תֹּאכְלֶנּוּ עַל־הָאָרֶץ תִּשְׁפְּכֶנּוּ כַּמָּיִם׃ כה לֹא תֹּאכְלֶנּוּ
לְמַעַן יִיטַב לְךָ וּלְבָנֶיךָ אַחֲרֶיךָ כִּי־תַעֲשֶׂה הַיָּשָׁר
בְּעֵינֵי יְהוָה׃ כו רַק קָדָשֶׁיךָ אֲשֶׁר־יִהְיוּ לְךָ וּנְדָרֶיךָ
תִּשָּׂא וּבָאתָ אֶל־הַמָּקוֹם אֲשֶׁר־יִבְחַר יְהוָה׃
כז וְעָשִׂיתָ עֹלֹתֶיךָ הַבָּשָׂר וְהַדָּם עַל־מִזְבַּח יְהוָה
אֱלֹהֶיךָ וְדַם־זְבָחֶיךָ יִשָּׁפֵךְ עַל־מִזְבַּח יְהוָה אֱלֹהֶיךָ
וְהַבָּשָׂר תֹּאכֵל׃ כח שְׁמֹר וְשָׁמַעְתָּ אֵת כָּל־הַדְּבָרִים
הָאֵלֶּה אֲשֶׁר אָנֹכִי מְצַוֶּךָּ לְמַעַן יִיטַב לְךָ וּלְבָנֶיךָ
אַחֲרֶיךָ עַד־עוֹלָם כִּי תַעֲשֶׂה הַטּוֹב וְהַיָּשָׁר בְּעֵינֵי

אונקלוס

נַפְשָׁא עִם בִּשְׂרָא׃ כד לָא תֵיכְלִנֵּהּ עַל אַרְעָא תִשְׁדְּנֵהּ כְּמַיָּא׃ כה לָא תֵיכְלִנֵּהּ
בְּדִיל דְּיֵיטַב לָךְ וְלִבְנָךְ בָּתְרָךְ אֲרֵי תַעְבֵּד דְּכָשַׁר קֳדָם יְיָ׃ כו לְחוֹד מַעְשַׂר
קוּדְשָׁיךְ דִּיהוֹן לָךְ וְנִדְרָךְ תִּטּוֹל וְתֵיתֵי לְאַתְרָא דִּי יִתְרְעֵי יְיָ׃ כז וְתַעְבֵּד עֲלָוָתָךְ
בִּשְׂרָא וּדְמָא עַל מַדְבְּחָא דַּייָ אֱלָהָךְ וְדַם נִכְסַת קוּדְשָׁיךְ יִתְשַׁד עַל מַדְבְּחָא
דַּייָ אֱלָהָךְ וּבִשְׂרָא תֵּיכוּל׃ כח טַר וּתְקַבֵּל יָת פִּתְגָּמַיָּא הָאִלֵּין דִּי אֲנָא מְפַקֵּדָךְ
בְּדִיל דְּיֵיטַב לָךְ וְלִבְנָךְ בָּתְרָךְ עַד עָלַם אֲרֵי תַעְבֵּד דְּתָקֵן וּדְכָשַׁר קֳדָם יְיָ אֱלָהָךְ׃

רש״י

לְאָכְלָן בְּטָהֳרָה, אִי מַה צְּבִי וְאַיָּל חֶלְבָּן מוּתָּר אַף חֻלִּין חֶלְבָּן מוּתָּר?! תַּ״ל אַךְ׃
(כג) רק חזק לבלתי אכל הדם. מִמָּה שֶּׁנֶּאֱמַר חֲזַק אַתָּה לָמֵד שֶׁהָיוּ שְׁטוּפִים בְּדָם
לְאָכְלוֹ, לְפִיכָךְ הֻצְרַךְ לוֹמַר חֲזַק דִּבְרֵי ר׳ יְהוּדָה, ר׳ שִׁמְעוֹן בֶּן עַזַּאי אוֹמֵר לֹא בָא
הַכָּתוּב אֶלָּא לְהַזְהִירְךָ וּלְלַמֶּדְךָ עַד כַּמָּה אַתָּה צָרִיךְ לְהִתְחַזֵּק בְּמִצְוֹת, אִם הַדָּם שֶׁהוּא קַל
לְהִשָּׁמֵר מִמֶּנּוּ שֶׁאֵין אָדָם מִתְאַוֶּה לוֹ, הֻצְרַךְ לְחַזֶּקְךָ בְּאַזְהָרָתוֹ, קַ״ו לִשְׁאָר מִצְוֹת (עי׳ ספרי)׃
ולא תאכל הנפש עם הבשר. אַזְהָרָה לְאֵבֶר מִן הֶחָי (חולי׳ ק״ב)׃ (כד) לא
תאכלנו. אַזְהָרָה לְדַם הַתַּמְצִית (כריתי׳ ד׳)׃ (כה) לא תאכלנו. אַזְהָרָה לְדַם הָאֵבָרִים (שם)׃
למען ייטב לך וגו׳. צֵא וּלְמַד מַתַּן שְׂכָרָן שֶׁל מִצְוֹת, אִם הַדָּם שֶׁנַּפְשׁוֹ שֶׁל אָדָם קָצָה
מִמֶּנּוּ הַפּוֹרֵשׁ מִמֶּנּוּ זוֹכֶה לוֹ וּלְבָנָיו אַחֲרָיו, קַל וָחוֹמֶר לְגָזֵל וַעֲרָיוֹת שֶׁנַּפְשׁוֹ שֶׁל אָדָם
מִתְאַוָּה לָהֶם (מכ׳ כ״ג)׃ (כו) רק קדשיך. אַאַ״פּ שֶׁאַתָּה מוּתָּר לִשְׁחוֹט חֻלִּין, לֹא הִתַּרְתִּי
לְךָ לִשְׁחוֹט אֶת הַקֳּדָשִׁים וּלְאָכְלָן בִּשְׁעָרֶיךָ בְּלֹא הַקְרָבָה, אֶלָּא הֲבִיאֵם לְבֵית הַבְּחִירָה׃
(כז) ועשית עלתיך. אִם עוֹלוֹת הֵן, תֵּן הַבָּשָׂר וְהַדָּם עַל גַּבֵּי הַמִּזְבֵּחַ, וְאִם זִבְחֵי שְׁלָמִים
הֵם, דַּם זְבָחֶיךָ יִשָּׁפֵךְ עַל הַמִּזְבֵּחַ תְּחִלָּה וְאַחַר כָּךְ וְהַבָּשָׂר תֹּאכֵל. וְעוֹד דָּרְשׁוּ רַבּוֹתֵינוּ
רַק קָדָשֶׁיךָ בָּא לְלַמֵּד עַל הַקֳּדָשִׁים שֶׁבְּחוּצָה לָאָרֶץ וּלְלַמֵּד עַל הַתְּמוּרוֹת וְעַל וַלְדוֹת
קֳדָשִׁים שֶׁיַּקְרִיבוּ (ספרי; בכ׳ י״ד)׃ (כח) שמר. זוֹ מִשְׁנָה שֶׁאַתָּה צָרִיךְ לְשָׁמְרָהּ בְּבִטְנְךָ

the life; and thou mayest not eat the life with the flesh. [24]Thou shalt not eat it; thou shalt pour it upon the earth as water. [25]Thou shalt not eat it; that it may be well with thee, and with thy children after thee, when thou shalt do what *is* right in the eyes of the Eternal. [26]Only thy holy things which thou hast, and thy vows, thou shalt bear, and go unto the place which the Eternal shall choose: [27]And thou shalt offer thy burnt-offerings, the flesh and the blood, upon the altar of the Eternal thy God: and the blood of thy sacrifices shall be poured upon the altar of the Eternal thy God, and thou shalt eat the flesh. [28]Keep and hear all these words which I command thee, that it may go well with thee, and with thy children after thee for ever, when thou doest what *is* good and right in the eyes

רש"י

is the case with sacrifices which you slaughter in a holy place; if, *however, you will argue:* How *is the case with* the gazelle and the hart? Their fat is permitted as food; so, too, is the fat of non-consecrated *domestic animals* (חולין) permitted! *Then I reply:* Scripture says אך (which word has a limitative force and thus indicates that חולין are not to be treated like the gazelle and the hart in e v e r y respect) (cf. Bech. 15a). **(23)** רק חזק לבלתי אכל הדם ONLY BE STRONG THAT THOU EAT NOT THE BLOOD — From *the fact* that it states, "Be strong" (make a special effort), you may learn that they had a prediliction to blood — to the eating of it; it was therefore necessary to state, "be strong". This is the view of R. Judah. R. Simeon, the son of Azzai, however, says: Scripture merely intends to caution you and to teach you to what great an extent you must strive to *fulfil* the *divine* commandments *in general.* If, as regards blood from which one can easily keep aloof since one does not long for it, it felt it necessary to insist on a strong effort on your part when forbidding it to you, how much the more *is it necessary for you to make great efforts in keeping* other commands *the fulfilment of which requires much moral strength* (cf. Siphre). ולא תאכל הנפש עם הבשר AND THOU MAYEST NOT EAT THE LIFE WITH THE FLESH — This is a prohibition of אבר מן החי, *the eating of* a limb cut from a living animal (Siphre; Chul. 102a; cf. Rashi on Gen. IX. 4). **(24)** לא תאכלנו THOU SHALT NOT EAT IT — This is a prohibition against *the eating of* דם התמצית (the last blood oozing through the cut of a vein; תמצית from מצה "to squeeze") (Ker. 4b)[1]. **(25)** לא תאכלנו THOU SHALT NOT EAT IT — This is a prohibition against *eating of* the blood contained in the limbs (ib.)[2]. למען ייטב לך וגו׳ THAT IT MAY BE WELL WITH THEE, etc. — Go and learn *how great is* the grant of reward for *keeping* the *divine* commandments: if in the case of blood for which the soul of man feels a loathing, he who keeps aloof from it obtains merit for himself and for his children after him, how much the more *is it so* in the case of robbery or forbidden sexual relations for which the soul of man may feel a longing (Macc. 23b). **(26)** רק קדשיך ONLY (i. e. however) THY HOLY THINGS [... THOU SHALT BEAR AND GO UNTO THE PLACE WHICH THE LORD SHALL CHOOSE] — *This means:* although you are permitted to slaughter n o n - h o l y *animals* I do not permit you to slaughter c o n s e c r a t e d *animals* and to eat them in thy gates (i. e. wherever you please) without sacrificing them *on the altar,* but bring them to the "House of Choice" (the Sanctuary)[3]). **(27)** ועשית עלתיך AND THOU SHALT OFFER THY BURNT OFFERINGS — *i. e.* if they (thy sacrifices) be burnt offerings, put the flesh as well as the blood on the altar, but if they are p e a c e o f f e r i n g s, then "the blood of thy sacrifices shall be poured" first on the altar and a f t e r w a r d s thou mayest eat the flesh. Furthermore did our Rabbis deduce *that the words* "thy sacrifices, however, [thou shalt bear, etc.]" are intended to teach with regard to consecrated animals that are outside the Land (abroad) as well as regards such animals that

NOTES

For Notes 1—3 see Appendix.

יְהֹוָה אֱלֹהֶיךָ: ס שלישי כט כִּי־יַכְרִית יְהֹוָה
אֱלֹהֶיךָ אֶת־הַגּוֹיִם אֲשֶׁר אַתָּה בָא־שָׁמָּה לָרֶשֶׁת
אוֹתָם מִפָּנֶיךָ וְיָרַשְׁתָּ אֹתָם וְיָשַׁבְתָּ בְּאַרְצָם:
ל הִשָּׁמֶר לְךָ פֶּן־תִּנָּקֵשׁ אַחֲרֵיהֶם אַחֲרֵי הִשָּׁמְדָם
מִפָּנֶיךָ וּפֶן־תִּדְרֹשׁ לֵאלֹהֵיהֶם לֵאמֹר אֵיכָה יַעַבְדוּ
הַגּוֹיִם הָאֵלֶּה אֶת־אֱלֹהֵיהֶם וְאֶעֱשֶׂה־כֵּן גַּם־אָנִי:
לא לֹא־תַעֲשֶׂה כֵן לַיהֹוָה אֱלֹהֶיךָ כִּי כָל־תּוֹעֲבַת
יְהֹוָה אֲשֶׁר שָׂנֵא עָשׂוּ לֵאלֹהֵיהֶם כִּי גַם אֶת־
בְּנֵיהֶם וְאֶת־בְּנֹתֵיהֶם יִשְׂרְפוּ בָאֵשׁ לֵאלֹהֵיהֶם:
יג א אֵת כָּל־הַדָּבָר אֲשֶׁר אָנֹכִי מְצַוֶּה אֶתְכֶם

אונקלוס

כט אֲרֵי וְשֵׁיצֵי יְיָ אֱלָהָךְ יָת עַמְמַיָּא דִּי אַתְּ עָלֵל לְתַמָּן לְמֵירַת יָתְהוֹן מִקֳדָמָךְ
וְתֵירַת יָתְהוֹן וְתֵיתַב בְּאַרְעֲהוֹן: ל אִסְתְּמַר לָךְ דִּילְמָא תִתָּקַל בַּתְרֵיהוֹן בָּתַר
דְּיִשְׁתֵּצוּן מִקֳדָמָךְ וְדִילְמָא תִתְבַּע לְטָעֲוָתְהוֹן לְמֵימַר אֶכְדֵּין פָּלְחִין עַמְמַיָּא הָאִלֵּין
יָת טָעֲוָתְהוֹן וְאֶעֱבֵּד כֵּן אַף אֲנָא: לא לָא תַעְבֵּד כֵּן קֳדָם יְיָ אֱלָהָךְ אֲרֵי כָל דִּמְרָחַק
קֳדָם יְיָ דִּי סָנֵי עֲבַדוּ לְטָעֲוָתְהוֹן אֲרֵי אַף יָת בְּנֵיהוֹן וְיָת בְּנָתֵיהוֹן מוֹקְדִין בְּנוּרָא
לְטָעֲוָתְהוֹן: א יָת כָּל פִּתְגָּמָא דִּי אֲנָא מְפַקֵּד יָתְכוֹן יָתֵהּ תִּטְּרוּן לְמֶעְבָּד לָא

רש"י

שֶׁלֹּא תִשְׁכַּח, כָּעִנְיָן שֶׁנֶּאֱמַר (משׁ׳ כ״ב) כִּי נָעִים כִּי תִשְׁמְרֵם בְּבִטְנֶךָ, וְאִם שָׁנִיתָ אֶפְשָׁר
שֶׁתִּשְׁמַע וּתְקַיֵּם, הָא כָל שֶׁאֵינוֹ בִכְלָל מִשְׁנֶה אֵינוֹ בִכְלָל מַעֲשֶׂה (עי׳ ספרי): אֶת כָּל
הַדְּבָרִים. שֶׁתְּהֵא חֲבִיבָה עָלֶיךָ מִצְוָה קַלָּה כְּמִצְוָה חֲמוּרָה (שׁם): הַטּוֹב. בְּעֵינֵי הַשָּׁמַיִם.
וְהַיָּשָׁר. בְּעֵינֵי אָדָם: (ל) פֶּן תִּנָּקֵשׁ. אוּנְקְלוֹס תִּרְגֵּם לְשׁוֹן מוֹקֵשׁ, וַאֲנִי אוֹמֵר שֶׁלֹּא חָשׁ
לְדַקְדֵּק בַּלָּשׁוֹן. שֶׁלֹּא מָצִינוּ נוּ״ן בִּלְשׁוֹן יוֹקֵשׁ, וַאֲפִילוּ לִיסוֹד הַנּוֹפֵל מִמֶּנּוּ, אֲבָל בִּלְשׁוֹן
טֵרוּף וְקִשְׁקוּשׁ מָצִינוּ נוּ״ן, וְאַרְכֻּבָּתֵהּ דָּא לְדָא נָקְשָׁן (דני׳ ה׳): וְאַף זֶה אֲנִי אוֹמֵר פֶּן תִּנָּקֵשׁ
אַחֲרֵיהֶם — פֶּן תִּטָּרֵף אַחֲרֵיהֶם, לִהְיוֹת כָּרוּךְ אַחַר מַעֲשֵׂיהֶם; וְכֵן (תהי׳ ק״ט) יְנַקֵּשׁ נוֹשֶׁה
לְכָל אֲשֶׁר לוֹ — מְקַלֵּל אֶת הָרָשָׁע לִהְיוֹת עָלָיו נוֹשִׁים רַבִּים וְיִהְיוּ מַחֲזִירִין וּמִתְנַקְּשִׁין
אַחַר מָמוֹנוֹ: אַחֲרֵי הִשָּׁמְדָם מִפָּנֶיךָ. אַחַר שֶׁתִּרְאֶה שֶׁאַשְׁמִידֵם מִפָּנֶיךָ, יֵשׁ לְךָ לָתֵת לֵב
מִפְּנֵי מָה נִשְׁמְדוּ אֵלּוּ, מִפְּנֵי מַעֲשִׂים מְקֻלְקָלִים שֶׁבִּידֵיהֶם; אַף אַתָּה לֹא תַעֲשֶׂה כֵּן שֶׁלֹּא
יָבוֹאוּ אֲחֵרִים וְיַשְׁמִידוּךְ: אֵיכָה יַעַבְדוּ. לְפִי שֶׁלֹּא עָנַשׁ עַל עֲבוֹדָה זָרָה אֶלָּא
עַל זֶבּוּחַ וְקִטּוּר וְנִסּוּךְ וְהִשְׁתַּחֲוָאָה, כְּמוֹ שֶׁכָּתוּב (שׁמי׳ כ״ב) בִּלְתִּי לַה׳ לְבַדּוֹ — דְּבָרִים
הַנַּעֲשִׂים לַגָּבוֹהַּ, בָּא וְלִמֶּדְךָ כָּאן שֶׁאִם דַּרְכָּהּ שֶׁל עֲ״ז לַעֲבָדָהּ בְּדָבָר אַחֵר, כְּגוֹן פּוֹעֵר
לִפְעוֹר וְזוֹרֵק אֶבֶן לְמַרְקוּלִיס, זוֹ הִיא עֲבוֹדָתוֹ וְחַיָּב, אֲבָל זִבּוּחַ וְקִטּוּר וְנִסּוּךְ וְהִשְׁתַּחֲוָאָה
אֲפִילוּ שֶׁלֹּא כְדַרְכָּהּ חַיָּב (סנה׳ ס׳): (לא) כִּי גַם אֶת בְּנֵיהֶם. גַּם — לְרַבּוֹת אֶת אֲבוֹתֵיהֶם
וְאִמּוֹתֵיהֶם: אָמַר רַבִּי עֲקִיבָא אֲנִי רָאִיתִי גּוֹי שֶׁכְּפָתוֹ לְאָבִיו לִפְנֵי כַּלְבּוֹ וַאֲכָלוֹ (ספרי):

of the Eternal thy God. [29]When the Eternal thy God shall cut off the nations from before thee, whither thou goest to posses them, and thou succeedest them, and abidest in their land; [30]Take heed to thyself, lest thou be snared by going after them, after that they be exterminated from before thee; and lest thou inquire after their gods, saying, How did these nations serve their gods? even so will I do likewise. [31]Thou shalt not do so unto the Eternal thy God: for every abomination to the Eternal, which he hateth, have they done unto their gods; for even their sons and their daughters have they burnt in the fire to their gods.

13. [1]What thing soever I command you, observe to do: thou

רש"י

have been exchanged for other consecrated animals, and *finally* regarding the young of consecrated animals that *all such* must *also* be offered *in Jerusalem* (Siphre; Bech. 14b)[1]). **(28)** שמר KEEP [AND HEAR (understand) ALL THESE WORDS WHICH I COMMAND THEE] — This (the word שמר) implies the studying *of the oral law*[2]) — that you must keep it within you that it should not be forgotten, just as it is said, (Prov. XXII. 18) "[And apply thy heart unto my knowledge] for it is a pleasant thing if thou k e e p (תשמרם) them within thee", and *only* if thou learnest is it possible that thou wilt understand and fulfil *the commands*, but one who is not amongst those who study (lit., who is not included in learning) cannot be amongst those who act *correctly* (cf. Siphre; see also Rashi on IV. 6). (The translation is: keep, i. e. study and retain your learning in mind: ושמעת, and then thou wilt understand how to observe the commands). את כל הדברים [KEEP . . .] A L L WORDS [WHICH I COMMAND THEE] — *This implies* that a light precept should be as dear to you as a grave precept (Siphre). הטוב [THAT IT MAY GO WELL WITH THEE . . . WHEN THOU DOEST] WHAT IS GOOD — *This refers to an action that is proper* in the eyes of the Heavenly *Father*. והישר AND WHAT IS RIGHT — *this refers to an action that appears to be proper* in the eyes of men (ib.)[3]). **(30)** פן תנקש [TAKE HEED TO THYSELF] LEST THOU BE SNARED — Onkelos renders תנקש as an expression of *the same root and meaning as* מוקש, a snare. But I say that he was not particular to examine carefully the expression, for we never find a נ in the term that means to snare, not even as a root letter that is *sometimes* omitted from it; but in the term denoting movement from place to place and knocking we do find a נ, *as in* (Dan. V. 6) "and his knees knocked (נקשן) one against the other". Here, too, I say *that* פן תנקש *means* lest thou run after them so that you cling to their doings. Similar is (Ps. CIX. 11) "Let the creditor be מנקש to all that he hath" — he (the speaker) is cursing the wicked that he may have many creditors and that these may go about running after his money[4]). אחרי השמדם מפניך [TAKE HEED THAT THOU BE NOT SNARED] (according to Rashi, THAT THOU DO NOT RUN AFTER THEM) AFTER THAT THEY BE EXTERMINATED BEFORE THEE — *The meaning is:* after you see that I exterminate them from before you, you ought to pay attention to w h y these were exterminated — because of the depraved doings which they practised. Consequently you should not act likewise lest others come and exterminate y o u (cf. Siphre)[5]). איכה יעבדו HOW DID [THESE NATIONS] SERVE [THEIR GODS? EVEN SO WILL I DO LIKEWISE] — Because Scripture has laid down a punishment for idolatrous worship only in the case of sacrifice, offering incense, libation and prostration, as it is written (Ex. XXII. 19), "[He that s a c r i f i c e t h unto any god] save unto the Lord only [shall be doomed to death]" — *which thus puts under the death penalty only* kinds of worship that are performed in honour of the Most High God (i. e. such as have characteristics similar to "sacrifice"; cf. Rashi on Ex. XXII. 19), Scripture comes and teaches you here that if the usual way of worshipping any idol is by some other rite, as e. g., that one exposes his person

NOTES

For Notes 1—5 see Appendix.

אֹתוֹ תִּשְׁמְרוּ לַעֲשׂוֹת לֹא־תֹסֵף עָלָיו וְלֹא תִגְרַע מִמֶּנּוּ׃ פ

ב כִּי־יָקוּם בְּקִרְבְּךָ נָבִיא אוֹ חֹלֵם חֲלוֹם וְנָתַן אֵלֶיךָ אוֹת אוֹ מוֹפֵת׃ ג וּבָא הָאוֹת וְהַמּוֹפֵת אֲשֶׁר־דִּבֶּר אֵלֶיךָ לֵאמֹר נֵלְכָה אַחֲרֵי אֱלֹהִים אֲחֵרִים אֲשֶׁר לֹא־יְדַעְתָּם וְנָעָבְדֵם׃ ד לֹא תִשְׁמַע אֶל־דִּבְרֵי הַנָּבִיא הַהוּא אוֹ אֶל־חוֹלֵם הַחֲלוֹם הַהוּא כִּי מְנַסֶּה יְהוָה אֱלֹהֵיכֶם אֶתְכֶם לָדַעַת הֲיִשְׁכֶם אֹהֲבִים אֶת־יְהוָה אֱלֹהֵיכֶם בְּכָל־לְבַבְכֶם וּבְכָל־נַפְשְׁכֶם׃ ה אַחֲרֵי יְהוָה אֱלֹהֵיכֶם תֵּלֵכוּ וְאֹתוֹ תִירָאוּ וְאֶת־מִצְוֺתָיו תִּשְׁמֹרוּ וּבְקֹלוֹ תִשְׁמָעוּ וְאֹתוֹ תַעֲבֹדוּ וּבוֹ תִדְבָּקוּן׃ ו וְהַנָּבִיא הַהוּא אוֹ חֹלֵם הַחֲלוֹם

אונקלוס

תּוֹסְפוּן עֲלוֹהִי וְלָא תִמְנְעוּן מִנֵּהּ׃ ב אֲרֵי יְקוּם בֵּינָךְ נְבִיָּא אוֹ חָלֵם חֶלְמָא וְיִתֵּין לָךְ אָת אוֹ מוֹפְתָא׃ ג וְיֵיתֵי אָתָא וּמוֹפְתָא דִּי מַלֵּיל עִמָּךְ לְמֵימַר נְהָךְ בָּתַר טָעֲוַת עַמְמַיָּא דִּי לָא יְדַעְתּוּן וְנִפְלְחִנּוּן׃ ד לָא תְקַבֵּל לְפִתְגָּמֵי נְבִיָּא הַהוּא אוֹ לְחָלֵם חֶלְמָא הַהוּא אֲרֵי מְנַסֵּי יְיָ אֱלָהֲכוֹן יָתְכוֹן לְמִדַּע הַאִיתֵיכוֹן רָחֲמִין יָת יְיָ אֱלָהֲכוֹן בְּכָל לִבְּכוֹן וּבְכָל נַפְשְׁכוֹן׃ ה בָּתַר דַּחְלְתָא דַּייָ אֱלָהֲכוֹן תְּהָכוּן וְיָתֵהּ תִּדְחֲלוּן וְיָת פִּקּוֹדוֹהִי תִּטְּרוּן וּלְמֵימְרֵהּ תְּקַבְּלוּן וְקֳדָמוֹהִי תִּפְלְחוּן וּבְדַחְלְתֵהּ תִּתְקָרְבוּן׃ ו וּנְבִיָּא הַהוּא אוֹ חָלֵם חֶלְמָא הַהוּא יִתְקְטֵל אֲרֵי מַלֵּיל סְטָיָא עַל יְיָ

רש״י

יג (א) את כל הדבר. קַלָּה כַּחֲמוּרָה (שם): תשמרו לעשות. לִתֵּן לֹא תַעֲשֶׂה עַל עֲשֵׂה הָאֲמוּרִים בְּפָרָשָׁה, שֶׁכָּל הַשָּׁמֶר לְשׁוֹן לֹא תַעֲשֶׂה הוּא, אֶלָּא שֶׁאֵין לוֹקִין עַל הַשָּׁמֶר שֶׁל עֲשֵׂה (מכ׳ י״ג): לא תסף עליו. חֲמִשָּׁה טוֹטָפוֹת, חֲמִשָּׁה מִינִין בְּלוּלָב, אַרְבַּע בְּרָכוֹת לְבִרְכַּת כֹּהֲנִים (ספרי): (ב) ונתן אליך אות. בַּשָּׁמַיִם, כָּעִנְיָן שֶׁנֶּאֱמַר בְּגִדְעוֹן (שופ׳ ו׳) וְעָשִׂיתָ לִּי אוֹת וְאוֹמֵר יְהִי נָא חֹרֶב אֶל הַגִּזָּה וגו׳: או מופת. בָּאָרֶץ. אַעַ״פּ כֵּן לֹא תִשְׁמַע לוֹ, וְאִם תֹּאמַר מִפְּנֵי מָה נוֹתֵן לוֹ הַקָּבָּ״ה מֶמְשָׁלָה לַעֲשׂוֹת אוֹת? כי מנסה ה׳ אלהיכם אתכם (ספרי עי׳ סנה׳ צ׳): (ה) ואת מצותיו תשמרו. תּוֹרַת מֹשֶׁה, ובקלו תשמעו. בְּקוֹל הַנְּבִיאִים, ואתו תעבדו. בְּמִקְדָּשׁוֹ (ספרי): ובו תדבקון. הִדָּבֵק בִּדְרָכָיו — גְּמוֹל חֲסָדִים, קְבוֹר מֵתִים, בַּקֵּר חוֹלִים, כְּמוֹ שֶׁעָשָׂה הַקָּבָּ״ה (סוטה י״ד): (ו) סרה. דָּבָר הַמּוּסָר מִן

shalt not add thereto, nor diminish from it. [2]If there arise among you a prophet, or a dreamer of dreams, and giveth thee a sign or a wonder, [3]And the sign or the wonder come to pass whereof he spake unto thee, saying, Let us go after other gods, which thou hast not known, and let us serve them; [4]Thou shalt not hearken unto the words of that prophet, or that dreamer of dreams: for the Eternal your God trieth you, to know whether you really love the Eternal your God with all your heart and with all your soul. [5]Ye shall go after the Eternal your God, him ye shall fear, his commandments ye shall keep, his voice ye shall obey, him ye shall serve, and unto him ye shall cleave. [6]And that prophet, or that dreamer of dreams,

רש"י

in honour of Baal Peor, or casts a stone before Mercury — *then* this is its cult and *one who performs it* is *therefore* liable *to the death penalty*, but *for* sacrifice, offering incense, libation and prostration one becomes liable *to the death penalty* even though this be not the usual way of *worshipping* it (Sanh. 60b). **(31)** כי גם את בניהם FOR ALSO THEIR SONS [AND THEIR DAUGHTERS HAVE THEY BURNT IN THE FIRE TO THEIR GOD] — *The word* גם, *"also"*, *is intended* to include *amongst those they used to burn*, their parents also. R. Akiba related, "I once saw a heathen who bound his father *and threw him* before his dog which thereupon devoured him" (Siphre).
13. (1) את כל הדבר EVERYTHING [I COMMAND YOU] — light *precepts* as well as grave ones (ib.), תשמרו לעשות OBSERVE TO DO — *This statement is intended* to attach also a prohibition (לאו) to the positive commands *mentioned* in this section, for wherever השמר is used it is a term that implies a prohibition, but *the difference between this and an ordinary prohibition is* that flagellation is not inflicted for *infringing a prohibition resulting from the use of the term* השמר in connection with a positive command. לא תסף עליו THOU SHALT NOT ADD THERETO — *as, for instance, to place* five chapters in the Tephillin, *to employ* five species *of fruit and plants* in the *fulfilment of the command of* Lulab, *to recite* four *instead of three* blessings in the Benedictions of the priests (Siphre; cf. Rashi on IV. 2). **(2)** ונתן אליך אות [IF THERE ARISE AMONG YOU A PROPHET ...] AND GIVETH THEE A SIGN *that will show itself* in the heavens, just as it is stated in the case of ideon *who spoke to the angel*, (Judg. VI. 17) "[If now I found grace in your sight], then show me a sign (אות)", and then it *further* states, (ib. v. 39) "[let me prove, I pray thee, but this once with the fleece;] let it be dry only upon the fleece [and upon all the ground let there be dew]"[1]). או מופת OR A WONDER *showing itself* on the earth. — Nevertheless you shall not hearken unto him (although the sign or the wonder come to pass; cf. v. 3). But if you ask, why then does God give him the power to perform a sign? *Scripture replies*, (v. 4) "for the Lord your God trieth you, [to know whether you really love the Lord your God]" (Siphre; cf. Sanh. 90a). **(5)** ואת מצותיו תשמרו HIS COMMANDMENTS YE SHALL KEEP — the Law of Moses, ובקלו תשמעו HIS VOICE YE SHALL OBEY — the voice of the prophets, ואתו תעבדו HIM YE SHALL SERVE in His Temple (Siphre)[2]). ובו תדבקון AND UNTO HIM YE SHALL CLEAVE — *i.e.* cleave to His ways: do kindly actions, bury the dead, visit the sick, as did the Holy One, blessed be He (Sota 14a). **(6)** סרה [BECAUSE HE HATH SPOKEN] סרה — *i. e.* something that is strange in the

NOTES

1) There is another reading of this Rashi in some printed editions which runs as follows: ונתן אליך אות בשמים, דכתיב והיו לאותות ולמועדים: או מופת בארץ, דכתיב אם טל יהיה על הגזה לבדה ועל כל הארץ חורב. So, too, is the reading of the Siphre. According to our reading we must explain that although the dew was to show itself on earth, yet coming from heaven it may be regarded as אות בשמים.

2) See Appendix.

הַהוּא יוּמָת כִּי דִבֶּר־סָרָה עַל־יְהוָה אֱלֹהֵיכֶם
הַמּוֹצִיא אֶתְכֶם ׀ מֵאֶרֶץ מִצְרַיִם וְהַפֹּדְךָ מִבֵּית
עֲבָדִים לְהַדִּיחֲךָ מִן־הַדֶּרֶךְ אֲשֶׁר צִוְּךָ יְהוָה אֱלֹהֶיךָ
לָלֶכֶת בָּהּ וּבִעַרְתָּ הָרָע מִקִּרְבֶּךָ׃ ס ז כִּי
יְסִיתְךָ אָחִיךָ בֶן־אִמֶּךָ אוֹ־בִנְךָ אוֹ־בִתְּךָ אוֹ ׀ אֵשֶׁת
חֵיקֶךָ אוֹ רֵעֲךָ אֲשֶׁר כְּנַפְשְׁךָ בַּסֵּתֶר לֵאמֹר נֵלְכָה
וְנַעַבְדָה אֱלֹהִים אֲחֵרִים אֲשֶׁר לֹא יָדַעְתָּ אַתָּה
וַאֲבֹתֶיךָ׃ ח מֵאֱלֹהֵי הָעַמִּים אֲשֶׁר סְבִיבֹתֵיכֶם
הַקְּרֹבִים אֵלֶיךָ אוֹ הָרְחֹקִים מִמֶּךָּ מִקְצֵה הָאָרֶץ
וְעַד־קְצֵה הָאָרֶץ׃ ט לֹא־תֹאבֶה לוֹ וְלֹא תִשְׁמַע

אונקלוס

אֱלָהֲכוֹן דִּי אַפֵּיק יָתְכוֹן מֵאַרְעָא דְּמִצְרַיִם וּדְפָרְקָךְ מִבֵּית עַבְדוּתָא לְאַטְעָיוּתָךְ
מִן אָרְחָא דִּי פַקְּדָךְ יְיָ אֱלָהָךְ לִמְהָךְ בַּהּ וּתְפַלֵּי עָבֵד דְּבִישׁ מִבֵּינָךְ׃ ז אֲרֵי
יְמַלְכִנָּךְ אֲחוּךְ בַּר אִמָּךְ אוֹ בְרָךְ אוֹ בְרַתָּךְ אוֹ אִתַּת קְיָמָךְ אוֹ חַבְרָךְ דִּי כְנַפְשָׁךְ
בְּסִתְרָא לְמֵימַר נְהָךְ וְנִפְלַח לְטַעֲוַת עַמְמַיָּא דִּי לָא יְדַעְתְּ אַתְּ וַאֲבָהָתָךְ׃
ח מִטַּעֲוַת עַמְמַיָּא דִּי בְּסַחֲרָנֵיכוֹן דְּקָרִיבִין לָךְ אוֹ דִּרְחִיקִין מִנָּךְ מִסְּיָפֵי אַרְעָא
וְעַד סְיָפֵי אַרְעָא׃ ט לָא תֵיבֵי לֵהּ וְלָא תְקַבֵּל מִנֵּהּ וְלָא תְחוּס עֵינָךְ עֲלוֹהִי וְלָא

רש״י

הָעוֹלָם, שֶׁלֹּא הָיָה וְלֹא נִבְרָא וְלֹא צִוִּיתִיו לְדַבֵּר כֵּן. דישטוירנורא בְּלַעַז: והפדך מבית
עבדים. אֲפִילּוּ אֵין לוֹ עָלֶיךָ אֶלָּא שֶׁפְּדָאֲךָ דַּיּוֹ (ספרי): **(ז)** כי יסיתך. אֵין הֲסָתָה אֶלָּא
גֵּרוּי, שֶׁנֶּאֱמַר (ש״מ כ״ו) אִם ה׳ הֱסִיתְךָ בִי, אנסיטר״א בְּלַעַז, שֶׁמְּשִׁיאוֹ לַעֲשׂוֹת כֵּן: אחיך.
מֵאָב: או בן אמך. מֵאֵם: חיקך. הַשּׁוֹכֶבֶת בְּחֵיקְךָ וּמְחַקָּה בָךְ, אפקיי״דא בְּלַעַז, וְכֵן
(י״ה מ״ג), יְמַחֵיק הָאָרֶץ – מִיסוֹד הַתָּקוּעַ בָּאָרֶץ: אשר כנפשך. זֶה אָבִיךָ, פֵּרַשׁ לְךָ
הַכָּתוּב אֶת הַחֲבִיבִין לְךָ, קַ״וָ לַאֲחֵרִים: בסתר. דִּבֵּר הַכָּתוּב בַּהֹוֶה, שֶׁאֵין דִּבְרֵי מֵסִית
אֶלָּא בַּסֵּתֶר, וְכֵן. שְׁלֹמֹה הוּא אוֹמֵר (מש׳ ז׳) בְּנֶשֶׁף בְּעֶרֶב יוֹם בְּאִישׁוֹן לַיְלָה וַאֲפֵלָה:
אשר לא ידעת אתה ואבתיך. דָּבָר זֶה גְּנַאי גָּדוֹל הוּא לְךָ – שֶׁאַף הָאֻמּוֹת אֵין מַנִּיחִין מַה
שֶּׁמָּסְרוּ לָהֶם אֲבוֹתֵיהֶם, וְזֶה אוֹמֵר לְךָ עֲזוֹב מַה שֶּׁמָּסְרוּ לְךָ אֲבוֹתֶיךָ (ספרי): **(ח)** הקרבים
אליך או הרחקים. לָמָּה פֵּרַט קְרוֹבִים וּרְחוֹקִים? אֶלָּא כָּךְ אָמַר הַכָּתוּב: מִטִּבָן שֶׁל
קְרוֹבִים אַתָּה לָמֵד טִבָן שֶׁל רְחוֹקִים, דְּשֵׁם שֶׁאֵין מַמָּשׁ בִּקְרוֹבִים, כָּךְ אֵין מַמָּשׁ בִּרְחוֹקִים
(סנה׳ ס״א): מקצה הארץ. זוֹ חַמָּה וּלְבָנָה וּצְבָא הַשָּׁמַיִם שֶׁהֵן מְהַלְּכִין מִסּוֹף הָעוֹלָם
וְעַד סוֹפוֹ (ספרי): **(ט)** לא תאבה לו. לֹא תְהֵא תָאֵב לוֹ, לֹא תֶאֱהָבֵהוּ, לְפִי שֶׁנֶּאֱמַר
(ויק׳ י״ט) וְאָהַבְתָּ לְרֵעֲךָ כָּמוֹךָ – אֶת זֶה לֹא תֶאֱהַב: ולא תשמע אליו. בְּהִתְחַנְנוֹ עַל
נַפְשׁוֹ לִמְחוֹל לוֹ. לְפִי שֶׁנֶּאֱמַר (שמ׳ כ״ג) עָזֹב תַּעֲזֹב עִמּוֹ – לָזֶה לֹא תַעֲזוֹב: ולא תחום

shall be put to death; because he hath spoken defection from the Eternal your God, who brought you out of the land of Egypt, and released you out of the house of servants, to drive thee out of the way which the Eternal thy God commanded thee to go in: so shalt thou put the evil away from the midst of thee. [7]If thy brother, the son of thy mother, or thy son, or thy daughter, or the wife of thy bosom, or thy fellow-*man*, who *is* as thine own soul, entice thee secretly, saying, Let us go and serve other gods, which thou hast not known, thou, nor thy fathers; [8]*Namely,* of the gods of the peoples which *are* round about you, nigh unto thee, or far off from thee, from the *one* end of the earth even unto the *other* end of the earth; [9]Thou shalt not consent unto him, nor hearken

רש"י

world (more lit., removed from the world), something which never existed and was never created (a pure invention), and which I never bade him say; detournure in O. F. והפדך מבית עבדים AND WHO RELEASED YOU OUT OF THE HOUSE OF SERVANTS — even though he had no *other claim* on you but that He delivered you, it would be sufficient for Him *to claim your obedience* (Siphre). **(7)** כי יסיתך IF [THY BROTHER . . .] ENTICE THEE — *The term* יסת always denotes to "stir up", "to incite", as it is said, (1 Sam. XXVI. 19) "If it be the Lord that hath stirred thee up (הסיתך) against me"; inciter in O. F., *Engl. to incite* — *i. e.* that he induces one to act thus. אחיך THY BROTHER — *means, thy brother* on the father's side. בן אמך THE SON OF THY MOTHER — *i. e., thy brother* on the mother's side. (The meaning of the Hebrew words is: thy brother or the son of thy mother). חיקך [OR THE WIFE OF] THY BOSOM — *i. e.* who lies on thy bosom and is attached (מחוקה) to you, affichee in O. F. Similar *is the expression* (Ez. XLIII. 14) "and from the bottom (מחיק) upon the ground" — *i. e.* from the foundation that is sunk in the ground. אשר כנפשך [OR THY FELLOW-MAN] WHO IS AS THINE OWN SOUL — This refers to thy father[1]). Scripture specially mentions all those who are dear to you — *that you must not consent unto them nor spare them* (v. 9), how much the less *should you consent unto* others *or spare them.* בסתר [IF THY BROTHER ENTICE THEE] SECRETLY — Scripture speaks of what usually occurs (but does not intend to exclude one who entices people publicly), for *usually* the words of the enticer are *spoken* in secret. Similarly does Solomon say *of the strange woman that she practises her art of seduction* (Prov. VII. 9) "In the twilight, in the evening of the day, in the blackness of night and the darkness" (Siphre). אשר לא ידעת אתה ואבתיך [LET US GO AND SERVE OTHER GODS] WHICH THOU HAST NOT KNOWN, THOU, NOR THY FATHERS — This would be a great disgrace for you: for not even the *heathen* nations abandon that which their fathers have handed down to them, and this man says to you, "Abandon what thy fathers have handed down to you"! (ib.)[2]). **(8)** הקרבים אליך או הרחקים [LET US GO AND SERVE OTHER GODS . . . NAMELY, OF THE GODS] WHICH ARE NIGH UNTO THEE, OR FAR OFF [FROM THEE] — To what end does it (Scripture) mention *the gods of* the near nations and those of the far-off ones? But this is *in effect* what Scripture says: From *your knowledge of* the gods of the near nations, you may draw conclusions regarding the nature *of the gods* of those far-off; just as there is nothing real in those of the near ones so there is nothing real in those of the far-off ones (Sanh. 61b; Siphre). מקצה הארץ [GODS . . . FAR OFF FROM THEE] FROM THE ONE END OF THE EARTH [EVEN UNTO THE OTHER END OF THE EARTH] — This refers to the sun, the moon and the host of heaven (the stars) who move from one end of the world to the other (Siphre)[3]). **(9)** לא תאבה לו THOU SHALT NOT CONSENT UNTO HIM — *i. e.* thou shalt feel no longing (תאב) towards him, thou shalt show no affection for him (אהב);

NOTES

For Notes 1—3 see Appendix.

אֵלָיו וְלֹא־תָחוֹס עֵינְךָ עָלָיו וְלֹא־תַחְמֹל וְלֹא־
תְכַסֶּה עָלָיו׃ י כִּי הָרֹג תַּהַרְגֶנּוּ יָדְךָ תִּהְיֶה־בּוֹ
בָרִאשׁוֹנָה לַהֲמִיתוֹ וְיַד כָּל־הָעָם בָּאַחֲרֹנָה׃
יא וּסְקַלְתּוֹ בָאֲבָנִים וָמֵת כִּי בִקֵּשׁ לְהַדִּיחֲךָ מֵעַל
יְהוָה אֱלֹהֶיךָ הַמּוֹצִיאֲךָ מֵאֶרֶץ מִצְרַיִם מִבֵּית
עֲבָדִים׃ יב וְכָל־יִשְׂרָאֵל יִשְׁמְעוּ וְיִרָאוּן וְלֹא־יוֹסִפוּ
לַעֲשׂוֹת כַּדָּבָר הָרָע הַזֶּה בְּקִרְבֶּךָ׃ ס יג כִּי־
תִשְׁמַע בְּאַחַת עָרֶיךָ אֲשֶׁר יְהוָה אֱלֹהֶיךָ נֹתֵן לְךָ
לָשֶׁבֶת שָׁם לֵאמֹר׃ יד יָצְאוּ אֲנָשִׁים בְּנֵי־בְלִיַּעַל
מִקִּרְבֶּךָ וַיַּדִּיחוּ אֶת־יֹשְׁבֵי עִירָם לֵאמֹר נֵלְכָה
וְנַעַבְדָה אֱלֹהִים אֲחֵרִים אֲשֶׁר לֹא־יְדַעְתֶּם׃
טו וְדָרַשְׁתָּ וְחָקַרְתָּ וְשָׁאַלְתָּ הֵיטֵב וְהִנֵּה אֱמֶת

אונקלוס

תְרַחֵם וְלָא תְכַסֵּי עֲלוֹהִי׃ י אֲרֵי מִקְטַל תִּקְטְלִנֵּהּ יְדָךְ תְּהֵי בֵהּ בְּקַדְמֵיתָא
לְמִקְטְלֵהּ וִידָא דְכָל עַמָּא בְּבָתְרֵיתָא׃ יא וְתִרְגְּמִנֵּהּ בְּאַבְנַיָּא וִימוּת אֲרֵי בְעָא
לְאַטְעֲיוּתָךְ מִדַּחַלְתָּא דַייָ אֱלָהָךְ דִּי אַפְּקָךְ מֵאַרְעָא דְמִצְרַיִם מִבֵּית עַבְדוּתָא׃
יב וְכָל יִשְׂרָאֵל יִשְׁמְעוּן וְיִדְחֲלוּן וְלָא יוֹסְפוּן לְמֶעְבַּד כְּפִתְגָּמָא בִישָׁא הָדֵין בֵּינָךְ׃
יג אֲרֵי תִשְׁמַע בְּחַד מִקִּרְוָיךְ דִּי יְיָ אֱלָהָךְ יָהֵב לָךְ לְמִתַּב תַּמָּן לְמֵימָר׃ יד נְפָקוּ
גֻּבְרִין בְּנֵי רִשְׁעָא מִבֵּינָךְ וְאַטְעִיוּ יָת יָתְבֵי קַרְתְּהוֹן לְמֵימַר נְהָךְ וְנִפְלַח לְטַעֲוַת
עַמְמַיָּא דִּי לָא יְדַעְתּוּן׃ טו וְתִתְבַּע וְתִבְדּוֹק וְתִשְׁאַל יָאוּת וְהָא קֻשְׁטָא כֵּוֵן פִּתְגָּמָא

רש״י

עינך עליו. לְפִי שֶׁנֶּאֱמַר (ויק׳ י״ט) לֹא תַעֲמֹד עַל דַּם רֵעֶךָ — עַל זֶה לֹא תָחוֹס: ולא
תחמל. לֹא תַהֲפוֹךְ בִּזְכוּתוֹ: ולא תכסה עליו. אִם אַתָּה יוֹדֵעַ לוֹ חוֹבָה אֵינְךָ רַשַּׁאי לִשְׁתּוֹק
(ספרי): (י) כי הרג תהרגנו. אִם יָצָא מִבֵּ״ד זַכַּאי הַחֲזִירֵהוּ לְחוֹבָה, יָצָא מִבֵּית דִּין חַיָּב
אַל תַּחֲזִירֵהוּ לִזְכוּת (שם): ידך תהיה בו בראשונה. מִצְוָה בְּיַד הַנִּסָּת לַהֲמִיתוֹ, לֹא מֵת
בְּיָדוֹ, יָמוּת בְּיַד אֲחֵרִים, שֶׁנֶּאֱמַר ויד כל העם וגו׳ (ע׳ ספרי): (יג) לשבת שם. פְּרָט
לִירוּשָׁלַיִם שֶׁלֹּא נִתְּנָה לְדִירָה (שם): כי תשמע, לאמר. אוֹמְרִים כֵּן יָצְאוּ וְגוֹ׳— (יד) אנשים.
וְלֹא נָשִׁים: בני בליעל. בְּלִי עוֹל, שֶׁפָּרְקוּ עֻלּוֹ שֶׁל מָקוֹם (שם): יושבי עירם. וְלֹא יוֹשְׁבֵי
עִיר אַחֶרֶת, מִכָּאן אָמְרוּ אֵין נַעֲשֵׂית עִיר הַנִּדַּחַת עַד שֶׁיַּדִּיחוּהָ אֲנָשִׁים וְעַד שֶׁיִּהְיוּ מַדִּיחֶיהָ
מִתּוֹכָהּ (סנה׳ קי״א): (טו) ודרשת וחקרת ושאלת היטב. מִכָּאן לָמְדוּ שֶׁבַע חֲקִירוֹת

unto him; neither shall thine eye spare him, neither shalt thou pity him, neither shalt thou conceal him; [10]But thou shalt surely kill him; thine hand shall be first upon him to put him to death, and afterwards the hand of all the people. [11]And thou shalt stone him with stones, that he die; because he hath sought to thrust thee away from the Eternal thy God, who brought thee out of the land of Egypt, from the house of servants. [12]And all Israel shall hear, and fear, and shall do no more any such evil as this is among you. [13]If thou shalt hear *say* in one of thy cities, which the Eternal thy God hath given thee to abide there, saying, [14]*Certain* men, worthless persons, are gone out from among you, and have thrust away the inhabitants of their city, saying, Let us go and serve other gods, which ye have not known; [15]Then shalt thou inquire, and make search, and ask diligently, and, behold, *if it be* truth,

רש"י

This is stated because it is said, (Lev. XIX. 18) "Thou shalt love thy fellow-man as thyself"; this man, however, thou shalt not love[1]). ולא תשמע אליו AND THOU SHALT NOT HEARKEN UNTO HIM when he makes entreaty for his life, that you should forgive him. *This is stated* because it says, (Ex. XXIII. 5) "[If thou see the ass of him that hateth thee] thou shalt surely help him"; this man, however, thou shalt not help. ולא תחוס עינך עליו NEITHER SHALL THINE EYE SPARE HIM — *This is stated* because it says, (Lev. XIX. 16) "thou shalt not stand against the blood of thy fellow" — this man, however, thou shalt not spare (Siphre). ולא תחמל NEITHER SHALT THOU PITY [HIM] — *i. e.* thou shalt not occupy thyself in his favour (you shall not seek to find anything favourable to him), ולא תכסה עליו AND THOU SHALT NOT CONCEAL (COVER OVER) HIM — If you know anything about him that will condemn him, you are not allowed to keep silent (Siphre). **(10)** כי הרג תהרגנו BUT THOU SHALT SURELY KILL HIM — and if he has left the court after having been acquitted have him brought back for condemnation *if you know anything against him;* if, *on the other hand,* he has left the court after being found guilty do not bring him back *to plead* in his favour (Siphre)[2]). ידך תהיה בו בראשונה THINE HAND SHALL BE FIRST UPON HIM [TO PUT HIM TO DEATH] — He who was to be seduced to idolatry has the duty to put him to death; if he did not die by his hand he must die by the hands of others, as it goes on to state "and afterwards the hands of all the people" (cf. Siphre). **(13)** לשבת שם [IF THOU SHALT HEAR SAY IN THE CITIES WHICH THE LORD THY GOD HATH GIVEN THEE] TO ABIDE THERE — *The words "to abide there" are added* to exclude Jerusalem which city was not intended as a dwelling-place (Siphre; cf. B. Kam. 82b)[3]). כי תשמע לאמור IF THOU SHALT HEAR . . . SAYING *means, if thou shalt hear* people saying thus: "[Certain men, worthless persons,] have gone out" etc.[4]). **(14)** אנשים CERTAIN MEN — but not women. בני בליעל WORTHLESS PERSONS — *people* that have thrown off the yoke of the Omnipresent (the word is taken in the sense of בְּלִי עֹל, without a yoke) (Siphre). ישבי עירם THE INHABITANTS OF THEIR CITY — but not the inhabitants of another

NOTES

1) The Siphre, from which Rashi quotes, evidently feels that לא תאבה and לא תשמע cannot be taken in the usual sense of "thou shalt not consent, and thou shalt not listen" to his seduction, because the next verse is introduced by כי which is to form a contrast with all the preceding verbs. Siphre therefore takes אבה, שמע, חוס, חמל, כסה all as synonyms expressing feelings of pity and compassion, to which כי הרג תהרגנו forms a clear contrast: you shall not love him, not give ear to his entreaty for pity, not spare him, etc., (although I bid you this concerning all your fellow men) but (כי) thou shalt kill him.

For Notes 2—4 see Appendix.

נָכ֛וֹן הַדָּבָ֖ר נֶעֶשְׂתָ֛ה הַתּוֹעֵבָ֥ה הַזֹּ֖את בְּקִרְבֶּֽךָ׃ טז הַכָּ֣ה תַכֶּ֗ה אֶת־יֹשְׁבֵ֛י הָעִ֥יר הַהִ֖וא לְפִי־חָ֑רֶב הַחֲרֵ֨ם אֹתָ֧הּ וְאֶת־כָּל־אֲשֶׁר־בָּ֛הּ וְאֶת־בְּהֶמְתָּ֖הּ לְפִי־חָֽרֶב׃ יז וְאֶת־כָּל־שְׁלָלָ֗הּ תִּקְבֹּץ֮ אֶל־תּ֣וֹךְ רְחֹבָהּ֒ וְשָׂרַפְתָּ֣ בָאֵ֡שׁ אֶת־הָעִ֣יר וְאֶת־כָּל־שְׁלָלָהּ֙ כָּלִ֔יל לַיהוָ֖ה אֱלֹהֶ֑יךָ וְהָיְתָה֙ תֵּ֣ל עוֹלָ֔ם לֹ֥א תִבָּנֶ֖ה עֽוֹד׃ יח וְלֹֽא־יִדְבַּ֧ק בְּיָדְךָ֛ מְא֖וּמָה מִן־הַחֵ֑רֶם לְמַעַן֩ יָשׁ֨וּב יְהוָ֜ה מֵחֲר֣וֹן אַפּ֗וֹ וְנָֽתַן־לְךָ֤ רַחֲמִים֙ וְרִחַמְךָ֣ וְהִרְבֶּ֔ךָ כַּאֲשֶׁ֥ר נִשְׁבַּ֖ע לַאֲבֹתֶֽיךָ׃ יט כִּ֣י תִשְׁמַ֗ע בְּקוֹל֙ יְהוָ֣ה אֱלֹהֶ֔יךָ לִשְׁמֹר֙ אֶת־כָּל־מִצְוֺתָ֔יו אֲשֶׁ֛ר אָנֹכִ֥י מְצַוְּךָ֖ הַיּ֑וֹם לַעֲשׂוֹת֙ הַיָּשָׁ֔ר בְּעֵינֵ֖י יְהוָ֥ה אֱלֹהֶֽיךָ׃ ס רביעי יד א בָּנִ֣ים אַתֶּ֔ם לַיהוָ֖ה אֱלֹהֵיכֶ֑ם לֹ֣א תִתְגֹּֽדְד֗וּ וְלֹֽא־תָשִׂ֧ימוּ קָרְחָ֛ה בֵּ֥ין

אונקלוס

אִתְעֲבִידָא תּוֹעֶבְתָּא הָדָא בֵּינָךְ: טז מִמְחָא תִמְחֵי יָת יָתְבֵי קַרְתָּא הַהִיא לְפִתְגָּם דְּחָרֶב גַּמַּר יָתַהּ וְיָת כָּל דִּי בַהּ וְיָת בְּעִירַהּ לְפִתְגָּם דְּחָרֶב: יז וְיָת כָּל עֲדָאַהּ תִּכְנוֹשׁ לְגוֹ פְתָיַהּ וְתוֹקֵד בְּנוּרָא יָת קַרְתָּא וְיָת כָּל עֲדָאַהּ גְּמִיר קֳדָם יְיָ אֱלָהָךְ וּתְהֵי תֵּל חָרִיב לְעָלַם לָא תִתְבְּנֵי עוֹד: יח וְלָא יִדְבַּק בִּידָךְ מִדַּעַם מִן חֶרְמָא בְּדִיל דִּיתוּב יְיָ מִתְּקוֹף רֻגְזֵהּ וְיִתֵּן לָךְ רַחֲמִין וִירַחֵם עֲלָךְ וְיַסְגֵּנָךְ כְּמָא דִי קַיֵּים לַאֲבָהָתָךְ: יט אֲרֵי תְקַבֵּל לְמֵימְרָא דַּייָ אֱלָהָךְ לְמִטַּר יָת כָּל פִּקּוֹדוֹהִי דִּי אֲנָא מְפַקֵּדָךְ יוֹמָא דֵין לְמֶעְבַּד דְּכָשַׁר קֳדָם יְיָ אֱלָהָךְ: א בְּנִין אַתּוּן קֳדָם יְיָ אֱלָהֲכוֹן

רש״י

מִדִּבּוּי הַמִּקְרָא, כָּאן יֵשׁ ג׳ דְּרִישָׁה וַחֲקִירָה וְהֵיטֵב — וְשָׁאַלְתָּ אֵינוֹ מִן הַמִּנְיָן וּמִמֶּנּוּ לָמוּד׳ בְּדִיקוֹת — וּבְמָקוֹם אַחֵר הוּא אוֹמֵר (דב׳ י״ט) וְדָרְשׁוּ הַשֹּׁפְטִים הֵיטֵב, וְעוֹד בְּמָקוֹם אַחֵר הוּא אוֹמֵר (שם י״ז) וְדָרַשְׁתָּ הֵיטֵב, וְלָמְדוּ הֵיטֵב הֵיטֵב לִגְזֵרָה שָׁוָה, לִתֵּן הָאָמוּר שֶׁל זֶה בָּזֶה (סנה׳ מ׳): (טז) הכה תכה. אִם אֵינְךָ יָכוֹל לַהֲמִיתָם בְּמִיתָה הַכְּתוּבָה בָּהֶם, הֲמִיתֵם בְּאַחֶרֶת (ספרי; ב״מ ל״א): (יז) לה׳ אלהיך. לִשְׁמוֹ וּבִשְׁבִילוֹ: (יח) למען ישוב ה׳ מחרון אפו. שֶׁכָּל זְמַן שֶׁעֲ״ז בָּעוֹלָם חָרוֹן אַף בָּעוֹלָם (ספרי):

and the thing certain, *that* such abomination is done among you; [16]Thou shalt surely smite the inhabitants of that city with the edge of the sword, dooming it to destruction, and all that *is* therein, and the beasts thereof, with the edge of the sword. [17]And thou shalt gather all the spoil of it into the midst of the street thereof, and shalt burn with fire the city, and all the spoil thereof every whit, for the Eternal thy God: and it shall be a heap of ruins for ever; it shall not be built again. [18]And there shall cleave nought of the doomed thing to thine hand: that the Eternal may turn from the fierceness of his wrath, and shew thee compassion, and compassionate thee, and multiply thee, as he hath sworn unto thy fathers; [19]When thou shalt hearken to the Eternal thy God, to keep all his commandments which I command thee this day, to do *that which is* right in the eyes of the Eternal thy God.

14. [1]Ye *are* children of the Eternal your God: ye shall not cut yourselves, nor make any baldness between your eyes

רש"י

city. From here they (our Rabbis) *derived what they* said, "A town is not treated as an עיר הנדחת (i. e. does not come under the category of a "condemned city" which according to vv. 16—17 must be utterly destroyed) unless it be men who lead them (the inhabitants) astray, and unless its seducers be of its midst (inhabitants of that city) (Sanh. 111b)[1]). **(15)** ודרשת וחקרת ושאלת היטב THEN SHALT THOU INQUIRE, AND MAKE SEARCH, AND ASK DILIGENTLY — From here — from the variety of expressions *denoting inquiry* in this verse — they (the Rabbis) derived the *law of investigating capital cases by means of* "seven investigations" (referring to date, time and place). *in the following manner:* here (in our verse) there occur three expressions *relating to inquiry, viz.*, ודרשת, וחקרת and היטב — the expression ושאלת does not come into account, *because* from it they derived בדיקות, the examination referring to accompanying circumstances, — and in another passage (XIX. 18) it states, "and the judges shall enquire diligently (ודרשו השופטים היטב)". and still in another passage (XVII. 40) it states, "and thou shalt inquire diligently (ודרשת היטב)" — *thus altogether seven expressions.* — *And although they are used in connection with different cases* they learned by way of analogy (ג"ש) *of the term* היטב *used here and in the passages quoted that it is intended* to apply what is stated in one case to the others *also* (Sanh. 40a; cf. Siphre)[2]). **(16)** הכה תכה THOU SHALT SURELY SMITE [THE INHABITANTS OF THAT CITY] — If you cannot put them to death by the death-penalty prescribed regarding them, kill them in some other way (Siphre; B. Metz. 31b; cf. Rashi on v. 10). **(17)** לה' אלהיך [AND THOU SHALT BURN WITH FIRE THE CITY . . .] FOR THE LORD THY GOD — *i. e.* for *the honour of* His name and for His sake. **(18)** למען ישוב ה' מחרון אפו THAT THE LORD MAY TURN FROM THE FIERCENESS OF HIS WRATH — for as long as idol-worship exists in the world the fierce wrath *of God* is *kindled* against the world (Siphre; Sanh. 111b; cf. Rashi on Gen. IX. 32).

NOTES

[1]) In order to destroy a city because its inhabitants have been seduced to idolatry therefore two conditions are required: (1) The seducers be men (not women and minors) i. e., people that have full responsibility for their doings. (2) They must not be strangers but inhabitants of that city, for otherwise the responsibility does not rest exclusively on the latter, that they should be punished by extermination.

[2]) See Appendix.

עֵינֵיכֶם לָמֵת: ב כִּי עַם קָדוֹשׁ אַתָּה לַיהוָה אֱלֹהֶיךָ
וּבְךָ בָּחַר יְהוָה לִהְיוֹת לוֹ לְעַם סְגֻלָּה מִכֹּל הָעַמִּים
אֲשֶׁר עַל־פְּנֵי הָאֲדָמָה: ס ג לֹא תֹאכַל כָּל־
תּוֹעֵבָה: ד זֹאת הַבְּהֵמָה אֲשֶׁר תֹּאכֵלוּ שׁוֹר שֵׂה
כְשָׂבִים וְשֵׂה עִזִּים: ה אַיָּל וּצְבִי וְיַחְמוּר וְאַקּוֹ וְדִישֹׁן
וּתְאוֹ וָזָמֶר: ו וְכָל־בְּהֵמָה מַפְרֶסֶת פַּרְסָה וְשֹׁסַעַת
שֶׁסַע שְׁתֵּי פְרָסוֹת מַעֲלַת גֵּרָה בַּבְּהֵמָה אֹתָהּ
תֹּאכֵלוּ: ז אַךְ אֶת־זֶה לֹא תֹאכְלוּ מִמַּעֲלֵי הַגֵּרָה
וּמִמַּפְרִיסֵי הַפַּרְסָה הַשְּׁסוּעָה אֶת־הַגָּמָל וְאֶת־
הָאַרְנֶבֶת וְאֶת־הַשָּׁפָן כִּי־מַעֲלֵה גֵרָה הֵמָּה וּפַרְסָה

אונקלוס

לָא תִתְהַמְמוּן וְלָא תְשַׁוּוֹן מְרַט בֵּין עֵינֵיכוֹן עַל מִית: ב אֲרֵי עַם קַדִּישׁ אַתְּ
קֳדָם יְיָ אֱלָהָךְ וּבָךְ אִתְרְעֵי יְיָ לְמֶהֱוֵי לֵהּ לְעַם חַבִּיב מִכֹּל עַמְמַיָּא דִּי עַל אַפֵּי
אַרְעָא: ג לָא תֵיכוּל כָּל דִּמְרָחָק: ד דָּא בְעִירָא דְּתֵיכְלוּן תּוֹרִין אִמְּרִין דִּרְחֵלִין
וְגַדְיָן דְּעִזִּין: ה אַיָּלָא וְטַבְיָא וְיַחְמוּרָא וְיַעְלָא וְרֵימָא וְתוֹר־בָּלָא וְדִיצָא: ו וְכָל
בְּעִירָא דִּסְדִיקָא פַּרְסָתָא וּמְטַלְפָא טִלְפִין תַּרְתֵּין פַּרְסָתָא מַסְקָא פִשְׁרָא בִּבְעִירָא
יָתַהּ תֵּיכְלוּן: ז בְּרַם יָת דֵּין לָא תֵיכְלוּן מִמַּסְּקֵי פִשְׁרָא וּמִמְּסַדִּיקֵי פַּרְסָתָא מַטִּלְפֵי

רש״י

יד (א) לא תתגדדו. לֹא תִתְּנוּ גְּדִידָה וְשָׂרֶט בִּבְשַׂרְכֶם עַל מֵת כְּדֶרֶךְ שֶׁהָאֱמוֹרִיִּים עוֹשִׂין, לְפִי שֶׁאַתֶּם בָּנָיו שֶׁל מָקוֹם וְאַתֶּם רְאוּיִין לִהְיוֹת נָאִים וְלֹא גְדוּדִים וּמְקָרְחִים: בין עיניכם. אֵצֶל הַפַּדַּחַת, וּבְמָקוֹם אַחֵר הוּא אוֹמֵר (ויק׳ כ״א) לֹא יִקְרְחָה בְּרֹאשָׁם — לַעֲשׂוֹת כָּל הָרֹאשׁ כְּבֵין הָעֵינַיִם (ספרי): (ב) כי עם קדוש אתה. קְדֻשַּׁת עַצְמְךָ מֵאֲבוֹתֶיךָ, וְעוֹד ובך בחר ה׳: (ג) כל תועבה. כָּל שֶׁתִּעַבְתִּי לְךָ, כְּגוֹן צָרַם אֹזֶן בְּכוֹר כְּדֵי לְשָׁחֲטוֹ בַּמְּדִינָה הֲרֵי דָבָר שֶׁתִּעַבְתִּי לְךָ, כָּל מוּם לֹא יִהְיֶה בּוֹ, בָּא וְלִמֵּד כָּאן שֶׁלֹּא יִשְׁחַט וְיֹאכַל עַל אוֹתוֹ הַמּוּם, בָּשָׂר בְּחָלָב הֲרֵי דָבָר שֶׁתִּעַבְתִּי לְךָ, וְהִזְהִיר כָּאן עַל אֲכִילָתוֹ (חולי׳ קי״ד): (ד—ה) זאת הבהמה, איל וצבי ויחמור. לִמְּדָנוּ שֶׁהַחַיָּה בִּכְלַל בְּהֵמָה, וְלִמְּדָנוּ שֶׁבְּהֵמָה וְחַיָּה טְמֵאָה מְרֻבָּה מִן הַטְּהוֹרָה, שֶׁבְּכָל מָקוֹם פּוֹרֵט אֶת הַמּוּעָט (ספרי; חולי׳ ס״ג): ואקו. מְתֻרְגָּם יַעְלָא (איוב ל״ט) יַעֲלֵי סָלַע, הוּא אשטנב״וק: ותאו. תּוֹר בָּלָא, תּוֹר הַיַּעַר, בָּלָא יַעַר בִּלְשׁוֹן אֲרַמִּי: (ו) מפרסת. סְדוּקָה, כְּתַרְגּוּמוֹ: פרסה פלאנט״ה: ושסעת. חֲלוּקָה בִּשְׁתֵּי צִפָּרְנַיִם, שֶׁיֵּשׁ סְדוּקָה וְאֵינָהּ חֲלוּקָה בְּצִפָּרְנַיִם, וְהִיא טְמֵאָה: בבהמה. מַשְׁמַע מַה שֶּׁנִּמְצָא בַּבְּהֵמָה אֱכוֹל, מִכָּאן אָמְרוּ שֶׁהַשְּׁלִיל נִתָּר בִּשְׁחִיטַת אִמּוֹ (חולי׳ ס״ט): (ז) השסועה. בְּרִיָּה הִיא שֶׁיֵּשׁ לָהּ שְׁנֵי גַבִּין וּשְׁתֵּי שִׁדְרָאוֹת (שם ס׳):

for the dead. [2]For thou *art* an holy people unto the Eternal thy God, and the Eternal hath chosen thee to be a people of a select portion unto himself, from all the nations that *are* upon the ground. [3]Thou shalt not eat any abomination. [4]These *are* the beasts which ye may eat; any of the herd, any of the sheep, and any of the goats, [5]The hart, and the gazelle, and the fallow-deer, and the wild goat, and the dyshon, and the wild ox, and the chamois. [6]And every beast that parteth the hoof, and cleaveth the cleft into two hoofs, *and* cheweth the cud among the beasts, that ye may eat. [7]Nevertheless these ye shall not eat of them that chew the cud, or of them that part the hoof, being cloven footed; *as* the camel, and the hare and the coney: for they chew the cud, but part not the hoof;

רש"י

14. (1) לא תתגדדו YE SHALL NOT CUT YOURSELVES — *i. e.* you shall not make cuttings and incisions in your flesh for the dead in the way the Amorites do, because you are children of the Lord and it is therefore becoming for you to be comely and not cut about and with hair torn out. בין עיניכם [NOR MAKE ANY BALDNESS] BETWEEN YOUR EYES — *i. e.* adjoining the forehead. In another passage (Lev. XXI. 5), however, it states, "They shall not make baldness upon their head"! *It, however, intends* to make the whole head *subject to the same law, so far as making it bald is concerned,* as *that part which is* between the eyes (Siphre; cf. Rashi on Lev. XXI. 5 and Note thereon). **(2)** כי עם קדוש אתה FOR THOU ART AN HOLY PEOPLE — *Thou art holy* — your actual holiness *comes to you* from your fathers, but, in addition, ובך בחר ה׳ THE LORD HATH CHOSEN THEE *so that you are for two reasons bound to keep aloof from these pagan customs* (cf. Siphre). **(3)** כל תועבה [THOU SHALT NOT EAT] ANY ABOMINATION — *i. e.* anything that I have declared[1]) to be an abomination to you (which in itself may not be an abominable thing) — as for instance if one *deliberately* makes a slit in the ear of a firstborn animal (thus making it unfit for sacrifice) so that one may slaughter it in the country (i. e. outside Jerusalem) *and eat it there.* Here you have a thing I declared to be an abomination to you, *in that I commanded you* (Lev. XXII. 21) "one shall cause no blemish to be therein"[2]). Scripture now comes and teaches you here that one should not slaughter such *an animal* and eat it, on account of that blemish. *Another example:* If one boils meat in milk: here you have a thing that I have declared to be an abomination to you (cf. Ex. XXIII. 19; XXXIV. 26; Deut. XIV. 21), and here it lays down the prohibition about eating it (Chul. 114b)[3]). **(4—5)** זאת הבהמה . . . איל וצבי ויחמור THESE ARE THE BEASTS [WHICH YOU MAY EAT] THE HART AND THE GAZELLE AND THE FALLOW DEER — This (the fact that Scripture begins with זאת הבהמה and goes on to enumerate חיות) teaches us that חיה is included in the term בהמה (Siphre; Chul. 71a; cf. Rashi on Lev. XI. 2, last sentence, and Note thereon). It further teaches us that there are more unclean beasts and wild animals than clean ones, for *where two contrasted classes are spoken of* it always enumerates *by name the individuals of* the smaller class (Siphre; Chul. 63a.) (Since it enumerates here the clean animals these must be the minority.) ואקו AND THE אקו — This is rendered in the Targum by יעלא, *the same term as the Hebrew* יעל *in the expression* יעלי סלע (Job. XXXIX. 1). This is *what is called in German* Steinbock. ותאו — *This is rendered in the Targum by* תור בלא *which is the same as* תור יער, the ox of the forest (wild ox), *for* בלא *means* "forest" in the Aramaic language. **(6)** מפרסת *means* split, as the Targum *has it.* פרסה — plante *in O. F.; Engl. hoof.* ושסעת AND HATH CLOVEN [HOOFS] — *i. e. hoofs* divided into two nails, for there are *animals with hoofs* split but not *entirely* divided into two nails (cf. Rashi on

NOTES

For Notes 1—3 see Appendix.

לֹא הִפְרִיסוּ טְמֵאִים הֵם לָכֶם: ח וְאֶת־הַחֲזִיר כִּי־
מַפְרִיס פַּרְסָה הוּא וְלֹא גֵרָה טָמֵא הוּא לָכֶם
מִבְּשָׂרָם לֹא תֹאכֵלוּ וּבְנִבְלָתָם לֹא תִגָּעוּ: ס
ט אֶת־זֶה תֹּאכְלוּ מִכֹּל אֲשֶׁר בַּמָּיִם כֹּל אֲשֶׁר־לוֹ
סְנַפִּיר וְקַשְׂקֶשֶׂת תֹּאכֵלוּ: י וְכֹל אֲשֶׁר אֵין־לוֹ
סְנַפִּיר וְקַשְׂקֶשֶׂת לֹא תֹאכֵלוּ טָמֵא הוּא לָכֶם: ס
יא כָּל־צִפּוֹר טְהֹרָה תֹּאכֵלוּ: יב וְזֶה אֲשֶׁר לֹא־תֹאכְלוּ
מֵהֶם הַנֶּשֶׁר וְהַפֶּרֶס וְהָעָזְנִיָּה: יג וְהָרָאָה וְאֶת־הָאַיָּה
וְהַדַּיָּה לְמִינָהּ: יד וְאֵת כָּל־עֹרֵב לְמִינוֹ: טו וְאֵת
בַּת הַיַּעֲנָה וְאֶת־הַתַּחְמָס וְאֶת־הַשָּׁחַף וְאֶת־הַנֵּץ
לְמִינֵהוּ: טז אֶת־הַכּוֹס וְאֶת־הַיַּנְשׁוּף וְהַתִּנְשָׁמֶת:

אונקלוס

טַלְפַיָּא יָת גַּמְלָא וְיָת אַרְנְבָא וְיָת טַפְזָא אֲרֵי מַסְקֵי פִשְׁרָא אִנּוּן וּפַרְסָתְהוֹן לָא אַסְדִּיקוּ מְסָאֲבִין אִנּוּן לְכוֹן: ח וְיָת חֲזִירָא אֲרֵי סָדִיק פַּרְסָתָא הוּא וְלָא פָשַׁר מְסָאָב הוּא לְכוֹן מִבִּסְרְהוֹן לָא תֵיכְלוּן וּבִנְבִלְתְּהוֹן לָא תִקְרְבוּן: ט יָת דֵּין תֵּיכְלוּן מִכֹּל דִּי בְמַיָּא כֹּל דִּי לֵהּ צִיצִין וְקַלְפִין תֵּיכְלוּן: י וְכֹל דִּי לֵית לֵהּ צִיצִין וְקַלְפִין לָא תֵיכְלוּן מְסָאָב הוּא לְכוֹן: יא כָּל צִפַּר דַּכְיָא תֵּיכְלוּן: יב וְדֵין דִּי לָא תֵכְלוּן מִנְּהוֹן נִשְׁרָא וְעָר וְעַזְיָא: יג וּבַת כַּנְפָא וְטָרָפִיתָא וְדַיְתָא לִזְנַהּ: יד וְיָת כָּל עָרְבָא לִזְנֵהּ: טו וְיָת בַּת נַעֲמִיתָא וְצִיצָא וְצִפַּר שַׁחְפָּא וְנָצָא לִזְנוֹהִי: טז וְקַדְיָא וְקִפּוֹפָא

רש״י

אָמְרוּ רַבּוֹתֵינוּ לָמָּה נִשְׁנוּ? בִּבְהֵמוֹת מִפְּנֵי הַשְּׁסוּעָה וּבְעוֹפוֹת מִפְּנֵי הָרָאָה שֶׁלֹּא נֶאֶמְרוּ בְּת״כ (שם ס״ג): (ח) ובנבלתם לא תגעו. רַבּוֹתֵינוּ פֵּרְשׁוּ בְּרֶגֶל, שֶׁאָדָם חַיָּב לְטַהֵר אֶת עַצְמוֹ בָּרֶגֶל, יָכוֹל יְהִיוּ מֻזְהָרִים בְּכָל הַשָּׁנָה, תַּ״ל אֱמֹר אֶל הַכֹּהֲנִים וגו׳, וּמַה טֻּמְאַת הַמֵּת, חֲמוּרָה, הַכֹּהֲנִים מֻזְהָרִים וְאֵין יִשְׂרָאֵל מֻזְהָרִים, טֻמְאַת נְבֵלָה, קַלָּה, לֹא כָּל שֶׁכֵּן: (יא) כל צפור טהרה תאכלו. לְהַתִּיר מְשֻׁלַּחַת שֶׁבִּמְצֹרָע (ספרי; קידי׳ נ״ז): (יב) וזה אשר לא תאכלו מהם. לֶאֱסוֹר אֶת הַשְּׁחוּטָה (שם): (יג) הראה והאיה. הִיא רָאָה הִיא אַיָּה הִיא דַיָּה, וְלָמָּה נִקְרָא שְׁמָהּ רָאָה? שֶׁרוֹאָה בְּיוֹתֵר, וְלָמָּה הִזְהִיר בְּכָל שְׁמוֹתֶיהָ? שֶׁלֹּא לִתֵּן פִּתְחוֹן פֶּה לְבַעַל דִּין לַחֲלוֹק – שֶׁלֹּא יְהֵא הָאוֹסְרָהּ קוֹרֵא אוֹתָהּ רָאָה, וְהַבָּא לְהַתִּיר אוֹמֵר זוֹ דַּיָּה שְׁמָהּ אוֹ אַיָּה שְׁמָהּ, וְזוֹ לֹא אָסַר הַכָּתוּב. וּבָעוֹפוֹת פָּרַט לְךָ הַטְּמֵאִים לְלַמֵּד שֶׁהָעוֹפוֹת הַטְּהוֹרִים מְרֻבִּים עַל הַטְּמֵאִים, לְפִיכָךְ פָּרַט אֶת הַמּוּעָט

therefore they *are* unclean unto you: 8And the swine, because it parteth the hoof, yet cheweth not the cud, it *is* unclean unto you: ye shall not eat of their flesh, nor touch their carrion. 9These ye may eat of all that *are* in the waters: all that have fins and scales may ye eat: 10And whatsoever hath not fins and scales ye may not eat; it *is* unclean unto you. 11*Of* all clean birds ye may eat. 12But these *are they* of which ye shall not eat: the eagle, and the ossifrage, and the ospray, 13And the glede, and the kite, and the vulture after its kind, 14And every raven after its kind, 15And the ostrich, and the night-hawk, and the cuckow, and the hawk after its kind, 16The little owl, and the great owl, and the swan,

רש״י

Lev. IX. 3), and such are unclean. בבהמה [AND EVERY BEAST THAT PARTETH THE HOOF . . .] AMONG THE BEASTS [YE MAY EAT] — *if one takes* בבהמה *to signify "within the animal"*, it suggests: that which is found in the beast you may eat. From here, therefore, they (the Rabbis) derived *the law* that a שליל (a fully developed embryo) becomes permitted to be eaten through the slaughter of its mother *without requiring ritual slaughtering itself* (Chul. 69a; 74a)[1]). **(7)** השסועה — (lit., a cleft one) is a *certain* animal which has two backs and two spinal columns (Chul. 60a). — Our Rabbis asked, "Why are these (the clean and unclean beasts and fowls) *here* repeated" *since the names have already been mentioned in Leviticus XI? They replied: the repetition was necessary* so far as quadrupeds are concerned because of the שסועה, and so far as fowls are concerned because of the ראה, *both of* which are not mentioned in Torath Cohanim (i. e. Leviticus) (Chul. 63b). **(8)** ובנבלתם לא תגעו YE SHALL NOT TOUCH THEIR CARRION — Our Rabbis explained *that this refers only* to the festive seasons *when every male Israelite was obliged to appear in the Sanctuary and should therefore be in a state of cleanness.* One might *think* that they (the Israelites, i. e. non-priests) are prohibited *from touching a carcass* during the whole year! It, however, states, (Lev. XXI. 1) *in reference to the uncleanness of a corpse:* "Say unto the priests . . . [there shall none be defiled by the dead] etc.". *Now you may draw a conclusion a fortiori:* How *is it in the case of* uncleanness caused by a corpse which is *a* stringent *kind of uncleanness?* Priests *only* are prohibited *regarding it* but *ordinary* Israelites are not prohibited! *Surely in the case of* uncleanness caused by a carcass which is less stringent this is all the more so! (cf. Rashi on Lev. XI. 8 and Note thereon). **(11)** כל צפור טהרה תאכלו ALL CLEAN BIRDS YOU MAY EAT — *All* — *this is intended* to permit *as food* also the bird that is set free in the case of a leper (i. e. at his purification rite; Lev. XIV. 7) (Siphre; Kidd. 57a). **(12)** וזה אשר לא תאכלו מהם BUT THESE ARE THEY WHICH YOU MAY NOT EAT — *This again is intended* to forbid *as food* the *bird that is* slaughtered *in the case of a leper* (ib.)[2]). **(13)** הראה ודאיה — ראה and איה and

NOTES

[1]) The law that שליל ניתר בשחיטת אמו is derived by connecting the words וכל בהמה of the beginning of the verse with בבהמה at the end: וכל בהמה בבהמה אתה תאכלו "and every beast . . . found within a beast you may eat without further ado".

[2]) The words כל and אשר in these two verses are regarded as רבויים, as being intended to include something not specifically mentioned, for it would suffice to state, צפר טהרה תאכלו and וזה לא תאכלו מהם. Verse 11 is therefore taken to permit the משולחת, and the first part of verse 12 to forbid the שחוטה. One cannot however, argue that the converse is the case, viz., that the former permits the שחוטה and the latter forbids the משולחת, because לא אמרה תורה שלח לתקלה, the Torah would not order the bird which may not be eaten to be set free, for this might lead to its being eaten by a person who catches it since he would not know that it was the purification offering of a leper.

יז וְהַקָּאָת וְאֶת־הָרָחָמָה וְאֶת־הַשָּׁלָךְ׃ יח וְהַחֲסִידָה וְהָאֲנָפָה לְמִינָהּ וְהַדּוּכִיפַת וְהָעֲטַלֵּף׃ יט וְכֹל שֶׁרֶץ הָעוֹף טָמֵא הוּא לָכֶם לֹא יֵאָכֵלוּ׃ כ כָּל־עוֹף טָהוֹר תֹּאכֵלוּ׃ כא לֹא־תֹאכְלוּ כָל־נְבֵלָה לַגֵּר אֲשֶׁר־בִּשְׁעָרֶיךָ תִּתְּנֶנָּה וַאֲכָלָהּ אוֹ מָכֹר לְנָכְרִי כִּי עַם קָדוֹשׁ אַתָּה לַיהוָה אֱלֹהֶיךָ לֹא־תְבַשֵּׁל גְּדִי בַּחֲלֵב אִמּוֹ׃ פ

חמישי

כב עַשֵּׂר תְּעַשֵּׂר אֵת כָּל־תְּבוּאַת זַרְעֶךָ הַיֹּצֵא הַשָּׂדֶה שָׁנָה שָׁנָה׃ כג וְאָכַלְתָּ לִפְנֵי יְהוָה אֱלֹהֶיךָ בַּמָּקוֹם אֲשֶׁר־יִבְחַר לְשַׁכֵּן שְׁמוֹ שָׁם מַעְשַׂר דְּגָנְךָ תִּירֹשְׁךָ וְיִצְהָרֶךָ וּבְכֹרֹת בְּקָרְךָ וְצֹאנֶךָ לְמַעַן

אונקלוס

וּבוֹתָא: יז וְקָתָא וִירַקְרְקָא וְשָׁלֵי נוּנָא: יח וְחַוָּרִיתָא וְאִבּוּ לִזְנַהּ וְנַגַּר טוּרָא וַעֲטַלֵּפָא: יט וְכֹל רִחֲשָׁא דְעוֹפָא מְסָאַב הוּא לְכוֹן לָא יִתְאָכְלוּן: כ כָּל עוֹפָא דְכֵי תֵּיכְלוּן: כא לָא תֵיכְלוּן כָּל נְבִילָא לְתוֹתַב עָרֵל דִּי בְקִרְוָיךְ תִּתְּנִנַּהּ וְיֵיכְלִנַּהּ אוֹ תְזַבְּנִנַּהּ לְבַר עַמְמִין אֲרֵי עַם קַדִּישׁ אַתְּ קֳדָם יְיָ אֱלָהָךְ לָא תֵיכְלוּן בְּשַׂר בַּחֲלָב: כב עַשָּׂרָא תְעַשַּׂר יָת כָּל עֲלָלַת זַרְעָךְ דְּיִפּוֹק חַקְלָא שְׁתָּא בְשַׁתָּא: כג וְתֵיכוּל קֳדָם יְיָ אֱלָהָךְ בְּאַתְרָא דִּי יִתְרְעֵי לְאַשְׁרָאָה שְׁכִנְתֵּהּ תַּמָּן מַעְשַׂר עֲבוּרָךְ חַמְרָךְ

רש״י

(חולי׳ ס״ג): (טז) התנשמת. קלב״א שורי״ץ: (יז) שלך. הַשּׁוֹלֶה דָגִים מִן הַיָּם (שם): (יח) דוכיפת. הוּא תַּרְנְגוֹל הַבָּר, וּבְלַעַז הרו״פא, וְכַרְבָּלְתּוֹ כְּפוּלָה (גיט׳ ס״ח): (יט) שרץ העוף. הֵם הַנְּמוּכִים, הָרוֹחֲשִׁים עַל הָאָרֶץ. זְבוּבִין וּצְרָעִים יַחֲגָבִים טְמֵאִים קְרוּיִים שֶׁרֶץ: (כ) כל עוף טהור תאכלו. וְלֹא אֶת הַטָּמֵא, בָּא לִתֵּן עֲשֵׂה עַל לֹא תַעֲשֶׂה; וְכֵן בִּבְהֵמָה אֹתָהּ תֹּאכֵלוּ, וְלֹא בְהֵמָה טְמֵאָה, לָאו הַבָּא מִכְּלַל עֲשֵׂה עֲשֵׂה, לַעֲבוֹר עֲלֵיהֶם בַּעֲשֵׂה וְלֹא תַעֲשֶׂה: (כא) לגר אשר בשעריך. גֵּר תּוֹשָׁב שֶׁקִּבֵּל עָלָיו שֶׁלֹּא לַעֲבוֹד עָ״זָ וְאוֹכֵל נְבֵלוֹת (ספרי): כי עם קדוש אתה לה׳. קַדֵּשׁ אֶת עַצְמְךָ בְּמוּתָּר לָךְ — דְּבָרִים הַמּוּתָּרִים וַאֲחֵרִים נוֹהֲגִים בָּהֶם אִסּוּר, אַל תַּתִּירֵם בִּפְנֵיהֶם (שם): לא תבשל גדי. שָׁלֹשׁ פְּעָמִים, פְּרָט לְחַיָּה וּלְעוֹפוֹת וְלִבְהֵמָה טְמֵאָה (חולי׳ קי״ג): לא תבשל גדי... (כב) עשר תעשר. מַה עִנְיָן זֶה אֵצֶל זֶה? אָמַר לָהֶם הַקָּבָּ״ה לְיִשְׂרָאֵל אַל תִּגְרְמוּ לִי לְבַשֵּׁל גְּדָיִים שֶׁל תְּבוּאָה עַד שֶׁהֵן בִּמְעֵי אִמּוֹתֵיהֶן, שֶׁאִם אֵין אַתֶּם מְעַשְּׂרִים מַעַשְׂרוֹת כָּרָאוּי כְּשֶׁהוּא סָמוּךְ לְהִתְבַּשֵּׁל אֲנִי מוֹצִיא רוּחַ קָדִים וְהִיא מְשַׁדַּפְתָּן, שֶׁנֶּאֱמַר (מ״ב י״ט) וּשְׁדֵפָה לִפְנֵי קָמָה, וְכֵן לְעִנְיַן בִּכּוּרִים (פסיק׳ ר׳; תנח׳): שנה שנה. מִכָּאן שֶׁאֵין מְעַשְּׂרִין מִן הֶחָדָשׁ עַל הַיָּשָׁן (ספרי): (כג) ואכלת וגו׳. זֶה מַעֲשֵׂר שֵׁנִי. שֶׁכְּבָר לִמְּדָנוּ לִתֵּן מַעֲשֵׂר רִאשׁוֹן לַלְוִיִּם,

[17]And the pelican, and the gier-eagle, and the cormorant, [18]And the stork, and the heron after its kind, and the lapwing, and the bat. [19]And every prolific creature among fowl *is* unclean unto you: they shall not be eaten. [20]*But of* all clean fowls ye may eat. [21]Ye shall not eat any carrion: thou shalt give it unto the stranger that *is* in thy gates, that he may eat it; or thou mayest sell it unto an alien: for thou *art* an holy people unto the Eternal thy God. Thou shalt not seethe a kid in its mother's milk. [22]Thou shalt truly tithe all the increase of thy seed, that the field bringeth forth year by year. [23]And thou shalt eat before the Eternal thy God, in the place which he shall choose to establish his name there, the tithe of thy corn, of thy must, and of thine oil, and the firstlings of thy herds, and of thy flocks: that thou

רש״י

דיה are *names for* the same bird[1]). Why is it called ראה? Because it s e e s keenly. And why does Scripture prohibit it under e a c h of its names? In order not to give an opponent occasion to argue, *i.e.* in order that he who regards it as forbidden may not say, "This is the ראה *and is therefore forbidden*", and he who wishes to declare it as permitted will then reply, "But this is named דיה", or "this is named איה and this Scripture has not forbidden". — In the case of b i r d s, Scripture enumerates by name the u n c l e a n *species,* thus telling you that the clean birds are more numerous than the unclean (in contradistinction to quadrupeds; see vv. 4—5), for which reason Scripture mentions *those* by name *which form* the minority (Chul. 63b). **(16)** התנשמת — This is the chauve-souris *in O. F.; Engl. "bat"*. **(17)** שלך is *a bird* that draws up (שלך = שלה) fishes from out the sea (see Rashi on Lev. XI. 17). **(18)** דוכיפת is the wild cock, which is called in O. F. herupe, and which has a double comb (cf. Rashi ib. v. 19). **(19)** שרץ העוף — These are the *lowly* creatures which move upon the ground: flies, hornets and the unclean *species of* grass-hoppers (cf. Rashi ib. v. 20), come under the term of שרץ. **(20)** כל עוף טהור תאכלו ALL C L E A N FOWLS, YE MAY EAT — but n o t (as is implied by these words) the unclean. Scripture intends, *by this statement,* to attach to the negative command *which forbids unclean fowls (v. 12),* a positive one *which implicitly contains a prohibition.* And similarly, *when* in the case of *clean* c a t t l e *it states,* (v. 6) "t h a t ye may eat", *it implies:* n o t, however, the unclean ones. *Now* a prohibition which is *not p l a i n l y expressed but can only be* drawn by inference from a p o s i t i v e command, is *itself regarded only as* a p o s i t i v e command, *so* that one *who eats such food* transgresses *thereby not t w o n e g a t i v e commands, but* a positive and a negative command (cf. Siphre and Rashi on Lev. XI. 3). **(21)** לגר אשר בשעריך [YE SHALL NOT EAT ANY CARRION: THOU SHALT GIVE IT] UNTO THE STRANGER THAT IS IN THY GATES — *i.e. unto* a stranger that is a sojourner (גר תושב) — *one* who has undertaken not to worship idols (i.e. one who has been converted to the fundamental tenet of Judaism) but who eats carrion (does not obey the other teachings of the Torah) (Siphre; cf. Rashi on Lev. XXV. 35). כי עם קדוש אתה לה׳ FOR THOU ART AN HOLY PEOPLE UNTO THE LORD — *This implies:* show yourself holy (abstinent) in respect to things which are permitted to you — *i.e.* things that are *actually* permitted but which s o m e treat as forbidden you should not treat as permissible *for you* in their presence (Siphre)[2]). לא תבשל גדי THOU SHALT NOT SEETHE A KID [IN ITS MOTHER'S MILK] — Three times *the prohibition of seething meat in milk is mentioned in the Torah* (here, and in Ex. XXIII. 19 and XXXIV. 26) *and each time in the form: "thou shalt not seethe a k i d" thus* excluding *three species:* a wild beast, fowls and unclean beasts *from the prohibition* (Siphre; Chul. 113a). לא תבשל גדי ... **(22)** עשר תעשר THOU SHALT NOT SEETHE A KID [IN ITS MOTHER'S MILK] ... (22) THOU SHALT TRULY TITHE [ALL THE INCREASE OF THY SEED] — What has this

NOTES

For Notes 1—2 see Appendix.

תִּלְמַד לְיִרְאָה אֶת־יְהוָֹה אֱלֹהֶיךָ כָּל־הַיָּמִים:
כד וְכִי־יִרְבֶּה מִמְּךָ הַדֶּרֶךְ כִּי לֹא תוּכַל שְׂאֵתוֹ כִּי־
יִרְחַק מִמְּךָ הַמָּקוֹם אֲשֶׁר יִבְחַר יְהוָֹה אֱלֹהֶיךָ
לָשׂוּם שְׁמוֹ שָׁם כִּי יְבָרֶכְךָ יְהוָֹה אֱלֹהֶיךָ: כה וְנָתַתָּה
בַּכֶּסֶף וְצַרְתָּ הַכֶּסֶף בְּיָדְךָ וְהָלַכְתָּ אֶל־הַמָּקוֹם
אֲשֶׁר יִבְחַר יְהוָֹה אֱלֹהֶיךָ בּוֹ: כו וְנָתַתָּה הַכֶּסֶף
בְּכֹל אֲשֶׁר־תְּאַוֶּה נַפְשְׁךָ בַּבָּקָר וּבַצֹּאן וּבַיַּיִן וּבַשֵּׁכָר
וּבְכֹל אֲשֶׁר תִּשְׁאָלְךָ נַפְשֶׁךָ וְאָכַלְתָּ שָּׁם לִפְנֵי יְהוָֹה
אֱלֹהֶיךָ וְשָׂמַחְתָּ אַתָּה וּבֵיתֶךָ: כז וְהַלֵּוִי אֲשֶׁר־
בִּשְׁעָרֶיךָ לֹא תַעַזְבֶנּוּ כִּי אֵין לוֹ חֵלֶק וְנַחֲלָה
עִמָּךְ: ס כח מִקְצֵה ׀ שָׁלֹשׁ שָׁנִים תּוֹצִיא אֶת־
כָּל־מַעְשַׂר תְּבוּאָתְךָ בַּשָּׁנָה הַהִוא וְהִנַּחְתָּ בִּשְׁעָרֶיךָ:

וּמִשְׁחָךְ וּבְכוֹרֵי תוֹרָךְ וְעָנָךְ בְּדִיל דְּתֵילַף לְמִדְחַל קֳדָם יְיָ אֱלָהָךְ כָּל יוֹמַיָּא: כד וַאֲרֵי יִסְגֵּי מִנָּךְ אָרְחָא אֲרֵי לָא תִכּוּל לְמִטְלֵהּ אֲרֵי יִתְרְחַק מִנָּךְ אַתְרָא דִי יִתְרְעֵי יְיָ אֱלָהָךְ לְאַשְׁרָאָה שְׁכִנְתֵּהּ תַּמָּן אֲרֵי יְבָרְכִנָּךְ יְיָ אֱלָהָךְ: כה וְתִתֵּן בְּכַסְפָּא וּתְצוּר כַּסְפָּא בִּידָךְ וּתְהָךְ לְאַתְרָא דִי יִתְרְעֵי יְיָ אֱלָהָךְ בֵּהּ: כו וְתִתֵּן כַּסְפָּא בְּכֹל דִי יִתְרְעֵי נַפְשָׁךְ בְּתוֹרֵי וּבְעָנָא וּבַחֲמַר חֲדַת וְעַתִּיק וּבְכֹל דִי תִשְׁאֲלִנָּךְ נַפְשָׁךְ וְתֵיכוּל תַּמָּן קֳדָם יְיָ אֱלָהָךְ וְתֶחֱדֵי אַתְּ וֶאֱנַשׁ בֵּיתָךְ: כז וְלֵוָאָה דִי בְּקִרְוָיךְ לָא תִרְחֲקִנֵּהּ אֲרֵי לֵית לֵהּ חֲלָק וְאַחֲסָנָא עִמָּךְ: כח מִסּוֹף תְּלַת שְׁנִין תַּפֵּק יָת כָּל

שֶׁנֶּאֱמַר כִּי תִקְחוּ מֵאֵת בְּנֵי יִשְׂרָאֵל וְגוֹ' (במ' כ"ו) וְנָתַן לָהֶם רְשׁוּת לְאָכְלוֹ בְּכָל מָקוֹם, שֶׁנֶּאֱמַר וַאֲכַלְתֶּם אוֹתוֹ בְּכָל מָקוֹם (שם י"ח). עַל כָּרְחֲךָ זֶה מַעֲשֵׂר אַחֵר הוּא: (כד) כִּי יְבָרֶכְךָ. שֶׁתְּהֵא הַתְּבוּאָה מְרֻבָּה לָשֵׂאת: (כו) בְּכֹל אֲשֶׁר תְּאַוֶּה נַפְשְׁךָ. כְּלָל. בְּבָקָר וּבְצֹאן וּבַיַּיִן וּבַשֵּׁכָר — פְּרָט. וּבְכֹל אֲשֶׁר תִּשְׁאָלְךָ נַפְשְׁךָ — חָזַר וְכָלַל, מָה הַפְּרָט מְפֹרָשׁ וָלָד וַלְדוֹת הָאָרֶץ וְרָאוּי לְמַאֲכַל אָדָם וְכוּ' (עיר' כ"ז): (כז) וְהַלֵּוִי. לֹא תַעַזְבֶנּוּ. מִלְּתֵּן לוֹ מַעֲשֵׂר רִאשׁוֹן: כִּי אֵין לוֹ חֵלֶק וְנַחֲלָה עִמָּךְ. יָצְאוּ לֶקֶט שִׁכְחָה וּפֵאָה וְהֶפְקֵר, שֶׁאַף הוּא יֵשׁ לוֹ חֵלֶק עִמָּךְ כָּמוֹךָ, וְאֵינָן חַיָּבִין בְּמַעֲשֵׂר: (כח) מִקְצֵה שָׁלֹשׁ שָׁנִים. בָּא וְלַמֵּד שֶׁאִם הִשְׁהָה הַשָּׁנָה מַעְשְׂרוֹתָיו שֶׁל שָׁנָה רִאשׁוֹנָה וּשְׁנִיָּה לַשְּׁמִטָּה, שֶׁיְּבַעֲרֵם מִן הַבַּיִת

mayest learn to fear the Eternal thy God all the days. [24]And if the way be too much for thee, so that thou art not able to carry it; for the place is too far from thee, which the Eternal thy God shall choose to set his name there, when the Eternal thy God hath blessed thee; [25]Then shalt thou give *it* for money, and bind up the money in thine hand, and shalt go unto the place which the Eternal thy God shall choose: [26]And thou shalt give that money for whatsoever thy soul longeth after, for any of the herd, or any of the flock, or for wine, or for strong drink, or for whatsoever thy soul desireth: and thou shalt eat there before the Eternal thy God, and thou shalt rejoice, thou, and thy house. [27]And the Levite that *is* within thy gates; thou shalt not forsake him; for he hath no portion nor inheritance with thee. [28]At the end of three years thou shalt bring forth all the tithe of thine increase the same year, and shalt lay *it* up within thy gates:

רש"י

matter to do with that? (Why are they placed in juxtaposition)? But the Holy One, blessed be He, says *in effect* to Israel: "Do not compel Me to blast by heat the tender kernels of the grain, whilst they are yet in their mother's womb (i. e. in the husks), for if you do not tithe your products as is proper, when they are near ripening I shall bring forth the east wind and it will blast them", as it is said, (2 Kings XIX. 26) "[Therefore . . . they were] as the corn blasted before it be grown up" (Tanch.)[1]). A similar reason *may be given* for בכורים (for its juxtaposition to לא תבשל גדי (Ex. XXXIV. 26). שנה שנה [THOU SHALT TRULY GIVE TITHE] YEAR BY YEAR — From here *we may derive* that one must not give tithe from the new grain for the old (Siphre)[2]). **(23)** ואכלת וגו׳ AND THOU SHALT EAT [BEFORE THE LORD THY GOD, IN THE PLACE WHICH HE SHALL CHOOSE . . . THE TITHE OF THY CORN etc.] — This is the "Second Tithe", for it (Scripture) has already taught us to give the "First Tithe" to the Levites — as it is said, (Num. XVIII. 26) "[And unto the Levite shalt thou speak . . .], when ye take of the children of Israel the tithes", etc., — and *besides* it gave them permission to eat it in any place, as it is said, (ib. v. 31) "and ye shall eat it in any place" — thus you must admit that this tithe, *that mentioned here, (which is to be eaten by an ordinary Israelite in Jerusalem)* must be another one, *viz., the "Second Tithe"*. **(24)** כי יברכך WHEN [THE LORD THY GOD] HATH BLESSED THEE — so that thy produce will be too much to carry as *far as Jerusalem*[3]). **(26)** בכל אשר תאוה נפשך [AND THOU SHALT GIVE THAT MONEY] FOR WHATSOEVER THY SOUL LONGETH AFTER — *this is a* general statement, בבקר ובצאן וביין ובשכר FOR ANY OF THE HERD, OR ANY OF THE FLOCK, OR FOR WINE, OR FOR STRONG DRINK — *this is a* particularisation, ובכל אשר תאוה נפשך OR FOR WHATEVER THY SOUL DESIRES — *Scripture* again includes *them* in a general statement[4]): How *is it in the case of* the particulars *mentioned here?* They have the characteristic of being products (ולד) of things themselves produced by the earth, *during the week of Creation*, and are fitted to be food for man, etc. *So, too, the money must be expended only on things of this character*[5]). **(27)** והלוי . . . לא תעזבנו AND THE LEVITE [THAT IS WITHIN THY GATES;] THOU SHALT NOT FORSAKE HIM by not giving him the "First Tithe" (מעשר ראשון). כי אין לו חלק ונחלה עמך FOR HE HATH NO PORTION NOR INHERITANCE WITH THEE — "Gleanings" (לקט), "the forgotten sheaf" (שכחה), the "corner of the field" (פאה), and ownerless things (הפקר) are excluded *from the things that must be tithed* — for he (the Levite) has a portion in them (is entitled to take of them) with you, just the same as you, and they are *therefore* exempt from tithes (Mishna Chall. I. 3; Siphre)[6]).

NOTES

For Notes 1—6 see Appendix.

כט וּבָ֣א הַלֵּוִ֡י כִּ֣י אֵֽין־ל֣וֹ חֵ֣לֶק וְנַחֲלָה֮ עִמָּךְ֒ וְהַגֵּ֨ר וְהַיָּת֤וֹם וְהָֽאַלְמָנָה֙ אֲשֶׁ֣ר בִּשְׁעָרֶ֔יךָ וְאָכְל֖וּ וְשָׂבֵ֑עוּ לְמַ֤עַן יְבָרֶכְךָ֙ יְהוָ֣ה אֱלֹהֶ֔יךָ בְּכָל־מַעֲשֵׂ֥ה יָדְךָ֖ אֲשֶׁ֥ר תַּעֲשֶֽׂה׃ ס ששי טו א מִקֵּ֥ץ שֶֽׁבַע־שָׁנִ֖ים תַּעֲשֶׂ֥ה שְׁמִטָּֽה׃ ב וְזֶה֮ דְּבַ֣ר הַשְּׁמִטָּה֒ שָׁמ֗וֹט כָּל־בַּ֙עַל֙ מַשֵּׁ֣ה יָד֔וֹ אֲשֶׁ֥ר יַשֶּׁ֖ה בְּרֵעֵ֑הוּ לֹֽא־יִגֹּ֤שׂ אֶת־רֵעֵ֙הוּ֙ וְאֶת־אָחִ֔יו כִּֽי־קָרָ֥א שְׁמִטָּ֖ה לַיהוָֽה׃ ג אֶת־הַנָּכְרִ֖י תִּגֹּ֑שׂ וַאֲשֶׁ֨ר יִהְיֶ֥ה לְךָ֛ אֶת־אָחִ֖יךָ תַּשְׁמֵ֥ט יָדֶֽךָ׃ ד אֶ֕פֶס כִּ֛י לֹ֥א יִֽהְיֶה־בְּךָ֖ אֶבְי֑וֹן כִּֽי־בָרֵ֤ךְ יְבָרֶכְךָ֙ יְהוָ֔ה בָּאָ֕רֶץ אֲשֶׁר֙ יְהוָ֣ה אֱלֹהֶ֔יךָ נֹֽתֵן־לְךָ֥

אונקלוס

מַעֲשַׂר עֲלַלְתָּךְ בְּשַׁתָּא הַהִיא וְתַצְנַע בְּקִרְוָיךְ: כט וְיֵיתֵי לֵוָאָה אֲרֵי לֵית לֵהּ חֳלָק וְאַחְסָנָא עִמָּךְ וְגִיּוֹרָא וְיִתַּמָּא וְאַרְמְלָא דִּי בְקִרְוָיךְ וְיֵיכְלוּן וְיִשְׂבְּעוּן בְּדִיל דִּי יְבָרְכִנָּךְ יְיָ אֱלָהָךְ בְּכָל עוֹבָדֵי יְדָךְ דִּי תַעְבֵּד: א מִסּוֹף שְׁבַע שְׁנִין תַּעְבֵּד שְׁמִטְּתָא: ב וְדֵין פִּתְגָּם שְׁמִטְּתָא תַּשְׁמֵט כָּל גְּבַר מָרֵי רְשׁוּ דִּי יַרְשֵׁי בְּחַבְרֵהּ לָא יִתְבַּע מִן חַבְרֵהּ וּמִן אֲחוּהִי אֲרֵי קְרָא שְׁמִטְּתָא קֳדָם יְיָ: ג מִן בַּר עַמְמִין תִּתְבַּע וְדִי יְהֵי לָךְ עִם אֲחוּךְ תַּשְׁמֵט יְדָךְ: ד לְחוֹד אֲרֵי לָא יְהֵי בָךְ מִסְכְּנָא אֲרֵי בָרָכָא

רש״י

בשלישית: (כט) ובא הלוי. וְיִטּוֹל מַעֲשֵׂר רִאשׁוֹן: והגר והיתום. וְיִטְּלוּ מַעֲשֵׂר שֵׁנִי, שֶׁהוּא שֶׁל עָנִי שֶׁל שָׁנָה זוֹ, וְלֹא תֹאכְלֶנּוּ אַתָּה בִּירוּשָׁלַיִם כְּדֶרֶךְ שֶׁנִּזְקַקְתָּ לֶאֱכוֹל מַעֲשֵׂר שֵׁנִי שֶׁל שְׁתֵּי שָׁנִים: ואכלו ושבעו. תֵּן לָהֶם כְּדֵי שָׂבְעָן, מִכָּאן אָמְרוּ אֵין פּוֹחֲתִין לֶעָנִי בַּגֹּרֶן וְכוּ' (ספרי), וְאַתָּה הוֹלֵךְ לִירוּשָׁלַיִם בְּמַעֲשַׂר שֶׁל שָׁנָה רִאשׁוֹנָה וּשְׁנִיָּה שֶׁהִשְׁהֵיתָ וּמִתְוַדֶּה בִּעַרְתִּי הַקֹּדֶשׁ מִן הַבַּיִת כְּמוֹ שֶׁמְּפֹרָשׁ בְּכִי תְכַלֶּה לַעְשֵׂר (דב' כ"ו):

טו (א) מקץ שבע שנים. יָכוֹל שֶׁבַע שָׁנִים לְכָל מִלְוָה וּמִלְוָה, תַּ"ל קָרְבָה שְׁנַת הַשֶּׁבַע, וְאִם אַתָּה אוֹמֵר שֶׁבַע שָׁנִים לְכָל מִלְוָה וּמִלְוָה, לְהַלְוָאוֹת כָּל אֶחָד וְאֶחָד, הֵיאַךְ הִיא קְרֵבָה?! הָא לָמַדְתָּ שֶׁבַע שָׁנִים לְמִנְיַן הַשְּׁמִטָּה (ספרי): (ב) שמוט כל בעל משה ידו. שָׁמוֹט אֶת יָדוֹ שֶׁל כָּל בַּעַל מַשֶּׁה: (ג) את הנכרי תגש. זוֹ מִצְוַת עֲשֵׂה (שם): (ד) אפס כי לא יהיה בך אביון. וּלְהַלָּן הוּא אוֹמֵר כִּי לֹא יֶחְדַּל אֶבְיוֹן?! אֶלָּא בִּזְמַן שֶׁאַתֶּם עוֹשִׂים רְצוֹנוֹ שֶׁל מָקוֹם אֶבְיוֹנִים בַּאֲחֵרִים וְלֹא בָכֶם, וּכְשֶׁאֵין אַתֶּם עוֹשִׂים רְצוֹנוֹ שֶׁל מָקוֹם

[29]And the Levite, because he hath no portion nor inheritance with thee, and the stranger, and the fatherless, and the widow, who *are* within thy gates, shall come, and shall eat and be satisfied; that the Eternal thy God may bless thee in all the work of thine hand which thou doest.

15. [1]At the end of *every* seven years thou shalt make a remission. [2]And this *is* the manner of the remission: Every creditor that lendeth *ought* unto his fellow shall remit it; he shall not exact *it* of his fellow, or of his brother; because it is proclaimed the remission of the Eternal. [3]Of an alien thou mayest exact *it again:* but *that* which is thine with thy brother, thine hand shall remit; [4]Save when there shall be no needy among you; for the Eternal shall greatly bless thee in the land which the Eternal thy God giveth thee

רש"י

(28) מקצה שלש שנים AT THE END OF THREE YEARS [THOU SHALT BRING FORTH ALL THE TITHE OF THY INCREASE THE SAME YEAR] — Scripture *hereby* intends to teach you that if one has delayed *to give* his tithes of the first and the second year of the Sabbatical period, he has to remove them from his house *and lay them up in his gates* in the third year. **(29)** ובא הלוי AND THE LEVITE SHALL COME and take the "First Tithe" *which you have failed to give him,* והגר והיתום AND THE STRANGER AND THE FATHERLESS [SHALL COME] and take the "Second Tithe", which belongs to the poor in that year, and you shall not eat it *yourself* in Jerusalem, as you were bound to eat the "Second Tithe" of the *first* two years, ואכלו ושבעו AND THEY SHALL EAT AND BE SATISFIED — Give them sufficient to satisfy them. From here they (the Rabbis) derived *the law:* one must give the poor in the barn no less *than half a kab of wheat or a kab of barley* (Siphre). As for you, go up to Jerusalem with the tithe (i. e. מעשר שני) of the first and the second years which thou hast delayed, and make the confession *there:* "I have removed the hallowed things from the house" — as it is stated in *the section beginning with the words* כי תכלה לעשר (XXVI. 12)[1]).

15. (1) מקץ שבע שנים AT THE END OF SEVEN YEARS [THOU SHALT MAKE A REMISSION] — One might *think that this means* seven years after each individual loan! Scripture, however, states, (v. 9) "[Take heed unto thyself lest there be in thy heart a word of worthlessness, saying], The seventh year . . . approacheth [and thine eye be evil against thy brother and thou givest him nought]"! Now, if you say *that the seven years spoken of here mean* seven years after each individual loan, *i. e.*, after the granting of the loan to each individual person, how *can one say, at the time the request for a loan is being made,* "it (the seventh year) is coming near?" Consequently you must learn *from this that Scripture means* seven years according to the reckoning of the Sh'mitta-period (Siphre). **(2)** שמוט כל בעל משה ידו *means as much as* שמוט את ידו של כל בעל משה THERE SHALL BE A RELAXING OF THE HAND OF EVERY CREDITOR[2]). **(3)** את הנכרי תגוש OF ANY ALIEN THOU MAYEST EXACT IT AGAIN — This *implies* a positive command (Siphre)[3]). **(4)** אפס כי לא יהיה בך אביון HOWBEIT THERE SHALL BE NO NEEDY AMONG YOU — But further on (v. 11) it states, "For the needy shall never cease out of the land"! But *the explanation is:* When you do the will of the Omnipresent the needy will be amongst the others and not amongst you, if, however, you do not the will of the Omnipresent, the needy will be amongst you. אביון denotes a person who is more destitute than an עני. The term אביון (from the root אבה "to long for", "to desire"; cf. Rashi on

NOTES

For Notes 1—3 see Appendix.

נַחֲלָה לְרִשְׁתָּהּ: ה רַק אִם־שָׁמוֹעַ תִּשְׁמַע בְּקוֹל
יְהוָה אֱלֹהֶיךָ לִשְׁמֹר לַעֲשׂוֹת אֶת־כָּל־הַמִּצְוָה
הַזֹּאת אֲשֶׁר אָנֹכִי מְצַוְּךָ הַיּוֹם: ו כִּי־יְהוָה אֱלֹהֶיךָ
בֵּרַכְךָ כַּאֲשֶׁר דִּבֶּר־לָךְ וְהַעֲבַטְתָּ גּוֹיִם רַבִּים וְאַתָּה
לֹא תַעֲבֹט וּמָשַׁלְתָּ בְּגוֹיִם רַבִּים וּבְךָ לֹא יִמְשֹׁלוּ: ס
ז כִּי־יִהְיֶה בְךָ אֶבְיוֹן מֵאַחַד אַחֶיךָ בְּאַחַד שְׁעָרֶיךָ
בְּאַרְצְךָ אֲשֶׁר־יְהוָה אֱלֹהֶיךָ נֹתֵן לָךְ לֹא תְאַמֵּץ
אֶת־לְבָבְךָ וְלֹא תִקְפֹּץ אֶת־יָדְךָ מֵאָחִיךָ הָאֶבְיוֹן:
ח כִּי־פָתֹחַ תִּפְתַּח אֶת־יָדְךָ לוֹ וְהַעֲבֵט תַּעֲבִיטֶנּוּ
דֵּי מַחְסֹרוֹ אֲשֶׁר יֶחְסַר לוֹ: ט הִשָּׁמֶר לְךָ פֶּן־יִהְיֶה
דָבָר עִם־לְבָבְךָ בְלִיַּעַל לֵאמֹר קָרְבָה שְׁנַת־הַשֶּׁבַע

אונקלוס

יְבָרְכִנָּךְ יְיָ בְּאַרְעָא דִּי יְיָ אֱלָהָךְ יָהֵב לָךְ אַחְסָנָא לְמֵירְתַהּ: ה לְחוֹד אִם קַבָּלָא תְקַבֵּל לְמֵימְרָא דַּייָ אֱלָהָךְ לְמִטַּר לְמֶעְבַּד יָת כָּל תַּפְקֶדְתָּא הָדָא דִּי אֲנָא מְפַקֵּדָךְ יוֹמָא דֵין: ו אֲרֵי יְיָ אֱלָהָךְ בָּרְכָךְ כְּמָא דִּי מַלֵּיל לָךְ וְתוֹזֵיף לְעַמְמִין סַגִּיאִין וְאַתְּ לָא תְזוּף וְתִשְׁלוֹט בְּעַמְמִין סַגִּיאִין וּבָךְ לָא יִשְׁלְטוּן: ז אֲרֵי יְהֵי בָךְ מִסְכְּנָא חַד מֵאַחָיךְ בַּחֲדָא מִקִּרְוָיךְ בְּאַרְעָךְ דַּייָ אֱלָהָךְ יָהֵב לָךְ לָא תַתְקֵיף יָת לִבָּךְ וְלָא תִקְפּוֹץ יָת יְדָךְ מֵאֲחוּךְ מִסְכְּנָא: ח אֱלָא מִפְתַּח תִּפְתַּח יָת יְדָךְ לֵהּ וְאוֹזָפָא

רש״י

אֶבְיוֹנִים בָּכֶם: אביון. דַּל מֵעָנִי, וּלְשׁוֹן אֶבְיוֹן שֶׁהוּא תָּאֵב לְכָל דָּבָר (עי׳ ויק״ר ל״ד): (ה) רק אם שמוע תשמע. אָז לֹא יִהְיֶה בְךָ אביון: שמוע תשמע. שָׁמַע קִמְעָא מַשְׁמִיעִין אוֹתוֹ הַרְבֵּה (ספרי): (ו) כאשר דבר לך. וְהֵיכָן דִּבֵּר? (דב׳ כ״ח) בָּרוּךְ אַתָּה בָּעִיר (ספרי): והעבטת. כָּל לְשׁוֹן הַלְוָאָה כְּשֶׁנּוֹפֵל עַל הַמַּלְוֶה נוֹפֵל בִּלְשׁוֹן מַפְעִיל, כְּגוֹן וְהִלְוִיתָ, וְהַעֲבַטְתָּ, וְאִם הָיָה אוֹמֵר וְעָבַטְתָּ הָיָה נוֹפֵל עַל הַלֹּוֶה, כְּמוֹ וְלָוִיתָ: והעבטת גוים. יָכוֹל שֶׁתְּהֵא לֹוֶה מִזֶּה וּמַלְוֶה לָזֶה, תַּ״ל וְאַתָּה לֹא תַעֲבוֹט: ומשלת בגוים רבים. יָכוֹל גּוֹיִם אֲחֵרִים מוֹשְׁלִים עָלֶיךָ, תַּ״ל וּבְךָ לֹא יִמְשֹׁלוּ (שם): (ז) כי יהיה בך אביון. הַתָּאֵב תָּאֵב קוֹדֵם: מאחד אחיך. אָחִיךָ מֵאָבִיךָ קוֹדֵם לְאָחִיךָ מֵאִמֶּךָ: שעריך. עֲנִיֵּי עִירְךָ קוֹדְמִים לַעֲנִיֵּי עִיר אַחֶרֶת: לא תאמץ. יֵשׁ לְךָ אָדָם שֶׁמִּצְטַעֵר אִם יִתֵּן אִם לֹא יִתֵּן, לְכָךְ נֶאֱמַר לֹא תְאַמֵּץ, יֵשׁ לְךָ שֶׁפּוֹשֵׁט אֶת יָדוֹ וְקוֹפְצָהּ, לְכָךְ נֶאֱמַר לֹא תִקְפֹּץ (שם): מאחיך האביון. אִם לֹא תִתֵּן לוֹ סוֹפְךָ לִהְיוֹת אָחִיו שֶׁל אֶבְיוֹן (שם): (ח) פתח תפתח. אֲפִילוּ כַּמָּה פְּעָמִים (שם): כי פתח תפתח. הֲרֵי כִּי מְשַׁמֵּשׁ בִּלְשׁוֹן אֶלָּא: והעבט תעביטנו. אִם לֹא רָצָה בְּמַתָּנָה תֵּן לוֹ בְּהַלְוָאָה (עי׳ שם; כתו׳ ס״ז): די מחסרו. וְאִי אַתָּה מְצֻוֶּה לְהַעֲשִׁירוֹ:

for an inheritance to possess it: [5]If thou wilt only carefully hearken unto the voice of the Eternal thy God, to observe to do all these commandments which I command thee this day. [6]For the Eternal thy God blesseth thee, as he promised thee: and thou shalt lend on pledge unto many nations, but thou shalt not borrow on pledge; and thou shalt rule over many nations, but they shall not rule over thee. [7]If there be among you a needy man of one of thy brethren within any of thy gates, in thy land which the Eternal thy God giveth thee, thou shalt not make thy heart obstinate, nor close thine hand from thy needy brother; [8]But thou shalt surely open thine hand unto him, and shalt surely lend him on pledge sufficient for his need, *in that* which he lacketh. [9]Take heed unto thyself lest there be in thy heart a word of worthlessness, saying, The seventh year,

רש"י

Ex. XXIII. 6) *denotes* one who longs for everything (because he lacks everything). **(5)** רק אם שמוע תשמע ONLY IF THOU WILT CAREFULLY HEARKEN [UNTO THE VOICE OF THE LORD THY GOD] — then לא יהיה בך אביון THERE SHALL BE NO NEEDY AMONGST YOU[1]). שמוע תשמע [IF] THOU WILT CAREFULLY HEARKEN — *The repetition of the verbal form suggests:* If one listens a little (if one shows the determination to obey) he is caused to hearken to many things (he gradually becomes obedient to every divine command) (Siphre; cf. Rashi on XI. 13). **(6)** כאשר דבר לך [FOR THE LORD GOD BLESSETH THEE] AS HE PROMISED THEE — and where did He promise *you this? In the statement,* (XXVIII. 3—12) "Blessed shalt thou be in the city, *etc.*" (Siphre). והעבטת AND THOU SHALT LEND ON PLEDGE — In the case of every term that denotes transacting a loan when it refers to the lender, the Hiphil form is appropriate to it (to cause a person to do something: here, "you will make many people to be borrowers" i. e. you will lend to them), as for instance, והעבטת, והלוית; whilst if it stated וְעָבַטְתָּ (in the Kal), it would apply to the borrower, meaning "thou wilt borrow on pledge",[2]) the same as ולוית ("and thou wilt borrow", which in Kal refers to the borrower). והעבטת גוים AND THOU SHALT LEND ON PLEDGE UNTO [MANY] NATIONS — One might *think that you might do this in* that you will borrow from one nation and lend to another! Scripture, however, states, "but thou shalt not borrow". ומשלת בגוים רבים AND THOU SHALT RULE OVER MANY NATIONS — One might *think that at the very same time* other nations will be ruling over you! Scripture, however, states, "but they shall not rule over thee" (Siphre). **(7)** כי יהיה בך אביון IF THERE BE AMONG YOU A NEEDY MAN — The most needy has preference; מאחד אחיך ONE OF THY BRETHREN — thy brother on thy father's side has preference over thy brother on thy mother's side; שעריך [WITHIN ANY OF] THY GATES — *this implies* that the poor of thine own city have preference over the poor of another city (Siphre; cf. Rashi on Ex. XXII. 24). לא תאמץ THOU SHALT NOT MAKE [THY HEART] OBSTINATE — There are people who painfully deliberate whether they should give or not, therefore Scripture states, "thou shalt not make thy heart obstinate"; there *again* are people who stretch their hand forth (show readiness to give) but *then* close it, therefore it is written, "thou shalt not close thine hand" (Siphre). מאחיך האביון [NOR CLOSE THINE HAND] FROM THY NEEDY BROTHER — If you will not give him you will become in the end a brother of the needy (become as needy as himself) (cf. Siphre)[3]). **(8)** פתח תפתח [BUT] THOU SHALT SURELY OPEN [THINE HAND] — even many times. כי פתח תפתח BUT THOU SHALT SURELY OPEN [THINE HAND] — Here, you see, *the word* כי has the meaning of "but" (whilst e. g..

NOTES

For Notes 1—3 see Appendix.

שְׁנַת הַשְּׁמִטָּה וְרָעָה עֵינְךָ בְּאָחִיךָ הָאֶבְיוֹן וְלֹא
תִתֵּן לוֹ וְקָרָא עָלֶיךָ אֶל־יְהוָה וְהָיָה בְךָ חֵטְא׃
י נָתוֹן תִּתֵּן לוֹ וְלֹא־יֵרַע לְבָבְךָ בְּתִתְּךָ לוֹ כִּי בִּגְלַל ׀
הַדָּבָר הַזֶּה יְבָרֶכְךָ יְהוָה אֱלֹהֶיךָ בְּכָל־מַעֲשֶׂךָ וּבְכֹל
מִשְׁלַח יָדֶךָ׃ יא כִּי לֹא־יֶחְדַּל אֶבְיוֹן מִקֶּרֶב הָאָרֶץ
עַל־כֵּן אָנֹכִי מְצַוְּךָ לֵאמֹר פָּתֹחַ תִּפְתַּח אֶת־יָדְךָ
לְאָחִיךָ לַעֲנִיֶּךָ וּלְאֶבְיֹנְךָ בְּאַרְצֶךָ׃ ס יב כִּי־
יִמָּכֵר לְךָ אָחִיךָ הָעִבְרִי אוֹ הָעִבְרִיָּה וַעֲבָדְךָ שֵׁשׁ
שָׁנִים וּבַשָּׁנָה הַשְּׁבִיעִת תְּשַׁלְּחֶנּוּ חָפְשִׁי מֵעִמָּךְ׃
יג וְכִי־תְשַׁלְּחֶנּוּ חָפְשִׁי מֵעִמָּךְ לֹא תְשַׁלְּחֶנּוּ רֵיקָם׃

אונקלוס

תּוֹזְפִנֵּהּ כְּמִסַּת חֶסְרוֹנֵהּ דְּיַחְסִיר לֵהּ׃ ט אִסְתַּמַּר לָךְ דִּילְמָא יְהֵי פִתְגָם עִם לִבָּךְ בְּרֶשַׁע לְמֵימַר קְרִיבָא שַׁתָּא שְׁבִיעֲתָא שַׁתָּא דִשְׁמִטְּתָא וְתַבְאֵשׁ עֵינָךְ בְּאָחוּךְ מִסְכֵּנָא וְלָא תִתֵּן לֵהּ וְיִקְרֵי עֲלָךְ קֳדָם יְיָ וִיהֵי בָךְ חוֹבָא׃ י מִתַּן תִּתֵּן לֵהּ וְלָא יַבְאֵשׁ לִבָּךְ בְּמִתְּנָךְ לֵהּ אֲרֵי בְּדִיל פִּתְגָמָא הָדֵין יְבָרֵכִנָּךְ יְיָ אֱלָהָךְ בְּכָל עוֹבָדָךְ וּבְכֹל אוֹשָׁטוּת יְדָךְ׃ יא אֲרֵי לָא יִפְסוֹק מִסְכֵּנָא מִגּוֹ אַרְעָא עַל כֵּן אֲנָא מְפַקְּדָךְ לְמֵימַר מִפְתַּח תִּפְתַּח יָת יְדָךְ לַאֲחוּךְ לַעֲנְיָךְ וּלְמִסְכֵּנָךְ בְּאַרְעָךְ׃ יב אֲרֵי יִזְדַּבַּן לָךְ אֲחוּךְ בַּר יִשְׂרָאֵל אוֹ בַּת יִשְׂרָאֵל וְיִפְלְחִנָּךְ שִׁית שְׁנִין וּבְשַׁתָּא שְׁבִיעֲתָא

רש״י

אשר יחסר לו. אֲפִילוּ סוּס לִרְכּוֹב עָלָיו וְעֶבֶד לָרוּץ לְפָנָיו (שם): לו. זוֹ אִשָּׁה וְכֵן הוּא אוֹמֵר (בר׳ ב׳) אֶעֱשֶׂה לּוֹ עֵזֶר כְּנֶגְדּוֹ (ספרי): (ט) וקרא עליך. יָכוֹל מִצְוָה, תַּ״ל וְלֹא יִקְרָא: והיה בך חטא. מִכָּל מָקוֹם, אֲפִילוּ לֹא יִקְרָא, אִם כֵּן לָמָּה נֶאֱמַר וְקָרָא עָלֶיךָ? מְמַהֵר אֲנִי לִפָּרַע עַל יְדֵי הַקּוֹרֵא יוֹתֵר מִמִּי שֶׁאֵינוֹ קוֹרֵא (שם): (י) נתון תתן לו. אֲפִילוּ מֵאָה פְּעָמִים: לו. בֵּינוֹ וּבֵינְךָ: כי בגלל הדבר. אֲפִילוּ אָמַרְתָּ לִתֵּן, אַתָּה נוֹטֵל שְׂכַר הָאֲמִירָה עִם שְׂכַר הַמַּעֲשֶׂה (שם): (יא) על כן. מִפְּנֵי כֵן: לאמר. עֵצָה לְטוֹבָתְךָ אֲנִי מַשִּׂיאֲךָ: לאחיך לעניך. לְאֵיזֶה אָח? לֶעָנִי: לעניך. בְּיוּ״ד אֶחָד, לְשׁוֹן עָנִי אֶחָד הוּא, אֲבָל עֲנִיֶּיךָ בִּשְׁנֵי יוּדִי״ן, שְׁנֵי עֲנִיִּים: (יב) כי ימכר לך. עַל יְדֵי אֲחֵרִים, בִּמְכָרוּהוּ בֵּית דִּין בִּגְנֵבָתוֹ הַכָּתוּב מְדַבֵּר; וַהֲרֵי כְּבָר נֶאֱמַר כִּי תִקְנֶה עֶבֶד עִבְרִי וּבִמְכָרוּהוּ בֵּית דִּין הַכָּתוּב מְדַבֵּר? אֶלָּא מִפְּנֵי שְׁנֵי דְבָרִים שֶׁנִּתְחַדְּשׁוּ כָאן, אֶחָד, שֶׁכָּתוּב אוֹ העבריה אַף הִיא תֵצֵא בְשֵׁשׁ — וְלֹא שֶׁמְּכָרוּהָ בֵּית דִּין, שֶׁאֵין הָאִשָּׁה נִמְכֶּרֶת בִּגְנֵבָתָהּ, שֶׁנֶּאֱמַר „בִּגְנֵבָתוֹ" וְלֹא „בִּגְנֵבָתָהּ" — אֶלָּא בִקְטַנָּה שֶׁמְּכָרָהּ אָבִיהָ, וְלִמֵּד כָּאן שֶׁאִם יָצְאוּ שֵׁשׁ שָׁנִים קוֹדֶם שֶׁתָּבִיא

the year of remission, approacheth; and thine eye be evil against thy needy brother, and thou givest him nought; and he cry unto the Eternal against thee, and it be sin unto thee. [10]Thou shalt surely give him, and thine heart shall not be grieved when thou givest unto him: because that for this thing the Eternal thy God shall bless thee in all thy works, and in every performance of thy hand. [11]For the needy shall never cease out of the land: therefore I command thee, saying, Thou shalt surely open thine hand unto thy brother, to thy poor, and to thy needy, in thy land. [12]*And* if thy brother, an Hebrew man, or an Hebrew woman, be sold unto thee, and serve thee six years, then in the seventh year thou shalt let him go free from thee. [13]And when thou lettest him go free from thee, thou shalt not let him go empty:

רש"י

in v. 7 it means "if", in v. 10 "because"). והעבט תעביטנו AND THOU SHALT LEND HIM ON PLEDGE — If he does not want a gift, give it to him as a loan[1]) (cf. Siphre; Keth. 67b). די מחסרו [LEND HIM ON PLEDGE] SUFFICIENT FOR HIS NEED — but you are not commanded to make him r i c h. אשר יחסר לו [SUFFICIENT FOR HIS NEED] IN THAT WHICH HE LACKETH — *This implies: you must provide him* even *with* a horse to ride on and a slave to run before him (if he was hitherto accustomed to such and now feels the lack of them) (ib.). לו — *implies that you must help him even to get* a wife; for so it states, אעשה לו עזר כנגדו "I will make him a help meet for him (לו)" (ib.)[2]). **(9)** וקרא עליך AND HE CRY [UNTO THE LORD] AGAINST THEE — One might *think this is* a command ("he shall call against thee"). Scripture, however, states, (XXIV. 15) "[At his day thou shalt give him his hire ... he is poor], so that he may not call against thee [unto the Lord]" (Siphre on that verse)[3]). והיה בך חטא AND IT BE SIN UNTO THEE — under any circumstances, even if he does not cry *against thee.* But if *this be* so, to what end is it written "and he cry against thee"? *It suggests that* I will make greater haste to punish *thee* because of him who cries, than because of one who does not cry (Siphre). **(10)** נתן תתן לו THOU SHALT SURELY GIVE HIM — even hundred times. לו *implies* between him and you (privately)[4]). כי בגלל הדבר הזה BECAUSE THAT FOR THIS THING [THE LORD THY GOD SHALL BLESS THEE] — (the word is taken in its literal sense of "word", for it would have sufficed to state כי בגלל זה suggesting): even if you *only* s a y (i n t e n d) to give *but are later unable to do so* you will receive a reward for the *mere* saying (intention) together with the reward for the action (Siphre)[5]). **(11)** על כן *means* מפני כן BECAUSE OF THIS[6]). לאמר *suggests:* I give you *good* advice for your own benefit[7]). לאחיך לעניך [THOU SHALT SURELY OPEN THINE HAND] UNTO THY BROTHER, TO THY POOR — *open thine hand to thy brother,* to which brother? To the poor one. לענך written with o n e Jod denotes o n e poor man, but עניין with t w o Jods denotes two (or many) poor, *i. e. it is a plural form.* **(12)** כי ימכר לך IF [THY BROTHER ...] BE SOLD UNTO THEE by o t h e r s (not one that sells himself as a servant on account of his destitution, of which case Scripture deals in Lev. XXV. 46 ff); Scripture is speaking of one whom the court has sold for a theft that he has committed. But has it not already been stated. (Ex. XXI. 2) "If thou buyest an Hebrew servant" and *there, too,* Scripture speaks of one whom the court has sold (as proved by Rashi in his comment on that verse)?!. But *the repetition was necessary* because of two new points that are stated here: the one is that it is *here* written "or an Hebrew w o m a n", *that* she, too, *like a m a n - servant,* goes free at *the end of* six *years of servitude — it does* not *mean* a woman whom the c o u r t had sold, for a woman cannot be sold by the court on account of a theft committed by her, since it states, (Ex. XXII. 2) *that the thief shall be sold* "for h i s theft" *which implies: h e*

NOTES

For Notes 1—7 see Appendix.

יד הַעֲנֵיק תַּעֲנִיק לוֹ מִצֹּאנְךָ וּמִגָּרְנְךָ וּמִיִּקְבֶךָ אֲשֶׁר
בֵּרַכְךָ יְהוָה אֱלֹהֶיךָ תִּתֶּן־לוֹ׃ טו וְזָכַרְתָּ כִּי עֶבֶד
הָיִיתָ בְּאֶרֶץ מִצְרַיִם וַיִּפְדְּךָ יְהוָה אֱלֹהֶיךָ עַל־כֵּן
אָנֹכִי מְצַוְּךָ אֶת־הַדָּבָר הַזֶּה הַיּוֹם׃ טז וְהָיָה כִּי־
יֹאמַר אֵלֶיךָ לֹא אֵצֵא מֵעִמָּךְ כִּי אֲהֵבְךָ וְאֶת־בֵּיתֶךָ
כִּי־טוֹב לוֹ עִמָּךְ׃ יז וְלָקַחְתָּ אֶת־הַמַּרְצֵעַ וְנָתַתָּה
בְאָזְנוֹ וּבַדֶּלֶת וְהָיָה לְךָ עֶבֶד עוֹלָם וְאַף לַאֲמָתְךָ
תַּעֲשֶׂה־כֵּן׃ יח לֹא־יִקְשֶׁה בְעֵינֶךָ בְּשַׁלֵּחֲךָ אֹתוֹ
חָפְשִׁי מֵעִמָּךְ כִּי מִשְׁנֶה שְׂכַר שָׂכִיר עֲבָדְךָ שֵׁשׁ
שָׁנִים וּבֵרַכְךָ יְהוָה אֱלֹהֶיךָ בְּכֹל אֲשֶׁר תַּעֲשֶׂה׃ פ

אונקלוס

תִּפְטְרִנֵּהּ לְבַר חוֹרִין מֵעִמָּךְ׃ יג וַאֲרֵי תִפְטְרִנֵּהּ לְבַר חוֹרִין מֵעִמָּךְ לָא תִפְטְרִנֵּהּ
רֵיקָנוּן׃ יד אַפְרָשָׁא תַפְרֵשׁ לֵהּ מֵעָנָךְ וּמֵאִדְּרָךְ וּמִמַּעֲצַרְתָּךְ דִּי יְבָרְכִנָּךְ יְיָ אֱלָהָךְ
תִּתֵּן לֵהּ׃ טו וְתִדְכַּר אֲרֵי עַבְדָּא הֲוֵיתָא בְּאַרְעָא דְמִצְרַיִם וּפָרְקָךְ יְיָ אֱלָהָךְ עַל
כֵּן אֲנָא מְפַקְּדָךְ יָת פִּתְגָּמָא הָדֵין יוֹמָא דֵין׃ טז וִיהֵי אֲרֵי יֵימַר לָךְ לָא אֶפּוֹק
מֵעִמָּךְ אֲרֵי רְחֵמָךְ וְיָת אֱנָשׁ בֵּיתָךְ אֲרֵי טַב לֵהּ עִמָּךְ׃ יז וְתִסַּב יָת מַרְצְעָא וְתִתֵּן
בְּאֻדְנֵהּ וּבְדַשָּׁא וִיהֵי לָךְ עֲבֵד פָּלַח לְעָלַם וְאַף לְאַמְתָךְ תַּעְבֵּד כֵּן׃ יח לָא יִקְשֵׁי
בְעֵינָךְ בְּמִפְטְרָךְ יָתֵהּ לְבַר חוֹרִין מֵעִמָּךְ אֲרֵי עַל חַד תְּרֵין מִיגַּר אֲגִירָא פָּלְחָךְ

רש"י

סִימָנִין תֵּצֵא, וְעוֹד חִדֵּשׁ כָּאן העניק תעניק׃ **(יד)** העניק תעניק. לְשׁוֹן עֲדִי בְּגוֹבַהּ וּבְמַרְאִית
הָעַיִן, דָּבָר שֶׁיְּהֵא נִכָּר שֶׁהֱטִיבוֹתָ לוֹ; וְיֵשׁ מְפָרְשִׁים לְשׁוֹן הַטְעָנָה עַל צַוָּארוֹ׃ מצאנך
ומגרנך ומיקבך. יָכוֹל אֵין לִי אֶלָּא אֵלּוּ בִּלְבָד, תַּ"ל אשר ברכך — מִכָּל מַה שֶּׁבֵּרַכְךָ
בּוֹרַאֲךָ. וְלָמָּה נֶאֶמְרוּ אֵלּוּ? מָה אֵלּוּ מְיֻחָדִים שֶׁהֵם בִּכְלַל בְּרָכָה אַף כָּל שֶׁהוּא בִּכְלַל
בְּרָכָה, יָצְאוּ פְּרָדוֹת; וְלָמְדוּ רַבּוֹתֵינוּ בְּמַסֶּכֶת קִדּוּשִׁין (דף י"ז) בִּגְזֵרָה שָׁוָה כַּמָּה נוֹתֵן לוֹ
מִכָּל מִין וָמִין׃ **(טו)** וזכרת כי עבד היית. וְהַעֲנַקְתִּי וְשָׁנִיתִי לְךָ מִבִּזַּת מִצְרַיִם וּבִזַּת הַיָּם,
אַף אַתָּה הַעֲנֵק וּשְׁנֵה לוֹ (ספרי)׃ **(יז)** עבד עולם. יָכוֹל כְּמַשְׁמָעוֹ, תַּ"ל וְשַׁבְתֶּם אִישׁ אֶל
אֲחֻזָּתוֹ וְאִישׁ אֶל מִשְׁפַּחְתּוֹ תָּשֻׁבוּ (ויק' כ"ה), הָא לָמַדְתָּ שֶׁאֵין זֶה אֶלָּא עוֹלָמוֹ שֶׁל יוֹבֵל
(מכי' שמ' כ"א)׃ ואף לאמתך תעשה כן. הַעֲנֵק לָהּ; יָכוֹל אַף לִרְצִיעָה הִשְׁוָה הַכָּתוּב
אוֹתָהּ, תַּ"ל (שמ' כ"א) וְאִם אָמֹר יֹאמַר הָעֶבֶד — עֶבֶד נִרְצָע וְאֵין אָמָה נִרְצַעַת (ספרי)׃
(יח) כי משנה שכר שכיר. מִכָּאן אָמְרוּ עֶבֶד עִבְרִי עוֹבֵד בֵּין בַּיּוֹם וּבֵין בַּלַּיְלָה, וְזֶהוּ
כִּפְלַיִם שֶׁבַּעֲבוֹדַת שְׂכִירֵי יוֹם, וּמַהוּ עֲבוֹדָתוֹ בַּלַּיְלָה? רַבּוֹ מוֹסֵר לוֹ שִׁפְחָה כְּנַעֲנִית

14Thou shalt furnish him liberally out of thy flock, and out of thy floor, and out of thy wine-press: *of that* wherewith the Eternal thy God hath blessed thee thou shalt give unto him. 15And thou shalt remember that thou wast a servant in the land of Egypt, and the Eternal thy God released thee: therefore I command thee this thing today. 16And it shall be, if he say unto thee, I will not go forth from thee, because he loveth thee and thine house, because he is well with thee, 17Then thou shalt take an awl, and thrust *it* through his ear and into the door, and he shall be thy servant for ever: And also unto thy maid-servant thou shalt do likewise. 18It shall not seem hard unto thee, when thou lettest him go free from thee; for he hath been worth a double hired servant *to thee,* in serving thee six years: and the Eternal thy God shall bless thee in all that thou doest.

רש״י

for his theft, but not she for her theft; — but *what Scripture is speaking of here is* of a woman under age whom her father has sold *as a handmaid,* and it teaches you here that if six years *of servitude* terminate before the time that she shows signs *of incipient puberty* she goes free. And further it mentions a new point here, *viz.,* "thou shalt furnish him (or her) liberally" (cf. Rashi on Ex. XXI. 4). **(14)** הענק תעניק THOU SHALT FURNISH HIM LIBERALLY — *The noun from the root* ענק denotes an ornament *worn* high up *on the body which thus easily comes* within sight of the eye (i. e. is conspicuous), (cf. ענק, a giant, someone who towers on high) — *i. e. you shall furnish him with something* that will make it patent that you have been kind to him. There are some who explain *the word* הענק to mean loading on his (the servant's) neck. מצאנך מגרנך ומיקבך [THOU SHALT FURNISH HIM LIBERALLY] OUT OF THY FLOCK, AND OUT OF THY FLOOR, AND OUT OF THY WINE PRESS — One might *think* I have *this duty in respect to* these *things* only! Scripture, however, states "that wherewith the Lord thy God hath blessed thee [shalt thou give him]" *implying,* of all with which thy Creator hath blessed thee. Why, *then,* are these *alone specifically* mentioned? *To teach you the following:* How *is it with* these *things?* They have the characteristic that they come under the term of "blessing", (i. e. they possess the power of propagating)[1]) so, too, *you are obliged to furnish him* only with such things that come under the term "blessing", *thus* excluding mules, (because they are sterile) (Siphre; Kidd. 17a). — Our Rabbis have derived in Treatise Kiddushin (ib.) by reasoning from the analogous expressions found in certain texts (גז״ש) what quantities one must give him of all the *different* kinds *here mentioned.* **(15)** וזכרת כי עבד היית AND THOU SHALT REMEMBER THAT THOU WAST A SERVANT [IN THE LAND OF EGYPT] — and I loaded thee with good things, and did so a second time — from the spoil of the land of Egypt and from the spoil at the Red Sea; so you, too, load him *once,* and do it again for him (Siphre). **(17)** עבד עולם [AND HE SHALL BE THY] SERVANT עולם — One might *think that* עולם has *here* its usual meaning: for ever! Scripture, however, states, (Lev. XXV. 10) "[And ye shall sanctify the fiftieth year and proclaim liberty throughout all the land unto all the inhabitants thereof] and ye shall return every man unto his family". Consequently, you learn that it (what Scripture terms here עולם), can only mean the period *until the termination* of that Jubilee cycle (Mech. on Ex. XXI. 6; cf. Rashi on that verse). ואף לאמתך תעשה כן AND ALSO UNTO THY MAID-SERVANT THOU SHALT DO LIKEWISE — *i. e.* furnish her out of thy property. One might *think,* however, that Scripture puts her on the same level *with the man-servant* concerning the piercing of the ear too! It, however, states, (Ex. XXI. 5) "And if the man-servant (העבד) shall plainly say, [I love my lord ... then ... his lord shall bore

NOTES.

1) See Appendix.

שביעי יט כָּל־הַבְּכוֹר אֲשֶׁר יִוָּלֵד בִּבְקָרְךָ וּבְצֹאנְךָ
הַזָּכָר תַּקְדִּישׁ לַיהוָה אֱלֹהֶיךָ לֹא תַעֲבֹד בִּבְכֹר
שׁוֹרֶךָ וְלֹא תָגֹז בְּכוֹר צֹאנֶךָ׃ כ לִפְנֵי יְהוָה אֱלֹהֶיךָ
תֹאכְלֶנּוּ שָׁנָה בְשָׁנָה בַּמָּקוֹם אֲשֶׁר־יִבְחַר יְהוָה
אַתָּה וּבֵיתֶךָ׃ כא וְכִי־יִהְיֶה בוֹ מוּם פִּסֵּחַ אוֹ עִוֵּר
כֹּל מוּם רָע לֹא תִזְבָּחֶנּוּ לַיהוָה אֱלֹהֶיךָ׃ כב בִּשְׁעָרֶיךָ
תֹּאכְלֶנּוּ הַטָּמֵא וְהַטָּהוֹר יַחְדָּו כַּצְּבִי וְכָאַיָּל׃
כג רַק אֶת־דָּמוֹ לֹא תֹאכֵל עַל־הָאָרֶץ תִּשְׁפְּכֶנּוּ
כַּמָּיִם׃ פ

טז א שָׁמוֹר אֶת־חֹדֶשׁ הָאָבִיב וְעָשִׂיתָ פֶּסַח לַיהוָה

אונקלוס

שִׁית שְׁנִין וִיבָרְכִנָּךְ יְיָ אֱלָהָךְ בְּכֹל דִּי תַעְבֵּד: יט כָּל בּוּכְרָא דִּי יִתְיְלִיד בְּתוֹרָךְ
וּבְעָנָךְ דִּוכְרִין תַּקְדֵּשׁ קֳדָם יְיָ אֱלָהָךְ לָא תִפְלַח בְּבוּכְרָא דְּתוֹרָךְ וְלָא תֵיגוֹז
בּוּכְרָא דְּעָנָךְ: כ קֳדָם יְיָ אֱלָהָךְ תֵּיכְלִנֵּהּ שְׁתָּא בְשַׁתָּא בְּאַתְרָא דִּי יִתְרְעֵי יְיָ אַתְּ
וֶאֱנָשׁ בֵּיתָךְ: כא וַאֲרֵי יְהֵי בֵהּ מוּמָא חֲגִיר אוֹ עֲוִיר כֹּל מוּם בִּישׁ לָא תִכְּסִנֵּהּ
קֳדָם יְיָ אֱלָהָךְ: כב בְּקִרְוָיךְ תֵּיכְלִנֵּהּ מְסָאֲבָא וְדַכְיָא כַּחֲדָא כִּבְסַר טַבְיָא וְאַיְלָא:
כג לְחוֹד יָת דְּמֵהּ לָא תֵיכוֹל עַל אַרְעָא תִּשְׁדְּנֵהּ כְּמַיָּא: א טַר יָת יַרְחָא דַּאֲבִיבָא

רש״י

וְהַוָּלָדוֹת לָאָדוֹן (ספרי): (יט) כל הבכור, תקדיש. וּבְמָקוֹם אַחֵר (ויק׳ כ״ז) הוּא אוֹמֵר לֹא יַקְדִּישׁ אִישׁ אוֹתוֹ, הָא כֵּיצַד? אֵינוֹ מַקְדִּישׁוֹ לְקָרְבָּן אַחֵר; וְכָאן לָמֵד שֶׁמִּצְוָה לוֹמַר הֲרֵי אַתָּה קָדוֹשׁ לִבְכוֹרָה. ד״א אִי אֶפְשָׁר לוֹמַר תַּקְדִּישׁ, שֶׁכְּבָר נֶאֱמַר לֹא יַקְדִּישׁ, וְאִי אֶפְשָׁר לוֹמַר לֹא יַקְדִּישׁ, שֶׁהֲרֵי כְּבָר נֶאֱמַר תַּקְדִּישׁ, הָא כֵּיצַד? מַקְדִּישׁ אַתָּה הֶקְדֵּשׁ עִלּוּי וְנוֹתֵן לְהֶקְדֵּשׁ כְּפִי טוֹבַת הֲנָאָה שֶׁבּוֹ (עירכ׳ כ״ט): לא תעבד בבכר שורך ולא תגז וגו׳. אַף הַחִלּוּף לָמְדוּ רַבּוֹתֵינוּ שֶׁאָסוּר, אֶלָּא שֶׁדִּבֵּר הַכָּתוּב בַּהוֹוֶה (בכ׳ כ״ה): (כ) לפני ה׳ אלהיך תאכלנו. לַכֹּהֵן הוּא אוֹמֵר, שֶׁכְּבָר מָצִינוּ שֶׁהוּא מִמַּתְּנוֹת כְּהֻנָּה אֶחָד תָּם וְאֶחָד בַּעַל מוּם, שֶׁנֶּאֱמַר (במ׳ י״ח) וּבְשָׂרָם יִהְיֶה לָּךְ וְגוֹ׳ (בכ׳ כ״ח): שנה בשנה. מִכָּאן שֶׁאֵין מַשְׁהִין אוֹתוֹ יוֹתֵר עַל שְׁנָתוֹ; יָכוֹל יְהֵא פָּסוּל מִשֶּׁעָבְרָה שְׁנָתוֹ, כְּבָר הוּקַּשׁ לְמַעֲשֵׂר, שֶׁנֶּאֱמַר (דב׳ י״ד) וְאָכַלְתָּ לִפְנֵי ה׳ אֱלֹהֶיךָ מַעְשַׂר דְּגָנְךָ תִּירֹשְׁךָ וְיִצְהָרֶךָ וּבְכֹרֹת בְּקָרְךָ וְצֹאנֶךָ, מַה מַּעֲשֵׂר שֵׁנִי אֵינוֹ נִפְסָל מִשָּׁנָה לַחֲבֶרְתָּהּ אַף בְּכוֹר אֵינוֹ נִפְסָל, אֶלָּא שֶׁמִּצְוָה תּוֹךְ שְׁנָתוֹ (בכ׳ כ״ז): שנה בשנה. אִם שְׁחָטוֹ בְּסוֹף שְׁנָתוֹ אוֹכְלוֹ אוֹתוֹ הַיּוֹם וְיוֹם אֶחָד מִשָּׁנָה אַחֶרֶת, לָמֵד שֶׁנֶּאֱכַל לִשְׁנֵי יָמִים וְלַיְלָה אֶחָד (שם): (כא) מום. כְּלָל, פסח או עור. פְּרָט, כל מום רע. חָזַר וְכָלַל, מַה הַפְּרָט מְפוֹרָשׁ מוּם הַגָּלוּי וְאֵינוֹ חוֹזֵר, אַף כָּל מוּם שֶׁבַּגָּלוּי וְאֵינוֹ חוֹזֵר (שם ל״ז): (כג) רק את דמו לא תאכל. שֶׁלֹּא תֹאמַר הוֹאִיל וְכֻלּוֹ הֶתֵּר הַבָּא מִכְּלַל אִסּוּר הוּא, שֶׁהֲרֵי קֹדֶשׁ וְנִשְׁחַט בַּחוּץ בְּלֹא פִדְיוֹן וְנֶאֱכָל, יָכוֹל יְהֵא אַף הַדָּם מוּתָּר, תַּלְמוּד לוֹמַר רק את דמו לא תאכל:

[19]All the firstling males that are born of thy herd and of thy flock thou shalt sanctify unto the Eternal thy God: thou shalt do no work with the firstling of thy herd, nor shear the firstling of thy flock: [20]Thou shalt eat *it* before the Eternal thy God year by year, in the place which the Eternal shall choose, thou and thy house. [21]And if there be *any* blemish therein, *as if it be* lame, or blind, *or have* any ill blemish, thou shalt not sacrifice it unto the Eternal thy God. [22]Thou shalt eat it within thy gates: the unclean and the clean *person shall eat it* alike, as the gazelle, and as the hart. [23]Only thou shalt not eat the blood thereof; thou shalt pour it upon the earth as water.

16. [1]Keep the month of Abib, and observe the passover unto the Eternal

רש"י

his ear through with an awl]" — so you see that a man-servant must have his ear pierced, but a maid-servant must not have it pierced (Siphre). **(18)** כי משנה שכר שכיר [IT SHALL NOT SEEM HARD UNTO THEE WHEN THOU LETTEST HIM GO FREE ...] FOR [HE HATH BEEN WORTH] A DOUBLE HIRED SERVANT [UNTO THEE] — From here they (the Rabbis) derived the law that a Hebrew servant has to do service both by day and by night, and that is double as much as the labour of a man hired for day work *only*. And wherein consists his service during the night? That his master gives him a Canaantish maid-servant *with the object of raising children*, and the children belong to the master (ib.). **(19)** כל הבכור ... תקדיש ALL THE FIRSTLING MALES ... THOU SHALT SANCTIFY [UNTO THE LORD] — But in another passage (Lev. XXVII. 26) it states, "[Only the firstborn of the beasts ....] one shall not sanctify it"? How *can* these *be reconciled? The latter passage means:* he must not dedicate it as a different sacrifice (i. e. offer it as an עולה or שלמים instead of as a בכור), whilst here it teaches that it is a duty to say: "Thou art holy as a firstborn!" Another comment is: It is impossible to say *that* "thou shalt sanctify" *is to be taken literally*, for it already states *in another passage* "one shall not sanctify it"; it is, *on the other hand, also* impossible *to take* "one shall not sanctify it" *literally*, since it states "thou shalt sanctify it". How *can* these *be reconciled? In the following manner: by taking* תקדיש *in our verse to imply:* "thou mayest dedicate" so far as the dedication of its value (הקדש עלוי) is concerned, and then he must give *a sum* corresponding to the טובת הנאה in it to the Temple treasury[1]), *but you must not dedicate it as far as the altar is concerned (i. e. dedicate it as any sacrifice other than as a* בכור) (Arach. 29a; cf. Siphre)[2]). לא תעבד בבכור שורך ולא תגז וגו' THOU SHALT NOT WORK WITH THE FIRSTLING OF THY HERD, NOR SHEAR [THE FIRSTLING OF THY FLOCK] — The converse case also (working with the firstborn sheep and using the hair of the firstborn calf) have our Rabbis derived to be forbidden, but Scripture merely speaks of what usually occurs (Siphre; Bech. 25a). **(20)** לפני ה' אלהיך תאכלנה THOU SHALT EAT IT BEFORE THE LORD THY GOD — Scripture is speaking to the priest (not to the owner to whom תקדיש in the previous verse refers), for we find already *stated* that it (the בכור) is one of the dues of the priests whether it is unblemished (and its blood and fat portions are to be sacrificed on the altar and the flesh eaten by the priests), or whether it is blemished (when it must not be offered on the altar), for it states, (Num. XVIII. 18) "and the flesh of them (the firstborn animals, both the blemished and the unblemished) shall be thine" (the priest's) (cf. Bech. 28a). שנה בשנה [THOU SHALT EAT IT BEFORE THE LORD ...] YEAR BY YEAR — From here *we derive the law* that one should not defer it (i. e. sacrificing and eating it) beyond its first year (Bech. 28a). *If so,* one might *think* that it becomes invalid *as a sacrifice* as soon as its first year has passed! *This is not the case, for* it has been put in comparison with the *second* tithe, as it is said,

NOTES

For Notes 1—2 see Appendix.

אֱלֹהֶיךָ כִּי בְּחֹדֶשׁ הָאָבִיב הוֹצִיאֲךָ יְהוָה אֱלֹהֶיךָ
מִמִּצְרַיִם לָיְלָה: ב וְזָבַחְתָּ פֶּסַח לַיהוָה אֱלֹהֶיךָ צֹאן
וּבָקָר בַּמָּקוֹם אֲשֶׁר יִבְחַר יְהוָה לְשַׁכֵּן שְׁמוֹ שָׁם:
ג לֹא־תֹאכַל עָלָיו חָמֵץ שִׁבְעַת יָמִים תֹּאכַל־עָלָיו
מַצּוֹת לֶחֶם עֹנִי כִּי בְחִפָּזוֹן יָצָאתָ מֵאֶרֶץ מִצְרַיִם
לְמַעַן תִּזְכֹּר אֶת־יוֹם צֵאתְךָ מֵאֶרֶץ מִצְרַיִם כֹּל
יְמֵי חַיֶּיךָ: ד וְלֹא־יֵרָאֶה לְךָ שְׂאֹר בְּכָל־גְּבֻלְךָ שִׁבְעַת
יָמִים וְלֹא־יָלִין מִן־הַבָּשָׂר אֲשֶׁר תִּזְבַּח בָּעֶרֶב בַּיּוֹם
הָרִאשׁוֹן לַבֹּקֶר: ה לֹא תוּכַל לִזְבֹּחַ אֶת־הַפָּסַח

אונקלוס

וְתַעְבֵּד פִּסְחָא קֳדָם יְיָ אֱלָהָךְ אֲרֵי בְּיַרְחָא דַאֲבִיבָא אַפְּקָךְ יְיָ אֱלָהָךְ מִמִּצְרַיִם
נַעְבֵד לָךְ נִסִּין בְּלֵילְיָא: ב וְתִכּוֹס פִּסְחָא קֳדָם יְיָ אֱלָהָךְ מִן בְּנֵי עָנָא וְנִכְסַת
קוּדְשַׁיָּא מִן תּוֹרֵי בְּאַתְרָא דִּי יִתְרְעֵי יְיָ לְאַשְׁרָאָה שְׁכִנְתֵּהּ תַּמָּן: ג לָא תֵיכוֹל
עֲלוֹהִי חֲמִיעַ שִׁבְעָא יוֹמִין תֵּיכוֹל עֲלוֹהִי פַּטִּיר לְחֵם עֳנִי אֲרֵי בִּבְהִילוּ נְפַקְתָּא
מֵאַרְעָא דְמִצְרַיִם בְּדִיל דְּתִדְכַּר יָת יוֹמָא מִפְּקָךְ מֵאַרְעָא דְמִצְרַיִם כָּל יוֹמֵי חַיָּיךְ:
ד וְלָא יִתְחֲזֵי לָךְ חֲמִיר בְּכָל תְּחוּמָךְ שִׁבְעָא יוֹמִין וְלָא יְבִית מִן בִּסְרָא דִּי תִכּוֹס
בְּרַמְשָׁא בְּיוֹמָא קַדְמָאָה לְצַפְרָא: ה לֵית לָךְ רְשׁוּ לְמִכַּס יָת פִּסְחָא בַּחֲדָא

רש״י

טז (א) שמור את חדש האביב. מִקּוֹדֶם בּוֹאוֹ שְׁמוֹר שֶׁיְּהֵא רָאוּי לְאָבִיב – לְהַקְרִיב בּוֹ אֶת מִנְחַת הָעוֹמֶר וְאִם לַאו עַבֵּר אֶת הַשָּׁנָה (עי׳ סנה׳ י״א): ממצרים לילה. וַהֲלֹא בַּיּוֹם יָצְאוּ שֶׁנֶּאֱמַר (במ׳ ל״ג) מִמָּחֳרַת הַפֶּסַח יָצְאוּ בְנֵי יִשְׂרָאֵל וְגו׳? אֶלָּא לְפִי שֶׁבַּלַּיְלָה נָתַן לָהֶם פַּרְעֹה רְשׁוּת לָצֵאת, שֶׁנֶּאֱמַר (שמ׳ י״ב) וַיִּקְרָא לְמשֶׁה וּלְאַהֲרֹן לַיְלָה וְגו׳ (ברי׳ ט׳): (ב) וזבחת פסח לה׳ אלהיך צאן. שֶׁנֶּאֱמַר (שמ׳ י״ב) מִן הַכְּבָשִׂים וּמִן הָעִזִּים תִּקָּחוּ: ובקר. תִּזְבַּח לַחֲגִיגָה, שֶׁאִם נִמְנוּ עַל הַפֶּסַח חֲבוּרָה מְרֻבָּה, מְבִיאִים עִמּוֹ חֲגִיגָה כְּדֵי שֶׁיְּהֵא נֶאֱכָל עַל הַשֹּׂבַע (פס׳ ס״ט); וְעוֹד לָמְדוּ רַבּוֹתֵינוּ דְּבָרִים הַרְבֵּה מִפָּסוּק זֶה: (ג) לחם עני. לֶחֶם שֶׁמַּזְכִּיר אֶת הָעֹנִי שֶׁנִּתְעַנּוּ בְמִצְרַיִם (ספרי): כי בחפזון יצאת. וְלֹא הִסְפִּיק בָּצֵק לְהַחֲמִיץ וְזֶה יִהְיֶה לְךָ לְזִכָּרוֹן; וְחִפָּזוֹן לֹא שֶׁלְּךָ הָיָה אֶלָּא שֶׁל מִצְרַיִם, שֶׁכֵּן הוּא אוֹמֵר (שמ׳ י״ב) וַתֶּחֱזַק מִצְרַיִם עַל הָעָם וְגו׳ (ספרי): למען תזכר עַל יְדֵי אֲכִילַת הַפֶּסַח וְהַמַּצָּה את יום צאתך: (ד) ולא ילין מן הבשר אשר תזבח בערב ביום הראשון לבקר. אַזְהָרָה לְמוֹתִיר בְּפֶסַח דּוֹרוֹת, לְפִי שֶׁלֹּא נֶאֱמַר אֶלָּא בְּפֶסַח מִצְרַיִם; וְיוֹם רִאשׁוֹן הָאָמוּר כָּאן הוּא י״ד בְּנִיסָן, כְּמָה דְּאַתְּ אָמֵר אַךְ בַּיּוֹם הָרִאשׁוֹן תַּשְׁבִּיתוּ שְׂאֹר מִבָּתֵּיכֶם (שמ׳ י״ב); וּלְפִי שֶׁנִּסְתַּלֵּק הַכָּתוּב מֵעִנְיָנוֹ שֶׁל פֶּסַח וְהִתְחִיל לְדַבֵּר בְּחֻקּוֹת שִׁבְעַת יָמִים, כְּגוֹן שִׁבְעַת יָמִים תֹּאכַל עָלָיו מַצּוֹת, וְלֹא יֵרָאֶה לְךָ שְׂאֹר בְּכָל גְּבֻלְךָ, הֻצְרַךְ לְפָרֵשׁ בְּאֵיזוֹ זְבִיחָה הוּא מַזְהִיר, שֶׁאִם כָּתַב וְלֹא יָלִין מִן הַבָּשָׂר אֲשֶׁר תִּזְבַּח בָּעֶרֶב לַבֹּקֶר הָיִיתִי אוֹמֵר שְׁלָמִים הַנִּשְׁחָטִים כָּל שִׁבְעָה כֻּלָּן בְּבַל תּוֹתִירוּ וְאֵינָן נֶאֱכָלִין אֶלָּא לְיוֹם וָלַיְלָה,

thy God: for in the month of Abib the Eternal thy God brought thee forth out of Egypt by night. [2]Thou shalt therefore sacrifice the passover *sacrifice* unto the Eternal thy God, *also of the* flock and the herd, in the place which the Eternal shall choose to establish his name there. [3]Thou shalt eat nothing leavened by it; seven days shalt thou eat unleavened bread by it, *even* the bread of poverty: for thou camest forth out of the land of Egypt in haste; that thou mayest remember the day when thou camest forth out of the land of Egypt all the days of thy life. [4]And there shall be no leaven seen with thee in all thy boundaries seven days; neither shall there *any* of the flesh, which thou sacrificedst the first day at even, remain all night until the morning. [5]Thou mayest not sacrifice the passover

רש"י

(XIV. 23; cf. Rashi on that verse): "and thou shalt eat before the Lord thy God the tithe of thy corn, of thy wine, and of thine oil, and the firstlings of thy herds, and thy flocks". How *is it in the case of* the second tithe? It does not become invalid *if left over* from one year to the other (cf. Rashi on XIV. 28 and 29), so, too, does the firstborn *animal* not become invalid *under the same circumstances,* only that it is a meritorious act *to offer and consume it* within its first year. שנה בשנה (may also be translated A YEAR WITH ANOTHER YEAR) — If one slaughtered it at the end of its first year (on the last day) he may eat it that day and the first day of the next year. This teaches *us* that it (a firstborn animal) may *in all cases* be eaten on two *successive* days and the *intervening* night (cf. Siphre; Bech. 27b)[1]). **(21)** מום [AND IF THERE BE] ANY BLEMISH [THEREIN, IF IT BE LAME, OR BLIND, OR HAVE ANY ILL BLEMISH, THOU SHALT NOT SACRIFICE IT . . .] — *any blemish* is a general statement, פסח או עור LAME OR BLIND is a particularisation, כל מום רע ANY ILL BLEMISH — it again comprises them in a general statement. How is it with the *blemishes* particularised? They have the characteristic that each is a visible (external) blemish and the animal never returns *naturally* to its original condition (i. e. never becomes free from the blemish). So, too, *the general statement includes* all such blemishes as are visible and incurable (whilst in the case of a transitory blemish the animal may be sacrificed when the blemish has disappeared) (Bech. 37a; cf. Siphre). **(23)** רק את דמו לא תאכל ONLY THOU SHALT NOT EAT THE BLOOD THEREOF — *This prohibition appears to be redundant, since the blood of no animal may be eaten, but it is mentioned,* in order that you should not think: since it (the blemished firstborn animal) is something that in every respect is permitted originally it belonged to a forbidden class *of animals* — for, you see, it was holy and yet it may be slaughtered outside *the Temple,* and may be eaten without redemption — *and* consequently you might *think* that its blood is also permitted, Scripture therefore states, "However thou shalt not eat its blood".

16. (1) שמור את חדש האביב WATCH THE MONTH OF ABIB — *This means:* Before it comes watch whether it will be capable of *producing* ripe ears (אביב), so that one may offer the Omer meal-offering during it, and if not (i. e. if you observe that the ears will not be ripe by the 16th of Nisan), *then* intercalate the year (i. e. add a month to the winter-period, so that the month Abib falls later than it otherwise would, by which time the ears will be ripened) (cf. Sanh. 11b and Note 4 on p. 191 of Leviticus in this edition of the Pentateuch). ממצרים לילה [FOR IN THE MONTH OF ABIB THE LORD THY GOD BROUGHT THEE FORTH] FROM EGYPT BY NIGHT — But did they not go forth by day, as it is said, (Num. XXX. 3) "on the morrow after the Passover the children of Israel went out ... [in the sight of all the Egyptians]"? But *it states that they went out by night* because Pharaoh gave

NOTES

[1]) See Appendix.

בְּאַחַד שְׁעָרֶיךָ אֲשֶׁר־יְהוָה אֱלֹהֶיךָ נֹתֵן לָךְ׃ ו כִּי אִם־אֶל־הַמָּקוֹם אֲשֶׁר־יִבְחַר יְהוָה אֱלֹהֶיךָ לְשַׁכֵּן שְׁמוֹ שָׁם תִּזְבַּח אֶת־הַפֶּסַח בָּעָרֶב כְּבוֹא הַשֶּׁמֶשׁ מוֹעֵד צֵאתְךָ מִמִּצְרָיִם׃ ז וּבִשַּׁלְתָּ וְאָכַלְתָּ בַּמָּקוֹם אֲשֶׁר יִבְחַר יְהוָה אֱלֹהֶיךָ בּוֹ וּפָנִיתָ בַבֹּקֶר וְהָלַכְתָּ לְאֹהָלֶיךָ׃ ח שֵׁשֶׁת יָמִים תֹּאכַל מַצּוֹת וּבַיּוֹם הַשְּׁבִיעִי עֲצֶרֶת לַיהוָה אֱלֹהֶיךָ לֹא תַעֲשֶׂה מְלָאכָה׃ ס ט שִׁבְעָה שָׁבֻעֹת תִּסְפָּר־לָךְ מֵהָחֵל חֶרְמֵשׁ בַּקָּמָה תָּחֵל לִסְפֹּר שִׁבְעָה שָׁבֻעוֹת׃ י וְעָשִׂיתָ חַג שָׁבֻעוֹת לַיהוָה אֱלֹהֶיךָ מִסַּת נִדְבַת

אונקלוס

מקרויך דיי אלהך יהב לך׃ ו אלהן לאתרא די יתרעי יי אלהך לאשראה שכנתה תמן תכוס ית פסחא ברמשא כמעל שמשא זמן מפקך ממצרים׃ ז ותבשל ותיכול באתרא די יתרעי יי אלהך בה ותתפני בצפרא ותהך לקרוך׃ ח שתא יומין תיכול פטירא וביומא שביעאה כנש קדם יי אלהך לא תעבד עבידא׃ ט שבעא שבועין תמני לך מדשריות מגלא בחצד עומרא דארמותא תשרי למימני שבעא שבועין׃ י ותעבד חגא דשבועיא קדם יי אלהך מסת

רש"י

לכך כתב בערב ביום הראשון. דבר אחר בחגיגת י"ד הכתוב מדבר, ולמד עליה שנאכלת לשני ימים, והראשון האמור כאן ביום טוב הראשון הכתוב מדבר, וכן משמעות המקרא: — בשר חגיגה אשר תזבח בערב לא ילין בי"ט הראשון עד בקרו של שני, אבל נאכלת היא בארבעה עשר ובחמשה עשר, וכך היא שנויה במסכת פסחים (דף ע"א): (ו) בערב כבוא השמש מועד צאתך ממצרים. הרי שלשה זמנים חלוקים, בערב משש שעות ולמעלה זבחהו, וכבא השמש תאכלהו, ומועד צאתך אתה שורפהו, כלומר נעשה נותר ויצא לבית השרפה (ספרי; בר' ט'): (ז) ובשלת. זהו צלי אש, שאף הוא קרוי בשול: ופנית בבקר. לבקרו של שני, מלמד שטעון לינה ליל של מוצאי י"ט (ספרי; פס' צ"ה; חגי' י"ז): (ח) ששת ימים תאכל מצות. ובמקום אחר (שמ' י"ב) הוא אומר שבעת ימים?! שבעה מן הישן וששה מן החדש (ספרי; מנ' ס"ו); ד"א למד על אכילת מצה בשביעי שאינה חובה, ומכאן אתה למד לששת הימים, שהרי שביעי בכלל היה ויצא מן הכלל ללמד שאין אכילת מצה בו חובה אלא רשות, ולא ללמד על עצמו יצא, אלא ללמד על הכלל כלו יצא, מה שביעי רשות אף כלם רשות, חוץ מלילה הראשון שהכתוב קבעו חובה, שנאמר (שמ' י"ב) בערב תאכלו מצת (מכי'; פס' ק"כ): עצרת לה' אלהיך. עצור עצמך מן המלאכה; ד"א כנופיא של

within any of the gates, which the Eternal thy God giveth thee: [6]But at the place which the Eternal thy God shall choose to establish his name in, there thou shalt sacrifice the passover at even, at the going down of the sun, at the appointed time that thou camest forth out of Egypt. [7]And thou shalt roast and eat *it* in the place which the Eternal thy God shall choose: and thou shalt turn in the morning, and go into thy tents. [8]Six days thou shalt eat unleavened bread: and on the seventh day *shall be* a restriction *from labour* in honour of the Eternal thy God: thou shalt do no work *therein.* [9]Seven weeks shalt thou number unto thee: begin to number the seven weeks from *such time as* thou beginnest *to put* the sickle to the corn. [10]And thou shalt keep the festival of weeks unto the Eternal thy God with a tribute of a free-will offering

רש"י

them permission to go forth by night, as it is said, (Ex. XII. 31) "And he called for Moses and Aaron by night, [and said, Rise up, go forth from among my people etc.]" (cf. Siphre; Ber. 9a). **(2)** וזבחת פסח לה' אלהיך צאן THOU SHALT THEREFORE SACRIFICE THE PASSOVER UNTO THE LORD THY GOD OF SHEEP, as it is said *of the Passover offering,* (Ex. XII. 5) "Ye shall take it from the sheep or from the goats", — ובקר AND OXEN thou shalt slaughter as the חגיגה (the festival offering sacrificed on the fourteenth of Nisan in addition to the Passover offering); for if they have counted themselves (formed themselves) into *too* large a company for the Passover offering (so that one lamb will not suffice for them) they bring together with it a festival offering and this is eaten first, in order that it (the Passover sacrifice) can be eaten in satiety (i. e. after the appetite is satisfied; cf. Pes. 69b, 70a). — And besides this our Rabbis derived many *Halachic* matters from this verse (cf. Siphre; Ber. 9a). **(3)** לחם עני THE BREAD OF AFFLICTION — *i. e.* bread that calls to mind the affliction to which they were subjected in Egypt. כי בחפזון יצאת FOR THOU CAMEST FORTH [FROM THE LAND OF EGYPT] IN HASTE, and the dough therefore had no time to become leavened, and this (the eating of unleavened bread) shall be unto you as reminder *of this.* The haste, *spoken of here,* was not on thy part, but on Egypt's part, for so it states, (Ex. XXII. 33) "And Egypt was urgent upon the people [hastening to send them out of the land]" (Siphre; cf. Ber. 9a)[1]). למען תזכר THAT THOU MAYEST REMEMBER through the eating of the Passover sacrifice and the unleavened bread, את יום צאתך THE DAY WHEN THOU CAMEST FORTH [OUT OF THE LAND OF EGYPT][2]). **(4)** ולא ילין מן הבשר אשר תזבח בערב ביום הראשון לבקר NEITHER SHALL ANY OF THE FLESH, WHICH THOU HAST SACRIFIED THE FIRST DAY AT EVEN, REMAIN ALL NIGHT UNTIL THE MORNING — This is a prohibition *addressed* to one who might, in the case of the Passover sacrifice offered in later generations (i. e. after the first that was offered in Egypt), leave *over night any of its flesh. And it was necessary to state this* because *so far* it has been mentioned only with regard to that *one* Passover sacrifice that was offered in Egypt (פסח מצרים) (Ex. XXII. 10). — The "first day" spoken of here is the fourteenth day of Nisan (not the fifteenth which is the first day of the Festival), just as you must explain *that*

NOTES

[1]) There could have been no haste on the Israelites' part for, as Rashi has pointed out in his comment on v. 1, Pharaoh had bidden them leave at night whilst they did not do so until the next day.

[2]) The words למען תזכר are to be connected with וזבחת פסח in v. 2, and with שבעת ימים תאכל מצות in v. 3, not with the words כי בחפזון וכו' immediately preceding them.

רש״י

term in the passage (Ex. XXII. 15): "even the first day (ביום הראשון) ye shall put away leaven out of your houses" (cf. Rashi on that verse). — And because Scripture has digressed from the subject of the Passover Sacrifice *with which this section begins* and has begun to speak of the ordinances relating to the seven days *of the festival*, as, for instance, (v. 3) "seven days thou shalt eat unleavened bread therewith", *and* (v. 4) "and there shall be no leaven seen with thee in all thy boundaries [seven days]", it was compelled to specify with regard to which offering it states the prohibition *of leaving the flesh over night*. For if it had written *only* "neither shall any of the flesh which thou sacrificedst at even (not mentioning ביום הראשון) remain all night until the morning", I might have thought that the peace offerings which are slaughtered during all the seven days all come under the prohibition of "and thou shalt not leave any of it until the morning" (Ex. XXII. 12), and may therefore be eaten one day and the following night only (which is not so); therefore it wrote "[neither shall any of the flesh, which thou sacrificedst] at even on the first day [remain all night]". — Another explanation is that Scripture speaks *here* of the festival offering brought on the fourteenth *of Nisan* (חגיגת י״ד, not of the קרבן פסח) and *that* it teaches with reference to it that it may be eaten during two *successive* days *and the intervening night* (cf. however, Rashi on Ex. VII. 14 and Note 2 thereon). As regards the first day" that is mentioned here — *according to this explanation* — Scripture is speaking of the first day of the festival (the fifteenth of Nisan), and what the verse implies is the following: None of the flesh of the festival offering which you slaughtered at even (i. e. towards eventide on the fourteenth of Nisan) shall remain on the first day of the festival until the morning of the second day of the festival (the sixteenth of Nisan), but it may be eaten on the fourteenth and the fifteenth (and the intervening night). So is it set forth in Treatise Pesachim (71b)[1]. **(6)** בערב כבוא השמש מועד צאתך ממצרים [THERE THOU SHALT SACRIFICE THE PASSOVER] AT EVEN, AT THE GOING DOWN OF THE SUN, AT THE APPOINTED TIME THAT THOU CAMEST FORTH OUT OF EGYPT — *But*, you see, these are three different points of time! *But the explanation is:* at even, *i. e.* from the sixth hour (reckoning from six o'clock in the morning) and onwards thou shalt slaughter it (תזבח בערב); and when the sun goes down

NOTES

1) Siphre has: איזה זביחה אתה זובח על מנת לארלו בערב, הוי אומר זה הפסח. Which sacrifice is it that is intended to be eaten at night? Evidently the פסח sacrifice. This then corresponds to the first explanation given by Rashi. Then Siphre immediately afterwards explains that ביום הראשון לבקר means לבקרו של שני, thus referring it to the חגיגה, as Rashi has it in the second explanation. It is strange that Siphre combines two contradictory explanations without putting a ד״א before the second explanation (cf. Hoffmann, Deut. I. p. 259 and Siphre on Leviticus VII. 16).

רש"י

thou shalt e a t it, and at the time when thou camest out *of Egypt (in the early morning)* thou shalt b u r n it — that is to say *if, in the morning, there is any flesh left,* it becomes what is technically termed נותר and must be r e m o v e d to the "place of burning" (not actually burnt, for this is not permissible on a festival) (Siphre; cf. Ber. 9a). **(7)** ובשלת is identical with צלי אש "r o a s t with fire" *mentioned in Ex. XII. 9,* for it (roasting) also comes under the term בשול "cooking"[1]). ופנית בבקר AND THOU SHALT TURN IN THE MORNING [AND GO INTO THY TENTS] — *i. e.* in the morning of the second day *of the Passover week*[2]). — It teaches us that he (the pilgrim) is required to stay *in Jerusalem* during the night when the festival terminates (Siphre; Pes. 95b; Chag. 17a, b). **(8)** ששת ימים תאכל מצות SIX DAYS THOU SHALT EAT UNLEAVENED BREAD — But in another passage it states, (Ex. XII. 15): "s e v e n days [ye shall eat unleavened bread]"! But *the explanation is:* seven *days ye may eat Mazzoth prepared* from the old *produce* and six *days* (out of the seven, i. e. the last six days, after the Omer has been offered and the new crop has become permitted as food) *ye may eat Mazzoth prepared* from the new *crop.* Another explanation is: It teaches regarding the eating of unleavened bread on the seventh day *of Passover* that it is not o b l i g a t o r y; and from here (from this law concerning the seventh day) you may derive the law for the *other* six days. For the seventh day was included in the general statement ("s e v e n days, thou shalt eat unleavened bread"), and *in the text: "s i x days thou shalt eat unleavened bread"* it has left the general statement, to teach that eating unleavened bread on i t is not obligatory but optional. *Now, according to the well-known rule*[3]), it did not leave the general statement in order to teach *this* regarding itself a l o n e but regarding e v e r y t h i n g that is included in the general statement. *Now* how *is it with* the seventh *day?* It is optional *as regards the eating of unleavened bread (as explained in the earlier portion of this comment)! This, too, according to the rule, applies also to everything that was included in the general statement, and therefore* all *the other days* are also optional *in this respect,* with the exception, however, of the first n i g h t *of Passover,* for which Scripture has fixed it (the eating of unleavened bread) as an obligation, as it is said, (Ex. XXII. 18) "a t e v e n i n g ye shall eat unleavened bread" (Mech. on Ex. XII. 18; Pes. 120a; cf. also Rashi on Ex. XII. 15). עצרת לה' אלהיך [AND ON THE SEVENTH DAY SHALL BE] A RESTRICTION IN HONOUR OF THE LORD — *i. e.,* restrict yourself from

NOTES

[1]) Cf. Note 2 on Ex. XII. 9, on p. 236 of this edition of the Pentateuch.

[2]) Since travelling beyond the Sabbath limits (תחומין) is forbidden on festivals (cf. Rashi on Chag. 17b).

[3]) Rashi cites it at length in his comment on Ex. XII. 15, p. 56a of this edition of the Pentateuch.

יָדְךָ אֲשֶׁר תִּתֵּן כַּאֲשֶׁר יְבָרֶכְךָ יְהוָה אֱלֹהֶיךָ׃
יא וְשָׂמַחְתָּ לִפְנֵי ׀ יְהוָה אֱלֹהֶיךָ אַתָּה וּבִנְךָ וּבִתֶּךָ
וְעַבְדְּךָ וַאֲמָתֶךָ וְהַלֵּוִי אֲשֶׁר בִּשְׁעָרֶיךָ וְהַגֵּר וְהַיָּתוֹם
וְהָאַלְמָנָה אֲשֶׁר בְּקִרְבֶּךָ בַּמָּקוֹם אֲשֶׁר יִבְחַר יְהוָה
אֱלֹהֶיךָ לְשַׁכֵּן שְׁמוֹ שָׁם׃ יב וְזָכַרְתָּ כִּי־עֶבֶד הָיִיתָ
בְּמִצְרָיִם וְשָׁמַרְתָּ וְעָשִׂיתָ אֶת־הַחֻקִּים הָאֵלֶּה׃ פ
מפטיר יג חַג הַסֻּכֹּת תַּעֲשֶׂה לְךָ שִׁבְעַת יָמִים בְּאָסְפְּךָ
מִגָּרְנְךָ וּמִיִּקְבֶךָ׃ יד וְשָׂמַחְתָּ בְּחַגֶּךָ אַתָּה וּבִנְךָ
וּבִתֶּךָ וְעַבְדְּךָ וַאֲמָתֶךָ וְהַלֵּוִי וְהַגֵּר וְהַיָּתוֹם וְהָאַלְמָנָה
אֲשֶׁר בִּשְׁעָרֶיךָ׃ טו שִׁבְעַת יָמִים תָּחֹג לַיהוָה
אֱלֹהֶיךָ בַּמָּקוֹם אֲשֶׁר־יִבְחַר יְהוָה כִּי יְבָרֶכְךָ יְהוָה
אֱלֹהֶיךָ בְּכֹל תְּבוּאָתְךָ וּבְכֹל מַעֲשֵׂה יָדֶיךָ וְהָיִיתָ
אַךְ שָׂמֵחַ׃ טז שָׁלוֹשׁ פְּעָמִים ׀ בַּשָּׁנָה יֵרָאֶה כָל־

אונקלוס

נִדְבַת יְדָךְ דִּי תִתֵּן כְּמָא דִי יְבָרְכִנָּךְ יְיָ אֱלָהָךְ׃ יא וְתֶחְדֵּי קֳדָם יְיָ אֱלָהָךְ אַתְּ וּבְרָךְ וּבְרַתָּךְ וְעַבְדָּךְ וְאַמְתָךְ וְלֵוָאָה דִּי בְקִרְוָיךְ וְגִיּוֹרָא וְיִתַּמָּא וְאַרְמְלָא דִּי בֵינָךְ בְּאַתְרָא דִּי יִתְרְעֵי יְיָ אֱלָהָךְ לְאַשְׁרָאָה שְׁכִנְתֵּהּ תַּמָּן׃ יב וְתִדְכַּר אֲרֵי עַבְדָּא הֲוֵיתָא בְּמִצְרָיִם וְתִטַּר וְתַעְבֵּד יָת קְיָמַיָּא הָאִלֵּין׃ יג חַגָּא דְמִטַּלַּיָּא תַּעְבֵּד לָךְ שִׁבְעָא יוֹמִין בְּמִכְנְשָׁךְ מֵאִדְּרָךְ וּמִמַּעְצַרְתָּךְ׃ יד וְתֶחְדֵּי בְּחַגָּךְ אַתְּ וּבְרָךְ וּבְרַתָּךְ וְעַבְדָּךְ וְאַמְתָךְ וְלֵוָאָה וְגִיּוֹרָא וְיִתַּמָּא וְאַרְמְלָא דִּי בְקִרְוָיךְ׃ טו שִׁבְעָא יוֹמִין תָּחוֹג קֳדָם יְיָ אֱלָהָךְ בְּאַתְרָא דִּי יִתְרְעֵי יְיָ אֲרֵי יְבָרְכִנָּךְ יְיָ אֱלָהָךְ בְּכָל עֲלַלְתָּךְ וּבְכָל עוֹבָדֵי יְדָךְ וּתְהֵי בְּרַם חָדֵי׃ טז תְּלָת זִמְנִין בְּשַׁתָּא יִתְחֲזֵי כָל דְּכוּרָךְ קֳדָם

רש״י

מַאֲכָל וּמִשְׁתֶּה, לְשׁוֹן נַעַצְרָה נָּא אוֹתָךְ (שופ׳ י״ג): (ט) מהחל חרמש בקמה. מִשֶּׁנִּקְצַר הָעֹמֶר שֶׁהוּא רֵאשִׁית הַקָּצִיר (עי׳ ספרי; מנ׳ ע״א): (י) מסת נדבת ידך. דֵּי נִדְבַת יָדְךָ, הַכֹּל לְפִי הַבְּרָכָה הָבֵא שַׁלְמֵי שִׂמְחָה וְקָדְשׁ קְרוּאִים לֶאֱכוֹל: (יא) לוי גר יתום ואלמנה. אַרְבָּעָה שֶׁלִּי כְּנֶגֶד אַרְבָּעָה שֶׁלְּךָ — בנך ובתך ועבדך ואמתך, אִם אַתָּה מְשַׂמֵּחַ אֶת שֶׁלִּי אֲנִי מְשַׂמֵּחַ אֶת שֶׁלְּךָ: (יב) וזכרת כי עבד היית וגו׳. עַל מְנָת כֵּן פְּדִיתִיךָ שֶׁתִּשְׁמוֹר וְתַעֲשֶׂה הַחֻקִּים הָאֵלֶּה: (יג) באספך. בִּזְמַן הָאָסִיף שֶׁאַתָּה מַכְנִיס לַבַּיִת פֵּרוֹת הַקַּיִץ; דָּ״אָ באספך מגרנך ומיקבך, לִמֵּד שֶׁמְּסַכְּכִין אֶת הַסֻּכָּה בִּפְסֹלֶת גֹּרֶן וָיֶקֶב (ר״ה י״ג; סוכה י״ב):

of thine hand, which thou shalt give according as the Eternal thy God may bless thee: [11]And thou shalt rejoice before the Eternal thy God, thou, and thy son, and thy daughter, and thy *man*-servant, and thy maid-servant, and the Levite that *is* within thy gates, and the stranger, and the fatherless, and the widow, that *are* among you, in the place which the Eternal thy God hath chosen to establish his name there. [12]And thou shalt remember that thou wast a servant in Egypt: and thou shalt keep and do these statutes. [13]Thou shalt keep the festival of tabernacles seven days, after that thou hast gathered in *the produce* of thy threshingfloor and thy winepress. [14]And thou shalt rejoice in thy festival, thou, and thy son, and thy daughter, and thy *man*-servant, and thy maid-servant, and the Levite, the stranger, and the fatherless, and the widow, that *are* within thy gates. [15]Seven days shalt thou celebrate a festival unto the Eternal thy God in the place which the Eternal shall choose: because the Eternal thy God shall bless thee in all thy increase, and in all the works of thine hands, only be rejoiced. [16]Three times in a year shall all thy males appear

רש"י

work. — Another explanation is *that* עצרת *denotes* a gathering for eating and drinking (a banquet), *like* the expression *used* (Judg. XIII. 15) "Let us detain (נעצרה) thee [that we may make ready a kid for thee]". **(9)** מהחל חרמש בקמה [BEGIN TO NUMBER SEVEN WEEKS] FROM THE TIME THOU BEGINNEST TO PUT THE SICKLE TO THE CORN — *i. e.* from when the "Omer" has been cut (from the sixteenth of Nisan) which is the first produce to be harvested (Lev. XXIII. 10) (cf. Siphre; Men. 71a).[1] **(10)** מסת נדבת ידך *means* sufficient (די) free-will offerings of thy hand (i. e. of thy possession) (cf. Targum on XV. 8, which renders די מחסרו by כמסת חסרונה); everything must be in accordance with the blessing *which God has bestowed upon you* (אשר יברכך): offer peace-offerings of rejoicing and invite guests for the meal. **(11)** לוי גר יתום ואלמנה THE LEVITE THE STRANGER, THE FATHERLESS, THE WIDOW — these four are Mine, corresponding to four that are yours, viz., בנך ובתך ועבדך ואמתך THY SON, THY DAUGHTER, THY MAN-SERVANT AND THY MAID-SERVANT; if you gladden Mine, I will gladden yours (Mechilta d'R. Simeon b. Jochai). **(12)** וזכרת כי עבד היית וגו' AND THOU SHALT REMEMBER THAT THOU WAST A SERVANT [IN EGYPT] — *Only* with the view to this did I deliver you *from Egypt:* that you keep and do these statues (Siphre). **(13)** באספך [THOU SHALT KEEP THE FESTIVAL OF TABERNACLES ...] AFTER THAT THOU HAST GATHERED IN THE PRODUCE — *i. e.* at the usual harvest time, when thou bringest into the house the summer fruits. Another explanation is: באספך מגרנך ומיקבך teaches that one should cover the Succah *only* with the פסולת (lit., the chips, — that which falls off) of the barn and the wine-press (i. e. with vegetable

NOTES

[1]) It does not mean: from the day thou individually beginnest to put the sickle to the corn, for then, every individual would celebrate Shabuoth on another day. The phrase is impersonal ("when one begins to put the sickle" etc.). Similarly, in v. 13, באספך does not mean "when thou, individually, gatherest in".

זְכוּרְךָ אֶת־פְּנֵי ׀ יְהוָה אֱלֹהֶיךָ בַּמָּקוֹם אֲשֶׁר יִבְחָר בְּחַג הַמַּצּוֹת וּבְחַג הַשָּׁבֻעוֹת וּבְחַג הַסֻּכּוֹת וְלֹא יֵרָאֶה אֶת־פְּנֵי יְהוָה רֵיקָם׃ יז אִישׁ כְּמַתְּנַת יָדוֹ כְּבִרְכַּת יְהוָה אֱלֹהֶיךָ אֲשֶׁר נָתַן־לָךְ׃

ותפטירין ענה סערה כיפעיה נבוכן ה. קכ"ו. פלמו"ס. סימן׃

פ פ פ

יח שֹׁפְטִים וְשֹׁטְרִים תִּתֶּן־לְךָ בְּכָל־שְׁעָרֶיךָ אֲשֶׁר יְהוָה אֱלֹהֶיךָ נֹתֵן לְךָ לִשְׁבָטֶיךָ וְשָׁפְטוּ אֶת־הָעָם מִשְׁפַּט־צֶדֶק׃ יט לֹא־תַטֶּה מִשְׁפָּט לֹא תַכִּיר פָּנִים וְלֹא־תִקַּח שֹׁחַד כִּי הַשֹּׁחַד יְעַוֵּר עֵינֵי חֲכָמִים וִיסַלֵּף דִּבְרֵי צַדִּיקִם׃ כ צֶדֶק צֶדֶק תִּרְדֹּף

אונקלוס

יְיָ אֱלָהָךְ בְּאַתְרָא דִּי יִתְרְעֵי בְּחַגָּא דְפַטִּירַיָּא וּבְחַגָּא דְשָׁבוּעַיָּא וּבְחַגָּא דִמְטַלַּיָּא וְלָא יִתַּחֲזוּן קֳדָם יְיָ רֵיקָנִין׃ יז גְּבַר כְּמַתְּנַת יְדֵהּ כְּבִרְכְתָא דַּיְיָ אֱלָהָךְ דִּי יְהַב לָךְ׃
יח דַּיָּנִין וּפְרְעָנִין תְּמַנֵּי לָךְ בְּכָל קִרְוָיךְ דִּי יְיָ אֱלָהָךְ יָהֵב לָךְ לְשִׁבְטָיךְ וִידוּנוּן יָת עַמָּא דִּין דִּקְשׁוֹט׃ יט לָא תַצְלֵי דִין לָא תִשְׁתְּמוֹדַע אַפִּין וְלָא תְקַבֵּל שֹׁחֲדָא אֲרֵי שֹׁחֲדָא מְעַוַּר עֵינֵי חַכִּימִין וּמְקַלְקֵל פִּתְגָּמֵי תְרִיצִין׃ כ קְשׁוֹטָא קְשׁוֹטָא תְּהֵי רָדֵיף

רש"י

(טו) והיית אך שמח. לְפִי פְּשׁוּטוֹ אֵין זֶה לְשׁוֹן צִוּוּי אֶלָּא לְשׁוֹן הַבְטָחָה, וּלְפִי תַלְמוּדוֹ לָמְדוּ מִכָּאן לְרַבּוֹת לֵילֵי יוֹם טוֹב הָאַחֲרוֹן לְשִׂמְחָה (שם מ"ח)׃ (טז) ולא יראה את פני ה' ריקם. אֶלָּא הָבֵא עוֹלוֹת רְאִיָּה וְשַׁלְמֵי חֲגִיגָה׃ (יז) איש כמתנת ידו. מִי שֶׁיֵּשׁ לוֹ אוֹכְלִין הַרְבֵּה וּנְכָסִים מְרֻבִּין יָבִיא עוֹלוֹת מְרֻבּוֹת וּשְׁלָמִים מְרֻבִּים (ספרי; חגי' ח')׃

(יח) שפטים ושטרים. שׁוֹפְטִים דַּיָּנִין הַפּוֹסְקִין אֶת הַדִּין, וְשׁוֹטְרִים הָרוֹדִין אֶת הָעָם אַחַר מִצְוָתָם (שֶׁמַּכִּין וְכוֹפְתִין) בְּמַקֵּל וּבִרְצוּעָה עַד שֶׁיְּקַבֵּל עָלָיו אֶת דִּין הַשּׁוֹפֵט׃ בכל שעריך. בְּכָל עִיר וָעִיר׃ לשבטיך. מוּסָב עַל תתן לך — שׁוֹפְטִים וְשׁוֹטְרִים תִּתֶּן לְךָ לִשְׁבָטֶיךָ בְּכָל שְׁעָרֶיךָ אֲשֶׁר ה' אֱלֹהֶיךָ נֹתֵן לְךָ׃ לשבטיך. מְלַמֵּד שֶׁמּוֹשִׁיבִין דַּיָּנִין לְכָל שֵׁבֶט וָשֵׁבֶט וּבְכָל עִיר וָעִיר (ספרי׃ סנה' ט"ז)׃ ושפטו את העם וגו'. מַנֵּה דַיָּנִין מוּמְחִים וְצַדִּיקִים לִשְׁפּוֹט צֶדֶק (עי' ספרי)׃ (יט) לא תטה משפט. כְּמַשְׁמָעוֹ׃ ולא תכיר פנים. אַף בִּשְׁעַת הַטְּעָנוֹת; אַזְהָרָה לַדַּיָּן שֶׁלֹּא יְהֵא רַךְ לָזֶה וְקָשֶׁה לָזֶה, אֶחָד עוֹמֵד וְאֶחָד יוֹשֵׁב, לְפִי שֶׁכְּשֶׁרוֹאֶה זֶה שֶׁהַדַּיָּן מְכַבֵּד אֶת חֲבֵרוֹ מִסְתַּתְּמִין טַעֲנוֹתָיו׃ ולא תקח שחד. אֲפִילוּ לִשְׁפּוֹט צֶדֶק (ספרי)׃ כי השחד יעור. מִשֶּׁקִּבֵּל שֹׁחַד מִמֶּנּוּ אִי אֶפְשָׁר שֶׁלֹּא יַטֶּה אֶת לִבּוֹ אֶצְלוֹ לַהֲפוֹךְ בִּזְכוּתוֹ׃ דברי צדיקים. דְּבָרִים הַמְצֻדָּקִים — מִשְׁפְּטֵי אֱמֶת׃ (כ) צדק צדק

before the Eternal thy God in the place which he shall choose; in the festival of unleavened bread, and in the festival of weeks, and in the festival of tabernacles: and they shall not appear before the Eternal empty: [17]*Every* man *shall bring* according to the ability of his hand to give, according to the blessing of the Eternal thy God which he hath given thee. [18]Judges and bailiffs shalt thou make thee in all thy gates, which the Eternal thy God giveth thee, throughout thy tribes: and they shall judge the people with just judgment. [19]Thou shalt not wrest judgment; thou shalt not respect persons, neither take bribery: for bribery doth blind the eyes of the wise, and pervert the words of the righteous. [20]Justice, justice shalt thou pursue,

רש"י

matter (R. Hash. 13a; Succ. 12a)[1]). **(15)** והיית אך שמח ONLY BE REJOICED — According to its plain sense this is not the expression of a command but expresses an assurance: "*thou wilt be rejoicing*". But according to the Halachic interpretation they (the Rabbis) derived from here that the night before the last day of the festival (that preceding the eighth day) is to be included in *the obligation of* rejoicing (Succ. 48a; cf. Siphre)[2]). **(16)** ולא יראה את פני ה' ריקם AND THEY SHALL NOT APPEAR BEFORE THE LORD EMPTY, but — bring the burnt offerings that are obligatory when one appears *before the Lord*, and the peace offerings of the festival. **(17)** איש כמתנת ידו EVERY MAN [SHALL BRING] ACCORDING TO THE ABILITY OF HIS HAND TO GIVE — *i. e.* one who has a large household (lit., many eaters) and great possessions brings many burnt offerings and many peace offerings (Siphre; Chag. 8b)[3]).

שפטים

(18) שפטים ושטרים JUDGES AND BAILIFFS — שופטים are the judges who pronounce sentence, and שוטרים are those who chastise the people at their (the judges') order [beating and binding *the recalcitrant*] with a stick and a strap until he accepts the judge's sentence (Siphre; Sanh. 16b and Rashi thereon). בכל שעריך IN ALL THY GATES — *i. e.* in each town. לשבטיך THROUGHOUT THY TRIBES — This is to be connected with תתן לך, *thus:* judges and bailiffs shalt thou make thee for thy tribes in all thy gates which the Lord thy God giveth thee. לשבטיך THROUGHOUT THY TRIBES — This teaches that judges must be appointed for each tribe *separately* and each city *separately* (Siphre; Sanh. 16b)[4]). ושפטו את העם וגו' AND THEY SHALL JUDGE THE PEOPLE [WITH JUST JUDGMENT] — *This means,* appoint judges who are expert and righteous to give just judgment (cf. Siphre)[5]). **(19)** לא תטה משפט *means* what it literally implies: THOU SHALT NOT WREST JUDGMENT[6]). ולא תכיר פנים AND THOU SHALT NOT RESPECT PERSONS — *not* even *if it be only* during the pleadings *of the parties*[7]). *This is* an admonition *addressed* to the judge that he should not be lenient to one and harsh to the other, *e. g. letting* one stand and the other sit; because as soon as he (the party treated harshly) observes that the judge shows more respect to his fellow his ability to plead is hampered (i. e. he loses self-confidence and cannot put his case with assurance) (cf. Shebu. 30a). ולא תקח שחד NEITHER TAKE BRIBERY — even *if you mean* to give a just judgment *in favour of the giver* (Siphre; cf. Rashi on Ex. XXIII. 8). כי השחד יעור FOR BRIBERY DOTH BLIND — As soon as he (the judge) has accepted a bribe from him (from one of the parties) it is impossible for him not to incline his heart to him *trying* to find something in his favour. דברי צדיקם *means,* the words which have been described *by the term* "righteous", *viz.,* the judgments of truth *uttered on Sinai* (cf. Rashi on Ex. XXII. 8 and Note thereon). **(20)** צדק צדק תרדף

NOTES

1) According to this explanation the ב in באספך is not temporal but means "with" what thou hast gathered in.

For Notes 2—7 see Appendix.

לְמַעַן תִּחְיֶה וְיָרַשְׁתָּ אֶת־הָאָרֶץ אֲשֶׁר־יְהוָה אֱלֹהֶיךָ
נֹתֵן לָךְ׃ ס כא לֹא־תִטַּע לְךָ אֲשֵׁרָה כָּל־עֵץ
אֵצֶל מִזְבַּח יְהוָה אֱלֹהֶיךָ אֲשֶׁר תַּעֲשֶׂה־לָּךְ׃
כב וְלֹא־תָקִים לְךָ מַצֵּבָה אֲשֶׁר שָׂנֵא יְהוָה
אֱלֹהֶיךָ׃ ס יז א לֹא־תִזְבַּח לַיהוָה אֱלֹהֶיךָ
שׁוֹר וָשֶׂה אֲשֶׁר יִהְיֶה בוֹ מוּם כֹּל דָּבָר רָע כִּי
תוֹעֲבַת יְהוָה אֱלֹהֶיךָ הוּא׃ ס ב כִּי־יִמָּצֵא
בְקִרְבְּךָ בְּאַחַד שְׁעָרֶיךָ אֲשֶׁר־יְהוָה אֱלֹהֶיךָ נֹתֵן לָךְ
אִישׁ אוֹ־אִשָּׁה אֲשֶׁר יַעֲשֶׂה אֶת־הָרַע בְּעֵינֵי יְהוָה
אֱלֹהֶיךָ לַעֲבֹר בְּרִיתוֹ׃ ג וַיֵּלֶךְ וַיַּעֲבֹד אֱלֹהִים אֲחֵרִים
וַיִּשְׁתַּחוּ לָהֶם וְלַשֶּׁמֶשׁ או לַיָּרֵחַ אוֹ לְכָל־צְבָא
הַשָּׁמַיִם אֲשֶׁר לֹא־צִוִּיתִי׃ ד וְהֻגַּד־לְךָ וְשָׁמָעְתָּ

אונקלוס

בְּדִיל דְּתֵיחֵי וְתֵירַת יָת אַרְעָא דַּייָ אֱלָהָךְ יָהֵב לָךְ: כא לָא תִצּוֹב לָךְ אֲשֵׁרַת כָּל אִילָן בִּסְטַר מַדְבְּחָא דַּייָ אֱלָהָךְ דִּי תַעְבֶּד לָךְ: כב וְלָא תְקִים לָךְ קָמָא דִּי סָנֵי יְיָ אֱלָהָךְ: א לָא תִכּוֹס קֳדָם יְיָ אֱלָהָךְ תּוֹר וְאִמַּר דִּי יְהֵי בֵהּ מוּמָא כֹּל מִדַּעַם בִּישׁ אֲרֵי מְרַחַק קֳדָם יְיָ אֱלָהָךְ הוּא: ב אֲרֵי יִשְׁתְּכַח בֵּינָךְ בַּחֲדָא מִקִּרְוָיךְ דַּייָ אֱלָהָךְ יָהֵב לָךְ גְּבַר אוֹ אִתְּתָא דִּי יַעְבֵּד יָת דְּבִישׁ קֳדָם יְיָ אֱלָהָךְ לְמֶעְבַּר עַל קְיָמֵהּ: ג וַאֲזַל וּפְלַח לְטַעֲוַת עַמְמַיָּא וּסְגִיד לְהוֹן וּלְשִׁמְשָׁא אוֹ לְסִיהֲרָא אוֹ לְכָל חֵילֵי שְׁמַיָּא דִּי לָא פַקֵּדִית: ד וִיתְחַוֵּי לָךְ וְתִשְׁמַע וְתִתְבַּע יָאוּת וְהָא קֻשְׁטָא כֵּנַן

רש״י

תרדף. הֵלֵךְ אַחַר בֵּית דִּין יָפֶה (ספרי; סנה׳ ל״ב): למען תחיה וירשת. כְּדַאי הוּא מִנּוּי הַדַּיָּנִין הַכְּשֵׁרִים לְהַחֲיוֹת אֶת יִשְׂרָאֵל וּלְהוֹשִׁיבָן עַל אַדְמָתָן (ספרי): (כא) לא תטע לך אשרה. לְחַיְּבוֹ עָלֶיהָ מִשְּׁעַת נְטִיעָתָהּ, וַאֲפִילוּ לֹא עֲבָדָהּ עוֹבֵר בְּלֹא תַעֲשֶׂה עַל נְטִיעָתָהּ (שם): לא תטע לך אשרה כל עץ אצל מזבח ה׳ אלהיך. אַזְהָרָה לְנוֹטֵעַ אִילָן וּלְבוֹנֶה בַּיִת בְּהַר הַבַּיִת (שם): (כב) ולא תקים לך מצבה. מַצֶּבֶת אֶבֶן אַחַת לְהַקְרִיב עָלֶיהָ אֲפִילוּ לַשָּׁמַיִם: אשר שנא. מִזְבַּח אֲבָנִים וּמִזְבַּח אֲדָמָה צִוָּה לַעֲשׂוֹת, וְאֶת זוֹ שָׂנֵא, כִּי חֹק הָיְתָה לַכְּנַעֲנִים, וְאַעַ״פּ שֶׁהָיְתָה אֲהוּבָה לוֹ בִּימֵי הָאָבוֹת, עַכְשָׁיו שְׂנֵאָהּ מֵאַחַר שֶׁעֲשָׂאוּהָ אֵלּוּ חֹק לַעֲבוֹדָה זָרָה (עי׳ שם):

יז (א) לא תזבח... כל דבר רע. אַזְהָרָה לִמְפַגֵּל בְּקָדָשִׁים ע״י דִּבּוּר רָע, וְעוֹד נִדְרְשׁוּ בוֹ שְׁאָר דְּרָשׁוֹת בִּשְׁחִיטַת קָדָשִׁים (זבחי׳ ל״ו): (ב) לעבר בריתו. אֲשֶׁר כָּרַת אִתְּכֶם שֶׁלֹּא

that thou mayest live, and inherit the land which the Eternal thy God giveth thee. [21]Thou shalt not plant thee a grove of any trees near unto the altar of the Eternal thy God, which thou shalt make thee. [22]Neither shalt thou raise thee *any* monument, which the Eternal thy God hateth.

17. [1]Thou shalt not sacrifice unto the Eternal thy God *any* of the herd or flock wherein is blemish, *or* any evil thing; for that *is* an abomination unto the Eternal thy God. [2]If there be found among you, within any of thy gates which the Eternal thy God giveth thee, man or woman, that hath done evil in the eyes of the Eternal thy God, in transgressing his covenant, [3]And hath gone and served other gods, and prostrated himself to them, either the sun, or moon, or any of the host of heaven, which I have not commanded; [4]And it be told thee, and thou hast heard *of it,*

רש"י

JUSTICE, JUSTICE SHALT THOU PURSUE — go to (search after) a reliable court (Siphre; Sanh. 32b)[1]. למען תחיה וירשת [JUSTICE, JUSTICE SHALT THOU PURSUE] THAT THOU MAYEST LIVE, AND INHERIT [THE LAND WHICH THE LORD THY GOD GIVETH THEE] — The appointment of honest judges is sufficient *merit* to keep Israel in life and to settle them *in security* in their land (Siphre)[2]. **(21)** לא תטע לך אשרה THOU SHALT NOT PLANT THEE AN ASHERA — *This is intended* to make one liable *to punishment* regarding it from the very moment that he p l a n t s it (the Ashera); even though he does not worship it he transgresses a negative command by the *mere* p l a n t i n g of it (Siphre). לא תטע לך אשרה כל עץ אצל מזבח ה׳ אלהיך THOU SHALT NOT PLANT THEE AN ASHERA, ANY TREE NEAR UNTO THE ALTAR OF THE LORD THY GOD — This is a prohibition *addressed* to one who would plant a tree or build a house on the Temple mount (הר הבית) (Siphre)[3]. **(22)** ולא תקים לך מצבה NEITHER SHALT THOU RAISE *ANY* MONUMENT — *i.e.* a monument of o n e stone (cf. Rashi on XII. 3), *not* even in order to sacrifice on it to Heaven (to God). אשר שנא BECAUSE [THE LORD THY GOD] HATETH — An altar of s t o n e s and an altar of e a r t h He has c o m m a n d e d you to make; t h i s, however, He hates, because it was a religious ordinance amongst the Canaanites. And although it was pleasing to Him in the days of our ancestors (cf. Gen. XXVIII. 18), n o w He hates it because these (the Canaanites) made it an ordinance of an idolatrous character (cf. Siphre).

17. (1) לא תזבח ... כל דבר רע THOU SHALT NOT SACRIFICE [UNTO THE LORD THY GOD ANY OF THE HERD OR FLOCK WHEREIN IS BLEMISH OR] ANY EVIL THING — This is an admonition to one who would make sacrifices abominable through an evil u t t e r a n c e (ד ב ר רע). (See Rashi on Lev. VII. 18; cf. Siphre). Besides this, other Halachas have been derived from

NOTES

[1]) See Appendix.

[2]) It is evident from Rashi's explanation of the words צדק צדק תרדף וכו׳ that למען תחיה cannot be connected with them. These words are to be construed with שפטים ושטרים תתן לך: appoint such judges who will give true judgment — in order that thou mayest live, etc.

[3]) The words לא תטע are to be connected with אשרה and again with כל עץ, as though the text read: לא תטע לך אשרה ולא תטע לך כל עץ אצל וגו׳, i. e. the planting of an Ashera (a tree intended for idolatry) is forbidden a n y w h e r e, whilst the planting of a tree for shade or the building of a house is forbidden on the הר הבית (i. e. near the altar) only. The term כל עץ, "a n y tree", includes one cut down to be used for building purposes. Bearing in mind that the verb נטע, "planting" may be used of erecting an abode (cf. Rashi on נטע ה׳, Num. XXIV. 6), we have the double prohibition referring to a growing tree and a house.

וְדָרַשְׁתָּ הֵיטֵב וְהִנֵּה אֱמֶת נָכוֹן הַדָּבָר נֶעֶשְׂתָה
הַתּוֹעֵבָה הַזֹּאת בְּיִשְׂרָאֵל׃ ה וְהוֹצֵאתָ אֶת־הָאִישׁ
הַהוּא אוֹ אֶת־הָאִשָּׁה הַהִוא אֲשֶׁר עָשׂוּ אֶת־הַדָּבָר
הָרָע הַזֶּה אֶל־שְׁעָרֶיךָ אֶת־הָאִישׁ אוֹ אֶת־הָאִשָּׁה
וּסְקַלְתָּם בָּאֲבָנִים וָמֵתוּ׃ ו עַל־פִּי ׀ שְׁנַיִם עֵדִים
אוֹ שְׁלֹשָׁה עֵדִים יוּמַת הַמֵּת לֹא יוּמַת עַל־פִּי עֵד
אֶחָד׃ ז יַד הָעֵדִים תִּהְיֶה־בּוֹ בָרִאשֹׁנָה לַהֲמִיתוֹ וְיַד
כָּל־הָעָם בָּאַחֲרֹנָה וּבִעַרְתָּ הָרָע מִקִּרְבֶּךָ׃ פ
ח כִּי יִפָּלֵא מִמְּךָ דָבָר לַמִּשְׁפָּט בֵּין־דָּם ׀ לְדָם בֵּין־
דִּין לְדִין וּבֵין נֶגַע לָנֶגַע דִּבְרֵי רִיבֹת בִּשְׁעָרֶיךָ וְקַמְתָּ
וְעָלִיתָ אֶל־הַמָּקוֹם אֲשֶׁר יִבְחַר יְהוָה אֱלֹהֶיךָ בּוֹ׃

אונקלוס

פִּתְגָמָא אִתְעֲבִידַת תּוֹעֶבְתָּא הָדָא בְּיִשְׂרָאֵל׃ ה וְתַפֵּק יָת גַּבְרָא הַהוּא אוֹ יָת
אִתְּתָא הַהִיא דִּי עֲבָדוּ יָת פִּתְגָמָא בִישָׁא הָדֵין לִתְרַע בֵּית דִּינָךְ יָת גַּבְרָא אוֹ
יָת אִתְּתָא וְתִרְגְּמִנּוּן בְּאַבְנַיָּא וִימוּתוּן׃ ו עַל מֵימַר תְּרֵין סַהֲדִין אוֹ תְּלָתָא סַהֲדִין
יִתְקְטֵל דְּחַיַּב קְטוֹל לָא יִתְקְטֵל עַל מֵימַר סָהִיד חָד׃ ז יְדָא דְסַהֲדַיָּא תְּהֵי בֵהּ
בְּקַדְמֵיתָא לְמִקְטְלֵהּ וִידָא דְכָל עַמָּא בְּבַתְרֵיתָא וּתְפַלֵּי עָבֵד דְּבִישׁ מִבֵּינָךְ׃
ח אֲרֵי יִתְכְּסֵי מִנָּךְ פִּתְגָמָא לְדִינָא בֵּין דְּמָא לִדְמָא בֵּין דִּינָא לְדִינָא וּבֵין מַכְתַּשׁ
סְגִירוּ לְמַכְתַּשׁ סְגִירוּ פִּתְגָמֵי פְלֻגְתָּא דִינָא בְּקִרְוָךְ וּתְקוּם וְתִסַּק לְאַתְרָא דִּי

רש"י

לַעֲבוֹד עֲבוֹדָה זָרָה׃ (ג) אשר לא צויתי. לְעָבְדָם (מגי' ט'): (ד) נכון. מְכֻוָּן הָעֵדוּת׃
(ה) והוצאת את האיש ההוא אל שעריך וגו'. הַמְתַרְגֵּם אֶל שְׁעָרֶיךָ לִתְרַע בֵּית דִּינָךְ
טוֹעֶה, שֶׁכֵּן שָׁנִינוּ אֶל שְׁעָרֶיךָ זֶה שַׁעַר שֶׁעָבַד בּוֹ, אוֹ אֵינוֹ אֶלָּא שַׁעַר שֶׁנִּדּוֹן בּוֹ, נֶאֱמַר
שְׁעָרֶיךָ לְמַטָּה וְנֶאֱמַר שְׁעָרֶיךָ לְמַעְלָה מַה שְּׁעָרֶיךָ הָאָמוּר לְמַעְלָה שַׁעַר שֶׁעָבַד בּוֹ, אַף
שְׁעָרֶיךָ הָאָמוּר לְמַטָּה שַׁעַר שֶׁעָבַד בּוֹ, וְתַרְגּוּמוֹ לְקִרְוָיךְ׃ (ו) שנים עדים או שלשה.
אִם מִתְקַיֶּמֶת עֵדוּת בִּשְׁנַיִם לָמָּה פָּרַט לְךָ בִּשְׁלֹשָׁה? לְהַקִּישׁ שְׁלֹשָׁה לִשְׁנַיִם, מַה שְּׁנַיִם
עֵדוּת אַחַת אַף שְׁלֹשָׁה עֵדוּת אַחַת, וְאֵין נַעֲשִׂין זוֹמְמִין עַד שֶׁיּוּזְמוּ כֻלָּם (מכ' ה'): (ח) כי
יפלא. כָּל הַפְלָאָה לְשׁוֹן הַבְדָּלָה וּפְרִישָׁה, שֶׁהַדָּבָר נִבְדָּל וּמְכֻסֶּה מִמְּךָ: בין דם לדם.
בֵּין דַּם טָמֵא לְדַם טָהוֹר (נדה י"ט): בין דין לדין. בֵּין דִּין זַכַּאי לְדִין חַיָּב: בין נגע לנגע.
בֵּין נֶגַע טָמֵא לְנֶגַע טָהוֹר: דברי ריבת. שֶׁיִּהְיוּ חַכְמֵי הָעִיר חוֹלְקִים בַּדָּבָר, זֶה מְטַמֵּא וְזֶה

and inquired diligently, and, behold, *it be* true, *and* the thing certain, *that* such abomination was done in Israel. [5]Then shalt thou bring forth that man or that woman, who have done that evil thing, unto thy gates, *even* that man or that woman, and shalt stone them with stones, till they die. [6]At the mouth of two witnessess, or three witnessess, shall he that is worthy of death be put to death; *but* at the mouth of one witness he shall not be put to death. [7]The hands of the witnessess shall be first upon him to put him to death, and afterwards the hands of all the people. So shalt thou put the evil away from among you. [8]If there be a thing too hard for thee in judgment, between blood and blood, between plea and plea, and between stroke and stroke, *being* words of strife within thy gates: then shalt thou arise, and go up into the place which the Eternal thy God shall choose;

רש״י

it *in the Treatise on* "The slaughtering of Sacrifices" (Zeb. 36a, b). **(2)** לעבר בריתו TRANSGRESSING HIS COVENANT — *i. e. the covenant* which He made with you not to practise idolatry. **(3)** אשר לא צויתי [AND HATH GONE AND SERVED OTHER GODS . . . EITHER THE SUN, OR MOON, OR ANY OF THE HOST OF HEAVEN] WHICH I HAVE NOT COMMANDED to serve them (Meg. 9b)[1]). **(4)** נכון [AND, BEHOLD, IT BE TRUE, AND THE THING BE] CERTAIN — *i. e.* the evidence *of the witnesses* is in agreement (מְכֻוָּן). **(5)** והוצאת את האיש ההוא אל שעריך וגו׳ THEN THOU SHALT BRING FORTH THAT MAN [OR THAT WOMAN WHO HAVE DONE THAT EVIL THING] UNTO THY GATES — He who renders אל שעריך in the Targum by לתרע בית דינך, unto the gate of thy c o u r t, is in error, for thus we have learned (Siphre; Keth. 45b): אל שעריך — this *means* the gate (the city) in which he has w o r s h i p p e d *the idol.* Or, *perhaps this is* not *so,* but *it means* the gate where he is being j u d g e d (the judges sat "at the gate of the city"; cf., e. g., Ruth IV. 1 ff.)?! *The term* שעריך, however, is used below (i. e. h e r e, which is the latter part of this section) and is used above (v. 2), *and this suggests an analogy.* What is *the meaning of* שעריך that is mentioned above? *Evidently* the gate (the city) wherein he s e r v e d *the idol!* So, too, *does* שעריך mentioned below (in our verse) *denote* the gate in which he served the idol. The *correct* rendering in the Targum is *therefore* לקרויך *"thou shalt bring him forth unto thy c i t i e s"* (cf. Rashi on XVI. 18). **(6)** שנים עדים או שלשה [BY THE MOUTH OF] TWO WITNESSES OR THREE [WITNESSES, SHALL HE THAT IS WORTHY OF DEATH BE PUT TO DEATH] — *But* if evidence can be established by t w o *witnesses* to what end does it (Scripture) mention to you explicitly *that it may be established* by t h r e e? *Scripture does so* in order to compare *the evidence of* three *witnesses* to *that of* two (to make the same law apply to both cases). How *is it in the case of* two? *Their evidence forms* o n e testimony; so, too, *does the evidence of* three (or many) *witnesses form* o n e testimony and they cannot be declared "plotting witnesses"[2]) unless a l l of them are proved to be "plotting witnesses" (Macc. 5b). **(8)** כי יפלא IF THERE BE [A THING] TOO HARD [FOR THEE IN JUDGMENT] — The term פלא always denotes separation and being at a distance; *it means here* that the matter is apart and is hidden from thee. בין דם לדם [IF THERE IS ANYTHING TOO HARD FOR THEE IN JUDGMENT] BETWEEN BLOOD AND BLOOD — *i. e.* between the blood *of the menstruous woman that may be* unclean *blood,* and blood *that may be* clean (Nidd. 19a; cf. Siphre), בין דין לדין BETWEEN PLEA AND PLEA — *i. e.* between a verdict of acquittal and a verdict of "guilty", בין נגע לנגע BETWEEN PLAGUE AND PLAGUE — *i. e.* between a plague *that may be* unclean and a plague *that may be* clean. דברי ריבת *BEING* THINGS OF STRIFE [WITHIN THY GATES] — *i. e.* that the scholars of the city (the

NOTES

For Notes 1—2 see Appendix.

ט וּבָאתָ אֶל־הַכֹּהֲנִים הַלְוִיִּם וְאֶל־הַשֹּׁפֵט אֲשֶׁר יִהְיֶה בַּיָּמִים הָהֵם וְדָרַשְׁתָּ וְהִגִּידוּ לְךָ אֵת דְּבַר הַמִּשְׁפָּט: י וְעָשִׂיתָ עַל־פִּי הַדָּבָר אֲשֶׁר יַגִּידוּ לְךָ מִן־הַמָּקוֹם הַהוּא אֲשֶׁר יִבְחַר יְהוָה וְשָׁמַרְתָּ לַעֲשׂוֹת כְּכֹל אֲשֶׁר יוֹרוּךָ: יא עַל־פִּי הַתּוֹרָה אֲשֶׁר יוֹרוּךָ וְעַל־הַמִּשְׁפָּט אֲשֶׁר־יֹאמְרוּ לְךָ תַּעֲשֶׂה לֹא תָסוּר מִן־הַדָּבָר אֲשֶׁר־יַגִּידוּ לְךָ יָמִין וּשְׂמֹאל: יב וְהָאִישׁ אֲשֶׁר־יַעֲשֶׂה בְזָדוֹן לְבִלְתִּי שְׁמֹעַ אֶל־הַכֹּהֵן הָעֹמֵד לְשָׁרֶת שָׁם אֶת־יְהוָה אֱלֹהֶיךָ אוֹ אֶל־הַשֹּׁפֵט וּמֵת הָאִישׁ הַהוּא וּבִעַרְתָּ הָרָע מִיִּשְׂרָאֵל: יג וְכָל־הָעָם יִשְׁמְעוּ וְיִרָאוּ וְלֹא יְזִידוּן עוֹד: ס שני יד כִּי־תָבֹא אֶל־הָאָרֶץ אֲשֶׁר יְהוָה אֱלֹהֶיךָ נֹתֵן לָךְ וִירִשְׁתָּהּ וְיָשַׁבְתָּה בָּהּ וְאָמַרְתָּ אָשִׂימָה עָלַי מֶלֶךְ

אונקלוס

יִתְרְעֵי יְיָ אֱלָהָךְ בֵּהּ: ט וְתֵיתֵי לְוָת כָּהֲנַיָּא לֵוָאֵי וּלְוָת דַּיָּנָא דִּי יְהֵי בְּיוֹמַיָּא הָאִנּוּן וְתִתְבַּע וִיחַוּוּן לָךְ יָת פִּתְגָּמָא דְדִינָא: י וְתַעְבֵּד עַל מֵימַר פִּתְגָּמָא דִּי יְחַוּוּן לָךְ מִן אַתְרָא הַהוּא דִּי יִתְרְעֵי יְיָ וְתִטַּר לְמֶעְבַּד כְּכֹל דִּי יַלְּפֻנָּךְ: יא עַל מֵימַר אוֹרָיְתָא דִּי יַלְּפֻנָּךְ וְעַל דִּינָא דִּי יֵימְרוּן לָךְ תַּעְבֵּד לָא תִסְטֵי מִן פִּתְגָּמָא דִּי יְחַוּוּן לָךְ יַמִּינָא וּשְׂמָאלָא: יב וְגַבְרָא דִּי יַעְבֵּד בִּרְשַׁע בְּדִיל דְּלָא לְקַבָּלָא מִן כַּהֲנָא דְּקָאֵם לְשַׁמָּשָׁא תַמָּן קֳדָם יְיָ אֱלָהָךְ אוֹ מִן דַּיָּנָא וְיִתְקְטֵל גַּבְרָא הַהוּא וּתְפַלֵּי עָבֵד דְּבִישׁ מִיִּשְׂרָאֵל: יג וְכָל עַמָּא יִשְׁמְעוּן וְיִדְחֲלוּן וְלָא יַרְשִׁיעוּן עוֹד: יד אֲרֵי תֵעוֹל לְאַרְעָא דַּייָ אֱלָהָךְ יָהֵב לָךְ וְתֵירְתַהּ וְתִיתַּב בַּהּ וְתֵימַר אֱמַנֵּי עֲלַי מַלְכָּא כְּכָל

רש"י

מְטַהֵר זֶה מְחַיֵּב וְזֶה מְזַכֶּה: וקמת ועלית. מְלַמֵּד שֶׁבֵּית הַמִּקְדָּשׁ גָּבוֹהַּ מִכָּל הַמְּקוֹמוֹת (ספרי; סנה' פ"ז): (ט) הכהנים הלוים. הַכֹּהֲנִים שֶׁיָּצְאוּ מִשֵּׁבֶט לֵוִי: ואל השפט אשר יהיה בימים ההם. וַאֲפִילּוּ אֵינוֹ כִּשְׁאָר שׁוֹפְטִים שֶׁהָיוּ לְפָנָיו, אַתָּה צָרִיךְ לִשְׁמוֹעַ לוֹ — אֵין לְךָ אֶלָּא שׁוֹפֵט שֶׁבְּיָמֶיךָ (ר"ה כ"ה): (יא) ימין ושמאל. אֲפִילּוּ אוֹמֵר לְךָ עַל יָמִין שֶׁהוּא שְׂמֹאל וְעַל שְׂמֹאל שֶׁהוּא יָמִין, וְכָל שֶׁכֵּן שֶׁאוֹמֵר לְךָ עַל יָמִין יָמִין וְעַל שְׂמֹאל שְׂמֹאל (ספרי): (יג) וכל העם ישמעו. מִכָּאן שֶׁמַּמְתִּינִין לוֹ עַד הָרֶגֶל וּמְמִיתִין אוֹתוֹ בָּרֶגֶל (סנה' פ"ט):

[9]And thou shalt come unto the priests the Levites, and unto the judge that shall be in those days, and inquire; and they shall tell thee the words of judgment: [10]And thou shalt do according to the word, which they of that place which the Eternal shall choose shall tell thee; and thou shalt observe to do according to all that they teach thee: [11]According to the word of the law which they shall teach thee, and according to the judgment which they shall tell thee, thou shalt do: thou shalt not depart from the word which they shall tell thee, *to* the right nor *to* the left. [12]And the man that will do presumptuously, and will not hearken unto the priest standing to minister there before the Eternal thy God, or unto the judge, even that man shall die: and thou shalt put away the evil from Israel. [13]And all the people shall hear, and fear, and do no more presumptuously. [14]When thou art come unto the land which the Eternal thy God giveth thee, and shalt possess it, and shalt abide therein, and shalt say, I will set a king over me,

רש״י

judges) be of different opinions in that *particular* matter (cf. Onk.), the one declaring it unclean, the other clean, the one sentencing, the other acquitting, וקמת ועלית THEN SHALT THOU RISE AND GO UP [UNTO THE PLACE WHICH THE LORD THY GOD SHALL CHOOSE] — This (the phrase "go up") teaches that the Temple (in the vicinity of which the Sanhedrin sat) was situated higher than all other places *in Palestine* (Siphre; Sanh. 87a). (Cf., however, Ibn Ezra on Num. XVI. 12.) **(9)** הכהנים הלוים [AND THOU SHALT COME UNTO] THE PRIESTS THE LEVITES — *i.e.* unto the priests, who descend from of the tribe of Levi. ואל השפט אשר יהיה בימים ההם [AND THOU SHALT COME UNTO THE PRIESTS ...] AND UNTO THE JUDGE THAT SHALL BE IN THOSE DAYS — *The last apparently redundant words suggest:* and even though he is not *as eminent* as other judges that have been before him, you must obey h i m — you have none else but the judge that lives in y o u r days (i. e. you are only concerned with him) (R. Hash. 25b). **(11)** ימין ושמאל [THOU SHALT NOT DEPART FROM THE WORD WHICH THEY SHALL TELL THEE] TO THE RIGHT NOR TO THE LEFT, even if he (the judge) tells you about what *appears to you to* be right that it is left, or about what *appears to you to* be left that it is right, *you have to obey him;* how much the more is this so if *actually* he tells you about what is *evidently* right that it i s right and about what is left that it i s left (cf. Siphre)[1]). **(13)** וכל העם ישמעו AND ALL THE PEOPLE SHALL HEAR [AND FEAR] — From here *we derive the law* that they wait for him (i. e. defer the execution of a זקן ממרא, an elder who disregards the decision of the Supreme Court, to whom Scripture refers in v. 12 by the words והאיש אשר יעשה בזדון) until the *next* festival (when a l l Israel is assembled in Jerusalem) and they put him to death at *the season of* the festival (Sanh. 89a).

NOTES

[1]) The translation as here given is according to Siphre which reads: אפילו נראים בעיניך על שמאל שהוא ימין ועל ימין שהוא שמאל שמע להם.

כְּכָל־הַגּוֹיִם אֲשֶׁר סְבִיבֹתָי: טו שׂוֹם תָּשִׂים עָלֶיךָ
מֶלֶךְ אֲשֶׁר יִבְחַר יְהוָה אֱלֹהֶיךָ בּוֹ מִקֶּרֶב אַחֶיךָ
תָּשִׂים עָלֶיךָ מֶלֶךְ לֹא תוּכַל לָתֵת עָלֶיךָ אִישׁ נָכְרִי
אֲשֶׁר לֹא־אָחִיךָ הוּא: טז רַק לֹא־יַרְבֶּה־לּוֹ סוּסִים
וְלֹא־יָשִׁיב אֶת־הָעָם מִצְרַיְמָה לְמַעַן הַרְבּוֹת סוּס
וַיהוָה אָמַר לָכֶם לֹא תֹסִפוּן לָשׁוּב בַּדֶּרֶךְ הַזֶּה עוֹד:
יז וְלֹא יַרְבֶּה־לּוֹ נָשִׁים וְלֹא יָסוּר לְבָבוֹ וְכֶסֶף וְזָהָב
לֹא יַרְבֶּה־לּוֹ מְאֹד: יח וְהָיָה כְשִׁבְתּוֹ עַל כִּסֵּא
מַמְלַכְתּוֹ וְכָתַב לוֹ אֶת־מִשְׁנֵה הַתּוֹרָה הַזֹּאת עַל־
סֵפֶר מִלִּפְנֵי הַכֹּהֲנִים הַלְוִיִּם: יט וְהָיְתָה עִמּוֹ וְקָרָא
בוֹ כָּל־יְמֵי חַיָּיו לְמַעַן יִלְמַד לְיִרְאָה אֶת־יְהוָה אֱלֹהָיו
לִשְׁמֹר אֶת־כָּל־דִּבְרֵי הַתּוֹרָה הַזֹּאת וְאֶת־הַחֻקִּים

אונקלוס

עִמְמַיָּא דִּי בְּסַחְרָנָי: טו מַנָּאָה תְּמַנֵּי עֲלָךְ מַלְכָּא דִּי יִתְרְעֵי יְיָ אֱלָהָךְ בֵּהּ מִגּוֹ
אַחָיךְ תְּמַנֵּי עֲלָךְ מַלְכָּא לֵית לָךְ רְשׁוּ לְמַנָּאָה עֲלָךְ גְּבַר נוּכְרַי דִּי לָא אֲחוּךְ הוּא:
טז לְחוֹד לָא יַסְגֵּי לֵהּ סוּסָוָן וְלָא יָתֵיב יָת עַמָּא לְמִצְרַיִם בְּדִיל לְאַסְגָּאָה לֵהּ
סוּסָוָן וַייָ אֲמַר לְכוֹן לָא תוֹסְפוּן לְמְתוּב בְּאֹרַח הָדֵין עוֹד: יז וְלָא יַסְגֵּי לֵהּ נְשִׁין
וְלָא יִטְעֵי לִבֵּהּ וְכַסְפָּא וְדַהֲבָא לָא יַסְגֵּי לֵהּ לַחֲדָא: יח וִיהֵי כְּמִתְּבֵהּ עַל כָּרְסֵא
מַלְכוּתֵהּ וְיִכְתּוֹב לֵהּ יָת פַּתְשֶׁגֶן אוֹרָיְתָא הָדָא עַל סִפְרָא מִן קֳדָם כָּהֲנַיָּא לֵוָאֵי:
יט וּתְהֵי עִמֵּהּ וִיהֵי קָרֵי בֵהּ כָּל יוֹמֵי חַיּוֹהִי בְּדִיל דְּיֵילַף לְמִדְחַל יָת יְיָ אֱלָהֵהּ

רש"י

(טז) לא ירבה לו סוסים, אֶלָּא כְּדֵי מֶרְכַּבְתּוֹ, שֶׁלֹּא ישיב את העם מצרימה, שֶׁהַסּוּסִים בָּאִים מִשָּׁם, כְּמָה שֶׁנֶּאֱמַר בִּשְׁלֹמֹה (מ"א י') וַתַּעֲלֶה וַתֵּצֵא מֶרְכָּבָה מִמִּצְרַיִם בְּשֵׁשׁ מֵאוֹת כֶּסֶף וְסוּס בַּחֲמִשִּׁים וּמֵאָה (סנה' כ"א): (יז) ולא ירבה לו נשים, אֶלָּא י"ח, שֶׁמָּצִינוּ שֶׁהָיוּ לוֹ לְדָוִד שֵׁשׁ נָשִׁים וְנֶאֱמַר לוֹ (ש"ב י"ב) וְאִם מְעָט וְאֹסִפָה לְּךָ כָּהֵנָּה וְכָהֵנָּה: וכסף וזהב לא ירבה לו מאד, אֶלָּא כְּדֵי לִתֵּן לְאַכְסַנְיָה (ספרי; סנה' כ"א): (יח) והיה כשבתו. אִם עָשָׂה כֵן כְּדַאי הוּא שֶׁתִּתְקַיֵּם מַלְכוּתוֹ (ספרי): את משנה התורה. שְׁתֵּי סִפְרֵי תוֹרָה, אַחַת שֶׁהִיא מֻנַּחַת בְּבֵית גְּנָזָיו, וְאַחַת שֶׁנִּכְנֶסֶת וְיוֹצֵאת עִמּוֹ (סנה' כ"א); וְאוּנְקְלוֹס תִּרְגֵּם

like as all the nations that *are* about me; [15]Thou mayest by all means set *him* king over thee whom the Eternal thy God shall choose: *one* from among thy brethren shalt thou set king over thee: thou mayest not set an alien over thee, who *is* not thy brother. [16]But he shall not multiply horses to himself, so that he cause not the people to return to Egypt, to the end that he should multiply horses: forasmuch as the Eternal hath said unto you, Ye shall henceforth return no more that way. [17]Neither shall he multiply wives to himself, that his heart turn not away: neither shall he greatly multiply to himself silver and gold. [18]And it shall be, when he sitteth upon the throne of his kingdom, that he shall write him a copy of this law in a book out of *that which is* before the priests the Levites: [19]And it shall be with him, and he shall read therein all the days of his life: that he may learn to fear the Eternal his God, to keep all the words of this law and these statutes,

רש"י

(16) לא ירבה לו סוסים HE SHALL NOT MULTIPLY HOR. .. TO HIMSELF — but *he shall have* only what is sufficient for his carriages, in order[1]) that he shall not cause the people to return to Egypt, because horses come from there, as it is said in *the history of* Solomon (1 Kings X. 29) "And a chariot came up and went out of Egypt for six hundred *shekels of* silver and a horse for a hundred and fifty" (Sanh. 21b). **(17)** ולא ירבה לו נ׳ NEITHER SHALL HE MULTIPLY WIVES TO HIMSELF — only eighteen, for we find that David had six wives, and it was announced to him (by Nathan the prophet): "[Thus saith the Lord ... I gave thy master's wives into thy bosom] ... and if that had been too little, I would add unto thee such and such as these (i. e. twice as many)" (Sanh. 21a; Siphre). וכסף וזהב לא ירבה לו מאד NEITHER SHALL HE GREATLY MULTIPLY TO HIMSELF SILVER AND GOLD — but only as much as he needs for *his* soldiers' pay[2]) (ib. 21b). **(18)** והיה כשבתו AND IT SHALL BE WHEN HE SITTETH [UPON THE THRONE OF HIS KINGDOM] — if he acts thus (as prescribed in the previous verses) he is worthy that his kingdom should endure (Siphre)[3]). את משנה התורה [HE SHALL WRITE HIM] A משנה תורה — *i. e.* two scrolls of the Law, one that is placed in his treasury and the other that goes out and comes in with him (i. e. a small scroll which he

NOTES

[1]) See Appendix.

[2]) In Sanh. 21b and Siphre the reading is אספניא = אפסניא, the Greek ὀψωνία, the soldiers' pay. The reading אכסניא is also correct because the quarters assigned to the troops is termed אכסניא; cf. B. Bath. 11b: אכסניא לפי בני אדם, and Rashi thereon.

[3]) The words appear to be misplaced; they might well have introduced the whole section, being placed at the beginning of verse 16. They are therefore taken to mean: And it shall be when he (as a reward for obeying the laws just set forth) sitteth secure on the throne, etc. Thus they constitute an assurance that obedience to these commands will result in his throne being firmly established.

הָאֵלֶּה לַעֲשֹׂתָם: כ לְבִלְתִּי רוּם־לְבָבוֹ מֵאֶחָיו
וּלְבִלְתִּי סוּר מִן־הַמִּצְוָה יָמִין וּשְׂמֹאול לְמַעַן יַאֲרִיךְ
יָמִים עַל־מַמְלַכְתּוֹ הוּא וּבָנָיו בְּקֶרֶב יִשְׂרָאֵל: ס
שלשי יח א לֹא־יִהְיֶה לַכֹּהֲנִים הַלְוִיִּם כָּל־שֵׁבֶט לֵוִי
חֵלֶק וְנַחֲלָה עִם־יִשְׂרָאֵל אִשֵּׁי יהוה וְנַחֲלָתוֹ יֹאכֵלוּן:
ב וְנַחֲלָה לֹא־יִהְיֶה־לּוֹ בְּקֶרֶב אֶחָיו יהוה הוּא נַחֲלָתוֹ
כַּאֲשֶׁר דִּבֶּר־לוֹ: ס ג וְזֶה יִהְיֶה מִשְׁפַּט הַכֹּהֲנִים
מֵאֵת הָעָם מֵאֵת זֹבְחֵי הַזֶּבַח אִם־שׁוֹר אִם־שֶׂה

אונקלוס

לְמִטַּר יָת כָּל פִּתְגָּמֵי אוֹרַיְתָא הָדָא וְיָת קְיָמַיָּא הָאִלֵּין לְמֶעְבְּדְהוֹן: כ בְּדִיל דְּלָא
יְרִים לִבֵּהּ מֵאֲחוֹהִי וּבְדִיל דְּלָא יִסְטֵי מִן תַּפְקֶדְתָּא יַמִּינָא וּשְׂמָאלָא בְּדִיל דְּיוֹרֵךְ
יוֹמִין עַל מַלְכוּתֵהּ הוּא וּבְנוֹהִי בְּגוֹ יִשְׂרָאֵל: א לָא יְהֵי לְכָהֲנַיָּא לֵוָאֵי כָּל שִׁבְטָא
דְלֵוִי חֳלָק וְאַחְסָנָא עִם יִשְׂרָאֵל קֻרְבָּנַיָּא דַּייָ וְאַחֲסַנְתֵּהּ יֵיכְלוּן: ב וְאַחְסָנָא לָא
יְהֵי לֵהּ בְּגוֹ אֲחוֹהִי מַתְּנָן דִּיהַב לֵהּ יְיָ אִנּוּן אַחֲסַנְתֵּהּ כְּמָא דִּי מַלִּיל לֵהּ: ג וְדֵין

רש"י

פַּתְשֶׁגֶן, פֶּתֶר מִשְׁנֶה לְשׁוֹן שִׁנּוּן וְדִבּוּר: (יט) דברי התורה. כְּמַשְׁמָעוֹ: (כ) ולבלתי סור
מן המצוה. אֲפִילוּ מִצְוָה קַלָּה שֶׁל נָבִיא: למען יאריך ימים. מִכְּלַל הֵן אַתָּה שׁוֹמֵעַ לָאו;
וְכֵן מָצִינוּ בְּשָׁאוּל שֶׁאָמַר לוֹ שְׁמוּאֵל (ש"א י') שִׁבְעַת יָמִים תּוֹחֵל עַד בּוֹאִי אֵלֶיךָ, לְהַעֲלוֹת
עוֹלוֹת, וּכְתִיב (שם י"ג) וַיּוֹחֶל שִׁבְעַת יָמִים, וְלֹא שָׁמַר הַבְטָחָתוֹ לִשְׁמוֹר כָּל הַיּוֹם, וְלֹא
הִסְפִּיק לְהַעֲלוֹת הָעוֹלָה עַד שֶׁבָּא שְׁמוּאֵל וְאָמַר לוֹ נִסְכַּלְתָּ לֹא שָׁמַרְתָּ וְגוֹ' וְעַתָּה מַמְלַכְתְּךָ
לֹא תָקוּם, הָא לָמַדְתָּ שֶׁבִּשְׁבִיל מִצְוָה קַלָּה שֶׁל נָבִיא נֶעֱנַשׁ: הוא ובניו. מַגִּיד שֶׁאִם בְּנוֹ
הָגוּן לְמַלְכוּת הוּא קוֹדֵם לְכָל אָדָם (הורי' י"א):

יח (א) כל שבט לוי. בֵּין תְּמִימִין בֵּין בַּעֲלֵי מוּמִין (ספרי): חלק. בְּבִזָּה: ונחלה. בָּאָרֶץ
(שם): אשי ה'. קָדְשֵׁי הַמִּקְדָּשׁ: ונחלתו. אֵלּוּ קָדְשֵׁי הַגְּבוּל – תְּרוּמוֹת וּמַעַשְׂרוֹת, אֲבָל
נחלה גְּמוּרָה לא יהיה לו בקרב אחיו; וּבְסִפְרֵי דָּרְשׁוּ ונחלה לא יהיה לו זוֹ נַחֲלַת שְׁאָר,
(ב) בקרב אחיו זו נַחֲלַת חֲמִשָּׁה, וְאֵינִי יוֹדֵעַ מַה הִיא, וְנִרְאֶה לִי שֶׁאֶרֶץ כְּנַעַן שֶׁמֵּעֵבֶר
הַיַּרְדֵּן וָאֵילָךְ נִקְרֵאת אֶרֶץ חֲמִשָּׁה עֲמָמִין, וְשֶׁל סִיחוֹן וְעוֹג שְׁנֵי עֲמָמִין, אֱמוֹרִי וּכְנַעֲנִי,
וְנַחֲלַת שְׁאָר לְרַבּוֹת קֵינִי וּקְנִזִּי וְקַדְמוֹנִי, וְכֵן דּוֹרֵשׁ בְּפָרָשַׁת מַתָּנוֹת שֶׁנֶּאֶמְרוּ לְאַהֲרֹן
(במ' י"ח) עַל כֵּן לֹא הָיָה לְלֵוִי וְגוֹ' לְהַזְהִיר עַל קֵינִי וּקְנִזִּי וְקַדְמוֹנִי. שׁוּב נִמְצָא בְּדִבְרֵי
רַבִּי קָלוֹנִימוּס הָכִי גָּרְסִינָן בְּסִפְרֵי: ונחלה לא יהיה לו אֵלּוּ נַחֲלַת חֲמִשָּׁה, בקרב אחיו
אֵלּוּ נַחֲלַת שִׁבְעָה, נַחֲלַת חֲמִשָּׁה שְׁבָטִים וְנַחֲלַת שִׁבְעָה שְׁבָטִים; וּמִתּוֹךְ שֶׁמֹּשֶׁה וִיהוֹשֻׁעַ
לֹא חָלְקוּ נַחֲלָה אֶלָּא לַחֲמִשָּׁה שְׁבָטִים בִּלְבָד, שֶׁכֵּן מֹשֶׁה הִנְחִיל לִרְאוּבֵן וְגָד וַחֲצִי שֵׁבֶט
מְנַשֶּׁה, וִיהוֹשֻׁעַ הִנְחִיל לִיהוּדָה וְאֶפְרַיִם וְלַחֲצִי שֵׁבֶט מְנַשֶּׁה, וְשִׁבְעָה הָאֲחֵרִים נָטְלוּ
מֵאֲלֵיהֶן אַחֲרֵי מוֹת יְהוֹשֻׁעַ, מִתּוֹךְ כָּךְ הִזְכִּיר חֲמִשָּׁה לְבַד וְשִׁבְעָה לְבָד: כאשר דבר לו.
בְּאַרְצָם לֹא תִנְחָל, אֲנִי חֶלְקְךָ (במ' י"ח): (ג) מאת העם. וְלֹא מֵאֵת הַכֹּהֲנִים (ספרי;

to do them: [20]That his heart be not exalted above his brethren, and that he depart not from the commandment, to the right or *to* the lift: to the end that he may prolong *his* days in his kingdom, he, and his children, among Israel.

18. [1]The priests the Levites, *namely* all the tribe of Levi, shall have no portion nor inheritance with Israel: they shall eat the fire-offerings of the Eternal, and his inheritance. [2]But they shall have no inheritance among their brethren: the Eternal *is* their inheritance, as he hath said unto them. [3]And this shall be the priest's due from the people, from them that sacrifice a sacrifice, whether *it be* one of the herd, or one of

רש"י

carries everywhere with him) (Sanh. 21b). Onkelos, however, renders משנה by פתשגן, a copy; he thus interpreted *the word* משנה in the sense of שנן, repeating and uttering[1]). **(19)** דברי התורה [ALL] THE WORDS OF [THIS] LAW — *Take it* as what it literally imples[2]). **(20)** ולבלתי סור מן המצוה AND THAT HE DEPART NOT FROM THE COMMANDMENT — *not* even from a less important command *given to him by means* of a prophet. למען יאריך ימים TO THE END THAT HE MAY PROLONG HIS DAYS [IN HIS KINGDOM] — From the positive statement you may derive the negative (that if he does not fulfil the commandments his kingdom will not endure). And so, *indeed,* do we find in *the case of* Saul that Samuel said to him, (1 Sam. X. 8) "Seven days shalt thou tarry, till I come unto thee" to offer burnt sacrifices, and it is written, (ib. XIII. .8) "and he tarried seven days", but he did not keep his promise to wait the whole of the *seventh* day and had scarcely finished offering the burnt offering when Samuel came (ib. v. 10) and said to him (ib. vv. 13—14) "Thou hast done foolishly; thou hast not kept [the commandment of the Lord thy God, which He commanded thee; for now would the Lord have established thy kingdom upon Israel for ever;] but now thy kingdom shall not continue". Thus you learn that for *the neglect of* an unimportant command *given by means* of a prophet he was *severely* punished. הוא ובניו [THAT HE MAY PROLONG HIS DAYS IN HIS KINGDOM] HE, AND HIS CHILDREN — This tells *you* that if his son is worthy of becoming king he has to be given preference to any other person (Hor. 11b).

18. (1) כל שבט לוי [THE PRIESTS THE LEVITES] *NAMELY* ALL THE TRIBE OF LEVI [SHALL HAVE NO PORTION ... WITH ISRAEL] — *all the tribe,* whether they be able-bodied or whether they be blemished (Siphre)[3]). חלק A PORTION — *i.e.* in the spoil *that is taken in battle,*[4]) נחלה AND INHERITANCE — in the the land (Siphre). אשי ה׳ THE FIRE OFFERINGS OF THE LORD — the holy things brought into the Temple, ונחלתו AND HIS INHERITANCE — this refers to the holy things that might be consumed outside Jerusalem (גבולין) — the heave-offerings and the tithes (Siphre) *these they shall eat,* BUT נחלה AN INHERITANCE, a real inheritance, לא יהיה לו בקרב אחיו SHALL HE NOT HAVE AMONG HIS BRETHREN. In the Siphre

NOTES

[1]) See Appendix.

[2]) Rashi often makes the remark כמשמעו on a word in the text when he is forced to give other parts of the text a sense that is not literally implied in it. He does this in his next comment on the word מצוה. Cf. our Note on ויצא פרח, Num. XVII. 23.

[3]) Because it states further on (v. 7) "And he (the Levite) shall minister in the name of the Lord" it might be assumed that the law here laid down applies only to such as may minister in the Temple; therefore the description כל שבט לוי is added in order to include all the members of the tribe without regard to their physical fitness to minister before the Lord.

[4]) See Note 3 on Numbers p. 89.

וְנָתַן לַכֹּהֵן הַזְּרֹעַ וְהַלְּחָיַיִם וְהַקֵּבָה: ד רֵאשִׁית דְּגָנְךָ תִּירֹשְׁךָ וְיִצְהָרֶךָ וְרֵאשִׁית גֵּז צֹאנְךָ תִּתֶּן־לוֹ: ה כִּי בוֹ בָּחַר יְהוָה אֱלֹהֶיךָ מִכָּל־שְׁבָטֶיךָ לַעֲמֹד לְשָׁרֵת בְּשֵׁם־יְהוָה הוּא וּבָנָיו כָּל־הַיָּמִים: ס רביעי ו וְכִי־יָבֹא הַלֵּוִי מֵאַחַד שְׁעָרֶיךָ מִכָּל־יִשְׂרָאֵל אֲשֶׁר־הוּא גָּר שָׁם וּבָא בְּכָל־אַוַּת נַפְשׁוֹ אֶל־הַמָּקוֹם אֲשֶׁר־יִבְחַר יְהוָה: ז וְשֵׁרֵת בְּשֵׁם יְהוָה אֱלֹהָיו כְּכָל־אֶחָיו הַלְוִיִּם הָעֹמְדִים שָׁם לִפְנֵי יְהוָה: ח חֵלֶק כְּחֵלֶק

אונקלוס

וִיהֵי דִין לְכָהֲנַיָּא מִן עַמָּא מִן נָכְסֵי נִכְסְתָא אִם תּוֹר אִם אִמַּר וְיִתֵּן לְכָהֲנָא דְּרָעָא וְלוֹעָא וְקִבְתָּא: ד רֵישׁ עֲבוּרָךְ חַמְרָךְ וּמִשְׁחָךְ וְרֵישׁ גִּזָּא דְעָנָךְ תִּפְרֵשׁ לֵהּ: ה אֲרֵי בֵהּ אִתְרְעֵי יְיָ אֱלָהָךְ מִכָּל שִׁבְטָיךְ לִמְקָם לְשַׁמָּשָׁא בִּשְׁמָא דַּיְיָ הוּא וּבְנוֹהִי כָּל יוֹמַיָּא: ו וַאֲרֵי יֵיתֵי לֵוָאָה מֵחֲדָא מִקִּרְוָיךְ מִכָּל יִשְׂרָאֵל דִּי הוּא דָּר תַּמָּן וְיֵיתֵי בְּכָל רְעוּת נַפְשֵׁהּ לְאַתְרָא דִּי יִתְרְעֵי יְיָ: ז וִישַׁמֵּשׁ בִּשְׁמָא דַּיְיָ אֱלָהֵהּ כְּכָל אֲחוֹהִי לֵוָאֵי דִּמְשַׁמְּשִׁין תַּמָּן (בִּצְלוֹ) קֳדָם יְיָ: ח חֳלָק כַּחֳלָק יֵיכְלוּן בַּר

רש"י

חולי' קל"ב): אם שור אם שה. פְּרָט לְחַיָּה: הזרע. מִן הַפֶּרֶק שֶׁל אַרְכֻּבָּה עַד כַּף שֶׁל יָד שֶׁקּוֹרִין אשפלד"ון (חולי' קל"ד): הלחיים. עִם הַלָּשׁוֹן. דּוֹרְשֵׁי רְשׁוּמוֹת הָיוּ אוֹמְרִים זְרוֹעַ תַּחַת יָד, שֶׁנֶּאֱמַר (במ' כ"ה) וַיִּקַּח רֹמַח בְּיָדוֹ, לְחָיַיִם תַּחַת תְּפִלָּה, שֶׁנֶּאֱמַר (תה' ק"י) וַיַּעֲמֹד פִּינְחָס וַיְפַלֵּל, וְהַקֵּבָה תַּחַת הָאִשָּׁה אֶל קֳבָתָהּ (במ' כ"ה): (ד) ראשית דגנך. זוֹ תְּרוּמָה, וְלֹא פֵּרַשׁ בָּהּ שִׁיעוּר, אֲבָל רַבּוֹתֵינוּ נָתְנוּ בָהּ שִׁיעוּר — עַיִן יָפָה אֶחָד מֵאַרְבָּעִים, עַיִן רָעָה אֶחָד מִשִּׁשִּׁים, בֵּינוֹנִית אֶחָד מֵחֲמִשִּׁים, וְסָמְכוּ עַל הַמִּקְרָא שֶׁלֹּא לִפְחוֹת מֵאֶחָד מִשִּׁשִּׁים שֶׁנֶּאֱמַר (יח' מ"ה) שִׁשִּׁית הָאֵיפָה מֵחוֹמֶר הַחִטִּים, שִׁשִּׁית הָאֵיפָה חֲצִי סְאָה, כְּשֶׁאַתָּה נוֹתֵן חֲצִי סְאָה לְכוֹר הֲרֵי אֶחָד מִשִּׁשִּׁים, שֶׁהַכּוֹר שְׁלשִׁים סְאִין (ירוש' תרומות פ"ד): וראשית גז צאנך. כְּשֶׁאַתָּה גוֹזֵז צֹאנְךָ בְּכָל שָׁנָה תֵּן מִמֶּנָּה רֵאשִׁית לַכֹּהֵן, וְלֹא פֵּרַשׁ בָּהּ שִׁיעוּר, וְרַבּוֹתֵינוּ נָתְנוּ בָהּ שִׁיעוּר אֶחָד מִשִּׁשִּׁים, וְכַמָּה צֹאן חַיָּבוֹת בְּרֵאשִׁית הַגֵּז? חָמֵשׁ רְחֵלוֹת, שֶׁנֶּאֱמַר (ש"א כ"ה) וְחָמֵשׁ צֹאן עֲשׂוּיוֹת (רַבִּי עֲקִיבָא אוֹמֵר רֵאשִׁית גֵּז שְׁתַּיִם, צֹאנְךָ אַרְבָּעָה, תִּתֶּן לוֹ הֲרֵי חֲמִשָּׁה (עי' ספרי וחולי' קל"ה): (ה) לעמד לשרת. מִכַּאן שֶׁאֵין שֵׁרוּת אֶלָּא מְעֻמָּד (ספרי; סוטה ל"ח): (ו) וכי יבא הלוי. יָכוֹל בְּבֶן לֵוִי וַדַּאי הַכָּתוּב מְדַבֵּר, תַּלְמוּד לוֹמַר ושרת, יָצְאוּ לְוִיִּם שֶׁאֵין רְאוּיִין לְשֵׁרוּת (ספרי): ובא בכל אות נפשו, ושרת. לִמֵּד עַל הַכֹּהֵן שֶׁבָּא וּמַקְרִיב קָרְבְּנוֹת נִדְבָתוֹ אוֹ חוֹבָתוֹ וַאֲפִילוּ בְּמִשְׁמָר שֶׁאֵינוֹ שֶׁלּוֹ (ב"ק ק"ט); ד"א עוֹד לִמֵּד עַל הַכֹּהֲנִים הַבָּאִים לָרֶגֶל שֶׁמַּקְרִיבִין (בְּמִשְׁמָר) וְעוֹבְדִין בְּקָרְבָּנוֹת הַבָּאוֹת מֵחֲמַת הָרֶגֶל כְּגוֹן מוּסְפֵי הָרֶגֶל וְאַף עַל פִּי שֶׁאֵין הַמִּשְׁמָר שֶׁלָּהֶם (ספרי; סוכה נ"ה): (ח) חלק כחלק יאכלו. מְלַמֵּד שֶׁחוֹלְקִין בָּעוֹרוֹת וּבִבְשַׂר שְׂעִירֵי חַטָּאוֹת, יָכוֹל אַף בִּדְבָרִים הַבָּאִים שֶׁלֹּא מֵחֲמַת הָרֶגֶל, כְּגוֹן תְּמִידִין וּמוּסְפֵי שַׁבָּת וּנְדָרִים וּנְדָבוֹת, תַּ"ל לבד

the flock; and they shall give unto the priest the shoulder, and the two cheeks, and the maw. [4]The first-fruit *also* of thy corn, of thy must, and of thy oil, and the first of the fleece of thy flock, shalt thou give him. [5]For the Eternal thy God hath chosen him out of all thy tribes, to stand to minister in the name of the Eternal, him and his sons for ever. [6]And if a Levite come from any of thy gates out of all Israel, where he sojourned, and come with all the longing of his soul unto the place which the Eternal shall choose; [7]And minister in the name of the Eternal his God, as all his brethren the Levites *do*, who stand there before the Eternal. [8]They shall enjoy like portions,

רש"י

they (the Rabbis) gave the following interpretation: "ונחלה לא יהיה לו" — this refers to the נחלת שאר, the inheritance of the שאר, **(2)** "בקרב אחיו" AMONG HIS BRETHREN — this refers to the inheritance of the five. I do not, however, know *for certain* what this means (what Siphre means by שאר and חמשה). But it seems to me that *the part of* the land of Canaan which is on the other (the western) side of the Jordan and onwards is called the land of the five nations (and these are therefore the five referred to by Siphre), whilst *the territory* of Sihon and Og *on the eastern side* might be *called* the land of the two nations, *viz.*, the Amorites and the Canaanites, — and נחלת שאר *mentioned in Siphre is intended* to include *the land of the remaining clans* (שאר), the Kenite, the Kenizzite, and the Kadmonite, *which will become Israel's inheritance in some future time.* (But the land of Sihon and Og need not be mentioned since this was already divided among the two and a half tribes, and it was known that the tribe of Levi had no share in it.) Similarly it (Siphre) makes a comment in "the section dealing with the gifts that were promised to Aaron" *on the verse* (Num. XVIII. 24) "wherefore [I have said unto them, Among the children of Israel they shall have no inheritance]"[1]) *that it is intended* to express a warning regarding *the land of* the Kenite, the Kenizzite and the Kadmonite (i. e. that not even in later times when Israel will inherit the land of these nations shall the Levite have a portion in it). — Then again the following statement is found in the words of R. Kalonimos[2]): Thus must we read in Siphre, *and not as some editions have:* ונחלה לא יהיה לו BUT THEY SHALL HAVE NO INHERITANCE — this refers to the territory of the five, בקרב אחיו AMONGST THEIR BRETHREN — this refers to the territory of the seven, *and he explains that this means* the five tribes and the seven tribes. And because Moses and Joshua assigned an inheritance *in the land* only to five tribes — for Moses assigned their inheritance to Reuben, Gad and the half tribe of Manasseh, and Joshua assigned their inheritance to Judah, Ephraim and the *other* half tribe of Manasseh, whilst the remaining seven tribes took their portions themselves *in the land* (conquered it) after the death of Joshua — for this reason it (Scripture) mentions (alludes to) the five tribes *separately* and to the seven *separately*. כאשר דבר לו [THE LORD IS THEIR INHERITANCE] AS HE HATH SAID UNTO THEM — *viz.*, (Num. XVIII. 20): "Thou shalt not inherit in their land ... I am thy portion [and thy inheritance amongst the children of Israel]". **(3)** מאת העם [AND THIS SHALL BE THE PRIESTS' DUE] FROM THE PEOPLE — but not from the priest (i. e. if a priest slaughters animals for his own use he is exempt from giving these dues to another priest) (Siphre; cf. Chul. 132b). אם שור אם שה WHETHER IT BE ONE OF THE HERD OR ONE OF THE FLOCK — this excludes an undomesticaled beast (חיה). הזרע THE SHOULDER *is the portion* from the knee-joint to the shoulder-blade that is called espalte in O. F. (cf. Rashi on Chul. 134b). והלחיים THE TWO CHEEKS — *together* with the tongue. — Those who interpret the Bible text symbolically (cf. Chul. 134b) said: The זרוע *of the animals, (termed*

NOTES

For Notes 1—2 see Appendix.

יֹאכֵלוּ לְבַד מִמְכָּרָיו עַל־הָאָבֽוֹת: ס ⁹ כִּי אַתָּה בָּא אֶל־הָאָרֶץ אֲשֶׁר־יְהֹוָה אֱלֹהֶיךָ נֹתֵן לָךְ לֹא־תִלְמַד לַעֲשׂוֹת כְּתוֹעֲבֹת הַגּוֹיִם הָהֵֽם: יˉלֹא־יִמָּצֵא בְךָ מַעֲבִיר בְּנֽוֹ־וּבִתּוֹ בָּאֵשׁ קֹסֵם קְסָמִים מְעוֹנֵן וּמְנַחֵשׁ וּמְכַשֵּֽׁף: יא וְחֹבֵר חָבֶר וְשֹׁאֵל אוֹב וְיִדְּעֹנִי וְדֹרֵשׁ אֶל־הַמֵּתִֽים: יב כִּֽי־תוֹעֲבַת יְהֹוָה כָּל־עֹשֵׂה אֵלֶּה וּבִגְלַל הַתּוֹעֵבֹת הָאֵלֶּה יְהֹוָה אֱלֹהֶיךָ מוֹרִישׁ אוֹתָם מִפָּנֶֽיךָ: יג תָּמִים תִּֽהְיֶה עִם יְהֹוָה אֱלֹהֶֽיךָ: חמישי יד כִּי ׀ הַגּוֹיִם הָאֵלֶּה אֲשֶׁר אַתָּה יוֹרֵשׁ אוֹתָם אֶל־מְעֹנְנִים וְאֶל־קֹסְמִים יִשְׁמָעוּ וְאַתָּה לֹא כֵן נָתַן

אונקלוס

מִמַּטַּרְתָּא דְּיַיְתֵי בְּשַׁבְּתָא בְּכֵן אַתְקִינוּ אֲבָהָתָא: ⁹ אֲרֵי אַתְּ עָלֵל לְאַרְעָא דַּיְיָ אֱלָהָךְ יָהֵב לָךְ לָא תֵילַף לְמֶעְבַּד כְּתוֹעֲבַת עַמְמַיָּא הָאִנּוּן: י לָא יִשְׁתְּכַח בָּךְ מַעֲבַר בְּרֵהּ וּבְרַתֵּהּ בְּנוּרָא קָסֵם קִסְמִין מְעָנֵן וּמְנַחֵשׁ וְחָרָשׁ: יא וְרָטֵין רְטָן וְשָׁאֵל בִּדִין וּזְכוּרוּ וְתָבַע מִן מֵיתַיָּא: יב אֲרֵי מְרַחַק יְיָ כָּל דְּיַעְבֵּד אִלֵּין וּבְדִיל תּוֹעֲבָתָא הָאִלֵּין יְיָ אֱלָהָךְ מְתָרֵךְ יָתְהוֹן מִקֳּדָמָךְ: יג שְׁלִים תְּהֵי בְּדַחַלְתָּא דַּיְיָ אֱלָהָךְ: יד אֲרֵי עַמְמַיָּא הָאִלֵּין דִּי אַתְּ יָרֵת יָתְהוֹן מִן מְעָנְנַיָּא וּמִן קָסְמַיָּא שָׁמְעִין וְאַתְּ לָא

רש״י

מִמְכָּרָיו עַל הָאָבוֹת חוּץ מִמֶּה שֶׁמָּכְרוּ הָאָבוֹת בִּימֵי דָּוִד וּשְׁמוּאֵל שֶׁנִּקְבְּעוּ הַמִּשְׁמָרוֹת וּמָכְרוּ זֶה לָזֶה, סַל זֶה אַתָּה שַׁבַּתְּךָ וַאֲנִי אֲטוֹל שַׁבַּתִּי (שם): (ט) לֹא תִלְמַד לַעֲשׂוֹת. אֲבָל אַתָּה לָמֵד לְהָבִין וּלְהוֹרוֹת. כְּלוֹמַר לְהָבִין מַעֲשֵׂיהֶם כַּמָּה הֵם מְקֻלְקָלִים, וּלְהוֹרוֹת לְבָנֶיךָ לֹא תַעֲשֶׂה כָּךְ וְכָךְ, שֶׁזֶּה הוּא חֹק הַגּוֹיִם (ספרי; סנהדרין ס״ח): (י) מַעֲבִיר בְּנוֹ וּבִתּוֹ בָּאֵשׁ. הִיא עֲבוֹדַת הַמּוֹלֶךְ, עוֹשֶׂה מְדוּרוֹת אֵשׁ מִכָּאן וּמִכָּאן וּמַעֲבִירוֹ בֵּין שְׁתֵּיהֶם (עי׳ סנה׳ ס״ד): קֹסֵם קְסָמִים. אֵי זֶהוּ קוֹסֵם? הָאוֹחֵז אֶת מַקְלוֹ וְאוֹמֵר אִם אֵלֵךְ אִם לֹא אֵלֵךְ, וְכֵן הוּא אוֹמֵר (הושע ד׳) עַמִּי בְּעֵצוֹ יִשְׁאָל וּמַקְלוֹ יַגִּיד לוֹ (ספרי): מְעוֹנֵן. רַבִּי עֲקִיבָא אוֹמֵר אֵלּוּ נוֹתְנֵי עוֹנוֹת — שֶׁאוֹמְרִים עוֹנָה פְּלוֹנִית יָפָה לְהַתְחִיל, וַחֲכָמִים אוֹמְרִים אֵלּוּ אוֹחֲזֵי הָעֵינַיִם: מְנַחֵשׁ. פִּתּוֹ נָפְלָה מִפִּיו, צְבִי הִפְסִיקוֹ בַּדֶּרֶךְ, מַקְלוֹ נָפַל מִיָּדוֹ (ספרי; סנה׳ ס״ה): (יא) וְחֹבֵר חָבֶר. שֶׁמְּצָרֵף נְחָשִׁים אוֹ עַקְרַבִּים אוֹ שְׁאָר חַיּוֹת לְמָקוֹם אֶחָד: וְשֹׁאֵל אוֹב. זֶה מְכַשְּׁפוּת שֶׁשְּׁמוֹ פִּיתוֹם וּמְדַבֵּר מִשֶּׁחְיוֹ וּמַעֲלֶה אֶת הַמֵּת בְּבֵית הַשֶּׁחִי שֶׁלּוֹ: וְיִדְּעֹנִי. מַכְנִיס עֶצֶם חַיָּה שֶׁשְּׁמָהּ יַדּוּעַ לְתוֹךְ פִּיו וּמְדַבֵּר הָעֶצֶם עַל יְדֵי מְכַשְּׁפוּת (שם): וְדֹרֵשׁ אֶל הַמֵּתִים. כְּגוֹן הַמַּעֲלֶה בִּזְכוּרוֹ וְהַנִּשְׁאָל בְּגֻלְגֹּלֶת (שם): (יב) כָּל עֹשֵׂה אֵלֶּה. עֹשֶׂה כָּל אֵלֶּה לֹא נֶאֱמַר, אֶלָּא כָּל עֹשֵׂה כָּל אֵלֶּה, אֲפִילוּ אַחַת מֵהֶן (ספרי): (יג) תָּמִים תִּהְיֶה עִם ה׳ אֱלֹהֶיךָ. הִתְהַלֵּךְ עִמּוֹ בִּתְמִימוּת, וּתְצַפֶּה לוֹ, וְלֹא תַחְקוֹר אַחַר הָעֲתִידוֹת, אֶלָּא כָּל מַה

besides the sale of his patrimony. [9]When thou art come into the land which the Eternal thy God giveth thee, thou shalt not learn to do after the abominations of those nations. [10]There shall not be found among you *any one* that maketh his son or his daughter to pass through the fire, *or* that useth divination, *or* an observer of clouds, or an enchanter, or a sorcerer, [11]Or a charmer, or a consulter with familiar spirits, or a wizard, or a necromancer. [12]For all that do these things *are* an abomination unto the Eternal: and because of these abominations the Eternal thy God doth dispossess them before thee. [13]Thou shalt be perfect with the Eternal thy God. [14]For these nations, which thou shalt possess, hearkened unto observers of clouds, and unto diviners: but not so thee,

רש"י

יד *in later Hebrew), became the due of the priests as a reward* for the "hand" (יד) *which Phineas, the priest, raised against the wrong-doers,* as it is said. (Num. XXV. 7) "and he took a javelin in his hand"; the "cheek-bones" *together with the tongue are a reward* for the prayer *he offered,* as it is said, (Ps. CVI. 30) "Then stood up Phineas and prayed"; and the maw (קבה) *as a reward* for *his act described thus (Num. XXV. 8):* "[And he thrust both of them through, the man of Israel] and the woman in her stomach (קבתה) (Chul. 134b). **(4)** ראשית דגנך THE FIRST-FRUIT [ALSO] OF THY CORN ... [THOU SHALT GIVE HIM] — This refers to the heave-offering. Scripture, however, does not state any minimum quantity, but our Rabbis fixed a quantity for it *from a sixtieth to a fortieth:* a benevolent eye (a generous person) *gives* one fortieth *of the crop,* a niggard *at least* one sixtieth, a person of average generosity one fiftieth. They found a support in Scripture that one should not give less than one sixtieth, because it is said, (Ezek. XLV. 13) "[This is the heave-offering which ye shall offer:] the sixth part of an ephah of an homer of wheat". *Now* the sixth part of an ephah is a half Sea; if *therefore* you give half a Seah *as Terumah* from a Kor (which is another term for a Homer), that is a sixtieth part, for a Kor is thirty Seahs (Jer. Terumoth IV. 3). וראשית גז צאנך AND THE FIRST OF THE FLEECE OF THY FLOCK [SHALT THOU GIVE HIM] — *i.e.* each year when you sheer your sheep (not when you shear a particular animal for the first time) give the first of it (the wool) to the priest. Scripture mentions no minimum quantity for it, but our Rabbis assigned a quantity for it, *viz.,* one sixtieth *part.* And how many sheep *must there be in the flock that they should* come under the law of ראשית הגז (of "giving the first shearing as a gift to the priest")? *At least* five sheep, as it is said, (1 Sam. XXV. 18) "[Then Abigail made haste and ... took] five sheep ready dressed (עשוית)"[1]). [Rabbi Akiba says: *we may derive it from our text itself, as follows:* ראשית גז *suggests* two, צאנך *also*

NOTES

1) See Appendix.

רש"י

two, *together* four, תתן לו one, — altogether five] (Chul. 135a, 137a; Siphre). **(5)** לעמד לשרת TO STAND TO MINISTER — From here *we may derive the law* that the sacrificial service must be performed standing (Siphre; Sota 38a). **(6)** וכי יבא הלוי AND IF A LEVITE COME [... (7) AND MINISTER] — One might *think* that Scripture speaks of a "Levite" in the usual sense of the word (i. e. of a לוי and not of a כהן)! Scripture, however, *goes on to* state, (v. 7) "And he shall minister [in the name of the Lord]"; thus the Levites must be excluded for they are not fit for (not entitled to) service *in the Temple* (Siphre). ובא בכל אות נפשו ושרת AND COME WITH ALL THE LONGING OF HIS SOUL ... (7) AND MINISTER — This teaches that a priest may come and offer his free-will and obligatory sacrifices even *at a time* when a priestly rota *is in charge* to which he does not belong (B. Kam. 109b). Another explanation: It further[1]) teaches regarding priests who appear *in the Temple as pilgrims* on the festivals that they may offer [with the rota], and do the services connected with the sacrifices that are offered on account of the festival, as, for instance, the additional offerings due on festivals[2]) — although the rota is not theirs (Siphre; Succ. 55b). **(8)** חלק כחלק יאכלו THEY SHALL ENJOY LIKE PORTIONS — This teaches that they (the priests who come to Jerusalem on the festivals as pilgrims but are not in charge) participate in the hides (of the burnt offerings due on the festivals) and the flesh of the he-goats *brought as* sin-offerings *on account of the festivals.* One might *think* that *they participate* also in sacrifices which are offered not on account of the festivals, as, for instance, the continual burnt offerings, the additional offerings due on account of Sabbath (on which a festival happens to fall) and vow- and free-will offerings! Scripture, however, states לבד ממכריו על האבות [THEY SHALL ENJOY LIKE PORTIONS] EXCEPT THE SALE OF THE FATHERS — *i. e.* except those things which their ancestors sold *to each other* in the days of David and Samuel when the *system of* rotas was established and they made, *as it were*, an agreement of sale, saying, "Take thou *the ordinary priestly perquisites during* thy week and I shall take *them during* my week (Siphre; Succ. 56a). **(9)** לא תלמד לעשות THOU SHALT NOT LEARN TO DO [AFTER THE ABOMINATIONS OF THOSE NATIONS] — *thou shalt not learn to do*, but you may learn *their practices* in order to understand *them* and to teach *others*, that is to say, to understand their doings, how depraved

NOTES

1) See Appendix.

2) This is derived in Succ. 55b from the words מאחד שעריך מכל ישראל which are taken to mean "when all Israel enters one gate", i. e. one city, viz., Jerusalem, which takes place on the festivals.

רש״י

they are, and *thus to be able* to teach thy children, "Do not so and so because these are the religious observances of the heathens!" (Siphre; Sanh. 68a.) **(10)** מעביר בנו ובתו באש [THERE SHALL NOT BE FOUND AMONG YOU ANYONE] THAT MAKETH HIS SON OR HIS DAUGHTER TO PASS THROUGH THE FIRE — This was the *way of* worshipping Molech. They made two pyres, *one* on this side and *one* on the other (one opposite the other) and passed it (the child) between them (cf. Sanh. 64b). קסם קסמים ONE THAT USETH DIVINATION — What is a diviner? One who takes his stick in hand and says, (as though he were consulting it), "Shall I go, or shall I not go?" So does it state, (Hosh. IV. 12) "My people ask counsel of their stick, and their staff declareth unto them" (Siphre). מעונן — Rabbi Akiba said, Such are people who assign times (עונות plural of עונה "period", "time") — who say, "This time is auspicious to begin *some work*"; the Sages, however, say, *It refers to* those "who hold your eyes under control" (who delude by optical deception; they connect מעונן with עין "eye"). מנחש A SORCERER — *one who draws prognostications from the fact that* the bread fell from his mouth, *or that* a stag crossed his path, *or that* his stick fell from his hand (Siphre; Sanh. 65b; cf. Rashi on Lev. XIX. 26). **(11)** וחבר חבר OR A CHARMER — One who charms snakes or scorpions or other creatures into one spot (חבר = "an assembly"). ושאל אוב OR A CONSULTER OF *THE SPIRIT* אוב — This is a kind of sorcery *brought about by a spirit* whose name is פיתום (in Greek: πύθον) who speaks out of his (the charmer's) arm-pit, having raised a corpse beneath his arm-pit[1]). וידעני *is one* who puts a bone of an animal, the name of which is יָדוּעַ, into his mouth and the bone speaks by way of sorcery (Siphre; Sanh. 65a; cf. Rashi on Lev. XIX. 31 and Note thereon). ודרש אל המתים OR A NECROMANCER — as, for instance, one who raises *a corpse, placing it* on his genitals, or who consults a skull (Siphre; cf. Sanh. 65b). **(12)** כל עשה אלה [FOR] ALL THAT DO THESE THINGS [ARE AN ABOMINATION UNTO THE LORD] — it does not say, "he who does a l l these things", but "all who do these things" — *who do* even only one of them (Siphre; cf. Macc. 24a)[2]). **(13)** תמים תהיה עם ה׳ אלהיך THOU SHALT BE PERFECT WITH THE LORD THY GOD — walk before him whole-heartedly, put thy hope in H i m and do not attempt to investigate the future, but whatever it may be that comes upon

NOTES

1) We have translated this in accordance with Rashi's own explanation in Sanh. 65a.

2) Siphre states this, because the words immediately following: "because of t h e s e a b o m i n a t i o n s the Lord thy God dispossesses them before thee", might suggest that they are abominable only when a l l of them are done.

לְךָ יְהוָה אֱלֹהֶיךָ׃ טו נָבִיא מִקִּרְבְּךָ מֵאַחֶיךָ כָּמֹנִי יָקִים לְךָ יְהוָה אֱלֹהֶיךָ אֵלָיו תִּשְׁמָעוּן׃ טז כְּכֹל אֲשֶׁר־שָׁאַלְתָּ מֵעִם יְהוָה אֱלֹהֶיךָ בְּחֹרֵב בְּיוֹם הַקָּהָל לֵאמֹר לֹא אֹסֵף לִשְׁמֹעַ אֶת־קוֹל יְהוָה אֱלֹהָי וְאֶת־הָאֵשׁ הַגְּדֹלָה הַזֹּאת לֹא־אֶרְאֶה עוֹד וְלֹא אָמוּת׃ יז וַיֹּאמֶר יְהוָה אֵלָי הֵיטִיבוּ אֲשֶׁר דִּבֵּרוּ׃ יח נָבִיא אָקִים לָהֶם מִקֶּרֶב אֲחֵיהֶם כָּמוֹךָ וְנָתַתִּי דְבָרַי בְּפִיו וְדִבֶּר אֲלֵיהֶם אֵת כָּל־אֲשֶׁר אֲצַוֶּנּוּ׃ יט וְהָיָה הָאִישׁ אֲשֶׁר לֹא־יִשְׁמַע אֶל־דְּבָרַי אֲשֶׁר יְדַבֵּר בִּשְׁמִי אָנֹכִי אֶדְרֹשׁ מֵעִמּוֹ׃ כ אַךְ הַנָּבִיא אֲשֶׁר יָזִיד לְדַבֵּר דָּבָר בִּשְׁמִי אֵת אֲשֶׁר לֹא־צִוִּיתִיו לְדַבֵּר וַאֲשֶׁר יְדַבֵּר בְּשֵׁם אֱלֹהִים אֲחֵרִים וּמֵת הַנָּבִיא הַהוּא׃ כא וְכִי

אונקלוס

כֵּן יְהַב לָךְ יְיָ אֱלָהָךְ: טו נְבִיָּא מִבֵּינָךְ מֵאַחָיךְ כְּוָתִי יְקִים לָךְ יְיָ אֱלָהָךְ מִנֵּהּ תְּקַבְּלוּן: טז כְּכֹל דִּי שְׁאֶלְתָּא מִקֳּדָם יְיָ אֱלָהָךְ בְּחֹרֵב בְּיוֹמָא דִקְהָלָא לְמֵימַר לָא אוֹסֵף לְמִשְׁמַע יָת קָל מֵימְרָא דַּייָ אֱלָהִי וְיָת אִשָּׁתָא רַבְּתָא הָדָא לָא אֶחֱזֵי עוֹד וְלָא אֵמוּת: יז וַאֲמַר יְיָ לִי אַתְקִינוּ דִּי מַלִּילוּ: יח נְבִיָּא אֲקִים לְהוֹן מִגּוֹ אֲחֵיהוֹן כְּוָתָךְ וְאֶתֵּן פִּתְגָמֵי נְבוּאָתִי בְּפוּמֵהּ וִימַלֵּל עִמְּהוֹן יָת כָּל דִּי אֲפַקְּדִנֵּהּ: יט וִיהֵי גַּבְרָא דִּי לָא יְקַבֵּל לְפִתְגָמַי דִּי יְמַלֵּל בִּשְׁמִי מֵימְרִי יִתְבַּע מִנֵּהּ: כ בְּרַם נְבִיָּא דִּי יַרְשַׁע לְמַלָּלָא פִתְגָמָא בִּשְׁמִי יָת דִּי לָא פַקֵּדְתֵּהּ לְמַלָּלָא וְדִי יְמַלֵּל בְּשׁוּם טָעֲוַת עַמְמַיָּא וְיִתְקְטֵל נְבִיָּא הַהוּא: כא וַאֲרֵי תֵימַר בְּלִבָּךְ אֶכְדֵּין נִדַּע יָת פִּתְגָמָא

רש"י

שֶׁיָּבֹא עָלֶיךָ קַבֵּל בִּתְמִימוּת וְאָז תִּהְיֶה עִמּוֹ וּלְחֶלְקוֹ: (יד) לא כן נתן לך ה' אלהיך. לִשְׁמוֹעַ אֶל מְעוֹנְנִים וְאֶל קוֹסְמִים, שֶׁהֲרֵי הִשְׁרָה שְׁכִינָה עַל הַנְּבִיאִים וְאוּרִים וְתֻמִּים: (טו) מקרבך מאחיך כמני. כְּמוֹ שֶׁאֲנִי מִקִּרְבְּךָ מֵאַחֶיךָ, יָקִים לְךָ תַּחְתַּי, וְכֵן מִנָּבִיא לְנָבִיא: (כ) אשר לא צויתיו לדבר. אֲבָל צִוִּיתִיו לַחֲבֵרוֹ: ואשר ידבר בשם אלהים אחרים. אֲפִילוּ כִּוֵּן אֶת הַהֲלָכָה לֶאֱסוֹר אֶת הָאָסוּר וּלְהַתִּיר אֶת הַמֻּתָּר (סנה' פ"ט): ומת. בְּחֶנֶק. ג' מִיתָתָן בִּידֵי אָדָם – הַמִּתְנַבֵּא מַה שֶּׁלֹּא שָׁמַע, וּמַה שֶּׁלֹּא נֶאֱמַר לוֹ וְנֶאֱמַר לַחֲבֵרוֹ, וְהַמִּתְנַבֵּא בְּשֵׁם ע"ז, אֲבָל הַכּוֹבֵשׁ אֶת נְבוּאָתוֹ וְהָעוֹבֵר עַל דִּבְרֵי נָבִיא וְהָעוֹבֵר עַל דִּבְרֵי עַצְמוֹ מִיתָתָן בִּידֵי שָׁמַיִם, שֶׁנֶּאֱמַר (פסוק י"ט) אָנֹכִי אֶדְרֹשׁ מֵעִמּוֹ (סנה' פ"ט):

the Eternal thy God hath not suffered thee so *to do*. [15]The Eternal thy God will raise up unto thee a Prophet from the midst of thee, of thy brethren, like unto me; unto him ye shall hearken; [16]According to all that thou desiredst of the Eternal thy God in Horeb in the day of the assembly, saying, Let me not continue to hear the voice of the Eternal my God, neither let me see this great fire any more, that I die not. [17]And the Eternal said unto me, They have well *spoken that* which they have spoken. [18]I will raise them up a Prophet from among their brethren, like unto thee, and will put my words in his mouth; and he shall speak unto them all that I shall command him. [19]And it shall come to pass, *that* whosoever will not hearken unto my words which he shall speak in my name, I will require *it* of him. [20]But the prophet who shall presume to speak a word in my name which I have not commanded him to speak, or that shall speak in the name of other gods, even that prophet shall die. [21]And if

רש"י

thee accept it whole-heartedly, and then thou shalt be with Him and become His portion[1]). **(14)** **לא כן נתן לך ה' אלהיך** BUT NOT SO HATH THE LORD THY GOD SUFFERED THEE *[TO DO]* — *i. e.* to hearken unto מעוננים and קוסמים, for you see, He has made His Divine Presence dwell upon the prophets and upon the "Urim and Thummim" (and these will, if necessary, inform thee of what God has in store for thee)[2]). **(15)** **מקרבך מאחיך כמני** [THE LORD THY GOD WILL RAISE UP UNTO THEE A PROPHET] FROM THE MIDST OF THEE, OF THY BRETHREN, LIKE UNTO ME — *This means:* One who is as I am, from your midst, of your brethren[3]), יקים לך WILL HE RAISE UP UNTO THEE in my stead, and so likewise from prophet to prophet *throughout all ages*[4]). **(20)** **אשר לא צויתיו לדבר** [BUT THE PROPHET WHO SHALL PRESUME TO SPEAK A WORD ...] WHICH I HAVE NOT COMMANDED HIM TO SPEAK — but which I may have commanded his fellow-prophet to speak[5]), ואשר ידבר בשם אלהים אחרים OR THAT SHALL SPEAK IN THE NAME OF OTHER GODS — even though he be in exact agreement with the Halacha, — that he forbids what is forbidden, or permits what is permitted, *but does so in the name of other gods* (Sanh. 89a), ומת HE SHALL DIE — by strangulation. — There are three *false prophets* who must be put to death by man (by the court): one who prophesies something which he has not heard (was not commanded to prophesy); *one who prophesies* something that was not spoken unto him but was spoken unto his fellow-prophet, and *finally* one who prophesies in the name of an idol. But he who suppresses his prophecy (does not utter it as commanded to do), and he who transgresses the words of a prophet, or, *being himself a prophet*, transgresses his own words — their death is by the Heavenly *Judge*, for it is said, (v. 19) "I" will require it from him" (Sanh. 89a)[6]).

NOTES

1) According to this comment the translation is: "If thou art whole-hearted, thou wilt be with the Lord thy God." For the connection between תמים and being with God, compare Gen. VI. 9: נח איש צדיק תמים ... את האלהים התהלך נח.

2) Rashi connects vv. 13, 14 and 15 thus: Thou shalt be whole-hearted with God, not seeking to know the future by enquiring of diviners, etc. For this is the way of other peoples, but God has not permitted thee to do this, for He will raise up a line of prophets from whom thou mayest make enquiry.

3) The word כמני is not to be connected with נביא (a prophet like me, i. e. my equal in prophetic power), for Scripture states, (Deut. XXXIV. 10) "And there arose not a prophet since in Israel like unto Moses". It is to be connected with מקרבך מאחיך, — the prophet whom God will raise up, from whom you are to enquire, will, like myself, be of Israelitish birth.

For Notes 4—6 see Appendix.

תֹאמַר בִּלְבָבֶךָ אֵיכָה נֵדַע אֶת־הַדָּבָר אֲשֶׁר לֹא־
דִבְּרוֹ יְהוָה׃ כב אֲשֶׁר יְדַבֵּר הַנָּבִיא בְּשֵׁם יְהוָה וְלֹא־
יִהְיֶה הַדָּבָר וְלֹא יָבֹא הוּא הַדָּבָר אֲשֶׁר לֹא־דִבְּרוֹ
יְהוָה בְּזָדוֹן דִּבְּרוֹ הַנָּבִיא לֹא תָגוּר מִמֶּנּוּ׃ ס
יט א כִּי־יַכְרִית יְהוָה אֱלֹהֶיךָ אֶת־הַגּוֹיִם אֲשֶׁר יְהוָה
אֱלֹהֶיךָ נֹתֵן לְךָ אֶת־אַרְצָם וִירִשְׁתָּם וְיָשַׁבְתָּ
בְעָרֵיהֶם וּבְבָתֵּיהֶם׃ ב שָׁלוֹשׁ עָרִים תַּבְדִּיל לָךְ בְּתוֹךְ
אַרְצְךָ אֲשֶׁר יְהוָה אֱלֹהֶיךָ נֹתֵן לְךָ לְרִשְׁתָּהּ׃ ג תָּכִין
לְךָ הַדֶּרֶךְ וְשִׁלַּשְׁתָּ אֶת־גְּבוּל אַרְצְךָ אֲשֶׁר יַנְחִילְךָ
יְהוָה אֱלֹהֶיךָ וְהָיָה לָנוּס שָׁמָּה כָּל־רֹצֵחַ׃ ד וְזֶה דְּבַר
הָרֹצֵחַ אֲשֶׁר־יָנוּס שָׁמָּה וָחָי אֲשֶׁר יַכֶּה אֶת־רֵעֵהוּ

אונקלוס

דִּי לָא מַלְּלֵהּ יְיָ׃ כב דִּי יְמַלֵּל נְבִיָּא בִּשְׁמָא דַּייָ וְלָא יְהֵי פִּתְגָמָא וְלָא יִתְקַיַּם
הוּא פִּתְגָמָא דִּי לָא מַלְּלֵהּ יְיָ בִּרְשַׁע מַלְּלֵהּ נְבִיָּא לָא תִדְחַל מִנֵּהּ׃ א אֲרֵי יְשֵׁצֵי
יְיָ אֱלָהָךְ יָת עַמְמַיָּא דִּי יְיָ אֱלָהָךְ יָהֵב לָךְ יָת אַרְעֲהוֹן וְתֵירְתִנּוּן וְתֵיתֵב בְּקִרְוֵיהוֹן
וּבְבָתֵּיהוֹן׃ ב תְּלָת קִרְוִין תַּפְרֵשׁ לָךְ בְּגוֹ אַרְעָךְ דִּי יְיָ אֱלָהָךְ יָהֵב לָךְ לְמֵירְתַהּ׃
ג תַּתְקֵין לָךְ אָרְחָא וּתְתַלֵּת יָת תְּחוּם אַרְעָךְ דִּי יַחְסְנִנָּךְ יְיָ אֱלָהָךְ וִיהֵי לְמֵיעְרוֹק
תַּמָּן כָּל קָטוֹלָא׃ ד וְדֵין פִּתְגָם קָטוֹלָא דְּיֵעְרוֹק תַּמָּן וְיִתְקַיַּם דִּי יִקְטוֹל יָת חַבְרֵהּ

רש"י

(כא) וכי תאמר בלבבך. עֲתִידִין אַתֶּם לוֹמַר כְּשֶׁיָּבֹא חֲנַנְיָה בֶּן עַזּוּר וּמִתְנַבֵּא הִנֵּה כְלֵי
בֵית ה' מוּשָׁבִים מִבָּבֶלָה עַתָּה מְהֵרָה (יר' כ"ז), וְיִרְמְיָהוּ עוֹמֵד וְצוֹוֵחַ אֶל הָעַמּוּדִים וְעַל
הַיָּם וְעַל יֶתֶר הַכֵּלִים שֶׁלֹּא גָלוּ עִם יְכָנְיָה, בָּבֶלָה יוּבָאוּ עִם גָּלוּת צִדְקִיָּהוּ (שם):
(כב) אשר ידבר הנביא. וְיֹאמַר דָּבָר זֶה עָתִיד לָבוֹא עֲלֵיכֶם וְתִרְאוּ שֶׁלֹּא יָבוֹא, הוּא
הדבר אשר לא דברו ה' וַהֲרוֹג אוֹתוֹ. וְאִם תֹּאמַר זוֹ בְּמִתְנַבֵּא עַל הָעֲתִידוֹת, הֲרֵי שֶׁבָּא
וְאָמַר עֲשׂוּ כָךְ וְכָךְ, וּמִפִּי הַקָּבָּ"ה אֲנִי אוֹמֵר?! כְּבָר נִצְטַוּוּ שֶׁאִם בָּא לְהַדִּיחֲךָ מֵאַחַת מִכָּל
הַמִּצְוֹת לא תשמע לו (דב' י"ג) אֶלָּא אִם כֵּן מוּמְחֶה הוּא לְךָ שֶׁהוּא צַדִּיק גָּמוּר, כְּגוֹן
אֵלִיָּהוּ בְּהַר הַכַּרְמֶל שֶׁהִקְרִיב בְּבָמָה בִּשְׁעַת אִסּוּר הַבָּמוֹת, כְּדֵי לִגְדּוֹר אֶת יִשְׂרָאֵל הַכֹּל
לְפִי צוֹרֶךְ שָׁעָה וּסְיָג הַפִּרְצָה, לְכָךְ נֶאֱמַר (פסוק ט"ו) אֵלָיו תִּשְׁמָעוּן (סנה' פ"ט): לא תגור
ממנו. לֹא תִמָּנַע עַצְמְךָ מִלְּלַמֵּד עָלָיו חוֹבָה (ספרי) וְלֹא תִירָא לֵעָנֵשׁ עָלָיו:
יט (ג) תכין לך הדרך. "מִקְלָט" "מִקְלָט" הָיָה כָּתוּב עַל פָּרָשַׁת דְּרָכִים (מכות י'):
ושלשת את גבול ארצך. שֶׁיְּהֵא מִתְּחִלַּת הַגְּבוּל עַד הָעִיר הָרִאשׁוֹנָה שֶׁל עָרֵי מִקְלָט

thou say in thine heart, How shall we know the word which the Eternal hath not spoken? [22]When a prophet speaketh in the name of the Eternal, if the thing follow not, nor come to pass, that *is* the thing which the Eternal hath not spoken, *but* the prophet hath spoken presumptuously: thou shalt not be afraid of him.

19. [1]When the Eternal thy God hath cut off the nations, whose land the Eternal thy God giveth thee, and thou inheritest them, and abidest in their cities, and in their houses; [2]Thou shalt separate three cities for thee in the midst of thy land, which the Eternal thy God giveth thee to possess it. [3]Thou shalt prepare thee a way, and divide the boundaries of thy land, which the Eternal thy God giveth thee to inherit, into three parts, that every slayer may flee thither. [4]And this is the case of the slayer who shall flee thither, that he may live. Whoso smiteth his fellow

רש"י

(21) וכי תאמר בלבבך AND IF THOU SAY IN THINE HEART [HOW SHALL WE KNOW THE WORD WHICH THE LORD HATH NOT SPOKEN]? — you will[1]) once ask this — when Hananiah the son of Azur (the false prophet) comes and prophesies (Jer. XXVII. 16) "Behold, the vessels of the Lord's house will now shortly be brought again from Babylon", whilst Jeremiah (the true prophet) stands and proclaims (ib. XXVII. 19—22) "concerning the pillars, and concerning the laver, and concerning the bases, and concerning the residue of the vessels [which remain in this city which Nebuchadnezzar king of Babylon took not, . . .]" which did not go into exile to Babylon with Jeconiah, *king of Judah*, "they shall be carried to Babylon [and there they shall remain]" together with Zedekiah when he will go into exile (Siphre)[2]). **(22)** אשר ידבר הנביא WHEN THE PROPHET SPEAKETH [IN THE NAME OF THE LORD] and says, "This thing will once happen to you", and you will see that it did not happen, הוא הדבר אשר לא דברו ה' THAT IS THE THING WHICH THE LORD HATH NOT SPOKEN — and, *therefore*, slay him. If, however, you say, "But this refers to one who will prophesy about the future. But suppose one comes and says, 'Do so and so, and I say this by the command of the Holy One blessed be He'? *How, then, can we know whether God has spoken this or not?*" *The reply is: As regards such a case* they have already been commanded that if one comes to thrust thee away from one of the *divine* commandments, לא תשמע לו "then thou shalt not hearken unto him" (XIII. 12) except it had been experienced by you that he is a perfectly righteous man, as, for instance, Elijah *at the incident* on Mount Carmel, who offered sacrifices on a Bamah (an improvised altar) at a time when *offering on* Bamoth was forbidden, *but who did so* in order to fence Israel in *against idolatry*. *Thus* all *depends* on the needs of the time and *the necessity of* taking preventive measures (סיג) against a breach. With reference to such a case it states, (v. 15) "unto him ye shall hearken" (Sanh. 89b; Jeb. 90b). לא תגור ממנו THOU SHALT NOT BE AFRAID OF HIM — *i.e.* do not refrain from advocating his guilt (Siphre) and do not fear that you may incur punishment on his account (because you have contributed to his death)[3]).

19. (3) תכין לך הדרך THOU SHALT PREPARE THEE A WAY — "Refuge!" „Refuge!" was inscribed at each crossroad (to point the way to the nearest such city) (Macc. 10b). ושלשת את גבול ארצך AND THOU SHALT DIVIDE THE TERRITORY OF THY LAND . . . INTO THREE PARTS — so that from the point where the boundary begins unto the first city of refuge there should be the same length of journey as there is from it to the second *city;* and that there should be the same *distance* from the second to the third and from the third to

NOTES

For Notes 1—3 see Appendix.

בִּבְלִי־דַעַת וְהוּא לֹא־שֹׂנֵא לוֹ מִתְּמֹל שִׁלְשֹׁם: ה וַאֲשֶׁר יָבֹא אֶת־רֵעֵהוּ בַיַּעַר לַחְטֹב עֵצִים וְנִדְּחָה יָדוֹ בַגַּרְזֶן לִכְרֹת הָעֵץ וְנָשַׁל הַבַּרְזֶל מִן־הָעֵץ וּמָצָא אֶת־רֵעֵהוּ וָמֵת הוּא יָנוּס אֶל־אַחַת הֶעָרִים־הָאֵלֶּה וָחָי: ו פֶּן־יִרְדֹּף גֹּאֵל הַדָּם אַחֲרֵי הָרֹצֵחַ כִּי יֵחַם לְבָבוֹ וְהִשִּׂיגוֹ כִּי־יִרְבֶּה הַדֶּרֶךְ וְהִכָּהוּ נָפֶשׁ וְלוֹ אֵין מִשְׁפַּט־מָוֶת כִּי לֹא שֹׂנֵא הוּא לוֹ מִתְּמוֹל שִׁלְשׁוֹם: ז עַל־כֵּן אָנֹכִי מְצַוְּךָ לֵאמֹר שָׁלֹשׁ עָרִים תַּבְדִּיל לָךְ: ח וְאִם־יַרְחִיב יְהוָה אֱלֹהֶיךָ אֶת־גְּבֻלְךָ כַּאֲשֶׁר נִשְׁבַּע לַאֲבֹתֶיךָ וְנָתַן לְךָ אֶת־כָּל־הָאָרֶץ אֲשֶׁר דִּבֶּר לָתֵת לַאֲבֹתֶיךָ: ט כִּי־תִשְׁמֹר אֶת־כָּל־הַמִּצְוָה הַזֹּאת לַעֲשֹׂתָהּ אֲשֶׁר אָנֹכִי מְצַוְּךָ הַיּוֹם לְאַהֲבָה אֶת־יְהוָה

אונקלוס

בְּלָא מַנְדְּעֵהּ וְהוּא לָא סָנֵי לֵהּ מֵאִתְמַלֵּי וּמִדְּקַמּוֹהִי: ה וְדִי יֵעוּל עִם חַבְרֵהּ בְּחֻרְשָׁא לְמִקַּץ אָעִין וְתִתְמְרֵיג יְדֵהּ בְּגַרְזְנָא לְמִקַּץ אָעָא וְיִשְׁתְּלִף פַּרְזְלָא מִן אָעָא וְיִשְׁכַּח יָת חַבְרֵהּ וִימוּת הוּא יֵעֲרוֹק לַחֲדָא מִן קִרְוַיָּא הָאִלֵּין וְיִתְקַיַּם: י דִּילְמָא יִרְדּוֹף גָּאֵל דְּמָא בָּתַר קָטוֹלָא אֲרֵי יֵחַם לִבֵּהּ וְיִדְבְּקִנֵּהּ אֲרֵי יִסְגֵּי אָרְחָא וְיִקְטְלִנֵּהּ נְפַשׁ וְלֵהּ לֵית חוֹבַת דִּין דִּקְטוֹל אֲרֵי לָא סָנֵי הוּא לֵהּ מִתְּמַלֵּי מִדְּקַמּוֹהִי: ז עַל כֵּן אֲנָא מְפַקֵּדָךְ לְמֵימַר תְּלָת קִרְוִין תַּפְרֵשׁ לָךְ: ח וְאִם יַפְתֵּי יְיָ אֱלָהָךְ יָת תְּחוּמָךְ כְּמָא דִּי קַיֵּים לַאֲבָהָתָךְ וְיִתֵּן לָךְ יָת כָּל אַרְעָא דִּי מַלֵּיל לְמִתַּן לַאֲבָהָתָךְ: ט אֲרֵי תִטַּר יָת כָּל תַּפְקֵדְתָּא הָדָא לְמֶעְבְּדַהּ דִּי אֲנָא מְפַקֵּדָךְ יוֹמָא דֵין לְמִרְחַם יָת יְיָ

רש״י

כְּשִׁיעוּר מַהֲלָךְ שֶׁיֵּשׁ מִמָּנָּה עַד הַשְּׁנִיָּה וְכֵן מִשְּׁנִיָּה לַשְּׁלִישִׁית וְכֵן מִן הַשְּׁלִישִׁית עַד הַגְּבוּל הַשֵּׁנִי שֶׁל אֶרֶץ יִשְׂרָאֵל (שם ט׳): (ה) ונדחה ידו. כְּשֶׁבָּא לְהַפִּיל הַגַּרְזֶן עַל הָעֵץ, וְתַרְגּוּמוֹ וְתִתְמְרֵיג יְדֵהּ, לְשׁוֹן וְנִשְׁמְטָה יָדוֹ לְהַפִּיל מַכַּת הַגַּרְזֶן עַל הָעֵץ, כִּי שָׁמְטוּ הַבָּקָר (ש״ב ו׳) תִּרְגֵּם יוֹנָתָן אֲרֵי מַרְגוּהִי תּוֹרַיָּא: ונשל הברזל מן העץ. יֵשׁ מֵרַבּוֹתֵינוּ אוֹמְרִים נִשְׁמַט הַבַּרְזֶל מִקַּתּוֹ, וְיֵשׁ מֵהֶם אוֹמְרִים שֶׁיִּשֵּׁל הַבַּרְזֶל חֲתִיכָה מִן הָעֵץ הַמִּתְבַּקֵּעַ וְהִיא נִתְּזָה וְהָרְגָה (מכ׳ ז׳): (ו) פן ירדף גאל הדם. לְכָךְ אֲנִי אוֹמֵר לְהָכִין לְךָ דֶּרֶךְ וְעָרֵי מִקְלָט רַבִּים: (ח) ואם ירחיב, כאשר נשבע. לָתֵת לְךָ אֶרֶץ קֵינִי וּקְנִזִּי וְקַדְמוֹנִי: (ט) ויספת לך עוד

to death ignorantly, whom he hated not in time past; [5]As when a man goeth into the wood with his neighbour to hew wood, and his hand fetcheth a stroke with the axe to cut down the tree, and the iron slippeth from the helve, and lighteth upon his fellow, that he die; he shall flee unto one of those cities, and live: [6]Lest the avenger of the blood pursue the slayer, while his heart is hot, and overtake him, because the way is long, and smite him to death; whereas he *was* not worthy of death, inasmuch as he hated him not in time past. [7]Wherefore I command thee, saying, Thou shalt separate three cities for thee. [8]And if the Eternal thy God enlarge thy boundary, as he hath sworn unto thy fathers, and give thee all the land which he promised to give unto thy fathers; [9]If thou shalt keep all these commandments to do them, which I command thee this day, to love the Eternal

רש"י

the other (opposite) boundary of the Land of Israel (ib. 9b)[1]). **(5)** ונדחה ידו AND HIS HAND MOVED (SLIPPED) when he was about to let the axe fall upon the tree. The Targum rendering is ותתמריג ידה, the meaning being, "his hand moved itself to let the stroke of the axe fall upon the tree". *The words* (2 Sam. VI. 6) כי שמטו הבקר are rendered in Targ. Jon. by: ארי מרגוהי תוריא "for the oxen moved it (the Ark)"[2]) ונשל הברזל מן העץ — Some of our Rabbis say *that this means* that the iron (axe) flew off from its handle (העץ); but some of them say *that it means* that the iron made a splinter of wood fall off from the tree which was being cleaved, and it sprang off and killed *him* (according to this explanation the word העץ in both cases refers to the tree) (Macc. 7b). **(6)** פן ירדף גאל הדם LEST THE AVENGER OF THE BLOOD PURSUE [THE SLAYER] — therefore I tell *you* to prepare the way for you and many cities of refuge[3]). **(8)** ואם ירחיב . . . כאשר נשבע AND IF [THE LORD THY GOD] ENLARGE [THY TERRITORY], AS HE HATH SWORN [UNTO THY FATHERS] to give thee the land of the Kenite, the Kenizzite and the Kadmonite, **(9)** ויספת לך עוד שלש THEN THOU SHALT ADD THREE [CITIES] MORE

NOTES

[1]) Cf. Rashi on Ex. XXVI. 26 and our Note thereon, p. 261.

For Notes 2—3 see Appendix.

אֱלֹהֶיךָ וְלָלֶכֶת בִּדְרָכָיו כָּל־הַיָּמִים וְיָסַפְתָּ לְךָ עוֹד שָׁלֹשׁ עָרִים עַל הַשָּׁלֹשׁ הָאֵלֶּה: י וְלֹא יִשָּׁפֵךְ דָּם נָקִי בְּקֶרֶב אַרְצְךָ אֲשֶׁר יְהוָה אֱלֹהֶיךָ נֹתֵן לְךָ נַחֲלָה וְהָיָה עָלֶיךָ דָּמִים: פ

יא וְכִי־יִהְיֶה אִישׁ שֹׂנֵא לְרֵעֵהוּ וְאָרַב לוֹ וְקָם עָלָיו וְהִכָּהוּ נֶפֶשׁ וָמֵת וְנָס אֶל־אַחַת הֶעָרִים הָאֵל: יב וְשָׁלְחוּ זִקְנֵי עִירוֹ וְלָקְחוּ אֹתוֹ מִשָּׁם וְנָתְנוּ אֹתוֹ בְּיַד גֹּאֵל הַדָּם וָמֵת: יג לֹא־תָחוֹס עֵינְךָ עָלָיו וּבִעַרְתָּ דַם־הַנָּקִי מִיִּשְׂרָאֵל וְטוֹב לָךְ: ס ששי יד לֹא תַסִּיג גְּבוּל רֵעֲךָ אֲשֶׁר גָּבְלוּ רִאשֹׁנִים בְּנַחֲלָתְךָ אֲשֶׁר תִּנְחַל בָּאָרֶץ אֲשֶׁר יְהוָה אֱלֹהֶיךָ נֹתֵן לְךָ לְרִשְׁתָּהּ: ס טו לֹא־יָקוּם עֵד אֶחָד בְּאִישׁ לְכָל־

אונקלוס

אֱלָהָךְ וּלְמֵהַךְ בְּאָרְחָן דְּתַקְנָן קֳדָמוֹהִי כָּל יוֹמַיָּא וְתוֹסֵף לָךְ עוֹד תְּלָת קִרְוִין עַל תְּלָת אִלֵּין: י וְלָא יִשְׁתְּפֵךְ דַּם זַכַּי בְּגוֹ אַרְעָךְ דִּי יְיָ אֱלָהָךְ יָהֵב לָךְ אַחְסָנָא וִיהֵי עֲלָךְ חוֹבַת דִּין דִּקְטוֹל: יא וַאֲרֵי יְהֵי גְּבַר סָנֵי לְחַבְרֵהּ וְיִכְמַן לֵהּ וִיקוּם עֲלוֹהִי וְיִקְטְלִנֵּהּ נְפַשׁ וִימוּת וְיֵעֲרוֹק לַחֲדָא מִן קִרְוַיָּא הָאִלֵּין: יב וְיִשְׁלְחוּן סָבֵי קַרְתֵּהּ וְיִדְבְּרוּן יָתֵהּ מִתַּמָּן וְיִמְסְרוּן יָתֵהּ בְּיַד גָּאֵל דְּמָא וִימוּת: יג לָא תְחוּס עֵינָךְ עֲלוֹהִי וּתְפַלֵּי אָשְׁדֵי דַּם זַכַּי מִיִּשְׂרָאֵל וְיִטַב לָךְ: יד לָא תְשַׁנֵּי תְּחוּמָא דְּחַבְרָךְ דִּי תְחִימוּ קַדְמָאֵי בְּאַחְסַנְתָּךְ דִּי תַחְסֵן בְּאַרְעָא דִּי יְיָ אֱלָהָךְ יָהֵב לָךְ לְמֵירְתַהּ:

רש"י

שלש. הֲרֵי תֵשַׁע, שָׁלֹשׁ שֶׁבְּעֵבֶר הַיַּרְדֵּן וְשָׁלֹשׁ שֶׁבְּאֶרֶץ כְּנַעַן וְשָׁלֹשׁ לֶעָתִיד לָבֹא (ספרי): (יא) וכי יהיה איש שנא לרעהו. עַל יְדֵי שִׂנְאָתוֹ הוּא בָא לִידֵי וארב לו, מִכָּאן אָמְרוּ עָבַר אָדָם עַל מִצְוָה קַלָּה, סוֹפוֹ לַעֲבוֹר עַל מִצְוָה חֲמוּרָה, לְפִי שֶׁעָבַר עַל לֹא תִשְׂנָא (ויק' י"ט), סוֹפוֹ לָבֹא לִידֵי שְׁפִיכוּת דָּמִים, לְכָךְ נֶאֱמַר וְכִי יִהְיֶה אִישׁ שֹׂנֵא לְרֵעֵהוּ וגו', שֶׁהָיָה לוֹ לִכְתּוֹב וְכִי יָקוּם אִישׁ וְאָרַב לְרֵעֵהוּ וְהִכָּהוּ נֶפֶשׁ (ספרי): (יג) לא תחוס עינך. שֶׁלֹּא תֹאמַר הָרִאשׁוֹן כְּבָר נֶהֱרַג, לָמָּה אָנוּ הוֹרְגִים אֶת זֶה וְנִמְצְאוּ שְׁנֵי יִשְׂרְאֵלִים הֲרוּגִים?! (שם): (יד) לא תסיג גבול. לְשׁוֹן נָסֹגוּ אָחוֹר (יש' מ"ב), שֶׁמַּחֲזִיר סִימַן חֲלוּקַּת הַקַּרְקַע לְאָחוֹר לְתוֹךְ שְׂדֵה חֲבֵרוֹ לְמַעַן הַרְחִיב אֶת שֶׁלּוֹ; וַהֲלֹא כְּבָר נֶאֱמַר לֹא תִגְזֹל (ויק' י"ט) מַה תַּלְמוּד לוֹמַר לֹא תַסִּיג? לִמֵּד עַל הָעוֹקֵר תְּחוּם חֲבֵרוֹ שֶׁעוֹבֵר בִּשְׁנֵי לָאוִין, יָכוֹל אַף בְּחוּצָה לָאָרֶץ, תַּ"ל בנחלתך אשר תנחל וגו', בְּאֶרֶץ יִשְׂרָאֵל עוֹבֵר בִּשְׁנֵי לָאוִין וּבְחוּצָה לָאָרֶץ אֵינוֹ עוֹבֵר אֶלָּא מִשּׁוּם לֹא תִגְזוֹל (ספרי): (טו) עד אחד. זֶה בָּנָה אָב — כָּל

thy God, and to walk ever in his ways; then shalt thou add three cities more for thee, besides these three; [10]That innocent blood be not shed in thy land which the Eternal thy God giveth thee *for* an inheritance, and *so* blood be upon thee. [11]But if any man hate his fellow, and lie in wait for him, and rise up against him, and smite him mortally that he die, and fleeth into one of these cities: [12]Then the elders of his city shall send and take him thence, and give him into the hand of the avenger of blood, that he may die. [13]Thine eye shall not pity him, but thou shalt put away *the guilt of* innocent blood from Israel, that it may go well with thee. [14]Thou shalt not remove thy fellow-*man's* landmark, which they of old time have set in thine inheritance, which thou shalt inherit in the land that the Eternal thy God giveth thee to possess it. [15]One witness shall not rise up against a man for any

רש״י

FOR THEE — Thus *you have* nine *altogether:* the three on the *east* side of the Jordan, the three in the land of Canaan and three *more* in the future to come *when God will enlarge thy territory* (Siphre). **(11)** וכי יהיה איש שנא לרעהו BUT IF A MAN HATE HIS FELLOW [AND LIE IN WAIT FOR HIM] — It is through his hatred that he comes to *such a point as to* "lie in wait for him". From here they (the Rabbis) derived *their statement:* If a man transgresses a light command he will in the end transgress a weighty command; — because he transgressed *the command* (Lev. XIX. 17) "Thou shalt not hate thy brother in thine heart", he will in the end come to *such a point as to* shed blood. It is for this reason that it is stated here, *apparently redundantly,* "but if a man hate his fellow [and lie in wait for him]", for it ought to have written *only:* "But if a man rise up and lie in wait for his fellow and smite him mortally" (Siphre). **(13)** לא תחום עינך THINE EYE SHALL NOT PITY [HIM] — *i.e.* that thou shalt not say, The first (the one) *person* has already been killed, why should we kill this also, so that two Israelites will be killed? (Siphre). **(14)** לא תסיג גבול THOU SHALT NOT REMOVE [THY FELLOW-MAN'S] LANDMARK — תסיג is of the same meaning as (Is. XLII. 17) "they are turned back (נסגו אחור)". *The meaning is,* that one moves the mark that shows the division of the land (i. e. the division between two adjoining fields) backwards into the field of his neighbour in order *thereby* to enlarge his own. — But does it not already state, (Lev. XIX. 13) "Thou shalt not rob", why, *then,* is it also commanded "Thou shalt not remove *the landmark*"? It teaches that one who obliterates his neighbour's border line transgresses t w o negative commands (לא תגזול and לא תסיג). One might *think that this is the case* also *if one does so* outside the Land *of Israel!* Scripture, however, states, "in thine inheritance which thou shalt inherit [i n t h e l a n d]"; — *thus* in the Land *of Israel* one *who does this* transgresses t w o negative commands, whilst outside the Land he transgresses only the command of לא תגזול (Siphre). **(15)** עד אחד ONE WITNESS [SHALL NOT RISE UP AGAINST A MAN FOR ANY INIQUITY] — This is the classic passage

עָוֺן וּלְכָל־חַטָּאת בְּכָל־חֵטְא אֲשֶׁר יֶחֱטָא עַל־פִּי ׀ שְׁנֵי עֵדִים אוֹ עַל־פִּי שְׁלֹשָׁה־עֵדִים יָקוּם דָּבָר׃ טז כִּי־יָקוּם עֵד־חָמָס בְּאִישׁ לַעֲנוֹת בּוֹ סָרָה׃ יז וְעָמְדוּ שְׁנֵי־הָאֲנָשִׁים אֲשֶׁר־לָהֶם הָרִיב לִפְנֵי יְהוָה לִפְנֵי הַכֹּהֲנִים וְהַשֹּׁפְטִים אֲשֶׁר יִהְיוּ בַּיָּמִים הָהֵם׃ יח וְדָרְשׁוּ הַשֹּׁפְטִים הֵיטֵב וְהִנֵּה עֵד־שֶׁקֶר הָעֵד שֶׁקֶר עָנָה בְאָחִיו׃ יט וַעֲשִׂיתֶם לוֹ כַּאֲשֶׁר זָמַם לַעֲשׂוֹת לְאָחִיו וּבִעַרְתָּ הָרָע מִקִּרְבֶּךָ׃ כ וְהַנִּשְׁאָרִים יִשְׁמְעוּ וְיִרָאוּ וְלֹא־יֹסִפוּ לַעֲשׂוֹת עוֹד כַּדָּבָר הָרָע

אונקלוס

טו לָא יְקוּם סָהִיד חַד בִּגְבַר לְכָל עֲוָיָן וּלְכָל חוֹבִין בְּכָל חוֹב דְּיֵחוֹב עַל מֵימַר תְּרֵין סָהֲדִין אוֹ עַל מֵימַר תְּלָתָא סָהֲדִין יִתְקַיַּם פִּתְגָּמָא׃ טז אֲרֵי יְקוּם סָהִיד שְׁקַר בִּגְבַר לְאַסְהָדָא בֵהּ סַטְיָא׃ יז וִיקוּמוּן תְּרֵין גֻּבְרִין דִּי לְהוֹן דִּינָא קֳדָם יְיָ קֳדָם כָּהֲנַיָּא וְדַיָּנַיָּא דִּי יְהוֹן בְּיוֹמַיָּא הָאִנּוּן׃ יח וְיִתְבְּעוּן דַּיָּנַיָּא יָאוּת וְהָא סָהִיד שְׁקַר סָהֲדָא שִׁקְרָא אַסְהֵד בַּאֲחוּהִי׃ יט וְתַעְבְּדוּן לֵהּ כְּמָא דִּי חֲשִׁיב לְמֶעְבַּד לַאֲחוּהִי וּתְפַלֵּי עָבֵד דְּבִישׁ מִבֵּינָךְ׃ כ וּדְיִשְׁתַּאֲרוּן יִשְׁמְעוּן וְיִדְחֲלוּן וְלָא יוֹסְפוּן

רש"י

עַד שֶׁבַּתּוֹרָה שְׁנַיִם אֶלָּא אִם כֵּן פֵּרַט לְךָ בּוֹ אֶחָד (סנה' ל'): **לכל עון ולכל חטאת.** לִהְיוֹת חֲבֵרוֹ נֶעֱנָשׁ עַל עֵדוּתוֹ, לֹא עוֹנֶשׁ גּוּף וְלֹא עוֹנֶשׁ מָמוֹן, אֲבָל קָם הוּא לִשְׁבוּעָה: אָמַר לַחֲבֵרוֹ תֵּן לִי מָנֶה שֶׁהִלְוִיתִיךָ, אָמַר לוֹ אֵין לְךָ בְּיָדִי כְּלוּם וְעֵד אֶחָד מֵעִיד שֶׁיֵּשׁ לוֹ, חַיָּב לְהִשָּׁבַע לוֹ (שבו' מ'): **על פי שני עדים.** וְלֹא שֶׁיִּכְתְּבוּ עֵדוּתָם בְּאִגֶּרֶת וְיִשְׁלְחוּ לְבֵית דִּין, וְלֹא שֶׁיַּעֲמוֹד תּוּרְגְּמָן בֵּין הָעֵדִים וּבֵין הַדַּיָּנִים (ספרי): **(טז) לענות בו סרה.** דָּבָר שֶׁאֵינוֹ, שֶׁהוּסַר הָעֵד הַזֶּה מִכָּל הָעֵדוּת הַזֹּאת. **כֵּיצַד? שֶׁאָמְרוּ** לָהֶם וַהֲלֹא עִמָּנוּ הֱיִיתֶם בְּאוֹתוֹ הַיּוֹם בְּמָקוֹם פְּלוֹנִי (מכות ה'): **(יז) ועמדו שני האנשים.** בְּעֵדִים הַכָּתוּב מְדַבֵּר וְלִמֵּד שֶׁאֵין עֵדוּת בְּנָשִׁים, וְלִמֵּד שֶׁצְּרִיכִין לְהָעִיד עֵדוּתָן מְעֻמָּד (שבועות ל'): **אשר להם הריב.** אֵלּוּ בַּעֲלֵי הַדִּין: **לפני ה'.** יְהֵי דוֹמֶה לָהֶם כְּאִלּוּ עוֹמְדִין לִפְנֵי הַמָּקוֹם, שֶׁנֶּאֱמַר (תה' פ"ב) בְּקֶרֶב אֱלֹהִים יִשְׁפֹּט (סנה' ו'): **אשר יהיו בימים ההם.** יִפְתָּח בְּדוֹרוֹ כִּשְׁמוּאֵל בְּדוֹרוֹ צָרִיךְ אַתָּה לִנְהוֹג בּוֹ כָּבוֹד: **(יח) ודרשו השפטים היטב.** עַל פִּי הַמְּזִימִּין אוֹתָם, שֶׁבּוֹדְקִים וְחוֹקְרִים אֶת הַבָּאִים לַהֲזִימָם בִּדְרִישָׁה וַחֲקִירָה: **והנה עד שקר העד.** כָּל מָקוֹם שֶׁנֶּאֱמַר עֵד בִּשְׁנַיִם הַכָּתוּב מְדַבֵּר: **(יט) כאשר זמם.** וְלֹא כַּאֲשֶׁר עָשָׂה, מִכַּאן אָמְרוּ הָרְגוּ אֵין נֶהֱרָגִין (מכות ה'): **לעשות לאחיו.** מַה תַּלְמוּד לוֹמַר לְאָחִיו? לִמֵּד עַל זוֹמְמֵי בַת כֹּהֵן נְשׂוּאָה שֶׁאֵינָן בִּשְׂרֵפָה אֶלָּא כְּמִיתַת הַבּוֹעֵל שֶׁהוּא בְּחֶנֶק, שֶׁנֶּאֱמַר (ויק' כ"א) הִיא בָּאֵשׁ תִּשָּׂרֵף — הִיא וְלֹא בּוֹעֲלָהּ, לְכָךְ נֶאֱמַר כָּאן לְאָחִיו, כַּאֲשֶׁר זָמַם לַעֲשׂוֹת לְאָחִיו, וְלֹא כַּאֲשֶׁר זָמַם לַעֲשׂוֹת לַאֲחוֹתוֹ, אֲבָל בְּכָל שְׁאָר מִיתוֹת הִשְׁוָה הַכָּתוּב אִשָּׁה לָאִישׁ וְזוֹמְמֵי אִשָּׁה נֶהֱרָגִין כְּזוֹמְמֵי אִישׁ, כְּגוֹן שֶׁהֱעִידוּהָ שֶׁהָרְגָה אֶת הַנֶּפֶשׁ, שֶׁחִלְּלָה אֶת הַשַּׁבָּת, נֶהֱרָגִין כְּמִיתָתָהּ, שֶׁלֹּא מִעֵט כָּאן אֲחוֹתוֹ אֶלָּא בְּמָקוֹם שֶׁיֵּשׁ לְקַיֵּם בָּהֶן הֲזָמָה

iniquity, or for any sin, in any sin that he sinneth: at the mouth of two witnessess, or at the mouth of three witnessess, shall the matter be established. [16]If a witness for violence rise up against any man, to testify against him *that which is* wrong; [17]Then both the men, between whom the strife *is*, shall stand before the Eternal, before the priests and the judges who shall be in those days; [18]And the judges shall diligently inquire: and, behold, *if* the witness *be* a false witness, *and* testified falsely against his brother; [19]Then shall ye do unto him as he had intended to have done unto his brother: so shalt thou put the evil away from among you. [20]And those who remain shall hear, and fear, and shall henceforth commit no more any such evil thing

רש״י

from which the general principle is derived that wherever *the term* "witness" (עד) occurs in the Torah, *it means* two *witnesses*, unless it specifically mentions in connection with it the word אחד (Sanh. 30a)[1]). לכל עון ולכל חטאת [ONE WITNESS SHALL NOT RISE UP AGAINST A PERSON] FOR ANY INIQUITY OR ANY SIN — *i. e.* that his fellow man should be punished on account of his evidence either by bodily punishment or by a monetary punishment; but he may rise up *against his fellow man* to *compel him to take* an oath. If, *for instance*, one says to his fellow, "Return me the Maneh which I lent thee", and he replies "I have nothing of thine in my possession", and one witness testifies that he has, he (the defendant) must take an oath to satisfy him (Shebuoth 40a; cf. Siphre). על פי שני עדים [AT THE MOUTH OF TWO WITNESSES ... SHALL THE MATTER BE ESTABLISHED] — *at their mouth*, but not that they may write their evidence down in a letter and send it to the court, nor that an interpreter stand between the witnesses and the judges (Siphre). **(16)** לענות בו סרה [IF A WITNESS FOR VIOLENCE RISE UP AGAINST A MAN] TO TESTIFY AGAINST HIM סרה — *i. e.* a thing which does not exist at all; *this term is used* because this witness is far removed (הוסר) from *having anything to do with* this evidence. How *is this?* (Give an example of such a case)! That two other witnesses say, "But were you not with us on that day (when you say you saw the defendant committing this crime) in such and such a place (different from that where the alleged crime, according to you, has taken place)?!" (Macc. 5a). **(17)** ועמדו שני האנשים THEN BOTH THE MEN ... SHALL STAND [BEFORE THE LORD] — Scripture here is referring to the witnesses,[2]) and teaches *firstly* that no evidence is valid when given by women, and teaches *secondly* that they (the witnesses) must give their evidence standing (Sheb. 30a; cf. Siphre). אשר להם הריב BETWEEN WHOM THE STRIFE IS — this refers to the contestants. לפני ה׳ BEFORE THE LORD — It should seem to them as though they are standing before the Omnipresent God, for it is said, (Ps. LXXXII. 1) "He (God) judges amongst the judges" (cf. Siphre; Sanh. 6b). אשר יהיו בימים ההם [AND THEY ... SHALL STAND BEFORE ... THE JUDGES] WHO SHALL BE IN THOSE DAYS — *The apparently redundant words "who shall be in those days" suggest:* Jephthah in his generation *must be regarded* as *was* Samuel in his generation: you must treat him with respect (cf. Rashi on XVII. 9 and XXVI. 3). **(18)** ודרשו השפטים היטב AND THE JUDGES SHALL DILIGENTLY ENQUIRE concerning the statement of those who assert them (the first witnesses) to be "plotting witnesses", in that they investigate and crossexamine those who assert them to be "plotting witnesses" by diligent enquiry and scrutiny. והנה עד שקר העד AND, BEHOLD, IF THE WITNESS BE A FALSE WITNESS — Wherever עד is written, *except if the numeral* אחד, *"one" is added* (cf. Rashi on v. 15), Scripture is speaking of two witnesses (Sanh. 30a)[3]).

NOTES

For Notes 1—3 see Appendix.

הַזֶּה בְּקִרְבֶּךָ: כא וְלֹא תָחוֹס עֵינֶךָ נֶפֶשׁ בְּנֶפֶשׁ עַיִן בְּעַיִן שֵׁן בְּשֵׁן יָד בְּיָד רֶגֶל בְּרָגֶל: ס כ א כִּי־תֵצֵא לַמִּלְחָמָה עַל־אֹיְבֶךָ וְרָאִיתָ סוּס וָרֶכֶב עַם רַב מִמְּךָ לֹא תִירָא מֵהֶם כִּי־יְהוָה אֱלֹהֶיךָ עִמָּךְ הַמַּעַלְךָ מֵאֶרֶץ מִצְרָיִם: ב וְהָיָה כְּקָרָבְכֶם אֶל־הַמִּלְחָמָה וְנִגַּשׁ הַכֹּהֵן וְדִבֶּר אֶל־הָעָם: ג וְאָמַר אֲלֵהֶם שְׁמַע יִשְׂרָאֵל אַתֶּם קְרֵבִים הַיּוֹם לַמִּלְחָמָה עַל־אֹיְבֵיכֶם אַל־יֵרַךְ לְבַבְכֶם אַל־תִּירְאוּ וְאַל־תַּחְפְּזוּ וְאַל־

אונקלוס

לְמֶעְבַּד עוֹד כְּפִתְגָּמָא בִישָׁא הָדֵין בֵּינָךְ: כא וְלָא תְחוּס עֵינָךְ נַפְשָׁא חֲלָף נַפְשָׁא עֵינָא חֲלָף עֵינָא שִׁנָּא חֲלָף שִׁנָּא יְדָא חֲלָף יְדָא רַגְלָא חֲלָף רַגְלָא: א אֲרֵי תִפּוֹק לַאֲגָחָא קְרָבָא עַל בַּעֲלֵי דְבָבָךְ וְתֶחֱזֵי סוּסָוָן וּרְתִכִּין עַם סַגִּי מִנָּךְ לָא תִדְחַל מִנְּהוֹן אֲרֵי יְיָ אֱלָהָךְ מֵימְרֵהּ בְּסַעֲדָךְ דְּאַסְּקָךְ מֵאַרְעָא דְמִצְרָיִם: ב וִיהֵי כְּמִקְרַבְכוֹן לַאֲגָחָא קְרָבָא וְיִתְקָרֵיב כַּהֲנָא וִימַלֵּל עִם עַמָּא: ג וְיֵימַר לְהוֹן שְׁמַע יִשְׂרָאֵל אַתּוּן קְרִיבִין יוֹמָא דֵין לַאֲגָחָא קְרָבָא עַל בַּעֲלֵי דְבָבֵיכוֹן לָא יְזוּעַ לִבְּכוֹן לָא תִדְחֲלוּן

רש"י

בְּמִיתַת הַבּוֹעֵל (ספרי; סנה' צ'): **(כ) ישמעו ויראו.** מִכָּאן שֶׁצְּרִיכִין הַכְרָזָה — אִישׁ פְּלוֹנִי וּפְלוֹנִי נֶהֱרָגִין עַל שֶׁהוּזְמוּ בְּבֵית דִּין (סנה' פ"ט): **(כא) עין בעין.** מָמוֹן, וְכֵן שֵׁן בְּשֵׁן וְגוֹ' (ספרי; ב"ק פ"ד):

כ (א) כי תצא למלחמה. סָמַךְ הַכָּתוּב יְצִיאַת מִלְחָמָה לְכָאן, לוֹמַר לְךָ שֶׁאֵין מְחֻסַּר אֵבֶר יוֹצֵא לַמִּלְחָמָה (עי' ספרי); דָּבָר אַחֵר, לוֹמַר לְךָ אִם עָשִׂיתָ מִשְׁפַּט צֶדֶק, אַתָּה מֻבְטָח שֶׁאִם תֵּצֵא לַמִּלְחָמָה אַתָּה נוֹצֵחַ, וְכֵן דָּוִד הוּא אוֹמֵר (תה' קי"ט) עָשִׂיתִי מִשְׁפָּט וָצֶדֶק בַּל תַּנִּיחֵנִי לְעֹשְׁקָי (תנח'): **על איבך.** יִהְיוּ בְּעֵינֶיךָ כְּאוֹיְבִים, אַל תְּרַחֵם עֲלֵיהֶם כִּי לֹא יְרַחֲמוּ עָלֶיךָ: **סוס ורכב.** בְּעֵינַי כֻּלָּם כְּסוּס אֶחָד, וְכֵן הוּא אוֹמֵר (שופ' ו') וְהִכִּיתָ אֶת מִדְיָן כְּאִישׁ אֶחָד, וְכֵן הוּא אוֹמֵר (שמ' ט"ו) כִּי בָא סוּס פַּרְעֹה (עי' ספרי): **עם רב ממך.** בְּעֵינֶיךָ הוּא רַב, אֲבָל בְּעֵינַי אֵינוֹ רַב (שם): **(ב) כקרבכם אל המלחמה.** סָמוּךְ לְצֵאתְכֶם מִן הַסְּפָר — מִגְּבוּל אַרְצְכֶם: **ונגש הכהן.** הַמָּשׁוּחַ לְכָךְ, וְהוּא הַנִּקְרָא „מְשׁוּחַ מִלְחָמָה": **ודבר אל העם.** בִּלְשׁוֹן הַקֹּדֶשׁ (סוטה מ"ב): **(ג) שמע ישראל.** אֲפִלּוּ אֵין בָּכֶם זְכוּת אֶלָּא קְרִיאַת שְׁמַע בִּלְבַד, כְּדַאי אַתֶּם שֶׁיּוֹשִׁיעַ אֶתְכֶם: **על איביכם.** אֵין אֵלּוּ אֲחֵיכֶם, שֶׁאִם תִּפְּלוּ בְיָדָם אֵינָם מְרַחֲמִים עֲלֵיכֶם, אֵין זוֹ כְּמִלְחֶמֶת יְהוּדָה עִם יִשְׂרָאֵל שֶׁנֶּאֱמַר (דהי"ב כ"ח) וַיָּקֻמוּ הָאֲנָשִׁים אֲשֶׁר נִקְּבוּ בְשֵׁמוֹת וַיַּחֲזִיקוּ בַשִּׁבְיָה וְכָל מַעֲרֻמֵּיהֶם הִלְבִּישׁוּ מִן הַשָּׁלָל וַיַּלְבִּשׁוּם וַיַּנְעִלוּם וַיַּאֲכִלוּם וַיַּשְׁקוּם וַיְסֻכוּם וַיְנַהֲלוּם בַּחֲמֹרִים לְכָל כּוֹשֵׁל וַיְבִיאוּם יְרֵחוֹ עִיר הַתְּמָרִים אֵצֶל אֲחֵיהֶם וַיָּשׁוּבוּ שֹׁמְרוֹן (דהי"ב ט"ו), אֶלָּא עַל אוֹיְבֵיכֶם אַתֶּם הוֹלְכִים, לְפִיכָךְ הִתְחַזְּקוּ לַמִּלְחָמָה (ספרי; סוטה מ"ב): **אל ירך לבבכם אל תיראו ואל תחפזו ואל תערצו.** אַרְבַּע אַזְהָרוֹת כְּנֶגֶד אַרְבָּעָה דְּבָרִים שֶׁמַּלְכֵי הָאֻמּוֹת עוֹשִׂים, מְגִיפִּין בִּתְרִיסֵיהֶם כְּדֵי לְהַקִּישָׁן זֶה לָזֶה כְּדֵי לְהַשְׁמִיעַ קוֹל שֶׁיַּחְפְּזוּ אֵלּוּ שֶׁכְּנֶגְדָּם וְיָנוּסוּ, וְרוֹמְסִים

among you. [21]And thine eye shall not pity; *but* soul *shall go* for soul, eye for eye, tooth for tooth, hand for hand, foot for foot.

20. [1]When thou goest out to war against thine enemies, and seest horses and chariots, *and* a people more than thou, be not afraid of them: for the Eternal thy God *is* with thee, who brought thee up out of the land of Egypt. [2]And it shall be, when ye are come nigh unto the battle, that the priest shall step nigh, and speak unto the people, [3]And shall say unto them, Hear, O Israel, You approach this day unto war against your enemies: let not your hearts faint; fear not, and hurry not precipitately, neither

רש"י

(19) כאשר זמם [THEN SHALL YE DO UNTO HIM] AS HE HAD INTENDED TO HAVE DONE [UNTO HIS BROTHER] — *as he had intended to do*, but not as he has done! Hence they (the Rabbis) stated *that* if they (the false witnesses) have *already* killed (i. e. if by their evidence the defendant has already been executed) they are not put to death (Macc. 5b). לעשות לאחיו [THEN SHALL YE DO UNTO HIM AS HE HAD INTENDED] TO HAVE DONE TO HIS BROTHER — What is the force of לאחיו? *Would it not have sufficed to state* כאשר זמם לעשות? *But* it teaches in regard to witnesses who have been proved to have "plotted" against a married daughter of a priest *by an accusation of adultery*, that they are not *to be punished* with burning (as would have been the punishment of the accused woman, if she had been found guilty), but with the death penalty to which the *alleged* adulterer would have been subject, which is strangulation. For it is said *of such a woman*, (Lev. XXI. 9) "she shall be burnt to death" — "she", but not her paramour (he is not burnt but strangled) — therefore it states here לאחיו, "unto his brother" — "[ye shall do unto him] as he had intended to have done to his brother" but not as he had intended to have done to his sister. *This case, however, is an exception*, but with regard to any other death penalties Scripture puts women on the same level with men, and *consequently* those who are proved to have "plotted" against a woman are made to suffer the same death penalty as those who are proved to have "plotted" against a man. For instance, they have testified against her that she killed a person, *or* that she desecrated the Sabbath, *then* they are made to suffer the death she would have suffered, for Scripture excludes here *by the word* אחיו *the "plotting" witnesses from the death penalty of* the sister (i. e. which the woman would have suffered) only because it is a case where the law regarding plotting witnesses can be applied to them by letting them suffer the death-penalty of the paramour (Siphre; Sanh. 90a). **(20)** ישמעו ויראו [AND THOSE WHO REMAIN] SHALL HEAR AND FEAR — From here we derive *the law* that a public announcement is required: "The men *named* so-and-so are to be executed because they have been convicted by the court as "plotting witnesses" (Sanh. 89a). **(21)** עין בעין EYE FOR EYE — *i. e.* monetary compensation; similarly also "tooth for tooth" etc. (Siphre; B. Kam. 87a; cf. also Rashi on Ex. XXI. 24).

20. (1) כי תצא למלחמה WHEN THOU GOEST OUT TO WAR — Scripture places the going out to war in juxtaposition to *this section* here (to עין בעין וכו׳) in order to tell you that no person lacking a limb goes out to war (cf. Siphre). Another explanation *of why these two sections are put in juxtaposition to each other:* it is to tell you that if you execute just judgment you may be confident that if you go to war you will be victorious. Similarly does David say, (Ps. CXIX. 121) "I have done judgement and justice; Thou wilt not leave me to my oppressors" (Tanch.). על איבך AGAINST THINE ENEMIES — Let them be in thine eyes as enemies: have no pity upon them, for they will have no pity upon thee. סוס ורכב [WHEN THOU GOEST TO WAR . . . AND SEEST] HORSES AND CHARIOTS (lit., horse and chariot) — in Mine eyes they are all as only one horse (i. e. they do not count). Similarly it states, (Judg. VI. 16) "[Surely "I" will be with thee,] and thou shalt smite the Midianites as one

תַּעַרְצוּ מִפְּנֵיהֶם: ד כִּי יְהוָה אֱלֹהֵיכֶם הַהֹלֵךְ עִמָּכֶם
לְהִלָּחֵם לָכֶם עִם־אֹיְבֵיכֶם לְהוֹשִׁיעַ אֶתְכֶם:
ה וְדִבְּרוּ הַשֹּׁטְרִים אֶל־הָעָם לֵאמֹר מִי־הָאִישׁ
אֲשֶׁר בָּנָה בַיִת־חָדָשׁ וְלֹא חֲנָכוֹ יֵלֵךְ וְיָשֹׁב לְבֵיתוֹ
פֶּן־יָמוּת בַּמִּלְחָמָה וְאִישׁ אַחֵר יַחְנְכֶנּוּ: ו וּמִי־הָאִישׁ
אֲשֶׁר נָטַע כֶּרֶם וְלֹא חִלְּלוֹ יֵלֵךְ וְיָשֹׁב לְבֵיתוֹ פֶּן־יָמוּת
בַּמִּלְחָמָה וְאִישׁ אַחֵר יְחַלְּלֶנּוּ: ז וּמִי־הָאִישׁ אֲשֶׁר
אֵרַשׂ אִשָּׁה וְלֹא לְקָחָהּ יֵלֵךְ וְיָשֹׁב לְבֵיתוֹ פֶּן־יָמוּת
בַּמִּלְחָמָה וְאִישׁ אַחֵר יִקָּחֶנָּה: ח וְיָסְפוּ הַשֹּׁטְרִים
לְדַבֵּר אֶל־הָעָם וְאָמְרוּ מִי־הָאִישׁ הַיָּרֵא וְרַךְ הַלֵּבָב
יֵלֵךְ וְיָשֹׁב לְבֵיתוֹ וְלֹא יִמַּס אֶת־לְבַב אֶחָיו כִּלְבָבוֹ:

אונקלוס

וְלָא תִתְבַּהֲתוּן וְלָא תִתַּבְרוּן מִקֳּדָמֵיהוֹן: ד אֲרֵי יְיָ אֱלָהֲכוֹן דִּמְדַבַּר קֳדָמֵיכוֹן
לַאֲגָחָא לְכוֹן קְרָב עִם בַּעֲלֵי דְבָבֵיכוֹן לְמִפְרַק יָתְכוֹן: ה וִימַלְּלוּן סָרְכַיָּא קֳדָם עַמָּא
לְמֵימַר מָן גַּבְרָא דִּי בְנָא בֵיתָא חַדְתָּא וְלָא חַנְכֵהּ יְהָךְ וִיתוּב לְבֵיתֵהּ דִּילְמָא
יְמוּת בִּקְרָבָא וּגְבַר אָחֳרָן יַחְנְכִנֵּהּ: ו וּמָן גַּבְרָא דִּי נְצִיב כַּרְמָא וְלָא אַחֲלֵהּ יְהָךְ
וִיתוּב לְבֵיתֵהּ דִּילְמָא יְמוּת בִּקְרָבָא וּגְבַר אָחֳרָן יְחַלְּנֵהּ: ז וּמָן גַּבְרָא דִּי אֲרַס
אִתְּתָא וְלָא נַסְבַהּ יְהָךְ וִיתוּב לְבֵיתֵהּ דִּילְמָא יְמוּת בִּקְרָבָא וּגְבַר אָחֳרָן יִסְּבִנַּהּ:
ח וְיוֹסְפוּן סָרְכַיָּא לְמַלָּלָא עִם עַמָּא וְיֵימְרוּן מָן גַּבְרָא דְּדָחֵל וּתְבִיר לִבָּא יְהָךְ

רש״י

בְּסוּסֵיהֶם וּמַצְהִילִין אוֹתָם לְהַשְׁמִיעַ קוֹל שַׁעֲטַת פַּרְסוֹת סוּסֵיהֶם, וְצוֹוְחִין בְּקוֹלָם, וְתוֹקְעִין
בְּשׁוֹפָרוֹת וּמִינֵי מַשְׁמִיעַ קוֹל. אל ירך לבבכם, מִצָּהֲלַת סוּסִים, אל תיראו, מֵהַגָּפַת
הַתְּרִיסִין, ואל תחפזו, מִקּוֹל הַקְּרָנוֹת, ואל תערצו, מִקּוֹל הַצְּוָחָה (שם): (ד) כי ה׳
אלהיכם וגו׳. הֵם בָּאִים בְּנִצְחוֹנוֹ שֶׁל בָּשָׂר וָדָם וְאַתֶּם בָּאִים בְּנִצְחוֹנוֹ שֶׁל מָקוֹם, פְּלִשְׁתִּים
בָּאוּ בְּנִצְחוֹנוֹ שֶׁל גָּלְיָת מַה הָיָה סוֹפוֹ? נָפַל וְנָפְלוּ עִמּוֹ: ההלך עמכם. זֶה מַחֲנֵה הָאָרוֹן
(סוטה מ״ב): (ה) ולא חנכו. לֹא דָר בּוֹ. חִנּוּךְ לְשׁוֹן הַתְחָלָה: ואיש אחר יחנכנו. וְדָבָר
שֶׁל עָגְמַת נֶפֶשׁ הוּא זֶה. (ו) ולא חללו. לֹא פְּדָאוֹ בַּשָּׁנָה הָרְבִיעִית, שֶׁהַפֵּרוֹת טְעוּנִין
לְאָכְלָן בִּירוּשָׁלַיִם אוֹ לְחַלְּלָן בְּדָמִים וְלֶאֱכוֹל הַדָּמִים בִּירוּשָׁלַיִם: (ז) פן ימות במלחמה.
יָשׁוּב פֶּן יָמוּת, שֶׁאִם לֹא יִשְׁמַע לְדִבְרֵי הַכֹּהֵן כְּדַאי הוּא שֶׁיָּמוּת (ספרי): (ח) ויספו
השטרים. לָמָּה נֶאֱמַר כָּאן ויספו? מוֹסִיפִין זֶה עַל דִּבְרֵי הַכֹּהֵן שֶׁהַכֹּהֵן מְדַבֵּר וּמַשְׁמִיעַ
מִן שמע ישראל עַד להושיע אתכם, ומי הָאִישׁ וְשֵׁנִי וּשְׁלִישִׁי כֹּהֵן מְדַבֵּר וְשׁוֹטֵר מַשְׁמִיעַ,
וְזֶה שׁוֹטֵר מְדַבֵּר וְשׁוֹטֵר מַשְׁמִיעַ (סוטה מ״ג): הירא ורך הלבב. רַבִּי עֲקִיבָא אוֹמֵר

be ye terrified because of them: [4]For the Eternal your God *is* he that goeth with you, to fight for you against your enemies, to save you. [5]And the bailiffs shall speak unto the people, saying, What man *is there* that hath built a new house, and hath not dedicated it? let him go and return to his house, lest he die in the war, and another man dedicate it. [6]And what man *is he* that hath planted a vineyard, and hath not *yet* eaten of it? let him *also* go and return unto his house, lest he die in the war, and another man eat of it. [7]And what man *is there* that hath betrothed a woman, and hath not taken her? let him go and return unto his house, lest he die in the war, and another man take her. [8]And the bailiffs shall speak further unto the people, and they shall say, What man *is there that is* fearful and faint-hearted? let him go and return unto his house, lest his brethren's heart faint as well as his heart.

רש"י

man". And similarly it states, (Ex. XV. 19) "For the horse (not the horses) of Pharaoh came [into the sea]" (cf. Siphre). עם רב ממך [WHEN THOU GOEST OUT TO WAR ... AND SEEST] PEOPLE MORE THAN THOU (or, as it may be translated: PEOPLE, NUMEROUS FROM THY POINT OF VIEW) — in thine eyes they may appear to be numerous but in Mine eyes they are not numerous (cf. Siphre). **(2)** כקרבכם אל המלחמה [IT SHALL BE] WHEN YE COME NIGH UNTO THE BATTLE, [THAT THE PRIEST ... SHALL SPEAK] — *i.e.* when ye are on the point of leaving the ספר — the boundary of your land (Siphre)[1]). ונגש הכהן AND "THE" PRIEST SHALL STEP NIGH [AND SPEAK] — *"the" priest means,* he who has been anointed for that purpose; it is the one who is termed *in the Talmud* משוח מלחמה, "the priest anointed for war". ודבר אל העם AND HE SHALL SPEAK UNTO THE PEOPLE — in the Holy Language (Sota 42a)[2]). **(3)** שמע ישראל [AND HE SHALL SAY UNTO THEM] HEAR O ISRAEL — Even though you have no other merit than the *fulfilment of the command of* "Reading the Shema" you would deserve that He should help you (ib.). על איבכם [YE APPROACH THIS DAY UNTO WAR] AGAINST YOUR ENEMIES — *By these apparently redundant words the priest says, as it were:* Remember that these are not your b r e t h r e n, and if you will fall into their hands they will have no pity on you; — it is not like the war of Judah against Israel of which it states, (2 Chron. XXVIII. 15) "And the men which were expressed by name rose up, and took the captives, and with the spoil clothed all that were naked among them, and arrayed them, and shod them, and gave them to eat and to drink, and anointed them, and carried all the feeble of them upon asses, and brought them to Jericho, the city of the palm trees, to their brethren: they returned to Samaria" — it is your e n e m i e s against whom you march, therefore show yourselves strong for the battle (Siphre; Sota 42a). אל ירך לבבכם אל תיראו ואל תחפזו ואל תערצו LET NOT YOUR HEARTS FAINT; FEAR NOT, AND HURRY NOT PRECIPITATELY, NEITHER BE TERRIFIED BECAUSE OF THEM — *These are* four admonitions corresponding to four things which the kings of the nations do *in battle:* they bring their shields close together in order to strike them one against the other and *thereby* make a *loud* noise so that their opponents should fly precipitately; they trample the ground heavily with their horses — and make them neigh — in order to make a noise through the beating of their horses' hoofs; they *themselves* shout aloud and blow trumpets and other noisy instruments. אל ירך לבבכם LET NOT YOUR HEARTS FAINT — through the neighing of the horses, אל תיראו FEAR NOT from *the noise made by* the clashing of the shields, ואל תחפזו AND HURRY NOT PRECIPITATELY at the sounds of the trumpets, ואל תערצו NEITHER BE TERRIFIED by the noise of the shouting (Siphre; Sota 42a, b). **(4)** כי ה' אלהיכם וגו' FOR THE LORD YOUR GOD [IS HE WHO GOETH WITH YOU] — T h e y come *to war relying* on the conquering strength of human beings (lit., flesh and

NOTES

For Notes 1—2 see Appendix.

י וְהָיָה כְּכַלֹּת הַשֹּׁטְרִים לְדַבֵּר אֶל־הָעָם וּפָקְדוּ שָׂרֵי צְבָאוֹת בְּרֹאשׁ הָעָם: ס שביעי ס כִּי־תִקְרַב אֶל־עִיר לְהִלָּחֵם עָלֶיהָ וְקָרָאתָ אֵלֶיהָ לְשָׁלוֹם: יא וְהָיָה אִם־שָׁלוֹם תַּעַנְךָ וּפָתְחָה לָךְ וְהָיָה כָּל־הָעָם הַנִּמְצָא־בָהּ יִהְיוּ לְךָ לָמַס וַעֲבָדוּךָ: יב וְאִם־לֹא תַשְׁלִים עִמָּךְ וְעָשְׂתָה עִמְּךָ מִלְחָמָה וְצַרְתָּ עָלֶיהָ: יג וּנְתָנָהּ יְהוָֹה אֱלֹהֶיךָ בְּיָדֶךָ וְהִכִּיתָ אֶת־כָּל־זְכוּרָהּ לְפִי־חָרֶב: יד רַק הַנָּשִׁים וְהַטַּף וְהַבְּהֵמָה וְכֹל אֲשֶׁר יִהְיֶה בָעִיר כָּל־שְׁלָלָהּ תָּבֹז לָךְ וְאָכַלְתָּ אֶת־שְׁלַל אֹיְבֶיךָ אֲשֶׁר נָתַן יְהוָֹה אֱלֹהֶיךָ לָךְ: טו כֵּן תַּעֲשֶׂה לְכָל־הֶעָרִים הָרְחֹקֹת מִמְּךָ מְאֹד אֲשֶׁר לֹא־מֵעָרֵי

וִיתוּב לְבֵיתֵהּ וְלָא יִתְבַּר יָת לִבָּא דַאֲחוֹהִי כְּלִבֵּהּ: טו וִיהֵי כַּד יְשֵׁיצוּן סָרְכַיָּא לְמַלָּלָא עִם עַמָּא וִימַנּוּן רַבָּנֵי חֵילָא בְּרֵישׁ עַמָּא: י אֲרֵי תִקְרַב לְקַרְתָּא לַאֲגָחָא (קְרָבָא) עֲלַהּ וְתִקְרֵי לַהּ מִלִּין דִּשְׁלָם: יא וִיהֵי אִם שְׁלָם תַּעֲנִנָּךְ וְתִפְתַּח לָךְ וִיהֵי כָּל עַמָּא דְיִשְׁתְּכַח בַּהּ יְהוֹן לָךְ מַסְּקֵי מִסִּין וִיפַלְחֻנָּךְ: יב וְאִם לָא תַשְׁלִם עִמָּךְ וְתַעֲבֵד עִמָּךְ קְרָב וּתְצוּר עֲלַהּ: יג וְיִמְסְרִנַּהּ יְיָ אֱלָהָךְ בִּידָךְ וְתִמְחֵי יָת כָּל דְּכוּרַהּ לְפִתְגָּם דְּחָרֶב: יד לְחוֹד נְשַׁיָּא וְטַפְלָא וּבְעִירָא וְכֹל דִּי יְהֵי בְּקַרְתָּא כָּל עֲדָאַהּ תְּבוֹז לָךְ וְתֵיכוּל יָת עֲדָאָה דְסָנְאָךְ דִּי יְהַב יְיָ אֱלָהָךְ לָךְ: טו כֵּן תַּעֲבֵד לְכָל

כְּמַשְׁמָעוֹ, שֶׁאֵינוֹ יָכוֹל לַעֲמֹד בְּקִשְׁרֵי הַמִּלְחָמָה וְלִרְאוֹת חֶרֶב שְׁלוּפָה; רַבִּי יוֹסֵי הַגְּלִילִי אוֹמֵר הַיָּרֵא מֵעֲבֵרוֹת שֶׁבְּיָדוֹ, וּלְכָךְ תָּלְתָה לוֹ תּוֹרָה לַחֲזוֹר עַל בַּיִת וְכֶרֶם וְאִשָּׁה, לְכַסּוֹת עַל הַחוֹזְרִים בִּשְׁבִיל עֲבֵרוֹת שֶׁבְּיָדָם שֶׁלֹּא יָבִינוּ שֶׁהֵם בַּעֲלֵי עֲבֵרָה, וְהָרוֹאֵהוּ חוֹזֵר אוֹמֵר שֶׁמָּא בָּנָה בַיִת אוֹ נָטַע כֶּרֶם אוֹ אֵרַשׂ אִשָּׁה (סוטה מ״ד): (ט) שָׂרֵי צְבָאוֹת. שֶׁמַּעֲמִידִין זְקָפִין מִלִּפְנֵיהֶם וּמִלְּאַחֲרֵיהֶם וְכַשִּׁילִין שֶׁל בַּרְזֶל בִּידֵיהֶם וְכָל מִי שֶׁרוֹצֶה לַחֲזוֹר הָרְשׁוּת בְּיָדוֹ לְקַפֵּחַ אֶת שׁוֹקָיו; זְקָפִין – בְּנֵי אָדָם עוֹמְדִין בִּקְצֵה הַמַּעֲרָכָה לִזְקֹף אֶת הַנּוֹפְלִים וּלְחַזְּקָם בִּדְבָרִים ״שׁוּבוּ אֶל הַמִּלְחָמָה״ וְלֹא תָנוּס שֶׁתְּחִלַּת נְפִילָה נִיסָה (סִפְרִי; סוטה מ״ד): (י) כִּי תִקְרַב אֶל עִיר. בְּמִלְחֶמֶת הָרְשׁוּת הַכָּתוּב מְדַבֵּר, כְּמוֹ שֶׁמְּפֹרָשׁ בָּעִנְיָן כֵּן תַּעֲשֶׂה לְכָל הֶעָרִים הָרְחֹקֹת וְגוֹ' (סִפְרִי): (יא) כָּל הָעָם הַנִּמְצָא בָהּ. אֲפִלּוּ אַתָּה מוֹצֵא בָהּ מִשִּׁבְעָה אֻמּוֹת שֶׁנִּצְטַוֵּיתָ לְהַחֲרִימָם, אַתָּה רַשַּׁאי לְקַיְּמָם (שם): לָמַס וַעֲבָדוּךָ. עַד שֶׁיְּקַבְּלוּ עֲלֵיהֶם מִסִּים וְשִׁעְבּוּד (שם): (יב) וְאִם לֹא תַשְׁלִים עִמָּךְ וְעָשְׂתָה עִמְּךָ מִלְחָמָה. הַכָּתוּב מְבַשֶּׂרְךָ שֶׁאִם לֹא תַשְׁלִים עִמָּךְ סוֹפָהּ לְהִלָּחֵם בְּךָ אִם תַּנִּיחֶנָּה וְתֵלֵךְ (שם): וְצַרְתָּ עָלֶיהָ. אַף

[9]And it shall be, when the bailiffs have finished speaking unto the people, that they shall appoint officers of the hosts at the head of the people. [10]When thou approachest unto a city to fight against it, then proclaim peace unto it. [11]And it shall be, if it make thee answer of peace, and open unto thee, then it shall be, *that* all the people *that is* found therein shall be tributaries, unto thee, and they shall serve thee. [12]And if it will make no peace with thee, but will make war against thee, then thou shalt besiege it: [13]And when the Eternal thy God hath given it into thine hands, thou shalt smite every male thereof with the edge of the sword: [14]But the women, and the little ones, and the beasts, and all that is in the city, *even* all the spoil thereof, shalt thou take unto thyself; and thou mayest eat the spoil of thine enemies, which the Eternal thy God hath given thee. [15]Thus thou shalt do unto all the cities *which are* very far off from thee, which *are* not of the cities

רש"י

blood) but you come *relying* on the strength of the Omnipresent God! The Philistines *once* came to war *relying* on the strength of Goliath — what was his end? He fell and they fell with him. ההלך עמכם [FOR THE LORD THY GOD] GOETH WITH THEE — this refers to the camp of the Holy Ark (the camp that has the Holy Ark in its midst, i. e. the camp of the Levites) (Sota 42a). **(5)** ולא חנכו [WHAT MAN IS THERE THAT HATH BUILT A NEW HOUSE] AND HATH NOT DEDICATED IT — *i. e.* has not *yet* dwelt in it. The term חנך denotes beginning *a thing* (here, it means beginning to live in it; cf. Rashi on Gen. XIV. 14). ואיש אחר יחנכנו [LEST HE DIE IN THE WAR] AND ANOTHER MAN DEDICATE IT — which is a matter that causes grief of mind[1]). **(6)** ולא חללו [AND WHAT MAN IS THERE THAT HATH PLANTED A VINEYARD] AND HATH YET NOT EATEN OF IT — לא חללו *means,* has not *yet* redeemed it in the fourth year *of its growth,* for the fruits had either to be eaten in Jerusalem or to be given a non-holy character (חולין), *by exchanging them* for money and the money's worth to be consumed in Jerusalem (The phrase therefore means no more than: who hath not eaten of it). **(7)** פן ימות במלחמה [LET HIM GO AND RETURN] LEST HE DIE IN THE WAR — *The meaning is:* let him return that he die not. for if he will not hearken to the words of the priests he deserves death (Siphre)[2]). **(8)** ויספו השטרים AND THE BAILIFFS [SHALL SPEAK] FURTHER [UNTO THE PEOPLE] — Why does it here state: *they shall speak* further *unto the people? The meaning is that* they added this to the words of the priest, for the priest spoke and proclaimed from שמע ישראל (v. 3) to להושיע אתכם (end of v. 4), whilst *the paragraphs beginning with* מי האיש (v. 5) and with the second מי האיש (v. 6) and with the third מי האיש (v. 7) the priest said quietly and the officers proclaimed. This *paragraph,* the officers spoke and proclaimed, *so that Scripture rightly introduces this last part by the word* ויספו השוטרים (Sota 43a)[3]). הירא ורך הלבב [WHAT MAN IS THERE] WHO IS FEARFUL AND FAINT-HEARTED — Rabbi Akiba said, *Take these words* as what they literally imply; *they mean* that he cannot stand in the dense ranks of battle and look on a naked sword. Rabbi Jose, the Galilean, said *that it means* one who is afraid of the sins he has committed, and therefore Scripture gave him the opportunity of attributing his return home to *his* house, *his* vineyard, or *his* wife, in order to veil *the motives of* those who *really* returned because of the sins they had committed, so that people should not know they were great sinners, and whoever saw a person returning would say, "Perhaps he has built a house, or planted a vineyard or betrothed a wife" (Sota 44a). **(9)** שרי צבאות [THEY SHALL APPOINT] OFFICERS OF THE HOSTS — *This means* that they shall place guards (זוקפין from זקף "to stand erect") in front of and behind them (the troops), who have iron axes in their hands, and if anybody attempted to desert

NOTES

For Notes 1—3 see Appendix.

הַגּוֹיִם־הָאֵלֶּה הֵנָּה׃ טז רַק מֵעָרֵי הָעַמִּים הָאֵלֶּה
אֲשֶׁר יְהוָה אֱלֹהֶיךָ נֹתֵן לְךָ נַחֲלָה לֹא תְחַיֶּה כָּל־
נְשָׁמָה׃ יז כִּי־הַחֲרֵם תַּחֲרִימֵם הַחִתִּי וְהָאֱמֹרִי
הַכְּנַעֲנִי וְהַפְּרִזִּי הַחִוִּי וְהַיְבוּסִי כַּאֲשֶׁר צִוְּךָ יְהוָה
אֱלֹהֶיךָ׃ יח לְמַעַן אֲשֶׁר לֹא־יְלַמְּדוּ אֶתְכֶם לַעֲשׂוֹת
כְּכֹל תּוֹעֲבֹתָם אֲשֶׁר עָשׂוּ לֵאלֹהֵיהֶם וַחֲטָאתֶם
לַיהוָה אֱלֹהֵיכֶם׃ ס יט כִּי־תָצוּר אֶל־עִיר יָמִים
רַבִּים לְהִלָּחֵם עָלֶיהָ לְתָפְשָׂהּ לֹא־תַשְׁחִית אֶת־
עֵצָהּ לִנְדֹּחַ עָלָיו גַּרְזֶן כִּי מִמֶּנּוּ תֹאכֵל וְאֹתוֹ לֹא
תִכְרֹת כִּי הָאָדָם עֵץ הַשָּׂדֶה לָבֹא מִפָּנֶיךָ בַּמָּצוֹר׃
כ רַק עֵץ אֲשֶׁר־תֵּדַע כִּי לֹא־עֵץ מַאֲכָל הוּא אֹתוֹ
תַשְׁחִית וְכָרָתָּ וּבָנִיתָ מָצוֹר עַל־הָעִיר אֲשֶׁר־הִוא
עֹשָׂה עִמְּךָ מִלְחָמָה עַד רִדְתָּהּ׃ פ

אונקלוס

קִרְוַיָּא דִּי רְחִיקִין מִנָּךְ לַחֲדָא דִּי לָא מִקִּרְוֵי עַמְמַיָּא הָאִלֵּין אִנּוּן׃ טז לְחוֹד מִקִּרְוֵי
עַמְמַיָּא הָאִלֵּין דַּי יְיָ אֱלָהָךְ יָהֵב לָךְ אַחְסָנָא לָא תְקַיֵּם כָּל נִשְׁמְתָא׃ יז אֲרֵי גַּמָּרָא
תְגַמְּרִנּוּן חִתָּאֵי וֶאֱמֹרָאֵי כְּנַעֲנָאֵי וּפְרִזָּאֵי חִוָּאֵי וִיבוּסָאֵי כְּמָא דִּי פַקְּדָךְ יְיָ אֱלָהָךְ׃
יח בְּדִיל דִּי לָא יַלְּפוּן יָתְכוֹן לְמֶעְבַּד כְּכֹל תּוֹעֲבָתְהוֹן דִּי עֲבָדוּ לְטַעֲוָתְהוֹן וּתְחוּבוּן
קֳדָם יְיָ אֱלָהֲכוֹן׃ יט אֲרֵי תְצוּר לְקַרְתָּא יוֹמִין סַגִּיאִין לְאַגָּחָא עֲלַהּ לְמִכְבְּשַׁהּ לָא
תְחַבֵּל יָת אִילָנַהּ לַאֲרָמָא עֲלוֹהִי גַּרְזְנָא אֲרֵי מִנֵּהּ תֵּיכוּל וְיָתֵהּ לָא תְקוּץ אֲרֵי
לָא כַאֲנָשָׁא אִילַן חַקְלָא לְמֵעַל מִקֳּדָמָךְ בִּצְיָרָא׃ כ לְחוֹד אִילָן דְּתִדַּע אֲרֵי לָא
אִילַן דְּמֵאכָל הוּא יָתֵהּ תְּחַבֵּל וּתְקוּץ וְתִבְנֵי כַרְקוֹמִין עַל קַרְתָּא דִּי הִיא עָבְדָא

רש״י

לְהַרְעִיבָהּ וּלְהַצְמִיאָהּ וְלַהֲמִיתָהּ מִיתַת תַּחֲלוּאִים (שם): (יג) ונתנה ה׳ אלהיך בידך. אִם עָשִׂיתָ כָּל הָאָמוּר בָּעִנְיָן, סוֹף שֶׁה׳ נוֹתְנָהּ בְּיָדְךָ (שם): (יד) והטף. אַף טַף שֶׁל זְכָרִים, וּמָה אֲנִי מְקַיֵּם וְהִכִּיתָ אֶת כָּל זְכוּרָהּ? בַּגְּדוֹלִים (שם): (יז) כאשר צוך. לְרַבּוֹת אֶת הַגִּרְגָּשִׁי (שם): (יח) למען אשר לא ילמדו. הָא אִם עָשׂוּ תְשׁוּבָה וּמִתְגַּיְּרִין אַתָּה רַשַּׁאי לְקַבְּלָם (שם): (יט) ימים. שְׁנַיִם, רבים, שְׁלֹשָׁה, מִכָּאן אָמְרוּ אֵין צָרִין עַל עֲיָרוֹת שֶׁל גּוֹיִם פָּחוֹת מִשְּׁלֹשָׁה יָמִים קוֹדֶם לְשַׁבָּת, וְלִמֵּד שֶׁפּוֹתֵחַ בְּשָׁלוֹם שְׁנַיִם אוֹ שְׁלֹשָׁה יָמִים, וְכֵן הוּא אוֹמֵר (ש״ב א׳) וַיֵּשֶׁב דָּוִד בְּצִקְלָג יָמִים שְׁנָיִם (ספרי); וּבְמִלְחֶמֶת הָרְשׁוּת

of these nations. [16]But of the cities of these peoples, which the Eternal thy God doth give thee *for* an inheritance, thou shalt keep alive nothing that *hath* breath: [17]But thou shalt doom them *to destruction; namely,* the Hittites, and the Amorites, the Canaanites, and the Perizzites, the Hivites, and the Jebusites, as the Eternal thy God hath commanded thee: [18]That they teach you not to do after all their abominations, which they have done unto their gods; so should ye sin against the Eternal your God. [19]When thou shalt besiege a city a long time, in fighting against it to take it, thou shalt not destroy the trees thereof by forcing an axe against them: for thou mayest eat of them, and thou shalt not cut them down; for is the tree of the field a man that it should be besieged by thee? [20]Only trees which thou knowest that they *be* not trees for food, thou mayest destroy and cut them down; and thou shalt build bulwarks against the city that maketh war with thee, until it be subdued.

רש"י

he (the guard) was empowered to chop off his legs. וזקפין are men who stood in the wings of the battle-line to raise (זקף) those who fall and to strengthen them by *encouraging* words: "Go back to the battle and do not flee, for flight is the first step to defeat" (Siphre; Sota 44a, b). **(10)** כי תקרב אל עיר WHEN THOU APPROACHEST UNTO A CITY [TO FIGHT AGAINST IT] — Scripture is speaking of a war which is n o t o b l i g a t o r y upon them (as was the war against the seven nations of Canaan, referred to in v. 16), as it is distinctly stated in this section (v. 15) "Thus thou shalt do unto all the cities which are v e r y f a r [from thee]" *etc.* (Siphre). **(11)** כל העם הנמצא בה ALL THE PEOPLE THAT IS FOUND THEREIN [SHALL BE TRIBUTARIES] — *a l l:* even if you find in it persons belonging to the seven nations which you have been commanded to exterminate, you are allowed to keep them alive (ib.). למס ועבדוך [ALL THE PEOPLE ... SHALL BE] TRIBUTARIES [UNTO THEE], AND THEY SHALL SERVE THEE — *You must not accept their surrender* until they take upon themselves b o t h *the payment of* tribute a n d servitude (one alone is not sufficient)[1]) (Siphre). **(12)** ואם לא תשלים עמך ועשתה עמך מלחמה — Scripture tells you that if it does not make peace with you it will in the end make war against you (attack y o u) — if you leave it alone and go away. (The translation therefore is: AND IF IT WILL MAKE NO PEACE WITH THEE, IT WILL WAR AGAINST THEE)[2]). וצרת עליה THEN THOU SHALT BESIEGE IT — *This implies that you are entitled* even to starve it out, to make it suffer thirst and to kill it (the inhabitants) by mortal diseases (Siphre)[3]). **(13)** ונתנה ה' אלהיך בידך *means* THEN THE LORD THY GOD WILL GIVE IT INTO THY HANDS — if you have done all that is prescribed in this section the Lord will in the end give it into your hands[4]) (ib.). **(14)** והטף AND THE LITTLE ONES [... SHALT THOU TAKE UNTO THYSELF] — the m a l e children, too. But how am I to understand (v. 13) "and thou shalt s m i t e every m a l e thereof"? *As referring* to the male a d u l t s (ib.). **(17)** כאשר צוך [BUT THOU SHALT DOOM THEM TO DESTRUCTION: THE HITTITES, ... AND THE JEBUSITES,] AS [THE LORD THY GOD] HATH COMMANDED THEE — *The words: "as God hath commanded thee" are intended* to include the Girgashites (the seventh nation that is not mentioned here) (Siphre)[5]). **(18)** למען אשר לא ילמדו [BUT THOU SHALT DOOM THEM TO DESTRUCTION ...] THAT THEY TEACH YOU NOT TO DO [AFTER THEIR ABOMINATIONS] — Consequently if they repent of their abominations and *wish to* become proselytes you are allowed to accept them *as such* (ib.). **(19)** ימים [WHEN THOU SHALT BESIEGE A CITY] ימים, DAYS — *The plural implies at least* t w o *days,* רבים MANY *must imply at least* t h r e e *days* (cf. Rashi on Lev. XV. 25). From here they (the Rabbis) derived *the law* that the siege of a heathen city must not be commenced less than three days before the Sabbath

NOTES

For Notes 1—5 see Appendix.

כא א כִּי־יִמָּצֵא חָלָל בָּאֲדָמָה אֲשֶׁר יְהוָה אֱלֹהֶיךָ
נֹתֵן לְךָ לְרִשְׁתָּהּ נֹפֵל בַּשָּׂדֶה לֹא נוֹדַע מִי הִכָּהוּ׃
ב וְיָצְאוּ זְקֵנֶיךָ וְשֹׁפְטֶיךָ וּמָדְדוּ אֶל־הֶעָרִים אֲשֶׁר
סְבִיבֹת הֶחָלָל׃ ג וְהָיָה הָעִיר הַקְּרֹבָה אֶל־הֶחָלָל
וְלָקְחוּ זִקְנֵי הָעִיר הַהִוא עֶגְלַת בָּקָר אֲשֶׁר לֹא־עֻבַּד
בָּהּ אֲשֶׁר לֹא־מָשְׁכָה בְּעֹל׃ ד וְהוֹרִדוּ זִקְנֵי הָעִיר
הַהִוא אֶת־הָעֶגְלָה אֶל־נַחַל אֵיתָן אֲשֶׁר לֹא־יֵעָבֵד
בּוֹ וְלֹא יִזָּרֵעַ וְעָרְפוּ־שָׁם אֶת־הָעֶגְלָה בַּנָּחַל׃ ה וְנִגְּשׁוּ
הַכֹּהֲנִים בְּנֵי לֵוִי כִּי בָם בָּחַר יְהוָה אֱלֹהֶיךָ לְשָׁרְתוֹ
וּלְבָרֵךְ בְּשֵׁם יְהוָה וְעַל־פִּיהֶם יִהְיֶה כָּל־רִיב וְכָל־
נָגַע׃ ו וְכֹל זִקְנֵי הָעִיר הַהִוא הַקְּרֹבִים אֶל־הֶחָלָל
יִרְחֲצוּ אֶת־יְדֵיהֶם עַל־הָעֶגְלָה הָעֲרוּפָה בַנָּחַל׃

אונקלוס

עִמָּךְ קְרָבָא עַד דְּתִכְבְּשַׁהּ׃ א אֲרֵי יִשְׁתְּכַח קְטִילָא בְּאַרְעָא דַּי יְיָ אֱלָהָךְ יָהֵב לָךְ
לְמֵירְתַהּ רְמֵי בְּחַקְלָא לָא יְדִיעַ מַן קַטְלֵהּ׃ ב וְיִפְּקוּן סָבָיךְ וְדַיָּנָךְ וְיִמְשְׁחוּן
לְקִרְוַיָּא דִּי סוֹחֲרָנֵי קְטִילָא׃ ג וִיהֵי קַרְתָּא דְּקָרִיבָא לִקְטִילָא וְיִדְבְּרוּן סָבֵי קַרְתָּא
הַהִיא עֶגְלַת תּוֹרֵי דִּי לָא אִתְפְּלַח בַּהּ דִּי לָא נְגִידַת בְּנִיר׃ ד וְאַחִיתוּ סָבֵי קַרְתָּא
הַהִיא יָת עֶגְלְתָא לְנַחְלָא בַּיָּר דִּי לָא אִתְפְּלַח בֵּהּ וְלָא יִזְדְּרַע וְיִנְקְפוּן תַּמָּן יָת
עֶגְלְתָא בְּנַחְלָא׃ ה וְיִתְקָרְבוּן כָּהֲנַיָּא בְּנֵי לֵוִי אֲרֵי בְהוֹן יִתְרְעֵי יְיָ אֱלָהָךְ לְשַׁמָּשׁוּתֵהּ
וּלְבָרָכָא בִּשְׁמָא דַּייָ וְעַל מֵימְרְהוֹן יְהֵי כָּל דִּין וְכָל מַכְתַּשׁ סְגִירוּ׃ ו וְכֹל סָבֵי
קַרְתָּא הַהִיא דְּקָרִיבִין לִקְטִילָא יַסְחוּן יָת יְדֵיהוֹן עַל עֶגְלְתָא דִּנְקִיפְתָּא בְנַחְלָא׃

רש"י

הַכָּתוּב מְדַבֵּר: כי האדם עץ השדה. הֲרֵי כִּי מְשַׁמֵּשׁ בִּלְשׁוֹן דִּילְמָא, שֶׁמָּא הָאָדָם עֵץ
הַשָּׂדֶה לְהִכָּנֵס בְּתוֹךְ הַמָּצוֹר מִפָּנֶיךָ לְהִתְיַסֵּר בְּיִסּוּרֵי רָעָב וְצָמָא כְּאַנְשֵׁי הָעִיר? לָמָּה
תַּשְׁחִיתֶנּוּ?! (כ) עד רדתה. לְשׁוֹן רִדּוּי, שֶׁתְּהֵא כְפוּפָה לְךָ:

כא (ב) ויצאו זקניך. מְיֻחָדִים שֶׁבִּזְקֵנֶיךָ, אֵלּוּ סַנְהֶדְרֵי גְדוֹלָה (סוטה מ"ד): ומדדו מִמָּקוֹם
שֶׁהֶחָלָל שׁוֹכֵב אֶל הערים אשר סביבת החלל, לְכָל צַד וָצַד לֵידַע אֵי זוֹ קְרוֹבָה: (ד) אל
נחל איתן. קָשֶׁה, שֶׁלֹּא נֶעֱבַד: וערפו. קוֹצֵץ עָרְפָּהּ בְּקוֹפִיץ; אָמַר הַקָּבָּ"ה תָּבֹא עֶגְלָה בַּת

21. [1]If *one* be found stabbed to death in the land which the Eternal thy God giveth thee to possess it, lying in the field, *and* it be not known who hath smitten him: [2]Then thy elders and thy judges shall go forth, and they shall measure unto the cities which *are* round about him that is stabbed to death: [3]And it shall be, *that* the city *which is* next unto the stabbed man, even the elders of that city shall take an heifer which hath not been wrought with, *and* which hath not drawn in the yoke; [4]And the elders of that city shall bring down the heifer unto a rough valley which is neither tilled nor sown, and shall strike off the heifer's neck there in the valley: [5]And the priests the sons of Levi shall step nigh, for them the Eternal thy God hath chosen to minister unto him, and to bless in the name of the Eternal, and by their mouth shall every strife and every stroke be *tried.* [6]And all the elders of that city, *that are* next unto the stabbed *man,* shall lave their hands over the heifer *whose neck is* struck off in the valley:

רש"י

(Siphre; Sabb. 19a), and it (this verse) teaches you that the opening up (the invitation to make) peace (v. 10) must be repeated two or three days, for so it states, (2 Sam. I. 1) "And David abode two days (ימים שנים) in Ziklag"[1]). And Scripture is speaking *here* of a war which is not obligatory upon them (Siphre)[2]). כי האדם עץ השדה FOR IS THE TREE OF THE FIELD A MAN [THAT IT SHOULD BE BESIEGED BY THEE]? — כי has here the meaning of "possibly", "perhaps" (cf. Rashi on Ex. XXIII. 5) — is the tree of the field perhaps a man *who is able* to withdraw within the besieged city from before you, that it should be chastised by the suffering of famine and thirst like the inhabitants of the city? Why should you destroy it? **(20)** עד רדתה [AND THOU SHALT BUILD BULWARKS AGAINST THE CITY ...] UNTIL רדתה — This (the word רדתה) means "subduing", and *the meaning is, thou shalt besiege it* until it becomes submissive.

21. **(2)** ויצאו זקניך THEN THE ELDERS [AND THE JUDGES] SHALL GO FORTH — *i. e.* the distinguished amongst thy elders, these are the Great Synhedrion (Sota 44b)[3]). ומדדו AND THEY SHALL MEASURE — from the place where the corpse lies, אל הערים אשר סביבת החלל UNTO THE CITIES WHICH ARE ROUND ABOUT HIM THAT IS SLAIN — in every direction, in order to ascertain which is the nearest. **(4)** אל נחל איתן UNTO A VALLEY WHICH IS איתן — *which is* hard; *i. e.* one that has never been tilled (Siphre; Sota 45b). וערפו AND THEY SHALL STRIKE OFF [THE HEIFER'S] NECK — *i. e.* one breaks its neck with a hatchet. The Holy One, blessed be He, says, *as it were,* Let a heifer which is only one year old and which therefore

NOTES

1) See Appendix.

2) As suggested by כי "when"; cf. Rashi on Lev. I. 2 and Note thereon.

3) Since in the following verses it speaks of the "elders of the city", the phrase זקניך, "thy elders" addressed to all Israel, must refer to the elders of the entire nation — the Sanhedrin.

מפטיר ז וְעָנוּ וְאָמְרוּ יָדֵינוּ לֹא °שָׁפְכָה אֶת־הַדָּם הַזֶּה
וְעֵינֵינוּ לֹא רָאוּ: ח כַּפֵּר לְעַמְּךָ יִשְׂרָאֵל אֲשֶׁר־פָּדִיתָ
יְהוָה וְאַל־תִּתֵּן דָּם נָקִי בְּקֶרֶב עַמְּךָ יִשְׂרָאֵל וְנִכַּפֵּר
לָהֶם הַדָּם: ט וְאַתָּה תְּבַעֵר הַדָּם הַנָּקִי מִקִּרְבֶּךָ
כִּי־תַעֲשֶׂה הַיָּשָׁר בְּעֵינֵי יְהוָה: °שפכו ק'

ותפטירין אנכי ביסעיה בסימן נ"א: ל"ז. סלו"א. סימן:

ס ס ס

י כִּי־תֵצֵא לַמִּלְחָמָה עַל־אֹיְבֶיךָ וּנְתָנוֹ יְהוָה אֱלֹהֶיךָ
בְּיָדֶךָ וְשָׁבִיתָ שִׁבְיוֹ: יא וְרָאִיתָ בַּשִּׁבְיָה
אֵשֶׁת יְפַת־תֹּאַר וְחָשַׁקְתָּ בָהּ וְלָקַחְתָּ לְךָ לְאִשָּׁה:
יב וַהֲבֵאתָהּ אֶל־תּוֹךְ בֵּיתֶךָ וְגִלְּחָה אֶת־רֹאשָׁהּ
וְעָשְׂתָה אֶת־צִפָּרְנֶיהָ: יג וְהֵסִירָה אֶת־שִׂמְלַת שִׁבְיָהּ

אונקלוס

ז וִיתִיבוּן וְיֵימְרוּן יְדָנָא לָא אַשְׁדָּא יָת דְּמָא הָדֵין וְעֵינָנָא לָא חֲזָאָה: ח כָּהֲנַיָּא יֵימְרוּן כַּפַּר לְעַמָּךְ יִשְׂרָאֵל דִּי פְרַקְתָּא יְיָ וְלָא תִתֵּן חוֹבַת דַּם זַכַּי בְּגוֹ עַמָּךְ יִשְׂרָאֵל וְיִתְכַּפַּר לְהוֹן עַל דְּמָא: ט וְאַתְּ תְּפַלֵּי אַשְׁדֵי דַם זַכַּי מִבֵּינָךְ אֲרֵי תַעְבֵּד דְּכָשַׁר קֳדָם יְיָ:

י אֲרֵי תִפּוֹק לַאֲגָחָא קְרָבָא עַל בַּעֲלֵי דְבָבָךְ וְיִמְסְרִנּוּן יְיָ אֱלָהָךְ בִּידָךְ וְתִשְׁבֵּי שִׁבְיְהוֹן: יא וְתֶחֱזֵי בְּשִׁבְיָה אִתְּתָא שַׁפִּירַת חֵזוּ וְתִתְרְעֵי בַהּ וְתִסְבַהּ לָךְ לְאִנְתּוּ: יב וְתַעֲלִנַּהּ לְגוֹ בֵיתָךְ וּתְגַלַּח יָת רֵישַׁהּ וּתְרַבֵּי יָת טוּפְרָנָהָא: יג וְתֶעְדֵּי יָת כְּסוּת

רש"י

שְׁנָתָהּ שֶׁלֹּא עָשְׂתָה פֵּרוֹת וְתֵעָרֵף בְּמָקוֹם שֶׁאֵינוֹ עוֹשֶׂה פֵּרוֹת, לְכַפֵּר עַל הֲרִיגָתוֹ שֶׁל זֶה שֶׁלֹּא הִנִּיחוּהוּ לַעֲשׂוֹת פֵּרוֹת (סוטה מ"ו): (ז) ידינו לא שפכה. וְכִי עָלְתָה עַל לֵב שֶׁזִּקְנֵי בֵית דִּין שׁוֹפְכֵי דָמִים הֵם? אֶלָּא לֹא רְאִינוּהוּ וּפְטַרְנוּהוּ בְּלֹא מְזוֹנוֹת וּבְלֹא לְוָיָה (סוטה מ"ה). הַכֹּהֲנִים אוֹמְרִים (ח) כפר לעמך ישראל, ונכפר להם הדם הַכָּתוּב מְבַשְּׂרָם, שֶׁמִּשֶּׁעָשׂוּ כֵן יְכֻפַּר לָהֶם הֶעָוֹן (שם): (ט) ואתה תבער. מַגִּיד שֶׁאִם נִמְצָא הַהוֹרֵג אַחַר שֶׁנִּתְעָרְפָה הָעֶגְלָה הֲרֵי זֶה יֵהָרֵג וְהוּא הישר בעיני ה' (סוטה מ"ז; כתו' ל"ז):

(י) כי תצא למלחמה. בְּמִלְחֶמֶת הָרְשׁוּת הַכָּתוּב מְדַבֵּר, שֶׁבְּמִלְחֶמֶת אֶרֶץ יִשְׂרָאֵל אֵין לוֹמַר וְשָׁבִיתָ שִׁבְיוֹ, שֶׁהֲרֵי כְּבָר נֶאֱמַר (דב' כ') לֹא תְחַיֶּה כָּל נְשָׁמָה: ושבית שביו. לְרַבּוֹת כְּנַעֲנִיִּים שֶׁבְּתוֹכָהּ וְאַעַ"פּ שֶׁהֵם מִשִּׁבְעָה אֻמּוֹת (ספרי; סוטה ל"ה): (יא) אשת. אֲפִילוּ אֵשֶׁת אִישׁ: ולקחת לך לאשה. לֹא דִבְּרָה תוֹרָה אֶלָּא כְּנֶגֶד יֵצֶר הָרַע, שֶׁאִם אֵין הַקָּבָּ"ה מַתִּירָהּ יִשָּׂאֶנָּה בְּאִסּוּר, אֲבָל אִם נְשָׂאָהּ סוֹפוֹ לִהְיוֹת שׂוֹנְאָהּ, שֶׁנֶּאֱמַר אַחֲרָיו כִּי תִהְיֶיןָ לְאִישׁ וְגוֹמֵר, וְסוֹפוֹ לְהוֹלִיד מִמֶּנָּה בֵּן סוֹרֵר וּמוֹרֶה, לְכָךְ נִסְמְכוּ פָּרָשִׁיּוֹת הַלָּלוּ (תנח'): (יב) ועשתה את צפרניה. תְּגַדֵּל כְּדֵי שֶׁתִּתְנַוֵּל (ספרי; יבי מ"ח): (יג) והסירה

[7]And they shall answer and say, Our hands have not shed this blood, neither have our eyes seen *it*. [8]Be merciful, O Eternal, unto thy people Israel, whom thou hast released; and lay not innocent blood unto thy people of Israel's charge. And the blood shall be pardoned them. [9]So shalt thou put away the *guilt of* innocent blood from among you, when thou shalt do *that which is* right in the eyes of the Eternal. [10]When thou goest forth to war against thine enemies, and the Eternal thy God hath given them into thine hands, and thou hast captured captives, [11]And seest among the captives a woman of a beautiful figure and delightest in her, that thou wouldest take her for thy wife; [12]Then thou shalt bring her home to thine house: and she shall clip *the hair of* her head, and pare her nails; [13]And she shall remove the raiment of her captivity

רש״י

has brought forth no fruits (no offspring) have its neck broken at a spot (the untilled valley) which has not brought forth fruits, to expiate for the murder of him whom they did not permit *further* to beget children (Sota 46a). **(7)** ידינו לא שפכה [AND THEY SHALL ANSWER AND SAY,] OUR HANDS HAVE NOT SHED [THIS BLOOD] — But would it enter anyone's mind that the elders of the court are *suspect of* blood-shedding?! But *the meaning of the declaration is:* We never saw him and *knowingly* let him depart without food or escort (if we had seen him we would not have let him depart without these) (Siphre; Sota 45b)[1]). The priests *thereupon* say: **(8)** כפר לעמך ישראל FORGIVE UNTO THY PEOPLE ISRAEL[2]). ונכפר להם הדם AND THE BLOOD SHALL BE PARDONED THEM — Scripture announces to them that when they have done this (the ceremony prescribed) their sin will be forgiven (Sota 46a)[3]). **(9)** ואתה תבער BUT THOU SHALT PUT AWAY [THE GUILT OF INNOCENT BLOOD FROM AMONG YOU] — This teaches that if the murderer is found after the heifer's neck was broken he must *nevertheless* be put to death, — and this is *what Scripture describes as* הישר בעיני ה׳ RIGHT IN THE EYES OF THE LORD (cf. Sota 47b; Keth. 37b and Tosaph. ib. s. v. ואח״כ נמצא ההורג)[4]).

כי תצא

(10) כי תצא למלחמה WHEN THOU GOEST FORTH TO WAR — Scripture is speaking *here* of a war that is not obligatory *upon the Israelites* (Siphre), for in regard to a war *that was waged against the inhabitants* of Erez Israel, Scripture could not possibly say, "and thou hast captured captives", since it has already been stated *regarding them*, (XX. 16) "[But of the cities of those people which the Lord thy God doth give thee for an inheritance] thou shalt keep alive nothing that hath breath"[5]). ושבית שביו AND THOU HAST CAPTURED CAPTIVES — *These apparently redundant words are intended* to include Canaanitish people *living* in it (in a city outside Canaan), *that it is allowed to capture them* although they belong to the seven nations (Siphre; Sota 35b)[6]). **(11)** אשת [AND THOU SEEST AMONG THE CAPTIVES] A WOMAN — even *if she be* a married woman (Siphre; Kidd. 21b)[7]). ולקחת לך לאשה [AND THOU DELIGHTEST IN HER,] THAT THOU WOULDEST TAKE HER FOR THY WIFE[8]) — Scripture is speaking (makes this concession) only in view of man's evil inclination (his carnal desires) (Kidd. 21b). For if the Holy One, blessed be He, would not permit her *to him as a wife*, he would *nevertheless* marry her although she would then be forbidden *to him*. However, if he does marry her, in the end he will hate her, for Scripture writes *immediately* afterwards, (v. 15) "If a man have two wives, one beloved, and another hated, etc."[9]), and ultimately he will beget a refractory and rebellious son by her (v. 18). It is for this reason that these sections are put in juxtaposition (Tanch.). **(12)** ועשת את צפרניה *means*, AND SHE SHALL LET GROW HER NAILS —

NOTES

For Notes 1—9 see Appendix.

מֵעָלֶיהָ וְיָשְׁבָה בְּבֵיתֶךָ וּבָכְתָה אֶת־אָבִיהָ וְאֶת־אִמָּהּ
יֶרַח יָמִים וְאַחַר כֵּן תָּבוֹא אֵלֶיהָ וּבְעַלְתָּהּ וְהָיְתָה
לְךָ לְאִשָּׁה: יד וְהָיָה אִם־לֹא חָפַצְתָּ בָּהּ וְשִׁלַּחְתָּהּ
לְנַפְשָׁהּ וּמָכֹר לֹא־תִמְכְּרֶנָּה בַּכָּסֶף לֹא־תִתְעַמֵּר
בָּהּ תַּחַת אֲשֶׁר עִנִּיתָהּ: ס טו כִּי־תִהְיֶיןָ לְאִישׁ
שְׁתֵּי נָשִׁים הָאַחַת אֲהוּבָה וְהָאַחַת שְׂנוּאָה וְיָלְדוּ־
לוֹ בָנִים הָאֲהוּבָה וְהַשְּׂנוּאָה וְהָיָה הַבֵּן הַבְּכֹר
לַשְּׂנִיאָה: טז וְהָיָה בְּיוֹם הַנְחִילוֹ אֶת־בָּנָיו אֵת אֲשֶׁר־
יִהְיֶה לוֹ לֹא יוּכַל לְבַכֵּר אֶת־בֶּן־הָאֲהוּבָה עַל־פְּנֵי
בֶן־הַשְּׂנוּאָה הַבְּכֹר: יז כִּי אֶת־הַבְּכֹר בֶּן־הַשְּׂנוּאָה
יַכִּיר לָתֶת לוֹ פִּי שְׁנַיִם בְּכֹל אֲשֶׁר־יִמָּצֵא לוֹ כִּי־הוּא
רֵאשִׁית אֹנוֹ לוֹ מִשְׁפַּט הַבְּכֹרָה: ס יח כִּי־יִהְיֶה

אונקלוס

שְׁבְיַהּ מִנַּהּ וְתֵיתֵב בְּבֵיתָךְ וְתִבְכֵּי יָת אֲבוּהָא וְיָת אִמַּהּ יְרַח יוֹמִין וּבָתַר כֵּן
תֵּעוֹל לְוָתַהּ וְתִבְעֲלִנַּהּ וּתְהֵי לָךְ לְאִנְתּוּ: יד וִיהֵי אִם לָא תִתְרְעֵי בַהּ וְתִפְטְרִנַּהּ
לְנַפְשַׁהּ וְזַבָּנָא לָא תְזַבְּנִנַּהּ בְּכַסְפָּא לָא תִתַּגַּר בַּהּ חֲלָף דִּי עַנֵּיתַהּ: טו אֲרֵי תְהֶוְיָן
לִגְבַר תַּרְתֵּין נְשִׁין חֲדָא רְחִימְתָא וַחֲדָא שְׂנִיאֲתָא וְיֵלְדוּ לֵהּ בְּנִין רְחִימְתָא וּשְׂנִיאֲתָא
וִיהֵי בְּרָא בוּכְרָא לִשְׂנִיאֲתָא: טז וִיהֵי בְּיוֹמָא דְּיַחְסֵן לִבְנוֹהִי יָת דִּי יְהֵי לֵהּ לֵית
לֵהּ רְשׁוּ לְבַכָּרָא יָת בַּר רְחִימְתָא עַל אַפֵּי בַר שְׂנִיאֲתָא בוּכְרָא: יז אֲרֵי יָת
בּוּכְרָא בַר שְׂנִיאֲתָא יַפְרֵשׁ לְמִתַּן לֵהּ תַּרְתֵּין חֻלָקִין בְּכֹל דִּי יִשְׁתְּכַח לֵהּ אֲרֵי
הוּא רֵישׁ תָּקְפֵּהּ לֵהּ חָזֵי בְּכֵירוּתָא: יח אֲרֵי יְהֵי לִגְבַר בַּר סָטֵי וּמָרֵי לֵיתוֹהִי

רש"י

את שמלת שביה. לְפִי שֶׁהֵם נָאִים, שֶׁהַגּוֹיִם בְּנוֹתֵיהֶם מִתְקַשְּׁטוֹת בַּמִּלְחָמָה בִּשְׁבִיל לְהַזְנוֹת אֲחֵרִים עִמָּהֶם (ספרי): **וישבה בביתך.** בַּבַּיִת שֶׁמִּשְׁתַּמֵּשׁ בּוֹ, נִכְנָס וְנִתְקַל בָּהּ, יוֹצֵא וְנִתְקַל בָּהּ, רוֹאֶה בִּבְכִיָּתָהּ, רוֹאֶה בְּנִוּוּלָהּ, כְּדֵי שֶׁתִּתְגַּנֶּה עָלָיו (ספרי): **ובכתה את אביה.** כָּל כָּךְ לָמָּה? כְּדֵי שֶׁתְּהֵא בַּת יִשְׂרָאֵל שְׂמֵחָה וְזוֹ עֲצֵבָה, בַּת יִשְׂרָאֵל מִתְקַשֶּׁטֶת, וְזוֹ מִתְנַוֶּלֶת (שם): **(יד) והיה אם לא חפצת בה.** הַכָּתוּב מְבַשֶּׂרְךָ שֶׁסּוֹפְךָ לִשְׂנֹאתָהּ (שם): **לא תתעמר בה.** לֹא תִשְׁתַּמֵּשׁ בָּהּ, בִּלְשׁוֹן פָּרְסִי קוֹרִין לְעַבְדוּת וְשִׁמּוּשׁ עִימְרָאָה, מִיסוֹדוֹ שֶׁל רַ' מֹשֶׁה הַדַּרְשָׁן לָמַדְתִּי כֵן: **(יז) פי שנים.** כְּנֶגֶד שְׁנֵי אַחִים: **בכל אשר ימצא לו.** מִכָּאן שֶׁאֵין הַבְּכוֹר נוֹטֵל פִּי שְׁנַיִם בָּרָאוּי לָבֹא לְאַחַר מִיתַת הָאָב כְּבַמֻּחְזָק (ספרי):

from off her, and shall remain in thine house, and weep for her father and her mother a full month: and after that thou mayest come unto her, and be her husband, and she shall be thy wife. [14]And it shall be, if thou art not pleased with her, then thou shalt let her go whither she will; but thou shalt not sell her at all for money, thou shalt not make merchandise of her, because thou hast afflicted her. [15]If a man have two wives, one beloved, and another hated, and they have born him children, *both* the beloved and the hated; and *if* the first-born son be hers that was hated: [16]Then it shall be, when he maketh his sons to inherit *that* which he hath, *that* he may not declare the son of the beloved first-born, in the face of the first-born, the son of the hated: [17]But he shall acknowledge the son of the hated *for* the first-born, by giving him a double portion of all that shall be found with him: for he *is* the beginning of his manhood; the right of the first-born *is* his. [18]If

רש״י

the reason is that she may become repulsive *to her captor* (cf. Siphre; Jeb. 48a; see also Rashi on Gen. I. 7 and our Note thereon). **(13)** והסירה את שמלת שביה AND SHE SHALL REMOVE THE RAIMENT OF HER CAPTIVITY — *the reason is* because these are fine *clothes*, for the women of the heathen peoples adorned themselves in *time of* war in order to lure others (the enemy) to unchastity with them (Siphre). וישבה בביתך AND SHE SHALL DWELL IN "THY" HOUSE — *not in the women's apartments, but* in the house which h e *constantly* uses:[1]) when he goes in he knocks up against her, when he leaves he knocks up against her (i. e. he cannot avoid meeting her constantly and the novelty of her beauty wears off); he sees her *endless* crying, sees her neglected appearance — *and all this* in order that she should become repulsive to him (Siphre). ובכתה את אביה AND SHE SHALL WEEP FOR HER FATHER [AND HER MOTHER A FULL MONTH] — Why all this? *In order to make a contrast* — that whilst the Jewish woman (the captor's Jewish wife) is gladsome, she should be downhearted, whilst the Jewish woman adorns herself, this should bear a neglected appearance (ib.). **(14)** והיה אם לא חפצת בה AND IT SHALL BE, IF THOU ART NOT PLEASED WITH HER — Scripture tell you that you will in the end hate her (Siphre)[2]). לא תתעמר בה *means*, THOU SHALT NOT USE HER AS A SLAVE. In the Persian[3]) language slavery and servitude is termed עימראה. I learned this from the work of R. Moses the Preacher. **(17)** פי שנים A DOUBLE PORTION — *i.e.* a portion equal to those of t w o b r o t h e r s together[4]). בכל אשר ימצא לו [BUT HE SHALL ACKNOWLEDGE THE SON OF THE HATED FOR THE FIRSTBORN, BY GIVING HIM A DOUBLE PORTION] OF ALL THAT SHALL BE FOUND WITH HIM — From here *the Rabbis derived the law* that the firstborn does not receive a double share of what is due to come after the death of the father (as, e.g., a debt or a legacy that were payable to his father on a certain date, before which, however, the father died — technically termed ראוי), as *he does* of what is actually held in possession

NOTES

1) It has already been stated (v. 12) "Then thou shalt bring her home to thine house": consequently some particular emphasis seems intended by the further command, "she shall dwell in thy house". The emphasis is to be placed upon the word "t h y".

2) See Appendix.

3) Rappaport in כרם חמד VI. p. 160, suggests the reading בלשון סורסי, in the A r a m e a n language, and finds support for his emendation in Nachmanides' observation on Rashi's comment.

4) The phrase פי שנים may mean that the firstborn receives a double portion of the property, i. e. t w o - t h i r d s of it, the other brothers receiving t o g e t h e r o n l y o n e t h i r d, as the Talmud (B. Bath. 122b) points out. Rashi adopts the alternative explanation there suggested, which is the Halacha.

לְאִישׁ בֵּן סוֹרֵר וּמוֹרֶה אֵינֶנּוּ שֹׁמֵעַ בְּקוֹל אָבִיו וּבְקוֹל
אִמּוֹ וְיִסְּרוּ אֹתוֹ וְלֹא יִשְׁמַע אֲלֵיהֶם׃ יט וְתָפְשׂוּ בוֹ
אָבִיו וְאִמּוֹ וְהוֹצִיאוּ אֹתוֹ אֶל־זִקְנֵי עִירוֹ וְאֶל־שַׁעַר
מְקֹמוֹ׃ כ וְאָמְרוּ אֶל־זִקְנֵי עִירוֹ בְּנֵנוּ זֶה סוֹרֵר וּמֹרֶה
אֵינֶנּוּ שֹׁמֵעַ בְּקֹלֵנוּ זוֹלֵל וְסֹבֵא׃ כא וּרְגָמֻהוּ כָּל־אַנְשֵׁי
עִירוֹ בָאֲבָנִים וָמֵת וּבִעַרְתָּ הָרָע מִקִּרְבֶּךָ וְכָל־
יִשְׂרָאֵל יִשְׁמְעוּ וְיִרָאוּ׃ ס שני כב וְכִי־יִהְיֶה בְאִישׁ
חֵטְא מִשְׁפַּט־מָוֶת וְהוּמָת וְתָלִיתָ אֹתוֹ עַל־עֵץ׃
כג לֹא־תָלִין נִבְלָתוֹ עַל־הָעֵץ כִּי־קָבוֹר תִּקְבְּרֶנּוּ בַּיּוֹם
הַהוּא כִּי־קִלְלַת אֱלֹהִים תָּלוּי וְלֹא תְטַמֵּא אֶת־
אַדְמָתְךָ אֲשֶׁר יְהוָה אֱלֹהֶיךָ נֹתֵן לְךָ נַחֲלָה׃ ס

אונקלוס

מְקַבֵּל לְמֵימַר אֲבוּהִי וּלְמֵימַר אִמֵּהּ וּמַלְפִין יָתֵהּ וְלָא מְקַבֵּל מִנְּהוֹן׃ יט וְיֶחְדוּן בֵּהּ אֲבוּהִי וְאִמֵּהּ וְיַפְּקוּן יָתֵהּ לִקְדָם סָבֵי קַרְתֵּהּ וְלִתְרַע בֵּית דִּין אַתְרֵהּ׃ כ וְיֵימְרוּן לְסָבֵי קַרְתֵּהּ בְּרַנָא דֵין סָטֵי וּמָרֵי לֵיתוֹהִי מְקַבֵּל מֵימְרַנָא זָלֵל בְּסַר וְסָבֵי חֲמַר׃ כא וְיִרְגְּמֻנֵּהּ כָּל אֱנָשֵׁי קַרְתֵּהּ בְּאַבְנַיָּא וִימוּת וּתְפַלֵּי עָבֵד דְּבִישׁ מִבֵּינָךְ וְכָל יִשְׂרָאֵל יִשְׁמְעוּן וְיִדְחֲלוּן׃ כב וַאֲרֵי יְהֵי בִגְבַר חוֹבַת דִּין דִּקְטוֹל וְיִתְקְטֵל וְתִצְלוֹב יָתֵהּ עַל צְלִיבָא׃ כג לָא תְבִית נְבִלְתֵּהּ עַל צְלִיבָא אֲרֵי מִקְבַּר תִּקְבְּרִנֵּהּ בְּיוֹמָא הַהוּא אֲרֵי עַל דְּחָב קֳדָם יְיָ אִצְטְלֵב וְלָא תְסָאֵב יָת אַרְעָךְ דַּי יְיָ אֱלָהָךְ יָהֵב לָךְ

רש״י

בכו' נ"א): (יח) סורר. סָר מִן הַדֶּרֶךְ: ומורה. מַסְרֵב בְּדִבְרֵי אָבִיו, לְשׁוֹן מַמְרִים (דב' ט'): ויסרו אתו. מַתְרִין בּוֹ בִּפְנֵי שְׁלֹשָׁה וּמַלְקִין אוֹתוֹ (ספרי; סנה' ע"א): בֵּן סוֹרֵר וּמוֹרֶה אֵינוֹ חַיָּב עַד שֶׁיִּגְנֹב וְיֹאכַל תַּרְטֵימַר בָּשָׂר וְיִשְׁתֶּה חֲצִי לֹג יַיִן, שֶׁנֶּאֱמַר זולל וסבא, וְנֶאֱמַר (מש' כ"ג) אַל תְּהִי בְסֹבְאֵי יָיִן בְּזֹלְלֵי בָשָׂר לָמוֹ: וּבֵן סוֹרֵר וּמוֹרֶה נֶהֱרָג עַל שֵׁם סוֹפוֹ, הִגִּיעָה תוֹרָה לְסוֹף דַּעְתּוֹ, סוֹף שֶׁמְּכַלֶּה מָמוֹן אָבִיו וּמְבַקֵּשׁ לִמּוּדוֹ וְאֵינוֹ מוֹצֵא, וְעוֹמֵד בְּפָרָשַׁת דְּרָכִים וּמְלַסְטֵם אֶת הַבְּרִיּוֹת, אָמְרָה תוֹרָה יָמוּת זַכַּאי וְאַל יָמוּת חַיָּב (ספרי; סנה' ע"א): (כא) וכל ישראל ישמעו ויראו. מִכָּאן שֶׁצָּרִיךְ הַכְרָזָה בְּבֵית דִּין: „פְּלוֹנִי נִסְקַל עַל שֶׁהָיָה בֵּן סוֹרֵר וּמוֹרֶה": (כב) וכי יהיה באיש חטא משפט מות. סְמִיכוּת הַפָּרָשִׁיּוֹת מַגִּיד שֶׁאִם חָסִים עָלָיו אָבִיו וְאִמּוֹ, סוֹף שֶׁיֵּצֵא לְתַרְבּוּת רָעָה וְיַעֲבוֹר עֲבֵרוֹת וְיִתְחַיֵּב מִיתָה בְּבֵית דִּין (עי' תנח'): ותלית אתו על עץ. רַבּוֹתֵינוּ אָמְרוּ כָּל הַנִּסְקָלִין נִתְלִין שֶׁנֶּאֱמַר כִּי קִלְלַת אֱלֹהִים תָּלוּי, וְהַמְבָרֵךְ ה' בִּסְקִילָה (סנה' מ"ה): (כג) כי קללת אלהים תלוי. זִלְזוּלוֹ שֶׁל מֶלֶךְ הוּא, שֶׁאָדָם עָשׂוּי בִּדְמוּת דְּיוֹקְנוֹ, וְיִשְׂרָאֵל הֵם בָּנָיו: מָשָׁל

a man have a refractory and rebellious son, who will not obey the voice of his father, or the voice of his mother, and *that*, when they have chastened him, will not hearken unto them; [19]Then shall his father and his mother lay hold on him, and bring him out unto the elders of his city, and unto the gate of his place: [20]And they shall say unto the elders of his city, This our son *is* refractory and rebellious; he will not obey our voice; *he is* a contemner, and a drunkard. [21]And all the men of his city shall stone him with stones, that he die: so shalt thou put away evil from among you: and all Israel shall hear, and fear. [22]And if there be in a man a sin *deserving* the judgment of death, and he be put to death, and thou hang him on a tree; [23]His body shall not remain all night upon the tree, but thou shalt in any wise bury him that day: for he that is hanged *is* a degradation of God, that thou defile not thy land, which the Eternal thy God giveth thee *for* an inheritance.

רש"י

by the father (מוחזק) (Siphre; Bech. 51b)[1]). **(18)** סורר (from the root סור to deviate) *means*, one who deviates from the *proper* path *of life*. **ומורה** *means*, one who is disobedient to the words of his father, of the same meaning as **ממרים** *in the phrase* (Deut. IX. 7) "ממרים הייתם", "*ye have been* rebellious". **ויסרו אתו** AND THEY SHALL CHASTISE HIM — admonish him in the presence of three people, *and if he still remains refractory* they cause him to be lashed *through the court* (Sanh. 71a; cf. Siphre). The refractory and rebellious son is not liable *to the death penalty* until he proves to be a thief and eats *at one meal* a "tartemar" (a weight of half a Maneh) flesh and drinks half a Log wine, for it is said *of him*, (v. 20) **זולל וסבא**, and *in another passage* (Prov. XXIII. 20) it says: "Be not among winebibers (סובאי יין), among riotous eaters of flesh (זוללי בשר)" (Sanh. 70a, 71a; cf. Siphre). — The refractory and rebellious son is put to death on account of the final course *his life must necessarily take (not because his present offence is deserving death);* — the Torah has fathomed his ultimate disposition: in the end he will squander his father's property and seeking in vain for *the pleasures to* which he has been accustomed, he will take his stand on the crossroads and rob people, *and in some way or other make himself liable to the death penalty*. Says the Torah, "Let him die innocent *of such crimes*, and let him not die guilty *of them*" (Siphre; Sanh. 71b, 72a). **(21)** וכל ישראל ישמעו ויראו AND ALL ISRAEL SHALL HEAR AND FEAR — From here *we derive the law* that *his execution* requires public announcement by the court: "The man *named* so-and-so is stoned because he was a refractory and rebellious son" (Sanh. 89a). **(22)** וכי יהיה באיש חטא משפט מות AND IF THERE BE IN A MAN A SIN DESERVING THE JUDGMENT OF DEATH — The juxtaposition of these sections (this and that of the rebellious son) tells *us* that if father and mother spare him (the rebellious son), he will in the latter end turn to mischief and commit sins for which he will become liable to the death penalty by the court (cf. Tanch.). ותלית אתו על עץ [AND IF THERE BE IN A MAN A SIN DESERVING THE JUDGMENT OF DEATH] THOU SHALT HANG HIM ON A TREE — Our Rabbis said, All those who have to be put to death by stoning must *afterwards* be hanged, for it is said here (v. 23) "for cursing of God ends in hanging", and *we are told that* one who curses God is punished with stoning (cf. Lev. XXIV. 15—16; Sanh. 45b)[2]). **(23)** כי קללת אלהים תלוי FOR HE THAT IS HANGED IS A קללת אלהים — *i. e.*, a degradation of the Divine King, for man is made in His image and the Israelites are His children. A parable! *It may be compared* to *the case of* two twin brothers who *very closely* resembled each other: one

NOTES

For Notes 1—2 see Appendix.

כב א לֹא־תִרְאֶה אֶת־שׁוֹר אָחִיךָ אוֹ אֶת־שֵׂיוֹ
נִדָּחִים וְהִתְעַלַּמְתָּ מֵהֶם הָשֵׁב תְּשִׁיבֵם לְאָחִיךָ:
ב וְאִם־לֹא קָרוֹב אָחִיךָ אֵלֶיךָ וְלֹא יְדַעְתּוֹ וַאֲסַפְתּוֹ
אֶל־תּוֹךְ בֵּיתֶךָ וְהָיָה עִמְּךָ עַד דְּרֹשׁ אָחִיךָ אֹתוֹ
וַהֲשֵׁבֹתוֹ לוֹ: ג וְכֵן תַּעֲשֶׂה לַחֲמֹרוֹ וְכֵן תַּעֲשֶׂה
לְשִׂמְלָתוֹ וְכֵן תַּעֲשֶׂה לְכָל־אֲבֵדַת אָחִיךָ אֲשֶׁר־
תֹּאבַד מִמֶּנּוּ וּמְצָאתָהּ לֹא תוּכַל לְהִתְעַלֵּם: ס
ד לֹא־תִרְאֶה אֶת־חֲמוֹר אָחִיךָ אוֹ שׁוֹרוֹ נֹפְלִים
בַּדֶּרֶךְ וְהִתְעַלַּמְתָּ מֵהֶם הָקֵם תָּקִים עִמּוֹ: ס
ה לֹא־יִהְיֶה כְלִי־גֶבֶר עַל־אִשָּׁה וְלֹא־יִלְבַּשׁ גֶּבֶר

אונקלוס

אַחֲסָנָא: א לָא תֶחֱזֵי יָת תּוֹרָא דַּאֲחוּךְ אוֹ יָת אִמְרֵהּ דְּטָעַן וְתִתְכְּבֵשׁ מִנְּהוֹן אָתָבָא תְּתִיבִנּוּן לַאֲחוּךְ: ב וְאִם לָא קָרִיב אֲחוּךְ לְוָתָךְ וְלָא יָדַעַתְּ לֵהּ וְתַכְנְשִׁנֵּהּ לְגוֹ בֵּיתָךְ וִיהֵי עִמָּךְ עַד דְּיִתְבַּע אֲחוּךְ יָתֵהּ וְתָתִיבִנֵּהּ לֵהּ: ג וְכֵן תַּעְבֵּד לַחֲמָרֵהּ וְכֵן תַּעְבֵּד לִכְסוּתֵהּ וְכֵן תַּעְבֵּד לְכָל אֲבֵדְתָּא דַּאֲחוּךְ דִּי תֵיבַד מִנֵּהּ וְתַשְׁכְּחִנַּהּ לֵית לָךְ רְשׁוּ לְאִתְכַּסָּאָה: ד לָא תֶחֱזֵי יָת חֲמָרָא דַּאֲחוּךְ אוֹ תּוֹרֵהּ רָמַן בְּאָרְחָא וְתִתְכְּבֵשׁ מִנְּהוֹן אֲקָמָא תְקִים עִמֵּהּ: ה לָא יְהֵי תִקּוּן זֵין דִּגְבַר עַל אִתְּתָא וְלָא

רש"י

לִשְׁנֵי אַחִים תְּאוֹמִים שֶׁהָיוּ דּוֹמִים זֶה לָזֶה, אֶחָד נַעֲשָׂה מֶלֶךְ וְאֶחָד נִתְפַּס לְלִסְטִיּוּת וְנִתְלָה. כָּל הָרוֹאֶה אוֹתוֹ אוֹמֵר הַמֶּלֶךְ תָּלוּי. כָּל קְלָלָה שֶׁבַּמִּקְרָא לְשׁוֹן הָקֵל וְזִלְזוּל, כְּמוֹ (מ"א ב') וְהוּא קִלְלַנִי קְלָלָה נִמְרֶצֶת:

כב (א) **והתעלמת.** כּוֹבֵשׁ עַיִן כְּאִלּוּ אֵינוֹ רוֹאֵהוּ: **לֹא תִרְאֶה... והתעלמת.** לֹא תִרְאֶה אוֹתוֹ שֶׁתִּתְעַלֵּם מִמֶּנּוּ. זֶהוּ פְּשׁוּטוֹ. וְרַבּוֹתֵינוּ אָמְרוּ פְּעָמִים שֶׁאַתָּה מִתְעַלֵּם וְכוּ' (ספרי; ב"מ ל'): (ב) **עד דרש אחיך.** וְכִי תַעֲלֶה עַל דַּעְתְּךָ שֶׁיִּתְּנֶנּוּ לוֹ קֹדֶם שֶׁיִּדְרְשֵׁהוּ? אֶלָּא דָרְשֵׁהוּ שֶׁלֹּא יְהֵא רַמַּאי (ב"מ כ"ז; ע' ספרי): **והשבתו לו.** שֶׁתְּהֵא בּוֹ הֲשָׁבָה, שֶׁלֹּא יֹאכַל בְּבֵיתְךָ כְּדֵי דָמָיו וְתִתְבָּעֵם מִמֶּנּוּ, מִכָּאן אָמְרוּ כָּל דָּבָר שֶׁעוֹשֶׂה וְאוֹכֵל יַעֲשֶׂה וְיֹאכַל וְשֶׁאֵינוֹ עוֹשֶׂה וְאוֹכֵל יִמָּכֵר (ב"מ כ"ח): (ה) **לֹא תוכל להתעלם.** לִכְבּוֹשׁ עֵינֶךָ כְּאִלּוּ אֵינְךָ רוֹאֶה אוֹתוֹ: (ד) **הָקֵם תָּקִים.** זוֹ טְעִינָה — לְהַטְעִין מַשָּׂאוֹי שֶׁנָּפַל מֵעָלָיו: **עמו.** עִם בְּעָלָיו, אֲבָל אִם הָלַךְ וְיָשַׁב לוֹ וְאָמַר לוֹ הוֹאִיל וְעָלֶיךָ מִצְוָה אִם רָצִיתָ לִטְעוֹן טְעוֹן, פָּטוּר (שם ל"ב): (ה) **לֹא יהיה כלי גבר על אשה.** שֶׁתְּהֵא דוֹמָה לְאִישׁ, כְּדֵי שֶׁתֵּלֵךְ בֵּין הָאֲנָשִׁים, שֶׁאֵין זוֹ אֶלָּא לְשֵׁם נִאוּף (ע' ספרי): **ולא ילבש גבר שמלת אשה.** לֵילֵךְ

22. [1]Thou shalt not see any of thy brother's herd, or of his flock go astray, and hide thyself from them: thou shalt in any case restore them unto thy brother. [2]And if thy brother *be* not nigh unto thee, or if thou know him not, then thou shalt gather it unto thine *own* house, and it shall be with thee until thy brother require it, and thou shalt restore it to him. [3]Thus shalt thou do with his ass; and so shalt thou do with his raiment; and with every lost thing of thy brother's, which he hath lost, and thou hast found, shalt thou do likewise: thou mayest not hide thyself. [4]Thou shalt not see thy brother's ass or any of his herd fall down by the way, and hide thyself from them: thou shalt surely raise *them* with him. [5]The apparel of a man shall not be on a woman neither shall a man put on

רש״י

became king and the other was arrested for robbery and was hanged. Whoever saw him *on the gallows* thought that the king was hanged (Sanh. 46b). — Wherever *the term* קללה occurs in Scripture it has the meaning of holding in light esteem and despising, as e. g., (1 Kings II. 8) "[Shimei the son of Gera, a Benjamite of Bahurim] who despised me with utter despite (קללני קללה נמרצת)" (cf. 2 Sam. XVI. 5—8).

22. (1) והתעלמת [THOU SHALT NOT SEE ANY OF THY BROTHER'S HERD ... GO ASTRAY] AND HIDE THYSELF [FROM THEM] — *i. e.* one, *as it were,* closes his eyes tight as though one does not see it. לא תראה ... והתעלמת THOU SHALT NOT SEE ... AND HIDE THYSELF [FROM THEM] — "thou shalt not see it, that thou hide thyself from it"[1]) (i. e. you see it only to hide thyself from it), this is the plain sense of the verse. Our Rabbis, however, said *that the omission of the particle* לא *before the verb* והתעלמת *(one would expect* כי תראה ... לא תתעלם*) suggests:* There are times when you may hide yourself *from it,* etc. (Siphre; B. Mets. 30a)[2]). **(2)** עד דרש אחיך [AND IT SHALL BE WITH THEE] UNTIL THY BROTHER ENQUIRES [FOR IT] — But would it ever enter your mind that one could give it back before he enquires for it (Scripture distinctly states that you do not know to whom the animal belongs)?! But *the meaning of the verse is:* Thou shalt make diligent enquiries of him that he should not be a fraudulent *claimant* (B. Mets. 27b, 28a; cf. Siphre)[3]). והשבתו לו AND THOU SHALT RESTORE IT TO HIM — *it is necessary* that there be *some* restoration — that it (the animal) should not eat in your house to its own value, and you claim this from him (in which case there is no actual restoration of what has been lost). From here, they (the Rabbis) derived *the law:* Whatever works and requires food (as, for instance, oxen, etc., the cost of whose food is set off by the value of its labour) should work and eat; whatever does not work but requires feeding (as, for instance, sheep) should be sold *and the money restored to the man who lost it* (B. Mets. 28b). **(3)** לא תוכל להתעלם THOU MAYEST NOT HIDE THYSELF — *i. e.* to close your eyes tight, *as it were,* as though you would not see it[4]). **(4)** הקם תקים [THOU SHALT NOT SEE THY BROTHER'S ASS OR ANY OF HIS HERD FALL DOWN BY THE WAY, AND HIDE THYSELF FROM THEM] THOU SHALT SURELY RAISE UP — This refers to the duty of loading — to re-load the burden that fell from it[5]). עמו [THOU SHALT SURELY UPLOAD] WITH HIM — *i. e.* with the owner. But if he goes aside and sits down and says to him, "Since it is a duty for you to load it, if you like to load, do so — *"I" am not commanded to do it",* he is exempt *from doing it* (cf. B. Mets. 32a). **(5)** לא יהיה כלי גבר על אשה THE APPAREL OF A MAN SHALL NOT BE ON A WOMAN — so that she look like a man, in order to consort with men, for this can only be for the purpose of adultery (unchastity) (cf. Siphre;

NOTES

For Notes 1—5 see Appendix.

שִׂמְלַת אִשָּׁה כִּי תוֹעֲבַת יְהוָה אֱלֹהֶיךָ כָּל־עֹשֵׂה אֵלֶּה׃ פ

ו כִּי יִקָּרֵא קַן־צִפּוֹר לְפָנֶיךָ בַּדֶּרֶךְ בְּכָל־עֵץ אוֹ עַל־הָאָרֶץ אֶפְרֹחִים אוֹ בֵיצִים וְהָאֵם רֹבֶצֶת עַל־הָאֶפְרֹחִים אוֹ עַל־הַבֵּיצִים לֹא־תִקַּח הָאֵם עַל־הַבָּנִים׃ ז שַׁלֵּחַ תְּשַׁלַּח אֶת־הָאֵם וְאֶת־הַבָּנִים תִּקַּח־לָךְ לְמַעַן יִיטַב לָךְ וְהַאֲרַכְתָּ יָמִים׃ ס

שלישי ח כִּי תִבְנֶה בַּיִת חָדָשׁ וְעָשִׂיתָ מַעֲקֶה לְגַגֶּךָ וְלֹא־תָשִׂים דָּמִים בְּבֵיתֶךָ כִּי־יִפֹּל הַנֹּפֵל מִמֶּנּוּ׃ ט לֹא־תִזְרַע כַּרְמְךָ כִּלְאָיִם פֶּן־תִּקְדַּשׁ הַמְלֵאָה הַזֶּרַע אֲשֶׁר תִּזְרָע וּתְבוּאַת הַכָּרֶם׃ ס י לֹא־תַחֲרֹשׁ

אונקלוס

יִתְקַן גְּבַר בְּתִקּוּנֵי אִתְּתָא אֲרֵי מְרַחַק קֳדָם יְיָ אֱלָהָךְ כָּל עָבֵד אִלֵּין: ו אִי יִעָרַע קִנָּא דְצִפְּרָא קֳדָמָךְ בְּאָרְחָא בְּכָל אִילָן אוֹ עַל אַרְעָא אֶפְרוֹחִין אוֹ בֵיעִין וְאִמָּא רָבְעָא עַל אֶפְרוֹחִין אוֹ עַל בֵּיעִין לָא תִסַּב אִמָּא עַל בְּנַיָּא: ז שַׁלָּחָא תְשַׁלַּח יָת אִמָּא וְיָת בְּנַיָּא תִּסַּב לָךְ בְּדִיל דְּיֵיטַב לָךְ וְתוֹרִיךְ יוֹמִין: ח אֲרֵי תִבְנֵי בֵּיתָא חַדְתָּא וְתַעְבֵּד תְּיָקָא לְאִגָּרָךְ וְלָא תְשַׁוֵּי חוֹבַת דִּין קְטוֹל בְּבֵיתָךְ אֲרֵי יִפֵּל דְּנָפֵל מִנֵּהּ: ט לָא תִזְרַע כַּרְמָךְ עֵרוּבִין דִּילְמָא תִסְתָּאַב דִּמְעַת זַרְעָא דִּי תִזְרַע וַעֲלַלַת

רש"י

לישב בין הנשים. ד"א שלא ישיר שער הערוה ושער של בית השחי (נזיר נ"ט): כי תועבת. לא אסרה תורה אלא לבוש המביא לידי תועבה (עי' ספרי): (ו) כי יקרא. פרט למזומן (חולי' קל"ט): לא תקח האם. בעודה על בניה: (ז) למען ייטב לך וגו'. אם מצוה קלה שאין בה חסרון כיס אמרה תורה למען ייטב לך והארכת ימים, קל וחומר למתן שכרן של מצות חמורות (שם קמ"ב): (ח) כי תבנה בית חדש. אם קיימת מצות שלוח הקן, סופך לבנות בית חדש, ותקיים מצות מעקה, שמצוה גוררת מצוה, ותגיע לכרם ושדה ולבגדים נאים, לכך נסמכו פרשיות הללו (תנח'): מעקה. גדר סביב לגג, ואונקלוס תרגם תיקא, כגון תיק שמשמר מה שבתוכו: כי יפל הנפל. ראוי זה לפול, ואע"פ כן לא תתגלגל מיתתו על ידך, שמגלגלין זכות על ידי זכאי וחובה על ידי חיב (ספרי): (ט) כלאים. חטה ושעורה וחרצן במפולת יד (בר' כ"ב): פן תקדש. כתרגומו תסתאב, כל דבר הנתעב על האדם, בין לשבח כגון הקדש, בין לגנאי כגון אסור, נופל בו לשון קדוש, כמו אל תגש בי כי קדשתיך (יש' ס"ה): המלאה. זה מלוי ותוספת שהזרע מוסיף: (י) לא תחרש בשור ובחמור. הוא הדין לכל שני מינים שבעולם

a woman's garment: for all that do so *are* abomination unto the Eternal thy God. [6]If a bird's nest chance to be before thee in the way in any tree, or on the earth, *whether they be* young ones or eggs, and the mother sitting upon the young or upon the eggs, thou shalt not take the mother with the young: [7]*But* thou shalt in any wise let the mother go, and take the young to thee; that it may be well with thee, and *that* thou mayest prolong *thy* days. [8]When thou buildest a new house, then thou shalt make a battlement for thy roof, that thou bring not blood upon thine house, if any man fall from thence. [9]Thou shalt not sow thy vineyard with two kinds of seeds; lest the fulness — the seed which thou hast sown, and the increase of thy vineyard, become unlawful. [10]Thou shalt not plough with

רש"י

Nazir 59a). ולא ילבש גבר שמלת אשה NEITHER SHALL A MAN PUT ON A WOMAN'S GARMENT in order to go and stay *unnoticed* amongst women. Another explanation *of the second part of the text is: it implies* that a man should not remove *by a depilatory* the hair of the genitals and the hair beneath the arm-pit (Nazir 59a). כי תועבת FOR [ALL THAT DO SO ARE] AN ABOMINATION [UNTO THE LORD THY GOD] — *This implies that* the Torah forbids only *the wearing of* a garb that leads to abomination (unchastity) (cf. Siphre). **(6)** כי יקרא IF [A BIRD'S NEST] CHANCE TO BE [BEFORE THEE IN THE WAY ... THOU SHALT NOT TAKE THE MOTHER WITH THE YOUNG] — *If it chance to be,* this excludes that which is always ready at hand (in thy court yard) (Siphre; Chul. 139a). לא תקח האם THOU SHALT NOT TAKE THE MOTHER so long as she is *sitting* upon the young[1]). **(7)** למען ייטב לך וגו' THAT IT MAY BE WELL WITH THEE etc. — If *in the case of* an easy command which involves no monetary loss, Scripture states "Do this in order that it may be well with thee and thou mayest prolong thy days". it follows à fortiori *that this at least will be* the grant of the reward *for the fulfilment* of commands which are more difficult *to observe* (Chul. 142a). **(8)** כי תבנה בית חדש WHEN THOU BUILDEST A NEW HOUSE, [THEN THOU SHALT MAKE A BATTLEMENT FOR THY ROOF] — If thou hast fulfilled the command of שלוח הקן (of letting a mother bird go when the nest is rifled), you will in the end *be privileged to* build a new house and *to* fulfil the command of "making a battlement", for one good deed brings another good deed in its train, and you will attain to a vineyard (v. 9), fields (v. 10) and fine garments (vv. 11—12). It is for this reason (to suggest this) that these sections are put in juxtaposition (Tanch.). מעקה *means,* a fence round the roof. Onkelos renders it by תיקא; *the fencing is* like a casing (תיק) which guards things that are within it. כי יפל הנפל [THAT THOU BRING NOT BLOOD UPON THY HOUSE] IF ANY MAN FALL FROM THENCE — (The words may be taken to mean: if he that is to fall (הנופל) falls from it). *This suggests:* this man deserved to fall *to his death* (on account of some crime he had committed), nevertheless his death should not be occasioned by *your* agency, for meritorious things are brought about through the agency of good men and bad things *only* through the agency of evil men (Siphre)[2]). **(9)** כלאים [THOU SHALT NOT SOW THY VINEYARD] WITH DIVERSE KINDS OF SEEDS — *i. e.* wheat and barley together with kernels of grapes with one and the same hand-throw (Ber. 22a; Kidd. 39a; Chul. 82b)[3]). פן תקדש LEST IT BECOME קדש — *Take it* as the Targum *does: lest* it become unclean (unfit for use); to anything for which a man has repugnance *to come into contact with,* be it on account of its sublimity as, for instance, holy things, or be it on account of some bad quality, as, for instance, something that is forbidden, the term קדוש is appropriate, as, *in the latter sense,* e. g., (Jes. LXV. 5) "Come not near to me for I make thee קדוש". [המלאה — This

NOTES

For Notes 1—3 see Appendix.

בְּשׁוֹר־וּבַחֲמֹר יַחְדָּו: יא לֹא תִלְבַּשׁ שַׁעַטְנֵז צֶמֶר
וּפִשְׁתִּים יַחְדָּו: ס יב גְּדִלִים תַּעֲשֶׂה־לָּךְ עַל־אַרְבַּע
כַּנְפוֹת כְּסוּתְךָ אֲשֶׁר תְּכַסֶּה־בָּהּ: ס יג כִּי־יִקַּח
אִישׁ אִשָּׁה וּבָא אֵלֶיהָ וּשְׂנֵאָהּ: יד וְשָׂם לָהּ עֲלִילֹת
דְּבָרִים וְהוֹצִא עָלֶיהָ שֵׁם רָע וְאָמַר אֶת־הָאִשָּׁה
הַזֹּאת לָקַחְתִּי וָאֶקְרַב אֵלֶיהָ וְלֹא־מָצָאתִי לָהּ
בְּתוּלִים: טו וְלָקַח אֲבִי הַנַּעַר וְאִמָּהּ וְהוֹצִיאוּ אֶת־
בְּתוּלֵי הַנַּעַר אֶל־זִקְנֵי הָעִיר הַשָּׁעְרָה: טז וְאָמַר
אֲבִי הַנַּעַר אֶל־הַזְּקֵנִים אֶת־בִּתִּי נָתַתִּי לָאִישׁ הַזֶּה
לְאִשָּׁה וַיִּשְׂנָאֶהָ: יז וְהִנֵּה־הוּא שָׂם עֲלִילֹת דְּבָרִים
לֵאמֹר לֹא־מָצָאתִי לְבִתְּךָ בְּתוּלִים וְאֵלֶּה בְּתוּלֵי
בִתִּי וּפָרְשׂוּ הַשִּׂמְלָה לִפְנֵי זִקְנֵי הָעִיר: יח וְלָקְחוּ

°הַנַּעֲרָה ק׳ °הנערה ק׳ °הנערה ק׳

אונקלוס

כַּרְמָא: י לָא תִרְדֵּי בְּתוֹרָא וּבַחֲמָרָא כַּחֲדָא: יא לָא תִלְבַּשׁ שַׁעַטְנְזָא עֲמַר וְכִתָּן
מְחַבַּר כַּחֲדָא: יב כְּרֻסְפְּדִין תַּעְבֵּד לָךְ עַל אַרְבַּע כַּנְפֵי כְסוּתָךְ דְּתִתְכַּסֵּי בַהּ:
יג אֲרֵי יִסַּב גְּבַר אִתְּתָא וְיֵעוֹל לְוָתַהּ וְיִסְנְנַהּ: יד וִישַׁוֵּי לַהּ תַּסְקוֹפֵי מִלִּין וְיַפֵּק
עֲלַהּ שׁוּם בִּישׁ וְיֵימַר יָת אִתְּתָא הָדָא נְסֵבִית וְעָלֵית לְוָתַהּ וְלָא אַשְׁכַּחִית לַהּ
בְּתוּלִין: טו וְיִסַּב אֲבוּהָא (נ״א אֲבוּהִי) דְעוּלֵמְתָּא וְאִמַּהּ וְיַפְּקוּן יָת בְּתוּלֵי עוּלֵמְתָּא
לְסָבֵי קַרְתָּא לִתְרַע בֵּית דִּין אַתְרָא: טז וְיֵימַר אֲבוּהָא דְעוּלֵמְתָּא לְסָבַיָּא יָת
בְּרַתִּי יְהָבִית לְגַבְרָא הָדֵין לְאִנְתּוּ וְיִסְנְנַהּ: יז וְהָא הוּא שַׁוִּי תַּסְקוֹפֵי מִלִּין לְמֵימַר
לָא אַשְׁכַּחִית לִבְרַתָּךְ בְּתוּלִין וְאִלֵּין בְּתוּלֵי בְרַתִּי וְיִפְרְסוּן שׁוֹשִׁיפָא קֳדָם סָבֵי

רש״י

(ב״ק נ״ד), הוּא הַדִּין לְהַנְהִיגָם יַחַד קְשׁוּרִים זוּגִים בְּהוֹלָכַת שׁוּם מַשָּׂא (כלאי׳ מ״ב; ב״מ ח׳): (יא) שעטנז. לְשׁוֹן עֵרוּב. וְרַבּוֹתֵינוּ פֵּרְשׁוּ שׁוּעַ טָווּי וְנוּז (ספרי): (יב) גדלים תעשה לך. אַף מִן הַכִּלְאַיִם, לְכָךְ סְמָכָן הַכָּתוּב (יבי׳ ד׳): (יג–יד) ובא אליה ושנאה. סוֹפוֹ ושם לה עלילת דברים – עֲבֵרָה גוֹרֶרֶת עֲבֵרָה, עָבַר עַל לֹא תִשְׂנָא, סוֹפוֹ לָבֹא לִידֵי לְשׁוֹן הָרָע (עי׳ ספרי): את האשה הזאת. מִכָּאן שֶׁאֵין אוֹמֵר דָּבָר אֶלָּא בִּפְנֵי בַעַל דִּין (שם): (טו) אבי הנערה ואמה. מִי שֶׁגִּדְּלוּ גִדּוּלִים הָרָעִים יִתְבַּזּוּ עָלֶיהָ (עי׳ שם): (טז) ואמר אבי הנערה. מְלַמֵּד שֶׁאֵין רְשׁוּת לָאִשָּׁה לְדַבֵּר בִּפְנֵי הָאִישׁ (שם): (יז) ופרשו

one of the herd and an ass together. [11]Thou shalt not wear a garment of two kinds, *as* of woollen and linen together. [12]Thou shalt make thee tassels upon the four corners of thy vesture, wherewith thou coverest *thyself*. [13]If any man take a wife, and come unto her, and hate her, [14]And impute actions to her by *mere* words, and bring up an evil name upon her, and say, I took this woman, and, when I came to her, I found not on her *the tokens of* virginity: [15]Then shall the father of the damsel, and her mother, take and bring forth *the tokens of* the damsel's virginity unto the elders of the city in the gate: [16]And the damsel's father shall say unto the elders, I gave my daughter unto this man to wife, and he hateth her; [17]And, lo, he hath imputed actions *to* her by *mere* words, saying, I found not on thy daughter *the tokens of* virginity; and yet these *are the tokens of* my daughter's virginity: And they shall spread the cloth before the elders of the city. [18]And the elders of that city shall take

רש"י

is the fullness and increase which the seed produces]. **(10)** לא תחרש בשור ובחמר THOU SHALT NOT PLOUGH WITH AN OX AND WITH AN ASS [TOGETHER] — The same law applies to a n y two *different* kinds *of animals* in existence; the same law applies also to *merely* d r i v i n g them together (when not ploughing) whilst they are yoked together as a pair carrying any load (cf. Kil. VIII. 2 and 3; B. Mets. 8b). **(11)** שעטנז is an expression for a mixture. Our Rabbis explained it *to mean a material that is* calendered (pressed, שוע), or woven (טוי), or twisted (נוז) together; (שעטנז is taken to be an abbreviation of these words; cf. Rashi on Lev. XIX. 19 and our Note thereon). **(12)** גדלים תעשה לך THOU SHALT MAKE THEE TASSELS [UPON THE FOUR CORNERS OF THY VESTURE] — be they even from a mixture *of wool and linen;* for this reason Scripture puts them (the prohibition of שעטנז and the command of ציצית) in juxtaposition (Jeb. 4a)[1]). **(13—14)** ובא אליה ושנאה [IF ANY MAN TAKE A WIFE] AND COME UNTO HER AND HATE HER, the end will be ושם לה עלילת דברים that HE WILL IMPUTE ACTIONS UPON HER BY MERE WORDS (i. e. he will slander her); one sin brings another sin in its train: if he transgresses *the prohibition* "thou shalt not hate [thy fellow]" (Lev. XIX. 17), the end will be that he will fall into slander (cf. Siphre). את האשה הזאת THIS WOMAN — Hence *we derive the law* that one must not speak anything *to the judge* except in the presence of the opposing party (Siphre). **(15)** אבי הנערה ואמה [THEN SHALL] THE FATHER OF THE DAMSEL, AND HER MOTHER [TAKE AND BRING FORTH etc.] — Let those who have reared this depraved child (lit., "evil plant") be exposed to contempt because of her (Siphre)[2]). **(16)** ואמר אבי הנערה AND THE DAMSEL'S FATHER SHALL SAY [UNTO THE ELDERS] — *although both parents appear before them, yet the father alone shall speak* — this teaches that a woman is not allowed to speak in the presence of her husband (if he, too, is concerned in the matter) (Siphre).

NOTES

[1]) The position of the object, גדלים, before the verb suggests that emphasis is to be placed on it. The translation is: Thou shalt not wear a garment of two kinds of woollen and linen together, but גדלים *of this character* thou mayest make for thyself.

[2]) Although it has not yet been proved that she is guilty the fact that the husband dares to suspect her of unchastity shows that her character cannot be faultless. "There is no smoke without fire"!

זִקְנֵי הָעִיר־הַהִוא אֶת־הָאִישׁ וְיִסְּרוּ אֹתוֹ׃ יט וְעָנְשׁוּ אֹתוֹ מֵאָה כֶסֶף וְנָתְנוּ לַאֲבִי הַנַּעֲרָה כִּי הוֹצִיא שֵׁם רָע עַל בְּתוּלַת יִשְׂרָאֵל וְלוֹ־תִהְיֶה לְאִשָּׁה לֹא־יוּכַל לְשַׁלְּחָהּ כָּל־יָמָיו׃ ס כ וְאִם־אֱמֶת הָיָה הַדָּבָר הַזֶּה לֹא־נִמְצְאוּ בְתוּלִים לַנַּעֲרָ׃ כא וְהוֹצִיאוּ אֶת־הַנַּעֲרָ אֶל־פֶּתַח בֵּית־אָבִיהָ וּסְקָלוּהָ אַנְשֵׁי עִירָהּ בָּאֲבָנִים וָמֵתָה כִּי־עָשְׂתָה נְבָלָה בְּיִשְׂרָאֵל לִזְנוֹת בֵּית אָבִיהָ וּבִעַרְתָּ הָרָע מִקִּרְבֶּךָ׃ ס כב כִּי־יִמָּצֵא אִישׁ שֹׁכֵב עִם־אִשָּׁה בְעֻלַת־בַּעַל וּמֵתוּ גַּם־שְׁנֵיהֶם הָאִישׁ הַשֹּׁכֵב עִם־הָאִשָּׁה וְהָאִשָּׁה וּבִעַרְתָּ הָרָע מִיִּשְׂרָאֵל׃ ס כג כִּי יִהְיֶה נַעֲרָ בְתוּלָה מְאֹרָשָׂה לְאִישׁ וּמְצָאָהּ אִישׁ בָּעִיר וְשָׁכַב עִמָּהּ׃ כד וְהוֹצֵאתֶם אֶת־

לנערה ק׳ הנערה ק׳ נערה ק׳

אונקלוס

קַרְתָּא: יח וְיִדְבְּרוּן סָבֵי קַרְתָּא הַהִיא יָת גַּבְרָא וְיִלְקוּן יָתֵהּ: יט וְיִגְבּוּן מִנֵּהּ מְאָה סִלְעִין דִּכְסַף וְיִתְּנוּן לַאֲבוּהָא דְעוּלֶמְתָּא אֲרֵי אַפֵּיק שׁוּם בִּישׁ עַל בְּתוּלְתָּא דְיִשְׂרָאֵל וְלֵהּ תְּהֵי לְאִנְתּוּ לֵית לֵהּ רְשׁוּ לְמִפְטְרַהּ כָּל יוֹמוֹהִי: כ וְאִם קֻשְׁטָא הֲוָה פִּתְגָּמָא הָדֵין לָא אִשְׁתְּכַחוּ בְתוּלִין לְעוּלֶמְתָּא: כא וְיַפְּקוּן יָת עוּלֶמְתָּא לִתְרַע בֵּית אֲבוּהָא וְיִרְגְּמֻנַּהּ אֱנָשֵׁי קַרְתַּהּ בְּאַבְנַיָּא וּתְמוּת אֲרֵי עֲבַדַת קְלָנָא בְּיִשְׂרָאֵל לְזַנָּאָה בֵּית אֲבוּהָא וּתְפַלֵּי עָבֵד דְּבִישׁ מִבֵּינָךְ: כב אֲרֵי יִשְׁתְּכַח גְּבַר דְּשָׁכֵב עִם אִתְּתָא אִתַּת גְּבַר וְיִתְקַטְּלוּן אַף תַּרְוֵיהוֹן גַּבְרָא דְּשָׁכֵב עִם אִתְּתָא וְאִתְּתָא וּתְפַלֵּי עָבֵד דְּבִישׁ מִיִּשְׂרָאֵל: כג אֲרֵי תְהֵי עוּלֶמְתָּא בְתֻלְתָּא דִּמְאָרְסָא לִגְבַר וְיִשְׁכְּחִנַּהּ גְּבַר בְּקַרְתָּא וְיִשְׁכּוּב עִמַּהּ: כד וְתַפְּקוּן יָת תַּרְוֵיהוֹן לִתְרַע קַרְתָּא

רש״י

השמלה, הֲרֵי זֶה מָשָׁל, מְחַוְּרִין הַדְּבָרִים כְּשִׂמְלָה (שם; כתו׳ מ״ו): **(יח) ויסרו אתו.** מַלְקוֹת (שם): **(כ) ואם אמת היה הדבר.** בְּעֵדִים וְהַתְרָאָה, שֶׁזִּנְּתָה לְאַחַר אֵרוּסִין (כתו׳ מ״ד): **(כא) אל פתח בית אביה.** רְאוּ גִּדּוּלִים שֶׁגִּדַּלְתֶּם (שם מ״ה): **אנשי עירה.** בְּמַעֲמַד כָּל אַנְשֵׁי עִירָהּ (ספרי): **לזנות בית אביה.** כְּמוֹ בְּבֵית: **(כב) ומתו גם שניהם.** לְהוֹצִיא מַעֲשֵׂה חִדּוּדִים שֶׁאֵין הָאִשָּׁה נֶהֱנֵית מֵהֶם (ספרי; סנה׳ ס״ו): **גם.** לְרַבּוֹת הַבָּאִים מֵאַחֲרֵיהֶם (ספרי); דָּבָר אַחֵר גם שניהם לְרַבּוֹת אֶת הַוָּלָד שֶׁאִם הָיְתָה מְעֻבֶּרֶת אֵין מַמְתִּינִין לָהּ עַד שֶׁתֵּלֵד (ערכ׳ ז׳): **(כג) ומצאה איש בעיר.** לְפִיכָךְ שָׁכַב עִמָּהּ — פִּרְצָה

that man, and chastise him; [19]And they shall amerce him in an hundred *shekels* of silver, and give *them* unto the father of the damsel, because he hath brought up an evil name upon a virgin of Israel: and she shall be his wife; he may not send her away all his days. [20]But if this thing be true, *and the tokens of* virginity be not found for the damsel: [21]Then they shall bring out the damsel to the entrance of her father's house, and the men of her city shall overwhelm her with stones that she die; because she hath done a base deed in Israel, to play the whore in her father's house: so shalt thou put evil away from among you. [22]If a man be found lying with a woman married to an husband, then they shall both of them die, *both* the man that lay with the woman, and the woman; so shalt thou put away evil from Israel. [23]If a damsel *that is* a virgin be betrothed unto a man, and a man find her in the city, and lie with her; [24]Then ye shall bring

רש"י

(17) ופרשו השמלה AND THEY SHALL SPREAD THE CLOTH [BEFORE THE ELDERS OF THE CITY] — This is a figurative expression: they must make the matter as white (as clear) as a sheet (Siphre; Keth. 46a)[1]). **(18)** ויסרו אתו [AND THE ELDERS ... SHALL TAKE THE MAN] AND CHASTISE HIM — *i. e. with* lashes (Siphre; Keth. 46a; cf. Onk.). **(20)** ואם אמת היה הדבר BUT IF THE THING BE TRUE — *proved* by *evidence of* witnesses and *after legal* warning that she had been unchaste after her betrothal (Keth. 44b), *then they shall ... overwhelm her with stones*[2]). **(21)** אל פתח בית אביה [THEN THEY SHALL BRING THE DAMSEL] TO THE ENTRANCE OF HER FATHER'S HOUSE — *suggesting:* "See what a child (lit., a plant) you have reared!" (Keth. 45a). אנשי עירה [AND] THE MEN OF HER CITY [SHALL OVERWHELM HER WITH STONES] — *This means, the witnesses shall stone her,* all the men of her city standing by (Siphre; cf. Rashi on Lev. XXIV. 14). לזנות בית אביה TO PLAY THE WHORE "IN" HER FATHER'S HOUSE — *The word* בית is equivalent to בבית. **(22)** ומתו גם שניהם THEN THEY SHALL BOTH OF THEM DIE — *The redundant words* גם שניהם *are intended* to exclude a case of unnatural intercourse from which the woman derives no gratification (Siphre; Sanh. 66b). גם *is intended* to include those persons who commit adultery with one of this pair a f t e r them (i. e. after this pair had been found guilty) (Siphre)[3]). Another explanation of גם שניהם is: *these words are intended* to include *in the death penalty* the embryo: that if the woman was pregnant the execution is not deferred until she gives birth (cf. Targ. Jon.; Arach. 7a). **(23)** ומצאה איש בעיר [IF A DAMSEL THAT IS A VIRGIN BE BETROTHED UNTO A MAN] AND A MAN FIND HER IN THE CITY [AND LIE WITH HER] — *Because he found her outdoors* therefore he

NOTES

[1]) There is, however, an opinion in Siphre and the Talmud that these words are to be taken literally.
[2]) See Appendix.
[3]) There are different readings in the text of the Siphre which is unsettled.

שְׁנֵיהֶם אֶל־שַׁעַר ׀ הָעִיר הַהִוא וּסְקַלְתֶּם אֹתָם בָּאֲבָנִים וָמֵתוּ אֶת־הַנַּעֲרָ° עַל־דְּבַר אֲשֶׁר לֹא־צָעֲקָה בָעִיר וְאֶת־הָאִישׁ עַל־דְּבַר אֲשֶׁר־עִנָּה אֶת־אֵשֶׁת רֵעֵהוּ וּבִעַרְתָּ הָרָע מִקִּרְבֶּךָ׃ ס כה וְאִם־בַּשָּׂדֶה יִמְצָא הָאִישׁ אֶת־הַנַּעֲרָ° הַמְאֹרָשָׂה וְהֶחֱזִיק־בָּהּ הָאִישׁ וְשָׁכַב עִמָּהּ וּמֵת הָאִישׁ אֲשֶׁר־שָׁכַב עִמָּהּ לְבַדּוֹ׃ כו וְלַנַּעֲרָ° לֹא־תַעֲשֶׂה דָבָר אֵין לַנַּעֲרָ° חֵטְא מָוֶת כִּי כַּאֲשֶׁר יָקוּם אִישׁ עַל־רֵעֵהוּ וּרְצָחוֹ נֶפֶשׁ כֵּן הַדָּבָר הַזֶּה׃ כז כִּי בַשָּׂדֶה מְצָאָהּ צָעֲקָה הַנַּעֲרָ° הַמְאֹרָשָׂה וְאֵין מוֹשִׁיעַ לָהּ׃ ס כח כִּי־יִמְצָא אִישׁ נַעֲרָ° בְתוּלָה אֲשֶׁר לֹא־אֹרָשָׂה וּתְפָשָׂהּ וְשָׁכַב עִמָּהּ וְנִמְצָאוּ׃ כט וְנָתַן הָאִישׁ הַשֹּׁכֵב עִמָּהּ לַאֲבִי הַנַּעֲרָ° חֲמִשִּׁים כָּסֶף וְלוֹ־תִהְיֶה לְאִשָּׁה תַּחַת אֲשֶׁר עִנָּהּ

°הנערה ק׳ °נערה ק׳ °הנערה ק׳ °לנערה ק׳ °ולנערה ק׳ °הנערה ק׳ °הנערה ק׳

אונקלוס

הַהִיא וְתִרְגְּמוּן יָתְהוֹן בְּאַבְנַיָּא וִימוּתוּן יָת עוּלֵמְתָּא עַל עֵסַק דִּי לָא צְוָחַת בְּקַרְתָּא וְיָת גַּבְרָא עַל עֵסַק דְּעַנִּי יָת אִתַּת חַבְרֵהּ וּתְפַלֵּי עָבֵד דְּבִישׁ מִבֵּינָךְ׃ כה וְאִם בְּחַקְלָא יַשְׁכַּח גְּבַר יָת עוּלֵמְתָּא דִּמְאָרְסָא וְיִתְקֶף בַּהּ גַּבְרָא וְיִשְׁכּוּב עִמַּהּ וְיִתְקְטֵל גַּבְרָא דִּשְׁכֵיב עִמַּהּ בִּלְחוֹדוֹהִי׃ כו וּלְעוּלֵמְתָּא לָא תַעְבֵּד מִדְּעַם לֵית לְעוּלֵמְתָּא חוֹבַת דִּין דִּקְטוֹל אֲרֵי כְּמָא דִיקוּם גַּבְרָא עַל חַבְרֵהּ וְיִקְטְלִנֵּהּ נְפַשׁ כֵּן פִּתְגָּמָא הָדֵין׃ כז אֲרֵי בְחַקְלָא אַשְׁכְּחַהּ צְוָחַת עוּלֵמְתָּא דִּמְאָרְסָא וְלֵית דְּפָרִיק לַהּ׃ כח אֲרֵי יַשְׁכַּח גְּבַר עוּלֵמְתָּא בְּתֻלְתָּא דִּי לָא מְאָרְסָא וְיֶחְדִנַּהּ וְיִשְׁכּוּב עִמַּהּ וְיִשְׁתַּכְחוּן׃ כט וְיִתֵּן גַּבְרָא דִּשְׁכֵיב עִמַּהּ לַאֲבוּהָא דְעוּלֵמְתָּא חַמְשִׁין סִלְעִין דִּכְסַף

רש״י

קוֹרְאָה לְגַנָּב, הָא אִלּוּ יָשְׁבָה בְּבֵיתָהּ, לֹא אֵרַע לָהּ (ספרי): **(כו) כי כאשר יקום וגו׳.** לְפִי פְשׁוּטוֹ זֶהוּ מַשְׁמָעוֹ: כִּי אֲנוּסָה הִיא וּבַחֲזָקָה עָמַד עָלֶיהָ, כְּאָדָם הָעוֹמֵד עַל חֲבֵרוֹ לְהָרְגוֹ. וְרַבּוֹתֵינוּ דָּרְשׁוּ בוֹ הֲרֵי זֶה בָּא לְלַמֵּד וְנִמְצָא לָמֵד וְכוּ׳ (סנה׳ ע״ג):

them both out unto the gate of that city, and ye shall overwhelm them with stones that they die; the damsel, because she cried not, *being* in the city; and the man, because he hath afflicted the wife of his fellow: so thou shalt put away evil from among you. [25]But if a man find a betrothed damsel in the field, and the man lays hold on her, and lie with her; then the man only that lay with her shall die: [26]But unto the damsel thou shalt do nothing; *there is* in the damsel no sin *deserving* death: for as when a man riseth against his fellow-man, and slayeth him, even so *is* this thing: [27]For he found her in the field, *and* the betrothed damsel cried, and *there was* none to save her. [28]If a man find a damsel *that is* a virgin, who is not betrothed, and seizes her, and lie with her, and they be found; [29]Then the man that lay with her shall give unto the damsel's father fifty *shekels* of silver, and she shall be his wife: because he hath afflicted her,

רש״י

lay with her: a breach *in the wall* invites the thief; if she had remained at home (as becomes a chaste Jewish girl) this would not have happened to her (Siphre). **(26)** כי כאשר יקום וגו׳ FOR AS WHEN A MAN RISETH [AGAINST HIS FELLOW MAN, AND SLAYETH HIM, EVEN SO IS THIS THING] — According to its plain sense the following is what it implies: *there is in the damsel no sin deserving death*, because she was coerced and he, (the man) attacked her with violence, just as when a man attacks his fellowman to kill him. — Our Rabbis, however, gave it (the verse) a Halachic interpretation *as follows:* Behold, this *simile* is intended to elucidate *the law in question* but at the same time turns out to be itself elucidated *by that law* (lit., this comes as a teacher and is found to be a learner) (Sanh. 73a)[1]).

NOTES

[1]) If the simile were intended only to illustrate this law, viz., that a נערה המאורסה who is forcibly violated deserves no punishment, it is superfluous, for this has already been sufficiently stressed by the words: "But to the damsel thou shalt do nothing; there is in the damsel no sin deserving death". Besides, the two cases are by no means parallel in all respects. Whilst in the sin of murder the victim is a passive party, and under no circumstances can receive punishment, in that of adultery both are participants and both can be punished. The Rabbis therefore held that the simile is intended to suggest a complete analogy, the cases compared mutually illustrating each other, and that any Halacha applicable to the one is applicable also to the other. In the case of the נערה המאורסה anyone is permitted to save her honour by whatever means possible, since it says (v. 27) "and the betrothed damsel cried, and there was none to save her", which implies that if there is any possibility of saving her this must be done, even though it be the extreme course of killing the attacker (ניתנה להצילה בנפשו). So, too, one may save a man whose life is being attacked by killing the intending murderer. Thus the law given in this Biblical text casts light on the law of murder. Again if one is threatened with death if he refuses to kill a designated person he must sacrifice his life rather than commit the sin of murder (יהרג ואל יעבור). Similarly, one who is threatened with death if he does not violate a betrothed woman must refuse to do so even at the cost of his life.

לֹא־יוּכַל שַׁלְּחָהּ כָּל־יָמָיו: ס כג א לֹא־יִקַּח אִישׁ
אֶת־אֵשֶׁת אָבִיו וְלֹא יְגַלֶּה כְּנַף אָבִיו: ס ב לֹא־
יָבֹא פְצוּעַ־דַּכָּא וּכְרוּת שָׁפְכָה בִּקְהַל יְהוָה: ס
ג לֹא־יָבֹא מַמְזֵר בִּקְהַל יְהוָה גַּם דּוֹר עֲשִׂירִי לֹא־
יָבֹא לוֹ בִּקְהַל יְהוָה: ד לֹא־יָבֹא עַמּוֹנִי וּמוֹאָבִי
בִּקְהַל יְהוָה גַּם דּוֹר עֲשִׂירִי לֹא־יָבֹא לָהֶם בִּקְהַל
יְהוָה עַד־עוֹלָם: ה עַל־דְּבַר אֲשֶׁר לֹא־קִדְּמוּ אֶתְכֶם
בַּלֶּחֶם וּבַמַּיִם בַּדֶּרֶךְ בְּצֵאתְכֶם מִמִּצְרָיִם וַאֲשֶׁר
שָׂכַר עָלֶיךָ אֶת־בִּלְעָם בֶּן־בְּעוֹר מִפְּתוֹר אֲרַם
נַהֲרַיִם לְקַלְלֶךָּ: ו וְלֹא־אָבָה יְהוָה אֱלֹהֶיךָ לִשְׁמֹעַ
אֶל־בִּלְעָם וַיַּהֲפֹךְ יְהוָה אֱלֹהֶיךָ לְּךָ אֶת־הַקְּלָלָה

אונקלוס

וְלֵהּ תְּהֵי לְאִנְתּוּ חֲלָף דִּי עַנְיַהּ לֵית לֵהּ רְשׁוּ לְמִפְטְרַהּ כָּל יוֹמוֹהִי: א לָא יִסַּב
גְּבַר יָת אִתַּת אֲבוּהִי וְלָא יְגַלֵּי כַּנְפָא דַּאֲבוּהִי: ב לָא יִדְכֵּי דְפָסִיק וְדִמְחַבֵּל
לְמֵעַל בִּקְהָלָא דַּיְיָ: ג לָא יִדְכֵּי מַמְזֵרָא לְמֵעַל בִּקְהָלָא דַּיְיָ אַף דָּרָא עֲשִׂירָאָה לָא
יִדְכֵּי לֵהּ לְמֵעַל בִּקְהָלָא דַּיְיָ: ד לָא יִדְכֵּי עַמּוֹנָאֵי וּמוֹאָבָאֵי לְמֵעַל בִּקְהָלָא דַּיְיָ אַף
דָּרָא עֲשִׂירָאָה לָא יִדְכֵּי לְהוֹן לְמֵעַל בִּקְהָלָא דַּיְיָ עַד עָלַם: ה עַל עֵסַק דִּי לָא
עָרָעוּ יָתְכוֹן בְּלַחְמָא וּבְמַיָּא בְּאָרְחָא בְּמִפַּקְכוֹן מִמִּצְרַיִם וְדִי אֲגַר עֲלָךְ יָת בִּלְעָם
בַּר בְּעוֹר מִפְּתוֹר אֲרָם דִּי עַל פְּרָת לְלַטָּיוּתָךְ: ו וְלָא אָבֵי יְיָ אֱלָהָךְ לְקַבָּלָא מִן

רש"י

כג (א) **לא יקח.** אֵין לוֹ בָהּ לִקּוּחִין וְאֵין קִדּוּשִׁין תּוֹפְסִין בָּהּ (עי' קִדּוּ' ס"ז): **ולא יגלה
כנף אביו.** שׁוֹמֶרֶת יָבָם שֶׁל אָבִיו הָרְאוּיָה לְאָבִיו, וַהֲרֵי כְבָר הִזְהַר עָלֶיהָ מִשּׁוּם עֶרְוַת אָחִי
אָבִיךָ (ויק' י"ח) אֶלָּא לַעֲבוֹר עַל זוֹ בִּשְׁנֵי לָאוִין, וְלִסְמוֹךְ לָהּ לֹא יָבֹא מַמְזֵר, לְלַמֵּד שֶׁאֵין
מַמְזֵר אֶלָּא מֵחַיָּבֵי כְרִיתוֹת, וְקַל וָחוֹמֶר מֵחַיָּבֵי מִיתוֹת בֵּין דִּין, שֶׁאֵין בַּעֲרָיוֹת מִיתוֹת
בֵּית דִּין שֶׁאֵין בָּהּ כָּרֵת (יב' ד"י): (ב) **פצוע דכה.** שֶׁנִּפְצְעוּ אוֹ נִדְכְּאוּ בֵּיצִים שֶׁלּוֹ: **וכרות
שפכה.** שֶׁנִּכְרְתָה הַגִּיד וְשׁוּב אֵינוֹ יוֹרֶה קִלּוּחַ זֶרַע אֶלָּא שׁוֹפֵךְ וְשׁוֹתֵת וְאֵינוֹ מוֹלִיד (ספרי:
יב' ע'): (ג) **לא יבא ממזר בקהל ה'.** לֹא יִשָּׂא יִשְׂרְאֵלִית: (ד) **לא יבא עמוני.** לֹא יִשָּׂא
יִשְׂרְאֵלִית: (ה) **על דבר.** עַל הָעֵצָה שֶׁיָּעֲצוּ אֶתְכֶם לְהַחֲטִיאֲכֶם: **בדרך.** כְּשֶׁהֱיִיתֶם בְּטֵרוּף

he may not put her away all his days.

23. [1]A man shall not take his father's wife, nor uncover his father's skirt. [2]He that is bruised in the stones, or hath his privy member cut off, shall not come into the assembly of the Eternal. [3]One born in incest or adultery shall not come into the assembly of the Eternal; even to his tenth generation shall he not come into the assembly of the Eternal. [4]An Ammonite or Moabite shall not come into the assembly of the Eternal; even to their tenth generation shall they not enter into the assembly of the Eternal for over: [5]Because they met you not with bread and with water in the way, when ye came forth out of Egypt; and because they hired against thee Balaam the son of Beor, of Pethor of Mesopotamia, to curse thee. [6]Nevertheless the Eternal thy God was not willing to hearken unto Balaam; but the Eternal thy God turned the curse

רש"י

23. (1) לא יקח — *This does not mean "he shall not take" but "he cannot take" his father's wife:* there can be no question for him in regard to her of a legal marriage, because the marriage ceremony (קדושין) has no legal hold on her (cannot make her his wife: it is no marriage) (cf. Rashi on Kidd. 67b s. v. לא יקח). ולא יגלה כנף אביו AND HE SHALL NOT UNCOVER HIS FATHER'S SKIRT — This refers to the שומרת יבם of his father (the widow of his father's brother who died without issue, and who is waiting (שומרת) for her brother-in-law (יבם) either to marry her or to put her through the ceremony of release, חליצה), who is *thus* destined for his father. But has he not already been prohibited about her (i. e. forbidden to marry her) on account of the law (Lev. XVIII. 14) "the nakedness of thy father's brother [thou shalt not uncover]"?! *But the prohibition is repeated here* in order to make him transgress two negative commands *if he takes her*, and in order to put into juxtaposition to it *the law* (v. 2) "one born of incest or adultery (ממזר) shall not come [into the assembly of the Lord]", and *thereby* to teach that one is *termed* ממזר only *if he is born* from those liable to the penalty of excision *on account of the intercourse between them, as is the case with one who take's his father's* שומרת יבם, *who is forbidden to him under the penalty of* כרת *as* אשת אחי אביו; *cf. Lev. XVIII. 14 and 29* (but not if he was born of a woman intercourse with whom involves only flagellation), and it logically follows *that the term applies also to one born* from those liable to one of the death penalties by sentence of the court, for amongst the cases of forbidden intercourse there is none *punishable with* death by *the sentence of* the court which does not involve the penalty of excision (if it was not preceded by a warning) (Jeb. 4a; 97a; 49a; cf. also Rashi Kidd. 67b s. v. מהנ"מ). **(2)** פצוע דכא *means,* one whose stones have been bruised (פצוע) or crushed (דכא). וכרות שפכה *means,* one whose membrun has a cut in it, so that it no longer forcibly ejects a continuous flow of sperm but it pours it forth slowly, and he *thus* cannot beget children (Siphre; Joma 70a). **(3)** לא יבא ממזר בקהל ה׳ ONE BORN IN INCEST OR ADULTERY SHALL NOT COME INTO THE ASSEMBLY OF THE LORD — *i. e.* he shall not marry an Israelitish woman. **(4)** לא יבא עמני AN AMONITE [OR MOABITE] SHALL NOT COME [INTO THE ASSEMBLY OF THE LORD] — *i. e.* he shall not marry an Israelitish woman[1]). **(5)** על דבר *may be translated* BECAUSE OF THE WORD — *i. e.* because of the advice which they gave you in order to entice you into sin (Siphre)[2]). בדרך IN THE WAY —

NOTES

For Notes 1—2 see Appendix.

לִבְרָכָה כִּי אֲהֵבְךָ יְהוָה אֱלֹהֶיךָ׃ ז לֹא־תִדְרֹשׁ
שְׁלֹמָם וְטֹבָתָם כָּל־יָמֶיךָ לְעוֹלָם׃ ס רביעי ח לֹא־
תְתַעֵב אֲדֹמִי כִּי אָחִיךָ הוּא לֹא־תְתַעֵב מִצְרִי כִּי־
גֵר הָיִיתָ בְאַרְצוֹ׃ ט בָּנִים אֲשֶׁר־יִוָּלְדוּ לָהֶם דּוֹר
שְׁלִישִׁי יָבֹא לָהֶם בִּקְהַל יְהוָה׃ ס י כִּי־תֵצֵא
מַחֲנֶה עַל־אֹיְבֶיךָ וְנִשְׁמַרְתָּ מִכֹּל דָּבָר רָע׃ יא כִּי־
יִהְיֶה בְךָ אִישׁ אֲשֶׁר לֹא־יִהְיֶה טָהוֹר מִקְּרֵה־לָיְלָה
וְיָצָא אֶל־מִחוּץ לַמַּחֲנֶה לֹא יָבֹא אֶל־תּוֹךְ הַמַּחֲנֶה׃
יב וְהָיָה לִפְנוֹת־עֶרֶב יִרְחַץ בַּמָּיִם וּכְבֹא הַשֶּׁמֶשׁ
יָבֹא אֶל־תּוֹךְ הַמַּחֲנֶה׃ יג וְיָד תִּהְיֶה לְךָ מִחוּץ
לַמַּחֲנֶה וְיָצָאתָ שָּׁמָּה חוּץ׃ יד וְיָתֵד תִּהְיֶה לְךָ עַל־

אונקלוס

בִּלְעָם וַהֲפַךְ יְיָ אֱלָהָךְ לָךְ יָת לְוָטִין לְבִרְכָן אֲרֵי רַחְמָךְ יְיָ אֱלָהָךְ׃ ז לָא תִתְבַּע
שְׁלָמְהוֹן וְטָבַתְהוֹן כָּל יוֹמָךְ לְעָלַם׃ ח לָא תְרַחֵק אֱדוֹמָאָה אֲרֵי אֲחוּךְ הוּא
לָא תְרַחֵק מִצְרָאָה אֲרֵי דַיָּר הֲוֵיתָא בְּאַרְעֵהּ׃ ט בְּנִין דִּי יִתְיְלִידוּ לְהוֹן דָּרָא
תְּלִיתָאָה יִדְכֵּי לְהוֹן לְמֵעַל בִּקְהָלָא דַיְיָ׃ י אֲרֵי תִפּוֹק מַשְׁרִיתָא עַל בַּעֲלֵי דְבָבָךְ
וְתִסְתַּמַּר מִכֹּל מִדַּעַם בִּישׁ׃ יא אֲרֵי יְהֵי בָךְ גְּבַר דִּי לָא יְהֵי דְכֵי מִקְּרֵה לֵילְיָא
וְיִפּוֹק לְמִבָּרָא לְמַשְׁרִיתָא לָא יֵעוֹל לְגוֹ מַשְׁרִיתָא׃ יב וִיהֵי לְמִפְנֵי רַמְשָׁא יַסְחֵי
בְמַיָּא וּכְמֵעַל שִׁמְשָׁא יֵעוֹל לְגוֹ מַשְׁרִיתָא׃ יג וַאֲתַר מְתַקַּן תְּהֵי לָךְ לְבָרָא

רש"י

(ספרי): (ז) לא תדרש שלמם. מִכְּלָל שֶׁנֶּאֱמַר עִמְּךָ יֵשֵׁב בְּקִרְבְּךָ יָכוֹל אַף זֶה כֵּן, תַּ"ל לא תדרש שלמם (עי' ספרי): (ח) לא תתעב אדמי. לְגַמְרֵי, וְאַעַ"פּ שֶׁרָאוּי לְךָ לְתַעֲבוֹ שֶׁיָּצָא בַּחֶרֶב לִקְרָאתְךָ: לא תתעב מצרי. מִכֹּל וָכֹל, אַף עַל פִּי שֶׁזָּרְקוּ זְכוּרֵיכֶם לַיְאוֹר, מַה טַּעַם? שֶׁהָיוּ לָכֶם אַכְסַנְיָא בִּשְׁעַת הַדְּחָק לְפִיכָךְ (ט) בנים אשר יולדו להם דור שלישי וגומר. וּשְׁאָר אֻמּוֹת מֻתָּרִין מִיָּד, הָא לָמַדְתָּ שֶׁהַמַּחֲטִיא לָאָדָם קָשֶׁה לוֹ מִן הַהוֹרְגוֹ, שֶׁהַהוֹרְגוֹ הוֹרְגוֹ בָּעוֹלָם הַזֶּה וְהַמַּחֲטִיאוֹ מוֹצִיאוֹ מִן הָעוֹלָם הַזֶּה וּמִן הָעוֹלָם הַבָּא, לְפִיכָךְ אֱדוֹם שֶׁקִּדְּמָם בַּחֶרֶב לֹא נִתְעַב, וְכֵן מִצְרַיִם שֶׁטִּבְּעוּם, וְאֵלּוּ שֶׁהֶחֱטִיאוּם נִתְעֲבוּ (ספרי): (י) כי תצא וגו'... ונשמרת. שֶׁהַשָּׂטָן מְקַטְרֵג בִּשְׁעַת הַסַּכָּנָה (ירוש' שבת ב'): (יא) מקרה לילה. דִּבֵּר הַכָּתוּב בַּהוֹוֶה (ספרי): ויצא אל מחוץ למחנה. זוֹ מִצְוַת עֲשֵׂה: לא יבא אל תוך המחנה. זוֹ מִצְוַת לֹא תַעֲשֶׂה (שם), וְאָסוּר לִכָּנֵס לְמַחֲנֵה לְוִיָּה, וְכָל שֶׁכֵּן לְמַחֲנֵה שְׁכִינָה (עי' פס' ס"ח): (יב) והיה לפנות ערב. סָמוּךְ לְהַעֲרֵב שִׁמְשׁוֹ יִטְבּוֹל, שֶׁאֵינוֹ טָהוֹר

into a blessing unto thee, because the Eternal thy God loved thee. [7]Thou shalt not seek their peace nor their prosperity all thy days for ever. [8]Thou shalt not abhor an Edomite; for he *is* thy brother: thou shalt not abhor an Egyptian, because thou wast a stranger in his land. [9]The children that are born unto them may come into the assembly of the Eternal in their third generation. [10]When the host goeth forth against thine enemies, then keep thee from every evil thing. [11]If there be among you any man that is not clean by reason of uncleanness that chanceth him by night, then he shall go abroad out of the camp, he shall not come within the camp: [12]But it shall be, when evening cometh on, he shall lave *himself* with water: and when the sun is down, he shall come into the camp *again*. [13]Thou shalt have a place also without the camp, whither thou shalt go forth abroad: [14]And thou shalt have a pin upon

רש"י

when you were in a state of exhaustion (ib.). **(7)** לא תדרש שלמם THOU SHALT NOT SEEK THEIR PEACE [NOR THEIR GOOD] — From what is involved where it states, (v. 17) "He (the runaway slave) shall abide with you, even among you, ... [where it shall be good for him]" one might *think* that this (a Moabite or Ammonite runaway slave) *should* also be *treated* likewise, therefore Scripture states לא תדרש שלמם THOU SHALT NOT SEEK THEIR PEACE [NOR THEIR GOOD][1]). **(8)** לא תתעב אדמי THOU SHALT NOT ABHOR AN EDOMITE utterly, although it would be proper for you to abhor him because he came out against thee with the sword (Num. XX. 18—20)[2]). לא תתעב מצרי THOU SHALT NOT ABHOR AN EGYPTIAN all in all (utterly), although they cast your male children into the river. And what is the reason *that you should not abhor him utterly*? Because they were your hosts in time of need (during Joseph's reign when the neighbouring countries suffered from famine); therefore *although they sinned against you do not utterly abhor him, but* — **(9)** בנים אשר יולדו להם דור שלישי וגומר THE CHILDREN THAT ARE BORN UNTO THEM [MAY COME INTO THE ASSEMBLY] IN THEIR THIRD GENERATION — other nations, however, *since they did not sin against you* may be admitted at once *if they acknowledge the tenets of Judaim*. — Thus you learn that he who causes a man to sin does him greater harm than if he kills him, for he who kills him, kills him *only* as regards this world, whilst he who causes him to sin puts him out of this world and the world to come. Therefore Edom, though he met them with the sword was not to be abhorred *utterly*, and similarly the Egyptians who drowned them (their male children), whilst those (the Ammonites and Moabites) who caused them to sin were to be *utterly* abhorred[3]) (Siphre). **(10)** כי תצא וגו' ונשמרת WHEN [THE HOST] GOETH FORTH [AGAINST THINE ENEMIES], THEN KEEP THEE [FROM EVERY EVIL THING] — because Satan accuses *men* in time of danger (Jer. Sabb. II. 6); Gen. R. on Gen. XLII. 4; cf. Rashi on that verse and our Note thereon). **(11)** מקרה לילה [IF THERE BE AMONG YOU ANY MAN THAT IS NOT CLEAN BY REASON OF] UNCLEANNESS THAT CHANCETH HIM BY NIGHT — *By night:* Scripture speaks of what usually occurs (but the law applies also if the uncleanness happens at day time) (Siphre). ויצא אל מחוץ למחנה THEN HE SHALL GO ABROAD OUT OF THE CAMP — This is a command[4]), לא יבא אל תוך המחנה HE SHALL NOT COME WITHIN THE CAMP — This is a prohibition (Siphre). He is forbidden to enter the "camp of the Levites", and all the more so, the "camp of the Shechinah". (cf. Pes. 68a and Rashi on Num. V. 2)[5]). **(12)** והיה לפנות ערב BUT IT SHALL BE WHEN EVENING COMETH ON, [HE SHALL LAVE HIMSELF WITH WATER] — He should immerse himself close before the setting of the sun, for

NOTES

For Notes 1—5 see Appendix.

אָזְנֶ֑ךָ וְהָיָה֙ בְּשִׁבְתְּךָ֣ ח֔וּץ וְחָפַרְתָּ֣ה בָ֔הּ וְשַׁבְתָּ֖ וְכִסִּ֥יתָ אֶת־צֵאָתֶֽךָ: טו כִּ֩י יְהֹוָ֨ה אֱלֹהֶ֜יךָ מִתְהַלֵּ֣ךְ ׀ בְּקֶ֣רֶב מַחֲנֶ֗ךָ לְהַצִּֽילְךָ֙ וְלָתֵ֤ת אֹֽיְבֶ֙יךָ֙ לְפָנֶ֔יךָ וְהָיָ֥ה מַחֲנֶ֖יךָ קָד֑וֹשׁ וְלֹֽא־יִרְאֶ֤ה בְךָ֙ עֶרְוַ֣ת דָּבָ֔ר וְשָׁ֖ב מֵאַֽחֲרֶֽיךָ: ס טז לֹא־תַסְגִּ֥יר עֶ֖בֶד אֶל־אֲדֹנָ֑יו אֲשֶׁר־יִנָּצֵ֥ל אֵלֶ֖יךָ מֵעִ֥ם אֲדֹנָֽיו: יז עִמְּךָ֞ יֵשֵׁ֣ב בְּקִרְבְּךָ֗ בַּמָּק֧וֹם אֲשֶׁר־יִבְחַ֛ר בְּאַחַ֥ד שְׁעָרֶ֖יךָ בַּטּ֣וֹב ל֑וֹ לֹ֖א תּוֹנֶֽנּוּ: ס יח לֹא־תִהְיֶ֥ה קְדֵשָׁ֖ה מִבְּנ֣וֹת יִשְׂרָאֵ֑ל וְלֹֽא־יִהְיֶ֥ה קָדֵ֖שׁ מִבְּנֵ֥י יִשְׂרָאֵֽל: יט לֹא־תָבִיא֩ אֶתְנַ֨ן זוֹנָ֜ה וּמְחִ֣יר כֶּ֗לֶב בֵּ֛ית יְהֹוָ֥ה אֱלֹהֶ֖יךָ לְכׇל־נֶ֑דֶר כִּ֧י תֽוֹעֲבַ֛ת יְהֹוָ֥ה אֱלֹהֶ֖יךָ

אונקלוס

לְמַשְׁרִיתָא וְתִפּוֹק תַּמָּן לְבָרָא: יד וְסַכְּתָא תְּהֵי לָךְ עַל זֵינָךְ וִיהֵי בְּמִפְקָךְ לְבָרָא וְתַחְפַּר בַּהּ וּתְתוּב וּתְכַסֵי יָת מִפְּקָתָךְ: טו אֲרֵי יְיָ אֱלָהָךְ שְׁכִנְתֵּהּ מְהַלְּכָא בְּגוֹ מַשְׁרִיתָךְ לְשֵׁיזָבוּתָךְ וּלְמִמְסַר סַנְאָךְ קֳדָמָךְ וִיהֵי מַשְׁרִיתָךְ קַדִּישׁ וְלָא יִתְחֲזֵי בָךְ עֲבֵרַת פִּתְגָם וְיתוּב מֵימְרֵהּ מְלֵאוֹטָבָא לָךְ: טז לָא תִמְסַר עֲבַד עַמְמִין לְוָת רִבּוֹנֵהּ דְּיִשְׁתֵּזַב לְוָתָךְ מִן קֳדָם רִבּוֹנֵהּ: יז עִמָּךְ יְתֵב בֵּינָךְ בְּאַתְרָא דִי יִתְרְעֵי בַּחֲדָא מִן קִרְוָיךְ בְּדִייַטֵב לֵהּ לָא תּוֹנֵנֵהּ: יח לָא תְהֵי אִתְּתָא מִבְּנַת יִשְׂרָאֵל לְגַבָר עֲבַד וְלָא יִסַּב גַּבְרָא מִבְּנֵי יִשְׂרָאֵל אִתְּתָא אַמָא: יט לָא תָעֵל אֲגַר זַנִיתָא וַחֲלוֹפַן כַּלְבָּא לְבֵית מַקְדְּשָׁא דַּייָ אֱלָהָךְ לְכָל נִדְרָא אֲרֵי מְרָחַק קֳדָם יְיָ אֱלָהָךְ אַף

רש"י

בְּלֹא הֶעָרֵב הַשֶּׁמֶשׁ (עי׳ ספרי): (יג) וְיָד תִּהְיֶה לָךְ. כְּתַרְגּוּמוֹ, כְּמוֹ אִישׁ עַל יָדוֹ (במ׳ ב׳): מְחוּץ לַמַּחֲנֶה. חוּץ לֶעָנָן: (יד) עַל אֲזֵנֶךָ. לְבַד מִשְּׁאָר כְּלֵי תַשְׁמִישָׁךְ: אֲזֵנֶךָ. כְּמוֹ כְּלֵי זַיִן: (טו) וְלֹא יִרְאֶה בְךָ. הַקָּבָּ"ה עֶרְוַת דָּבָר: (טז) לֹא תַסְגִּיר עֶבֶד. כְּתַרְגּוּמוֹ, דְ"אֲ אֲפִילוּ עֶבֶד כְּנַעֲנִי שֶׁל יִשְׂרָאֵל שֶׁבָּרַח מִחוּצָה לָאָרֶץ לְאֶרֶץ יִשְׂרָאֵל (גיט׳ מ״ה): (יח) לֹא תִהְיֶה קְדֵשָׁה. מֻפְקֶרֶת מְקֻדֶּשֶׁת וּמְזֻמֶּנֶת לִזְנוּת: וְלֹא יִהְיֶה קָדֵשׁ. מְזֻמָּן לְמִשְׁכַּב זָכוּר: וְאוּנְקְלוֹס תִּרְגֵּם לָא תְהֵא אִתְּתָא מִבְּנַת יִשְׂרָאֵל לְגָבַר עֶבֶד, שֶׁאַף זוֹ מֻפְקֶרֶת לִבְעִילַת זְנוּת הִיא, מֵאַחַר שֶׁאֵין קִדּוּשִׁין תּוֹפְסִין לוֹ בָהּ, שֶׁהֲרֵי הֻקְשׁוּ לַחֲמוֹר, שֶׁנֶּאֱמַר שְׁבוּ לָכֶם פֹּה עִם הַחֲמוֹר -- עַם הַדּוֹמֶה לַחֲמוֹר. וְלֹא יִסַּב גַּבְרָא מִבְּנֵי יִשְׂרָאֵל אִתְּתָא אַמָא, שֶׁאַף הוּא נַעֲשָׂה קָדֵשׁ עַל יָדָהּ, שֶׁכָּל בְּעִילוֹתָיו בְּעִילוֹת זְנוּת, שֶׁאֵין קִדּוּשִׁין תּוֹפְסִין לוֹ בָהּ (עי׳ קִדי׳ ס״ח): (יט) אֶתְנַן זוֹנָה. נָתַן לָהּ טָלֶה בְּאֶתְנַנָּהּ פָּסוּל לְהַקְרָבָה: וּמְחִיר כֶּלֶב. הֶחֱלִיף

thy weapon; and it shall be, when thou wilt ease thyself abroad, thou shalt dig therewith, and shalt turn back and cover that which cometh from thee: [15]For the Eternal thy God goeth in the midst of thy camp, to deliver thee, and to give up thine enemies before thee; therefore shall thy camp be holy; that he see no nakedness of anything in thee, and turn away from thee. [16]Thou shalt not deliver unto his lord the servant who is escaped from his lord unto thee: [17]He shall abide with you, *even* among you, in that place which he shall choose in one of thy gates, where it liketh him best: thou shalt not be extortionate with him. [18] There shall be no prostittute of the daughters of Israel, nor a man prostituting himself of the sons of Israel. [19]Thou shalt not bring the prostitution hire of a whore, or the price of a dog, into the house of the Eternal thy God for any vow: for even both these *are* abomination unto the Eternal thy God.

רש״י

under no circumstances is he clean without *having waited for* the sunset (cf. Siphre)[1]). **(13)** ויד תהיה לך THOU SHALT HAVE A יד [WITHOUT THE CAMP] — *Understand the word* יד as the Targum *does:* ואתר (and you shall have a place). Similar is, (Num. II. 17) "Each man at his place (ידו)" (Siphre). מחוץ למחנה WITHOUT THE CAMP — *i.e.* outside the *area enclosed by* the clouds *of glory*[2]). **(14)** על אזנך [AND THOU SHALT HAVE A PIN] על אזנך — *i.e.* besides (על, "in addition to", not "upon") your other implements. אזנך has the same meaning as זין *in the phrase* כלי זין. **(15)** ולא יראה בך THAT HE SEE NOT IN THEE — *that* the Holy One, blessed be He[3]) *see not in thee* ערות דבר A NAKEDNESS OF ANYTHING. **(16)** לא תסגיר עבד THOU SHALT NOT DELIVER [UNTO HIS LORD] THE SERVANT [WHO IS ESCAPED FROM HIS LORD UNTO THEE] — *Understand this* as the Targum *has it:* עבד עממין *the servant of the heathens.* Another explanation is: *that it implies* even a Canaanitish servant belonging to an Israelite who fled from outside the Land (from a foreign country) into the Land of Israel (Gitt. 45a)[4]). **(18)** לא תהיה קדשה THERE SHALL BE NO קדשה [OF THE DAUGHTERS OF ISRAEL] — *i.e.* a prostitute, — one who is devoted to and ever ready for illicit intercourse (cf. Rashi on הקדשה, Gen. XXXVIII. 21, and יתקדשו, Ex. XIX. 22). AND THERE SHALL BE NO קדש [OF THE SONS OF ISRAEL] — one ever ready for pederasty (Sanh. 54b). Onkelos, however, rendered *the verse by* לא תהא אתתא מבני ישראל לגבר עבר, "A woman of the daughters of Israel shall not become the wife of a slave". *Such a woman may also be termed a* קדשה. because she, too, becomes a prostitute to illicit intercourse, since no marriage ceremony *with her* (קידושין) can for him have a hold on her (can be a valid ceremony), — for you see, they (the slaves) are compared to asses, as it is said, (Gen. XXII. 5), "Abide ye here עם החמור", *which is taken to mean (Kidd. 68a),* "[Abide ye here] עם החמור", "O ye people who are like asses". *And the second half of the verse Onkelos renders by* ולא יסב גברא מבני ישראל אתתא אמה "and no man of Israel shall marry a bondwoman", *which is also an adequate translation,* since he, too, becomes a קדש, "one devoted to illicit intercourse" through her, since every intercourse with her is an illicit intercourse, for no marriage ceremony *with her* can for him have a hold on her (cf. Rashi Kidd. 69a s. v. או דיעבד קאמר). **(19)** אתנן זונה [THOU SHALT NOT BRING] THE PROSTITUTION HIRE OF A WHORE [... INTO THE HOUSE OF THE LORD, THY GOD FOR ANY VOW] — *This means,* if he (the paramour) gave her a lamb as the hire of her prostitution it is unfitted for sacrifice. ומחיר כלב [THOU SHALT NOT BRING ...] THE PRICE OF A DOG [INTO THE HOUSE OF THE LORD ...], if one has exchanged a lamb for a dog (Siphre; Tem. 29a, 30a).

NOTES

For Notes 1—4 see Appendix.

גַּם־שְׁנֵיהֶם׃ ס כ לֹא־תַשִּׁיךְ לְאָחִיךָ נֶשֶׁךְ כֶּסֶף
נֶשֶׁךְ אֹכֶל נֶשֶׁךְ כָּל־דָּבָר אֲשֶׁר יִשָּׁךְ׃ כא לַנָּכְרִי
תַשִּׁיךְ וּלְאָחִיךָ לֹא תַשִּׁיךְ לְמַעַן יְבָרֶכְךָ יְהוָה אֱלֹהֶיךָ
בְּכֹל מִשְׁלַח יָדֶךָ עַל־הָאָרֶץ אֲשֶׁר־אַתָּה בָא־שָׁמָּה
לְרִשְׁתָּהּ׃ ס כב כִּי־תִדֹּר נֶדֶר לַיהוָה אֱלֹהֶיךָ
לֹא תְאַחֵר לְשַׁלְּמוֹ כִּי־דָרֹשׁ יִדְרְשֶׁנּוּ יְהוָה אֱלֹהֶיךָ
מֵעִמָּךְ וְהָיָה בְךָ חֵטְא׃ כג וְכִי תֶחְדַּל לִנְדֹּר לֹא־
יִהְיֶה בְךָ חֵטְא׃ כד מוֹצָא שְׂפָתֶיךָ תִּשְׁמֹר וְעָשִׂיתָ
כַּאֲשֶׁר נָדַרְתָּ לַיהוָה אֱלֹהֶיךָ נְדָבָה אֲשֶׁר דִּבַּרְתָּ
בְּפִיךָ׃ ס חמישי כה כִּי תָבֹא בְּכֶרֶם רֵעֶךָ וְאָכַלְתָּ
עֲנָבִים כְּנַפְשְׁךָ שָׂבְעֶךָ וְאֶל־כֶּלְיְךָ לֹא תִתֵּן׃ ס

אונקלוס

תַּרְוֵיהוֹן׃ כ לָא תְרַבֵּי לַאֲחוּךְ רִבִּית כְּסַף רִבִּית עֲבוּר רִבִּית כָּל מִדַּעַם דְּמִתְרַבֵּי׃
כא לְבַר עַמְמִין תְּרַבֵּי וְלַאֲחוּךְ לָא תְרַבֵּי בְּדִיל דִּיבָרְכִנָּךְ יְיָ אֱלָהָךְ בְּכֹל אוֹשָׁטוּת
יְדָךְ עַל אַרְעָא דִּי אַתְּ עָלֵל לְתַמָּן לְמֵירְתַהּ׃ כב אֲרֵי תִדַּר נְדַר קֳדָם יְיָ אֱלָהָךְ
לָא תְאַחַר לְשַׁלָּמוּתֵהּ אֲרֵי מִתְבַּע יִתְבְּעִנֵּהּ יְיָ אֱלָהָךְ מִנָּךְ וִיהֵי בָךְ חוֹבָא׃
כג וַאֲרֵי תִתְמְנַע מִלְּמִדַּר לָא יְהֵי בָךְ חוֹבָא׃ כד אַפָּקוּת סִפְוָתָךְ תִּטַּר וְתַעְבֵּד
כְּמָא דִּי נְדַרְתָּא קֳדָם יְיָ אֱלָהָךְ נִדְבְתָא דִּי מַלֶּלְתָּא בְּפוּמָךְ׃ כה אֲרֵי תִתְּגַר

רש״י

שֶׂה בְּכֶלֶב (ספרי; תמו׳ כ״ט)׃ גם שניהם. לְרַבּוֹת שִׁנּוּיֵיהֶם, כְּגוֹן חִטִּים וַעֲשָׂאָן סֹלֶת (שם ל׳)׃ (כ) לא תשיך. אַזְהָרָה לַלֹּוֶה שֶׁלֹּא יִתֵּן רִבִּית לַמַּלְוֶה (עי׳ ספרי) (וְאַחַר כָּךְ אַזְהָרָה לַמַּלְוֶה אֶת כַּסְפְּךָ לֹא תִתֵּן לוֹ בְּנֶשֶׁךְ)׃ (כא) לנכרי תשיך. וְלֹא לְאָחִיךָ, לָאו הַבָּא מִכְּלַל עֲשֵׂה עֲשֵׂה, לַעֲבוֹר עָלָיו בִּשְׁנֵי לָאוִין וַעֲשֵׂה׃ (כב) לא תאחר לשלמו. שְׁלֹשָׁה רְגָלִים, וּלְמָדוּהוּ רַבּוֹתֵינוּ מִן הַמִּקְרָא (ר״ה ד׳)׃ (כד) מוצא שפתיך תשמר. לִיתֵּן עֲשֵׂה עַל לֹא תַעֲשֶׂה (שם ו׳)׃ (כה) כי תבא בכרם רעך. בְּפוֹעֵל הַכָּתוּב מְדַבֵּר׃ כנפשך. כַּמָּה שֶׁתִּרְצֶה׃ שבעך. וְלֹא אֲכִילָה גַסָּה (ב״מ פ״ז)׃ ואל כליך לא תתן. מִכָּאן שֶׁלֹּא דִבְּרָה תוֹרָה אֶלָּא בִּשְׁעַת הַבָּצִיר, בִּזְמַן שֶׁאַתָּה נוֹתֵן לְכֵלָיו שֶׁל בַּעַל הַבַּיִת (ספרי; ב״מ פ״ט)

[20]Thou shalt not lend upon interest to thy brother; interest of money, interest of food, interest of any thing that is lent upon interest. [21]Unto an alien thou mayest lend upon interest; but unto thy brother thou shalt not lend upon interest: that the Eternal thy God may bless thee in every performance of thine hand in the land whither thou goest to possess it. [22]When thou shalt vow a vow unto the Eternal thy God, thou shalt not delay to pay it: for the Eternal thy God will surely require it of thee; and it would be sin in thee. [23]But if thou shalt forbear to vow, it shall be no sin in thee. [24]That which is gone out of thy lips thou shalt keep and do; *even* a free-will offering, according as thou hast vowed unto the Eternal thy God, which thou hast spoken with thy mouth. [25]When thou comest into the vineyard of thy fellow *man*, then thou mayest eat grapes at thy fill at thine own pleasure; but thou shalt not put *any* in thy vessel.

רש״י

גם שניהם FOR EVEN BOTH THESE ARE [ABOMINATION UNTO THE LORD, THY GOD] — *The words* גם שניהם *taken as* גם שנויהם *are intended* to include *in the prohibition* the things into which they (whatever is given as hire) are changed, as, *e. g., if he gave the woman* wheat and she[1]) made it into flour Tem. 30b)[2]). **(20)** לא תשיך *implies* a prohibition *addressed* to the borrower[3]) that he should not pay interest to the creditor (cf. Siphre; B. Mets. 75b) [and afterwards[4]) (Lev. XXV. 37) follows the prohibition *addressed* to the creditor, "thou shalt not give him thy money upon interest"]. **(21)** לנכרי תשיך UNTO AN ALIEN THOU MAYEST LEND UPON INTEREST (according to Rashi: TO AN ALIEN THOU MAYEST PAY INTEREST) — but not to thy brother. Such a prohibition *which is not plainly stated but can only be* drawn by inference from a positive command is *itself regarded only as* a positive command — so that one *who pays interest to his brother* transgresses two negative commands לא תשיך in v. 20, ולאחיך לא תשיך in v. 21 and a positive command ולאחיך לא — לנכרי תשיך (cf. Siphre; B. Mets. 70b; also cf. Rashi on XIV. 20). **(22)** לא תאחר לשלמו [WHEN THOU SHALT VOW A VOW UNTO THE LORD THY GOD] THOU SHALT NOT DELAY TO PAY IT — *beyond* three festivals *after the vow has been made.* Our Rabbis have deduced it (the fact that one does not transgress the prohibition before three festivals elapse)[5]) from a Scriptural text[6]) (R. Hash. 4b). **(24)** מוצא שפתיך תשמר THAT WHICH HATH GONE OUT OF THY LIPS THOU SHALT KEEP — *This is intended* to add a positive command to the prohibition *of delaying one's vows* (mentioned in the previous verse) (R. Rash. 6a)[7]). **(25)** כי תבא בכרם רעך WHEN THOU COMEST INTO THE VINEYARD OF THY FELLOW MAN, [THEN THOU MAYEST EAT GRAPES AT THY FILL] — Scripture is speaking of a labourer (who is engaged in gathering in the grapes, but not of one who is doing other work in the vineyard, nor of one who enters the vineyard with no intention to do work; cf. Rashi in the next passage). כנפשך *means* as much as you like. שבעך AT THY FILL — but not excessive eating. ואל כליך לא תתן BUT THOU SHALT NOT PUT ANY IN THY VESSEL — From here *we may derive* that Scripture is referring only to the period of the vintage, to the time when thou puttest *grapes* into the owner's vessel, — *then thou mayest eat but not put any into thy vessel;* but

NOTES

1) In Temura where the phrase occurs in this connection the reading is ועשאתן, "and she made them into flour" which is, of course, correct. But since this phrase is used in the Talmud many times also as an example for שינוי מעשה (as, e. g., הגוזל עצים ועשאן כלים), Rashi's familiarity with it led him to write ועשאן.
For Notes 2—7 see Appendix.

כז כִּי תָבֹא בְּקָמַת רֵעֶךָ וְקָטַפְתָּ מְלִילֹת בְּיָדֶךָ וְחֶרְמֵשׁ לֹא תָנִיף עַל קָמַת רֵעֶךָ: ס כד א כִּי־יִקַּח אִישׁ אִשָּׁה וּבְעָלָהּ וְהָיָה אִם־לֹא תִמְצָא־חֵן בְּעֵינָיו כִּי־מָצָא בָהּ עֶרְוַת דָּבָר וְכָתַב לָהּ סֵפֶר כְּרִיתֻת וְנָתַן בְּיָדָהּ וְשִׁלְּחָהּ מִבֵּיתוֹ: ב וְיָצְאָה מִבֵּיתוֹ וְהָלְכָה וְהָיְתָה לְאִישׁ־אַחֵר: ג וּשְׂנֵאָהּ הָאִישׁ הָאַחֲרוֹן וְכָתַב לָהּ סֵפֶר כְּרִיתֻת וְנָתַן בְּיָדָהּ וְשִׁלְּחָהּ מִבֵּיתוֹ אוֹ כִי יָמוּת הָאִישׁ הָאַחֲרוֹן אֲשֶׁר־לְקָחָהּ לוֹ לְאִשָּׁה: ד לֹא־יוּכַל בַּעְלָהּ הָרִאשׁוֹן אֲשֶׁר־שִׁלְּחָהּ לָשׁוּב לְקַחְתָּהּ לִהְיוֹת לוֹ לְאִשָּׁה אַחֲרֵי אֲשֶׁר הֻטַּמָּאָה כִּי־תוֹעֵבָה הִוא לִפְנֵי יְהוָה וְלֹא תַחֲטִיא אֶת־הָאָרֶץ אֲשֶׁר יְהוָה אֱלֹהֶיךָ נֹתֵן לְךָ נַחֲלָה: ס ששי ה כִּי־יִקַּח אִישׁ אִשָּׁה חֲדָשָׁה לֹא יֵצֵא בַּצָּבָא וְלֹא־יַעֲבֹר עָלָיו לְכָל־דָּבָר

אונקלוס

בְּכֻרְמָא דְחַבְרָךְ וְתֵיכוּל עִנְבִין כְּנַפְשָׁךְ לְמִשְׂבַּע וּלְמָאנָךְ לָא תִתֵּן: כו אֲרֵי תִתְגַּר בְּקַמְתָא דְחַבְרָךְ וְתִקְטוֹף מְלִילָן בִּידָךְ וּמַגְלָא לָא תְרִים עַל קַמְתָא דְחַבְרָךְ: א אֲרֵי יִסַּב גְּבַר אִתְּתָא וְיִבְעֲלִנַּהּ וִיהֵי אִם לָא תַשְׁכַּח רַחֲמִין בְּעֵינוֹהִי אֲרֵי אַשְׁכַּח בַּהּ עֲבֵרַת פִּתְגָּם וְיִכְתּוֹב לַהּ גֵּט פִּטּוּרִין וְיִתֵּן בִּידַהּ וְיִפְטְרִנַּהּ מִבֵּיתַהּ: ב וְתִפּוֹק מִבֵּיתַהּ וּתְהָךְ וּתְהֵי לִגְבַר אָחֳרָן: ג וְיִסְנִנַּהּ גַּבְרָא בַתְרָאָה וְיִכְתּוֹב לַהּ גֵּט פִּטּוּרִין וְיִתֵּן בִּידַהּ וְיִפְטְרִנַּהּ מִבֵּיתַהּ אוֹ אֲרֵי יְמוּת גַּבְרָא בַתְרָאָה דִּנְסָבַהּ לַהּ לְאִנְתּוּ: ד לֵית לַהּ רְשׁוּ לְבַעְלַהּ קַדְמָאָה דִי פָטְרַהּ לְמִתּוּב לְמִסְּבַהּ לְמֶהֱוֵי לַהּ לְאִנְתּוּ בָּתַר דִּי אִסְתָּאֲבַת אֲרֵי מְרַחֲקָא הִיא קֳדָם יְיָ וְלָא תְחַיַּב יָת אַרְעָא דִּי יְיָ אֱלָהָךְ יָהֵב לָךְ אַחֲסָנָא: ה אֲרֵי יִסַּב גְּבַר אִתְּתָא חֲדַתָּא לָא יִפּוֹק בְּחֵילָא וְלָא יַעֲבַר עֲלוֹהִי לְכָל

רש"י

אֲבָל אִם בָּא לַעֲדוֹר וּלְקַשְׁקֵשׁ אֵינוֹ אוֹכֵל (שם פ"ז): (כו) כִּי תָבֹא בְּקָמַת רֵעֶךָ. אַף זוֹ בְּפוֹעֵל הַכָּתוּב מְדַבֵּר:

כד (א) כִּי מָצָא בָהּ עֶרְוַת דָּבָר. מִצְוָה עָלָיו לְגָרְשָׁהּ, שֶׁלֹּא תִמְצָא חֵן בְּעֵינָיו (גיטי צ'): (ב) לְאִישׁ אַחֵר. אֵין זֶה בֶּן זוּגוֹ שֶׁל רִאשׁוֹן, הוּא הוֹצִיא רְשָׁעָה מִתּוֹךְ בֵּיתוֹ וְזֶה הִכְנִיסָהּ (שם): (ג) וּשְׂנֵאָהּ הָאִישׁ הָאַחֲרוֹן. הַכָּתוּב מְבַשְּׂרוֹ שֶׁסּוֹפוֹ לִשְׂנֹאתָהּ, וְאִם לָאו קוֹבַרְתּוֹ, שֶׁנֶּאֱמַר אוֹ כִי יָמוּת (ספרי): (ד) אַחֲרֵי אֲשֶׁר הֻטַּמָּאָה. לְרַבּוֹת סוֹטָה שֶׁנִּסְתָּרָה (ספרי

[26]When thou comest into the standing corn of thy fellow *man* then thou mayest pluck the ears with thine hand, but thou shalt not move a sickle unto the standing corn of thy fellow *man*.

24. [1]When a man hath taken a wife, and married her, and it come to pass that she find no favour in his eyes, because he hath found some scandalous thing in her; then let him write her a bill of divorcement, and give *it* in her hand, and send her away out of his house. [2]And when she is gone out of his house, she may go and be another man's *wife*. [3]And *if* the latter husband hate her, and write her a bill of divorcement, and giveth *it* in her hand, and sendeth her away out of his house; or if the latter husband die, who took her to be his wife: [4]Her first husband, who sent her away, may not take her again to be his wife, after that she is defiled; for that *is* abomination before the Eternal: and thou shalt not cause the land to sin, which the Eternal thy God giveth thee *for* an inheritance. [5]When a man hath taken a new wife, he shall not go out to the host, neither shall he be charged with any thing:

רש"י

if he comes to hoe or to weed (i. e. to do other work than harvesting) he must not eat *of the grapes* (B. Mets. 89b). **(26)** כי תבא בקמת רעך WHEN THOU COMEST INTO THE STANDING CORN OF THY FELLOW MAN [THOU MAYEST PLUCK THE EARS WITH THINE HAND] — In this case, too, Scripture is referring to a labourer *in the field* (cf. Siphre; B. Mets. 87b).

24. (1) כי מצא בה ערות דבר [WHEN A MAN HATH TAKEN A WIFE, AND MARRIED HER, AND IT COMES TO PASS THAT SHE FINDS NO FAVOUR IN HIS EYES,] BECAUSE HE HATH FOUND SOME SCANDALOUS THING IN HER; [THEN LET HIM WRITE A BILL OF DIVORCEMENT ... AND SEND HER AWAY ...] — it is his duty to divorce her because she should not find favour in his eyes (cf. Gitt. 90a)[1]). **(2)** לאיש אחר [AND WHEN SHE IS GONE OUT OF HIS HOUSE, AND HATH GONE AND BECOME] "ANOTHER" MAN'S WIFE — He is *"another"* (a *different*) *man*, not one of a pair with the first: he turned the wicked *woman* out of his house, whilst this man hath taken her into *his house* (Gitt. 90b). **(3)** ושנאה האיש האחרון AND IF THE LATTER HUSBAND HATE HER — (these words lit. mean: and the other will hate her): Scripture tells you that in the end he will hate her and divorce her, and if not, she will bury him (be the cause of his death) as it states "or if the latter husband die" (Siphre)[2]). **(4)** אחרי אשר הטמאה [HER FIRST HUSBAND ... MAY NOT TAKE HER AGAIN TO BE HIS WIFE] AFTER THAT SHE IS DEFILED — *these words are intended* to include *in the prohibition* a faithless

NOTES

[1]) See Appendix.

[2]) Scripture does not use in his case the conditional clause ואם ישנאה "and if the latter husband hate her", but makes the definite statement ושנאה, "and the latter husband will hate her". Indeed, the very fact that Scripture uses a stronger expression in the case of the second husband (ושנאה in contradistinction to והיה אם לא תמצא חן used of the first union) suggests the idea that no harmonious union can be anticipated with a woman who has been divorced because some "scandalous thing" (ערות דבר) has been found in her.

נָקִי יִהְיֶה לְבֵיתוֹ שָׁנָה אֶחָת וְשִׂמַּח אֶת־אִשְׁתּוֹ
אֲשֶׁר־לָקָח: יׁ לֹא־יַחֲבֹל רֵחַיִם וָרָכֶב כִּי־נֶפֶשׁ הוּא
חֹבֵל: ס זׁ כִּי־יִמָּצֵא אִישׁ גֹּנֵב נֶפֶשׁ מֵאֶחָיו מִבְּנֵי
יִשְׂרָאֵל וְהִתְעַמֶּר־בּוֹ וּמְכָרוֹ וּמֵת הַגַּנָּב הַהוּא
וּבִעַרְתָּ הָרָע מִקִּרְבֶּךָ: ס חׁ הִשָּׁמֶר בְּנֶגַע־הַצָּרַעַת
לִשְׁמֹר מְאֹד וְלַעֲשׂוֹת כְּכֹל אֲשֶׁר־יוֹרוּ אֶתְכֶם
הַכֹּהֲנִים הַלְוִיִּם כַּאֲשֶׁר צִוִּיתִם תִּשְׁמְרוּ לַעֲשׂוֹת:
טׁ זָכוֹר אֵת אֲשֶׁר־עָשָׂה יְהוָה אֱלֹהֶיךָ לְמִרְיָם בַּדֶּרֶךְ
בְּצֵאתְכֶם מִמִּצְרָיִם: ס יׁ כִּי־תַשֶּׁה בְרֵעֲךָ מַשַּׁאת
מְאוּמָה לֹא־תָבֹא אֶל־בֵּיתוֹ לַעֲבֹט עֲבֹטוֹ: יאׁ בַּחוּץ

אונקלוס

מִדְּעַם פְּנַי יְהֵי לְבֵיתֵהּ שַׁתָּא חֲדָא וְיַחְדֵּי יָת אִתְּתֵהּ דִּי נְסֵיב: יׁ לָא יִסַּב מַשְׁכּוֹנָא
רֵחַיָּא וְרִכְבָּא אֲרֵי בְהוֹן מִתְעֲבַד מָזוֹן לְכָל נְפַשׁ: זׁ אֲרֵי יִשְׁתְּכַח גְּבַר גָּנֵב נַפְשָׁא
מֵאֲחוֹהִי מִבְּנֵי יִשְׂרָאֵל וְיִתַּגַּר בֵּהּ וִיזַבְּנִנֵּהּ וְיִתְקְטֵל גַּנָּבָא הַהוּא וּתְפַלֵּי עָבֵד
דְּבִישׁ מִבֵּינָךְ: חׁ אִסְתַּמַּר בְּמַכְתַּשׁ סְגִירוּ לְמִטַּר לַחֲדָא וּלְמֶעְבַּד כְּכֹל דִּי יַלְּפוּן
יָתְכוֹן כָּהֲנַיָּא לֵוָאֵי כְּמָא דִי פַקֵּדְתִּנּוּן תִּטְּרוּן לְמֶעְבַּד: טׁ הֱוֵי דְכִיר יָת דִּי עֲבַד
יְיָ אֱלָהָךְ לְמִרְיָם בְּאָרְחָא בְּמִפַּקְכוֹן מִמִּצְרָיִם: יׁ אֲרֵי תַרְשֵׁי בְחַבְרָךְ רְשׁוּ מִדַּעַם
לָא תֵעוֹל לְבֵיתֵהּ לְמִסַּב מַשְׁכּוֹנֵהּ: יאׁ בְּבָרָא תְקוּם וְנַבְרָא דִּי אַתְּ רָשֵׁי בֵהּ יַפֵּק

רש״י

(יב׳ י״א): (ה) אשה חדשה. שֶׁהִיא חֲדָשָׁה לוֹ וַאֲפִילוּ אַלְמָנָה, פְּרָט לְמַחֲזִיר גְּרוּשָׁתוֹ
(ספרי; סוטה מ״ד): ולא יעבור עליו. דְּבַר הַצָּבָא לְכָל דְּבַר שֶׁהוּא צֹרֶךְ הַצָּבָא, לֹא
לְסַפֵּק מַיִם וּמָזוֹן וְלֹא לְתַקֵּן הַדְּרָכִים אֲבָל הַחוֹזְרִים מֵעוֹרְכֵי הַמִּלְחָמָה עַל פִּי כֹּהֵן, כְּגוֹן
בָּנָה בַיִת וְלֹא חֲנָכוֹ, אוֹ אֵרַשׂ אִשָּׁה וְלֹא לְקָחָהּ, מַסְפִּיקִין מַיִם וּמָזוֹן וּמְתַקְּנִין אֶת הַדְּרָכִים
(שם): יהיה לביתו. אַף בִּשְׁבִיל בֵּיתוֹ, אִם בָּנָה בַיִת וַחֲנָכוֹ וְאִם נָטַע כֶּרֶם וְחִלְּלוֹ אֵינוֹ זָז
מִבֵּיתוֹ בִּשְׁבִיל צָרְכֵי הַמִּלְחָמָה, יִהְיֶה לְרַבּוֹת אֶת כַּרְמוֹ, לְבֵיתוֹ זֶה בֵּיתוֹ: ושמח. יְשַׂמַּח
אֶת אִשְׁתּוֹ, וְתַרְגּוּמוֹ וְיַחְדֵּי יָת אִתְּתֵהּ, וְהַמְתַרְגֵּם וְיֶחְדֵּי עִם אִתְּתֵהּ טוֹעֶה הוּא, שֶׁאֵין זֶה
תַּרְגּוּם שֶׁל וְשִׂמַּח אֶלָּא שֶׁל וְשָׂמַח: (ו) לא יחבל. אִם בָּא לְמַשְׁכְּנוֹ עַל חוֹבוֹ בְּבֵית דִּין
לֹא יְמַשְׁכְּנֶנּוּ בִּדְבָרִים שֶׁעוֹשִׂים בָּהֶן אוֹכֶל נֶפֶשׁ (ב״מ קט״ו): רחים. הִיא הַתַּחְתּוֹנָה:
ורכב. הִיא הָעֶלְיוֹנָה: (ז) כי ימצא. בְּעֵדִים וְהַתְרָאָה, וְכֵן כָּל יִמָּצֵא שֶׁבַּתּוֹרָה: והתעמר
בו. אֵינוֹ חַיָּב עַד שֶׁיִּשְׁתַּמֵּשׁ בּוֹ: (ח) השמר בנגע הצרעת. שֶׁלֹּא תִתְלֹשׁ סִימָנֵי טֻמְאָה
וְלֹא תָקוֹץ אֶת הַבַּהֶרֶת (מכ׳ כ״ב): כְּכֹל אֲשֶׁר יוֹרוּ אֶתְכֶם. אִם לְהַסְגִּיר אִם לְהַחֲלִיט אִם
לְטַהֵר: (ט) זכור את אשר עשה ה׳ אלהיך למרים. אִם בָּאתָ לְהִזָּהֵר שֶׁלֹּא תִלְקֶה
בְּצָרַעַת אַל תְּסַפֵּר לָשׁוֹן הָרָע, זְכוֹר הֶעָשׂוּי לְמִרְיָם שֶׁדִּבְּרָה בְאָחִיהָ וְלָקְתָה בַנְּגָעִים

but he shall be free at home one year, and shall cheer up his wife whom he hath taken. [6]No man shall take the handmill or the upper millstone to pledge: for he taketh *a man's* life to pledge. [7]If a man be found stealing any of his brethren of the children of Israel, and maketh merchandize of him, or selleth him; then that thief shall die; and thou shalt put evil away from among you. [8]Take heed in the affliction of leprosy, that thou observe diligently, and do according to all that the priests the Levites shall teach you: as I commanded them, *so* ye shall observe to do. [9]Remember what the Eternal thy God did unto Miriam by the way, after that ye were come forth out of Egypt. [10]When thou doest lend thy fellow *man* a loan of any thing, thou shalt not go into his house to fetch his pledge. [11]Thou shalt stand abroad,

רש"י

wife (סוטה) who had been in privacy (had committed adultery) *with another man* (Siphre; Jeb. 11b)[1]). **(5)** אשה חדשה [WHEN A MAN HATH TAKEN] A NEW WIFE [HE SHALL NOT GO OUT TO THE HOST] — *i.e.*, one that is new to him, even though she be a widow; but it excludes *the case of* one who re-marries his divorced wife (Siphre; Sota 44a; cf., however, Targ. Jon.). ולא יעבר *lit.*, NEITHER SHALL PASS UPON HIM (i.e., be obligatory upon him) any army matter, לכל דבר AS REGARDS ANYTHING that is a requirement of the army: not to supply water and food, nor to repair the roads, whilst those who returned from the battle array at the bidding of the priest, *e.g.*, one who had built a *new* house and had not yet dedicated it, or one who had betrothed a woman and had not yet taken her to wife (XX. 5—7), are bound to supply water and food and to repair roads (Siphre; Sota 44a)[2]). יהיה לביתו [HE SHALL BE FREE] AT HOME (or, as it may be literally translated: [FREE] FOR HIS HOUSE) — *i.e.*, also on account of his *new* house[3]) (not only on account of his recent marriage, as stated in the text): if he has built a new house *and only just* dedicated it (not lived in it a full year), and *similarly*, if he has planted a vineyard and has *only just begun to* eat of its fruits (not enjoyed its produce the full fourth year), he need not leave his house for the requirements of war. *This Halacha is derived from the text as follows:* יהיה HE SHALL BE — *This is intended* to include the vineyard[4]), לביתו This is *the mention of* "his house". ושמח *means* HE SHALL GLADDEN [HIS WIFE], its *correct* Targum rendering *therefore* is: וְיַחְדֵּי יָת אתתה *which expresses this;* he, however, who reads in the Targum וְיֶחְדֵּי עִם אתתה "he shall rejoice with his wife" is in error, for this is not the Targum equivalent of וְשִׂמַּח (Piel) but of וְשָׂמַח (Kal). **(6)** לא יחבל NO MAN SHALL TAKE [THE LOWER OR THE UPPER MILLSTONE] AS PLEDGE — *i.e.* if one comes to demand a pledge through the court for his debt he should not take as a pledge anything by which food is prepared (B. Mets. 113b, 115a)[5]). רחים is the lower, ורכב is the upper *millstone*. **(7)** כי ימצא IF [A MAN] BE FOUND [STEALING ...] — Found *whe doing so* by witnesses and after legal warning. This, too, is *the meaning in* all *cases where a form of the verb* מצא *is used* in the Torah, *under similar circumstances* (Mech. Ex. on XXI. 16; Siphre)[6]). והתעמר בו AND MAKETH MERCHANDIZE OF HIM — he is not liable *to the death penalty* until he uses him *as a slave* (cf. Siphre; Sanh. 85b). **(8)** השמר בנגע צרעת TAKE HEED IN THE AFFLICTION OF LEPROSY — *take heed* that you pluck not out the symptoms of uncleanness (cf. Lev. ch. XIII.), nor cut out the leprous spot (Macc. 22a). ככל אשר יורו אתכם ACCORDING TO ALL THAT [THE PRIESTS ...] SHALL TEACH YOU — whether to place *the leper* in quarantine, or to declare him definitely unclean or clean. **(9)** זכור את אשר עשה ה׳ אלהיך למרים REMEMBER WHAT THE LORD THY GOD DID UNTO MIRIAM — if you wish to guard yourself against being stricken

NOTES

For Notes 1—6 see Appendix.

תַּעֲמֹד וְהָאִישׁ אֲשֶׁר אַתָּה נֹשֶׁה בוֹ יוֹצִיא אֵלֶיךָ אֶת־הַעֲבוֹט הַחוּצָה׃ יב וְאִם־אִישׁ עָנִי הוּא לֹא תִשְׁכַּב בַּעֲבֹטוֹ׃ יג הָשֵׁב תָּשִׁיב לוֹ אֶת־הַעֲבוֹט כְּבוֹא הַשֶּׁמֶשׁ וְשָׁכַב בְּשַׂלְמָתוֹ וּבֵרְכֶךָּ וּלְךָ תִּהְיֶה צְדָקָה לִפְנֵי יְהוָה אֱלֹהֶיךָ׃ ס שביעי יד לֹא־תַעֲשֹׁק שָׂכִיר עָנִי וְאֶבְיוֹן מֵאַחֶיךָ אוֹ מִגֵּרְךָ אֲשֶׁר בְּאַרְצְךָ בִּשְׁעָרֶיךָ׃ טו בְּיוֹמוֹ תִתֵּן שְׂכָרוֹ וְלֹא־תָבוֹא עָלָיו הַשֶּׁמֶשׁ כִּי עָנִי הוּא וְאֵלָיו הוּא נֹשֵׂא אֶת־נַפְשׁוֹ וְלֹא־יִקְרָא עָלֶיךָ אֶל־יְהוָה וְהָיָה בְךָ חֵטְא׃ ס טז לֹא־יוּמְתוּ אָבוֹת עַל־בָּנִים וּבָנִים לֹא־יוּמְתוּ עַל־אָבוֹת אִישׁ בְּחֶטְאוֹ יוּמָתוּ׃ ס יז לֹא תַטֶּה מִשְׁפַּט

אונקלוס

לְוָתָךְ יָת מַשְׁכּוֹנָא לְבָרָא׃ יב וְאִם גְּבַר מִסְכֵּן הוּא לָא תִשְׁכּוֹב בְּמַשְׁכּוֹנֵהּ׃ יג אֲתָבָא תָּתֵב לֵהּ מַשְׁכּוֹנָא כְּמֵעַל שִׁמְשָׁא וְיִשְׁכּוֹב בִּכְסוּתֵהּ וִיבָרְכִנָּךְ וְלָךְ תְּהֵי זָכוּתָא קֳדָם יְיָ אֱלָהָךְ׃ יד לָא תַעֲשׁוֹק אֲגִירָא עַנְיָא וּמִסְכֵּנָא מֵאֲחָךְ אוֹ מִגִּיּוֹרָךְ דִּי בְאַרְעָךְ בְּקִרְוָךְ׃ טו בְּיוֹמֵהּ תִּתֵּן אַגְרֵהּ וְלָא תֵעוֹל עֲלוֹהִי שִׁמְשָׁא אֲרֵי עַנְיָא הוּא וְלֵהּ הוּא מְסַר יָת נַפְשֵׁהּ וְלָא יִקְרֵי עֲלָךְ קֳדָם יְיָ וִיהֵי בָךְ חוֹבָא׃ טז לָא יְמוּתוּן אֲבָהָן עַל פּוּם בְּנִין וּבְנִין לָא יְמוּתוּן עַל פּוּם אֲבָהָן אֱנָשׁ בְּחוֹבֵהּ יְמוּתוּן׃

רש"י

(עי' ספרי): (י) כי תשה ברעך. תָּחוֹב בַּחֲבֵרְךָ: משאת מאומה. חוב שֶׁל כְּלוּם: (יב) לא תשכב בעבטו. לֹא תִשְׁכַּב וַעֲבוֹטוֹ אֶצְלְךָ (ספרי; ב"מ קי"ד): (יג) כבוא השמש. אִם כְּסוּת לַיְלָה הוּא, וְאִם כְּסוּת יוֹם הַחֲזִירֵהוּ בַּבֹּקֶר, וּכְבָר כָּתוּב בְּוְאֵלֶּה הַמִּשְׁפָּטִים (כ"ב) עַד בֹּא הַשֶּׁמֶשׁ תְּשִׁיבֶנּוּ לוֹ – כָּל הַיּוֹם תְּשִׁיבֶנּוּ לוֹ, וּכְבֹא הַשֶּׁמֶשׁ תִּקָּחֶנּוּ: וברכך. וְאִם אֵינוֹ מְבָרְכְךָ, מִכָּל מָקוֹם ולך תהיה צדקה (ספרי): (יד) לא תעשק שכיר. וַהֲלֹא כְּבָר כָּתוּב? אֶלָּא לַעֲבוֹר עַל הָאֶבְיוֹן בִּשְׁנֵי לָאוִין, לֹא תַעֲשֹׁק שְׂכַר שָׂכִיר שֶׁהוּא עָנִי וְאֶבְיוֹן, וְעַל הֶעָשִׁיר כְּבָר הֻזְהַר (ויק' י"ט) לֹא תַעֲשֹׁק אֶת רֵעֲךָ (במ' ס"א): אביון. הַתָּאֵב לְכָל דָּבָר: מגרך. זֶה גֵּר צֶדֶק: בשעריך. זֶה גֵּר תּוֹשָׁב הָאוֹכֵל נְבֵלוֹת: אשר בארצך. לְרַבּוֹת שְׂכַר בְּהֵמָה וְכֵלִים (ב"מ קי"א): (טו) ואליו הוא נשא את נפשו. אֶל הַשָּׂכָר הַזֶּה הוּא נוֹשֵׂא אֶת נַפְשׁוֹ לָמוּת, עָלָה בַּכֶּבֶשׁ וְנִתְלָה בָּאִילָן (ספרי; ב"מ קי"ב): והיה בך חטא. מִכָּל מָקוֹם, אֶלָּא שֶׁמְּמַהֲרִין לִפָּרַע עַל יְדֵי הַקּוֹרֵא (ספרי): (טז) לא יומתו אבות על בנים. בְּעֵדוּת בָּנִים, וְאִם תֹּאמַר בַּעֲוֹן בָּנִים, כְּבָר נֶאֱמַר איש בחטאו יומתו (ספרי; סנה' כ"ז): איש בחטאו יומתו. אֲבָל מִי שֶׁאֵינוֹ אִישׁ מֵת בַּעֲוֹן אָבִיו, וְהַקְּטַנִּים מֵתִים בַּעֲוֹן אֲבוֹתָם בִּידֵי

and the man to whom thou dost lend shall bring out the pledge abroad unto thee. [12]And if the man *be* poor, thou shalt not sleep in his pledge: [13]In any case thou shalt restore to him the pledge when the sun goeth down, that he may lie down in his *own* raiment, and bless thee: and it shall be righteousness unto thee before the Eternal thy God. [14]Thou shalt not wrong an hired servant *that is* poor and needy, *whether he be* of thy brethren, or of any strangers that *are* in thy land within thy gates: [15]At his day thou shalt give *him* his hire, neither shall the sun go down upon it; for he *is* poor, and setteth his heart upon it: lest he call against thee unto the Eternal, and it be sin unto thee. [16]Fathers shall not be put to death for children, neither shall children be put to death for fathers: every man shall be put to death for his own sin. [17]Thou shalt not pervert the judgment of

רש״י

with leprosy, do not speak slander! Remember what was done unto Miriam who spoke *slander* against her brother and was stricken with a *leprous* plague! (cf. Siphre). **(10)** כי תשה ברעך *means,* WHEN THOU EXACTEST A DEBT FROM THY FELLOW MAN; משאת מאומה *means,* A DEBT OF ANYTHING (never mind what it may be). **(12)** לא תשכב בעבטו THOU SHALT NOT SLEEP IN HIS PLEDGE — *This means,* thou shalt not go to sleep having his pledge with thee[1]) (Siphre; B. Mets. 111b). **(13)** כבוא השמש [THOU SHALT RESTORE HIM THE PLEDGE] WHEN THE SUN GOETH DOWN — if it be a night garment; whilst if it be a garment worn during the day restore it to him in the morning. This, indeed, has already been written in *the section beginning with the words* ואלה המשפטים (Ex. XXII. 25) "Restore it unto him till the going down of the sun" *which means:* restore it unto him f o r t h e w h o l e d a y and at nightfall you may take it *again till the daybreak of the next morning* (cf. Rashi ib. and Note thereon). וברכך AND HE WILL BLESS THEE — and even though he will not bless thee, under any circumstances, ולך תהיה צדקה IT SHALL BE RIGHTEOUSNESS UNTO THEE [BEFORE THE LORD THY GOD] (Siphre)[2]). **(14)** לא תעשק שכיר THOU SHALT NOT WRONG ANY HIRED SERVANT — But has not this already been stated *in Leviticus XIX. 13?* But *it is repeated here* to make one transgress in respect of the *hired servant who is* p o o r (i. e., if he wrongs such a person) t w o negative commands, *for the meaning of the text here is:* thou shalt not suppress the wages of an hired servant w h o i s poor and needy. (The meaning is not: thou shalt not wrong a hired servant, the poor and the needy). As to the well-to-do *hired servant* one has already been prohibited to wrong him (Lev. XIX. 13): "thou shalt not wrong thy neighbour" (B. Mets. 61a)[3]). אביון is one who longs for e v e r y t h i n g, (lacks all the necessities of life; cf. Rashi on XV. 4). מגרך [WHETHER HE BE OF THY BRETHREN, OR] OF ANY STRANGERS — this refers to a "proselyte of righteousness" (who embraces the entire Jewish Faith out of conviction), בשעריך [STRANGERS THAT ARE] WITHIN THY GATES — this refers to a stranger who *has undertaken not to worship idols (i. e. who has been converted to the fundamental tenet of Judaism) but* eats carrion (does not care for the other commandments of the Torah). אשר בארצך [OF ANY STRANGERS] THAT ARE IN THY LAND — *this is intended* to include *in the prohibition of withholding what is due to one's neighbour* the payment for *using his* animals or utensils (B. Mets. 111b)[4]). **(15)** ואליו הוא נשא את נפשו *means,* for the sake of this hire he exposes his life *even* unto death: he climbs up a *steep* staircase or hangs on to a *high* tree *to do his work* (Siphre; B. Mets. 112a). והיה בך חטא [LEST HE CALL AGAINST THEE UNTO THE LORD,] AND IT BE SIN UNTO THEE — under any circumstances, *even if he does not call against thee to the Lord,* but greater haste is made to punish *thee* because of him who cries (Siphre;

NOTES

For Notes 1—4 see Appendix.

גֵּר יָתוֹם וְלֹא תַחֲבֹל בֶּגֶד אַלְמָנָה: יח וְזָכַרְתָּ כִּי עֶבֶד הָיִיתָ בְּמִצְרַיִם וַיִּפְדְּךָ יְהוָה אֱלֹהֶיךָ מִשָּׁם עַל־כֵּן אָנֹכִי מְצַוְּךָ לַעֲשׂוֹת אֶת־הַדָּבָר הַזֶּה: ס יט כִּי תִקְצֹר קְצִירְךָ בְשָׂדֶךָ וְשָׁכַחְתָּ עֹמֶר בַּשָּׂדֶה לֹא תָשׁוּב לְקַחְתּוֹ לַגֵּר לַיָּתוֹם וְלָאַלְמָנָה יִהְיֶה לְמַעַן יְבָרֶכְךָ יְהוָה אֱלֹהֶיךָ בְּכֹל מַעֲשֵׂה יָדֶיךָ: ס כ כִּי תַחְבֹּט זֵיתְךָ לֹא תְפָאֵר אַחֲרֶיךָ לַגֵּר לַיָּתוֹם וְלָאַלְמָנָה יִהְיֶה: כא כִּי תִבְצֹר כַּרְמְךָ לֹא תְעוֹלֵל אַחֲרֶיךָ לַגֵּר לַיָּתוֹם וְלָאַלְמָנָה יִהְיֶה: כב וְזָכַרְתָּ כִּי־עֶבֶד הָיִיתָ בְּאֶרֶץ מִצְרָיִם עַל־כֵּן אָנֹכִי מְצַוְּךָ לַעֲשׂוֹת אֶת־הַדָּבָר הַזֶּה: ס כה א כִּי־יִהְיֶה רִיב בֵּין אֲנָשִׁים

אונקלוס

יז לָא תַצְלֵי דִּין גִּיּוֹרָא וְיִתָּמָא וְלָא תִסַּב מַשְׁכּוֹנָא כְּסוּ אַרְמְלָא: יח וְתִדְכַּר אֲרֵי עַבְדָּא הֲוֵיתָא בְּמִצְרַיִם וּפָרְקָךְ יְיָ אֱלָהָךְ מִתַּמָּן עַל כֵּן אֲנָא מְפַקֵּיד לְמֶעְבַּד יָת פִּתְגָּמָא הָדֵין: יט אֲרֵי תַחְצוֹד חֲצָדָךְ בְּחַקְלָךְ וְתִנְשֵׁי עֻמְרָא בְּחַקְלָא לָא תְתוּב לְמִסְבֵהּ לְגִיּוֹרָא לְיִתָּמָא וּלְאַרְמְלָא יְהֵי בְּדִיל דִּיבָרְכִנָּךְ יְיָ אֱלָהָךְ בְּכֹל עוֹבָדֵי יְדָךְ: כ אֲרֵי תַחְבּוֹט זֵיתָךְ לָא תְפַלֵּי בַּתְרָךְ לְגִיּוֹרָא לְיִתָּמָא וּלְאַרְמְלָא יְהֵי: כא אֲרֵי תִקְטוֹף כַּרְמָךְ לָא תְעַלֵּל בַּתְרָךְ לְגִיּוֹרָא לְיִתָּמָא וּלְאַרְמְלָא יְהֵי: כב וְתִדְכַּר אֲרֵי עַבְדָּא הֲוֵיתָא בְּאַרְעָא דְמִצְרָיִם עַל כֵּן אֲנָא מְפַקְּדָךְ לְמֶעְבַּד יָת פִּתְגָּמָא הָדֵין:

רש"י

שָׁמַיִם (ספרי): (יז) לא תטה משפט גר יתום, וְעַל הֶעָשִׁיר כְּבָר הִזְהִיר (דב׳ ט״ז) לא תַטֶּה מִשְׁפָּט, וְשָׁנָה בֶעָנִי לַעֲבוֹר עָלָיו בִּשְׁנֵי לָאוִין, לְפִי שֶׁנָּקֵל לְהַטּוֹת מִשְׁפַּט עָנִי יוֹתֵר מִשֶּׁל עָשִׁיר, לְכָךְ הִזְהִיר וְשָׁנָה עָלָיו (ספרי): ולא תחבל. שֶׁלֹּא בִשְׁעַת הַלְוָאָה (עי׳ ב״מ קט״ו): (יח) וזכרת. עַל מְנָת כֵּן פְּדִיתִיךָ לִשְׁמוֹר חֻקּוֹתַי, אֲפִילוּ יֵשׁ חֶסְרוֹן כִּיס בַּדָּבָר: (יט) ושכחת עמר. וְלֹא גָדִישׁ, מִכַּאן אָמְרוּ עוֹמֶר שֶׁיֵּשׁ בּוֹ סָאתַיִם וּשְׁכָחוֹ אֵינוֹ שִׁכְחָה (פאה ו׳ מ״ב): בשדה. לְרַבּוֹת שִׁכְחַת קָמָה, שֶׁשָּׁכַח מִקְצָתָהּ מִלִּקְצוֹר: לא תשוב לקחתו. מִכַּאן אָמְרוּ שֶׁלְּאַחֲרָיו שִׁכְחָה, שֶׁלְּפָנָיו אֵינוֹ שִׁכְחָה, שֶׁאֵינוֹ בְּבַל תָּשׁוּב (פאה מ״ד; ב״מ י״א): למען יברכך. וְאַעַ״פּ שֶׁבָּאת לְיָדוֹ שֶׁלֹּא בְמִתְכַּוֵּן, קַ״וָ לְעוֹשֶׂה בְּמִתְכַּוֵּן, אֱמוֹר מֵעַתָּה נָפְלָה סֶלַע מִיָּדוֹ וּמְצָאָהּ עָנִי וְנִתְפַּרְנֵס בָּהּ הֲרֵי הוּא מִתְבָּרֵךְ עָלֶיהָ (ספרי): (כ) לא תפאר. לֹא תִטּוֹל תִּפְאַרְתּוֹ מִמֶּנּוּ (חולי׳ קל״א), מִכַּאן שֶׁמַּנִּיחִין פֵּאָה לָאִילָן: אחריך. זוּ שִׁכְחָה: (כא) לא תעולל. אִם מָצָאתָ בּוֹ עוֹלֵלוֹת לֹא תִקָּחֶנָּה, וְאֵי זוּ הִיא עוֹלֵלוֹת? כֹּל שֶׁאֵין לָהּ לֹא כָתֵף וְלֹא נָטֵף, יֵשׁ לָהּ אֶחָד מֵהֶם הֲרֵי הִיא לְבַעַל הַבַּיִת

the stranger, of the fatherless; nor take a widow's garment to pledge: [18]But thou shalt remember that thou wast a servant in Egypt, and the Eternal thy God released thee thence: therefore I command thee to do this thing. [19]When thou reapest thine harvest in thy field, and hast forgot a sheaf in the field, thou shalt not return to take it: it shall be for the stranger, for the fatherless, and for the widow: that the Eternal thy God may bless thee in all the work of thine hands. [20]When thou beatest thine olive-tree, thou shalt not go over the boughs again: it shall be for the stranger, for the fatherless, and for the widow. [21]When thou gatherest the grapes of thy vineyard, thou shalt not glean *it* afterwards: it shall be for the stranger, for the fatherless, and for the widow. [22]And thou shalt remember that thou wast a servant in the land of Egypt; therefore I command thee to do this thing.

25. [1]If there be a quarrel between men; and they step

רש״י

cf. Rashi XV. 9). **(16)** לא יומתו אבות על בנים FATHERS SHALL NOT BE PUT TO DEATH על בנים — *i. e.* by the evidence of *their* children. But if you say *it means* "for the sin of their children", *then it would be redundant for* it goes on to state "every man shall be put to death for his own sin" (Siphre; Sanh. 27b). איש בחטאו יומתו EVERY MAN SHALL BE PUT TO DEATH FOR HIS OWN SIN — *This suggests:* but one who is not *yet* an איש, a man, does *sometimes* die on account of his father's sins: little children *sometimes* die by a visitation of God because of their parents' sins (Siphre). **(17)** לא תטה משפט גר יתום THOU SHALT NOT PERVERT THE JUDGMENT OF THE STRANGER, OR OF THE FATHERLESS — and with regard to the well-to-do one has already been forbidden *to do so* (XVI. 19): "Thou shalt not wrest judgment", (which is a general prohibition including both poor and rich), but it (Scripture) repeats it regarding the poor in order to make one *who wrests the judgment of the poor* transgress two negative commands. Because it is easier to wrest the judgment of the *defenceless* poor than that of the rich, therefore Scripture lays down a prohibition regarding him a second time (Siphre). ולא תחבל NOR TAKE [A WIDOW'S GARMENT] TO PLEDGE — *The term* חבל *refers to taking a pledge* not at the time when the loan is transacted (but when defoult is made in payment) (cf. B. Mets. 115a; see also Rashi on Ex. XXII. 25). **(18)** וזכרת BUT THOU SHALT REMEMBER [THAT THOU WAST A SERVANT IN EGYPT AND THE LORD THY GOD RELEASED THEE THENCE] — I released thee only with the view that you should observe my statutes even though there be monetary loss in the matter. **(19)** ושכחת עמר [WHEN THOU REAPEST THY HARVEST IN THY FIELD] AND HAST FORGOT A SHEAF ... [THOU SHALT NOT RETURN TO TAKE IT] — *a sheaf*, but not a stack *of corn* (Siphre). Hence they (the Rabbis) said, "A sheaf that contains two Seahs of grain which one has forgotten *in the field,* does not come under the term of שכחה (a forgotten sheaf)" (Peah VI. 6)[1]). בשדה [AND HAST FORGOT ...] IN

NOTES

[1]) It is evident that Scripture does not insist on the fact that the forgotten thing be a sheaf. It uses this term because it usually denotes a comparatively small quantity of grain, but if the grain has been made up into very large sheaves containing two Seahs it is not to be regarded as being subject to the law laid down here.

וְנִגְּשׁוּ אֶל־הַמִּשְׁפָּט וּשְׁפָטוּם וְהִצְדִּיקוּ אֶת־הַצַּדִּיק וְהִרְשִׁיעוּ אֶת־הָרָשָׁע׃ ב וְהָיָה אִם־בִּן הַכּוֹת הָרָשָׁע וְהִפִּילוֹ הַשֹּׁפֵט וְהִכָּהוּ לְפָנָיו כְּדֵי רִשְׁעָתוֹ בְּמִסְפָּר׃ ג אַרְבָּעִים יַכֶּנּוּ לֹא יֹסִיף פֶּן־יֹסִיף לְהַכֹּתוֹ עַל־אֵלֶּה מַכָּה רַבָּה וְנִקְלָה אָחִיךָ לְעֵינֶיךָ׃ ד לֹא־תַחְסֹם שׁוֹר בְּדִישׁוֹ׃ ס ה כִּי־יֵשְׁבוּ אַחִים יַחְדָּו וּמֵת אַחַד מֵהֶם וּבֵן אֵין־לוֹ לֹא־תִהְיֶה אֵשֶׁת־הַמֵּת הַחוּצָה לְאִישׁ זָר יְבָמָהּ יָבֹא עָלֶיהָ וּלְקָחָהּ לוֹ לְאִשָּׁה וְיִבְּמָהּ׃ ו וְהָיָה

אונקלוס

א אֲרֵי יְהֵי דִין בֵּין גֻּבְרַיָּא וְיִתְקָרְבוּן לְוָת דַּיָּנָא וִידוּנִנּוּן וְיַזְכּוּן יָת זַכָּאָה וִיחַיְּבוּן יָת חַיָּבָא׃ ב וִיהֵי אִם בַּר חַיָּב לְאַלְקָאָה חַיָּבָא וְיִרְמְנֵהּ דַּיָּנָא וְיַלְקְנֵהּ קֳדָמוֹהִי כְּמִסַּת חוֹבְתֵהּ בְּמִנְיָן׃ ג אַרְבְּעִין יַלְקְנֵהּ לָא יוֹסֵף דִּלְמָא יוֹסֵף לְאַלְקְיוּתֵהּ עַל אִלֵּין מַחָא רַבָּא וְיֵקַל אֲחוּךְ לְעֵינָךְ׃ ד לָא תֵחוֹד פּוּם תּוֹרָא בְּדִיָּשֵׁהּ׃ ה אֲרֵי יִתְבוּן אַחִין כַּחֲדָא וִימוּת חַד מִנְּהוֹן וּבַר לֵית לֵהּ לָא תְהֵי אִתַּת מֵתָנָא לְגַבְרָא לְגְבַר חִלּוֹנַי יְבָמַהּ יֵעוֹל עֲלַהּ וְיִסְּבַהּ לֵהּ לְאִנְתּוּ וְיִבְּמַהּ׃ ו וִיהֵי בּוּכְרָא דִּי תְלִיד

רש"י

(ספרא)׃ וְרָאִיתִי בְּתַלְמוּד יְרוּשַׁלְמִי אִי זוֹ הִיא כְּתַף? פְּסִינִין זֶה עַל גַּב זֶה, נָשַׁף אֵלּוּ הַתְּלוּיוֹת בְּשִׁדְרָה וְיוֹרְדוֹת (פאה ד׳ מ״ד)׃

כה (א) כי יהיה ריב. סוֹפָם לִהְיוֹת נִגָּשִׁים אֶל הַמִּשְׁפָּט. אֱמוֹר מֵעַתָּה אֵין שָׁלוֹם יוֹצֵא מִתּוֹךְ מְרִיבָה, מִי גָּרַם לְלוֹט לִפְרוֹשׁ מִן הַצַּדִּיק? הֱוֵי אוֹמֵר זוֹ מְרִיבָה׃ והרשיעו את הרשע. יָכוֹל כָּל הַמִּתְחַיְּבִין בְּדִין לוֹקִין, תַּלְמוּד לוֹמַר (ב) והיה אם בן הכות הרשע. פְּעָמִים לוֹקֶה וּפְעָמִים אֵינוֹ לוֹקֶה, וּמִי הַלּוֹקֶה לָמוּד מִן הָעִנְיָן, לא תַחְסֹם שׁוֹר בְּדִישׁוֹ — לָאו שֶׁלֹּא נִתַּק לַעֲשֵׂה (עי׳ ספרי; מכ׳ י״ג)׃ והפילו השפט. מְלַמֵּד שֶׁאֵין מַלְקִין אוֹתוֹ לֹא עוֹמֵד וְלֹא יוֹשֵׁב אֶלָּא מֻטֶּה (מכ׳ כ״ב)׃ לפניו כדי רשעתו. וּלְאַחֲרָיו כְּדֵי שְׁתַּיִם, מִכָּאן אָמְרוּ מַלְקִין אוֹתוֹ שְׁתֵּי יָדוֹת מִלְּאַחֲרָיו וּשְׁלִישׁ מִלְּפָנָיו (ספרי; מכ׳ כ״ב)׃ במספר. וְאֵינוֹ נָקוּד בְּמִסְפָּר, לָמֵד שֶׁהִיא דְבוּקָה, לוֹמַר בְּמִסְפַּר אַרְבָּעִים וְלֹא אַרְבָּעִים שְׁלֵמִים, אֶלָּא מִנְיָן שֶׁהוּא סוֹכֵם וּמַשְׁלִים לְאַרְבָּעִים וְהֵן אַרְבָּעִים חָסֵר אַחַת (שם)׃ (ג) לא יסיף. מִכָּאן אַזְהָרָה לְמַכֶּה אֶת חֲבֵרוֹ (עי׳ כתו׳ ל״ג)׃ ונקלה אחיך. כָּל הַיּוֹם קוֹרְאוֹ רָשָׁע וּמִשֶּׁלָּקָה קְרָאוֹ אָחִיךָ׃ (ד) לא תחסם שור. דִּבֶּר הַכָּתוּב בַּהוֹוֶה, וְהוּא הַדִּין לְכָל בְּהֵמָה חַיָּה וָעוֹף הָעוֹשִׂים בִּמְלָאכָה שֶׁהִיא בְּדָבָר מַאֲכָל; אִם כֵּן לָמָּה נֶאֱמַר שׁוֹר? לְהוֹצִיא אֶת הָאָדָם (ספרי; ב״מ פ״ח)׃ בדישו. יָכוֹל יַחְסְמֶנּוּ מִבַּחוּץ תַּלְמוּד לוֹמַר לא תַחְסוֹם שׁוֹר מִכָּל מָקוֹם; וְלָמָּה נֶאֱמַר דַּיִשׁ? לוֹמַר לְךָ מַה דַּיִשׁ מְיֻחָד דָּבָר שֶׁלֹּא נִגְמְרָה מְלַאכְתּוֹ וְגִדּוּלוֹ מִן הָאָרֶץ, אַף כָּל כַּיּוֹצֵא בוֹ, יָצָא הַחוֹלֵב וְהַמְגַבֵּן וְהַמְחַבֵּץ שֶׁאֵין גִּדּוּלוֹ מִן הָאָרֶץ, יָצָא הַלָּשׁ וְהַמְקַטֵּף שֶׁנִּגְמְרָה מְלַאכְתּוֹ לַחַלָּה, יָצָא הַבּוֹדֵל בִּתְמָרִים וּבִגְרוֹגָרוֹת שֶׁנִּגְמְרָה

nigh unto judgment, that *the judges* may judge them; then they shall justify the righteous, and condemn the wicked. [2]And it shall be, if the wicked *man be* worthy to be beaten, that the judge shall cause him to fall down, and *one* shall smite him before his face, according to his wickedness, by a *certain* number. [3]Forty *stripes* he may give him, *and* not exceed: lest *if* he should exceed, and smite him above these with many stripes, then thy brother should seem vile unto thee. [4]Thou shalt not muzzle the ox when he treadeth out *the corn*. [5]If brethren abide together, and one of them die, and have no child, the wife of the dead shall not marry abroad unto a stranger: her husband's brother shall come unto her, and take her to him to wife, and perform the duty of an husband's brother unto her. [6]And it shall be,

רש״י

THE FIELD — *This apparently redundant word (it has just stated* בשדך) *is intended* to include under this law forgotten "standing corn" (קמה) — that one has forgotten to cut down p a r t of it (Siphre)[1]. לא תשוב לקחתו THOU SHALT NOT GO BACK TO TAKE IT — Hence they (the Rabbis) said: A sheaf which *lies* b e h i n d one is to be treated as שכחה, whilst one that lies in f r o n t of one is not to be treated as שכחה, for the *expression* "thou shalt not go b a c k [to take it]" is not applicable to it (Peah IV. 4; B. Mets. 11a). למען יברכך THAT [THE LORD THY GOD] BLESS THEE — although it came into his (the stranger's or the orphan's) hand without him (the owner) intending this; it follows logically *that he will certainly receive a blessing* if he does this intentionally! — You must therefore admit that if a Sela fell out of one's hand and a poor man found it and supports himself by it, then he will surely be blessed on that account (Siphre; cf. Rashi on Lev. V. 17 end). **(20)** לא תפאר — *This means:* thou shalt not *entirely* remove its (the olive tree's) glory (תפארת)

NOTES

1) Since the verse begins with the statement: when thou reapest thy harvest in t h y f i e l d, the word בשדה is redundant. Hence it is taken to signify, that which is still on the ground of the field. The word ושכחת must be repeated before בשדה. Rashi speaks of p a r t of the standing corn because it cannot refer to a field the farmer forgetting to reap the whole of it, since it states: כי תקצר קצירך וכו׳.

רש״י

from it, *i. e., its fruit* (Chul. 131a). Hence they (the Rabbis) *derived the law* that one must leave פאה (some quantity of fruit) *also* on fruit-trees *for the poor* (cf. Peah IV. 1). אחריך BEHIND THEE — This *implies* שכחה (forgotten fruit; that if he forgets to remove some fruit from the orchard, he must leave it for the poor). **(21)** לא תעולל [WHEN THOU GATHEREST THE GRAPES OF THY VINEYARD] THOU SHALT NOT GLEAN IT — *i. e.*, if you find tender grapes in it, thou shalt not take them away. And what are עוללות? *Clusters* which have neither כתף, "arms" nor נטף "drippings". If, however, they have one of these, then it belongs to the owner *of the vineyard* (not to the poor). (Cf. Rashi on Lev. XIX. 10 and our translation and Note thereon). — I have seen *the following* in the Jerusalem Talmud: What is כתף? *Where the* branches lie one upon the other: *whilst* נטף are those which hang down directly from the central stem (Peah VII. 4).

25. (1) כי יהיה ריב IF THERE BE A QUARREL [BETWEEN MEN] they will in the end have to approach the judges (because of a bodily injury inflicted by one on the other, since Scripture goes on to state, "and if the wicked man be worthy of l a s h e s", a punishment that can only follow, in the case of a quarrel, upon one of the parties receiving a blow). You must thus come to the conclusion that nothing good can come out of a quarrel. *Just think:* what was it that caused Lot to leave the righteous man (Abraham)? You must admit it was a *mere* quarrel (cf. Gen. XIII. 7—11; Siphre). והרשיעו את הרשע THEY SHALL CONDEMN THE WICKED — One might *think that* all who are found guilty in a law-suit are punished with lashes; Scripture, however, goes on to state, **(2)** והיה אם בן הכות הרשע AND IT SHALL BE, IF THE WICKED MAN BE WORTHY TO BE BEATEN, [... THAT THE JUDGE SHALL SMITE HIM] — *"If": you learn, therefore, that* sometimes he receives lashes and sometimes he does not receive lashes. Who it is that may be punished with lashes can be learnt from the context: (v. 4) "Thou shalt not muzzle the ox when he treadeth out *the corn" — which is* לאו שלא נתק לעשה a prohibition which is not attached to a positive command[1]) (cf. Siphre; Macc. 13b). והפילו השפט AND THE JUDGE SHALL CAUSE HIM TO FALL DOWN — This teaches that one is not lashed whilst standing or sitting but *only* when bending (Macc. 22b). לפניו כדי רשעתו [AND THE JUDGE SHALL ... SMITE HIM] IN FRONT ACCORDING TO HIS WICKEDNESS (כדי רשעתו may mean "as much as is sufficient for his

NOTES

1) A לאו the transgression of which one cannot make good by a succeeding act, as e. g., XXII. 6—7: לא ת ק ח האם על הבנים ... ש ל ח ת ש ל ח; for such a לאו Scripture does not prescribe lashes but is contented if it is repaired by obedience to the positive command.

רש"י

wickedness", i. e., for o n e part of his wickedness, רשעתו being singular) — *in f r o n t* (on his chest) *corresponding to o n e part of his wickedness,* and on his back corresponding to t w o parts: hence they (the Rabbis) derived that one must give him (anyone sentenced to lashes) two-thirds on his back and one third on his chest (Siphre; Macc. 22b, 23a)[1]). בְּמספר BY A NUMBER — but it (the word) is not punctuated בַּמספר by t h e number; this shows that it is connected *with the following word,* to read בְּמִסְפַּר ארבעים, ["he shall smite him"] . . . by the number of forty, (i. e. by the number leading to forty), not, however, a full forty, but a number that leads up to the full total of forty, *i. e.*, forty less one[2]). **(3)** לא יסיף HE SHALL NOT EXCEED — From here *is derived* the prohibition referring to one who strikes his fellow man (cf. Keth. 33a)[3]). ונקלה אחיך WHEN THY BROTHER SHOULD SEEM VILE [UNTO THEE] — All the time it has been calling him "wicked" (vv. 1 and 2), but as soon as he has received the lashes it calls him "thy b r o t h e r"! (Siphre). **(4)** לא תחסם שור THOU SHALT NOT MUZZLE THE OX [WHEN HE TREADETH OUT THE CORN] — Scripture is speaking of what usually occurs, but the same law applies to any cattle, non-domesticated beast and fowl that are doing some work that is connected with food. But if so why does it (Scripture) state "ox"? To exclude a human being *from being subject to this law!* (i. e. that if he restrains a workman from eating whilst engaged on some operation connected with food, the master is exempt from flagellation usually inflicted on one who transgresses a negative commandment). בדישו WHEN HE TREADETH OUT THE CORN — One might *think that* one might muzzle it previous to that (lit., outside, i. e., before it starts working)! Scripture, however, states, "thou shalt not muzzle an ox" — *which implies thou shalt not muzzle it* under any circumstances. Then why is threshing mentioned?[4]). In order to tell you *the following:* What is threshing? Its characteristic is that it is *done on* a thing the work on which is not yet complete *to make it liable to tithing and the giving of Challah,* and which grows from the ground. So, too, *this prohibition applies only to* all *operations* which have similar characteristics: Thus there are excluded *from the prohibition "not to muzzle"* (i. e. you m a y restrain from eating) workmen who are engaged in milking, in cheese-making, or in pressing the moisture out of thick milk, *all of which operations are done on things* which do not grow from the ground; there are excluded, *also, the workmen* who are engaged in kneading, or in breaking the dough up into pieces for baking, for the work on it is *then* completed so that it becomes liable to Challah. There are

NOTES

For Notes 1—4 see Appendix.

הַבְּכוֹר אֲשֶׁר תֵּלֵד יָקוּם עַל־שֵׁם אָחִיו הַמֵּת וְלֹא־
יִמָּחֶה שְׁמוֹ מִיִּשְׂרָאֵל׃ ז וְאִם־לֹא יַחְפֹּץ הָאִישׁ
לָקַחַת אֶת־יְבִמְתּוֹ וְעָלְתָה יְבִמְתּוֹ הַשַּׁעְרָה אֶל־
הַזְּקֵנִים וְאָמְרָה מֵאֵין יְבָמִי לְהָקִים לְאָחִיו שֵׁם
בְּיִשְׂרָאֵל לֹא אָבָה יַבְּמִי׃ ח וְקָרְאוּ־לוֹ זִקְנֵי־עִירוֹ
וְדִבְּרוּ אֵלָיו וְעָמַד וְאָמַר לֹא חָפַצְתִּי לְקַחְתָּהּ׃
ט וְנִגְּשָׁה יְבִמְתּוֹ אֵלָיו לְעֵינֵי הַזְּקֵנִים וְחָלְצָה נַעֲלוֹ
מֵעַל רַגְלוֹ וְיָרְקָה בְּפָנָיו וְעָנְתָה וְאָמְרָה כָּכָה יֵעָשֶׂה
לָאִישׁ אֲשֶׁר לֹא־יִבְנֶה אֶת־בֵּית אָחִיו׃ י וְנִקְרָא שְׁמוֹ
בְּיִשְׂרָאֵל בֵּית חֲלוּץ הַנָּעַל׃ ס יא כִּי־יִנָּצוּ אֲנָשִׁים
יַחְדָּו אִישׁ וְאָחִיו וְקָרְבָה אֵשֶׁת הָאֶחָד לְהַצִּיל אֶת־
אִישָׁהּ מִיַּד מַכֵּהוּ וְשָׁלְחָה יָדָהּ וְהֶחֱזִיקָה בִּמְבֻשָׁיו׃

אונקלוס

יקום על שמא דאחוהי מתנא ולא יתמחי שמה מישראל: ז ואם לא יצבי גברא
למסב ית יבמתה ותסק יבמתה לתרע בית דינא לקדם סביא ותימר לא צבי
יבמי לאקמא לאחוהי שמא בישראל לא אבי יבמי: ח ויקרון לה סבי קרתה
וימללון עמה ויקום ויימר לא רעינא למסבה: ט ותתקרב יבמתה לותה לקדם
סביא ותשרי סינה מעל רגלה ותרוק באנפוהי ותתיב ותימר כדין יתעבד לגבר
די לא יבני ית ביתא דאחוהי: י ויתקרי שמה בישראל בית שרי סינא:
יא ארי ינצון גברין כחדא גבר ואחוהי ותתקרב אתת חד לשזבא ית בעלה

רש"י

מלאכתן למעשר (ספרי; ב"מ פ"ט): (ה) כי ישבו אחים יחדו. שהיתה להם ישיבה
אחת בעולם, פרט לאשת אחיו שלא היה בעולמו (ספרי; יב' י"ז): יחדו. המיוחדים
בנחלה, פרט לאחיו מן האם (שם): ובן אין לו. עין עליו. בן או בת או בן הבן או בת
הבן או בן הבת או בת הבת (עי' יב' כ"ב): (ו) והיה הבכור. גדול האחים הוא מיבם
אותה (ספרי; יב' כ"ד): אשר תלד. פרט לאילונית שאינה יולדת: יקום על שם אחיו.
זה שיבם את אשתו יטול נחלת המת בנכסי אביו: ולא ימחה שמו. פרט לאשת סריס
ששמו מחוי (יב' כ"ד): (ז) השערה. כתרגומו — לתרע בית דינא: (ח) ועמד. בעמידה
(ספרי): ואמר. בלשון הקדש, ואף היא דבריה בלשון הקודש (יב' ק"ו; ספרי):
(ט) וירקה בפניו. על גבי קרקע (שם): אשר לא יבנה. מכאן למי שחלץ שלא יחזור
וייבם, דלא כתיב אשר לא בנה, אלא אשר לא יבנה, כיון שלא בנה שוב לא יבנה

that the first-born whom she beareth shall succeed in the name of his dead brother, that his name be not wiped out of Israel. [7]And if the man like not to take his brother's wife, then let his brother's wife go up to the gate unto the elders, and say, My husband's brother refuseth to raise up unto his brother a name in Israel, he is not willing to perform the duty of my husband's brother: [8]Then the elders of his city shall call him, and speak unto him: and he shall stand and say, I like not to take her: [9]Then shall his brother's wife step nigh unto him before the eyes of the elders, and loose his shoe from off his foot, and spit before his face, and shall answer and say, So shall it be done unto that man that will not build up his brother's house. [10]And his name shall be called in Israel, The house of him that hath his shoe loosed. [11]When men strive together one with another, and the wife of the one approacheth to deliver her husband out of the hand of him that smiteth him, and putteth forth her hand, and layeth hold of him by the secrets;

רש״י

also excluded *the workmen* engaged in separating dates and figs from the mass, for the work on them is *then* completed so that they become liable to tithing. **(5)** כי ישבו אחים יחדו IF BRETHREN ABIDE TOGETHER, [AND ONE OF THEM DIE ... THE WIFE OF THE DEAD SHALL NOT MARRY ABROAD] — *This does not mean that they abide in one c i t y but* that they have one "abiding" in the world (that they were living at the same time) thus excluding *from the operation of this law* the wife of one's brother who never was in his "world" (i. e. a woman may not marry her brother-in-law who was born after her husband's death) (Siphre; Jeb. 17b). יחדו TOGETHER — *means* reciprocally associated (מיוחדים) in *the law of* inheritance (i. e. that they become the heirs of one another), thus excluding *from the duty of* יבום the brother on the mother's side[1]). ובן אין לו AND HE HAS NO SON — *The last two words suggest* עין עליו, investigate about him *whether he has descendants of any kind* — a son, or a daughter, or a son's son or a son's daughter, or a daughter's son or daughter's daughter (cf. Jeb. 22b)[2]). **(6)** והיה הבכור AND IT SHALL BE THE FIRSTBORN ... — It is the eldest brother who is to perform the duty of levirate marriage (Siphre; Jeb. 24a)[3]). אשר תלד WHOM SHE WILL BEAR — This excludes from the *operation of this law* a sterile woman, since she cannot bear. יקום על שם אחיו HE SHALL SUCCEED IN THE NAME OF HIS BROTHER — he who has married his (the deceased brother's) wife shall receive the portion of the dead *brother* in his father's property. ולא ימחה שמו THAT HIS NAME BE NOT WIPED OUT [OF ISRAEL] — thus excluding *from the levirate marriage* the wife of a castrate, whose name is *anyhow* wiped out (Jeb. 24a). **(7)** השערה — *Translate this* as the Targum *does:* to the gate of the court. **(8)** ועמד AND HE SHALL STAND [AND SAY] — *He must say this* standing (Siphre). ואמר AND HE SHALL SAY — in the Holy Language. She, too, *has to make* her statements in the Holy Language (Jeb. 106b; cf. Siphre). **(9)** וירקה בפניו THEN SHE SHALL SPIT BEFORE HIS FACE — on the ground (not i n his face). אשר לא יבנה [SO SHALL IT BE DONE UNTO THAT MAN] THAT WILL NOT BUILD UP [HIS BROTHER'S HOUSE] — from here *the Rabbis derived the law* that one who has *once* given *his deceased brother's wife* חליצה shall not afterwards marry her, for it does not state "[Thus shall *it be done to the man*] who h a t h n o t built up *his brother's house*", but אשר לא יבנה: "[Thus shall be done to the man] that he s h a l l n e v e r b u i l d u p" —

NOTES

For Notes 1—3 see Appendix.

יב וְקַצֹּתָה אֶת־כַּפָּהּ לֹא תָחוֹס עֵינֶךָ: ס יג לֹא־יִהְיֶה
לְךָ בְּכִיסְךָ אֶבֶן וָאָבֶן גְּדוֹלָה וּקְטַנָּה: יד לֹא־יִהְיֶה לְךָ
בְּבֵיתְךָ אֵיפָה וְאֵיפָה גְּדוֹלָה וּקְטַנָּה: טו אֶבֶן שְׁלֵמָה
וָצֶדֶק יִהְיֶה־לָּךְ אֵיפָה שְׁלֵמָה וָצֶדֶק יִהְיֶה־לָּךְ לְמַעַן
יַאֲרִיכוּ יָמֶיךָ עַל הָאֲדָמָה אֲשֶׁר־יְהוָה אֱלֹהֶיךָ נֹתֵן
לָךְ: טז כִּי תוֹעֲבַת יְהוָה אֱלֹהֶיךָ כָּל־עֹשֵׂה אֵלֶּה כֹּל
עֹשֵׂה עָוֶל: פ

מפטיר

יז זָכוֹר אֵת אֲשֶׁר־עָשָׂה לְךָ עֲמָלֵק בַּדֶּרֶךְ בְּצֵאתְכֶם
מִמִּצְרָיִם: יח אֲשֶׁר קָרְךָ בַּדֶּרֶךְ וַיְזַנֵּב בְּךָ כָּל־
הַנֶּחֱשָׁלִים אַחֲרֶיךָ וְאַתָּה עָיֵף וְיָגֵעַ וְלֹא יָרֵא

אונקלוס

מַר מָחֲוָוהִי וְתוֹשֵׁיט יְדַהּ וְתִתְקַף בְּבֵית בַּהֲתָתֵהּ: יב וּתְקוֹץ יָת יְדַהּ לָא תְחוּס
עֵינָךְ: יג לָא־יְהֵי לָךְ בְּכִיסָךְ מַתְקַל וּמַתְקַל רַבְּתָא וּזְעֵרְתָּא: יד לָא יְהֵי לָךְ בְּבֵיתָךְ
מְכִילָא וּמְכִילָא רַבְּתָא וּזְעֵרְתָּא: טו מַתְקְלִין שַׁלְמִין וּקְשׁוֹט יְהוֹן לָךְ מְכִילָן שַׁלְמִין
וּקְשׁוֹט יְהוֹן לָךְ בְּדִיל דְּיוֹרְכוּן יוֹמָיךְ עַל אַרְעָא דַּיְיָ אֱלָהָךְ יָהֵב לָךְ: טז אֲרֵי
מְרָחָק קֳדָם יְיָ אֱלָהָךְ כָּל עָבֵד אִלֵּין כֹּל עָבֵד שְׁקָר: יז הֲוֵי דְכִיר יָת דִּי עֲבַד לָךְ
עֲמָלֵק בְּאָרְחָא בְּמִפַּקְכוֹן מִמִּצְרָיִם: יח דִּי עָרְעָךְ בְּאָרְחָא וְקַטֵּל בָּךְ כָּל דַּהֲווֹ

רש"י

(יב) י"ג ע"י ספרי): (י) וְנִקְרָא שְׁמוֹ וגו'. מִצְוָה עַל כָּל הָעוֹמְדִים שָׁם לוֹמַר "חֲלוֹץ
הַנָּעַל" (ספרי; יב' ק"י): (יא) כִּי יִנָּצוּ אֲנָשִׁים. סוֹפוֹ לָבֹא לִידֵי מַכּוֹת, כְּמוֹ שֶׁנֶּאֱמַר מִיד
מַכֵּהוּ, אֵין שָׁלוֹם יוֹצֵא מִתּוֹךְ יְדֵי מַצּוּת (ספרי): (יב) וְקַצֹּתָה אֶת כַּפָּהּ. מָמוֹן דְּמֵי בָשְׁתּוֹ,
הַכֹּל לְפִי הַמְּבַיֵּשׁ וְהַמִּתְבַּיֵּשׁ; אוֹ אֵינוֹ אֶלָּא יָדָהּ מַמָּשׁ? נֶאֱמַר כָּאן לֹא תָחוֹס, וְנֶאֱמַר
לְהַלָּן בְּעֵדִים זוֹמְמִים (רב' י"ט) לֹא תָחוֹס, מַה לְּהַלָּן מָמוֹן אַף כָּאן מָמוֹן (ספרי): עי'
ב"ק כ"ח): (יג) אֶבֶן וָאָבֶן. מִשְׁקָלוֹת. גְּדוֹלָה וּקְטַנָּה. שֶׁמַּכְחֶשֶׁת אֶת הַקְּטַנָּה, שֶׁלֹּא
יְהֵי נוֹטֵל בַּגְּדוֹלָה וּמַחֲזִיר בַּקְּטַנָּה (ספרי): לֹא יִהְיֶה לְךָ. אִם עָשִׂיתָ כֵּן לֹא יִהְיֶה לְךָ
כְּלוּם (עי' שם): (טו) אֶבֶן שְׁלֵמָה וָצֶדֶק יִהְיֶה לָךְ. אִם עָשִׂיתָ כֵּן. יִהְיֶה לְךָ הַרְבֵּה:
(יז) זָכוֹר אֵת אֲשֶׁר עָשָׂה לְךָ. אִם שִׁקַּרְתָּ בַּמִּדּוֹת וּבַמִּשְׁקָלוֹת הֱוֵי דוֹאֵג מִגֵּרוּי הָאוֹיֵב
שֶׁנֶּאֱמַר (משלי י"א) מֹאזְנֵי מִרְמָה תּוֹעֲבַת ה' וּכְתִיב בַּתְרֵיהּ בָּא זָדוֹן וַיָּבֹא קָלוֹן
(תנחומא): (יח) אֲשֶׁר קָרְךָ בַּדֶּרֶךְ. לְשׁוֹן מִקְרֶה; דָּבָר אַחֵר לְשׁוֹן קֶרִי וְטֻמְאָה שֶׁהָיָה מְטַמְּאָן
בְּמִשְׁכַּב זָכוּר; דָּ"א לְשׁוֹן קֹר וָחוֹם. צִנֶּנְךָ וְהִפְשִׁירְךָ מֵרְתִיחָתָךְ, שֶׁהָיוּ כָּל הָאֻמּוֹת יְרֵאִים
לְהִלָּחֵם בָּכֶם וּבָא זֶה וְהִתְחִיל וְהֶרְאָה מָקוֹם לַאֲחֵרִים; מָשָׁל לְאַמְבָּטִי רוֹתַחַת שֶׁאֵין כָּל
בְּרִיָּה יְכוֹלָה לֵירֵד בְּתוֹכָהּ, בָּא בֶן בְּלִיַּעַל אֶחָד קָפַץ וְיָרַד לְתוֹכָהּ, אע"פ שֶׁנִּכְוָה הִקְרָהּ
אוֹתָהּ בִּפְנֵי אֲחֵרִים (תנחומא): וַיְזַנֵּב בְּךָ. מַכַּת זָנָב, חוֹתֵךְ מִילוֹת וְזוֹרֵק כְּלַפֵּי מַעְלָה (תנחומא):
כָּל הַנֶּחֱשָׁלִים אַחֲרֶיךָ. חַסְרֵי כֹחַ מֵחֲמַת חֶטְאָם, שֶׁהָיָה הֶעָנָן פּוֹלְטָן (תנחומא): וְאַתָּה עָיֵף וְיָגֵעַ.

[12]Then thou shalt hew off her hand, thine eye shalt not pity *her*. [13]Thou shalt not have in thy bag diverse weights, a great and a small. [14]Thou shalt not have in thine house diverse measures, a great and a small. [15]*But* thou shalt have a perfect and just weight, a perfect and just measure shalt thou have; that thy days may be lengthened on the ground which the Eternal thy God giveth thee. [16]For all that do such things, *and* all that do unrighteousness, *are* an abomination unto the Eternal thy God. [17]Remember what Amalek did unto thee by the way, when ye were gone forth out of Egypt; [18]How he met thee by the way, and smote the hindmost of thee, *even* all *that were* feeble behind thee, when thou *wast* faint and weary; and he feared not

רש"י

because he has not built up, he shall never after build *it* up (Jeb. 10b; cf. Siphre). **(10)** ונקרא שמו וגו' AND HIS NAME SHALL BE CALLED [IN ISRAEL "THE HOUSE OF HIM THAT HATH HIS SHOE LOOSED"] — It is a duty of all those standing there to exclaim: חלוץ הנעל, "O, you who have had your shoe drawn off!", *as a term of contempt* (Siphre; Jeb. 106b). **(11)** כי ינצו אנשים WHEN MEN STRIVE TOGETHER, they will in the end come to blows, as it goes on to state "[and the wife approacheth to deliver her husband]" out of the hand of him who smiteth him: No good can come out of a quarrel (Siphre; cf. Rashi on v. 1). **(12)** וקצת את כפה THEN THOU SHALT HEW OFF HER HAND — *i.e.*, she must pay money that is the equivalent of the shame to which he has been put, all according to *the social position of* the person who put him to shame and of him who was shamed. But *perhaps* this is not *the meaning*, but *that you should cut off* her hand, literally?! It states, however, here לא תחוס, "*thine eye* shall not pity *her*" and it states there (XIX. 21) in *the laws concerning* the plotting witnesses "thou shalt not pity *them*"; now, what is the case there? It is monetary compensation (see Rashi on that passage)! So, too, monetary compensation *is* here intended (Siphre; cf. B. Kam. 28a). **(13)** אבן ואבן [THOU SHALT NOT HAVE IN THY BAG] DIVERSE STONES — *i.e.*, weights. גדולה וקטנה A GREAT AND A SMALL — *i.e. thou shalt not have* a large one that contradicts the small one, — that one must not buy (lit., take) *goods* by the larger and sell (lit., give it back) by the smaller (Siphre)[1]). לא יהיה לך THOU SHALT NOT HAVE — *This suggests:* if you do so (if you have false weights), לא יהיה לך you will have nothing (you will become impoverished, being deprived of your property, as you have deprived others of theirs) (cf. Siphre). **(15)** אבן שלמה וצדק יהיה לך THOU SHALT HAVE A PERFECT AND JUST WEIGHT — *This again suggests:* if you will do this, (using just weights and measures), you will have (יהיה לך) much. **(17)** זכור את אשר עשה לך REMEMBER WHAT [AMALEK] DID UNTO THEE — If you use false weights and measures then you must apprehend the provocation of the enemy, as it states (Prov. XI. 1): "A false balance is an abomination to the Lord, etc.", and there is written *immediately* after this (v. 2): "If intentional sin comes, shame comes" Tanch.). **(18)** אשר קרך בדרך HOW HE MET THEE BY THE WAY — The *word* קרך is connected in meaning with מקרה "a sudden happening", *i.e., he came against thee by surprise.* Another explanation is: it is connected in meaning with *the term* קרי, nocturnal pollution and uncleanness, because he polluted them by pederasty. *Yet* another explanation is that it is connected in meaning with *the expression* קור *in the phrase* קור וחום, "cold and heat" *and it means:* he made you cold and lukewarm after the boiling heat you had before. For all the nations were afraid to war against you and this one came and began to point out the way to others. A parable! *It may be compared* to a boiling hot-bath into which no living creature could descend. A good-for-nothing came, and sprang down into it; although he scalded himself

NOTES —

1) See Appendix.

אֱלֹהִים: יט וְהָיָה בְּהָנִיחַ יְהוָה אֱלֹהֶיךָ לְךָ מִכָּל־
אֹיְבֶיךָ מִסָּבִיב בָּאָרֶץ אֲשֶׁר־יְהוָה אֱלֹהֶיךָ נֹתֵן לְךָ
נַחֲלָה לְרִשְׁתָּהּ תִּמְחֶה אֶת־זֵכֶר עֲמָלֵק מִתַּחַת
הַשָּׁמָיִם לֹא תִּשְׁכָּח: פ פ פ

ומפטירין רני עקרה. בישעיה בסימן נ"ד: ק"י. עלי. סימן:

כו א וְהָיָה כִּי־תָבוֹא אֶל־הָאָרֶץ אֲשֶׁר יְהוָה אֱלֹהֶיךָ
נֹתֵן לְךָ נַחֲלָה וִירִשְׁתָּהּ וְיָשַׁבְתָּ בָּהּ: ב וְלָקַחְתָּ
מֵרֵאשִׁית | כָּל־פְּרִי הָאֲדָמָה אֲשֶׁר תָּבִיא מֵאַרְצְךָ
אֲשֶׁר יְהוָה אֱלֹהֶיךָ נֹתֵן לָךְ וְשַׂמְתָּ בַטֶּנֶא וְהָלַכְתָּ
אֶל־הַמָּקוֹם אֲשֶׁר יִבְחַר יְהוָה אֱלֹהֶיךָ לְשַׁכֵּן שְׁמוֹ
שָׁם: ג וּבָאתָ אֶל־הַכֹּהֵן אֲשֶׁר יִהְיֶה בַּיָּמִים הָהֵם

אונקלוס

מִתְאַחֲרִין בַּתְרָךְ וְאַתְּ מְשַׁלְהֵי וּלְאֵי וְלָא דָחֵל מִן קֳדָם יְיָ: יט וִיהֵי כַּד יְנִיחַ יְיָ
אֱלָהָךְ לָךְ מִכָּל בַּעֲלֵי דְבָבָךְ מִסְּחוֹר סְחוֹר בְּאַרְעָא דִי יְיָ אֱלָהָךְ יָהֵב לָךְ אַחֲסָנָא
לְמֵירְתַהּ תִּמְחֵי יָת דּוּכְרָנָא דַעֲמָלֵק מִתְּחוֹת שְׁמַיָּא לָא תִּנְשֵׁי:

א וִיהֵי אֲרֵי תֵעוֹל לְאַרְעָא דִי יְיָ אֱלָהָךְ יָהֵב לָךְ אַחֲסָנָא וְתֵירְתַהּ וְתֵיתֵב בַּהּ:
ב וְתִסַּב מֵרֵישׁ כָּל אִבָּא דְאַרְעָא דִי תָעֵל מֵאַרְעָךְ דִי יְיָ אֱלָהָךְ יָהֵב לָךְ וּתְשַׁוֵּי
בְסַלָּא וּתְהָךְ לְאַתְרָא דִי יִתְרְעֵי יְיָ אֱלָהָךְ לְאַשְׁרָאָה שְׁכִנְתֵּהּ תַּמָּן: ג וְתֵיתֵי לְוָת
כַּהֲנָא דִי יְהֵי בְּיוֹמַיָּא הָאִנּוּן וְתֵימַר לֵהּ חַוִּיתִי יוֹמָא דֵין קֳדָם יְיָ אֱלָהָךְ אֲרֵי עַלִּית

רש"י

עָיֵף בַּצָּמָא, דִּכְתִיב וַיִּצְמָא שָׁם הָעָם לַמָּיִם (שמ' י"ז) וּכְתִיב אַחֲרָיו וַיָּבֹא עֲמָלֵק: וִינַע.
בַּדֶּרֶךְ: וְלֹא יָרֵא עֲמָלֵק אֱלֹהִים מִלְּהָרַע לָךְ: (יט) תִּמְחֶה אֶת זֵכֶר עֲמָלֵק. מֵאִישׁ עַד
אִשָּׁה מֵעוֹלֵל וְעַד יוֹנֵק מִשּׁוֹר וְעַד שֶׂה (ש"א ט"ו). שֶׁלֹּא יְהֵא שֵׁם עֲמָלֵק נִזְכָּר אֲפִילוּ עַל
הַבְּהֵמָה, לוֹמַר בְּהֵמָה זוֹ מִשֶּׁל עֲמָלֵק הָיְתָה (פסיקא זוטר):

כו (א) וְהָיָה כִּי תָבוֹא ... וִירִשְׁתָּהּ וְיָשַׁבְתָּ בָּהּ. מַגִּיד שֶׁלֹּא נִתְחַיְּבוּ בְּבִכּוּרִים עַד שֶׁכָּבְשׁוּ
אֶת הָאָרֶץ וְחִלְּקוּהָ (עי' קידו' ל"ד): (ב) מֵרֵאשִׁית. וְלֹא כָל רֵאשִׁית, שֶׁאֵין כָּל הַפֵּרוֹת
חַיָּבִים בְּבִכּוּרִים אֶלָּא שִׁבְעַת הַמִּינִין בִּלְבָד. נֶאֱמַר כָּאן אֶרֶץ וְנֶאֱמַר לְהַלָּן (דב' ח') אֶרֶץ
חִטָּה וּשְׂעֹרָה וְגוֹ', מַה לְּהַלָּן מִשִּׁבְעַת הַמִּינִים שֶׁנִּשְׁתַּבְּחָה בָהֶן אֶרֶץ יִשְׂרָאֵל, אַף כָּאן
שֶׁבַח אֶרֶץ יִשְׂרָאֵל שֶׁהֵן שִׁבְעַת מִינִין (ספרי): זַיִת שֶׁמֶן. זַיִת אֲגוּרִי, שֶׁשַּׁמְנוֹ אָגוּר
בְּתוֹכוֹ (ספרי; ברי' ל"ט): דְּבַשׁ. הוּא דְּבַשׁ תְּמָרִים (ספרי): מֵרֵאשִׁית. אָדָם יוֹרֵד לְתוֹךְ
שָׂדֵהוּ וְרוֹאֶה תְאֵנָה שֶׁבִּכְּרָה כּוֹרֵךְ עָלֶיהָ גֶּמִי לְסִימָן וְאוֹמֵר הֲרֵי זוֹ בִכּוּרִים (ספרי;
בכורים ג'): (ג) אֲשֶׁר יִהְיֶה בַּיָּמִים הָהֵם. אֵין לְךָ אֶלָּא כֹּהֵן שֶׁבְּיָמֶיךָ כְּמוֹ שֶׁהוּא (ר"ה כ"ה):

God. [19]Therefore it shall be, when the Eternal thy God hath given thee rest from all thine enemies round about, in the land which the Eternal thy God giveth thee *for* an inheritance to possess it, *that* thou shalt wipe away the remembrance of Amalek from under heaven: thou shalt not forget *it*.

26. [1]And it shall be, when thou *art* come in unto the land which the Eternal thy God giveth thee *for* an inheritance, and possessest it, and abidest therein, [2]That thou shalt take of the first of all the fruit of the ground, which thou shalt bring of thy land that the Eternal thy God giveth thee, and shalt put *it* in a basket, and shalt go unto the place which the Eternal thy God shall choose to place his name there. [3]And thou shalt go unto the priest that shall be in those days,

רש"י

he made it appear cold to others (Tanch.). ויזנב בך *means,* smiting the membrum; he cut off the membra and threw them up *provocatively* towards Heaven (God) (Tanch.). כל הנחשלים אחריך [AND HE SMOTE THE HINDMOST OF THEE] EVEN THOSE THAT WERE FEEBLE BEHIND THEE — *i.e.,* those who were enfeebled[1]) because of their sins and whom the clouds had expelled *from the protection they afforded* (Tanch.). ואתה עיף ויגע AND THOU WAST FAINT AND WEARY — faint through thirst, for it is written, (Ex. XVII. 3) "And the prople thirsted there for water" and it is written *immedialely* afterwards (v. 8) "Then came Amalek". And weary from the journey. ולא ירא AND HE FEARED NOT — Amalek[2]) *feared not* אלהים GOD so as to refrain from harming you. **(19)** תמחה את זכר עמלק THOU SHALT WIPE AWAY THE REMEMBRANCE OF AMALEK, — both man and woman, infant and suckling, ox and sheep (a quotation from 1 Sam. XV. 3, stating how the Amalekites were to be destroyed), so that the name of Amalek should never again be mentioned even in connection with a beast, in that one could say: "This beast belonged to Amalek" (Pes. Zut.).

כי תבא

26. (1) והיה כי תבוא . . . וירשתה וישבת בה AND IT SHALL BE, [WHEN THOU ART COME IN UNTO THE LAND ...] AND POSSESSEST IT AND ABIDEST THEREIN [(2) THAT THOU SHALT TAKE OF ALL THE FIRST OF ALL THE FRUIT . . .] — This tells *us* that they (the Israelites) were not under the obligation to *bring* first fruits until they had conquered the land and divided it (cf. Kidd. 37b). **(2)** מראשית [THEN THOU SHALT TAKE] OF THE FIRST [OF ALL THE FRUIT OF THE GROUND] — *of the first fruits,* but not all the first *fruits,* for not all fruits are subject to the duty of *bringing to the Temple* their first-fruits, only the seven *chief* kinds of products *of Palestine* alone, *for* there is mentioned here ארץ, "the land" (אשר תביא מארצך) and it states there (VIII. 8) "a land (ארץ) of wheat, and barley, etc.", (thus suggesting an analogy — that the fruits of the land referred to here are those enumerated there). What is *it that Scripture is speaking of* there? Of the seven products through which the land of Israel is distinguished! So, too, here *it speaks only of* the distinguished *products* of the land of Israel which are seven species *only* (Siphre; Men. 84b). זית שמן *mentioned as one of these distinguished products* is the Agari olive, in which the oil is gathered *in one place*[3]). ודבש HONEY is honey of dates (not of bees). מראשית OF ITS FIRST FRUITS — *but not all the first fruits (not even of the seven species mentioned above) but*

NOTES

1) נחשלים is taken as the equivalent of נחלשים, like כשב for כבש.

2) ולא ירא does not refer to Israel as do the preceding words עיף ויגע, when the translation would be: "And thou wast faint and weary and wast not fearing God".

3) See Appendix.

וְאָמַרְתָּ אֵלָיו הִגַּדְתִּי הַיּוֹם לַיהוָה אֱלֹהֶיךָ כִּי־בָאתִי
אֶל־הָאָרֶץ אֲשֶׁר נִשְׁבַּע יְהוָה לַאֲבֹתֵינוּ לָתֶת לָנוּ׃
ד וְלָקַח הַכֹּהֵן הַטֶּנֶא מִיָּדֶךָ וְהִנִּיחוֹ לִפְנֵי מִזְבַּח יְהוָה
אֱלֹהֶיךָ׃ ה וְעָנִיתָ וְאָמַרְתָּ לִפְנֵי׀ יְהוָה אֱלֹהֶיךָ אֲרַמִּי
אֹבֵד אָבִי וַיֵּרֶד מִצְרַיְמָה וַיָּגָר שָׁם בִּמְתֵי מְעָט
וַיְהִי־שָׁם לְגוֹי גָּדוֹל עָצוּם וָרָב׃ ו וַיָּרֵעוּ אֹתָנוּ
הַמִּצְרִים וַיְעַנּוּנוּ וַיִּתְּנוּ עָלֵינוּ עֲבֹדָה קָשָׁה׃ ז וַנִּצְעַק
אֶל־יְהוָה אֱלֹהֵי אֲבֹתֵינוּ וַיִּשְׁמַע יְהוָה אֶת־קֹלֵנוּ
וַיַּרְא אֶת־עָנְיֵנוּ וְאֶת־עֲמָלֵנוּ וְאֶת־לַחֲצֵנוּ׃ ח וַיּוֹצִאֵנוּ
יְהוָה מִמִּצְרַיִם בְּיָד חֲזָקָה וּבִזְרֹעַ נְטוּיָה וּבְמֹרָא
גָּדֹל וּבְאֹתוֹת וּבְמֹפְתִים׃ ט וַיְבִאֵנוּ אֶל־הַמָּקוֹם הַזֶּה
וַיִּתֶּן־לָנוּ אֶת־הָאָרֶץ הַזֹּאת אֶרֶץ זָבַת חָלָב וּדְבָשׁ׃

אונקלוס

לְאַרְעָא דִּי קַיֵּים יְיָ לַאֲבָהָתַנָא לְמִתַּן לָנָא׃ ד וְיִסַּב כַּהֲנָא סַלָּא מִיְּדָךְ וְיַצְנְעִנֵּהּ
קֳדָם מַדְבְּחָא דַּייָ אֱלָהָךְ׃ ה וְתָתֵיב וְתֵימַר קֳדָם יְיָ אֱלָהָךְ לָבָן אֲרַמָּאָה בְּעָא
לְאוֹבָדָא יָת אַבָּא וּנְחַת לְמִצְרַיִם וְדָר תַּמָּן בְּעַם זְעֵר וַהֲוָה תַמָּן לְעַם רַב תַּקִּיף
וְסַגִּי׃ ו וְאַבְאִישׁוּ יָתָנָא מִצְרָאֵי וְעַנִּיוּנָא וִיהַבוּ עֲלָנָא פָּלְחָנָא קַשְׁיָא׃ ז וְצַלֵּינָא
קֳדָם יְיָ אֱלָהָא דַּאֲבָהָתַנָא וְקַבִּיל יְיָ צְלוֹתַנָא וּגְלֵי קֳדָמוֹהִי עַמְלַנָא וְלֵאוּתַנָא
וְדוּחְקַנָא׃ ח וְאַפְּקַנָא יְיָ מִמִּצְרַיִם בִּידָא תַקִּיפָא וּבִדְרָעָא מְרָמְמָא וּבְחֶזְוָנָא רַבָּא
וּבְאָתִין וּבְמוֹפְתִין׃ ט וְאַיְתְנָא לְאַתְרָא הָדֵין וִיהַב לָנָא יָת אַרְעָא הָדָא אַרְעָא

רש״י

ואמרת אליו. שֶׁאֵינְךָ כְּפוּי טוֹבָה: **הגדתי היום.** פַּעַם אַחַת בַּשָּׁנָה וְלֹא שְׁתֵּי פְעָמִים (ספרי): (ד) **ולקח הכהן הטנא מידך.** לְהָנִיף אוֹתוֹ, כֹּהֵן מַנִּיחַ יָדוֹ תַּחַת יַד הַבְּעָלִים וּמֵנִיף (סוכה מ״ז): (ה) **וענית.** לְשׁוֹן הֲרָמַת קוֹל (סוטה ל״ב): **ארמי אבד אבי.** מַזְכִּיר חַסְדֵי הַמָּקוֹם, אֲרַמִּי אֹבֵד אָבִי – לָבָן בִּקֵּשׁ לַעֲקוֹר אֶת הַכֹּל כְּשֶׁרָדַף אַחַר יַעֲקֹב, וּבִשְׁבִיל שֶׁחָשַׁב לַעֲשׂוֹת חָשַׁב לוֹ הַמָּקוֹם כְּאִלּוּ עָשָׂה, שֶׁאֻמּוֹת הָעוֹלָם חוֹשֵׁב לָהֶם הַקָּבָּ״ה מַחֲשָׁבָה כְּמַעֲשֶׂה (עי׳ ספרי): **וירד מצרימה.** וְעוֹד אֲחֵרִים בָּאוּ עָלָיו לְכַלּוֹתֵנוּ, שֶׁאַחֲרֵי זֹאת יָרַד יַעֲקֹב לְמִצְרַיִם: **במתי מעט.** בְּשִׁבְעִים נֶפֶשׁ (ספרי): (ט) **אל המקום הזה.** זֶה בֵּית

and say unto him, I profess this day unto the Eternal thy God, that I am come unto the land which the Eternal sware unto our fathers for to give us. [4]And the priest shall take the basket out of thine hand, and place it before the altar of the Eternal thy God. [5]And thou shalt speak, and say before the Eternal thy God, A straying Syrian *was* my father; and he went down into Egypt, and sojourned there with a few, and became there a nation, great, mighty, and numerous: [6]And the Egyptians evil-entreated us, and afflicted us, and laid upon us hard labour: [7]And when we cried unto the Eternal God of our fathers, the Eternal heard our voice, and looked on our affliction, and our poverty, and our oppression: [8]And the Eternal brought us forth out of Egypt with a strong hand, and with an out-stretched arm, and with great terribleness and with signs, and with wonders; [9]And he hath brought us into this place, and hath given us this land, *even* a land flowing with milk and honey.

רש"י

when a man goes into his field and sees *for the first time that year* a fig that has ripened he binds a piece of straw round it as an indication and says "Lo, this is בכורים" (and it suffices) (Siphre; Bicc. III. 1)[1]). **(3)** אשר יהיה בימים ההם [AND THOU SHALT GO UNTO THE PRIEST] THAT SHALL BE IN THOSE DAYS — *These apparently redundant words suggest:* you have none else than the priest who lives in y o u r days (you are only concerned with him) (cf. Siphre; R. Hash. 25b; see also Rashi on XVII. 9). ואמרת אליו AND SAY UNTO HIM that you are not ungrateful (Siphre)[2]). הגדתי היום I PROFESS THIS DAY — *the word t h i s day implies that the duty of offering the first fruits devolves upon one* o n c e a year but not twice a year (Siphre). **(4)** ולקח הכהן הטנא מידך AND THE PRIEST SHALL TAKE THE BASKET OUT OF THY HAND in order to wave it. The priest places his hand beneath the hands of the owner and *so* waves *it* (Succ. 47b)[3]). **(5)** וענית is an expression for raising one's voice (speaking loudly). ארמי אבד אבי A SYRIAN DESTROYED MY FATHER — He mentions the lovingkindness of the Omnipresent *saying*, ארמי אבד אבי, a Syrian destroyed my father, *which means:* "Laban w i s h e d to exterminate the whole nation" (cf. the Haggadah for Passover) when he pursued Jacob. Because he i n t e n d e d to do it the Omnipresent accounted it unto him as though he had *actually* d o n e it (and therefore the expression אבד which refers to the past[4]) is used), for as far as the nations of the world are concerned the Holy One, blessed be He, accounts unto them intention as an actual deed (cf. Siphre; Onkelos). וירד מצרימה AND HE WENT DOWN INTO EGYPT — But there were others, too, "who came against us to destroy us" (cf. the Passover Haggadah), for afterwards Jacob went down into Egypt *with his children and these were enslaved there*[5]). במתי מעט WITH A FEW PERSONS — with *only* seventy souls. **(9)** אל המקום הזה [AND HE HATH BROUGHT US] UNTO THIS PLACE — This *refers to* the Temple *where the worshipper was standing when*

NOTES

1) Rashi follows closely the Siphre which derives from the partitive מ in the word מראשית two things: a) that not all s p e c i e s of fruit are subject to the law of בכורים but only the seven mentioned in the Torah as being the chief products of Palestine; b) that even of these the single fruit of each species that f i r s t ripened may be brought to the Temple in fulfilment of this command, for it states that he has to bring o f the fruits that ripened first.

2) See Appendix.

3) It should be noted that Rashi on the Talmudical passage in Succah explains that the owner holds the rim of the basket and the priest places his hands beneath it (cf. also Tosephot Kidd. 36b).

For Notes 4—5 see Appendix.

י וְעַתָּה הִנֵּה הֵבֵאתִי אֶת־רֵאשִׁית פְּרִי הָֽאֲדָמָה אֲשֶׁר־נָתַתָּה לִּי יְהוָה וְהִנַּחְתּוֹ לִפְנֵי יְהוָה אֱלֹהֶיךָ וְהִֽשְׁתַּחֲוִיתָ לִפְנֵי יְהוָה אֱלֹהֶֽיךָ׃ יא וְשָׂמַחְתָּ בְכָל־הַטּוֹב אֲשֶׁר נָֽתַן־לְךָ יְהוָה אֱלֹהֶיךָ וּלְבֵיתֶךָ אַתָּה וְהַלֵּוִי וְהַגֵּר אֲשֶׁר בְּקִרְבֶּֽךָ׃ שני ס יב כִּי תְכַלֶּה לַעְשֵׂר אֶת־כָּל־מַעְשַׂר תְּבוּאָתְךָ בַּשָּׁנָה הַשְּׁלִישִׁת שְׁנַת הַמַּעֲשֵׂר וְנָתַתָּה לַלֵּוִי לַגֵּר לַיָּתוֹם וְלָֽאַלְמָנָה וְאָכְלוּ בִשְׁעָרֶיךָ וְשָׂבֵֽעוּ׃ יג וְאָמַרְתָּ לִפְנֵי יְהוָה

אונקלוס

עַבְדָא חֲלַב וּדְבָשׁ׃ י וּכְעַן הָא אַיְתֵיתִי יָת רֵישׁ אִבָּא דְאַרְעָא דִּיהַבְתְּ לִי יְיָ וְתַצְנְעִנֵּהּ קֳדָם יְיָ אֱלָהָךְ וְתִסְגּוֹד קֳדָם יְיָ אֱלָהָךְ׃ יא וְתֶחְדֵּי בְּכָל טַבְתָא דִּי יְהַב לָךְ יְיָ אֱלָהָךְ וְלֶאֱנָשׁ בֵּיתָךְ אַתְּ וְלֵוָאֵי וְגִיּוֹרָא דִּי בֵינָךְ׃ יב אֲרֵי תְשֵׁיצֵי לְעַשָּׂרָא יָת כָּל מַעְשַׂר עֲלַלְתָּךְ בְּשַׁתָּא תְלִיתָאָה שְׁנַת מַעְשְׂרָא וְתִתֵּן לְלֵוָאֵי לְגִיּוֹרָא לְיִתַּמָּא וּלְאַרְמְלָא וְיֵכְלוּן בְּקִרְוָיךְ וְיִשְׂבְּעוּן׃ יג וְתֵימַר קֳדָם יְיָ אֱלָהָךְ פַּלֵּתִי קֹדֶשׁ מַעְשְׂרָא

רש״י

הַמִּקְדָּשׁ: ויתן לנו את הארץ. כְּמַשְׁמָעוֹ: (י) והנחתו. מַגִּיד שֶׁנּוֹטְלוֹ אַחַר הֲנָפַת הַכֹּהֵן וְאוֹחֲזוֹ בְּיָדוֹ כְּשֶׁהוּא קוֹרֵא וְחוֹזֵר וּמֵנִיף (ספרי; סוכה מ״ז): (יא) ושמחת בכל הטוב. מִכָּאן אָמְרוּ אֵין קוֹרִין מִקְרָא בִּכּוּרִים אֶלָּא בִּזְמַן שִׂמְחָה, מֵעֲצֶרֶת וְעַד הֶחָג, שֶׁאָדָם מְלַקֵּט תְּבוּאָתוֹ וּפֵרוֹתָיו וְיֵינוֹ וְשַׁמְנוֹ, אֲבָל מֵהֶחָג וְאֵילָךְ מֵבִיא וְאֵינוֹ קוֹרֵא (פס׳ ל״ו): אתה והלוי. אַף הַלֵּוִי חַיָּב בְּבִכּוּרִים אִם נָטְעוּ בְּתוֹךְ עָרֵיהֶם: והגר אשר בקרבך מֵבִיא וְאֵינוֹ קוֹרֵא, שֶׁאֵינוֹ יָכוֹל לוֹמַר לַאֲבוֹתֵינוּ (ירוש׳ מ״ש פ״ה ה״ה): (יב) כי תכלה לעשר את כל מעשר תבואתך בשנה השלישת. כְּשֶׁתִּגְמוֹר לְהַפְרִישׁ מַעַשְׂרוֹת שֶׁל שָׁנָה הַשְּׁלִישִׁית: קָבַע זְמַן הַבִּיעוּר וְהַוִּדּוּי בְּעֶרֶב הַפֶּסַח שֶׁל שָׁנָה הָרְבִיעִית, שֶׁנֶּאֱמַר (דב׳ י״ד) מִקְצֵה שָׁלשׁ שָׁנִים תּוֹצִיא וְגוֹ׳. נֶאֱמַר כָּאן מִקֵּץ וְנֶאֱמַר לְהַלָּן מִקֵּץ שֶׁבַע שָׁנִים לְעִנְיַן הַקְהֵל (דב׳ ל״א) מַה לְהַלָּן רֶגֶל אַף כָּאן רֶגֶל, אִי מַה לְהַלָּן חַג הַסֻּכּוֹת אַף כָּאן חַג הַסֻּכּוֹת, תַּלְמוּד לוֹמַר כי תכלה לעשר מַעַשְׂרוֹת שֶׁל שָׁנָה הַשְּׁלִישִׁית, רֶגֶל שֶׁהַמַּעַשְׂרוֹת כָּלִין בּוֹ וְזֶהוּ פֶּסַח, שֶׁהַרְבֵּה אִילָנוֹת יֵשׁ שֶׁנִּלְקָטִין אַחַר הַסֻּכּוֹת; נִמְצְאוּ מַעַשְׂרוֹת שֶׁל שְׁלִישִׁית כָּלִין בַּפֶּסַח שֶׁל רְבִיעִית, וְכָל מִי שֶׁשִּׁהָה מַעַשְׂרוֹתָיו הִצְרִיכוֹ הַכָּתוּב לְבַעֲרוֹ מִן הַבַּיִת (שם ה״ו): שנת המעשר. שָׁנָה שֶׁאֵין נוֹהֵג בָּהּ אֶלָּא מַעֲשֵׂר אֶחָד מִשְּׁנֵי מַעַשְׂרוֹת שֶׁנּוֹהֲגוּ בִּשְׁתֵּי שָׁנִים שֶׁלְּפָנֶיהָ, שֶׁשָּׁנָה רִאשׁוֹנָה שֶׁל שְׁמִטָּה נוֹהֵג בָּהּ מַעֲשֵׂר רִאשׁוֹן, כְּמוֹ שֶׁנֶּאֱמַר (במ׳ י״ח) כִּי תִקְחוּ מֵאֵת בְּנֵי יִשְׂרָאֵל אֶת הַמַּעֲשֵׂר. וּמַעֲשֵׂר שֵׁנִי, שֶׁנֶּאֱמַר (דב׳ י״ד) וְאָכַלְתָּ לִפְנֵי ה׳ אֱלֹהֶיךָ... מַעְשַׂר דְּגָנְךָ תִּירֹשְׁךָ וְיִצְהָרֶךָ, הֲרֵי שְׁנֵי מַעַשְׂרוֹת, וּבָא וְלִמֵּד כָּאן בַּשָּׁנָה הַשְּׁלִישִׁית שֶׁאֵין נוֹהֵג מֵאוֹתָן שְׁנֵי מַעַשְׂרוֹת אֶלָּא הָאֶחָד, וְאֵי זֶה זֶה מַעֲשֵׂר רִאשׁוֹן, וְתַחַת מַעֲשֵׂר שֵׁנִי יִתֵּן מַעְשַׂר עָנִי, שֶׁנֶּאֱמַר כָּאן ונתתה ללוי אֵת אֲשֶׁר לוֹ הֲרֵי מַעֲשֵׂר רִאשׁוֹן, לגר ליתום ולאלמנה זֶה מַעְשַׂר עָנִי (עי׳ ספרי): ואכלו בשעריך ושבעו. תֵּן לָהֶם כְּדֵי שָׂבְעָן, מִכָּאן אָמְרוּ אֵין פּוֹחֲתִין לֶעָנִי

[10]And now, behold, I have brought the first-fruits of the land, which thou, O Eternal, hast given me. And thou shalt place it before the Eternal thy God, and prostrate thyself before the Eternal thy God: [11]And thou shalt rejoice in every good *thing* which the Eternal thy God hath given unto thee, and unto thine house, thou, and the Levite, and the stranger that *is* among you. [12]When thou hast finished tithing all the tithes of thine increase the third year, *which is* the year of tithing, and hast given *it* unto the Levite, the stranger, the fatherless, and the widow, that they may eat within thy gates, and be satisfied; [13]Then thou shalt say before the Eternal

רש"י

he made this declaration. ויתן לנו את הארץ *means* what it literally implies: AND HATH GIVEN US THE LAND[1]). **(10)** והנחתו AND THOU SHALT PLACE IT [BEFORE THE LORD THY GOD] — This tells us that he takes it after the priest has waved it[2]), and holds it in his hand whilst he makes the declaration, and then again waves it (Siphre; Succ. 47b). **(11)** ושמחת בכל הטוב AND THOU SHALT REJOICE IN EVERY GOOD THING — From this they (the Rabbis) derived *the law* that the recital on *the occasion of bringing* the first fruits is made only during the joyful period *of the year* — from Pentecost till the Feast of Tabernacles — when a man is gethering in his grain, his fruits, his wine and his oil; but from Tabernacles onwards until Chanucah *if* he brings *these*, he does not make the recital (Pes. 36b). אתה והלוי THOU AND THE LEVITE — the Levites are also bound to bring the first fruits *to the priest* if they planted anything in *the fields attached to* their cities. והגר אשר בקרבך AND THE STRANGER THAT IS AMONG YOU — *he, too,* brings *the first fruits to the priest* but does not make the recital, for he cannot *truly* say, *as is prescribed,* "[I profess this day ... that I have come into the land which the Lord sware] unto our f a t h e r s" (v. 3) *since his fathers were not Israelites* (cf. Siphre; Bicc. I. 4; Talm. Jer. Maas. Sh. V. 5). **(12)** כי תכלה לעשר את כל מעשר תבואתך בשנה השלישת WHEN THOU HAST FINISHED TITHING ALL THE TITHES OF THY INCREASE IN THE THIRD YEAR — *this means:* when you have finished the setting apart of the tithes o f t h e t h i r d y e a r[3]). It (Scripture) has fixed the time for removing *the tithes from the house* (ביעור) and the confession *regarding their proper disposition* (ודוי) for the eve[4]) of the Passover festival of the f o u r t h year, because it is stated, (XIV. 28) "At the e n d (מקצה) of three years thou shalt bring forth [all the tithe of thy increase in the same year, and shalt lay it up within thy gates]". It uses here (in the verse just quoted) the words "at the end of" (מקצה) and it states further (XXXI. 10—11): "A t t h e e n d o f every seven years ... [in the festival of Tabernacles, ... thou shalt read this law before Israel]" with reference to *the law of* "public assembly", *in order to suggest an analogy.* How is it *in the case* further on? *It takes place at* a festival period *as stated!* So, too, here, *the rite takes place at* a festival period. If so, *one might argue:* What *is the case* there? It *takes place on* the festival of T a b e r n a c l e s; so, too, here *the rite takes place on* Tabernacles! Scripture, however, states *here:* When thou hast f i n i s h e d tithing the tithes of the third year, *which thus points to* a festival on which all tithes are f i n i s h e d and this is the P a s s o v e r festival, for there are many trees *the fruits of* which are gathered a f t e r Tabernacles[5]), and consequently the *setting apart of* tithes of the third *year* is a t a n e n d on Passover of the fourth year. And whoever had delayed his tithes until then Scripture declares him bound to clear them out *by that time* from his house (cf. Siphre; Jer. Maas. Sheni V. 6). שנת המעשר [THE THIRD YEAR] WHICH IS THE YEAR OF TITHE — *These apparently redundant words (for every year except the*

NOTES

For Notes 1—5 see Appendix.

אֱלֹהֶיךָ בִּעַרְתִּי הַקֹּדֶשׁ מִן־הַבַּיִת וְגַם נְתַתִּיו לַלֵּוִי
וְלַגֵּר לַיָּתוֹם וְלָאַלְמָנָה כְּכָל־מִצְוָתְךָ אֲשֶׁר צִוִּיתָנִי
לֹא־עָבַרְתִּי מִמִּצְוֺתֶיךָ וְלֹא שָׁכָחְתִּי׃ יד לֹא־אָכַלְתִּי
בְאֹנִי מִמֶּנּוּ וְלֹא־בִעַרְתִּי מִמֶּנּוּ בְּטָמֵא וְלֹא־נָתַתִּי
מִמֶּנּוּ לְמֵת שָׁמַעְתִּי בְּקוֹל יְהוָה אֱלֹהָי עָשִׂיתִי כְּכֹל
אֲשֶׁר צִוִּיתָנִי׃ טו הַשְׁקִיפָה מִמְּעוֹן קָדְשְׁךָ מִן־
הַשָּׁמַיִם וּבָרֵךְ אֶת־עַמְּךָ אֶת־יִשְׂרָאֵל וְאֵת הָאֲדָמָה
אֲשֶׁר נָתַתָּה לָנוּ כַּאֲשֶׁר נִשְׁבַּעְתָּ לַאֲבֹתֵינוּ אֶרֶץ
זָבַת חָלָב וּדְבָשׁ׃ ס שלישי טז הַיּוֹם הַזֶּה יְהוָה אֱלֹהֶיךָ

אונקלוס

מִן בֵּיתָא וְאַף יְהַבְתֵּהּ לְלֵוָאֵי וּלְגִיוֹרָא לְיַתְמָא וּלְאַרְמְלָא כְּכָל תַּפְקֵדְתָּךְ דִּי
פַּקֵּדְתַּנִי לָא עֲבָרִית מִפִּקּוֹדָיךְ וְלָא אִנְשֵׁיתִי׃ יד לָא אֲכָלִית בְּאֶבְלִי מִנֵּהּ וְלָא פַלֵּתִי
מִנֵּהּ בִּמְסָאַב וְלָא יְהָבִית מִנֵּהּ לְמִית קַבֵּלִית בְּמֵימְרָא דַּיְיָ אֱלָהִי עֲבָדִית כְּכֹל
דִּי פַקֵּדְתַּנִי׃ טו אִסְתְּכִי מִמְּדוֹר קֻדְשָׁךְ מִן שְׁמַיָּא וּבָרֵךְ יָת עַמָּךְ יָת יִשְׂרָאֵל וְיָת
אַרְעָא דִּי יְהַבְתְּ לָנָא כְּמָא דִּי קַיֵּמְתָּא לַאֲבָהָתָנָא אֲרַע עָבְדָא חֲלַב וּדְבָשׁ׃
טז יוֹמָא הָדֵין יְיָ אֱלָהָךְ מְפַקֵּד לְמֶעְבַּד יָת קְיָמַיָּא הָאִלֵּין וְיָת דִּינַיָּא וְתִטַּר וְתַעְבֵּד

רש"י

בְּגוֹרֶן פְּחוּת מֵחֲצִי קַב חִטִּים וְכוּ' (ספרי; ירושי' פאה פ"ח ה"ה): (יג) ואמרת לפני ה' אלהיך. הִתְוַדֵּה שֶׁנָּתַתָּ מַעַשְׂרוֹתֶיךָ: בערתי הקדש מן הבית. זֶה מַעֲשֵׂר שֵׁנִי וְנֶטַע רְבָעִי (ספרי; מע"ש פ"ה ה"י) וְלִמֶּדְךָ שֶׁאִם שָׁהָה מַעַשְׂרוֹתָיו שֶׁל שְׁתֵּי שָׁנִים וְלֹא הֶעֱלָם לִירוּשָׁלַיִם שֶׁצָּרִיךְ לְהַעֲלוֹתָם עַכְשָׁיו: וגם נתתיו ללוי. מַעֲשֵׂר רִאשׁוֹן: וגם. לְרַבּוֹת תְּרוּמָה וּבִכּוּרִים: ולגר ליתום ולאלמנה. זֶה מַעֲשַׂר עָנִי (שם): ככל מצותך. נְתַתִּים כְּסִדְרָם, לֹא הִקְדַּמְתִּי תְּרוּמָה לְבִכּוּרִים וְלֹא מַעֲשֵׂר לִתְרוּמָה וְלֹא שֵׁנִי לָרִאשׁוֹן, שֶׁהַתְּרוּמָה קְרוּיָה רֵאשִׁית, שֶׁהִיא רִאשׁוֹנָה מִשֶּׁנַּעֲשָׂה דָגָן, וּכְתִיב (שמ' כ"ב) מְלֵאָתְךָ וְדִמְעֲךָ לֹא תְאַחֵר — לֹא תְשַׁנֶּה אֶת הַסֵּדֶר (ספרי): לא עברתי ממצותיך. לֹא הִפְרַשְׁתִּי מִמִּין עַל שֶׁאֵינוֹ מִינוֹ וּמִן הֶחָדָשׁ עַל הַיָּשָׁן (שם): ולא שכחתי. מִלְּבָרֶכְךָ עַל הַפְרָשַׁת מַעַשְׂרוֹת (בר' מ'): (יד) לא אכלתי באוני ממנו. מִכָּאן שֶׁאָסוּר לְאוֹנֵן (עי' ביכורים פ"ב מ"ב): ולא בערתי ממנו בטמא. בֵּין שֶׁאֲנִי טָמֵא וְהוּא טָהוֹר, בֵּין שֶׁאֲנִי טָהוֹר וְהוּא טָמֵא (ספרי); וְהֵיכָן הֻזְהַר עַל כָּךְ? לֹא תוּכַל לֶאֱכֹל בִּשְׁעָרֶיךָ (דב' י"ב) זוּ אֲכִילַת טֻמְאָה, כְּמוֹ שֶׁנֶּאֱמַר בִּפְסוּלֵי הַמֻּקְדָּשִׁים (שם ט"ו) בִּשְׁעָרֶיךָ תֹּאכְלֶנּוּ הַטָּמֵא וְהַטָּהוֹר וְגוֹ', אֲבָל זֶה לֹא תוּכַל לֶאֱכוֹל דֶּרֶךְ אֲכִילַת שְׁעָרֶיךָ הָאָמוּר בְּמָקוֹם אַחֵר (יב' ע"ג): ולא נתתי ממנו למת. לַעֲשׂוֹת לוֹ אָרוֹן וְתַכְרִיכִין: שמעתי בקול ה' אלהי. הֲבִיאוֹתִיו לְבֵית הַבְּחִירָה: עשיתי ככל אשר צויתני. שָׂמַחְתִּי וְשִׂמַּחְתִּי בּוֹ (ספרי; מעש"ש פ"ה י"ב): (טו) השקיפה ממעון קדשך. עָשִׂינוּ מַה שֶּׁגָּזַרְתָּ עָלֵינוּ, עֲשֵׂה אַתָּה מַה שֶּׁעָלֶיךָ לַעֲשׂוֹת (ספרי), שֶׁאָמַרְתָּ (ויק' כ"ו) אִם בְּחֻקֹּתַי תֵּלֵכוּ... וְנָתַתִּי גִשְׁמֵיכֶם בְּעִתָּם: אשר נתתה לנו כאשר נשבעת לאבותינו לָתֵת לָנוּ וְקִיַּמְתָּ — ארץ

thy God, I have put away the hallowed things out of *mine* house, and also have given them unto the Levite, and unto the stranger, to the fatherless, and to the widow, according to all thy commandments, which thou hast commanded me: I have not transgressed thy commandments, neither have I forgotten *them:* [14]I have not eaten thereof in my mourning, neither have I put away *ought* thereof unclean, nor given *ought* thereof for the dead: *but* I have hearkened to the voice of the Eternal my God, *and* have done according to all that thou hast commanded me. [15]Glance down from the residence of thy holiness, from heaven, and bless thy people Israel, and the land which thou hast given us, as thou swarest unto our fathers, a land flowing with milk and honey. [16]This day the Eternal thy God

רש"י

Sabbatical year is "a year of tithing") suggest: that year in which only one of the two tithes that had to be separated in the previous two years is due (שנת המעשר, lit., the year of the tithe), *viz., the "First Tithe"*. For in the first year of the Shemitta-*period the law of* the "First Tithe" applies — as it is stated, (Num. XXVIII. 26) "[And to the Levites shalt thou speak ...] when ye take of the children of Israel the tithe" (which is the First Tithe) — and *that of* the "Second Tithe", as it is stated, (XIV. 22—23; cf. Rashi on the latter verse) "[Thou shalt truly tithe all the increase of thy seed ... year by year], and thou shalt eat before the Lord thy God ... the tithe of thy corn, of thy wine, and of thine oil". You thus have two tithes *every year, one that you must give the Levite and the other which you must consume yourself in Jerusalem (the "Second Tithe")*. It now comes and teaches you here that, in the third year, of those two tithes *mentioned* only one is due, and which is it? It is the "First Tithe". And *that* instead of the "Second Tithe" one has to give *in the third year* (and similarly in the sixth) the "Tithe of the Poor", for it states here ונתת ללוי "AND THOU HAST GIVEN UNTO THE LEVITE", *i.e. given him* that which is due to him — here you have *mention of* the "First Tithe", לגר ליתום ולאלמנה "[AND THOU HAST GIVEN] ... UNTO THE STRANGER, THE FATHERLESS, AND THE WIDOW" — this is the "Tithe of the Poor" (cf. Siphre; see also Rashi on XIV. 23 and 29). ואכלו בשעריך ושבעו THAT THEY MAY EAT WITHIN THY GATES, AND BE SATISFIED — Give them sufficient to satisfy them. From here they (the Rabbis) derived *the law:* one must give the poor in the barn no less than half a kab of wheat *or a kab of barley* (Siphre; Jer. Peah VIII. 5; see also Rashi on XIV. 29). **(13)** ואמרת לפני ה' אלהיך THEN THOU SHALT SAY BEFORE THE LORD THY GOD — Make the declaration (lit., confess) that you have given your tithes. בערתי הקדש מן הבית I HAVE REMOVED THE HALLOWED THINGS FROM THE HOUSE — *this refers to* the "Second Tithe" *which is termed* קדש (cf. Lev. XXVII. 30 and Rashi thereon) and the "fruit of the vineyard in the fourth year *of its growth*" (נטע רבעי which is also termed קדש; cf. Lev. XIX. 24) (Siphre; Maas. Sheni V. 10). Scripture teaches you that if he has delayed his "Second Tithes" of the *first* two years *of the Shemitta period* and has not taken them up to Jerusalem he must bring them up now (cf. Siphre; Maas. Sheni V. 10). וגם נתתיו ללוי AND I HAVE ALSO GIVEN THEM TO THE LEVITE — this refers to the "First Tithe". וגם AND ALSO — the *redundant word* וגם *serves also* to include "Terumah" and the first-fruits *that one has failed to give to the priests* (ib.). ולגר ליתום ולאלמנה AND [I ALSO HAVE GIVEN] ... UNTO THE STRANGER, THE FATHERLESS, AND THE WIDOW — *this refers to* the "Tithe of the Poor". ככל מצותך ACCORDING TO ALL THY COMMANDMENTS — *i.e.* I have given them (all the sacred gifts mentioned) in the sequence *prescribed* for them: I have not set aside the heave-offering before the first-fruits, nor the tithe before the heave-offering, nor the "second" *tithe* before the "first". *This would indeed have meant altering the sequence*, for the heave-offering is (after the first-fruits which are

מְצַוְּךָ לַעֲשׂוֹת אֶת־הַחֻקִּים הָאֵלֶּה וְאֶת־הַמִּשְׁפָּטִים
וְשָׁמַרְתָּ וְעָשִׂיתָ אוֹתָם בְּכָל־לְבָבְךָ וּבְכָל־נַפְשֶׁךָ׃
יז אֶת־יְהוָה הֶאֱמַרְתָּ הַיּוֹם לִהְיוֹת לְךָ לֵאלֹהִים
וְלָלֶכֶת בִּדְרָכָיו וְלִשְׁמֹר חֻקָּיו וּמִצְוֺתָיו וּמִשְׁפָּטָיו
וְלִשְׁמֹעַ בְּקֹלוֹ׃ יח וַיהוָה הֶאֱמִירְךָ הַיּוֹם לִהְיוֹת לוֹ
לְעַם סְגֻלָּה כַּאֲשֶׁר דִּבֶּר־לָךְ וְלִשְׁמֹר כָּל־מִצְוֺתָיו׃
יט וּלְתִתְּךָ עֶלְיוֹן עַל כָּל־הַגּוֹיִם אֲשֶׁר עָשָׂה לִתְהִלָּה
וּלְשֵׁם וּלְתִפְאָרֶת וְלִהְיֹתְךָ עַם־קָדֹשׁ לַיהוָה אֱלֹהֶיךָ
כַּאֲשֶׁר דִּבֵּר פ רביעי

כז א וַיְצַו מֹשֶׁה וְזִקְנֵי יִשְׂרָאֵל אֶת־הָעָם לֵאמֹר
שָׁמֹר אֶת־כָּל־הַמִּצְוָה אֲשֶׁר אָנֹכִי מְצַוֶּה אֶתְכֶם
הַיּוֹם׃ ב וְהָיָה בַּיּוֹם אֲשֶׁר תַּעַבְרוּ אֶת־הַיַּרְדֵּן אֶל־
הָאָרֶץ אֲשֶׁר־יְהוָה אֱלֹהֶיךָ נֹתֵן לָךְ וַהֲקֵמֹתָ לְךָ

אונקלוס

וְתַעְבֵּיד יָתְהוֹן בְּכָל לִבָּךְ וּבְכָל נַפְשָׁךְ: יז יָת יְיָ חֲטַבְתְּ יוֹמָא דֵין לְמֶהֱוֵי לָךְ לֶאֱלָהּ וּלְמֵהָךְ
בְּאָרְחָן דְּתָקְנָן קֳדָמוֹהִי וּלְמִטַּר קְיָמוֹהִי וּפִקּוֹדוֹהִי וְדִינוֹהִי וּלְקַבָּלָא בְּמֵימְרֵהּ:
יח וַייָ חַטְבָךְ יוֹמָא דֵין לְמֶהֱוֵי לֵהּ לְעַם חַבִּיב כְּמָא דִי מַלִּיל לָךְ וּלְמִטַּר כָּל פִּקּוֹדוֹהִי:
יט וּלְמִתְּנָךְ עִלָּאָה עַל כָּל עַמְמַיָּא דִּי עֲבַד לְתֻשְׁבְּחָא וּלְשׁוּם וְלִרְבוּ וּלְמֶהֱוָךְ עַם
קַדִּישׁ קֳדָם יְיָ אֱלָהָךְ כְּמָא דִי מַלִּיל: א וּפַקִּיד מֹשֶׁה וְסָבֵי יִשְׂרָאֵל יָת עַמָּא
לְמֵימַר טַר יָת כָּל תַּפְקֶדְתָּא דִּי אֲנָא מְפַקֵּד יָתְכוֹן יוֹמָא דֵין: ב וִיהֵי בְּיוֹמָא דִּי
תַעְבְּרוּן יָת יַרְדְּנָא לְאַרְעָא דַּייָ אֱלָהָךְ יָהֵב לָךְ וּתְקִים לָךְ אַבְנִין רַבְרְבִין וּתְסוּד

רש״י

זבת חלב ודבש: (טז) היום הזה ה׳ אלהיך מצוך. בְּכָל יוֹם יִהְיוּ בְעֵינֶיךָ חֲדָשִׁים כְּאִלּוּ
בּוֹ בַּיּוֹם נִצְטַוֵּיתָ עֲלֵיהֶם (תנח׳): ושמרת ועשית אותם. בַּת קוֹל מְבָרַכְתּוֹ — הֵבֵאתָ
בִכּוּרִים הַיּוֹם תִּזְכֶּה לְשָׁנָה הַבָּאָה (שם): (יז) האמרת... האמירך אֵין לָהֶם עֵד מוֹכִיחַ
בַּמִּקְרָא, וְלִי נִרְאֶה שֶׁהוּא לְשׁוֹן הַפְרָשָׁה וְהַבְדָּלָה — הִבְדַּלְתָּ לְךָ מֵאֱלֹהֵי הַנֵּכָר לִהְיוֹת
לְךָ לֵאלֹהִים וְהוּא הִפְרִישְׁךָ אֵלָיו מֵעַמֵּי הָאָרֶץ לִהְיוֹת לוֹ לְעַם סְגֻלָּה (וּמָצָאתִי לָהֶם עֵד
וְהוּא לְשׁוֹן תִּפְאֶרֶת כְּמוֹ (תהי׳ צ״ד) יִתְאַמְּרוּ כָּל פֹּעֲלֵי אָוֶן): (יח) כאשר דבר לך. וִהְיִיתֶם
לִי סְגֻלָּה: (יט) ולהיתך עם קדש... כאשר דבר, וִהְיִיתֶם לִי קְדֹשִׁים (שמ׳ י״ט):

כז (א) שמר את כל המצוה. לְשׁוֹן הוֹוֶה, גרד״עט בְּלַעַז: (ב) והקמת לך. בַּיַּרְדֵּן, וְא״כ

hath commanded thee to do these statutes and judgments: thou shalt therefore keep and do them with all thine heart, and with all thy soul. [17]Thou hast avouched the Eternal this day to be thy God, and to walk in his way, and to keep his statutes, and his commandments, and his judgments, and to hearken unto his voice: [18]And the Eternal hath avouched thee this day to be a people of his select portion, as he hath promised thee, and that *thou* shouldest keep all his commandments: [19]And to make thee supreme above all nations which he hath made, in praise, and in name, and in splendour; and that thou mayest be an holy people unto the Eternal thy God, as he hath spoken.

27. [1]And Moses, with the elders of Israel, commanded the people, saying, Keep every commandment which I command you this day. [2]And it shall be, on the day when you shall pass over the Jordan unto the land which the Eternal thy God giveth thee, that thou shalt raise thee

רש"י

naturally the first of all sacred gifts) termed ראשית "firstling" (in its relation to the tithes) because it is the first *gift* due after it (the crop) has become (bears the name of) corn (i. e. after it has been winnowed), and it states, (Ex. XXII. 28) "Thou shalt not delay to offer from thy fulness and thy liquids", *which means* (see Rashi on that verse and Note thereon): Thou shalt not alter the prescribed order (cf. Siphre; Maas. Sheni V. 11). לא עברתי ממצותיך I HAVE NOT TRANSGRESSED THY COMMANDMENTS — *i. e.* I have not set apart *as a sacred gift grain* from one species *as a substitute for what was due from* another species, nor *have I seperated grain* from the new crop *as a substitute* for *what was due from* the old one (Siphre; cf. Maas. Sheni V. 11). ולא שכחתי NOR HAVE I FORGOTTEN — *i. e. forgotten* to bless you on the occasion of setting the tithes apart (Siphre; Maas. Sheni V. 11; cf. Ber. 40b)[1]). **(14)** לא אכלתי באני ממנו I HAVE NOT EATEN THEREOF IN MY MOURNING — From here *we may derive* that it (partaking of sacred gifts) is forbidden to an אונן (a technical term for the near relatives of a deceased, from the period of death to burial) (cf. Bicc. II. 2). ולא בערתי ממנו בטמא NEITHER HAVE I CONSUMED ANY THEREOF UNCLEAN — *i. e.* whether I was unclean and it (the sacred gift) was clean, or I was clean and it unclean (Siphre). But where has one been prohibited about this (that he declares that he has not infringed the command)? *In the following passage:* (XII. 17) "Thou mayest not eat within thy gates [the tithe of thy corn]" — this (the expression "within thy gates") refers to eating *sacred things* in a state of uncleanness, just as is stated with reference to פסולי המקדשין (animals intended as sacrifices, but which have become unfit for that purpose) (XV. 22) "Thou mayest eat it within thy gates: the unclean and the clean person [may eat it alike]". *These you may eat, states Scripture*, — but this (the tithes of thy corn in a state of uncleanness) you must not eat in the manner which is *termed* "eating within thy gates" ("the unclean and the clean together") of which there is mention in another passage ((Jeb. 73b). ולא נתתי ממנו למת NOR HAVE I GIVEN THEREOF FOR THE CORPSE to prepare for it a coffin and shrouds. שמעתי בקול ה' אלהי I HAVE HEARKENED TO THE VOICE OF THE LORD MY GOD — *i. e.* I have brought it into the Chosen House (Temple)[2]). עשיתי ככל אשר צויתני I HAVE DONE ACCORDING TO ALL THOU HAST COMMANDED ME — I have myself rejoiced and made others rejoice by it (Siphre; Maas. Sheni V. 12). **(15)** השקיפה ממעון קדשך GLANCE DOWN FROM THE RESIDENCE OF THY HOLINESS ... [AND BLESS THY PEOPLE ISRAEL] — "We have done what Thou hast laid upon us; do Thou *now* what lies upon Thee to do, because Thou hast said, (Lev. XXV. 3—4) If ye walk in My ordinances ... Then I will give you rain in its season *etc.* . אשר נתתה לנו כאשר נשבעת לאבתינו [BLESS THY

NOTES

For Notes 1—2 see Appendix.

אֲבָנִים גְּדֹלוֹת וְשַׂדְתָּ אֹתָם בַּשִּׂיד: ג וְכָתַבְתָּ עֲלֵיהֶן אֶת־כָּל־דִּבְרֵי הַתּוֹרָה הַזֹּאת בְּעָבְרֶךָ לְמַעַן אֲשֶׁר תָּבֹא אֶל־הָאָרֶץ אֲשֶׁר־יְהוָה אֱלֹהֶיךָ נֹתֵן לְךָ אֶרֶץ זָבַת חָלָב וּדְבַשׁ כַּאֲשֶׁר דִּבֶּר יְהוָה אֱלֹהֵי־אֲבֹתֶיךָ לָךְ: ד וְהָיָה בְּעָבְרְכֶם אֶת־הַיַּרְדֵּן תָּקִימוּ אֶת־הָאֲבָנִים הָאֵלֶּה אֲשֶׁר אָנֹכִי מְצַוֶּה אֶתְכֶם הַיּוֹם בְּהַר עֵיבָל וְשַׂדְתָּ אוֹתָם בַּשִּׂיד: ה וּבָנִיתָ שָּׁם מִזְבֵּחַ לַיהוָה אֱלֹהֶיךָ מִזְבַּח אֲבָנִים לֹא־תָנִיף עֲלֵיהֶם בַּרְזֶל: ו אֲבָנִים שְׁלֵמוֹת תִּבְנֶה אֶת־מִזְבַּח יְהוָה אֱלֹהֶיךָ וְהַעֲלִיתָ עָלָיו עוֹלֹת לַיהוָה אֱלֹהֶיךָ: ז וְזָבַחְתָּ שְׁלָמִים וְאָכַלְתָּ שָּׁם וְשָׂמַחְתָּ לִפְנֵי יְהוָה אֱלֹהֶיךָ: ח וְכָתַבְתָּ עַל־הָאֲבָנִים אֶת־כָּל־דִּבְרֵי הַתּוֹרָה הַזֹּאת בַּאֵר הֵיטֵב: ס ט וַיְדַבֵּר מֹשֶׁה וְהַכֹּהֲנִים הַלְוִיִּם אֶל־כָּל־יִשְׂרָאֵל לֵאמֹר הַסְכֵּת ׀ וּשְׁמַע יִשְׂרָאֵל

אונקלוס

יָתְהוֹן בְּסִידָא: ג וְתִכְתּוֹב עֲלֵיהוֹן יָת כָּל פִּתְגָּמֵי אוֹרָיְתָא הָדָא בְּמֶעְבְּרָךְ בְּדִיל דִּי תֵּעוֹל לְאַרְעָא דַּייָ אֱלָהָךְ יָהֵב לָךְ אַרְעָא עָבְדָא חֲלַב וּדְבַשׁ כְּמָא דִי מַלֵּיל יְיָ אֱלָהָא דַאֲבָהָתָךְ לָךְ: ד וִיהֵי בְּמֶעְבַּרְכוֹן יָת יַרְדְּנָא תְּקִימוּן יָת אַבְנַיָּא הָאִלֵּין דִּי אֲנָא מְפַקֵּד יָתְכוֹן יוֹמָא דֵין בְּטוּרָא דְעֵיבָל וּתְסוּד יָתְהוֹן בְּסִידָא: ה וְתִבְנֵי תַמָּן מַדְבְּחָא קֳדָם יְיָ אֱלָהָךְ מַדְבַּח אַבְנִין לָא תְרִים עֲלֵיהוֹן פַּרְזְלָא: ו אַבְנִין שַׁלְמָן תִּבְנֵי יָת מַדְבְּחָא דַּייָ אֱלָהָךְ וְתַסֵּק עֲלוֹהִי עֲלָוָן קֳדָם יְיָ אֱלָהָךְ: ז וְתִכּוֹס נִכְסַת קוּדְשִׁין וְתֵיכוּל תַּמָּן וְתֶחְדֵּי קֳדָם יְיָ אֱלָהָךְ: ח וְתִכְתּוֹב עַל אַבְנַיָּא יָת כָּל פִּתְגָּמֵי אוֹרָיְתָא הָדָא פָּרֵשׁ יָאוּת: ט וּמַלֵּיל מֹשֶׁה וְכָהֲנַיָּא לֵוָאֵי לְכָל יִשְׂרָאֵל לְמֵימַר

רש״י

תוֹצִיא מִשָּׁם אֲחֵרוֹת וְתִבְנֶה מֵהֶן מִזְבֵּחַ בְּהַר עֵיבָל; נִמְצֵאתָ אַתָּה אוֹמֵר שְׁלֹשָׁה מִינֵי אֲבָנִים הָיוּ, שְׁתֵּים עֶשְׂרֵה בַּיַּרְדֵּן וּכְנֶגְדָּן בַּגִּלְגָּל וּכְנֶגְדָּן בְּהַר עֵיבָל, כִּדְאִיתָא בְּמַסֶּכֶת סוֹטָה (דף ל״ה): (ח) באר היטב. בְּשִׁבְעִים לָשׁוֹן (שם ל״ב): (ט) הסכת. כְּתַרְגּוּמוֹ:

up great stones, and plaster them with plaster: [3]And thou shalt write upon them all the words of this law, when thou art passed over, that thou mayest go in unto the land which the Eternal thy God giveth thee, a land flowing with milk and honey; as the Eternal God of thy fathers hath promised thee. [4]Therefore it shall be, when ye have passed over the Jordan, *that* ye shall raise up these stones, which I command you this day, in mount Ebal, and thou shalt plaster them with plaster. [5]And thou shalt build an altar unto the Eternal thy God, an altar of stones; thou shalt not wave *any* iron *tool* over them. [6]Thou shalt build the altar of the Eternal thy God of whole stones; and thou shalt bring up burnt-offerings thereon unto the Eternal thy God: [7]And thou shalt sacrifice feast offerings, and shalt eat there, and rejoice before the Eternal thy God. [8]And thou shalt write upon the stones all the words of this law very plainly. [9]And Moses, and the priests the Levites, spake unto all Israel, saying, Take heed, and hearken, O Israel;

רש"י

PEOPLE ISRAEL, AND THE LAND,] WHICH THOU HAST GIVEN US, AS THOU SWAREST UNTO OUR FATHERS, to give *it* unto us, and indeed Thou hast kept *Thy promise, giving us* ארץ זבת חלב ודבש A LAND FLOWING WITH MILK AND HONEY[1]). **(16)** היום הזה ה' אלהיך מצוך THIS DAY THE LORD THY GOD COMMANDETH THEE — *This suggests:* each day they (God's commandments) should be to you as something new (not antiquated and something of which you have become tired), as though you had received the commands that very day *for the first time* (Tanch.; cf. Rashi on XI. 13). ושמרת ועשית אותם THOU SHALT THEREFORE KEEP AND DO THEM — A heavenly voice (בת קול) pronounces *by these words* a blessing upon him (the worshipper): "Thou hast brought the firstfruits to-day — thou wilt be privileged *to do so* next year, *too!*" (Tanch.)[2]). **(17)** האמרה, האמירך *are words* for *the meaning of* which there is no d e c i s i v e proof in Scripture. It s e e m s to me, however, that they are expressions denoting "separation" and "selection": "You have singled Him out from all strange gods to be unto you as God — and He, *on His part,* has singled you out from the nations on earth to be unto Him a select people". [*As far as t h i s meaning is concerned* I h a v e found a parallel (lit., a witness) to it, where it bears the meaning "glory", as e. g. (Ps. XCIV. 4): "All wrongdoers glory in themselves"][3]). **(18)** כאשר דבר לך AS HE HATH PROMISED THEE — — *in the words* (Ex. XIX. 5) "Ye shall be a select portion unto Me". **(19)** ולהיתך עם קדש ... כאשר דבר AND THAT THOU MAYEST BE AN HOLY PEOPLE ... AS HE HATH SPOKEN — *in the words,* (Lev. XX. 26) "And ye shall be holy unto Me".

27. (1) שמר את כל המצוה — *The word* שמור is a frequentative present tense, gardant in O. F., *keeping in Engl.* **(2)** והקמת לך THEN THOU SHALT RAISE THEE UP [GREAT STONES] — in the Jordan, and afterwards you shall take out from there others and build an altar of them on Mount Eval. Consequently you must say that there were t h r e e sets of stones: twelve in the Jordan, an equal number in Gilgal, and *another* twelve on Mount Ebal, as is stated in Treatise Sota (35b)[4]). **(8)** באר היטב EXPLAINING THEM WELL — *i. e.* in seventy languages (Sota 32a; cf. Rashi on I. 5). **(9)** הסכת — *Understand this* as the

NOTES

For Notes 1—2 see Appendix.

[3]) In most editions the last sentence in Rashi is put in brackets indicating that it is a gloss, evidently because it is felt that there is a contradiction in Rashi: he first states אין להם עד מוכיח and then ומצאתי להם עד. This is, however, not cogent if we lay the stress on the word מוכיח.

[4]) See Appendix.

הַיּ֤וֹם הַזֶּה֙ נִהְיֵ֣יתָֽ לְעָ֔ם לַיהוָ֖ה אֱלֹהֶֽיךָ׃ י וְשָׁ֣מַעְתָּ֔
בְּק֖וֹל יְהוָ֣ה אֱלֹהֶ֑יךָ וְעָשִׂ֤יתָ אֶת־מִצְוֺתָו֙ וְאֶת־חֻקָּ֔יו
אֲשֶׁ֛ר אָנֹכִ֥י מְצַוְּךָ֖ הַיּֽוֹם׃ ס חמישי יא וַיְצַ֤ו מֹשֶׁה֙ אֶת־
הָעָ֔ם בַּיּ֥וֹם הַה֖וּא לֵאמֹֽר׃ יב אֵ֠לֶּה יַעַמְד֞וּ לְבָרֵ֤ךְ
אֶת־הָעָם֙ עַל־הַ֣ר גְּרִזִּ֔ים בְּעָבְרְכֶ֖ם אֶת־הַיַּרְדֵּ֑ן
שִׁמְע֞וֹן וְלֵוִ֣י וִֽיהוּדָ֗ה וְיִשָּׂשכָ֛ר וְיוֹסֵ֖ף וּבִנְיָמִֽן׃ יג וְאֵ֛לֶּה
יַעַמְד֥וּ עַל־הַקְּלָלָ֖ה בְּהַ֣ר עֵיבָ֑ל רְאוּבֵן֙ גָּ֣ד וְאָשֵׁ֔ר
וּזְבוּלֻ֖ן דָּ֥ן וְנַפְתָּלִֽי׃ יד וְעָנ֣וּ הַלְוִיִּ֗ם וְאָמְר֛וּ אֶל־כָּל־
אִ֥ישׁ יִשְׂרָאֵ֖ל ק֥וֹל רָֽם׃ ס טו אָר֣וּר הָאִ֡ישׁ אֲשֶׁ֣ר
יַעֲשֶׂה֩ פֶ֨סֶל וּמַסֵּכָ֜ה תּוֹעֲבַ֣ת יְהוָ֗ה מַעֲשֵׂ֛ה יְדֵ֥י חָרָ֖שׁ
וְשָׂ֣ם בַּסָּ֑תֶר וְעָנ֧וּ כָל־הָעָ֛ם וְאָמְר֖וּ אָמֵֽן׃ ס
טז אָר֕וּר מַקְלֶ֥ה אָבִ֖יו וְאִמּ֑וֹ וְאָמַ֥ר כָּל־הָעָ֖ם
אָמֵֽן׃ ס יז אָר֕וּר מַסִּ֖יג גְּב֣וּל רֵעֵ֑הוּ וְאָמַ֥ר כָּל־

אונקלוס

אֲצֵית וּשְׁמַע יִשְׂרָאֵל יוֹמָא הָדֵין הֲוֵיתָא לְעַמָּא קֳדָם יְיָ אֱלָהָךְ׃ י וּתְקַבֵּל לְמֵימְרָא
דַּייָ אֱלָהָךְ וְתַעְבֵּד יָת פִּקּוֹדוֹהִי וְיָת קְיָמוֹהִי דִּי אֲנָא מְפַקֵּד לָךְ יוֹמָא דֵין׃ יא וּפַקֵּיד
מֹשֶׁה יָת עַמָּא בְּיוֹמָא הַהוּא לְמֵימָר׃ יב אִלֵּין יְקוּמוּן לְבָרָכָא יָת עַמָּא עַל טוּרָא
דִגְרִזִּים בְּמֶעְבַּרְכוֹן יָת יַרְדְּנָא שִׁמְעוֹן וְלֵוִי וִיהוּדָה וְיִשָּׂשכָר וְיוֹסֵף וּבִנְיָמִן׃
יג וְאִלֵּין יְקוּמוּן עַל לְוָטַיָּא בְּטוּרָא דְעֵיבָל רְאוּבֵן גָּד וְאָשֵׁר וּזְבוּלֻן דָּן וְנַפְתָּלִי׃
יד וִיתִיבוּן לֵוָאֵי וְיֵימְרוּן לְכָל אֱנָשׁ יִשְׂרָאֵל קָלָא רָמָא׃ טו לִיט גַּבְרָא דִּי יַעְבֵּד
צְלֵם וּמַתְּכָא מְרַחֲקָא קֳדָם יְיָ עוֹבַד יְדֵי אֻמָּן וִישַׁוֵּי בְּסִתְרָא וְיָתִיבוּן כָּל עַמָּא
וְיֵימְרוּן אָמֵן׃ טז לִיט דִּיקַלֵּי אֲבוּהִי וְאִמֵּהּ וְיֵימַר כָּל עַמָּא אָמֵן׃ יז לִיט דִּישַׁנֵּי

רש״י

היום הזה נהיית לעם. בְּכָל יוֹם יִהְיוּ בְעֵינֶיךָ כְּאִלּוּ הַיּוֹם בָּאתָ עִמּוֹ בַּבְּרִית (בר׳ ס״ג):
(יב) לברך את העם. כִּדְאִיתָא בְּמַסֶּכֶת סוֹטָה (דף ל״ב) שִׁשָּׁה שְׁבָטִים עָלוּ לְרֹאשׁ הַר
גְּרִזִּים וְשִׁשָּׁה לְרֹאשׁ הַר עֵיבָל וְהַכֹּהֲנִים וְהַלְוִיִּם וְהָאָרוֹן לְמַטָּה בָּאֶמְצַע, הָפְכוּ לְוִיִּם
פְּנֵיהֶם כְּלַפֵּי הַר גְּרִזִּים וּפָתְחוּ בִּבְרָכָה, בָּרוּךְ הָאִישׁ אֲשֶׁר לֹא יַעֲשֶׂה פֶסֶל וּמַסֵּכָה וגו׳,
וְאֵלּוּ וָאֵלּוּ עוֹנִין אָמֵן, חָזְרוּ וְהָפְכוּ פְּנֵיהֶם כְּלַפֵּי הַר עֵיבָל וּפָתְחוּ בִּקְלָלָה וְאוֹמְרִים אָרוּר
הָאִישׁ אֲשֶׁר יַעֲשֶׂה פֶסֶל וגו׳, וְכֵן כֻּלָּם, עַד אָרוּר אֲשֶׁר לֹא יָקִים: (טז) מקלה אביו.

This day thou art become the people of the Eternal thy God. [10]Thou shalt therefore obey the voice of the Eternal thy God, and do his commandments and his statutes, which I command thee this day. [11]And Moses commanded the people the same day, saying, [12]These shall stand upon mount Gerizim to bless the people, when ye are passed over the Jordan; Simeon, and Levi, and Judah, and Issachar, and Joseph, and Benjamin. [13]And these shall stand upon mount Ebal for the curse; Reuben, Gad, and Asher, and Zebulun, Dan, and Naphtali. [14]And the Levites shall speak, and say unto all the men of Israel with an exalted voice, [15]Cursed *be* the man that maketh *any* graven or molten image, an abomination unto the Eternal, the work of the hands of the craftsman, and putteth *it* in secret. And all the people shall answer and say, Amen. [16]Cursed *be* he that setteth light by his father or his mother. And all the people shall say, Amen. [17]Cursed *be* he that removeth his neighbour's land-mark. And all the people

רש"י

Targum *does:* אצית *listen!* היום הזה נהיית לעם THIS DAY THOU HAST BECOME THE PEOPLE [OF THE LORD THY GOD] — On each day it should appear to you as though it were "t o - d a y" that you have entered the covenant with him (Ber. 63b). **(12)** לברך את העם [THESE SHALL STAND UP . . .] TO BLESS THE PEOPLE — *The procedure was* as is *found* in Treatise Sota (32a): Six tribes ascended the top of Mount Gerizim and *the other* six the top of Mount Ebal, the priests, the Levites and the Ark *remaining* below in the midst (i. e. in the valley between). The Levites turned their faces towards Mount Gerizim and began *to recite* the blessing: "Blessed be the man that does n o t make *any* graven or molten image etc.", and both these and those (the tribes on Mount Gerizim and those on Mount Ebal) answered "Amen"! Then they turned their faces towards Mount Ebal and began *to recite* the curse, saying: "Cursed be the man who maketh *any* graven [or molten image]" — and so in *the case of* a l l of them (the curses set forth here) till *the last:* "Cursed be he that confirmeth not [all the words of this law to do them]" (cf. Rashi on XI. 29). **(16)** מקלה *means,* "making light of",

הָעָם אָמֵן׃ ס יח אָרוּר מַשְׁגֶּה עִוֵּר בַּדָּרֶךְ וְאָמַר
כָּל־הָעָם אָמֵן׃ ס יט אָרוּר מַטֶּה מִשְׁפַּט גֵּר־
יָתוֹם וְאַלְמָנָה וְאָמַר כָּל־הָעָם אָמֵן׃ ס כ אָרוּר
שֹׁכֵב עִם־אֵשֶׁת אָבִיו כִּי גִלָּה כְּנַף אָבִיו וְאָמַר כָּל־
הָעָם אָמֵן׃ ס כא אָרוּר שֹׁכֵב עִם־כָּל־בְּהֵמָה
וְאָמַר כָּל־הָעָם אָמֵן׃ ס כב אָרוּר שֹׁכֵב עִם־
אֲחֹתוֹ בַּת־אָבִיו אוֹ בַת־אִמּוֹ וְאָמַר כָּל־הָעָם
אָמֵן׃ ס כג אָרוּר שֹׁכֵב עִם־חֹתַנְתּוֹ וְאָמַר כָּל־
הָעָם אָמֵן׃ ס כד אָרוּר מַכֵּה רֵעֵהוּ בַּסָּתֶר וְאָמַר
כָּל־הָעָם אָמֵן׃ ס כה אָרוּר לֹקֵחַ שֹׁחַד לְהַכּוֹת
נֶפֶשׁ דָּם נָקִי וְאָמַר כָּל־הָעָם אָמֵן׃ ס כו אָרוּר
אֲשֶׁר לֹא־יָקִים אֶת־דִּבְרֵי הַתּוֹרָה־הַזֹּאת לַעֲשׂוֹת
אוֹתָם וְאָמַר כָּל־הָעָם אָמֵן׃ פ

אונקלוס

תְּחוּמָא דְחַבְרֵהּ וְיֵימַר כָּל עַמָּא אָמֵן׃ יח לִיט דְּיַטְעֵי עַוִּירָא בְּאָרְחָא וְיֵימַר כָּל עַמָּא אָמֵן׃ יט לִיט דְּיַצְלֵי דִּין דַּיָּר יַתְמָא וְאַרְמְלָא וְיֵימַר כָּל עַמָּא אָמֵן׃ כ לִיט דְּיִשְׁכּוּב עִם אִתַּת אֲבוּהִי אֲרֵי גַלֵּי כַּנְפָא דַאֲבוּהִי וְיֵימַר כָּל עַמָּא אָמֵן׃ כא לִיט דְּיִשְׁכּוּב עִם כָּל בְּעִירָא וְיֵימַר כָּל עַמָּא אָמֵן׃ כב לִיט דְּיִשְׁכּוּב עִם אֲחָתֵהּ בַּת אֲבוּהִי אוֹ בַת אִמֵּהּ וְיֵימַר כָּל עַמָּא אָמֵן׃ כג לִיט דְּיִשְׁכּוּב עִם חֲמוֹתֵהּ וְיֵימַר כָּל עַמָּא אָמֵן׃ כד לִיט דְּיִמְחֵי חַבְרֵהּ בְּסִתְרָא וְיֵימַר כָּל עַמָּא אָמֵן׃ כה לִיט דִּי מְקַבֵּל שֹׁחֲדָא לְמִקְטַל נְפַשׁ דַּם זַכַּי וְיֵימַר כָּל עַמָּא אָמֵן׃ כו לִיט דִּי לָא יְקַיֵּם

רש״י

מְזַלְזֵל, לָשׁוֹן וְנִקְלָה אָחִיךָ (דב׳ כ״ה)׃ (יז) מסיג גבול. מַחֲזִירוֹ לַאֲחוֹרָיו וְגוֹנֵב אֶת הַקַּרְקַע, לָשׁוֹן וְהֻסַּג אָחוֹר (יש׳ נ״ט)׃ (יח) משגה עור. הַסּוּמָא בַּדָּבָר וּמַשִּׂיאוֹ עֵצָה רָעָה׃ (כד) מכה רעהו בסתר. עַל לְשׁוֹן הָרָע הוּא אוֹמֵר; רָאִיתִי בִּיסוֹדוֹ שֶׁל רַבִּי מֹשֶׁה הַדַּרְשָׁן י״א אֲרוּרִים יֵשׁ כָּאן כְּנֶגֶד י״א שְׁבָטִים, וּכְנֶגֶד שִׁמְעוֹן לֹא כָתַב אָרוּר, לְפִי שֶׁלֹּא הָיָה בְלִבּוֹ לְבָרְכוֹ לִפְנֵי מוֹתוֹ כְּשֶׁבֵּרַךְ שְׁאָר הַשְּׁבָטִים, לְכָךְ לֹא רָצָה לְקַלְּלוֹ׃ (כו) אשר לא יקים. כָּאן כָּלַל אֶת כָּל הַתּוֹרָה כֻּלָּהּ וְקִבְּלוּהָ עֲלֵיהֶם בְּאָלָה וּבִשְׁבוּעָה׃

shall say, Amen. [18]Cursed *be* he that causeth the blind to go astray on the way. And all the people shall say, Amen. [19]Cursed *be* he that perverteth the judgment of the stranger, fatherless, and widow. And all the people shall say, Amen. [20]Cursed *be* he that lieth with his father's wife; because he uncovereth his father's skirt. And all the people shall say, Amen. [21]Cursed *be* he that lieth with any beast. And all the people shall say, Amen. [22]Cursed *be* he that lieth with his sister, the daughter of his father, or the daughter of his mother. And all the people shall say, Amen. [23]Cursed *be* he that lieth with his mother-in-law. And all the people shall say, Amen. [24]Cursed *be* he that smiteth his fellow secretly. And all the people shall say, Amen. [25]Cursed *be* he that taketh bribery to smite *to death* an innocent person. And all the people shall say, Amen. [26]Cursed *be* he that confirmeth not *all* the words of this law to do them. And all the people shall say, Amen.

רש״י

it has the same meaning as (XXV. 3) "Lest ... thy brother become despicable (נקלה)". **(17)** מסיג גבול [CURSED BE] HE THAT REMOVETH [HIS NEIGHBOUR'S] LAND-MARK — *i.e.* puts it further back *in his neighbour's field*. and thereby steals ground *from him. The word* מסיג *has* the same meaning as *the verb in* (Is. LIX. 14) "and he is turned backwards (הסג)". **(18)** משגה עור [CURSED BE] HE THAT CAUSETH THE BLIND TO GO ASTRAY — *This means:* one who is blind (inexperienced) in a matter and one gives him bad advice (cf. Rashi on Lev. XIX. 14). **(24)** מכה רעהו בסתר [CURSED BE] HE THAT SMITETH HIS FELLOW SECRETLY — It is of slander that it here speaks (slander may be termed "smiting in secret") (Pirke d'R. Eliezer 35). — I have seen in the Work of R. Moses the Preacher: There are here eleven *verses beginning with the words* "cursed be" corresponding to eleven tribes. In allusion to Simeon, however, he (Moses) did not write down *a formula beginning with* "cursed be", because he had no intention to bless him before his death when he blessed the other tribes (the tribe of Simeon is the only one not mentioned in chapter XXXIII. which contains the blessings that Moses bestowed on the tribes), therefore he did not want to curse him *either*. **(26)** אשר לא יקים [CURSED BE] HE THAT CONFIRMETH NOT [ALL THE WORDS OF THIS LAW TO DO] — Here (in these words) he included *the infringement of the commands of* the entire Torah *under a curse* and they took it upon them *pledging themselves* by an execration and an oath.

כח א וְהָיָה אִם־שָׁמוֹעַ תִּשְׁמַע בְּקוֹל יְהֹוָה אֱלֹהֶיךָ לִשְׁמֹר לַעֲשׂוֹת אֶת־כָּל־מִצְוֹתָיו אֲשֶׁר אָנֹכִי מְצַוְּךָ הַיּוֹם וּנְתָנְךָ יְהֹוָה אֱלֹהֶיךָ עֶלְיוֹן עַל כָּל־גּוֹיֵי הָאָרֶץ: ב וּבָאוּ עָלֶיךָ כָּל־הַבְּרָכוֹת הָאֵלֶּה וְהִשִּׂיגֻךָ כִּי תִשְׁמַע בְּקוֹל יְהֹוָה אֱלֹהֶיךָ: ג בָּרוּךְ אַתָּה בָּעִיר וּבָרוּךְ אַתָּה בַּשָּׂדֶה: ד בָּרוּךְ פְּרִי־בִטְנְךָ וּפְרִי אַדְמָתְךָ וּפְרִי בְהֶמְתֶּךָ שְׁגַר אֲלָפֶיךָ וְעַשְׁתְּרוֹת צֹאנֶךָ: ה בָּרוּךְ טַנְאֲךָ וּמִשְׁאַרְתֶּךָ: ו בָּרוּךְ אַתָּה בְּבֹאֶךָ וּבָרוּךְ אַתָּה בְּצֵאתֶךָ: שׁשׁי ז יִתֵּן יְהֹוָה אֶת־אֹיְבֶיךָ הַקָּמִים עָלֶיךָ נִגָּפִים לְפָנֶיךָ בְּדֶרֶךְ אֶחָד יֵצְאוּ אֵלֶיךָ וּבְשִׁבְעָה דְרָכִים יָנוּסוּ לְפָנֶיךָ: ח יְצַו יְהֹוָה אִתְּךָ אֶת־הַבְּרָכָה בַּאֲסָמֶיךָ וּבְכֹל מִשְׁלַח יָדֶךָ וּבֵרַכְךָ בָּאָרֶץ אֲשֶׁר־

אונקלוס

יָת פִּתְגָּמֵי אוֹרַיְתָא הָדָא לְמֶעְבַּד יָתְהוֹן וְיֵימַר כָּל עַמָּא אָמֵן: א וִיהֵי אִם קַבָּלָא תְקַבֵּל לְמֵימְרָא דַּיְיָ אֱלָהָךְ לְמֶעְבַּד יָת כָּל פִּקּוּדוֹהִי דִּי אֲנָא מְפַקְּדָךְ יוֹמָא דֵין וְיִתְּנִנָּךְ יְיָ אֱלָהָךְ עִלַּי עַל כָּל עַמְמֵי אַרְעָא: ב וְיֵיתוּן עֲלָךְ כָּל בִּרְכָתָא הָאִלֵּין וְיִדְבְּקָנָּךְ אֲרֵי תְקַבֵּל לְמֵימְרָא דַּיְיָ אֱלָהָךְ: ג בְּרִיךְ אַתְּ בְּקַרְתָּא וּבְרִיךְ אַתְּ בְּחַקְלָא: ד בְּרִיךְ וַלְדָּא דִמְעָךְ וְאִבָּא דְאַרְעָךְ וְוַלְדָא דִבְעִירָךְ בַּקְרֵי תוֹרָךְ וְעֶדְרֵי עָנָךְ: ה בְּרִיךְ סַלָּךְ וַאֲצַוָּתָךְ: ו בְּרִיךְ אַתְּ בְּמֵיעֲלָךְ וּבְרִיךְ אַתְּ בְּמִפְּקָךְ: ז יִמְסַר יְיָ יָת בַּעֲלֵי דְבָבָךְ דְּקָיְמִין עֲלָךְ תְּבִירִין קֳדָמָךְ בְּאָרְחָא חַד יִפְּקוּן לְוָתָךְ וּבְשַׁבְעָא אָרְחָן יַעַרְקוּן מִקֳּדָמָךְ: ח יְפַקֵּד יְיָ עִמָּךְ יָת בִּרְכְתָא בְּאוֹצְרָךְ וּבְכֹל אוֹשָׁטוּת יְדָךְ

רש"י

כח (ד) שְׁגַר אֲלָפֶיךָ. וַלְדוֹת בְּקָרְךָ, שֶׁהַבְּהֵמָה מְשַׁנֶּרֶת מִמֵּעֶיהָ: וְעַשְׁתְּרוֹת צֹאנֶךָ. תַּרְגּוּמוֹ: וְרַבּוֹתֵינוּ אָמְרוּ לָמָּה נִקְרָא שְׁמָם עַשְׁתָּרוֹת? שֶׁמְּעַשְּׁרוֹת אֶת בַּעֲלֵיהֶן וּמַחֲזִיקוֹת אוֹתָם כְּעַשְׁתְּרוֹת הַלָּלוּ, שֶׁהֵן סְלָעִים חֲזָקִים: (ה) בָּרוּךְ טַנְאֲךָ. ד"א טַנְאָךְ דָּבָר לַח שֶׁאַתָּה מְסַנֵּן בְּסַלִּים: וּמִשְׁאַרְתֶּךָ. דָּבָר יָבֵשׁ שֶׁנִּשְׁאַר בִּכְלִי וְאֵינוֹ זָב: (ו) בָּרוּךְ אַתָּה בְּבֹאֶךָ וּבָרוּךְ אַתָּה בְּצֵאתֶךָ. שֶׁתְּהֵא יְצִיאָתְךָ מִן הָעוֹלָם בְּלֹא חֵטְא כְּבִיאָתְךָ לָעוֹלָם (ב"מ ק"ז): (ז) וּבְשִׁבְעָה דְרָכִים יָנוּסוּ לְפָנֶיךָ. כֵּן דֶּרֶךְ הַנִּבְהָלִים לִבְרוֹחַ, מִתְפַּזְּרִין לְכָל צַד:

28. [1]And it shall come to pass, if thou shalt hearken diligently unto the voice of the Eternal thy God, to observe *and* to do all his commandments which I command thee this day, that the Eternal thy God will set thee supreme above all nations of the earth: [2]And all these blessings shall come on thee, and overtake thee, if thou shalt hearken unto the voice of the Eternal thy God. [3]Blessed *shalt* thou *be* in the city, and blessed *shalt* thou *be* in the field. [4]Blessed *shall be* the fruit of thy body, and the fruit of thy ground, and the fruit of thy beasts, those dropped by thy neat, and the breeds of thy flock. [5]Blessed *shall be* thy basket and thy kneading-trough. [6]Blessed *shalt* thou *be* when thou comest in, and blessed *shalt* thou *be* when thou goest out. [7]The Eternal shall cause thine enemies that rise up against thee to be beaten before thy face: they shall come out against thee one way, and run away before thee seven ways. [8]The Eternal shall command the blessing upon thee in thy storehouses, and in every performance of thine hand; and he shall bless thee in the land which

רש״י

28. (4) שגר אלפיך *means* the young of thy cattle which the animal c a s t s out (שגר) of its womb. ועשתרות צאנך — *Understand this* as the Targum *does:* the flocks of thy herd. Our Rabbis asked, "Why are they (the flocks of sheep) called עשתרות? Because, *replied they,* they enrich (מעשירות) their owners (through the sale of their wool, etc.) and make them strong as עשתרות — which are strong rocks (cf. Rashi on VII. 13). **(5)** ברוך טנאך BLESSED SHALL BE THY BASKET — *i. e.* thy f r u i t s (which are kept in baskets). — Another explanation of טנאך is *that it means* liquids which you filter through baskets (wicker work). ומשארתך *accordingly means* dry produce that r e m a i n s (נשאר) in the vessel and does not flow out. **(6)** ברוך אתה בבאך וברוך אתה בצאתך BLESSED SHALT THOU BE WHEN THOU COMEST IN, AND BLESSED SHALT THOU BE WHEN THOU GOEST OUT — *This means:* may thy departure from this world be as sinless as was thy coming into the world[1]). **(7)** ובשבעה דרכים ינוסו לפניך AND THEY SHALL RUN AWAY BEFORE THEE SEVEN WAYS — Such is the manner of all who flee precipitately: they scatter in every direction.

NOTES

1) The verse is taken in the following sense: Blessed (free from sin) art thou when thou comest in (into the world); mayest thou also be similarly blessed when thou departest.

יְהוָה אֱלֹהֶיךָ נֹתֵן לָךְ: ט יְקִימְךָ יְהוָה לוֹ לְעַם קָדוֹשׁ
כַּאֲשֶׁר נִשְׁבַּע־לָךְ כִּי תִשְׁמֹר אֶת־מִצְוֺת יְהוָה
אֱלֹהֶיךָ וְהָלַכְתָּ בִּדְרָכָיו: י וְרָאוּ כָּל־עַמֵּי הָאָרֶץ כִּי
שֵׁם יְהוָה נִקְרָא עָלֶיךָ וְיָרְאוּ מִמֶּךָּ: יא וְהוֹתִרְךָ יְהוָה
לְטוֹבָה בִּפְרִי בִטְנְךָ וּבִפְרִי בְהֶמְתְּךָ וּבִפְרִי אַדְמָתֶךָ
עַל הָאֲדָמָה אֲשֶׁר נִשְׁבַּע יְהוָה לַאֲבֹתֶיךָ לָתֶת לָךְ:
יב יִפְתַּח יְהוָה ׀ לְךָ אֶת־אוֹצָרוֹ הַטּוֹב אֶת־הַשָּׁמַיִם
לָתֵת מְטַר־אַרְצְךָ בְּעִתּוֹ וּלְבָרֵךְ אֵת כָּל־מַעֲשֵׂה
יָדֶךָ וְהִלְוִיתָ גּוֹיִם רַבִּים וְאַתָּה לֹא תִלְוֶה: יג וּנְתָנְךָ
יְהוָה לְרֹאשׁ וְלֹא לְזָנָב וְהָיִיתָ רַק לְמַעְלָה וְלֹא
תִהְיֶה לְמָטָּה כִּי־תִשְׁמַע אֶל־מִצְוֺת ׀ יְהוָה אֱלֹהֶיךָ
אֲשֶׁר אָנֹכִי מְצַוְּךָ הַיּוֹם לִשְׁמֹר וְלַעֲשׂוֹת: יד וְלֹא
תָסוּר מִכָּל־הַדְּבָרִים אֲשֶׁר אָנֹכִי מְצַוֶּה אֶתְכֶם
הַיּוֹם יָמִין וּשְׂמֹאול לָלֶכֶת אַחֲרֵי אֱלֹהִים אֲחֵרִים
לְעָבְדָם: פ

טו וְהָיָה אִם־לֹא תִשְׁמַע בְּקוֹל יְהוָה אֱלֹהֶיךָ לִשְׁמֹר

אונקלוס

וִיבָרְכִנָּךְ בְּאַרְעָא דַּייָ אֱלָהָךְ יָהֵב לָךְ: ט יְקִימִנָּךְ יְיָ לֵהּ לְעַם קַדִּישׁ כְּמָא דִי קַיֵּים
לָךְ אֲרֵי תִטַּר יָת פִּקּוֹדַיָּא דַּייָ אֱלָהָךְ וּתְהָךְ בְּאָרְחָן דְּתַקְנָן קֳדָמוֹהִי: י וְיֶחֱזוּן כָּל
עַמְמֵי אַרְעָא אֲרֵי שְׁמָא דַּייָ אִתְקְרֵי עֲלָךְ וְיִדְחֲלוּן מִנָּךְ: יא וְיוֹתְרִנָּךְ יְיָ לְטָבָא
בִּוְלָדָא דִמְעָךְ וּבִוְלָדָא דִבְעִירָךְ וּבְאִבָּא דְאַרְעָךְ עַל אַרְעָא דִּי קַיֵּים יְיָ לַאֲבָהָתָךְ
לְמִתַּן לָךְ: יב יִפְתַּח יְיָ לָךְ יָת אוֹצְרֵהּ טָבָא יָת שְׁמַיָּא לְמִתַּן מְטַר אַרְעָךְ בְּעִדָּנֵהּ
וּלְבָרָכָא יָת כָּל עוֹבָדֵי יְדָךְ וְתוֹזִיף לְעַמְמִין סַגִּיאִין וְאַתְּ לָא תְזוּף: יג וְיִתְּנִנָּךְ יְיָ
לְתַקִּיף וְלָא לַחֲלָשׁ וּתְהֵי בְּרַם לְעֵלָּא וְלָא תְהֵי לְתַחְתָּא אֲרֵי תְקַבֵּל לְפִקּוֹדַיָּא דַּייָ
אֱלָהָךְ דִּי אֲנָא מְפַקְּדָךְ יוֹמָא דֵין לְמִטַּר וּלְמֶעְבַּד: יד וְלָא תִסְטֵי מִכָּל פִּתְגָמַיָּא
דִּי אֲנָא מְפַקֵּד יָתְכוֹן יוֹמָא דֵין יַמִּינָא וּשְׂמָאלָא לִמְהָךְ בָּתַר טַעֲוַת עַמְמַיָּא
לְמִפְלְחִנּוּן: טו וִיהֵי אִם לָא תְקַבֵּל בְּמֵימְרָא דַּייָ אֱלָהָךְ לְמִטַּר לְמֶעְבַּד יָת כָּל

the Eternal thy God giveth thee. [9]The Eternal shall raise thee an holy people unto himself, as he hath sworn unto thee, if thou shalt keep the commandments of the Eternal thy God, and go in his ways. [10]And all people of the earth shall see that thou art called by the name of the Eternal: and they shall be afraid of thee: [11]And the Eternal shall make thee plenteous in goods, in the fruit of thy body, and in the fruit of thy beasts, and in the fruit of thy ground, in the land which the Eternal sware unto thy fathers to give thee. [12]The Eternal shall open unto thee his good treasure, the heaven to give the rain unto thy land in its season, and to bless all the work of thine hand: and thou shalt lend unto many nations, and thou shalt not borrow. [13]And the Eternal shall make thee the head, and not the tail; and thou shalt be above only, and thou shalt not be beneath; if that thou hearken unto the commandments of the Eternal thy God, which I command thee this day, to keep and to do *them:* [14]And thou shalt not depart from any of the words which I command thee this day, *to* the right or *to* the left, to go after other gods to serve them. [15]But it shall come to pass, if thou wilt not obey the voice of the Eternal thy God, to observe

לעשות את־כל־מצותיו וחקתיו אשר אנכי מצוך
היום ובאו עליך כל־הקללות האלה והשיגוך:
טז ארור אתה בעיר וארור אתה בשדה:
יז ארור טנאך ומשארתך: יח ארור פרי־בטנך ופרי
אדמתך שגר אלפיך ועשתרת צאנך: יט ארור
אתה בבאך וארור אתה בצאתך: כ ישלח יהוה ׀
בך את־המארה את־המהומה ואת־המגערת
בכל־משלח ידך אשר תעשה עד השמדך ועד־
אבדך מהר מפני רע מעלליך אשר עזבתני:
כא ידבק יהוה בך את־הדבר עד כלתו אתך מעל
האדמה אשר־אתה בא־שמה לרשתה: כב יככה
יהוה בשחפת ובקדחת ובדלקת ובחרחר ובחרב

אונקלוס

פקודוהי וקימוהי די אנא מפקדך יומא דין וייתון עלך כל לוטיא האלין
וידבקנך: טז ליט את בקרתא וליט את בחקלא: יז ליט סלך ואצותך: יח ליט
ולדא דמעך ואבא דארעך בקרי תוריך ועדרי ענך: יט ליט את במעלך וליט
את במפקך: כ יגרי יי בך ית מארתא וית שגושיא וית מזופיתא בכל אושטות
ידך די תעבד עד דישיצך ועד דתיבד בפריע מן קדם בישות עובדיך דשבקתא
דחלתי: כא ידבק יי בך ית מותא עד דישיצי יתך מעל ארעא די את עליל לתמן
למירתה: כב ימחנך יי בשחפתא ובקדחתא ובדלקתא ובחרחורא ובחרבא

רש"י

(כ) המארה. חסרון, כמו צרעת ממארת (ויק' י"ג): המהומה. שגוש, קול בהלות:
(כב) בשחפת. שבשרו נשחף ונפוח: ובקדחת. לשון כי אש קדחה באפי (דב' ל"ב),
והוא אש של חולים, מלו"י בלעז, שהיא חמה מאד: ובדלקת. חמה יותר מקדחת, ומיני
חלאים הם: ובחרחר. חולי המחממו תוך הגוף וצמא תמיד למים, ובלעז אישטרד"ימנט,
לשון ועצמי חרה מני חרב (איוב ל') נחר מפח מאש (יר' ו'): ובחרב. יביא עליך גיסות:
ובשדפון ובירקון. מכת תבואה שבשדות: שדפון. רוח קדים, אשלי"דה בלעז: ירקון.

to do all his commandments and his ordinances which I command thee this day, that all these curses shall come upon thee, and overtake thee. [16]Cursed *shalt* thou *be* in the city, and cursed *shall* thou *be* in the field. [17]Cursed *shall be* thy basket and thy kneading-trough. [18]Cursed *shall be* the fruit of thy body, and the fruit of thy land, those dropped by thy neat, and the breeds of thy flock. [19]Cursed *shalt* thou *be* when thou comest in, and cursed *shalt* thou *be* when thou goest out. [20]The Eternal shall send upon thee cursing, confusion, and rebuke, in every performance of thine hand, until thou be exterminated, and until thou perish quickly; because of the wickedness of thy doings, whereby thou hast forsaken me. [21]The Eternal shall make the pestilence cleave unto thee, until he have consumed thee from off the ground, whither thou goest to possess it. [22]The Eternal shall smite thee with a consumption, and with a fever, and with an intense heat, and with an extreme burning, and with

רש"י

(20) המארה *means* PAUCITY, similar to (Lev. XIII. 51) "a fretting leprosy (ממארה)" (a leprosy that frets the flesh, thus attenuating it). המהומה — *Onkelos renders this by* שגוש *which means:* A TERRIFYING SOUND. **(22)** בשחפת — *This is a disease whereby* one's flesh becomes swollen and blown. ובקדחת AND WITH FEVER — *The word is* similar in meaning to *the verb in* (XXXII. 22) "For a fire burns (קדחה) in My nostrils". It is the heat felt by sick people, mal du feu in O. F., which is a very high temperature. ובדלקת — *This is a fever* even hotter than קדחת. — *All* these *terms* denote *different* kinds of diseases, *but of a similar character*. ובחרחר — a disease that makes one burning hot inside the body, so that one is continually thirsting for water; in O. F. astrandement. *The word is* of the same meaning as *the verbs in* (Job. XXX. 30) "My bones are burnt (חרה) because of heat", *and in* (Jer. VI. 29) "The bellows are burnt (נחר) by the fire". ובחרב AND WITH THE SWORD — *i. e.* He will bring hostile troops against you. ובשדפון ובירקון AND WITH BLASTING AND WITH MILDEW — *these are* diseases that afflict grain which is *yet* in the field (yet growing). שדפון is the *hot* east-wind, hale in O. F. ירקון is drought. *The*

וּבַשִּׁדָּפוֹן וּבַיֵּרָקוֹן וּרְדָפוּךָ עַד אָבְדֶךָ׃ כג וְהָיוּ שָׁמֶיךָ
אֲשֶׁר עַל־רֹאשְׁךָ נְחֹשֶׁת וְהָאָרֶץ אֲשֶׁר־תַּחְתֶּיךָ
בַּרְזֶל׃ כד יִתֵּן יְהוָה אֶת־מְטַר אַרְצְךָ אָבָק וְעָפָר מִן־
הַשָּׁמַיִם יֵרֵד עָלֶיךָ עַד הִשָּׁמְדָךְ׃ כה יִתֶּנְךָ יְהוָה נִגָּף
לִפְנֵי אֹיְבֶיךָ בְּדֶרֶךְ אֶחָד תֵּצֵא אֵלָיו וּבְשִׁבְעָה
דְרָכִים תָּנוּס לְפָנָיו וְהָיִיתָ לְזַעֲוָה לְכֹל מַמְלְכוֹת
הָאָרֶץ׃ כו וְהָיְתָה נִבְלָתְךָ לְמַאֲכָל לְכָל־עוֹף הַשָּׁמַיִם
וּלְבֶהֱמַת הָאָרֶץ וְאֵין מַחֲרִיד׃ כז יַכְּכָה יְהוָה בִּשְׁחִין
מִצְרַיִם וּבַעְפֹלִים וּבַגָּרָב וּבֶחָרֶס אֲשֶׁר לֹא־תוּכַל

אונקלוס

וּבְשִׁדְּפוֹנָא וּבְיֵרָקוֹנָא וְיִרְדְּפֻנָּךְ עַד דְּתֵיבַד׃ כג וִיהוֹן שְׁמַיָּךְ דִּי עִלָּוֵי רֵישָׁךְ חֲסִינָא
כִּנְחָשָׁא מִלְּאַחָתָא מִטְרָא וְאַרְעָא דִּי תְחוֹתָךְ תַּקִּיפָא כְּפַרְזְלָא מִלְּמֶעְבַּד פֵּרִין׃
כד יִתֵּן יְיָ יָת מְטַר אַרְעָךְ אַבְקָא וְעַפְרָא מִן שְׁמַיָּא יֵחוֹת עֲלָךְ עַד דְּשֵׁיצָךְ׃ כה יִתְּנִנָּךְ
יְיָ תְּבִיר קֳדָם בַּעֲלֵי דְבָבָךְ בְּאָרְחָא חֲדָא תִּפּוֹק לְוָתֵהּ וּבְשִׁבְעָא אָרְחָן תְּעֵרוֹק
מִקֳּדָמוֹהִי וּתְהֵי לְזִיעַ לְכֹל מַלְכְוָת אַרְעָא׃ כו וּתְהֵי נְבִלְתָּךְ מְשַׁגְּרָא לְמֵיכַל לְכָל
עוֹפָא דִשְׁמַיָּא וּלְבְעִירַת אַרְעָא וְלֵית דְּמָנִיד׃ כז יִמְחִנָּךְ יְיָ בְּשִׁחְנָא דְמִצְרַיִם

רש״י

יוֹבֶשׁ, וּפְנֵי הַתְּבוּאָה מַכְסִיפִין וְנֶהֱפָּכִין לְיֵרָקוֹן, קמ״א בְּלַעַז: עד אבדך. תַּרְגּוּם עַד דְּתֵיבַד,
כְּלוֹמַר עַד אֲבוֹד אוֹתָךְ — שֶׁתְּכַלֶּה מֵאֵלֶיךָ: (כג) והיו שמיך אשר על ראשך נחשת.
קְלָלוֹת הַלָּלוּ מֹשֶׁה מִפִּי עַצְמוֹ אֲמָרָן, וְשֶׁבְּהַר סִינַי מִפִּי הַקָּבָּ״ה אֲמָרָן, כְּמַשְׁמָעָן, וְכֵן
נֶאֱמַר (ויק׳ כ״ו) וְאִם לֹא תִשְׁמְעוּ לִי, וְאִם תֵּלְכוּ עִמִּי קֶרִי, וְכָאן הוּא אוֹמֵר בְּקוֹל ה׳
אֱלֹהֶיךָ, יַדְבֵּק ה׳ בְּךָ, יַכְּכָה ה׳, הֵקֵל מֹשֶׁה בִּקְלָלוֹתָיו לְאָמְרָן בִּלְשׁוֹן יָחִיד. וְגַם כֵּן
בִּקְלָלָה זוֹ הֵקֵל, שֶׁבָּרִאשׁוֹנוֹת הוּא אוֹמֵר אֶת שְׁמֵיכֶם כַּבַּרְזֶל וְאֶת אַרְצְכֶם כַּנְּחֻשָׁה — שֶׁלֹּא
יִהְיוּ הַשָּׁמַיִם מְזִיעִין כְּדֶרֶךְ שֶׁאֵין הַבַּרְזֶל מֵזִיעַ וּמִתּוֹךְ כָּךְ יְהֵי חֹרֶב בָּעוֹלָם וְהָאָרֶץ תְּהֵי
מְזִעַת כְּדֶרֶךְ שֶׁהַנְּחֹשֶׁת מַזִּיעַ וְהִיא מְרַקֶּבֶת פֵּרוֹתֶיהָ, וְכָאן הוּא אוֹמֵר שָׁמֶיךָ נְחֹשֶׁת וְאַרְצְךָ
בַּרְזֶל — שֶׁיִּהְיוּ שָׁמַיִם מְזִיעִין, אַעַ״פּ שֶׁלֹּא יָרִיקוּ מָטָר, מִכָּל מָקוֹם לֹא יִהְיֶה חוֹרֶב שֶׁל
אֲבַדּוֹן בָּעוֹלָם, וְהָאָרֶץ לֹא תִהְיֶה מְזִיעָה, כְּדֶרֶךְ שֶׁאֵין הַבַּרְזֶל מֵזִיעַ, וְאֵין הַפֵּרוֹת מַרְקִיבִין,
וּמִכָּל מָקוֹם קְלָלָה הִיא, בֵּין שֶׁהִיא כַּנְּחֹשֶׁת בֵּין שֶׁהִיא כַּבַּרְזֶל לֹא תוֹצִיא פֵּרוֹת, וְכֵן
הַשָּׁמַיִם לֹא יָרִיקוּ מָטָר (ספרא ויק׳ כ״ו): (כד) מטר ארצך אבק ועפר. זִיקָא דְּבָתַר
מִטְרָא, מָטָר יוֹרֵד וְלֹא כָל צָרְכּוֹ, וְאֵין בּוֹ כְּדֵי לְהַרְבִּיץ אֶת הֶעָפָר, וְהָרוּחַ בָּאָה וּמַעֲלָה
אֶת הָאָבָק וּמְכַסָּה אֶת עֵשֶׂב הַזְּרָעִים שֶׁהֵם לַחִים מִן הַמַּיִם וְנִדְבַּק בָּהֶם, וְנַעֲשָׂה טִיט
וּמִתְיַבֵּשׁ וּמַרְקִיבִין (תעני ג׳): (כה) לזעוה. לְאֵימָה וּלְזִיעַ, שֶׁיִּזּוֹעוּ כָּל שׁוֹמְעֵי מַכּוֹתֶיךָ
מִמְּךָ וְיֹאמְרוּ „אוֹ לָנוּ שֶׁלֹּא יָבֹא עָלֵינוּ כְּדֶרֶךְ שֶׁבָּא עַל אֵלּוּ!״: (כז) בשחין מצרים. רַע
הָיָה מְאֹד, לַח מִבִּפְנִים וְיָבֵשׁ מִבַּחוּץ, כִּדְאִיתָא בִּבְכוֹרוֹת (דף מ״א): גרב. שְׁחִין לַח:

the sword, and with blasting, and with mildew; and they shall pursue thee until thou perish. [23]And thy heaven that *is* over thy head shall be copper, and the earth that *is* under thee *shall be* iron. [24]The Eternal shall make the rain of thy land powder and dust: from heaven shall it come down upon thee, until thou be exterminated. [25]The Eternal shall cause thee to be beaten before thine enemies: thou shalt go out one way against them, and run away seven ways before them; and shalt be a fright unto all the kingdoms of the earth. [26]And thy carrion shall be food unto all fowls of the heaven, and unto the beasts of the earth, and no man shall fray *them* away. [27]The Eternal will smite thee with the inflammation of Egypt, and with the emerods, and with the scab, and with the itch, whereof thou canst not be

רש"י

symptoms are that the surface of the grain becomes pale and *ultimately* turns yellow; chaume in O. F. עד אבדך — The Targum *renders this by* עד דתיבד, meaning "until thou perish", *i. e. until* thou wilt of thyself perish[1]). **(23)** והיו שמיך אשר על ראשך נחשת AND THY HEAVEN WHICH IS OVER THY HEAD SHALL BE COPPER — These curses (i. e. all the curses contained in this chapter) Moses expressed them *as though they came* from his own mouth whilst those *he spoke* on Mount Sinai (Lev. ch. XXVI.), he expressed them *as though* from the mouth of the Holy One, blessed be He, as *indeed* is implied by them (by the expressions used), for so it states *there:* "And if ye will not hearken unto Me"; "And if ye walk contrary to Me", whilst here it says: "[And if thou wilt not obey] the voice of the Lord thy God"; "The Lord shall make cleave unto thee"; "The Lord shall smite thee". Moses was milder in his curses, expressing them in the singular ("The Lord shall smite thee", not "you", the entire people), and similarly in this curse, too, he was milder, for in the former *curses* (those in Leviticus) it states, (Lev. XXVI. 19) "[I will make] your heaven as iron and your earth as copper", *i.e.*, that the heaven would not exude *moisture,* just as iron does not exude, and there would therefore be drought in the world, whilst the earth would exude *moisture* (be humid) just as copper sweats, and it would *consequently* rot the fruits. Here, however, it states, "Thy heaven shall be copper and thy earth shall be iron", *i.e.* that the heavens would exude *moisture:* even though they might not pour with rain, at any rate there would be no ruinous drought in the world; whilst the earth would not exude *moisture* just as iron does not sweat, and *consequently* the fruits would not perish. Nevertheless this is a curse: *for* whether it (the earth) be as copper or whether it be as iron it will produce no fruit, and the heaven, too, will not pour with rain (give rain in abundance) (cf. Meg. 31b; Siphra on Lev. XXVI. 19). **(24)** מטר ארצך אבק ועפר [GOD SHALL MAKE] THE RAIN OF THY LAND POWDER AND DUST, through "a wind *that comes* after the rain" *as the Talmud says* (Taan. 3b); rain will fall but not as much as is needed, so that there will not be sufficient of it to lay the dust; the wind will come and blow the dust about and cover the leaves of the vegetation which are *still* wet from the water and it will adhere to them and *so* become mud which will *afterwards* become dry, and they will rot (Taan. 3b). **(25)** לזעוה [AND THOU SHALT] BECOME A זעוה, *i.e. a cause of* fright and trembling: *it means* that all who will hear of thy afflictions will tremblingly move away from you and will say, "Woe upon us, *would* that there should not befall us as has befallen them!" **(27)** בשחין מצרים [THE LORD WILL SMITE THEE] WITH THE BOILS OF EGYPT — This was very bad, *being* wet inside and dry on the surface, as is stated in *Treatise* Bechoroth (41a). גרב is a

NOTES

[1]) See Appendix.

לְהֵרָפֵא׃ כח יַכְּכָה יְהוָה בְּשִׁגָּעוֹן וּבְעִוָּרוֹן וּבְתִמְהוֹן
לֵבָב׃ כט וְהָיִיתָ מְמַשֵּׁשׁ בַּצָּהֳרַיִם כַּאֲשֶׁר יְמַשֵּׁשׁ
הָעִוֵּר בָּאֲפֵלָה וְלֹא תַצְלִיחַ אֶת־דְּרָכֶיךָ וְהָיִיתָ אַךְ
עָשׁוּק וְגָזוּל כָּל־הַיָּמִים וְאֵין מוֹשִׁיעַ׃ ל אִשָּׁה תְאָרֵשׂ
וְאִישׁ אַחֵר יִשְׁגָּלֶנָּה בַּיִת תִּבְנֶה וְלֹא־תֵשֵׁב בּוֹ כֶּרֶם
תִּטַּע וְלֹא תְחַלְּלֶנּוּ׃ לא שׁוֹרְךָ טָבוּחַ לְעֵינֶיךָ וְלֹא
תֹאכַל מִמֶּנּוּ חֲמֹרְךָ גָּזוּל מִלְּפָנֶיךָ וְלֹא יָשׁוּב לָךְ
צֹאנְךָ נְתֻנוֹת לְאֹיְבֶיךָ וְאֵין לְךָ מוֹשִׁיעַ׃ לב בָּנֶיךָ
וּבְנֹתֶיךָ נְתֻנִים לְעַם אַחֵר וְעֵינֶיךָ רֹאוֹת וְכָלוֹת
אֲלֵיהֶם כָּל־הַיּוֹם וְאֵין לְאֵל יָדֶךָ׃ לג פְּרִי אַדְמָתְךָ
וְכָל־יְגִיעֲךָ יֹאכַל עַם אֲשֶׁר לֹא־יָדָעְתָּ וְהָיִיתָ רַק
עָשׁוּק וְרָצוּץ כָּל־הַיָּמִים׃ לד וְהָיִיתָ מְשֻׁגָּע מִמַּרְאֵה
עֵינֶיךָ אֲשֶׁר תִּרְאֶה׃ לה יַכְּכָה יְהוָה בִּשְׁחִין רָע עַל־

אונקלוס

וּבְטְחוֹרִין וּבִגְרַבָּא וּבַחֲרִים יַבִּישׁ דִּי לָא תִכּוּל לְאִתַּסָּאָה׃ כח יִמְחִנָךְ יְיָ
בְּטַפְשׁוּתָא וּבְסַמְיוּתָא וּבְשַׁעֲמָמוּת לִבָּא׃ כט וּתְהֵי מְמַשֵּׁשׁ בְּטִהֲרָא כְּמָא דִי
מְשַׁשֵּׁשׁ עַוִּירָא בְּקִבְלָא וְלָא תַצְלַח יָת אָרְחָךְ וּתְהֵי בְּרַם עָשִׁיק וַאֲנִיס כָּל יוֹמַיָּא
וְלֵית דְּפָרִיק׃ ל אִתְּתָא תֵירוֹס וּגְבַר אָחֳרָן יִשְׁכְּבִנַּהּ בֵּיתָא תִבְנֵי וְלָא תֵיתֵב בֵּהּ
כַּרְמָא תִצּוֹב וְלָא תְחַלְּנֵהּ׃ לא תּוֹרָךְ יְהֵי נְכֵס לְעֵינָךְ וְלָא תֵיכוּל מִנֵּהּ חֲמָרָךְ
יְהֵי אָנֵס מִקֳּדָמָךְ וְלָא יְתוּב לָךְ עָנָךְ יְהוֹן מְסִירִין לְבַעֲלֵי דְבָבָךְ וְלֵית לָךְ פָּרִיק׃
לב בְּנָךְ וּבְנָתָךְ מְסִירִין לְעַמָּא אָחֳרָן וְעֵינָךְ חָזְיָן וִיסוּפָן בִּגְלָלְהוֹן כָּל יוֹמָא וְלֵית
חֵילָא בִּידָךְ׃ לג אִבָּא דְאַרְעָךְ וְכָל לֵאוּתָךְ יֵיכוּל עַמָּא דִּי לָא יְדַעְתְּ וּתְהֵי בְּרַם
עָשִׁיק וּרְעִיעַ כָּל יוֹמַיָּא׃ לד וּתְהֵי מְשַׁתַּטֵּי מֵחֵזוּ עֵינָךְ דִּי תֶחֱזֵי׃ לה יִמְחִנָּךְ יְיָ

רש"י

חרס. שחין יבש כחרס: (כח) ובתמהון לבב. אוטם הלב, אשטור־דישון בלעז:
(כט) עשוק. בכל מעשיך יהיה ערעור: (ל) ישגלנה. לשון שגל, פלגש, והכתוב כנהו
לשבח ישכבנה, ותקון סופרים הוא זה: תחללנו. בשנה הרביעית לאכול פריו (מגי׳ כ״ה):
(לב) וכלות אליהם. מצפות אליהם שישובו ואינם שבים; כל תוחלת שאינה באה

healed. [28]The Eternal shall smite thee with madness, and blindness, and disquietude of heart: [29]And thou shalt grope at noon-day, as the blind gropeth in thick darkness, and thou shalt not prosper in thy ways: and thou shalt be only wronged and spoiled all the days, and no man shall save *thee*. [30]Thou shalt betroth a wife, and another man shall lie with her: thou shalt build an house, and thou shalt not abide therein: thou shalt plant a vineyard, and shalt not gather the grapes thereof. [31]Thine ox *shall be* slain before thine eyes, and thou shalt not eat thereof: thine ass *shall be* violently taken away from before thy face, and shall not return to thee: thy flock *shall be* given unto thine enemies, and thou shalt have none to save *them*. [32]Thy sons and thy daughters *shall be* given unto another people, and thine eyes shall see, and fail *with longing* for them all the day long: and *there shall be* no might in thine hand. [33]The fruit of thy ground, and all thy labours, shall a people which thou knowest not eat up; and thou shalt be only wronged and crushed all the days: [34]So that thou shalt be mad for the sight of thine eyes which thou shalt see. [35]The Eternal shall smite thee in the knees, and in the thighs, with a sore inflammation

רש"י

wet boil, חרס is a boil dry as a potsherd (חרס identical with חרש, a potsherd cf. Rashi on Lev. XXI. 20). **(28)** ובתמהון לבב *means* "stupefaction of the heart"; etourdison in O. F. **(29)** עשוק [THOU SHALT BE] WRONGED — *i. e.* against every action of yours there will be dispute[1]). **(30)** ישגלנה is connected in meaning with *the noun* שגל, a concubine; Scripture, however, paraphrases it by using a more decent, expression, *viz.*, ישכבנה (i. e. the Kre is ישכבנה)[2]). This is a variation such as writers make to avoid an indecent expression (Meg. 25b; cf. Rashi on Gen. XVIII. 22 and Note p. 266). תחללנו THOU SHALT NOT MAKE IT חולין in the fourth year so as to be able to eat its fruits (cf. Rashi on XX. 6). **(32)** וכלות אליהם [AND THINE EYES SHALL SEE] AND LONG FOR THEM — *i. e.* they will look expectantly for them (the children) that they should return *home*, but they will not return. — Any desire that does not come *to fulfilment*

NOTES

For Notes 1—2 see Appendix.

הַבִּרְכַּיִם וְעַל־הַשֹּׁקַיִם אֲשֶׁר לֹא־תוּכַל לְהֵרָפֵא
מִכַּף רַגְלְךָ וְעַד קָדְקֳדֶךָ׃ לו יוֹלֵךְ יְהוָה אֹתְךָ וְאֶת־
מַלְכְּךָ אֲשֶׁר תָּקִים עָלֶיךָ אֶל־גּוֹי אֲשֶׁר לֹא־יָדַעְתָּ
אַתָּה וַאֲבֹתֶיךָ וְעָבַדְתָּ שָּׁם אֱלֹהִים אֲחֵרִים עֵץ
וָאָבֶן׃ לז וְהָיִיתָ לְשַׁמָּה לְמָשָׁל וְלִשְׁנִינָה בְּכֹל הָעַמִּים
אֲשֶׁר־יְנַהֶגְךָ יְהוָה שָׁמָּה׃ לח זֶרַע רַב תּוֹצִיא הַשָּׂדֶה
וּמְעַט תֶּאֱסֹף כִּי יַחְסְלֶנּוּ הָאַרְבֶּה׃ לט כְּרָמִים תִּטַּע
וְעָבָדְתָּ וְיַיִן לֹא־תִשְׁתֶּה וְלֹא תֶאֱגֹר כִּי תֹאכְלֶנּוּ
הַתֹּלָעַת׃ מ זֵיתִים יִהְיוּ לְךָ בְּכָל־גְּבוּלֶךָ וְשֶׁמֶן לֹא
תָסוּךְ כִּי יִשַּׁל זֵיתֶךָ׃ מא בָּנִים וּבָנוֹת תּוֹלִיד וְלֹא־יִהְיוּ
לָךְ כִּי יֵלְכוּ בַּשֶּׁבִי׃ מב כָּל־עֵצְךָ וּפְרִי אַדְמָתֶךָ יְיָרֵשׁ
הַצְּלָצַל׃ מג הַגֵּר אֲשֶׁר בְּקִרְבְּךָ יַעֲלֶה עָלֶיךָ מַעְלָה
מָּעְלָה וְאַתָּה תֵרֵד מַטָּה מָּטָּה׃ מד הוּא יַלְוְךָ וְאַתָּה

אונקלוס

בְּשִׁחְנָא בִישָׁא עַל רְכוּבַיָא וְעַל שָׁקַיָא דִּי לָא תִכּוּל לְאִתַּסָּאָה מִפַּרְסַת רַגְלָךְ
וְעַד מוֹחָךְ: לו יַגְלֵי יְיָ יָתָךְ וְיָת מַלְכָּךְ דִּי תְקִים עֲלָךְ לְעַם דִּי לָא יְדַעְתְּ אַתְּ
וַאֲבָהָתָךְ וְתִפְלַח תַּמָּן לְעַמְמַיָּא פָּלְחֵי טַעֲוָתָא אָעָא וְאַבְנָא: לז וּתְהֵי לְצָדוּ לְמַתְל
וּלְשׁוֹעֵי בְּכֹל עַמְמַיָּא דִּי יְדַבְּרִנָּךְ יְיָ לְתַמָּן: לח בַּר זְרַע סַגִּי תַּפֵּק לַחֲקְלָא וּזְעֵר
תִּכְנוֹשׁ אֲרֵי יַחְסְלִנֵּהּ גּוֹבָא: לט כַּרְמִין תִּצּוֹב וְתִפְלַח וְחַמְרָא לָא תִשְׁתֵּי וְלָא
תִכְנוֹשׁ אֲרֵי תֵיכְלִנֵּהּ תוּלַעְתָּא: מ זֵיתִין יְהוֹן לָךְ בְּכָל תְּחוּמָךְ וּמִשְׁחָא לָא תְסוּךְ
אֲרֵי יִתְּרוּן זֵיתָיךְ: מא בְּנִין וּבְנָן תּוֹלִיד וְלָא יְהוֹן לָךְ אֲרֵי יְהָכוּן בְּשִׁבְיָא: מב כָּל
אִילָנָךְ וְאִבָּא דְאַרְעָךְ יְחַסְּנִנֵּהּ סַקָּאָה: מג תּוֹתַב עָרֵל דִּי בֵינָךְ יְהֵי סָלִיק עַל־מִנָּךְ
לְעֵלָּא לְעֵלָּא וְאַתְּ תְּהֵי נָחֵת לְתַחְתָּא לְתַחְתָּא: מד הוּא יוֹזְפִנָּךְ וְאַתְּ לָא תוֹזְפִנֵּהּ

רש"י

קְרִיָּה כִּלְיוֹן עֵינָיִם: (לז) לשמה. כְּמוֹ תִּמָּהוֹן, אש"ו אשטורדי"שון, כָּל הָרוֹאֶה אוֹתְךָ יִשּׁוֹם
עָלֶיךָ: למשל. כְּשֶׁתָּבֹא מַכָּה רָעָה עַל אָדָם יֹאמְרוּ זוֹ דּוֹמָה לְמַכַּת פְּלוֹנִי: ולשנינה. לְשׁוֹן
וְשִׁנַּנְתָּם (דב' ו'), יְדַבְּרוּ בְךָ, וְכֵן תַּרְגּוּמוֹ וּלְשׁוֹעֵי, לְשׁוֹן סִפּוּר וְאִשְׁתָּעֵי: (לח) יחסלנו.
יְכַלֶּנּוּ, וְעַל שֵׁם כָּךְ נִקְרָא חָסִיל שֶׁמְּכַלֶּה אֶת הַכֹּל: (מ) ישל. יַשִּׁיר פֵּרוֹתָיו, לְשׁוֹן וְנָשַׁל
הַבַּרְזֶל (דב' י"ט): (מב) יירש הצלצל. יַעֲשֶׂנּוּ הָאַרְבֶּה רָשׁ מִן הַפֶּרִי: יירש. יַעֲנִי. צלצל.
מִין אַרְבֶּה. וְאִי אֶפְשָׁר לְפָרֵשׁ יְיָרֵשׁ לְשׁוֹן יְרוּשָּׁה, שֶׁאִם כֵּן הָיָה לוֹ לִכְתּוֹב יִירַשׁ, וְלֹא

that cannot be healed, from the sole of thy foot unto the top of thy head. [36]The Eternal shall bring thee, and thy king whom thou shalt raise over thee, unto a nation which neither thou nor thy fathers have known; and there shalt thou serve other gods, wood and stone. [37]And thou shalt become an astonishment, a proverb, and a satyre, among all peoples whither the Eternal shall lead thee. [38]Thou shalt bring much seed out into the field, and shalt gather *but* little in; for the locust shall crop it off, [39]Thou shalt plant vineyards, and dress *them*, but shalt neither drink *of* the wine, nor lay it up; for the worms shall eat them. [40]Thou shalt have olivetrees throughout all thy boundaries, but thou shalt not anoint *thyself* with the oil; for thine olive shall cast *his fruit*. [41]Thou shalt beget sons and daughters, but thou shalt not enjoy them; for they shall go into captivity. [42]All thy trees and fruit of thy land shall the locust make bare. [43]The stranger that *is* among you shall get up above thee very high; and thou shalt come down very low. [44]He shall lend to thee, and thou

רש"י

is termed a "failing of the eyes" (cf. v. 65). **(37)** לשמה [THOU SHALT] BECOME AN OBJECT OF ASTONISHMENT — *This word means* the same as תמהון, etourdison *in O. F., Engl. astonishment.* — Whoever will see you will be astonished about you. למשל [THOU SHALT] BECOME A PROVERB — *i. e.*, when an extraordinary misfortune comes upon a man people will say: "This is like the misfortune that befell Mr. So-and-so!" ולשנינה AND A BYWORD — This is an expression of the same meaning as (VI. 7) ושננתם, "And thou shalt speak often". — *"And thou shalt become a* שנינה*" therefore means:* they (people) will talk about you (make you the topic of their conversation). Onkelos, too, renders it thus: ולשועי, which has the meaning of "relating about a matter", *just as* ואשתעי *is the Targum rendering of* ויספר, *"and he related"*. **(38)** יחסלנו [THE LOCUST] WILL CROP IT OFF — *The word means:* it will make an end of it. It is for this reason that it (the locust) is *also* called חסיל (cf. e. g. Joel I. 4) because it makes an end of all *the vegetation, etc.* (חסל in Aramaic means "to end"; cf. Jer. Taan. III. 6). **(40)** ישל *means,* it (the olivetree) shall drop its fruits. It is similar in meaning to *the verb in* (XIX. 5), "And the iron falleth off (נשל)". **(42)** יירש הצלצל *means,* the locust will make it (the tree) bare (lit., will impoverish it) of its fruits. יירש *means,* it will impoverish. צלצל is a species of locust. — One cannot explain יְיָרֵשׁ as meaning "inheriting" ("taking possesion of", as the Targum does), for if so it ought to have written יִירַשׁ (cf. Gen. XXI. 10). Nor can it have the meaning of

לֹא תַלְוֶנּוּ הוּא יִהְיֶה לְרֹאשׁ וְאַתָּה תִּהְיֶה לְזָנָב׃
מה וּבָאוּ עָלֶיךָ כָּל־הַקְּלָלוֹת הָאֵלֶּה וּרְדָפוּךָ וְהִשִּׂיגוּךָ
עַד הִשָּׁמְדָךְ כִּי־לֹא שָׁמַעְתָּ בְּקוֹל יְהוָה אֱלֹהֶיךָ
לִשְׁמֹר מִצְוֺתָיו וְחֻקֹּתָיו אֲשֶׁר צִוָּךְ׃ מו וְהָיוּ בְךָ לְאוֹת
וּלְמוֹפֵת וּבְזַרְעֲךָ עַד־עוֹלָם׃ מז תַּחַת אֲשֶׁר לֹא־
עָבַדְתָּ אֶת־יְהוָה אֱלֹהֶיךָ בְּשִׂמְחָה וּבְטוּב לֵבָב מֵרֹב
כֹּל׃ מח וְעָבַדְתָּ אֶת־אֹיְבֶיךָ אֲשֶׁר יְשַׁלְּחֶנּוּ יְהוָה בָּךְ
בְּרָעָב וּבְצָמָא וּבְעֵירֹם וּבְחֹסֶר כֹּל וְנָתַן עֹל בַּרְזֶל
עַל־צַוָּארֶךָ עַד הִשְׁמִידוֹ אֹתָךְ׃ מט יִשָּׂא יְהוָה עָלֶיךָ
גּוֹי מֵרָחֹק מִקְצֵה הָאָרֶץ כַּאֲשֶׁר יִדְאֶה הַנָּשֶׁר גּוֹי
אֲשֶׁר לֹא־תִשְׁמַע לְשֹׁנוֹ׃ נ גּוֹי עַז פָּנִים אֲשֶׁר לֹא־
יִשָּׂא פָנִים לְזָקֵן וְנַעַר לֹא יָחֹן׃ נא וְאָכַל פְּרִי בְהֶמְתְּךָ
וּפְרִי־אַדְמָתְךָ עַד הִשָּׁמְדָךְ אֲשֶׁר לֹא־יַשְׁאִיר לְךָ

אונקלוס

הוּא יְהֵא לְתַקִּיף וְאַתְּ תְּהֵי לְחַלָּשׁ׃ מה וְיֵיתוּן עֲלָךְ כָּל לְוָטַיָּא הָאִלֵּין וְיִרְדְּפֻנָּךְ וְיַדְבְּקֻנָּךְ עַד דְּשֵׁיצָךְ אֲרֵי לָא קַבֵּלְתָּא לְמֵימְרָא דַּייָ אֱלָהָךְ לְמִטַּר פִּקּוֹדוֹהִי וּקְיָמוֹהִי דִּי פַקְדָךְ׃ מו וִיהוֹן בָּךְ לְאָת וּלְמוֹפֵת וּבִבְנָיךְ עַד עָלָם׃ מז חֲלָף דִּי לָא פְלַחְתָּא קֳדָם יְיָ אֱלָהָךְ בְּחֶדְוָא וּבְשַׁפִּירוּת לִבָּא מִסְּגֵי כֹלָּא׃ מח וְתִפְלַח יָת בַּעֲלֵי דְבָבָךְ דִּי יְגָרְנֵהּ יְיָ בָּךְ בְּכַפְנָא וּבִצְחוּתָא וּבְעַרְטְלָיוּתָא וּבַחֲסִירוּת כֹּלָּא וְיִתֵּן נִיר פַּרְזְלָא עַל צַוְּארָךְ עַד דְּשֵׁיצֵי יָתָךְ׃ מט יַיְתֵי יְיָ עֲלָךְ עַם מֵרָחִיק מִסְּיָפֵי אַרְעָא כְּמָא דִּי מִשְׁתְּדֵי נִשְׁרָא עַמָּא דִּי לָא תְקַבֵּל לִישָׁנֵהּ׃ נ עַם תַּקִּיף אַפִּין דִּי לָא יִסַּב אַפִּין לְסָבָא וְעַל יָנְקָא לָא מְרַחֵם׃ נא וְיֵיכוּל וַלְדָּא דִבְעִירָךְ וְאִבָּא

רש"י

לשון הורשה ונרושין, שאם כן היה לו לכתוב יוריש: (מז) מרב כל. בעוד שהיה לך כל טוב: (מט) כאשר ידאה הנשר. פתאום ודרך מצלחת וקלו סוסיו: לא תשמע לשנו. לא תכיר לשונו, וכן תשמע חלום לפתר אתו (בר' מ"א), וכן כי שמע יוסף

shalt not lend to him: he shall be the head, and thou shalt be the tail. [45]Moreover, all these curses shall come upon thee, and pursue thee, and overtake thee, till thou be exterminated; because thou hearkenedst not unto the voice of the Eternal thy God, to keep his commandments and his ordinances which he commanded thee: [46]And they shall be upon thee for a sign and for a wonder, and upon thy seed for ever. [47]Because thou servedst not the Eternal thy God with joyfulness, and with gladness of heart, for the multitude of all *things:* [48]Therefore shalt thou serve thine enemies, whom the Eternal shall send forth against thee, in famine, and in nakedness, and in want of all *things:* and he shall put a yoke of iron upon thy neck, until he have exterminated thee. [49]The Eternal shall bring a nation against thee from afar, from the extremity of the earth, *as swift* as the eagle soareth; a nation whose tongue thou shalt not understand: [50]A nation of fierce countenance, which shall not regard the person of the old, nor shew favour to the young: [51]And he shall eat the fruit of thy beasts, and the fruit of thy land, until thou be exterminated: which *also* shall not let remain to thee

רש"י

"driving out" and "expelling", for then it ought to have written יוריש.[1]) **(47)** מרב כל *means:* whilst you possessed all good things[2]). **(49)** כאשר ידאה הנשר [THE LORD WILL BRING A NATION AGAINST THEE FROM AFAR], AS THE EAGLE SWOOPETH — *i.e.* suddenly, and by a successful march[3]), and its horses will be swift. לא תשמע לשנו *means, a nation* whose tongue thou shalt not understand. Similar is, (Gen. XLI. 15) "Thou canst understand (תשמע) a dream to interpret", and so, *too,* (ib. XLII. 23) "that

NOTES

For Notes 1—3 see Appendix.

דָּגָן֙ תִּירוֹשׁ֙ וְיִצְהָ֔ר שְׁגַ֥ר אֲלָפֶ֖יךָ וְעַשְׁתְּרֹ֣ת צֹאנֶ֑ךָ
עַ֥ד הַאֲבִיד֖וֹ אֹתָֽךְ׃ נב וְהֵצַ֨ר לְךָ֜ בְּכָל־שְׁעָרֶ֗יךָ עַ֣ד
רֶ֤דֶת חֹמֹתֶ֙יךָ֙ הַגְּבֹהֹ֣ת וְהַבְּצֻר֔וֹת אֲשֶׁ֥ר אַתָּ֛ה בֹּטֵ֥חַ
בָּהֵ֖ן בְּכָל־אַרְצֶ֑ךָ וְהֵצַ֤ר לְךָ֙ בְּכָל־שְׁעָרֶ֔יךָ בְּכָל־
אַ֨רְצְךָ֔ אֲשֶׁ֥ר נָתַ֛ן יְהוָ֥ה אֱלֹהֶ֖יךָ לָֽךְ׃ נג וְאָכַלְתָּ֣ פְרִֽי־
בִטְנְךָ֗ בְּשַׂ֤ר בָּנֶ֙יךָ֙ וּבְנֹתֶ֔יךָ אֲשֶׁ֥ר נָֽתַן־לְךָ֖ יְהוָ֣ה אֱלֹהֶ֑יךָ
בְּמָצוֹר֙ וּבְמָצ֔וֹק אֲשֶׁר־יָצִ֥יק לְךָ֖ אֹיְבֶֽךָ׃ נד הָאִישׁ֙
הָרַ֣ךְ בְּךָ֔ וְהֶעָנֹ֖ג מְאֹ֑ד תֵּרַ֨ע עֵינ֤וֹ בְאָחִיו֙ וּבְאֵ֣שֶׁת
חֵיק֔וֹ וּבְיֶ֥תֶר בָּנָ֖יו אֲשֶׁ֥ר יוֹתִֽיר׃ נה מִתֵּ֣ת ׀ לְאַחַ֣ד מֵהֶ֗ם
מִבְּשַׂ֤ר בָּנָיו֙ אֲשֶׁ֣ר יֹאכֵ֔ל מִבְּלִ֥י הִשְׁאִֽיר־ל֖וֹ כֹּ֑ל
בְּמָצוֹר֙ וּבְמָצ֔וֹק אֲשֶׁ֨ר יָצִ֥יק לְךָ֛ אֹיִבְךָ֖ בְּכָל־שְׁעָרֶֽיךָ׃
נו הָרַכָּ֨ה בְךָ֜ וְהָעֲנֻגָּ֗ה אֲשֶׁ֨ר לֹֽא־נִסְּתָ֤ה כַף־רַגְלָהּ֙

אונקלוס

דְּאַרְעָךְ עַד דְּשֵׁיצָךְ דִּי לָא יַשְׁאַר לָךְ עֲבוּרָא חַמְרָא וּמִשְׁחָא בַּקְרֵי תוֹרָיךְ וְעֶדְרֵי
עָנָךְ עַד דְּיוֹבֵד יָתָךְ׃ נב וְיָעֵיק לָךְ בְּכָל קִרְוָיךְ עַד דְּיִכְבּוּשׁ שׁוּרָיךְ רָמַיָּא וּכְרִיכַיָּא
דִּי אַתְּ רָחֵיץ לְאִשְׁתֵּיזָבָא בְּהוֹן בְּכָל אַרְעָךְ וְיָעֵיק לָךְ בְּכָל קִרְוָיךְ בְּכָל אַרְעָךְ דִּי
יְהַב יְיָ אֱלָהָךְ לָךְ׃ נג וְתֵיכוּל וַלְדָּא דִּמְעָךְ בְּשַׂר בְּנָיךְ וּבְנָתָיךְ דִּי יְהַב לָךְ יְיָ אֱלָהָךְ
בְּצַיְרָא וּבְעָקְתָא דִּיעִיק לָךְ סָנְאָךְ׃ נד גַּבְרָא דְּרַכִּיךְ בָּךְ וְדִמְפַנַּק לַחֲדָא תִּבְאַשׁ
עֵינֵיהּ בְּאָחוּהִי וּבְאִתַּת קְיָמֵיהּ וּבִשְׁאָר בְּנוֹהִי דִּי יַשְׁאַר׃ נה מִלְּמִתַּן לְחַד מִנְּהוֹן
מִבְּשַׂר בְּנוֹהִי דִּי יֵיכוּל מִדְּלָא אִשְׁתְּאַר לֵיהּ כָּלָּא בְּצַיְרָא וּבְעָקְתָא דִּי יָעֵיק לָךְ
סָנְאָךְ בְּכָל קִרְוָיךְ׃ נו דְּרַכִּיכָא בָךְ וְדִמְפַנְּקָא דִּי לָא נַסִּיאַת פַּרְסַת רַגְלַהּ לְאַחָתָא

רש"י

(שם מ"ב), אינטינד"רי: (נב) עד רדת חמתיך. לְשׁוֹן רִדּוּי וְכִבּוּשׁ: (נג) ואכלת... בשר
בניך... במצור. מֵחֲמַת שֶׁיִּהְיוּ צָרִים עַל הָעִיר וְיִהְיֶה שָׁם מָצוֹק, עָקַת רַעֲבוֹן: (נד) הרך
בך והענג. הוּא הָרַךְ הוּא הֶעָנֹג, לְשׁוֹן פִּנּוּק, וּמִתְעַנֵּג וְרַךְ מוֹכִיחַ עֲלֵיהֶם שֶׁשְּׁנֵיהֶם
אֶחָד: אַעַ"פּ שֶׁהוּא מְפֻנָּק וְדַעְתּוֹ קָצָה בְּדָבָר מָאוּס, יִמְתַּק לוֹ לִרְעָבוֹנוֹ בְּשַׂר בָּנָיו וּבְנוֹתָיו.
עַד כִּי תרע עינו בְּבָנָיו הַנּוֹתָרִים מתת לאחד מהם מבשר בניו אֲחֵיהֶם אשר יאכל.
דָּ"א הרך בך, הָרַחְמָנִי וְרַךְ הַלֵּבָב מֵרוֹב רְעָבוֹנוֹת יִתְאַכְזְרוּ וְלֹא יִתְּנוּ מִבְּשַׂר בְּנֵיהֶם

either corn, must, or oil, *or* the increase of thy neat, or breeds of thy flocks, until he have destroyed thee. [52]And he shall besiege thee in all thy gates, until thy high and fortified walls come down, wherein thou trustedst, throughout all thy land: and he shall besiege thee in all thy gates thoughout all thy land, which the Eternal thy God hath given thee. [53]And thou shalt eat the fruit of thine own body, the flesh of thy sons and of thy daughters, whom the Eternal thy God hath given thee, in the siege, and in the straitness, wherewith thine enemies shall distress thee: [54]*So that* the man *that is* most tender among you, and delicate, his eye shall be evil towards his brother, and towards the wife of his bosom, and towards the remnant of his children whom he shall leave: [55]So that he will not give to any of them of the flesh of his children whom he shall eat: because nothing remaineth to him in the siege, and in the straitness, wherewith thine enemies shall distress thee in all thy gates. [56]The tender and delicate woman among you, who would not adventure to set the sole of her foot

רש"י

Joseph u n d e r s t o o d (שמע)"; entendre *in O. F.* **(52)** עד רדת חמתיך — *The word* רדת means subjugation (רדוי) and conquest (cf. Rashi on XX. 20). **(53)** ואכלת ... בשר בניך ... במצור AND THOU SHALT EAT ... THE FLESH OF THY SONS ... IN THE SIEGE, [AND IN THE STRAITNESS] — B e - c a u s e they (the enemies) will besiege the city and there will *consequently* be straitness — *i. e.* the stress of famine[1]). **(54)** הרך בך והענג THE MOST TENDER AMONG YOU AND THE DELICATE — רך and ענג are one and the same person; *the words* denote delicate living. *The expressions in v. 56* ומהתענג ומרך prove regarding them that both of them (the two descriptive terms) *refer to* one person. *The meaning of the verse is:* Although he may be fastidious and his nature sickens at anything nauseous yet the flesh of his sons and daughters will be so pleasant to him on account of his hunger, that תרע עינו HIS EYE WILL BE EVIL towards his remaining children, מתת לאחד מהם מבשר בניו THAT HE WILL NOT GIVE TO ANY OF THEM THE FLESH OF HIS CHILDREN — their brothers, אשר יאכל WHOM HE WILL EAT. — Another explanation of הרך בך is: the merciful and tender-hearted will become cruel because of the great

NOTES

1) The ב in במצור ובמצוק have a causal force: on account of. Cf. ברשעת, IX. 4.

הַצֵּג עַל־הָאָרֶץ מֵהִתְעַנֵּג וּמֵרֹךְ תֵּרַע עֵינָהּ בְּאִישׁ חֵיקָהּ וּבִבְנָהּ וּבְבִתָּהּ׃ נז וּבְשִׁלְיָתָהּ הַיּוֹצֵת ׀ מִבֵּין רַגְלֶיהָ וּבְבָנֶיהָ אֲשֶׁר תֵּלֵד כִּי־תֹאכְלֵם בְּחֹסֶר־כֹּל בַּסָּתֶר בְּמָצוֹר וּבְמָצוֹק אֲשֶׁר יָצִיק לְךָ אֹיִבְךָ בִּשְׁעָרֶיךָ׃ נח אִם־לֹא תִשְׁמֹר לַעֲשׂוֹת אֶת־כָּל־דִּבְרֵי הַתּוֹרָה הַזֹּאת הַכְּתֻבִים בַּסֵּפֶר הַזֶּה לְיִרְאָה אֶת־הַשֵּׁם הַנִּכְבָּד וְהַנּוֹרָא הַזֶּה אֵת יְהוָה אֱלֹהֶיךָ׃ נט וְהִפְלָא יְהוָה אֶת־מַכֹּתְךָ וְאֵת מַכּוֹת זַרְעֶךָ מַכּוֹת גְּדֹלֹת וְנֶאֱמָנוֹת וָחֳלָיִם רָעִים וְנֶאֱמָנִים׃ ס וְהֵשִׁיב בְּךָ אֵת כָּל־מַדְוֵה מִצְרַיִם אֲשֶׁר יָגֹרְתָּ מִפְּנֵיהֶם וְדָבְקוּ בָּךְ׃ סא גַּם כָּל־חֳלִי וְכָל־מַכָּה אֲשֶׁר לֹא כָתוּב בְּסֵפֶר הַתּוֹרָה הַזֹּאת יַעְלֵם יְהוָה עָלֶיךָ עַד הִשָּׁמְדָךְ׃

אונקלוס

עַל אַרְעָא מֵאִתְפַּנָּקוּ וּמֵרַכִּיכוּ תִּבְאַשׁ עֵינַהּ בִּגְבַר קְיָמַהּ וּבִבְרַהּ וּבִבְרַתַּהּ: נז וּבִזְעַר בְּנָהָא דְּיִפְּקוּן מִנַּהּ וּבִבְנָהָא דִּי תְלִיד אֲרֵי תֵיכְלִנּוּן בַּחֲסִירוּת כֹּלָּא בְּסִתְרָא בִּצְיָרָא וּבְעָקְתָא דִּי יְעִיק לָךְ סָנְאָךְ בְּקִרְוָיךְ: נח אִם לָא תִטַּר לְמֶעְבַּד יָת כָּל פִּתְגָּמֵי אוֹרָיְתָא הָדָא דִּכְתִיבִין בְּסִפְרָא הָדֵין לְמִדְחַל יָת שְׁמָא יַקִּירָא וּדְחִילָא הָדֵין יָת יְיָ אֱלָהָךְ: נט וְיִפְרֵשׁ יְיָ יָת מָחָתָךְ וְיָת מָחַת בְּנָךְ מָחָן רַבְרְבָן וּמְהֵימְנָן וּמַכְתָּשִׁין בִּישִׁין וּמְהֵימְנִין: ס וְאָתֵיב בָּךְ יָת כָּל מַכְתָּשֵׁי מִצְרַיִם דִּי דְחֵלְתָּא מִקֳּדָמֵיהוֹן וְיִדְבְּקוּן בָּךְ: סא אַף כָּל מְרַע וְכָל מְחָא דִּי לָא כְתִיב בְּסִפְרָא אוֹרָיְתָא

רש"י

השחוסים לבניהם הנותרים: (נו) תרע עינה באיש חיקה ובבנה ובבתה הגדולים: (נז) ובשליתה. בנים הקטנים, בכלן תהא עינה צרה כשתאכל את האחד מלתן לאשר אצלה מן הבשר: (נט) והפלא ה' את מכתך. מפלאות ומבדלות משאר מכות: ונאמנות. ליסרך, לקים שליחותן: (ס) אשר יגרת מפניהם. מפני המכות, כשהיו ישראל רואין מכות משנות הבאות על מצרים היו יראים מהם שלא יבאו גם עליהם, תדע שכן כתוב אם שמוע תשמע וגו' כל המחלה אשר שמתי במצרים לא אשים עליך (שמ' ט"ו) — אין מיראין את האדם אלא בדבר שהוא יגור ממנו: (סא) יעלם. לשון עליה:

upon the ground for delicateness and tenderness, her eye shall be evil towards the husband of her bosom, and towards her son, and towards her daughter, 57And towards her after-birth that cometh out from between her feet, and towards her children whom she shall bear: for she shall eat them for want of all *things* secretly in the siege and straitness wherewith thine enemy shall distress thee in thy gates. 58If thou wilt not observe to do all the words of this law that are written in this book, that thou mayest fear this glorious and fearful name, THE ETERNAL THY GOD; 59Then the Eternal will distinguish thy plagues, and the plagues of thy seed, *even* great plagues, and of long continuance, and sore sickness, and of long continuance. 60Moreover, he will bring upon thee all the diseases of Egypt, which thou dreadest; and they shall cleave unto thee. 61And every sickness, and every plague, which *is* not written in the book of this law, them will the Eternal bring up upon thee, until thou be exterminated.

רש״י

hunger and will not give of the flesh of their children who have been killed to their remaining children. **(56)** תרע עינה באיש חיקה ובבנה ובבתה HER EYE SHALL BE EVIL TOWARDS THE HUSBAND OF HER BOSOM, AND TOWARDS HER SON, AND TOWARDS HER DAUGHTER — *i.e.* the adult *sons and daughters,* **(57)** ובשליתה AND TOWARDS HER שליה — *i.e. towards* her little children; towards all these will her eye be evil when she eats one *of them* so that she will not give of the flesh to those that are still with her (to those that are still living). **(59)** והפלא ה׳ את מכתך THEN THE LORD WILL DISTINGUISH THY PLAGUES — *He will afflict you with plagues* exceptional and quite different from other plagues. ונאמנות (lit., trustworthy, reliable), *i. e. certain* to chastise you — *certain* to perform the task entrusted to them. **(60)** אשר יגרת מפניהם [HE WILL BRING UPON THEE ALL THE DISEASES OF EGYPT] OF WHICH THOU ART AFRAID — *i.e. afraid* of the plagues (not of Egypt)[1]. When the Israelites saw the strange plagues that came upon the Egyptians they were afraid of them — that they might not befall them also. You may know *this,* for so it states, (Ex. XV. 26) "If thou wilt indeed hearken [to the voice of the Lord . . .], none of the diseases which I have put upon Egypt, will I put on you", *since* one threatens a person only with things of which he is afraid. **(61)** יעלם is a form from *the root* עלה (not from עלם).

NOTES

1) See Appendix.

סב וְנִשְׁאַרְתֶּם֙ בִּמְתֵ֣י מְעָ֔ט תַּ֚חַת אֲשֶׁ֣ר הֱיִיתֶ֔ם כְּכוֹכְבֵ֥י הַשָּׁמַ֖יִם לָרֹ֑ב כִּי־לֹ֣א שָׁמַ֔עְתָּ בְּק֖וֹל יְהוָ֥ה אֱלֹהֶֽיךָ׃ סג וְהָיָ֡ה כַּאֲשֶׁר־שָׂ֣שׂ יְהוָה֩ עֲלֵיכֶ֨ם לְהֵיטִ֣יב אֶתְכֶם֮ וּלְהַרְבּ֣וֹת אֶתְכֶם֒ כֵּ֣ן יָשִׂ֤ישׂ יְהוָה֙ עֲלֵיכֶ֔ם לְהַאֲבִ֥יד אֶתְכֶ֖ם וּלְהַשְׁמִ֣יד אֶתְכֶ֑ם וְנִסַּחְתֶּם֙ מֵעַ֣ל הָאֲדָמָ֔ה אֲשֶׁר־אַתָּ֥ה בָא־שָׁ֖מָּה לְרִשְׁתָּֽהּ׃ סד וֶהֱפִֽיצְךָ֤ יְהוָה֙ בְּכָל־הָ֣עַמִּ֔ים מִקְצֵ֥ה הָאָ֖רֶץ וְעַד־קְצֵ֣ה הָאָ֑רֶץ וְעָבַ֨דְתָּ שָּׁ֜ם אֱלֹהִ֣ים אֲחֵרִ֗ים אֲשֶׁ֧ר לֹא־יָדַ֛עְתָּ אַתָּ֥ה וַאֲבֹתֶ֖יךָ עֵ֥ץ וָאָֽבֶן׃ סה וּבַגּוֹיִ֤ם הָהֵם֙ לֹ֣א תַרְגִּ֔יעַ וְלֹא־יִהְיֶ֥ה מָנ֖וֹחַ לְכַף־רַגְלֶ֑ךָ וְנָתַן֩ יְהוָ֨ה לְךָ֥ שָׁם֙ לֵ֣ב רַגָּ֔ז וְכִלְי֥וֹן עֵינַ֖יִם וְדַאֲב֥וֹן נָֽפֶשׁ׃ סו וְהָי֣וּ חַיֶּ֔יךָ תְּלֻאִ֥ים לְךָ֖ מִנֶּ֑גֶד וּפָֽחַדְתָּ֙ לַ֣יְלָה וְיוֹמָ֔ם וְלֹ֥א תַאֲמִ֖ין בְּחַיֶּֽיךָ׃

אונקלוס

הָדָא יַתְנִינוּן יְיָ עֲלָךְ עַד דְּיִשֵׁיצֵךְ׃ סב וְתִשְׁתַּאֲרוּן בְּעַם זְעֵר חֲלָף דִּי הֲוֵיתוּן כְּכוֹכְבֵי שְׁמַיָּא לְמִסְגֵּי אֲרֵי לָא קַבֶּלְתָּא לְמֵימְרָא דַּייָ אֱלָהָךְ׃ סג וִיהֵי כְּמָא דַחֲדֵי יְיָ עֲלֵיכוֹן לְאוֹטָבָא יָתְכוֹן וּלְאַסְגָּאָה יָתְכוֹן כֵּן יֶחְדֵּי יְיָ עֲלֵיכוֹן לְאוֹבָדָא יָתְכוֹן וּלְשֵׁיצָאָה יָתְכוֹן וְתִטַּלְטְלוּן מֵעַל אַרְעָא דְּאַתְּ עָלֵל לְתַמָּן לְמֵירְתַהּ׃ סד וִיבַדְּרִנָּךְ יְיָ בְּכָל עַמְמַיָּא מִסְּיָפֵי אַרְעָא וְעַד סְיָפֵי אַרְעָא וְתִפְלַח תַּמָּן לְעַמְמַיָּא פָּלְחֵי טַעֲוָתָא דִּי לָא יְדַעְתְּ אַתְּ וַאֲבָהָתָךְ אָעָא וְאַבְנָא׃ סה וּבְעַמְמַיָּא הָאִנּוּן לָא תְנוּחַ וְלָא יְהֵי מְנָח לְפַרְסַת רַגְלָךְ וְיִתֵּן יְיָ לָךְ תַּמָּן לֵב דָּחֵל וּמַחְשְׁכָן עֵינִין וּמַפְּחָן נְפָשׁ׃ סו וִיהוֹן

רש"י

(סב) ונשארתם במתי מעט תחת וגו'. מוּעָטִין חֵלֶף מְרֻבִּים: **(סג) כן ישיש ה'.** אֶת אוֹיְבֵיכֶם עליכם להאביד וגו': **ונסחתם.** לְשׁוֹן עֲקִירָה וְכֵן (מש' ט"ו) בֵּית גֵּאִים יִסַּח ה': **(סד) ועבדת שם אלהים אחרים.** כְּתַרְגּוּמוֹ, לֹא עֲבוֹדַת אֱלוֹהוּת מַמָּשׁ אֶלָּא מַעֲלִים מַס וּגְלוּלְיוֹת לְכוֹמְרֵי עֲ"זָ: **(סה) לא תרגיע.** לֹא תָנוּחַ, כְּמוֹ וְזֹאת הַמַּרְגֵּעָה (יש' כ"ח): **לב רגז.** לֵב חָרֵד, כְּתַרְגּוּמוֹ דָּחֵל, כְּמוֹ (יש' י"ד) שְׁאוֹל מִתַּחַת רָגְזָה לְךָ, (שמ' ט"ו) שָׁמְעוּ עַמִּים יִרְגָּזוּן, (ש"ב כ"ב) מוֹסְדוֹת הַשָּׁמַיִם יִרְגָּזוּ: **וכליון עינים.** מְצַפֶּה לִישׁוּעָה וְלֹא תָבֹא: **(סו) חייך תלאים לך.** עַל הַסָּפֵק, כָּל סָפֵק קָרוּי תָּלוּי, שֶׁמָּא אָמוּת הַיּוֹם בְּחֶרֶב הַבָּאָה עָלַי. וְרַבּוֹתֵינוּ דָּרְשׁוּ זֶה הַלּוֹקֵחַ תְּבוּאָה מִן הַשּׁוּק: **ולא תאמין בחייך.** זֶה הַסּוֹמֵךְ עַל

[62]And ye shall remain few in number, whereas ye were as the stars of heaven for multitude; because thou wouldst not obey the voice of the Eternal thy God. [63]And it shall come to pass, *that* as the Eternal rejoiced over you to do you good, and to multiply you; so the Eternal will rejoice over you to cause you to perish, and to exterminate you; and ye shall be plucked from off the land whither thou goest to possess it. [64]And the Eternal shall scatter thee among all peoples, from the one extremity of the earth even unto the other extremity; and there thou shalt serve other gods, which neither thou nor thy fathers have known, *even* wood and stone. [65]And among these nations shalt thou find no ease, neither shall the sole of thy foot have rest: but the Eternal shall give thee a shaking heart, and failing of eyes, and fainting of mind: [66]And thy life shall hang in doubt before thee: and thou shalt dread day and night, and shalt have none assurance of thy life:

רש״י

(62) ונשארתם במתי מעט תחת וגו׳ AND YE SHALL REMAIN FEW IN NUMBER WHEREAS [YE WERE AS THE STARS OF HEAVEN FOR MULTITUDE] — *i.e.* a few instead of many[1]). **(63)** כן ישיש ה׳ SO WILL THE LORD MAKE your enemies REJOICE עליכם OVER YOU, להאביד וגו׳ TO DESTROY [YOU] (Meg. 10b)[2]). ונסחתם is an expression denoting "uprooting". Similar is, (Prov. XV. 25) "The Lord will uproot (יסח) the house of the haughty". **(64)** ועבדתם שם אלהים אחרים AND YE WILL SERVE THERE OTHER GODS — *Understand this* as the Targum *does:* (ye will serve the peoples that worship idols); not actually that they shall serve idols, but they will have to pay tribute and poll-taxes to the priests of the idols. **(65)** לא תרגיע *means,* THOU SHALT FIND NO REST, as (Is. XXVIII. 12) "This is the rest (המרגעה)". לב רגז *means,* A TREMBLING HEART, as the Targum *has it:* דחל, fearing. It is similar in meaning to (Is. XIV. 9) "The nether-world from beneath trembleth (רגזה) for thee"; (Ex. XV. 14) "The peoples have heard, they trembled"; (2. Sam. XXII. 8) "The foundations of heaven trembled". וכליון עינים AND A FAILING OF THE EYES — *The phrase is used of one* who expectantly looks for help and it does not come (cf. v. 32). **(66)** חייך תלאים לך THY LIFE SHALL HANG BEFORE THEE — because of uncertainty. — Anything that is uncertain may be termed תלוי ("hanging"); *You will always be saying:* "Perhaps I shall die to-day through the sword that is coming upon us". — Our Rabbis interpreted *this* to refer to one who is *obliged to* buy corn in the market (who does not possess any of his own), ולא תאמין בחייך AND THOU SHALT HAVE NONE ASSURANCE OF

NOTES

For Notes 1—2 see Appendix.

סז בַּבֹּקֶר תֹּאמַר מִי־יִתֵּן עֶרֶב וּבָעֶרֶב תֹּאמַר מִי־
יִתֵּן בֹּקֶר מִפַּחַד לְבָבְךָ אֲשֶׁר תִּפְחָד וּמִמַּרְאֵה עֵינֶיךָ
אֲשֶׁר תִּרְאֶה: סח וֶהֱשִׁיבְךָ יְהוָה ׀ מִצְרַיִם בָּאֳנִיּוֹת
בַּדֶּרֶךְ אֲשֶׁר אָמַרְתִּי לְךָ לֹא־תֹסִיף עוֹד לִרְאֹתָהּ
וְהִתְמַכַּרְתֶּם שָׁם לְאֹיְבֶיךָ לַעֲבָדִים וְלִשְׁפָחוֹת וְאֵין
קֹנֶה: ס סט אֵלֶּה דִבְרֵי הַבְּרִית אֲשֶׁר־צִוָּה יְהוָה
אֶת־מֹשֶׁה לִכְרֹת אֶת־בְּנֵי יִשְׂרָאֵל בְּאֶרֶץ מוֹאָב
מִלְּבַד הַבְּרִית אֲשֶׁר־כָּרַת אִתָּם בְּחֹרֵב: פ שביעי
כט א וַיִּקְרָא מֹשֶׁה אֶל־כָּל־יִשְׂרָאֵל וַיֹּאמֶר אֲלֵהֶם
אַתֶּם רְאִיתֶם אֵת כָּל־אֲשֶׁר עָשָׂה יְהוָה לְעֵינֵיכֶם
בְּאֶרֶץ מִצְרַיִם לְפַרְעֹה וּלְכָל־עֲבָדָיו וּלְכָל־אַרְצוֹ:
ב הַמַּסֹּת הַגְּדֹלֹת אֲשֶׁר רָאוּ עֵינֶיךָ הָאֹתֹת

אונקלום

חֲזֵיךְ תְּהֵן לָךְ מְקַבֵּל וּתְהֵי תָהֵא לֵילְיָא וְיֵימָא וְלָא תְהֵימִין בְּחַיָּיךְ: סז בְּצַפְרָא
תֵּימַר מָן יִתֵּן רַמְשָׁא וּבְרַמְשָׁא תֵּימַר מָן יִתֵּן צַפְרָא מִתַּוְהוּת לִבָּךְ דִּי תְהֵי תָהֵא
וּמֵחֵזוּ עֵינָךְ דִּי תְהֵי חָזֵי: סח וְיָתֵיבִנָּךְ יְיָ מִצְרַיִם בִּסְפִינָן בְּאָרְחָא דִּי אֲמָרִית לָךְ
לָא תוֹסֵף עוֹד לְמֶחֱזֵהּ וְתִזְדַּבְּנוּן תַּמָּן לְבַעֲלֵי דְבָבָךְ לְעַבְדִּין וּלְאַמְהָן וְלֵית דְּקָנֵה:
סט אִלֵּין פִּתְגָּמֵי קְיָמָא דִּי פַקִּיד יְיָ יָת מֹשֶׁה לְמִגְזַר עִם בְּנֵי יִשְׂרָאֵל בְּאַרְעָא
דְמוֹאָב בַּר מִקְּיָמָא דִּי גְזַר עִמְּהוֹן בְּחוֹרֵב: א וּקְרָא מֹשֶׁה לְכָל יִשְׂרָאֵל וַאֲמַר
לְהוֹן אַתּוּן חֲזֵיתוּן יָת כָּל דִּי עֲבַד יְיָ לְעֵינֵיכוֹן בְּאַרְעָא דְמִצְרַיִם לְפַרְעֹה וּלְכָל
עַבְדּוֹהִי וּלְכָל אַרְעֵהּ: ב נִסֵּי רַבְרְבַיָּא דִּי חֲזָאָה עֵינָךְ אָתַיָּא וּמוֹפְתַיָּא רַבְרְבַיָּא

רש״י

הַפְלֶטֶר (עי׳ מנ׳ ק״נ): (סו) בבקר תאמר מי יתן ערב. וְיִהְיֶה הָעֶרֶב שֶׁל אֶמֶשׁ, וּבְעֶרֶב
תאמר מי יתן בקר. שֶׁל שַׁחֲרִית, שֶׁהַצָּרוֹת מִתְחַזְּקוֹת תָּמִיד וְכָל שָׁעָה מְרֻבָּה קִלְלָתָהּ
מִשֶּׁלְּפָנֶיהָ (עי׳ סוטה מ״ט): (סח) באניות. בִּסְפִינוֹת - בְּשִׁבְיָה. והתמכרתם שם לאיביך.
אַתֶּם מְבַקְּשִׁים לִהְיוֹת נִמְכָּרִים לָהֶם לַעֲבָדִים וְלִשְׁפָחוֹת, וְאֵין קֹנֶה. כִּי יִגְזְרוּ עָלֶיךָ הֶרֶג
וְכִלָּיוֹן. והתמכרתם. בְּלַעַ״ז אישפורוונדיר״ק וי״ט, וְלֹא יִסָּכֵן לְפָרֵשׁ וְהִתְמַכַּרְתֶּם בִּלְשׁוֹן
וְנִמְכַּרְתֶּם עַל יְדֵי מוֹכְרִים אֲחֵרִים מִפְּנֵי שֶׁנֶּאֱמַר אַחֲרָיו וְאֵין קֹנֶה: (סט) לכרת את בני
ישראל. שֶׁיְּקַבְּלוּ עֲלֵיהֶם אֶת הַתּוֹרָה בְּאָלָה וּבִשְׁבוּעָה: מלבד הברית. קִלְלוֹת שֶׁבְּתוֹרַת
כֹּהֲנִים שֶׁנֶּאֶמְרוּ בְּסִינַי:

[67]In the morning thou shalt say, Would it were even! and at even thou shalt say, Would it were morning! for the dread of thine heart wherewith thou shalt dread, and for the sight of thine eyes which thou shalt see. [68]And the Eternal shall bring thee into Egypt again with ships, by the way whereof I spake unto thee, Thou shalt see it no more again: and there shall ye be sold unto your enemies for servants and handmaids, and no man shall buy *you*. [69]These *are* the words of the covenant, which the Eternal commanded Moses to make with the children of Israel in the land of Moab, besides the covenant which he made with them in Horeb.

29. [1]And Moses called unto all Israel, and said unto them, Ye have seen all that the Eternal did before your eyes in the land of Egypt unto Pharaoh, and unto all his servants, and unto all his land; [2]The great trials which thine eyes have seen, the signs,

רש"י

THY LIFE — *this they refer to* one who *must* rely on the baker (cf. Men. 103b)[1]). **(67)** בבקר תאמר מי יתן ערב IN THE MORNING THOU SHALT SAY, WOULD IT WERE EVEN! — *i.e.* would that it were *again* yesterday evening, ובערב תאמר מי יתן בקר AND AT EVEN THOU SHALT SAY, WOULD IT WERE MORNING! — *i.e.* the morning of to-day, because the misery will constantly grow more severe, and the curse of each hour will be greater than that of the preceding (cf. Sota 49a)[2]). **(68)** באניות [AND THE LORD WILL BRING THEE INTO EGYPT AGAIN] באניות — *the latter word means,* in ships, *i.e. He will bring thee again* into captivity *to Egypt.* והתמכרתם שם לאיביך *means,* ye will seek to be sold to them for slaves and handmaids (i. e. YE WILL OFFER YOURSELVES FOR SALE), ואין קנה AND NO MAN WILL BUY YOU — because they will pass upon you the doom of death and extermination. והתמכרתם — "et pour vendrez yous" in O. F. It would not, however, be correct to explain והתמכרתם in the sense of ונמכרתם "and ye will be sold" — *i.e.* by sellers other than yourselves, for it adds afterwards: "but no one will buy you". **(69)** לכרת את בני ישראל [THE COVENANT WHICH THE LORD COMMANDED ...] TO MAKE WITH THE CHILDREN OF ISRAEL — that they will take upon themselves the observance of the Torah under an imprecation and oath (cf. XXIX. 11). מלבד הברית BESIDES THE COVENANT — *i.e.* the curses in Torath Cohanim (Lev. XXVI. 14 ff.) which were spoken at Sinai (Horeb).

NOTES

[1]) See Appendix.

[2]) The meaning is not: "Would that the morning were past and it be evening when I shall be relieved", but, "Would that it were again last night, because to-day is certain to bring me more misery than yesterday!".

וְהַמֹּפְתִים הַגְּדֹלִים הָהֵם: ג וְלֹא־נָתַן יְהוָה לָכֶם לֵב לָדַעַת וְעֵינַיִם לִרְאוֹת וְאָזְנַיִם לִשְׁמֹעַ עַד הַיּוֹם הַזֶּה: ד וָאוֹלֵךְ אֶתְכֶם אַרְבָּעִים שָׁנָה בַּמִּדְבָּר לֹא־בָלוּ שַׂלְמֹתֵיכֶם מֵעֲלֵיכֶם וְנַעַלְךָ לֹא־בָלְתָה מֵעַל רַגְלֶךָ: ה לֶחֶם לֹא אֲכַלְתֶּם וְיַיִן וְשֵׁכָר לֹא שְׁתִיתֶם לְמַעַן תֵּדְעוּ כִּי אֲנִי יְהוָה אֱלֹהֵיכֶם: מפטיר ו וַתָּבֹאוּ אֶל־הַמָּקוֹם הַזֶּה וַיֵּצֵא סִיחֹן מֶלֶךְ־חֶשְׁבּוֹן וְעוֹג מֶלֶךְ־הַבָּשָׁן לִקְרָאתֵנוּ לַמִּלְחָמָה וַנַּכֵּם: ז וַנִּקַּח אֶת־אַרְצָם וַנִּתְּנָהּ לְנַחֲלָה לָרֻאוּבֵנִי וְלַגָּדִי וְלַחֲצִי שֵׁבֶט הַמְנַשִּׁי: ח וּשְׁמַרְתֶּם אֶת־דִּבְרֵי הַבְּרִית הַזֹּאת

אונקלוס

ג וְלָא יְהַב יְיָ לְכוֹן לִבָּא לְמִדַּע וְעַיְנִין לְמֶחֱזֵי וְאֻדְנִין לְמִשְׁמַע עַד יוֹמָא הָדֵין: ד וְדַבָּרִית יָתְכוֹן אַרְבְּעִין שְׁנִין בְּמַדְבְּרָא לָא בְלִיאַת כְּסוּתְכוֹן מִנְּכוֹן וּמְסָנָךְ לָא עֲדוֹ מֵעַל רַגְלָךְ: ה לַחְמָא לָא אֲכַלְתּוּן וַחֲמַר חֲדַת וְעַתִּיק לָא שְׁתֵיתוּן בְּדִיל דְּתִדְּעוּן אֲרֵי אֲנָא יְיָ אֱלָהֲכוֹן: ו וַאֲתֵיתוּן לְאַתְרָא הָדֵין וּנְפַק סִיחוֹן מַלְכָּא דְחֶשְׁבּוֹן וְעוֹג מַלְכָּא דְמַתְנָן לְקַדָּמוּתָנָא לַאֲגָחָא קְרָבָא וּמְחוֹנִינוּן: ז וּכְבַשְׁנָא יָת אַרְעֲהוֹן וִיהַבְנָא לְאַחְסָנָא לְשִׁבְטָא דִּרְאוּבֵן וּלְשִׁבְטָא דְגָד וּלְפַלְגוּת שִׁבְטָא דִמְנַשֶּׁה: ח וְתִטְּרוּן יָת פִּתְגָּמֵי קְיָמָא הָדָא וְתַעְבְּדוּן יָתְהוֹן בְּדִיל דְּתַצְלְחוּן יָת כָּל דִּי תַעְבְּדוּן:

רש"י

כט (ג) **ולא נתן ה' לכם לב לדעת.** להכיר את חסדי הקב"ה ולדבק בו: **עד היום הזה.** שמעתי שאותו היום שנתן משה ספר התורה לבני לוי, כמו שכתוב (דב' ל"א) ויתנה אל הכהנים בני לוי, באו כל ישראל לפני משה ואמרו לו משה רבינו, אף אנו עמדנו בסיני וקבלנו את התורה וניתנה לנו, ומה אתה משליט את בני שבטך עליה ויאמרו לנו יום מחר לא לכם נתנה, לנו נתנה, ושמח משה על הדבר, ועל זאת אמר להם היום הזה נהיית לעם וגו', היום הזה הבנתי שאתם דבקים וחפצים במקום: (ו) **ותבאו אל המקום הזה.** עתה אתם רואים עצמכם בגדלה וכבוד, אל תבעטו במקום ואל ירום לבבכם ושמרתם את דברי הברית הזאת: ד"א **ולא נתן ה' לכם לב לדעת** שאין אדם עומד על סוף דעתו של רבו וחכמת משנתו עד ארבעים שנה ולפיכך לא הקפיד עליכם המקום עד היום הזה, אבל מכאן ואילך יקפיד, ולפיכך **ושמרתם את דברי הברית הזאת וגו'** (ע"ז ה'):

and those great wonders: [3]Yet the Eternal hath not given you an heart to know, and eyes to see, and ears to hear, unto this day. [4]And I have led you forty years in the desert: your clothes are not faded upon you, and thy shoe is not worn out upon thy foot. [5]Ye have not eaten bread, neither have ye drunk wine or strong drink: that ye might know that I *am* the Eternal your God. [6]And when ye came unto this place, Sihon the king of Heshbon, and Og the king of Bashan, came out against us unto war, and we smote them: [7]And we took their land, and gave it for an inheritance unto the Reubenites, and unto the Gadites, and unto the half tribe of Manasseh. [8]Keep therefore the words of this covenant,

רש״י

29. (3) ולא נתן ה׳ לכם לב לדעת YET THE LORD HATH NOT GIVEN YOU A HEART TO KNOW — *i.e.* to understand the loving-kindnesses of the Omnipresent and to cleave unto Him[1]). עד היום הזה UNTO THIS DAY — I have heard that on the day when Moses gave the Book of the Law to the sons of Levi, as it is written, (XXXI. 9) "And he gave it to the priests the sons of Levi", all Israel came before Moses and said to him: Teacher Moses, we, too, stood at Sinai and accepted the Torah, and it was given to us; why, *then*, do you give the people of your tribe control over it, that they may to-morrow say to us, "Not to y o u was it given, *but* to u s was it given"? Moses rejoiced at this matter and in reference to this he said to them, (XXVII. 9) "This day thou art become the people [of the Lord thy God]", *meaning*, *Only* this day have I come to understand that you are attached to and have a desire for the Omnipresent. **(6)** ותבאו אל המקום הזה AND YE CAME TO THIS PLACE — Now you see yourselves in greatness and glory (you have defeated Sihon and Og); do not kick against the Omnipresent nor let your hearts be proud, **(8)** ושמרתם את דברי הברית הזאת BUT KEEP THE WORDS OF THIS COVENANT. — Another explanation of AND THE LORD HATH NOT GIVEN YOU A HEART TO UNDERSTAND [UNTO THIS DAY] — for no-one can fathom the depths of his teacher's mind nor the wisdom of his teaching until after forty years *study under him*. Therefore the Omnipresent has not dealt with you so strictly until this day (after forty years' instruction of the Torah), but from now and onward He will deal strictly with you — therefore ושמרתם את דברי הברית הזאת וגו׳ KEEP YE THE WORDS OF THIS COVENANT etc. (Ab. Zar. 5b).

NOTES

1) See **Appendix**.

וַעֲשִׂיתֶ֣ם אֹתָ֔ם לְמַ֣עַן תַּשְׂכִּ֔ילוּ אֵ֖ת כָּל־אֲשֶׁ֥ר
תַּעֲשֽׂוּן:

מפטירין קומי אורי. בישעיה בסימן ס'. קל"ב. לעבדת. סימן:

פ פ פ

ט אַתֶּ֨ם נִצָּבִ֤ים הַיּוֹם֙ כֻּלְּכֶ֔ם לִפְנֵ֖י יְהֹוָ֣ה אֱלֹהֵיכֶ֑ם
רָֽאשֵׁיכֶ֣ם שִׁבְטֵיכֶ֗ם זִקְנֵיכֶם֙ וְשֹׁ֣טְרֵיכֶ֔ם כֹּ֖ל
אִ֥ישׁ יִשְׂרָאֵֽל: י טַפְּכֶ֣ם נְשֵׁיכֶ֔ם וְגֵ֣רְךָ֔ אֲשֶׁ֖ר בְּקֶ֣רֶב
מַחֲנֶ֑יךָ מֵחֹטֵ֣ב עֵצֶ֔יךָ עַ֖ד שֹׁאֵ֥ב מֵימֶֽיךָ: יא לְעׇבְרְךָ֗
בִּבְרִ֛ית יְהֹוָ֥ה אֱלֹהֶ֖יךָ וּבְאָלָת֑וֹ אֲשֶׁר֙ יְהֹוָ֣ה אֱלֹהֶ֔יךָ
כֹּרֵ֥ת עִמְּךָ֖ הַיּֽוֹם: שני יב לְמַ֣עַן הָקִֽים־אֹתְךָ֩ הַיּ֨וֹם ׀
ל֜וֹ לְעָ֗ם וְה֤וּא יִֽהְיֶה־לְּךָ֙ לֵֽאלֹהִ֔ים כַּאֲשֶׁ֖ר דִּבֶּר־לָ֑ךְ
וְכַאֲשֶׁ֤ר נִשְׁבַּע֙ לַֽאֲבֹתֶ֔יךָ לְאַבְרָהָ֥ם לְיִצְחָ֖ק וּֽלְיַעֲקֹֽב:
יג וְלֹ֥א אִתְּכֶ֖ם לְבַדְּכֶ֑ם אָנֹכִ֕י כֹּרֵ֕ת אֶת־הַבְּרִ֥ית

אונקלום

ט אַתּוּן קָיְמִין יוֹמָא דֵין כֻּלְּכוֹן קֳדָם יְיָ אֱלָהֲכוֹן רֵישֵׁיכוֹן שִׁבְטֵיכוֹן סָבֵיכוֹן וְסָרְכֵיכוֹן
כֹּל אֲנָשׁ יִשְׂרָאֵל: י טַפְלְכוֹן נְשֵׁיכוֹן וְגִיּוֹרָךְ דִּי בְּגוֹ מַשְׁרִיתָךְ מִלָּקֵט אָעָךְ עַד
מָלֵי מֵימָךְ: יא לְאַעֲלוֹתָךְ בִּקְיָמָא דַיְיָ אֱלָהָךְ וּבְמוֹמָתֵהּ דִּי יְיָ אֱלָהָךְ גָּזַר עִמָּךְ
יוֹמָא דֵין: יב בְּדִיל לַאֲקָמָא יָתָךְ יוֹמָא דֵין קֳדָמוֹהִי לְעַמָּא וְהוּא יְהֵי לָךְ לֵאלָהּ
כְּמָא דִּי מַלֵּיל לָךְ וּכְמָא דִּי קַיִּים לַאֲבָהָתָךְ לְאַבְרָהָם לְיִצְחָק וּלְיַעֲקֹב: יג וְלָא

רש"י

(ט) אתם נצבים. מְלַמֵּד שֶׁכִּנְּסָם מֹשֶׁה לִפְנֵי הַקָּבָּ"ה בְּיוֹם מוֹתוֹ לְהַכְנִיסָם בִּבְרִית:
ראשיכם שבטיכם. רָאשֵׁיכֶם לְשִׁבְטֵיכֶם: זקניכם ושטריכם. הֶחָשׁוּב חָשׁוּב קוֹדֵם וְאַחַר
כָּךְ כָּל אִישׁ ישראל: (י) מחטב עציך. מְלַמֵּד שֶׁבָּאוּ כְנַעֲנִים לְהִתְגַּיֵּיר בִּימֵי מֹשֶׁה כְּדֶרֶךְ
שֶׁבָּאוּ נִבְעוֹנִים בִּימֵי יְהוֹשֻׁעַ, וְזֶהוּ הָאָמוּר בְּגִבְעוֹנִים (יהו' ט) וַיַּעֲשׂוּ גַם הֵמָּה בְּעָרְמָה,
וּנְתָנָם מֹשֶׁה חוֹטְבֵי עֵצִים וְשׁוֹאֲבֵי מַיִם (עי' תנחו'): (יא) לעברך. לְהִֽיוֹתָךְ עוֹבֵר בַּבְּרִית,
וְלֹא יִתָּכֵן לְפָרְשׁוֹ כְּמוֹ לְהַעֲבִירָךְ, אֶלָּא כְּמוֹ לַעֲשׂוֹתְכֶם אֹתָם: לעברך בברית. דֶּרֶךְ
הַעֲבָרָה כָּךְ: הָיוּ כוֹרְתֵי בְּרִיתוֹת עוֹשִׂין מְחִיצָה מִכָּאן וּמְחִיצָה מִכָּאן וְעוֹבְרִים בֵּינְתַּיִם,
כְּמוֹ שֶׁנֶּאֱמַר הָעֵגֶל אֲשֶׁר כָּרְתוּ לִשְׁנַיִם וַיַּעַבְרוּ בֵּין בְּתָרָיו (ירי' ל"ד): (יב) למען הקים
אֹתְךָ הַיּוֹם לוֹ לְעָם. כָּל כָּךְ הוּא נִכְנָס לִטְרוֹחַ לְמַעַן קַיֵּם אוֹתְךָ לְפָנָיו לְעָם: והוא יהיה
לְךָ לֵאלֹהִים. לְפִי שֶׁדִּבֶּר לָךְ וְנִשְׁבַּע לַאֲבוֹתֶיךָ שֶׁלֹּא לְהַחֲלִיף אֶת זַרְעָם בְּאֻמָּה אַחֶרֶת,
לְכָךְ הוּא אוֹסֵר אֶתְכֶם בִּשְׁבוּעוֹת הַלָּלוּ שֶׁלֹּא תַקְנִיטוּהוּ, אַחַר שֶׁהוּא אֵינוֹ יָכוֹל לְהַבְדִּיל

and do them, that ye may prosper in all that ye do. [9]Ye are placed this day all of you before the Eternal your God; your heads of your tribes, your elders, and your bailiffs, *with* all the men of Israel, [10]Your little ones, your wives, and thy stranger that *is* in thy camp, from the hewer of thy wood unto the drawer of thy water: [11]That thou shouldest enter into covenant with the Eternal thy God, and into his oath, which the Eternal thy God maketh with thee this day: [12]That he may raise thee to-day for a people unto himself, and *that* he may be unto thee a God, as he hath promised unto thee, and as he hath sworn unto thy fathers, to Abraham, to Isaac, and to Jacob. [13]Neither with you only do I make this

רש"י

נצבים

(9) אתם נצבים YE ARE STANDING THIS DAY [ALL OF YOU BEFORE THE LORD] — This teaches that Moses assembled them in the presence of the Omnipresent on the day of his death, in order to initiate them into a covenant *with Him*[1]). ראשיכם שבטיכם *means as much as* ראשיכם לשבטיכם YOUR HEADS OF YOUR TRIBES[2]). זקניכם ושטריכם YOUR ELDERS AND YOUR OFFICERS — The more prominent were in front (i. e. they stood before the Lord in the order of their rank), and afterwards: "all the men of Israel". **(10)** מחטב עציך FROM THE HEWER OF THY WOOD [UNTO THE DRAWER OF THEY WATER] — This teaches that *some of* the Canaanites came in Moses' days to be made proselytes just as the Gibeonites came in the days of Joshua, — and this is *the meaning of* what it stated of the Gibeonites, (Josh. IX. 4) "And they also acted cunningly"; — and Moses made them hewers of wood and drawers of water (cf. Tanch.)[3]). **(11)** לעברך *means* THAT THOU SHOULDEST PASS [INTO THE COVENANT]. It would not, however, be correct to explain it as *meaning* "to make thee pass" (when the suffix would be objective), but *it must be explained* like (IV. 14) לעשתכם אתם, "that ye may do them"[4]). לעברך בברית THAT THOU SHOULDEST PASS INTO THE COVENANT — The way of "passing" was as follows: those who made a covenant used to make a partition (i. e. used to place objects in a straight line) on one side and a partition on the other and passed between them, as it is said, (Jer. XXXIV. 18—20) "[And I will give the men which have not performed the words of the covenant which they made before Me] when they cut the calf in twain, and passed between the parts thereof ... [into the hands of their enemies]"[5]). **(12)** למען הקים אתך היום לו לעם THAT HE MAY ESTABLISH THEE TO-DAY FOR A PEOPLE UNTO HIMSELF — He undertakes so much trouble (in making another covenant with you) in order that He may keep (הקים) you for a people in His presence,[6]) והוא יהיה לך לאלהים SINCE HE MUST BE UNTO THEE A GOD, because He has promised *it* unto you and has sworn unto your fathers not to exchange their descendants for another nation. For this reason He binds you by these oaths not to provoke Him to anger since He, *on His part,* cannot dissociate Himself from you. — Thus far I have given an

NOTES

1) See Appendix.

2) Rashi means that שבטיכם cannot be co-ordinate with ראשיכם, when the translation would be: your heads and your tribes, i.e. "and the masses of the people", for this is implied in the following כל איש ישראל, but the words form a hendiadys, being equivalent to ראשי שבטיכם.

For Notes 3—6 see Appendix.

הַזֹּאת וְאֶת־הָאָלָה הַזֹּאת׃ יד כִּי אֶת־אֲשֶׁר יֶשְׁנוֹ פֹּה עִמָּנוּ עֹמֵד הַיּוֹם לִפְנֵי יְהוָה אֱלֹהֵינוּ וְאֵת אֲשֶׁר אֵינֶנּוּ פֹּה עִמָּנוּ הַיּוֹם׃ שלישי טו כִּי־אַתֶּם יְדַעְתֶּם אֵת אֲשֶׁר־יָשַׁבְנוּ בְּאֶרֶץ מִצְרָיִם וְאֵת אֲשֶׁר־עָבַרְנוּ בְּקֶרֶב הַגּוֹיִם אֲשֶׁר עֲבַרְתֶּם׃ טז וַתִּרְאוּ אֶת־שִׁקּוּצֵיהֶם וְאֵת־גִּלֻּלֵיהֶם עֵץ וָאֶבֶן כֶּסֶף וְזָהָב אֲשֶׁר עִמָּהֶם׃ יז פֶּן־יֵשׁ בָּכֶם אִישׁ אוֹ־אִשָּׁה אוֹ מִשְׁפָּחָה אוֹ־שֵׁבֶט אֲשֶׁר לְבָבוֹ פֹנֶה הַיּוֹם מֵעִם יְהוָה אֱלֹהֵינוּ לָלֶכֶת לַעֲבֹד אֶת־אֱלֹהֵי הַגּוֹיִם הָהֵם פֶּן־יֵשׁ בָּכֶם

אונקלוס

עִמְּכוֹן בִּלְחוֹדֵיכוֹן אֲנָא גְּזַר יָת קְיָמָא הָדָא וְיָת מוֹמָתָא הָדָא׃ יד אֲרֵי יָת מַן דְּאִיתוֹהִי הָכָא עִמָּנָא קָאֵם יוֹמָא דֵּין קֳדָם יְיָ אֱלָהָנָא וְיָת דִּי לֵיתוֹהִי הָכָא עִמָּנָא יוֹמָא דֵּין׃ טו אֲרֵי אַתּוּן יְדַעְתּוּן יָת דִּיתֵבְנָא בְּאַרְעָא דְמִצְרָיִם וְיָת דִּי עֲבַרְנָא בְּגוֹ עַמְמַיָּא דִּי עֲבַרְתּוּן׃ טז וַחֲזֵיתוּן יָת שִׁקּוּצֵיהוֹן וְיָת טַעֲוָתְהוֹן אָעָא וְאַבְנָא כַּסְפָּא וְדַהֲבָא דִּי עִמְּהוֹן׃ יז דִּילְמָא אִית בְּכוֹן גְּבַר אוֹ אִתְּתָא אוֹ זַרְעִית אוֹ שִׁבְטָא דִּי לִבֵּהּ פָּנֵי יוֹמָא דֵּין מִדַּחְלְתָא דַּיְיָ אֱלָהָנָא לְמֵהַךְ לְמִפְלַח יָת טַעֲוַת

רש״י

מִכֶּם. עַד כָּאן פֵּרַשְׁתִּי פְּשׁוּטָהּ שֶׁל פָּרָשָׁה. וּמִדְרַשׁ אַגָּדָה: לָמָּה נִסְמְכָה פָּרָשַׁת אַתֶּם נִצָּבִים לַקְּלָלוֹת? לְפִי שֶׁשָּׁמְעוּ יִשְׂרָאֵל מֵאָה קְלָלוֹת חָסֵר שְׁתַּיִם חוּץ מִמ״ט שֶׁבְּתוֹרַת כֹּהֲנִים, הוֹרִיקוּ פְנֵיהֶם וְאָמְרוּ מִי יוּכַל לַעֲמוֹד בְּאֵלּוּ?! הִתְחִיל משֶׁה לְפַיְּסָם — אתם נצבים היום, הַרְבֵּה הִכְעַסְתֶּם לַמָּקוֹם וְלֹא עָשָׂה אִתְּכֶם כְּלָיָה וַהֲרֵי אַתֶּם קַיָּמִים לְפָנָיו: היום. כַּיּוֹם הַזֶּה שֶׁהוּא קַיָּם וְהוּא מַאֲפִיל וּמֵאִיר, כָּךְ הֵאִיר לָכֶם וְכָךְ עָתִיד לְהָאִיר לָכֶם, וְהַקְּלָלוֹת וְהַיִּסּוּרִין מְקַיְּמִין אֶתְכֶם וּמַצִּיבִין אֶתְכֶם לְפָנָיו; וְאַף הַפָּרָשָׁה שֶׁל מַעְלָה מִזּוֹ פִּיּוּסִין הֵם, אַתֶּם רְאִיתֶם אֵת כָּל אֲשֶׁר עָשָׂה; דָּבָר אַחֵר אתם נצבים, לְפִי שֶׁהָיוּ יִשְׂרָאֵל יוֹצְאִין מִפַּרְנָס לְפַרְנָס — מִמֹּשֶׁה לִיהוֹשֻׁעַ — לְפִיכָךְ עָשָׂה אוֹתָם מַצֵּבָה כְּדֵי לְזָרְזָם; וְכֵן עָשָׂה יְהוֹשֻׁעַ (יהו׳ כ״ד) וְכֵן שְׁמוּאֵל (ש״א י״ב) הִתְיַצְּבוּ וְאִשָּׁפְטָה אִתְּכֶם, כְּשֶׁיָּצְאוּ מִיָּדוֹ וְנִכְנְסוּ לְיָדוֹ שֶׁל שָׁאוּל (עי׳ תנח׳): (יד) ואת אשר איננו פה. וְאַף עִם דּוֹרוֹת הָעֲתִידִים לִהְיוֹת: (טו) כי אתם ידעתם וגו׳. לְפִי שֶׁרְאִיתֶם הָאֻמּוֹת, וְשֶׁמָּא הִשִּׂיא לֵב אֶחָד מִכֶּם אוֹתוֹ לָלֶכֶת אַחֲרֵיהֶם, פן יש בכם וגו׳, לְפִיכָךְ אֲנִי צָרִיךְ לְהַשְׁבִּיעֲכֶם: (טז) ותראו את שקוציהם. עַל שֵׁם שֶׁהֵם מְאוּסִים כִּשְׁקָצִים: גלליהם. שֶׁמַּסְרִיחִים וּמְאוּסִין כַּגָּלָל: עץ ואבן. אוֹתָן שֶׁל עֵצִים וְשֶׁל אֲבָנִים רְאִיתֶם בַּגָּלוּי, לְפִי שֶׁאֵין הַגּוֹי יָרֵא שֶׁמָּא יִגָּנְבוּ, אֲבָל שֶׁל כֶּסֶף וְזָהָב עמהם, בְּחַדְרֵי מַשְׂכִּיּוֹתָם הֵם, לְפִי שֶׁהֵם יְרֵאִים שֶׁמָּא יִגָּנְבוּ (תנח׳): (יז) פן יש בכם. שֶׁמָּא יֵשׁ בָּכֶם: אשר לבבו פונה היום. מִלְּקַבֵּל עָלָיו הַבְּרִית: שרש

covenant and this oath; [14]But with *him* that standeth here with us this day before the Eternal our God, and also with *him* that *is* not here with us this day: [15]For ye know how we have abode in the land of Egypt; and how we passed in the midst of the nations which ye passed by; [16]And ye have seen their abominable things, and their idols, wood and stone, silver and gold, which *were* with them: [17]Lest there should be among you man, or woman, or family, or tribe, whose heart turneth away this day from the Eternal our God, to go *and* serve the gods of these nations; lest there should be among you

רש"י

exposition according to the literal sense of the chapter. An Agadic explanation, however, is: Why is the section *beginning with the words,* "Ye are standing this day" put in juxtaposition to the curses *in the previous chapter?* Because when Israel heard these ninety-eight curses besides the forty-nine that are contained in Torath-Cohanim (Lev. Ch. XXVI. 14 ff.), their faces turned pale (they were horrified), and they exclaimed, "Who can *possibly* stand against these?!" *Therefore* Moses began to calm them: "*See,* you are standing to-day *before the Lord!*" — many a time have you provoked the Omnipresent to anger and *yet* He has not made an end to you, but you still continue in His presence[1]). היום THIS DAY — like the "day" which endures *for ever,* for *though* it becomes dark *for a period* it shines *again,* (cf. Tanch., Sanh. 110b); so has He made you shine (i. e. given you periods when you have had nought but happiness) and will again make you shine; and it is just the curses and the sufferings that give you permanence and stability (נצבים) before Him[2]). — So, too, the section preceding this (1 ff. which follows i m m e d i a t e l y after the curses) consists of comforting words: "Ye have seen all the Lord did [before your eyes in the land of Egypt unto Pharaoh, etc.]"[3]). Another explanation of אתם נצבים: Because the Israelites were now passing from one leader to another, from Moses to Joshua, therefore he (Moses) made them stand in ranks (מצבה) that he might address admonitions to them. Similarly did Joshua (cf. Josh. XXIV. 1) and similarly did Samuel, who said, (1 Sam. XII. 7): "Now therefore take your stand (התיצבו) that I may reason with you before the Lord", when they were leaving his hand (leadership) and were coming under the hand of Saul (cf. Tanch.). **(14)** ואת אשר איננו פה [NOT WITH YOU ALONE DO I MAKE THIS COVENANT ... BUT WITH HIM THAT STANDETH HERE ...] AND ALSO WITH HIM THAT IS NOT HERE — *i.e.* with the generations that will be in future (i. e. Moses is not referring to persons who happened to be absent from the assembly, for it states, v. 10, that a l l were present: "Ye are standing this day a l l o f y o u before the Lord") (Tanch.). **(15)** כי אתם ידעתם וגו' FOR YE KNOW [HOW WE HAVE ABODE IN THE LAND OF EGYPT] etc. — *The meaning of these verses is:* Because you have seen *the conduct of* the *other* nations, and perhaps the heart of one of you might beguile him to follow them, — *as it goes on to state,* "Lest there should be among you a man, or a woman ... [whose heart turneth away this day from the Lord]", — on this account I must place you under an oath[4]). **(16)** ותראו את שקוציהם AND YE HAVE SEEN THEIR ABOMINABLE THINGS — *Idols are so termed* because they are loathsome like *unclean* things that are held in abomination. גלליהם THEIR IDOLS — *thus termed* because they are detestable (lit., malodorous) and loathsome like ordure (גלל). עץ ואבן [AND YE HAVE SEEN ... THEIR IDOLS] WOOD AND STONE — Those of wood and stone you have s e e n *exposed* openly, because the heathen was not afraid lest they might be stolen; those of gold and silver, however, are with them (עמהם), in their "marbled halls" (cf. Rashi on Ez. VIII. 12 whence he borrowed this expression), because they were afraid they might be stolen (Tanch.). **(17)** פן יש בכם *means* PERHAPS (פן = שמא) THERE IS AMONG YOU, אשר לבבו פנה היום [A MAN ...] WHOSE

NOTES

For Notes 1—4 see Appendix.

שֹׁרֶשׁ פֹּרֶה רֹאשׁ וְלַעֲנָה: יח וְהָיָה בְּשָׁמְעוֹ אֶת־דִּבְרֵי הָאָלָה הַזֹּאת וְהִתְבָּרֵךְ בִּלְבָבוֹ לֵאמֹר שָׁלוֹם יִהְיֶה־לִּי כִּי בִּשְׁרִרוּת לִבִּי אֵלֵךְ לְמַעַן סְפוֹת הָרָוָה אֶת־הַצְּמֵאָה: יט לֹא־יֹאבֶה יְהוָה סְלֹחַ לוֹ כִּי אָז יֶעְשַׁן אַף־יְהוָה וְקִנְאָתוֹ בָּאִישׁ הַהוּא וְרָבְצָה בּוֹ כָּל־הָאָלָה הַכְּתוּבָה בַּסֵּפֶר הַזֶּה וּמָחָה יְהוָה אֶת־שְׁמוֹ מִתַּחַת הַשָּׁמָיִם: כ וְהִבְדִּילוֹ יְהוָה לְרָעָה מִכֹּל שִׁבְטֵי יִשְׂרָאֵל כְּכֹל אָלוֹת הַבְּרִית הַכְּתוּבָה בְּסֵפֶר הַתּוֹרָה הַזֶּה: כא וְאָמַר הַדּוֹר הָאַחֲרוֹן

אונקלוס

עַמְמַיָא הָאִנּוּן דִילְמָא אִית בְּכוֹן גְּבַר מְהַרְהַר חִטְאִין אוֹ זָדוֹן: יח וִיהֵי כַּד שְׁמַעֵהּ יָת פִּתְגָּמֵי מוֹמָתָא הָדָא וִיחַשֵּׁב בְּלִבֵּהּ לְמֵימַר שְׁלָמָא יְהֵי לִי אֲרֵי בְּהִרְהוּר לִבִּי אֵיזִיל בְּדִיל לְאוֹסָפָא (לֵהּ) חֶטְאֵי שָׁלוּתָא עַל זְדָנוּתָא: יט לָא יֵיבֵי יְיָ לְמִשְׁבַּק לֵהּ אֲרֵי בְּכֵן יִתְקֵף רָגְזָא דַיְיָ וְחֶמְתֵהּ בְּגַבְרָא הַהוּא וְיִדְבְּקוּן בֵּהּ כָּל לְוָטַיָא דִכְתִיבִין בְּסִפְרָא הָדֵין וְיִמְחֵי יְיָ יָת שְׁמֵהּ מִתְּחוֹת שְׁמַיָא: כ וְיַפְרְשִׁנֵּהּ יְיָ לְבִישָׁא מִכֹּל שִׁבְטַיָא דְיִשְׂרָאֵל. כְּכֹל לְוָטֵי קְיָמָא דִכְתִיבִין בְּסִפְרָא אוֹרַיְתָא הָדֵין: כא וְיֵימַר

רש״י

פרה ראש ולענה. שֹׁרֶשׁ מְגַדֵּל עֵשֶׂב מַר כְּגִידִין שֶׁהֵם מָרִים, כְּלוֹמַר מַפְרֶה וּמַרְבֶּה רֶשַׁע בְּקִרְבְּכֶם: (יח) והתברך בלבבו. לְשׁוֹן בְּרָכָה, יַחְשׁוֹב בְּלִבּוֹ בִּרְכַּת שָׁלוֹם לְעַצְמוֹ לֵאמֹר, לֹא יְבוֹאוּנִי קְלָלוֹת הַלָּלוּ, אַךְ שלום יהיה לי: והתברך. בנדי״רא שו״יא בְּלַעַז, כְּמוֹ הִתְנַחֵם, וְהִתְפַּלֵּל: בשררות לבי אלך. בְּמַרְאִית לִבִּי, כְּמוֹ (במ׳ כ״ד) אֲשׁוּרֶנּוּ וְלֹא קָרוֹב, כְּלוֹמַר מַה שֶׁלִּבִּי רוֹאֶה לַעֲשׂוֹת: למען ספות הרוה. לְפִי שֶׁאוֹסִיף לוֹ פּוּרְעָנוּת עַל מַה שֶּׁעָשָׂה עַד הֵנָּה בְּשׁוֹגֵג, וְהָיִיתִי מַעֲבִיר עֲלֵיהֶם, וְגוֹרֵם עַתָּה שֶׁאֲצָרְפֵם עִם הַמֵּזִיד וְאֶפָּרַע מִמֶּנּוּ הַכֹּל, וְכֵן תִּרְגֵּם אוּנְקְלוֹס בְּדִיל לְאוֹסָפָא לֵהּ חֶטְאֵי שָׁלוּתָא עַל זְדָנוּתָא — שֶׁאוֹסִיף לוֹ אֲנִי הַשְּׁגָגוֹת עַל הַזְּדוֹנוֹת: הרוה. שׁוֹגֵג, שֶׁהוּא עוֹשֶׂה כְּאָדָם שִׁכּוֹר שֶׁהוּא עוֹשֶׂה שֶׁלֹּא מִדַּעַת: הצמאה. שֶׁהוּא עוֹשֶׂה מִדַּעַת וּבְתַאֲוָה: (יט) יעשן אף ה׳. עַל יְדֵי כַּעַס הַגּוּף מִתְחַמֵּם וְהֶעָשָׁן יוֹצֵא מִן הָאַף, וְכֵן (ש״ב כ״ב) עָלָה עָשָׁן בְּאַפּוֹ, וְאַף עַל פִּי שֶׁאֵין זוֹ לִפְנֵי הַמָּקוֹם, הַכָּתוּב מַשְׁמִיעַ אֶת הָאֹזֶן כְּדֶרֶךְ שֶׁהִיא רְגִילָה וִיכוֹלָה לִשְׁמוֹעַ כְּפִי דֶרֶךְ הָאָרֶץ: וקנאתו. לְשׁוֹן חֵמָה, אנפרטמי״נט, אֲחִיזַת לְבִישַׁת נְקָמָה וְאֵינוֹ מַעֲבִיר עַל הַמִּדָּה: (כ) הכתובה בספר התורה הזה. וּלְמַעְלָה הוּא אוֹמֵר גַּם כָּל חֳלִי וְכָל מַכָּה... בְּסֵפֶר הַתּוֹרָה הַזֹּאת?! הַזֹּאת לְשׁוֹן נְקֵבָה מוּסָב אֶל הַתּוֹרָה, הַזֶּה לְשׁוֹן זָכָר מוּסָב אֶל הַסֵּפֶר, וְעַל יְדֵי פְּסוּק הַטְּעָמִים הֵן נֶחֱלָקִין לִשְׁתֵּי לְשׁוֹנוֹת. בְּפָרָשַׁת הַקְּלָלוֹת הַטִּפְּחָה נְתוּנָה תַּחַת בְּסֵפֶר, וְהַתּוֹרָה הַזֹּאת דְּבוּקִים זֶה לָזֶה, לְכָךְ אָמַר הַזֹּאת. וְכָאן הַטִּפְּחָה נְתוּנָה תַּחַת

a root that is fruitful in poisonous herb and wormwood; [18]And it come to pass, when he heareth the words of this execration, that he bless himself in his heart, saying, I shall have peace, though I will go in the firmness of mine heart, that the intoxication sweep away the thirst: [19]The Eternal will not be willing to forgive him, but then the wrath of the Eternal and his jealousy shall smoke against that man, and all the execrations that are written in this book shall lie upon him, and the Eternal shall wipe away his name from under heaven. [20]And the Eternal shall separate him unto evil out of all the tribes of Israel, according to all the execrations of the covenant that are written in this book of the law: [21]So that the remote generation,

רש"י

HEART TURNETH AWAY THIS DAY from accepting the covenant upon himself, שרש פרה ראש ולענה [PERHAPS THERE IS AMONG YOU] A ROOT THAT IS FRUITFUL IN POISONOUS HERB AND WORMWOOD — *i.e.* a root that brings forth herbs bitter as wormwood-plants, which are very bitter. The meaning is: *Lest there be a man or woman or family or tribe* that fruitfully produces and spreads apace wickedness in your midst. **(18)** והתברך בלבבו AND HE BLESS HIMSELF IN HIS HEART — *The word* והתברך has the meaning of "blessing". In his heart he will imagine for himself a blessing of peace, saying, "These curses will not come upon me, I shall have peace". והתברך *is* benoir soi in O. F., *i. e. the verb is reflexive* like והתגלח, "he shall shave himself", והתפלל, he shall pray (lit., he shall make himself the object of intercession[1]). בשררות לבי אלך *means* IN THE VIEWS OF MY HEART WILL I WALK, שררות *being of a root which means to look, to see,* as (Num. XXV. 17): "I shall see him (אשרנו), but not now"; it is as much as to say, *I will follow* what my heart sees *good* to do. למען ספות הרוה TO ADD DRUNKENNESS [TO THE THIRST] — In order that[2]) I may add punishment for him *even* for the sins he has committed until now inadvertently (for which the figurative expression in this sentence is הרוה, drunkenness: cf. the following passage in Rashi), and which I used to overlook; — but now he causes Me to combine them with *those committed with* premeditation and to exact punishment from him for everything. Onkelos, too, rendered it in a similar sense: "in order to add for him the sins of inadvertence to those of premeditation", *which can only mean,* "In order that "I" may add sins of inadvertence to those of presumption"[3]). הרוה DRUNKENNESS *figuratively describes the condition of a* שוגג, one who acts inadvertently. *The expression is an apt one* because he acts like a drunken man who does things unwittingly, הצמאה THE THIRST *aptly describes the attitude of one* who acts wittingly and out of desire. **(19)** יעשן אף ה׳ THE ANGER OF THE LORD SHALL SMOKE [AGAINST THAT MAN] — Through anger the body becomes heated and smoke, *as it were,* issues from the nostrils. And thus *does it state,* (Ps. XVIII. 9) "Smoke rose up in his nostril". Although this *idea* is not *really* applicable to God, Scripture makes the *human* ear hear *the matter* (i. e. it tells it to him) in the manner that it is accustomed and able to understand according to the ordinary course of the world (i. e. when speaking of God it uses language that properly is applicable only to human beings because this the only language we have at our command). וקנאתו — *This is* a term denoting wrath, emportment *in O. F.; it means:* retaining one's hold on the garment of vengeance, and not forgoing one's right *to punish.* **(20)** הכתובה בספר התורה הזה — Above, however, (XXVIII. 61) it says: And every sickness and every plague ... [which is not written] בספר התורה הזאת (הזאת the feminine form, whilst here we have הזה, the masculine)?! *But the explanation is:* הזאת, the feminine form, refers to *the feminine word* התורה, whilst הזה, the masculine form, refers to *the masculine word* הספר *in our text.* Through the division *into clauses by*

NOTES

For Notes 1—3 see Appendix.

בְּנֵיכֶם אֲשֶׁר יָקוּמוּ מֵאַחֲרֵיכֶם וְהַנָּכְרִי אֲשֶׁר יָבֹא
מֵאֶרֶץ רְחוֹקָה וְרָאוּ אֶת־מַכּוֹת הָאָרֶץ הַהִוא וְאֶת־
תַּחֲלֻאֶיהָ אֲשֶׁר־חִלָּה יְהוָה בָּהּ: כב גָּפְרִית וָמֶלַח
שְׂרֵפָה כָל־אַרְצָהּ לֹא תִזָּרַע וְלֹא תַצְמִחַ וְלֹא־יַעֲלֶה
בָהּ כָּל־עֵשֶׂב כְּמַהְפֵּכַת סְדֹם וַעֲמֹרָה אַדְמָה
וּצְבוֹיִם אֲשֶׁר הָפַךְ יְהוָה בְּאַפּוֹ וּבַחֲמָתוֹ: כג וְאָמְרוּ
כָּל־הַגּוֹיִם עַל־מֶה עָשָׂה יְהוָה כָּכָה לָאָרֶץ הַזֹּאת
מֶה חֳרִי הָאַף הַגָּדוֹל הַזֶּה: כד וְאָמְרוּ עַל אֲשֶׁר עָזְבוּ
אֶת־בְּרִית יְהוָה אֱלֹהֵי אֲבֹתָם אֲשֶׁר כָּרַת עִמָּם
בְּהוֹצִיאוֹ אֹתָם מֵאֶרֶץ מִצְרָיִם: כה וַיֵּלְכוּ וַיַּעַבְדוּ
אֱלֹהִים אֲחֵרִים וַיִּשְׁתַּחֲווּ לָהֶם אֱלֹהִים אֲשֶׁר לֹא־
יְדָעוּם וְלֹא חָלַק לָהֶם: כו וַיִּחַר־אַף יְהוָה בָּאָרֶץ
הַהִוא לְהָבִיא עָלֶיהָ אֶת־כָּל־הַקְּלָלָה הַכְּתוּבָה

אונקלוס

דְּרָא בָתְרָאָה בְּנֵיכוֹן דִּי יְקוּמוּן מִבָּתְרֵיכוֹן וּבַר עַמְמִין דְּיֵיעוֹל מֵאַרְעָא רְחִיקָא
וְיֶחֱזוּן יָת מַחֲתָא דְּאַרְעָא הַהִיא וְיָת מַרְעֲהָא דִּי אַמְרַע יְיָ בַּהּ: כב גָּפְרִיתָא
וּמִלְחָא יְקִידַת כָּל אַרְעַהּ לָא תִזְדְּרַע וְלָא תַצְמַח וְלָא יִסַּק בַּהּ כָּל עִסְבָּא
כְּמַהְפֶּכְתָּא דִּסְדוֹם וַעֲמוֹרָה אַדְמָה וּצְבוֹיִם דִּי הֲפַךְ יְיָ בְּרֻגְזֵהּ וּבְחֵמְתֵהּ:
כג וְיֵימְרוּן כָּל עַמְמַיָּא עַל מָה עֲבַד יְיָ כְּדֵין לְאַרְעָא הָדָא מָא תְקוֹף רֻגְזָא רַבָּא
הָדֵין: כד וְיֵימְרוּן עַל דִּשְׁבַקוּ יָת קְיָמָא דַּייָ אֱלָהָא דַּאֲבָהָתְהוֹן דִּי גְזַר עִמְּהוֹן
בְּאַפָּקוּתֵהּ יָתְהוֹן מֵאַרְעָא דְמִצְרָיִם: כה וַאֲזַלוּ וּפְלַחוּ לְטַעֲוַת עַמְמַיָּא וּסְגִידוּ לְהוֹן
דַּחֲלָן דִּי לָא יְדַעֲנוּן וְלָא אוֹטִיבָא לְהוֹן: כו וּתְקֵיף רֻגְזָא דַּייָ בְּאַרְעָא הַהִיא לְאַיְתָאָה

רש"י

הַתּוֹרָה, נִמְצָא סֵפֶר הַתּוֹרָה דְּבוּקִים זֶה לָזֶה, לְפִיכָךְ לָשׁוֹן זָכָר נוֹפֵל אַחֲרָיו, שֶׁהַלָּשׁוֹן
נוֹפֵל עַל הַסֵּפֶר: (כה) לֹא יְדָעוּם. לֹא יָדְעוּ בָהֶם גְּבוּרַת אֱלָהוּת: וְלֹא חָלַק לָהֶם. לֹא
נְתָנָם לְחֶלְקָם; וְאוּנְקְלוֹס תִּרְגֵּם וְלָא אוֹטִיבָא לְהוֹן, לֹא הֵטִיבוּ לָהֶם שׁוּם טוֹבָה; וּלְשׁוֹן

your children, that shall rise up after you, and the alien that shall come from a far land, shall say, when they see the plagues of that land, and the diseases which the Eternal hath laid upon it; 22 *And that* the whole land thereof *is* brimstone, and salt, *and* burning, *that* cannot be sown, nor beareth, nor any herb groweth therein, like the overthrow of Sodom, and Gomorrah, Admah, and Zeboim, which the Eternal overthrew in his fury, and in his wrath; 23 Even all nations shall say, Wherefore hath the Eternal done thus unto this land? what *meaneth* the glowing of this great wrath? 24 Then men shall say, Because they have forsaken the covenant of the Eternal God of their fathers, which he made with them when he brought them forth out of the land of Egypt: 25 For they went and served other gods, and prostrated themselves to them, gods whom they knew not, and *whom* he had not apportioned unto them: 26 And the wrath of the Eternal glowed against this land, to bring upon it every curse that is written

רש"י

means of the tonic accents (which serve also as marks of interpunctuation) they (the two phrases) are *shown to be* two different expressions: in the chapter containing the curses (ch. XXVIII. 61) the Tipcha (a disjunctive accent) is placed beneath the *word* בספר, and *the words* התורה הזאת are connected one with the other, therefore it says הזאת, *the feminine form,* (since it has to be connected with a feminine noun), whilst here the Tipcha is placed beneath *the word* התורה, and consequently the words ספר התורה are connected one with the other (i. e. they form one phrase), — therefore it is a masculine word that is applicable after it, because the term (the pronoun) refers to הספר (which is masculine). **(25)** לא ידעום [FOR THEY ... SERVED OTHER GODS] WHOM THEY KNEW NOT — *i. e.* in whom they had never experienced any Divine power[1]). ולא חלק להם *means,* He did not give them (the gods) to be their portion (cf. Rashi on IV. 19). Onkelos, howe r, renders it by לא אוטיבא להון, *i. e.* they did

NOTES

1) See Appendix.

בַּסֵּפֶר הַזֶּה: כז וַיִּתְּשֵׁם יְהוָה מֵעַל אַדְמָתָם בְּאַף וּבְחֵמָה וּבְקֶצֶף גָּדוֹל וַיַּשְׁלִכֵם אֶל־אֶרֶץ אַחֶרֶת כַּיּוֹם הַזֶּה: כח הַנִּסְתָּרֹת לַיהוָה אֱלֹהֵינוּ וְהַנִּגְלֹת* לָנוּ וּלְבָנֵינוּ עַד־עוֹלָם לַעֲשׂוֹת אֶת־כָּל־דִּבְרֵי הַתּוֹרָה הַזֹּאת: ס רביעי. (שני במחובר.) ל א וְהָיָה כִי־יָבֹאוּ עָלֶיךָ כָּל־הַדְּבָרִים הָאֵלֶּה הַבְּרָכָה וְהַקְּלָלָה אֲשֶׁר נָתַתִּי לְפָנֶיךָ וַהֲשֵׁבֹתָ אֶל־לְבָבֶךָ בְּכָל־הַגּוֹיִם אֲשֶׁר הִדִּיחֲךָ יְהוָה אֱלֹהֶיךָ שָׁמָּה: ב וְשַׁבְתָּ עַד־יְהוָה אֱלֹהֶיךָ וְשָׁמַעְתָּ בְקֹלוֹ כְּכֹל אֲשֶׁר־אָנֹכִי מְצַוְּךָ הַיּוֹם אַתָּה וּבָנֶיךָ בְּכָל־לְבָבְךָ וּבְכָל־נַפְשֶׁךָ: ג וְשָׁב יְהוָה אֱלֹהֶיךָ אֶת־שְׁבוּתְךָ וְרִחֲמֶךָ וְשָׁב וְקִבֶּצְךָ מִכָּל־הָעַמִּים אֲשֶׁר הֱפִיצְךָ יְהוָה אֱלֹהֶיךָ

°ל׳ רבתי *לנו ולבנינו ע׳ נקודות

אונקלוס

עֲלַהּ יָת כָּל לְוָטַיָּא דִּכְתִיבִין בְּסִפְרָא הָדֵין: כז וְטַלְטְלִנּוּן יְיָ מֵעַל אַרְעֲהוֹן בִּרְגַז וּבְחֵמָה וּבִתְקוֹף רְגַז וְאַגְלֵנּוּן לְאַרְעָא אָחֳרִי כְּיוֹמָא הָדֵין: כח דְּמִטַּמְּרָן קֳדָם יְיָ אֱלָהָנָא וּדְמִגַּלְיָן לָנָא וְלִבְנָנָא עַד עָלְמָא לְמֶעְבַּד יָת כָּל פִּתְגָּמֵי אוֹרָיְתָא הָדָא: א וִיהֵי אֲרֵי יֵיתוּן עֲלָךְ כָּל פִּתְגָּמַיָּא הָאִלֵּין בִּרְכָן וּלְוָטִין דִּי יְהָבִית קֳדָמָךְ וּתְתוּב לְלִבָּךְ בְּכָל עַמְמַיָּא דִּי אַגְלָךְ יְיָ אֱלָהָךְ לְתַמָּן: ב וּתְתוּב עַד יְיָ אֱלָהָךְ וּתְקַבֵּל בְּמֵימְרֵהּ כְּכֹל דִּי אֲנָא מְפַקֵּדָךְ יוֹמָא דֵין אַתְּ וּבְנָיךְ בְּכָל לִבָּךְ וּבְכָל נַפְשָׁךְ:

רש״י

לֹא חָלַק — אותו אֱלוֹהַּ שֶׁבָּחֲרוּ לָהֶם לֹא חָלַק לָהֶם שׁוּם נַחֲלָה וְשׁוּם חֵלֶק: (כז) ויתשם ה׳. כְּתַרְגּוּמוֹ וְטַלְטְלִינוּן, וְכֵן הִנְנִי נֹתְשָׁם מֵעַל אַדְמָתָם (יר׳ י״ב): (כח) הנסתרת לה׳ אלהינו. וְאִם תֹּאמְרוּ מַה בְּיָדֵינוּ לַעֲשׂוֹת? אַתָּה מַעֲנִישׁ אֶת הָרַבִּים עַל הִרְהוּרֵי הַיָּחִיד, שֶׁנֶּאֱמַר פֶּן יֵשׁ בָּכֶם אִישׁ וְגו׳, וְאַחַר כָּךְ וְרָאוּ אֶת מַכּוֹת הָאָרֶץ הַהִוא, וַהֲלֹא אֵין אָדָם יוֹדֵעַ טְמוּנוֹתָיו שֶׁל חֲבֵרוֹ! אֵין אֲנִי מַעֲנִישׁ אֶתְכֶם עַל הַנִּסְתָּרוֹת, שֶׁהֵן לַה׳ אֱלֹהֵינוּ, וְהוּא יִפָּרַע מֵאוֹתוֹ יָחִיד, אֲבָל הַנִּגְלוֹת לָנוּ וּלְבָנֵינוּ לְבַעֵר הָרָע מִקִּרְבֵּנוּ, וְאִם לֹא נַעֲשֶׂה דִין בָּהֶם יֵעָנְשׁוּ הָרַבִּים. נָקוּד עַל לנו ולבנינו לִדְרוֹשׁ שֶׁאַף עַל הַנִּגְלוֹת לֹא עָנַשׁ אֶת הָרַבִּים עַד שֶׁעָבְרוּ אֶת הַיַּרְדֵּן, מִשֶּׁקִּבְּלוּ עֲלֵיהֶם אֶת הַשְּׁבוּעָה בְּהַר גְּרִזִּים וּבְהַר עֵיבָל וְנַעֲשׂוּ עֲרֵבִים זֶה לָזֶה (סוטה ל״ז; עי׳ סנה׳ ע״ג):

ל (ג) ושב ה׳ אלהיך את שבותך. הָיָה לוֹ לִכְתּוֹב וְהֵשִׁיב אֶת שְׁבוּתְךָ, רַבּוֹתֵינוּ לָמְדוּ

in this book: [27]And the Eternal rooted them out of their land in wrath, and in fierceness, and in great anger, and cast them into another land, as *it is* this day. [28]The secret *things belong* unto the Eternal our God: but those *things which are* revealed *belong* unto us, and to our children for ever, that *we* may do all the words of this law.

30. [1]And it shall come to pass, when all these things are come upon thee, the blessing and the curse, which I have set before thee, and thou shalt call *them* to mind among all the nations whither the Eternal thy God hath driven thee, [2]And shalt return unto the Eternal thy God, and shalt obey his voice according to all that I command thee this day, thou, and thy children, with all thine heart, and with all thy soul; [3]That then the Eternal thy God will turn thy captivity, and have compassion upon thee, and will return and gather thee from all the peoples, whither the Eternal thy God hath scattered thee.

רש״י

not bestow upon them any good. As for the expression לא חלק, *Onkelos took it thus, explaining also the singular form of the verb:* that God which they have chosen for themselves has never given them any חֵלֶק, any inheritance or portion. **(27)** ויתשם ה׳ — *Understand this* as the Targum *has it:* וטלטלינון, "and He cast them out". Similar is, (Jer. XII. 14) "Behold, I cast them out (נתשם) from their land". **(28)** הנסתרת לה׳ אלהינו THE SECRET THINGS BELONG UNTO THE LORD OUR GOD — And if you say, "*But* what can we do? Thou threatenest the many (the whole community) with punishment because of the *sinful* thoughts of one individual, as it is said, (v. 17): "Lest there should be among you a man, [or a woman or a family ... whose heart turneth away this day from the Lord ...]", and afterwards it states, (v. 21) "And they will see the plagues of that land". But surely no man can know the secret thoughts of his fellow! *Now, I reply:* I do not *threaten to* punish you because of secret *thoughts* for these belong to the Lord our God and He will exact punishment from that individual; but those things which are revealed belong to us and to our children that we may put away the evil from our midst; and if we do not execute judgment upon them, the whole community will be punished. — There are dots on *the words* לנו ולבננו *to suggest* that even for the revealed sins (those committed openly), He did not punish the community until they had crossed the Jordan — from the moment when they took upon themselves the oath on Mount Gerizim and Mount Ebal and had *thus* become responsible for one another (Sota 37b; cf. Sanh. 43b)[1]).

30. (3) ושב ה׳ אלהיך את שבותך THEN THE LORD THY GOD WILL TURN THY CAPTIVITY — *To express this idea* it ought to have written והשיב את שבותך, "then He will bring back thy captivity". But our Rabbis learned

NOTES
1) See Appendix.

שָׁמָּה: ד אִם־יִהְיֶה נִדַּחֲךָ בִּקְצֵה הַשָּׁמָיִם מִשָּׁם
יְקַבֶּצְךָ יְהוָה אֱלֹהֶיךָ וּמִשָּׁם יִקָּחֶךָ: ה וֶהֱבִיאֲךָ יְהוָה
אֱלֹהֶיךָ אֶל־הָאָרֶץ אֲשֶׁר־יָרְשׁוּ אֲבֹתֶיךָ וִירִשְׁתָּהּ
וְהֵיטִבְךָ וְהִרְבְּךָ מֵאֲבֹתֶיךָ: ו וּמָל יְהוָה אֱלֹהֶיךָ
אֶת־לְבָבְךָ וְאֶת־לְבַב זַרְעֶךָ לְאַהֲבָה אֶת־יְהוָה
אֱלֹהֶיךָ בְּכָל־לְבָבְךָ וּבְכָל־נַפְשְׁךָ לְמַעַן חַיֶּיךָ: חמישי שלישי (במחובר)
ז וְנָתַן יְהוָה אֱלֹהֶיךָ אֵת כָּל־הָאָלוֹת הָאֵלֶּה עַל־
אֹיְבֶיךָ וְעַל־שֹׂנְאֶיךָ אֲשֶׁר רְדָפוּךָ: ח וְאַתָּה תָשׁוּב
וְשָׁמַעְתָּ בְּקוֹל יְהוָה וְעָשִׂיתָ אֶת־כָּל־מִצְוֺתָיו אֲשֶׁר
אָנֹכִי מְצַוְּךָ הַיּוֹם: ט וְהוֹתִירְךָ יְהוָה אֱלֹהֶיךָ בְּכֹל ׀
מַעֲשֵׂה יָדֶךָ בִּפְרִי בִטְנְךָ וּבִפְרִי בְהֶמְתְּךָ וּבִפְרִי
אַדְמָתְךָ לְטֹבָה כִּי ׀ יָשׁוּב יְהוָה לָשׂוּשׂ עָלֶיךָ לְטוֹב
כַּאֲשֶׁר־שָׂשׂ עַל־אֲבֹתֶיךָ: י כִּי תִשְׁמַע בְּקוֹל יְהוָה

אונקלוס

ג וִיתוּב יְיָ אֱלָהָךְ יָת (שְׁבִי) גָלְוָתָךְ וִירַחֲמִינָךְ וִיתוּב וִיכַנְשִׁינָךְ מִכָּל עַמְמַיָּא דִּי
בַדְּרָךְ יְיָ אֱלָהָךְ לְתַמָּן: ד אִם יְהֵי גָלְוָתָךְ בִּסְיָפֵי שְׁמַיָּא מִתַּמָּן יְכַנְשִׁנָךְ יְיָ אֱלָהָךְ
וּמִתַּמָּן יְקָרְבִנָךְ: ה וְיָעֲלִנָךְ יְיָ אֱלָהָךְ לְאַרְעָא דִּירִיתוּ אֲבָהָתָךְ וְתֵירְתַהּ וְיוֹטֵב לָךְ
וְיַסְגִּנָךְ מֵאֲבָהָתָךְ: ו וְיַעְדֵּי יְיָ אֱלָהָךְ יָת טַפְשׁוּת לִבָּךְ וְיָת טַפְשׁוּת לִבָּא דִבְנָךְ
לְמִרְחַם יָת יְיָ אֱלָהָךְ בְּכָל לִבָּךְ וּבְכָל נַפְשָׁךְ בְּדִיל חַיָּיךְ: ז וְיִתֵּן יְיָ אֱלָהָךְ יָת כָּל
לְוָטַיָּא הָאִלֵּין עַל בַּעֲלֵי דְבָבָךְ וְעַל סָנְאָךְ דִּי רְדָפוּךְ: ח וְאַתְּ תְּתוּב וּתְקַבֵּל
לְמֵימְרָא דַיְיָ וְתַעְבֵּד יָת כָּל פִּקּוֹדוֹהִי דִּי אֲנָא מְפַקֵּדָךְ יוֹמָא דֵין: ט וְיוֹתְרִנָךְ יְיָ
אֱלָהָךְ בְּכֹל עוּבָדֵי יְדָךְ בִּוְלָדָא דִמְעָךְ וּבִוְלָדָא דִבְעִירָךְ וּבְאִבָּא דְאַרְעָךְ לְטָבָא
אֲרֵי יְתוּב יְיָ לְמֶחְדֵּי עֲלָךְ לְטַב כְּמָא דִּי חֲדִי עַל אֲבָהָתָךְ: י אֲרֵי תְקַבֵּל לְמֵימְרָא
דַּיְיָ אֱלָהָךְ לְמִטַּר פִּקּוֹדוֹהִי וּקְיָמוֹהִי דִּכְתִיבִין בְּסִפְרָא אוֹרַיְתָא הָדֵין אֲרֵי תְתוּב

רש״י

מִכָּאן כִּבְיָכוֹל שֶׁהַשְּׁכִינָה שְׁרוּיָה עִם יִשְׂרָאֵל בְּצָרַת גָּלוּתָם, וּכְשֶׁנִּגְאָלִין הִכְתִּיב גְּאֻלָּה
לְעַצְמוֹ – שֶׁהוּא יָשׁוּב עִמָּהֶם. וְעוֹד יֵשׁ לוֹמַר שֶׁגָּדוֹל יוֹם קִבּוּץ גָּלֻיּוֹת וּבְקוֹשִׁי, כְּאִלּוּ
הוּא עַצְמוֹ צָרִיךְ לִהְיוֹת אוֹחֵז בְּיָדָיו מַמָּשׁ אִישׁ אִישׁ מִמְּקוֹמוֹ, כְּעִנְיָן שֶׁנֶּאֱמַר (יש׳ כ״ז) וְאַתֶּם
תְּלֻקְּטוּ לְאַחַד אֶחָד בְּנֵי יִשְׂרָאֵל, וְאַף בְּגָלֻיּוֹת שְׁאָר הָאֻמּוֹת מָצִינוּ כֵן (יר׳ מ״ח) וְשַׁבְתִּי

[4]If *any* of thine be driven out unto the extremity of the heaven, from thence will the Eternal thy God gather thee, and from thence will he fetch thee. [5]And the Eternal thy God will bring thee into the land which thy fathers possessed, and thou shalt possess it; and he will do thee good, and multiply thee above thy fathers. [6]And the Eternal thy God will circumcise thine heart, and the heart of thy seed, to love the Eternal thy God with all thine heart, and with all thy soul, that thou mayest live. [7]And the Eternal thy God will put all these execrations upon thine enemies, and on them that hate thee, who persecuted thee. [8]And thou shalt return and obey the voice of the Eternal, and do all his commandments, which I command thee this day. [9]And the Eternal thy God will make thee plenteous in every work of thine hand, in the fruit of thy body, and in the fruit of thy beasts, and in the fruit of thy land, for good: for the Eternal will again rejoice over thee for good, as he rejoiced over thy fathers; [10]If thou shalt obey the voice of the Eternal

רש"י

from this that, if one can *say so of God*, His Divine presence dwells with Israel in *all* the misery of their exile, so that when they are redeemed (i. e. when He speaks of their being redeemed), He makes Scripture write "Redemption" of Himself (i. e. He makes it state that He will be redeemed) — that He will return with them (Siphre on Num. XXXV. 34; Meg. 29a). Furthermore the following may be said *in explaining the strange form* ושב ... את, — that the day of the gathering of the exiles is so important and *is attended* with *such* difficulty that it is as though He (God) Himself must actually seize hold of each individual's hands *dragging him* from his place (so that God Himself returns with the exile), as it is said, (Is. XXVII. 12) "And ye shall be gathered one by one, O ye children of Israel". We find, however, the same expression in connection with the *gathering of* the exiles of other nations also, *as e.g.*

אֱלֹהֶ֔יךָ לִשְׁמֹ֤ר מִצְוֺתָיו֙ וְחֻקֹּתָ֔יו הַכְּתוּבָ֕ה בְּסֵ֖פֶר
הַתּוֹרָ֣ה הַזֶּ֑ה כִּ֤י תָשׁוּב֙ אֶל־יְהֹוָ֣ה אֱלֹהֶ֔יךָ בְּכׇל־
לְבָבְךָ֖ וּבְכׇל־נַפְשֶֽׁךָ׃ ס שׁשׁי יא כִּ֚י הַמִּצְוָ֣ה הַזֹּ֔את אֲשֶׁ֛ר
אָנֹכִ֥י מְצַוְּךָ֖ הַיּ֑וֹם לֹא־נִפְלֵ֥את הִוא֙ מִמְּךָ֔ וְלֹ֥א רְחֹקָ֖ה
הִֽוא׃ לֹ֣א בַשָּׁמַ֖יִם הִ֑וא לֵאמֹ֗ר מִ֣י יַֽעֲלֶה־לָּ֤נוּ הַשָּׁמַ֙יְמָה֙
וְיִקָּחֶ֣הָ לָּ֔נוּ וְיַשְׁמִעֵ֥נוּ אֹתָ֖הּ וְנַעֲשֶֽׂנָּה׃ יג וְלֹֽא־מֵעֵ֥בֶר
לַיָּ֖ם הִ֑וא לֵאמֹ֗ר מִ֣י יַֽעֲבׇר־לָ֜נוּ אֶל־עֵ֤בֶר הַיָּם֙ וְיִקָּחֶ֣הָ
לָּ֔נוּ וְיַשְׁמִעֵ֥נוּ אֹתָ֖הּ וְנַעֲשֶֽׂנָּה׃ יד כִּֽי־קָר֥וֹב אֵלֶ֛יךָ
הַדָּבָ֖ר מְאֹ֑ד בְּפִ֥יךָ וּבִֽלְבָבְךָ֖ לַעֲשֹׂתֽוֹ׃ ס שביעי

(רביעי במחובר) טו רְאֵ֨ה נָתַ֤תִּי לְפָנֶ֙יךָ֙ הַיּ֔וֹם אֶת־הַֽחַיִּ֖ים
וְאֶת־הַטּ֑וֹב וְאֶת־הַמָּ֖וֶת וְאֶת־הָרָֽע׃ טז אֲשֶׁ֨ר אָנֹכִ֣י
מְצַוְּךָ֮ הַיּוֹם֒ לְאַהֲבָ֞ה אֶת־יְהֹוָ֤ה אֱלֹהֶ֙יךָ֙ לָלֶ֣כֶת
בִּדְרָכָ֔יו וְלִשְׁמֹ֛ר מִצְוֺתָ֥יו וְחֻקֹּתָ֖יו וּמִשְׁפָּטָ֑יו וְחָיִ֣יתָ

אונקלוס

קֳדָם יְיָ אֱלָהָךְ בְּכָל לִבָּךְ וּבְכָל נַפְשָׁךְ: יא אֲרֵי תַפְקֶדְתָּא הָדָא דִּי אֲנָא מְפַקֵּדְךָ
יוֹמָא דֵין לָא פְרִישָׁא הִיא מִנָּךְ וְלָא רְחִיקָא הִיא: יב לָא בִשְׁמַיָּא הִיא לְמֵימַר
מָן יִסַּק לָנָא לִשְׁמַיָּא וְיִסְּבַהּ לָנָא וְיַשְׁמְעִנַּנָא יָתַהּ וְנַעְבְּדִנַּהּ: יג וְלָא מֵעִבְרָא לְיַמָּא
הִיא לְמֵימַר מָן יִעְבַּר לָנָא אֶל עִבְרָא דְיַמָּא וְיִסְּבַהּ לָנָא וְיַשְׁמְעִנַּנָא יָתַהּ וְנַעְבְּדִנַּהּ:
יד אֲרֵי קָרִיב לוֹתָךְ פִּתְגָּמָא לַחֲדָא בְּפוּמָךְ וּבְלִבָּךְ לְמֶעְבְּדֵהּ: טו חֲזִי דִיהָבִית
קֳדָמָךְ יוֹמָא דֵין יָת חַיֵּי וְיָת טָבְתָא וְיָת מוֹתָא וְיָת בִּישָׁא: טז דִּי אֲנָא מְפַקֵּדְךָ
יוֹמָא דֵין לְמִרְחַם יָת יְיָ אֱלָהָךְ לִמְהַךְ לְמִסְדַּר בְּאָרְחָן דְּתָקְנָן קֳדָמוֹהִי וּלְמִטַּר פִּקּוּדוֹהִי

רש״י

שָׁבוּת מוֹאָב: **(יא)** לֹא נִפְלֵאת הִוא מִמְּךָ. לֹא מְכֻסָּה הִיא מִמְּךָ, כְּמוֹ שֶׁנֶּאֱמַר (דב׳ י״ז)
כִּי יִפָּלֵא — אֲרֵי יִתְכַּסֵּי, (איכה א׳) וַתֵּרֶד פְּלָאִים — וַתֵּרֶד בְּמַטְמוֹנִיּוֹת, קָ(נ)סְתָּר
חֲבוּשָׁה בַּמָּמוֹן: **(יב)** לֹא בַשָּׁמַיִם הִוא. שֶׁאִלּוּ הָיְתָה בַשָּׁמַיִם, הָיִיתָ צָרִיךְ לַעֲלוֹת אַחֲרֶיהָ
לְלׇמְדָהּ: **(יד)** כִּי קָרוֹב אֵלֶיךָ. הַתּוֹרָה נִתְּנָה לָכֶם בִּכְתָב וּבְעַל פֶּה: **(טו)** אֶת הַחַיִּים
וְאֶת הַטּוֹב. זֶה תָּלוּי בָּזֶה, אִם תַּעֲשֶׂה טוֹב הֲרֵי לְךָ חַיִּים וְאִם תַּעֲשֶׂה רַע הֲרֵי לְךָ הַמָּוֶת,
וְהַכָּתוּב מְפָרֵשׁ וְהוֹלֵךְ הֵיאַךְ: **(טז)** אֲשֶׁר אָנֹכִי מְצַוְּךָ הַיּוֹם לְאַהֲבָה. הֲרֵי הַטּוֹב, וּבוֹ תָּלוּי

thy God, to keep his commandments and his ordinances which are written in this book of the law, *and* if thou return unto the Eternal thy God with all thine heart, and with all thy soul. [11]For this commandment which I command thee this day, it *is* not hidden from thee, neither *is* it far off. [12]It *is* not in the heaven, that thou shouldest say. Who shall go up for us to the heaven, and take it unto us, and let us hear that we may do it? [13]Neither *is* it beyond the sea, that thou shouldest say, Who shall pass over the sea for us, and take it unto us, and let us hear it that we may do it? [14]But the word *is* very nigh unto thee, in thy mouth, and in thy heart, that thou mayest do it. [15]See, I have set before thee this day, the life and the good, and the death and the evil; [16]I who command thee this day to love the Eternal thy God, to walk in his ways, and to keep his commandments and his ordinances and his judgments, that thou mayest live and

רש״י

(Jer. XLVIII. 47): ושבתי שבות מואב.[1]) **(11)** לא נפלאת הוא ממך [FOR THIS COMMANDMENT . . .] IS NOT נפלאת FROM THEE *i.e.* is not concealed from thee, just as it is said, (XVII. 8): כי יפלא *which is rendered in the Targum by* "If there be concealed [from thee]"; *and* (Lam. I. 9): ותרד פלאים *which means,* she went down into concealment, *i.e.* being covered and bound in the place of concealment. **(12)** לא בשמים הוא IT IS NOT IN HEAVEN — for were it in heaven it would still be your duty to go up after it and to learn it (Erub. 55a)[2]). **(14)** כי קרוב אליך BUT [THE WORD] IS [VERY] NIGH UNTO THEE — the Torah has been given to you in writing and orally. **(15)** את החיים ואת הטוב LIFE AND GOOD — the one is dependent upon the other: if you do good, behold, there is life for you, and if you do evil, behold, there is death for you. Scripture goes on to explain how *this is:* **(16)** אשר אנכי מצוך היום לאהבה IN THAT I COMMAND THEE THIS DAY TO LOVE [THE LORD THY GOD] — You have

NOTES

For Notes 1—2 see Appendix.

וְרָבִיתָ וּבֵרַכְךָ יְהוָה אֱלֹהֶיךָ בָּאָרֶץ אֲשֶׁר־אַתָּה בָא־
שָׁמָּה לְרִשְׁתָּהּ׃ יז וְאִם־יִפְנֶה לְבָבְךָ וְלֹא תִשְׁמָע
וְנִדַּחְתָּ וְהִשְׁתַּחֲוִיתָ לֵאלֹהִים אֲחֵרִים וַעֲבַדְתָּם׃
מפטיר יח הִגַּדְתִּי לָכֶם הַיּוֹם כִּי אָבֹד תֹּאבֵדוּן לֹא־
תַאֲרִיכֻן יָמִים עַל־הָאֲדָמָה אֲשֶׁר אַתָּה עֹבֵר אֶת־
הַיַּרְדֵּן לָבוֹא שָׁמָּה לְרִשְׁתָּהּ׃ יט הַעִדֹתִי בָכֶם הַיּוֹם
אֶת־הַשָּׁמַיִם וְאֶת־הָאָרֶץ הַחַיִּים וְהַמָּוֶת נָתַתִּי
לְפָנֶיךָ הַבְּרָכָה וְהַקְּלָלָה וּבָחַרְתָּ בַּחַיִּים לְמַעַן
תִּחְיֶה אַתָּה וְזַרְעֶךָ׃ כ לְאַהֲבָה אֶת־יְהוָה אֱלֹהֶיךָ
לִשְׁמֹעַ בְּקֹלוֹ וּלְדָבְקָה־בוֹ כִּי הוּא חַיֶּיךָ וְאֹרֶךְ יָמֶיךָ

אונקלוס

וקימוהי ודינוהי ותיחי ותסגי ויברכנך יי אלהך בארעא די את עלל לתמן למירתה: יז ואם יפני לבך ולא תקבל ותטעי ותסגוד לטעות עממיא ותפלחנון: יח חויתי לכון יומא דין ארי מיבד תיבדון לא תורכון יומין על ארעא די את עבר ית ירדנא למעל לתמן למירתה: יט אסהדית בכון יומא דין ית שמיא וית ארעא חיי ומותא יהבית קדמך ברכן ולוטין ותתרעי בחיי בדיל דתיחי את ובניך: כ למרחם ית יי אלהך לקבלא למימרה ולאתקרבא בדחלתה ארי

רש"י

חיית ורבית, הרי החיים. (יז) ואם יפנה לבבך. הרי הרע. (יח) כי אבד תאבדון. הרי המות: (יט) העדתי בכם היום את השמים ואת הארץ. שהם קימים לעולם, וכאשר תקרה אתכם הרעה יהיו עדים שאני התריתי בכם בכל זאת; דבר אחר העדתי בכם היום את השמים וגו', אמר להם הקדוש ברוך הוא לישראל, הסתכלו בשמים שבראתי לשמש אתכם, שמא שנו את מדתם? שמא לא עלה גלגל חמה מן המזרח והאיר לכל העולם כענין שנאמר (קהל' א') וזרח השמש ובא השמש? התסכלו בארץ שבראתי לשמש אתכם, שמא שנתה מדתה? שמא זרעתם אותה ולא צמחה או שמא זרעתם חטים והעלתה שעורים? ומה אלו שנעשו לא לשכר ולא להפסד, אם זוכין אין מקבלין שכר ואם חוטאין אין מקבלין פורענות, לא שנו את מדתם, אתם שאם זכיתם תקבלו שכר ואם חטאתם תקבלו פורענות, על אחת כמה וכמה (ספרי דב' ל"ב): ובחרת בחיים. אני מורה לכם שתבחרו בחלק החיים, כאדם האומר לבנו בחר לך חלק יפה בנחלתי, ומעמידו על חלק היפה ואומר לו את זה ברור לך, ועל זה נאמר (תה' ט"ז) ה' מנת חלקי וכוסי אתה תומיך גורלי — הנחת ידי על גורל הטוב לומר את זה קח לך:

increase: and the Eternal thy God shall bless thee in the land whither thou goest to possess it. [17]But if thine heart turn away, so that thou wilt not hear, but shalt be drawn away, and prostrate thyself to other gods, and serve them; [18]I tell unto you this day, that ye shall surely perish, *and that* ye shall not prolong *your* days upon the ground, whither thou passest over the Jordan to go to possess it. [19]I call the heaven and the earth as witnessess this day against you, *that* I have set before you the life and the death, the blessing and the curse: therefore choose the life, that both thou and thy seed may live: [20]That thou mayest love the Eternal thy God, *and* that thou mayest obey his voice, and that thou mayest cleave unto him; for he *is* thy life, and the length of thy days;

רש"י

here *a description of* the "good", and upon this depends וחיית ורבית THAT THOU MAYEST LIVE AND INCREASE — here you have life; **(17)** ואם יפנה לבבך BUT IF THINE HEART TURN AWAY — here you have evil, **(18)** כי אבד תאבדון [I TELL YOU THIS DAY] THAT YE SHALL PERISH — here you have death. **(19)** העדתי בכם היום את השמים ואת הארץ I CALL AS WITNESSES AGAINST YOU THE HEAVEN AND THE EARTH, which exist for ever, and when evil will befall you they will be witnesses that I have warned you regarding all this (cf. Targ. Jon.). Another explanation of העדתי בכם את השמים וגו׳ I CALL THE HEAVEN [AND THE EARTH] AS WITNESSES AGAINST YOU: The Holy One, blessed be He, said to Israel, "Look at the heavens which I have created to be at your service; have they perhaps *ever* changed their character? Has the orb of the sun perhaps *ever* failed to rise in the East and to give light to the whole world, just as is stated, (Eccl. I. 4—5) "And the sun riseth, and the sun goeth down [and hasteth to its place where it arises]"?! Look at the earth which I have created to be at your service! Has it perhaps *ever* changed its character? Have you perhaps sown it and it did not bring forth, or have you sown wheat and it brought forth barley?! Now how is it *with* these that have been made neither with the end in view that they should receive a reward nor that they should suffer a loss — *for* if they act meritoriously (if they follow the natural laws by which they are governed) they receive no reward and if they were to fail they would receive no punishment? They have never changed their character! You, who if you act meritoriously do receive a reward and if you sin do receive punishment, how much the more *so should you obey the commands of your Maker* (Siphre on XXXII. 1). ובחרת בחיים THEREFORE CHOOSE THE LIFE — I show you *these* ("I set life and death before thee) in order that you may choose the portion of life. *It is* like a man who says to his son, "Choose thee a good portion of my real estate", and sets him in the best portion saying to him, "Choose thee this!" And concerning this it states, (Ps. XVI. 5) "The Lord is the portion of my inheritance and my cup, אתה תומיך גורלי", *i.e.* "Thou placest *my hand* on the good lot, saying, "Choose this!"[1])

NOTES

[1]) This is the translation that Rashi himself gives in his commentary on Psalms. He gives a reference back to this text, stating that the verse alludes to God's counsel given to Israel to choose life.

לָשֶׁבֶת עַל־הָאֲדָמָה אֲשֶׁר נִשְׁבַּע יְהוָה לַאֲבֹתֶיךָ
לְאַבְרָהָם לְיִצְחָק וּלְיַעֲקֹב לָתֵת לָהֶם׃

ומפטירין **שוש אשיש.** בישעיה בסימן ס"ב: מ'. לנ"בו סימן:

פ פ פ

לא א וַיֵּלֶךְ מֹשֶׁה וַיְדַבֵּר אֶת־הַדְּבָרִים הָאֵלֶּה אֶל־
כָּל־יִשְׂרָאֵל׃ ב וַיֹּאמֶר אֲלֵהֶם בֶּן־מֵאָה
וְעֶשְׂרִים שָׁנָה אָנֹכִי הַיּוֹם לֹא־אוּכַל עוֹד לָצֵאת
וְלָבוֹא וַיהוָה אָמַר אֵלַי לֹא תַעֲבֹר אֶת־הַיַּרְדֵּן הַזֶּה׃
ג יְהוָה אֱלֹהֶיךָ הוּא ׀ עֹבֵר לְפָנֶיךָ הוּא־יַשְׁמִיד אֶת־
הַגּוֹיִם הָאֵלֶּה מִלְּפָנֶיךָ וִירִשְׁתָּם יְהוֹשֻׁעַ הוּא עֹבֵר
לְפָנֶיךָ כַּאֲשֶׁר דִּבֶּר יְהוָה׃ שני ד וְעָשָׂה יְהוָה לָהֶם
כַּאֲשֶׁר עָשָׂה לְסִיחוֹן וּלְעוֹג מַלְכֵי הָאֱמֹרִי וּלְאַרְצָם
אֲשֶׁר הִשְׁמִיד אֹתָם׃ ה וּנְתָנָם יְהוָה לִפְנֵיכֶם
וַעֲשִׂיתֶם לָהֶם כְּכָל־הַמִּצְוָה אֲשֶׁר צִוִּיתִי אֶתְכֶם׃

אונקלוס

הוּא חַיָּיךְ וְאוֹרְכוּת יוֹמָיךְ לְמִתַּב עַל אַרְעָא דִּי קַיֵּים יְיָ לַאֲבָהָתָךְ לְאַבְרָהָם
לְיִצְחָק וּלְיַעֲקֹב לְמִתַּן לְהוֹן׃

א וַאֲזַל מֹשֶׁה וּמַלֵּיל יָת פִּתְגָּמַיָּא הָאִלֵּין עִם כָּל יִשְׂרָאֵל׃ ב וַאֲמַר לְהוֹן בַּר מְאָה
וְעַשְׂרִין שְׁנִין אֲנָא יוֹמָא דֵין לֵית אֲנָא יָכִיל עוֹד לְמִפַּק וּלְמֵעַל וַיְיָ אֲמַר לִי לָא
תִעְבַּר יָת יַרְדְּנָא הָדֵין׃ ג יְיָ אֱלָהָךְ מֵימְרֵהּ יִעְבַּר קֳדָמָךְ הוּא יְשֵׁיצֵי יָת עַמְמַיָּא
הָאִלֵּין מִקֳּדָמָךְ וְתֵירְתִנּוּן יְהוֹשֻׁעַ הוּא עָבֵר קֳדָמָךְ כְּמָא דִי מַלֵּיל יְיָ׃ ד וְיַעְבֵּד יְיָ
לְהוֹן כְּמָא דִי עֲבַד לְסִיחוֹן וּלְעוֹג מַלְכֵי אֱמֹרָאָה וּלְאַרְעֲהוֹן דִּי שֵׁיצֵי יָתְהוֹן׃
ה וְיִמְסְרִנּוּן יְיָ קֳדָמֵיכוֹן וְתַעְבְּדוּן לְהוֹן כְּכָל תַּפְקֶדְתָּא דִי פַקֵּדִית יָתְכוֹן׃

רש"י

לא (ב) **אנכי היום.** הַיּוֹם מָלְאוּ יָמַי וּשְׁנוֹתַי, בְּיוֹם זֶה נוֹלַדְתִּי וּבְיוֹם זֶה אָמוּת (סוטה י"ג): **לא אוכל עוד לצאת ולבוא.** יָכוֹל שֶׁתָּשַׁשׁ כֹּחוֹ, תַּלְמוּד לוֹמַר לֹא כָהֲתָה עֵינוֹ וְלֹא נָס לֵחֹה, אֶלָּא מַהוּ לֹא אוּכַל? אֵינִי רַשַּׁאי, שֶׁנִּטְּלָה מִמֶּנִּי הָרְשׁוּת וְנִתְּנָה לִיהוֹשֻׁעַ. דָּ"אַ **לצאת ולבוא.** בְּדִבְרֵי תוֹרָה, מְלַמֵּד שֶׁנִּסְתְּמוּ מִמֶּנּוּ מְסוֹרוֹת וּמַעְיְנוֹת הַחָכְמָה (סוטה י"ג): **וה' אמר אלי,** זֶהוּ פֵּרוּשׁ לא אוכל עוד לצאת ולבוא – לְפִי שֶׁה' אָמַר אֵלַי:

that thou mayest abide upon the ground which the Eternal sware unto thy fathers, to Abraham, to Isaac, and to Jacob, to give them.

31. [1]And Moses went, and spake these words unto all Israel. [2]And he said unto them, I *am* an hundred and twenty years old this day: I can no more go out and come in: also the Eternal hath said unto me, Thou shalt not pass over this Jordan. [3]The Eternal thy God, he will go over before thee, *and* he will exterminate these nations from before thee, and thou shalt possess them: *and* Joshua, he shall pass over before thee, as the Eternal hath said. [4]And the Eternal shall do unto them as he did to Sihon and to Og, kings of the Amorites, and unto the land of them whom he exterminated. [5]And the Eternal shall give them *up* before your face, that ye may do unto them according to all the commandments which I have commanded you.

רש"י

וילך

31. (2) אנכי היום I AM [HUNDRED AND TWENTY YEARS OLD] THIS DAY — To-day my days and my years become full: *for* on this day (the seventh of Adar; cf. Rashi on I. 3) I was born and on this day I must die (Sota 13b). לא אוכל עוד לצאת ולבוא I CAN NO MORE GO OUT AND COME IN — One might *think* that *this was because* his *physical* strength failed him! Scripture, however, states (XXXIV. 7) "His eye was not dim nor his natural force abated!" What *then* is the meaning of לא אוכל? *It means:* "I am not permitted" (cf. Rashi on XII. 17 and XXIV. 4), because the power (leadership) is being taken from me and given to Joshua. — Another explanation of לצאת ולבוא is: *I can no more take the lead* in the matter of the Law; *this* teaches *us* that the traditions and the well-springs of wisdom were stopped up for him (Tanch. ואתחנן; cf. Sota 13b). וה' אמר אלי — This (according to the first comment) is the explanation of לא אוכל עוד לצאת ולבוא: *I can no more go out and come in* because (ו = because) the Lord has said unto Me, *Thou shalt*

חִזְקוּ וְאִמְצוּ אַל־תִּירְאוּ וְאַל־תַּעַרְצוּ מִפְּנֵיהֶם כִּי
יְהוָה אֱלֹהֶיךָ הוּא הַהֹלֵךְ עִמָּךְ לֹא יַרְפְּךָ וְלֹא
יַעַזְבֶךָּ: ס שלישי (חמישי במחובר) ז וַיִּקְרָא מֹשֶׁה לִיהוֹשֻׁעַ
וַיֹּאמֶר אֵלָיו לְעֵינֵי כָל־יִשְׂרָאֵל חֲזַק וֶאֱמָץ כִּי אַתָּה
תָּבוֹא אֶת־הָעָם הַזֶּה אֶל־הָאָרֶץ אֲשֶׁר נִשְׁבַּע יְהוָה
לַאֲבֹתָם לָתֵת לָהֶם וְאַתָּה תַּנְחִילֶנָּה אוֹתָם: ח וַיהוָה
הוּא | הַהֹלֵךְ לְפָנֶיךָ הוּא יִהְיֶה עִמָּךְ לֹא יַרְפְּךָ וְלֹא
יַעַזְבֶךָּ לֹא תִירָא וְלֹא תֵחָת: ט וַיִּכְתֹּב מֹשֶׁה אֶת־
הַתּוֹרָה הַזֹּאת וַיִּתְּנָהּ אֶל־הַכֹּהֲנִים בְּנֵי לֵוִי הַנֹּשְׂאִים
אֶת־אֲרוֹן בְּרִית יְהוָה וְאֶל־כָּל־זִקְנֵי יִשְׂרָאֵל: רביעי
י וַיְצַו מֹשֶׁה אוֹתָם לֵאמֹר מִקֵּץ | שֶׁבַע שָׁנִים בְּמֹעֵד
שְׁנַת הַשְּׁמִטָּה בְּחַג הַסֻּכּוֹת: יא בְּבוֹא כָל־יִשְׂרָאֵל

אונקלוס

ו תְּקִיפוּ וְאַלִּימוּ לָא תִדְחֲלוּן וְלָא תִתַּבְרוּן מִקֳּדָמֵיהוֹן אֲרֵי יְיָ אֱלָהָךְ הוּא דִּמְדַבַּר
קֳדָמָךְ לָא יִשְׁבְּקִנָּךְ וְלָא יְרַחֲקִנָּךְ: ז וּקְרָא מֹשֶׁה לִיהוֹשֻׁעַ וַאֲמַר לֵהּ לְעֵינֵי כָל
יִשְׂרָאֵל תְּקַף וְאַלִּים אֲרֵי אַתְּ תֵּעוֹל עִם עַמָּא הָדֵין לְאַרְעָא דִּי קַיֵּים יְיָ לַאֲבָהַתְהוֹן
לְמִתַּן לְהוֹן וְאַתְּ תַּחְסְנִנַּהּ יָתְהוֹן: ח וַיְיָ הוּא דִּמְדַבַּר קֳדָמָךְ מֵימְרֵהּ יְהֵי בְּסַעְדָּךְ
לָא יִשְׁבְּקִנָּךְ וְלָא יְרַחֲקִנָּךְ לָא תִדְחַל וְלָא תִתְּבַר: ט וּכְתַב מֹשֶׁה יָת אוֹרָיְתָא
הָדָא וִיהָבַהּ לְכָהֲנַיָּא בְּנֵי לֵוִי דְּנָטְלִין יָת אֲרוֹן קְיָמָא דַּייָ וּלְכָל סָבֵי יִשְׂרָאֵל:
י וּפַקֵּיד מֹשֶׁה יָתְהוֹן לְמֵימַר מִסּוֹף שְׁבַע שְׁנִין בִּזְמַן שַׁתָּא דִשְׁמִטְּתָא בְּחַגָּא

רש"י

(ו) לא ירפך. לא יתן לך רפיון להיות נעזב ממנו: (ז) כי אתה תבוא את העם הזה.
ארי את תעול עם עמא הדין; משה אמר לו ליהושע זקנים שבדור יהיו עמך, הכל לפי
דעתן ועצתן, אבל הקב"ה אמר ליהושע כי אתה תביא את בני ישראל אל הארץ אשר
נשבעתי להם — תביא על כרחם, הכל תלוי בך, טול מקל והך על קדקדן, דבר אחד
לדור ולא שני דברים לדור (סנה' ח'): (ט) ויכתב משה, ויתנה. כשנגמרה כלה נתנה
לבני שבטו (עי' ספרי דב' ל"ד): (י) מקץ שבע שנים. בשנה ראשונה של שמטה —
בשמינית, ולמה קורא אותה שנת השמטה? שעדין שביעית נוהגת בה בקציר של

[6]Be strong and firm, fear not, nor be terrified by them: for the Eternal thy God, he *it is* that doth go with thee; he will not fail thec, nor forsake thee. [7]And Moses called unto Joshua, and said unto him before the eyes of all Israel, Be strong and firm: for thou must go with this people unto the land which the Eternal hath sworn unto their fathers to give them; and thou shalt cause them to inherit it. [8]And the Eternal, he *it is* that doth pass before thee; he will be with thee, he will not fail thee, neither forsake thee: fear not, neither be dismayed. [9]And Moses wrote this law, and gave it unto the priests the sons of Levi, who bare the ark of the covenant of the Eternal, and unto all the elders of Israel. [10]And Moses commanded them, saying, At the end of *every* seven years, at the appointed season of the year of remission, in the festival of tabernacles, [11]When all Israel is come

רש״י

not pass over this Jordan. **(6)** לא ירפך *means* He will give you no looseness that you should be abandoned by Him (cf. Rashi on IV. 31). **(7)** כי אתה תבוא את העם הזה — *Translate this as the Targum does:* ארי את תעול עם עמא הדין, THOU SHALT GO WITH THIS PEOPLE. Moses, *by the statement "Thou shalt go with this people"* (as one of them) said *in effect* to Joshua: The elders of the generation will be with thee: everything *has to be done* according to their opinion and their advice. The Holy One, blessed be He, however, said to Joshua, (v. 23) "For thou shalt bring (תביא) the children of Israel into the land which I swore unto them" — thou shalt bring them *even* against their will; everything depends on you *alone: if necessary* take a stick and beat them over the head: there can be but one leader for a generation, and not two leaders for a generation (Sanh. 8a). **(9)** ויכתב משה ... ויתנה AND MOSES WROTE [THIS LAW] AND GAVE IT [UNTO THE PRIESTS, THE SONS OF LEVI] — When it was completely finished he gave it to the sons of his tribe[1]). **(10)** מקץ שבע שנים AT THE END OF EVERY SEVEN YEARS [AT THE APPOINTED SEASON OF THE SHEMITTAH YEAR ... (12) ASSEMBLE THE PEOPLE] — *This means* in the first year of the new Shemittah-period — in the eighth year. But why does Scripture call it the "Shemittah-year", *which name usually implies the seventh year?* Because the law of the "seventh year" still applies to it, *viz.*, in connection with the harvest of the seventh

NOTES

[1]) The term: "This law", does not refer to the Torah from the beginning up to this verse, for this woud imply that the last chapters of the Torah were not written by him. Nor does it refer to Deuteronomy only as is the meaning of these words in v. 11 (cf. Rashi on that verse, see also Siphre on XXXIV. 5).

לִרְאוֹת אֶת־פְּנֵי יְהֹוָה אֱלֹהֶיךָ בַּמָּקוֹם אֲשֶׁר יִבְחָר תִּקְרָא אֶת־הַתּוֹרָה הַזֹּאת נֶגֶד כָּל־יִשְׂרָאֵל בְּאָזְנֵיהֶם: יב הַקְהֵל אֶת־הָעָם הָאֲנָשִׁים וְהַנָּשִׁים וְהַטַּף וְגֵרְךָ אֲשֶׁר בִּשְׁעָרֶיךָ לְמַעַן יִשְׁמְעוּ וּלְמַעַן יִלְמְדוּ וְיָרְאוּ אֶת־יְהֹוָה אֱלֹהֵיכֶם וְשָׁמְרוּ לַעֲשׂוֹת אֶת־כָּל־דִּבְרֵי הַתּוֹרָה הַזֹּאת: יג וּבְנֵיהֶם אֲשֶׁר לֹא־ יָדְעוּ יִשְׁמְעוּ וְלָמְדוּ לְיִרְאָה אֶת־יְהֹוָה אֱלֹהֵיכֶם כָּל־הַיָּמִים אֲשֶׁר אַתֶּם חַיִּים עַל־הָאֲדָמָה אֲשֶׁר אַתֶּם עֹבְרִים אֶת־הַיַּרְדֵּן שָׁמָּה לְרִשְׁתָּהּ: פ

חמישי (ששי במחובר)

יד וַיֹּאמֶר יְהֹוָה אֶל־מֹשֶׁה הֵן קָרְבוּ יָמֶיךָ לָמוּת קְרָא אֶת־יְהוֹשֻׁעַ וְהִתְיַצְּבוּ בְּאֹהֶל מוֹעֵד וַאֲצַוֶּנּוּ וַיֵּלֶךְ מֹשֶׁה וִיהוֹשֻׁעַ וַיִּתְיַצְּבוּ בְּאֹהֶל מוֹעֵד: טו וַיֵּרָא יְהֹוָה בָּאֹהֶל בְּעַמּוּד עָנָן וַיַּעֲמֹד עַמּוּד הֶעָנָן עַל־פֶּתַח

דְּמִטַלְיָא: יא בְּמֵיתֵי כָל יִשְׂרָאֵל לְאִתְחֲזָאָה קֳדָם יְיָ אֱלָהָךְ בְּאַתְרָא דִּי יִתְרְעֵי תְּקָרֵי יָת אוֹרַיְתָא הָדָא קֳדָם כָּל יִשְׂרָאֵל וְתַשְׁמְעִנּוּן: יב כְּנוֹשׁ יָת עַמָּא גֻּבְרַיָּא וּנְשַׁיָּא וְטַפְלָא וְגִיּוֹרָךְ דִּי בְקִרְוָיָךְ בְּדִיל דְּיִשְׁמְעוּן וּבְדִיל דְּיֵלְפוּן (נ״א דְּיֵלְפוּן) וְיִדְחֲלוּן יָת יְיָ אֱלָהֲכוֹן וְיִטְּרוּן לְמֶעְבַּד יָת כָּל פִּתְגָּמֵי אוֹרַיְתָא הָדָא: יג וּבְנֵיהוֹן דִּי לָא יְדַעוּ יִשְׁמְעוּן וְיֵלְפוּן (נ״א וְיֵלְפוּן) לְמִדְחַל יָת יְיָ אֱלָהֲכוֹן כָּל יוֹמַיָּא דִּי אַתּוּן קַיָּמִין עַל אַרְעָא דִּי אַתּוּן עָבְרִין יָת יַרְדְּנָא תַּמָּן לְמֵירְתַהּ: יד וַאֲמַר יְיָ לְמֹשֶׁה הָא קְרִיבוּ יוֹמָיךְ לִמְמָת קְרָא יָת יְהוֹשֻׁעַ וְאִתְעַתָּדוּ בְּמַשְׁכַּן זִמְנָא וַאֲפַקְּדִנֵּהּ וַאֲזַל מֹשֶׁה וִיהוֹשֻׁעַ וְאִתְעַתָּדוּ בְּמַשְׁכַּן זִמְנָא: טו וְאִתְגְּלִי יְיָ בְּמַשְׁכְּנָא

שְׁבִיעִית הַיּוֹצֵא לְמוֹצָאֵי שְׁבִיעִית: (יא) תִּקְרָא אֶת הַתּוֹרָה הַזֹּאת. הַמֶּלֶךְ הָיָה קוֹרֵא מִתְּחִלַּת אֵלֶּה הַדְּבָרִים, כִּדְאִיתָא בְּמַסֶּכֶת סוֹטָה (דַּף מ״א) עַל בִּימָה שֶׁל עֵץ שֶׁהָיוּ עוֹשִׂין בָּעֲזָרָה: (יב) הָאֲנָשִׁים. לִלְמוֹד. וְהַנָּשִׁים. לִשְׁמוֹעַ. וְהַטַּף לָמָּה בָּאוּ לָתֵת שָׂכָר לְמְבִיאֵיהֶם

to appear before the Eternal thy God in the place which he shall choose, thou shalt read this law before all Israel in their hearing. [12]Assemble tl people together, men, and women, and little ones, and thy stranger that *is* within thy gates, that they may hear, and that they may learn, and fear the Eternal your God, and observe to do all the words of this law; [13]And *that* their children, who have not known *any thing*, may hear, and learn to fear the Eternal your God, all the days that ye live on the ground whither ye pass over the Jordan to possess it. [14]And the Eternal said unto Moses, Behold, thy days approach that thou must die: call Joshua, and place yourselves in the appointed tent, that I may give him a charge. And Moses and Joshua went and placed themselves in the appointed tent. [15]And the Eternal appeared in the tent in a column of a cloud: and the column of the cloud stood over the entrance

רש"י

year's produce that actually goes forth into (takes place in) the year following the seventh year (the eighth year) (cf. Rashi on Ex. XXXIV. 21). **(11)** תקרא את התורה הזאת [WHEN ALL ISRAEL IS COME TO APPEAR BEFORE THE LORD . . .] THOU SHALT READ THIS LAW [BEFORE ALL ISRAEL] — The king read from the beginning *of the section* "These are the words" (Deut. I. 1), — as is *set forth* in Treatise Sota (41a) — upon a wooden platform that was erected in the forecourt. **(12)** האנשים [ASSEMBLE THE PEOPLE,] MEN [WOMEN, AND LITTLE ONES] — *the men*, in order to learn, והנשים THE WOMEN, in order to listen *to the words of the Law*, והטף AND THE LITTLE ONES — to what end did they come? *For no other*

הָאֹהֶל׃ טז וַיֹּאמֶר יְהוָה אֶל־מֹשֶׁה הִנְּךָ שֹׁכֵב עִם־
אֲבֹתֶיךָ וְקָם הָעָם הַזֶּה וְזָנָה ׀ אַחֲרֵי ׀ אֱלֹהֵי נֵכַר־
הָאָרֶץ אֲשֶׁר הוּא בָא־שָׁמָּה בְּקִרְבּוֹ וַעֲזָבַנִי וְהֵפֵר
אֶת־בְּרִיתִי אֲשֶׁר כָּרַתִּי אִתּוֹ׃ יז וְחָרָה אַפִּי בוֹ בַיּוֹם־
הַהוּא וַעֲזַבְתִּים וְהִסְתַּרְתִּי פָנַי מֵהֶם וְהָיָה לֶאֱכֹל
וּמְצָאֻהוּ רָעוֹת רַבּוֹת וְצָרוֹת וְאָמַר בַּיּוֹם הַהוּא
הֲלֹא עַל כִּי־אֵין אֱלֹהַי בְּקִרְבִּי מְצָאוּנִי הָרָעוֹת
הָאֵלֶּה׃ יח וְאָנֹכִי הַסְתֵּר אַסְתִּיר פָּנַי בַּיּוֹם הַהוּא
עַל כָּל־הָרָעָה אֲשֶׁר עָשָׂה כִּי פָנָה אֶל־אֱלֹהִים
אֲחֵרִים׃ יט וְעַתָּה כִּתְבוּ לָכֶם אֶת־הַשִּׁירָה הַזֹּאת
וְלַמְּדָהּ אֶת־בְּנֵי־יִשְׂרָאֵל שִׂימָהּ בְּפִיהֶם לְמַעַן
תִּהְיֶה־לִּי הַשִּׁירָה הַזֹּאת לְעֵד בִּבְנֵי יִשְׂרָאֵל׃ ששי
(שביעי במחובר) כ כִּי־אֲבִיאֶנּוּ אֶל־הָאֲדָמָה ׀ אֲשֶׁר־
נִשְׁבַּעְתִּי לַאֲבֹתָיו זָבַת חָלָב וּדְבַשׁ וְאָכַל וְשָׂבַע

אונקלוס

בְּעַמּוּדָא דַעֲנָנָא וְקָם עַמּוּדָא דַעֲנָנָא עַל תְּרַע מַשְׁכְּנָא׃ טז וַאֲמַר יְיָ לְמֹשֶׁה הָא
אַתְּ שָׁכֵב עִם אֲבָהָתָךְ וִיקוּם עַמָּא הָדֵין וְיִטְעֵי בָּתַר טַעֲוָת עַמְמֵי אַרְעָא דִּי
אִנּוּן עָלִין תַּמָּן בֵּינֵיהוֹן וְיִשְׁבְּקוּן דַּחַלְתִּי וִישַׁנּוֹן יָת קְיָמִי דִּי גְזָרִית עִמֵּיהּ׃
יז וְיִתְקוֹף רֻגְזִי בְהוֹן בְּעִדָּנָא הַהִיא וְאַרְחֵקִנּוּן וְאֲסַלֵּק שְׁכִנְתִּי מִנְּהוֹן וִיהוֹן לְמִבַּז
וִיעָרְעָן יָתְהוֹן בִּישָׁן סַגִּיאָן וְעָקָן וְיֵימְרוּן בְּיוֹמָא הַהוּא הֲלָא מִדְּלֵית שְׁכִינַת אֱלָהִי
בֵּינִי עָרְעוּנִי בִּישָׁתָא הָאִלֵּין׃ יח וַאֲנָא סַלָּקָא אֲסַלֵּק שְׁכִנְתִּי מִנְּהוֹן בְּיוֹמָא הַהוּא
עַל כָּל בִּישְׁתָא דִּי עֲבַדוּ אֲרֵי אִתְפְּנִי בָּתַר טַעֲוַת עַמְמַיָּא׃ יט וּכְעַן כְּתִיבוּ לְכוֹן
יָת תֻּשְׁבַּחְתָּא הָדָא וְאַלְּפַהּ יָת בְּנֵי יִשְׂרָאֵל שַׁוְיַהּ בְּפֻמְּהוֹן בְּדִיל דִּתְהֵי לִי
תֻּשְׁבַּחְתָּא הָדָא לְסָהִיד בִּבְנֵי יִשְׂרָאֵל׃ כ אֲרֵי אֲעֵלִנּוּן לְאַרְעָא דִּי קַיֵּמִית
לַאֲבָהָתְהוֹן עָבְדָא חֲלַב וּדְבַשׁ וְיֵיכְלוּן וְיִשְׂבְּעוּן וְיִתְפַּנְּקוּן וְיִתְפְּנוּן בָּתַר טַעֲוָת

רש״י

(חגי ב׳): (יד) ואצונו. וַאֲזָרְזֶנּוּ: (טו) נכר הארץ. גּוֹיֵי הָאָרֶץ: (יז) והסתרתי פני. כְּמוֹ
שֶׁאֵינִי רוֹאֶה בְּצָרָתָם: (יט) את השירה הזאת. הַאֲזִינוּ הַשָּׁמַיִם עַד וְכִפֶּר אַדְמָתוֹ עַמּוֹ:

of the tent. [16]And the Eternal said unto Moses, Behold, thou shalt lie with thy fathers; and this people will rise up, and go a whoring after the gods of the aliens of the land whither they go *to be* amongst them, and will forsake me, and make void my covenant which I have made with them. [17]Then my wrath shall glow against them in that day, and I will forsake them, and I will hide my face from them, and they shall be devoured, and many evils and distresses shall befall them; so that they will say in that day, Are not these evils come upon us, because our God *is* not amongst us? [18]And I will surely hide my face in that day, for all the evils which they shall have done, in that they are turned unto other gods. [19]Now therefore write ye this song for you, and teach it the children of Israel: put it in their mouths, that this song may be a witness for me against the children of Israel. [20]For when I have brought them to the ground which I sware unto their fathers, that floweth with milk and honey; and they shall have eaten and be satisfied,

רש״י

purpose than that a reward should be given to those who bring them (Chag. 3a). **(14)** ואצוני *means,* THAT I MAY EXHORT HIM[1]). **(16)** נכר הארץ [THIS PEOPLE WILL . . . GO A WHORING AFTER THE GODS OF] נכר הארץ — *i.e., after the gods of* the peoples of the land (Onkelos)[2]). **(17)** והסתרתי פני AND I WILL HIDE MY FACE FROM THEM, as though I do not see their distress. **(19)** את השירה הזאת [NOW THEREFORE WRITE YE] THIS SONG — *i.e. the text* "Give ear, O ye heavens", till "and make expiation for his

NOTES

1) The word must denote general exhortation and not command, since Scripture does not mention that God gave him any command other than "Be strong, etc." (see Rashi on v. 23).

2) See Appendix.

וְדָשֵׁן וּפָנָה אֶל־אֱלֹהִים אֲחֵרִים וַעֲבָדוּם וְנִאֲצוּנִי וְהֵפֵר אֶת־בְּרִיתִי׃ כא וְהָיָה כִּי־תִמְצֶאןָ אֹתוֹ רָעוֹת רַבּוֹת וְצָרוֹת וְעָנְתָה הַשִּׁירָה הַזֹּאת לְפָנָיו לְעֵד כִּי לֹא תִשָּׁכַח מִפִּי זַרְעוֹ כִּי יָדַעְתִּי אֶת־יִצְרוֹ אֲשֶׁר הוּא עֹשֶׂה הַיּוֹם בְּטֶרֶם אֲבִיאֶנּוּ אֶל־הָאָרֶץ אֲשֶׁר נִשְׁבָּעְתִּי׃ כב וַיִּכְתֹּב מֹשֶׁה אֶת־הַשִּׁירָה הַזֹּאת בַּיּוֹם הַהוּא וַיְלַמְּדָהּ אֶת־בְּנֵי יִשְׂרָאֵל׃ כג וַיְצַו אֶת־יְהוֹשֻׁעַ בִּן־נוּן וַיֹּאמֶר חֲזַק וֶאֱמָץ כִּי אַתָּה תָּבִיא אֶת־בְּנֵי יִשְׂרָאֵל אֶל־הָאָרֶץ אֲשֶׁר־נִשְׁבַּעְתִּי לָהֶם וְאָנֹכִי אֶהְיֶה עִמָּךְ׃ כד וַיְהִי ׀ כְּכַלּוֹת מֹשֶׁה לִכְתֹּב אֶת־דִּבְרֵי הַתּוֹרָה־הַזֹּאת עַל־סֵפֶר עַד תֻּמָּם׃ שביעי

כה וַיְצַו מֹשֶׁה אֶת־הַלְוִיִּם נֹשְׂאֵי אֲרוֹן בְּרִית־יְהוָה לֵאמֹר׃ כו לָקֹחַ אֵת סֵפֶר הַתּוֹרָה הַזֶּה וְשַׂמְתֶּם

אונקלוס

עַמְמַיָּא וְיִפְלְחִנּוּן וִירַגְּזוּן קֳדָמַי וִישַׁנּוּן יָת קְיָמִי׃ כא וִיהֵי אֲרֵי יֶעֶרְעָן יָתֵהּ בִּישָׁן סַגִּיאָן וְעָקָן וּתְהֵיב תֻּשְׁבַּחְתָּא הָדָא קֳדָמוֹהִי לְסָהִיד אֲרֵי לָא תִתְנְשֵׁי מִפֻּם בְּנֵיהוֹן אֲרֵי גְלֵי קֳדָמַי יָת יִצְרְהוֹן דִּי אִנּוּן עָבְדִין יוֹמָא דֵין עַד לָא אָעֵלִנּוּן לְאַרְעָא דִּי קַיֵּמִית׃ כב וּכְתַב מֹשֶׁה יָת תֻּשְׁבַּחְתָּא הָדָא בְּיוֹמָא הַהוּא וְאַלְּפַהּ לִבְנֵי יִשְׂרָאֵל׃ כג וּפַקֵּיד יָת יְהוֹשֻׁעַ בַּר נוּן וַאֲמַר תְּקַף וְאַלִּים אֲרֵי אַתְּ תָּעֵל יָת בְּנֵי יִשְׂרָאֵל לְאַרְעָא דִּי קַיֵּמִית לְהוֹן וּמֵימְרִי יְהֵי בְסַעְדָּךְ׃ כד וַהֲוָה כַּד שֵׁיצִי מֹשֶׁה לְמִכְתַּב יָת פִּתְגָּמֵי אוֹרָיְתָא הָדָא עַל סִפְרָא עַד דִּשְׁלִימוּ׃ כה וּפַקֵּיד מֹשֶׁה יָת לֵוָאֵי נָטְלֵי אֲרוֹן קְיָמָא דַּיְיָ לְמֵימָר׃ כו סִיבוּ יָת סִפְרָא דְאוֹרָיְתָא הָדֵין וּתְשַׁוּוֹן יָתֵהּ מִסְטַר

רש״י

(כ) ונאצוני. וְהִכְעִיסוּנִי, וְכֵן כָּל נִאוּץ לְשׁוֹן כַּעַס: **(כ) ועֽנתה השירה הזאת לפניו לעד.** שֶׁהִתְרֵיתִי בוֹ בְּתוֹכָהּ עַל כָּל הַמּוֹצְאוֹת אוֹתוֹ: **כי לא תשכח מפי זרעו.** הֲרֵי זוֹ הַבְטָחָה לְיִשְׂרָאֵל שֶׁאֵין תּוֹרָה מִשְׁתַּכַּחַת מִזַּרְעָם לְגַמְרֵי: **(כג) ויצו את יהושע בן נון.** מוסב

and waxen fat; then will they turn unto other gods, and serve them, and provoke me, and make void my covenant. [21]And it shall come to pass, when many evils and distresses are befallen them, that this song shall testify against them as a witness; for it shall not be forgotten out of the mouths of their seed that I know their imagination which they go about, even this day, before I have brought them into the land which I sware. [22]Moses therefore wrote this song the same day, and taught it the children of Israel. [23]And he commanded Joshua the son of Nun, and said, Be strong and firm: for thou shalt bring the children of Israel into the land which I sware unto them: and I will be with thee. [24]And it came to pass, when Moses had finished writing the words of this law in a book, until they were completed, [25]That Moses commanded the Levites, who bare the ark of the covenant of the Eternal, saying, [26]Take this book of the law, and put it

רש"י

ground, *and* his people" (Deut. XXXII. 1—43). **(20)** ונאצוני *means* AND THEY WILL PROVOKE ME TO ANGER. So, too, every *form of the root* נאץ denotes anger. **(21)** וענתה השירה הזאת לפניו לעד [AND IT SHALL COME TO PASS . . .] THAT THIS SONG SHALL TESTIFY that in it I had warned them concerning all the things that had befallen them. כי לא תשכח מפי זרעו FOR IT SHALL NOT BE FORGOTTEN OUT OF THE MOUTHS OF THEIR SEED — This is an assurance to Israel that the Torah *in which this song is contained* will never be e n t i r e l y forgotten by their descendants. **(23)** ויצו את יהושע בן נון AND HE COMMANDED JOSHUA THE SON OF NUN — This has to be connected with *v. 14* above,

אֹתוֹ מִצַּד אֲרוֹן בְּרִית־יְהוָה אֱלֹהֵיכֶם וְהָיָה־שָׁם בְּךָ לְעֵד׃ כז כִּי אָנֹכִי יָדַעְתִּי אֶת־מֶרְיְךָ וְאֶת־עָרְפְּךָ הַקָּשֶׁה הֵן בְּעוֹדֶנִּי חַי עִמָּכֶם הַיּוֹם מַמְרִים הֱיִתֶם עִם־יְהוָה וְאַף כִּי־אַחֲרֵי מוֹתִי׃ מפטיר כח הַקְהִילוּ אֵלַי אֶת־כָּל־זִקְנֵי שִׁבְטֵיכֶם וְשֹׁטְרֵיכֶם וַאֲדַבְּרָה בְאָזְנֵיהֶם אֵת הַדְּבָרִים הָאֵלֶּה וְאָעִידָה בָּם אֶת־הַשָּׁמַיִם וְאֶת־הָאָרֶץ׃ כט כִּי יָדַעְתִּי אַחֲרֵי מוֹתִי כִּי־הַשְׁחֵת תַּשְׁחִתוּן וְסַרְתֶּם מִן־הַדֶּרֶךְ אֲשֶׁר צִוִּיתִי אֶתְכֶם וְקָרָאת אֶתְכֶם הָרָעָה בְּאַחֲרִית הַיָּמִים כִּי־תַעֲשׂוּ אֶת־הָרַע בְּעֵינֵי יְהוָה לְהַכְעִיסוֹ בְּמַעֲשֵׂה יְדֵיכֶם׃ ל וַיְדַבֵּר מֹשֶׁה בְּאָזְנֵי כָּל־קְהַל יִשְׂרָאֵל אֶת־דִּבְרֵי הַשִּׁירָה הַזֹּאת עַד תֻּמָּם׃ פ פ פ

אונקלוס

אֲרוֹנָא קְיָמָא דַייָ אֱלָהֲכוֹן וִיהֵי תַמָּן בָּךְ לְסָהִיד׃ כז אֲרֵי אֲנָא יְדַעְנָא יָת סָרְבָנוּתָךְ וְיָת קְדָלָךְ דְּקַשְׁיָא הָא עַד אֲנָא קַיָּם עִמְּכוֹן יוֹמָא דֵין מְסָרְבִין הֲוֵיתוֹן קֳדָם יְיָ וְאַף (אֲרֵי) בָּתַר דְּאֵמוּת׃ כח כְּנִישׁוּ לְוָתִי יָת כָּל סָבֵי שִׁבְטֵיכוֹן וְסָרְכֵיכוֹן וַאֲמַלֵּל קֳדָמֵיהוֹן יָת פִּתְגָּמַיָּא הָאִלֵּין וְאַסְהֵד בְּהוֹן יָת שְׁמַיָּא וְיָת אַרְעָא׃ כט אֲרֵי יְדַעְנָא בָּתַר דְּאֵמוּת אֲרֵי חַבָּלָא תְחַבְּלוּן וְתִסְטוּן מִן אָרְחָא דִּי פַקֵּדִית יָתְכוֹן וּתְעָרַע יָתְכוֹן בִּישְׁתָא בְּסוֹף יוֹמַיָּא אֲרֵי תַעְבְּדוּן יָת דְּבִישׁ קֳדָם יְיָ לְאַרְגָּזָא קֳדָמוֹהִי בְּעוֹבָדֵי יְדֵיכוֹן׃ ל וּמַלֵּיל מֹשֶׁה קֳדָם כָּל קְהָלָא דְיִשְׂרָאֵל יָת פִּתְגָּמֵי תֻשְׁבַּחְתָּא

רש״י

לְמַעְלָה כְּלַפֵּי שְׁכִינָה, כְּמוֹ שֶׁמְּפֹרָשׁ אֶל הָאָרֶץ אֲשֶׁר נִשְׁבַּעְתִּי לָהֶם׃ (כו) לקח. כְּמוֹ זָכוֹר (שמ׳ כ׳) שָׁמוֹר (דב׳ ה׳), הָלוֹךְ (יר׳ ב׳)׃ מצד ארון ברית ה׳. נֶחְלְקוּ בוֹ חַכְמֵי יִשְׂרָאֵל בְּבָבָא בַּתְרָא (דף י״ד) יֵשׁ מֵהֶם אוֹמְרִים דַּף הָיָה בוֹלֵט מִן הָאָרוֹן מִבַּחוּץ וְשָׁם הָיָה מוּנָּח, וְיֵשׁ אוֹמְרִים מִצַּד הַלּוּחוֹת הָיָה מוּנָּח בְּתוֹךְ הָאָרוֹן׃ (כח) הקהילו אלי. וְלֹא תָקְעוּ אוֹתוֹ הַיּוֹם בַּחֲצוֹצְרוֹת לְהַקְהִיל אֶת הַקָּהָל, לְפִי שֶׁנֶּאֱמַר (במ׳ י׳) עֲשֵׂה לְךָ, וְלֹא הִשְׁלִיט יְהוֹשֻׁעַ עֲלֵיהֶם, וְאַף בְּחַיָּיו נִגְנְזוּ — בְּיוֹם מוֹתוֹ — לְקַיֵּם מַה שֶּׁנֶּאֱמַר (קהל׳ ח׳) וְאֵין שִׁלְטוֹן בְּיוֹם הַמָּוֶת (תנח׳ ויחי ובהעלתך)׃ ואעידה בם את השמים ואת הארץ. וְאִם תֹּאמַר הֲרֵי כְּבָר הֵעִיד לְמַעְלָה — הַעִדֹתִי בָכֶם הַיּוֹם וְגוֹ׳? הָתָם לְיִשְׂרָאֵל אָמַר, אֲבָל לַשָּׁמַיִם וְלָאָרֶץ לֹא אָמַר, וְעַכְשָׁיו בָּא לוֹמַר הַאֲזִינוּ הַשָּׁמַיִם וְגוֹ׳ (דב׳ ל״ב)׃ (כט) אחרי מותי כי השחת תשחתון. וַהֲרֵי כָּל יְמוֹת יְהוֹשֻׁעַ לֹא הִשְׁחִיתוּ, שֶׁנֶּאֱמַר וַיַּעַבְדוּ הָעָם אֶת ה׳ כָּל יְמֵי

in the side of the ark of the covenant of the Eternal your God, that it may be there for a witness against thee. [27]For I know thy rebellion, and thy stiff neck: behold, while I am alive with you this day ye have been rebellious against the Eternal; and how much more after my death? [28]Assemble unto me all the elders of your tribes, and your bailiffs, that I may speak these words in their ears, and call the heaven and the earth as witnesses against them. [29]For I know that after my death ye will utterly corrupt *yourselves*, and depart from the way which I have commanded you; and the evil will befall you in the remoteness of days; because ye will do evil in the eyes of the Eternal, to provoke him to anger through the work of your hands. [30]And Moses spake in the ears of all the congregation of Israel the words of this song, until they were completed.

רש"י

and it refers to the Shechinah (to God; "He commanded" means "God commanded"), as it distinctly states here "[for thou shalt bring the children of Israel] into the land which "I" sware unto them, [and "I" will be with thee]". **(26)** לקח — *The grammatical form and its meaning* are the same as *in* (Ex. XX. 8) זכור; (Deut. V. 12) שמור; (Jer. II. 2) הלוך. מצד ארון ברית ה׳ [TAKE THIS BOOK OF THE LAW AND PUT IT] AT THE SIDE OF THE ARK OF THE COVENANT OF THE LORD — The sages of Israel differ about it (the meaning of the phrase "at the side of the Ark") in *Treatise* Baba Bathra (14a). Some of them say: A board projected from the Ark o u t s i d e it and t h e r e it (the song) lay, whilst others say *that* it lay at the side of the Tablets w i t h i n the Ark. **(28)** הקהילו אלי ASSEMBLE UNTO ME [ALL THE ELDERS OF YOUR TRIBE] — They did not, however, blow the trumpets that day to call the congregation together (as is prescribed in Num. X. 3), because it states (ib. v. 2) "Make for t h e e [two trumpets of silver]" (which Rashi explains to mean that no one should use them except himself), and he had not empowered Joshua to use them. Indeed they were hidden away even during h i s (Moses') lifetime — on the day of his death, thus fulfilling the words of the text, (Eccl. VIII. 8) "There is no authority on the day of death" (cf. Tanch. on ויחי and בהעלתך). ואעידה בם את השמים ואת הארץ I WILL CALL THE HEAVEN AND THE EARTH AS WITNESSES AGAINST THEM — But if you ask, "Behold he has *already* above (XXX. 19) called *heaven and earth* as witnesses: "I call [the heaven and the earth] as witnesses this day against you etc."?! *Then I reply:* There he said *this* to the Israelites (he told them that He would do this), but now he intends to say (XXXII. 1) "Give ear, O y e h e a v e n s, [and I will speak; and hear e a r t h] etc.", *thus c a l l i n g them as witnesses.* **(29)** אחרי מותי כי השחת תשחתון [FOR I KNOW THAT] AFTER MY DEATH YE WILL UTTERLY CORRUPT YOURSELVES — But, you see, *as a matter of fact, that* all the days of Joshua they did not corrupt *themselves*, for it states, (Judg. II. 7) "And the people served the Lord all the days of Joshua"?! (How, then, could Moses say that they would corrupt themselves after his death, by which he evidently meant i m m e d i a t e l y after his death, cf. v. 16)? But *we may derive* from here that

לב א הַאֲזִינוּ הַשָּׁמַיִם וַאֲדַבֵּרָה וְתִשְׁמַע הָאָרֶץ
אִמְרֵי־פִי׃ ב יַעֲרֹף כַּמָּטָר לִקְחִי תִּזַּל כַּטַּל
אִמְרָתִי כִּשְׂעִירִם עֲלֵי־דֶשֶׁא וְכִרְבִיבִים עֲלֵי־עֵשֶׂב׃
ג כִּי שֵׁם יְהוָה אֶקְרָא הָבוּ גֹדֶל לֵאלֹהֵינוּ׃ ד הַצּוּר
תָּמִים פָּעֳלוֹ כִּי כָל־דְּרָכָיו מִשְׁפָּט אֵל אֱמוּנָה וְאֵין
עָוֶל צַדִּיק וְיָשָׁר הוּא׃ ה שִׁחֵת לוֹ לֹא בָּנָיו מוּמָם

אונקלוס

הָדָא עַד דִּשְׁלִימוּ׃ א אֲצִיתוּ שְׁמַיָּא וַאֲמַלֵּל וְתִשְׁמַע אַרְעָא מֵמְרֵי פֻמִּי׃ ב יְבַסַּם כְּמִטְרָא אֻלְפָנִי יִתְקַבַּל כְּטַלָּא מֵימְרִי כְּרוּחֵי מִטְרָא דְּנָשְׁבִין עַל דִּתְאָה וְכִרְסִיסֵי מַלְקוֹשָׁא דִּי עַל עִשְׂבָּא׃ ג אֲרֵי בִּשְׁמָא דַּייָ אֲנָא מְצַלֵּי הַבוּ רְבוּתָא קֳדָם אֱלָהָנָא׃ ד תַּקִּיפָא דִּשְׁלְמִין עוֹבָדוֹהִי אֲרֵי כָּל אָרְחָתֵהּ דִּינָא אֱלָהָא מְהֵימְנָא דְּמִן קֳדָמוֹהִי עַוְלָה לָא נָפֵק מִן קֳדָם דְּזַכַּי וְקַשִּׁיט הוּא׃ ה חַבִּילוּ לְהוֹן לָא לֵהּ בְּנַיָּא דִּי פְלַחוּ

רש״י

יְהוֹשֻׁעַ (שופ׳ ב׳)? מִכָּאן שֶׁתַּלְמִידוֹ שֶׁל אָדָם חָבִיב עָלָיו כְּגוּפוֹ, כָּל זְמַן שֶׁיְּהוֹשֻׁעַ חַי הָיָה נִרְאֶה לְמֹשֶׁה כְּאִלּוּ הוּא חַי׃

לב (א) האזינו השמים שֶׁאֲנִי מַתְרֶה בָּהֶם בְּיִשְׂרָאֵל וְתִהְיוּ עֵדִים בַּדָּבָר, שֶׁכָּךְ אָמַרְתִּי לָהֶם שֶׁאַתֶּם תִּהְיוּ עֵדִים, וְכֵן ותשמע הארץ. וְלָמָּה הֵעִיד בָּהֶם שָׁמַיִם וָאָרֶץ? אָמַר מֹשֶׁה אֲנִי בָּשָׂר וָדָם, לְמָחָר אֲנִי מֵת, אִם יֹאמְרוּ יִשְׂרָאֵל לֹא קִבַּלְנוּ עָלֵינוּ הַבְּרִית מִי בָא וּמַכְחִישָׁם? לְפִיכָךְ הֵעִיד בָּהֶם שָׁמַיִם וָאָרֶץ — עֵדִים שֶׁהֵן קַיָּמִים לְעוֹלָם. וְעוֹד, שֶׁאִם יִזְכּוּ יָבוֹאוּ הָעֵדִים וְיִתְּנוּ שְׂכָרָם, הַגֶּפֶן תִּתֵּן פִּרְיָהּ וְהָאָרֶץ תִּתֵּן יְבוּלָהּ וְהַשָּׁמַיִם יִתְּנוּ טַלָּם, וְאִם יִתְחַיְּבוּ תִּהְיֶה בָּהֶם יַד הָעֵדִים תְּחִלָּה — וְעָצַר אֶת הַשָּׁמַיִם וְלֹא יִהְיֶה מָטָר וְהָאֲדָמָה לֹא תִתֵּן אֶת יְבוּלָהּ (דב׳ י״ז) וְאַחַר כָּךְ וַאֲבַדְתֶּם מְהֵרָה (שם י״א) עַל יְדֵי הָאֻמּוֹת׃ (ב) יערף כמטר לקחי. זוֹ הִיא הָעֵדוּת שֶׁתָּעִידוּ — שֶׁאֲנִי אוֹמֵר בִּפְנֵיכֶם תּוֹרָה שֶׁנָּתַתִּי לְיִשְׂרָאֵל שֶׁהִיא חַיִּים לָעוֹלָם כְּמָטָר זֶה שֶׁהוּא חַיִּים לָעוֹלָם (עי׳ ספרי); כַּאֲשֶׁר יַעַרְפוּ הַשָּׁמַיִם טַל וּמָטָר׃ יערף. לְשׁוֹן יַטִּיף, וְכֵן (תה׳ ס״ה) יִרְעֲפוּן דָּשֶׁן, (דב׳ ל״ג) יַעַרְפוּ טָל׃ תזל כטל. שֶׁהַכֹּל שְׂמֵחִים בּוֹ, לְפִי שֶׁהַמָּטָר יֵשׁ בּוֹ עִצָּבוֹן לַבְּרִיּוֹת, כְּגוֹן הוֹלְכֵי דְרָכִים וּמִי שֶׁהָיָה בּוֹרוֹ מָלֵא יַיִן (ספרי)׃ כשעירם. לְשׁוֹן רוּחַ סְעָרָה, כְּתַרְגּוּמוֹ כְּרוּחֵי מִטְרָא, מָה הָרוּחוֹת הַלָּלוּ מְחַזְּקִים אֶת הָעֲשָׂבִים וּמְגַדְּלִין אוֹתָם, אַף דִּבְרֵי תוֹרָה מְגַדְּלִין אֶת לוֹמְדֵיהֶן׃ וכרביבים. טִפֵּי מָטָר. נִרְאֶה לִי עַל שֵׁם שֶׁיּוֹרֶה כְּחֵץ נִקְרָא רְבִיב, כְּמָה דְאַתְּ אוֹמֵר רֹבֶה קַשָּׁת (בר׳ כ״א)׃ דשא. ארברי״ץ, עֲטִיפַת הָאָרֶץ מְכֻסָּה בְּיָרָק׃ עשב. קֶלַח אֶחָד קָרוּי עֵשֶׂב, וְכָל מִין וָמִין לְעַצְמוֹ קָרוּי עֵשֶׂב׃ (ג) כי שם ה׳ אקרא. הֲרֵי כִּי מְשַׁמֵּשׁ בִּלְשׁוֹן כַּאֲשֶׁר, כְּמוֹ (ויק׳ כ״ג) כִּי תָבֹאוּ אֶל הָאָרֶץ, כְּשֶׁאֶקְרָא וְאַזְכִּיר שֵׁם ה׳, אַתֶּם הבו גדל לאלהינו וּבָרְכוּ שְׁמוֹ, מִכָּאן אָמְרוּ שֶׁעוֹנִין בָּרוּךְ שֵׁם כְּבוֹד מַלְכוּתוֹ אַחַר בְּרָכָה שֶׁבַּמִּקְדָּשׁ (עי׳ ספרי; מכי׳ שמ׳ י״ג; בר׳ כ״א; תענ׳ ט״ז)׃ (ד) הצור תמים פעלו. אַעַ״פּ שֶׁהוּא חָזָק כְּשֶׁמֵּבִיא פֻּרְעָנוּת עַל עוֹבְרֵי רְצוֹנוֹ, לֹא בְּשֶׁטֶף הוּא מֵבִיא כִּי אִם בְּדִין, כִּי תמים פעלו׃ אל אמונה. לְשַׁלֵּם לַצַּדִּיקִים צִדְקָתָם לָעוֹלָם הַבָּא, וְאַעַ״פּ שֶׁמְּאַחֵר אֶת תַּגְמוּלָם, סוֹפוֹ לְאַמֵּן אֶת דְּבָרָיו׃ ואין עול. אַף לָרְשָׁעִים מְשַׁלֵּם שְׂכַר צִדְקָתָם בָּעוֹלָם הַזֶּה (עי׳ ספרי)׃ צדיק וישר הוא. הַכֹּל מַצְדִּיקִים עֲלֵיהֶם אֶת דִּינוֹ וְכָךְ רָאוּי וְיָשָׁר לָהֶם, צדיק מִפִּי הַבְּרִיּוֹת, וישר הוא וְרָאוּי לְהַצְדִּיקוֹ׃ (ה) שחת לו וגו׳. כְּתַרְגּוּמוֹ, חַבִּילוּ

32. [1]Give ear, O ye heavens, and I will speak; and hear, O earth, the words of my mouth, [2]My doctrine shall drop as the rain, my speech shall flow as the dew, as the small rain upon the sprouts, and as showers upon the grass: [3]Because I will call the name of the Eternal: ascribe ye greatness unto our God. [4]The Rock, his doing is perfect; for all his ways *are* judgment: a God of faithfulness and without iniquity, righteous and upright *is* he. [5]The corruption is not his; it is that of his children, the spot is theirs;

רש"י

one's pupil should be as dear to him as his own self: — it appeared to Moses that so long as Joshua would live it would be as though he himself would be living (he thus alluded by the words "after my death" to a period after Joshua's death).

האזינו

32. (1) האזינו השמים HEAR YE HEAVENS that I warn Israel, and be ye witnesses to this matter; for so I have told them that ye will be witnesses (cf. Rashi on XXXI. 28). Similar is *the meaning of* ותשמע הארץ (i. e. the verb has the force of an imperative: AND LET THE EARTH HEAR). And why did He call heaven and earth as witnesses against them? Moses thought: "I am a being of flesh and blood (mortal); to-morrow I shall be dead. If the Israelites will *once* say, 'We have never accepted the covenant', who can come and refute them?" Therefore he called heaven and earth as witnesses against them — witnesses that endure for ever (Siphre). And *a* further *reason was* that if they should act worthily, the witnesses might come and give *them* their reward: the vine might yield its fruit, the ground give its increase, the heaven bestow its dew; whilst if they should act sinfully, the hand of the witnesses might first be against them (Rashi uses a phrase similar to that used of human witnesses; cf. e. g. XXX. 10): "and He will restrain the heaven, that there be no rain, and the earth will not give its increase; and ye shall perish quickly" (XI. 17) — through the *attacks of other* nations (Tanch.)[1]). **(2)** יערף כמטר לקחי MY DOCTRINE DROPPETH AS RAIN — This is the evidence that ye will have to give: that in your presence I declare *that* the Torah which I gave to Israel (לקחי) is life to the world as the rain which is life to the world (cf. Siphre) — even as the heavens drop down dew and rain[2]). יערף means, IT DROPS. Similar is (Ps. LXV. 12) "[And thy paths] drop fatness" (ירעפון, where רעף = ערף); (Deut. XXXIII. 28) "[also his heavens] shall drop down (יערפו) dew". תזל כטל IT FLOWS AS THE DEW in which everybody rejoices. *He adds this* because rain involves annoyance to *some* people, as, for instance, *to* those on a journey, or a man whose pit (the pit into which the wine flows when the grapes are being pressed) is full of wine (which is thus spoiled) (Siphre). כשעירים — *This word has* the same meaning as *in* (Ps. CXLVIII. 8) "stormy (סערה) wind" (the ס and ש interchanging), as the Targum *has it:* כרוחי מטרא "like winds that bring rain". How is it with the winds? They strengthen the herbage and promote their growth! So, too, the words of the Torah promote the *moral* growth of those who study them (ib.). וכרביבים — *these are* DROPS OF RAIN. It seems to me that it (the rain) is called רביב because it shoots down like an arrow, just as you say, (i. e. just as the text reads) (Gen. XXI. 20) "A shooter (רבה) with the bow". דשא — herbaries *in O. F., Engl. herbage* — the vesture of the ground *when it is* covered with vegetation (greens). עשב HERB — a single stalk is called עשב and similarly each species *of herbs* by itself is called עשב (whilst דשא denotes vegetation in general). (Cf. Rashi on Gen. I. 11 and Note thereon). **(3)** כי שם ה׳ אקרא WHEN I SHALL CALL THE NAME OF THE LORD [ASCRIBE YE GREATNESS UNTO OUR GOD] — You see, כי is here used in

NOTES
For Notes 1—2 see Appendix.

דּוֹר עִקֵּשׁ וּפְתַלְתֹּל׃ ו הַ לַיהוָה תִּגְמְלוּ־זֹאת עַם
נָבָל וְלֹא חָכָם הֲלוֹא־הוּא אָבִיךָ קָּנֶךָ הוּא עָשְׂךָ
וַיְכֹנְנֶךָ׃ שני ז זְכֹר יְמוֹת עוֹלָם בִּינוּ שְׁנוֹת דֹּר־וָדֹר
שְׁאַל אָבִיךָ וְיַגֵּדְךָ זְקֵנֶיךָ וְיֹאמְרוּ לָךְ׃ ח בְּהַנְחֵל
עֶלְיוֹן גּוֹיִם בְּהַפְרִידוֹ בְּנֵי אָדָם יַצֵּב גְּבֻלֹת עַמִּים
לְמִסְפַּר בְּנֵי יִשְׂרָאֵל׃ ט כִּי חֵלֶק יְהוָה עַמּוֹ יַעֲקֹב
חֶבֶל נַחֲלָתוֹ׃ י יִמְצָאֵהוּ בְּאֶרֶץ מִדְבָּר וּבְתֹהוּ יְלֵל

°ה׳ רבתא וכתיב לחוד

אונקלוס

לְטַעֲוָתָא דְּרָא דְאַשְׁנִיו עוֹבָדוֹהִי וְאִשְׁתַּנִּיו׃ ו הָא קֳדָם יְיָ אַתּוּן גָּמְלִין דָּא עַמָּא דְקַבִּילוּ אוֹרַיְתָא וְלָא חַכִּימוּ הֲלָא הוּא אֲבוּךְ וְאַתְּ דִּי לֵהּ הוּא עַבְדָךְ וְאַתְקְנָךְ׃ ז אִדְּכַר יוֹמִין דְּמִן עָלְמָא אִסְתַּכַּל בִּשְׁנֵי דָר וְדָר שְׁאַל מִן אֲבוּךְ וִיחַוֵּי לָךְ סָבָיךְ וְיֵימְרוּן לָךְ׃ ח בְּאַחְסָנָא עִלָּאָה עַמְמַיָּא בְּפָרָשׁוּתֵהּ בְּנֵי אֱנָשָׁא קַיֵּים תְּחוּמֵי עַמְמַיָּא לְמִנְיַן בְּנֵי יִשְׂרָאֵל׃ ט אֲרֵי חֻלָקָא דַיְיָ עַמֵּהּ יַעֲקֹב עֲדַב אַחְסָנְתֵּהּ׃ י סַפִּיק

רש״י

לְהוֹן לָא לֵהּ: בניו מומם. בָּנָיו הָיוּ וְהַשְׁחָתָה שֶׁהִשְׁחִיתוּ הִיא מוּמָם: בניו מומם. מוּמָם שֶׁל בָּנָיו הָיָה וְלֹא מוּמוֹ: דור עקש. עָקוֹם וּמְעֻקָּל, כְּמוֹ וְאֵת כָּל הַיְשָׁרָה יְעַקֵּשׁוּ (מיכה ג׳). וּבִלְשׁוֹן מִשְׁנָה... חוּלְדָּה שֶׁשָּׁנָּיהָ עֲקוּמוֹת וַעֲקוּשׁוֹת: ופתלתל. אנטורט״יליי״ש. כַּפְּתִיל הַזֶּה שֶׁגּוֹדְלִין אוֹתוֹ וּמַקִּיפִין אוֹתוֹ סְבִיבוֹת הַגָּדִיל; פְּתַלְתֹּל מִן הַתֵּבוֹת הַכְּפוּלוֹת כְּמוֹ יְרַקְרַק אֲדַמְדָּם (ויק׳ י״ג) סְחַרְחַר (תה׳ ל״ח), סַנְסַנָּל (תרג׳ יונ׳ מ״א ז׳): (ו) הלא׳ תגמלו זאת. לְשׁוֹן תֵּמַהּ, וְכִי לְפָנָיו אַתֶּם מַעֲצִיבִין שֶׁיֵּשׁ בְּיָדוֹ לִפָּרַע מִכֶּם וְשֶׁהֵיטִיב לָכֶם בְּכָל הַטּוֹבוֹת? עם נבל. שֶׁשָּׁכְחוּ אֶת הֶעָשׂוּי לָהֶם: ולא חכם. לְהָבִין אֶת הַנּוֹלָדוֹת, שֶׁיֵּשׁ בְּיָדוֹ לְהֵיטִיב וּלְהָרַע: הלוא הוא אביך קנך. שֶׁקְּנָאֲךָ, שֶׁקְּנָנְךָ בְּקַן הַסְּלָעִים וּבְאֶרֶץ חֲזָקָה, שֶׁתִּקְּנְךָ בְּכָל מִינֵי תַקָּנָה: הוא עשך. אֻמָּה בָּאֻמּוֹת: ויכננך אַחֲרֵי כֵן בְּכָל מִינֵי בָסִיס וָכֵן — מִכֶּם כֹּהֲנִים, מִכֶּם נְבִיאִים וּמִכֶּם מְלָכִים, כְּרַךְ שֶׁהַכֹּל בּוֹ (ספרי; חול׳ נ״ו): (ז) זכר ימות עולם. מֶה עָשָׂה בָרִאשׁוֹנִים שֶׁהִכְעִיסוּ לְפָנָיו: בינו שנות דר ודר. דּוֹר אֱנוֹשׁ שֶׁהֵצִיף עֲלֵיהֶם מֵי אוֹקְיָנוֹס וְדוֹר הַמַּבּוּל שֶׁשְּׁטָפָם. ד״א לֹא נְתַתֶּם לִבְּכֶם עַל שֶׁעָבַר, בינו שנות דר ודר — לְהַכִּיר לְהַבָּא, שֶׁיֵּשׁ בְּיָדוֹ לְהֵטִיב לָכֶם וּלְהַנְחִיל לָכֶם יְמוֹת הַמָּשִׁיחַ וְהָעוֹלָם הַבָּא (עי׳ ספרי): שאל אביך. אֵלּוּ הַנְּבִיאִים שֶׁנִּקְרָאִים אָבוֹת, כְּמוֹ שֶׁנֶּאֱמַר (מ״ב ב׳) בְּאֵלִיָּהוּ אָבִי אָבִי רֶכֶב יִשְׂרָאֵל (ספרי): זקניך. אֵלּוּ הַחֲכָמִים: ויאמרו לך. הָרִאשׁוֹנוֹת: (ח) בהנחל עליון גוים. כְּשֶׁהִנְחִיל הַקָּבָּ״ה לְמַכְעִיסָיו וְאֶת חֵלֶק נַחֲלָתָן הֵצִיפָן וּשְׁטָפָם, בהפרידו בני אדם. כְּשֶׁהֵפִיץ דּוֹר הַפַּלָּגָה הָיָה בְיָדוֹ לְהַעֲבִירָם מִן הָעוֹלָם, לֹא עָשָׂה כֵן אֶלָּא יצב גבלת עמים, קִיְּמָם וְלֹא אִבְּדָם, למספר בני ישראל. בִּשְׁבִיל מִסְפַּר בְּנֵי יִשְׂרָאֵל שֶׁעֲתִידִין לָצֵאת מִבְּנֵי שֵׁם, וּלְמִסְפַּר שִׁבְעִים נֶפֶשׁ שֶׁל בְּנֵי יִשְׂרָאֵל שֶׁיָּרְדוּ לְמִצְרַיִם הִצִּיב גבלת עמים — שִׁבְעִים לָשׁוֹן (עי׳ ספרי): (ט) כי חלק ה׳ עמו. לָמָּה כָּל זֹאת? לְפִי שֶׁהָיָה חֶלְקוֹ כָּבוּשׁ בֵּינֵיהֶם וְעָתִיד לָצֵאת, וּמִי הוּא חֶלְקוֹ? עמו. וּמִי הוּא עַמּוֹ? יעקב חבל נחלתו. וְהוּא הַשְּׁלִישִׁי בָּאָבוֹת, הַמְשֻׁלָּשׁ בְּשָׁלֹשׁ זְכֻיּוֹת, זְכוּת אֲבִי אָבִיו וּזְכוּת אָבִיו וּזְכוּתוֹ, הֲרֵי ג׳, כַּחֶבֶל הַזֶּה שֶׁהוּא עָשׂוּי בְּג׳ גְּדִילִים, וְהוּא וּבָנָיו הָיוּ לוֹ לְנַחֲלָה, וְלֹא יִשְׁמָעֵאל בֶּן אַבְרָהָם, וְלֹא עֵשָׂו בְּנוֹ שֶׁל יִצְחָק (עי׳ ספרי): (י) ימצאהו בארץ מדבר. אוֹתָם מָצָא לוֹ נֶאֱמָנִים

a perverse and crooked generation. [6]Do ye thus requite the Eternal? O debased people and unwise! *is* not he thy father *that* hath obtained thee? hath he not made thee, and established thee? [7]Remember the days of old, consider the years of many generations: ask thy father, and he will tell thee; thy elders, and they will say unto thee; [8]When the Supreme divided to the nations their inheritance, when he separated the sons of Adam, he set the boundaries of the people according to the number of the children of Israel. [9]For the portion of the Eternal *is* his people; Jacob *is* the lot of his inheritance. [10]He found him in a desert land, and in the desolate howling solitude;

רש"י

the meaning of "when", similar to (Lev. XXIII. 10) "When (כי) ye come into the land". *The meaning is:* when I proclaim and mention the Name of the Lord, YE ASCRIBE GREATNESS TO OUR GOD and bless His name. From here they (the Rabbis) derived *the law* that people make the response, "Blessed be the Name of His glorious Kingdom *for ever and ever*", *after the recital of a Benediction* in the Temple (Siphre; Mech. on Ex. XIII. 3; Berach. 21a; Taan. 16b). **(4)** הצור תמים פעלו THE ROCK, HIS WORK IS PERFECT — Although He is strong (הצור!) *yet* when He brings punishment upon those who transgress His will, He does not bring it in a flood *of anger*, but in *deliberate* judgment, because תמים פעלו HIS WORK IS PERFECT. אל אמונה A GOD OF FAITHFULNESS — *faithful* to recompense the righteous their righteousness in the world to come; and even though He defers their recompense, in the end He will prove faithful (אמן) to His promise. ואין עול AND WITHOUT INJUSTICE — even to the wicked He pays the reward for their meritorious deeds, *but* in this world (cf. Rashi on VII. 10). צדיק וישר הוא — *The meaning is:* All acknowledge His judgment to be just (צדיק), and this is befitting and right of them (ישר), *i. e., He is declared* צדיק by the mouth of men, וישר, and it is right for them to declare Him צדיק, as righteous[1]). **(5)** שחת לו — *Take it* as the Targum *has it:* חבילו להון לא לה "Corruption' is theirs, not His", בניו מומם HIS CHILDREN, THEIR FAULT — *i. e.,* they were His children, and the corruption which they wrought is their fault. בניו מומם *means:* it was the fault of His children not His fault[2]). דור עקש *means,* [A] CROOKED AND PERVERTED [GENERATION]. עקש *has the same meaning* as *the verb in* (Micah III. 9) "and pervert (יעקשו) all equity". In Mishnaic Hebrew *we have* (Chul. 56a): a weasel whose teeth are bent and crooked (עקושות)[3]). ופתלתל — entortille *in O. F., Engl. twisted;* like a thread (פתיל), which one twines and twists round the central strand. *The word* פתלתל is of the "doubled" words (in which the two last letters are the same), like (Lev. XIII. 49): ירקרק, אדמדם; (Ps. XXXVIII. 31): סחרחר; (1 Kings VII. 23; Targ. Jon.): סגלגל. **(6)** הלה' תגמלו זאת DO YOU THUS REQUITE THE LORD? — This is an expression of astonishment: Do you mean to grieve Him Who has the power to punish you, and Who has bestowed all these favours upon you? עם נבל A FOOLISH PEOPLE — *i. e., a people* that has forgotten *all* that has been done to them, ולא חכם AND NOT WISE to consider what will result *from their actions, viz.,* that it is in His power to do *them* good or evil *according to their actions* (cf. Siphre). הלא הוא אביך קנך IS NOT HE THY FATHER קנך? *The last word may mean:* Who has acquired (קנה) thee, *or,* Who has placed thee (more lit., made thee nest, קנן) in a nest of rocks and in strong ground, *or,* Who has fitted you out (תקן) with everything that will benefit you. הוא עשך HE HATH MADE THEE a nation among the nations *of the world,* ויכננך AND HATH ESTABLISHED THEE afterwards on every kind of firm base and foundation (כן) (i. e. made

NOTES

For Notes 1—2 see Appendix.

3) This according to Rabbinowitz's דקדוקי סופרים is the correct reading: our editions have ששניה דקות ועקומות.

יְשִׁמֹן יְסֹבְבֶנְהוּ יְבוֹנְנֵהוּ יִצְּרֶנְהוּ כְּאִישׁוֹן עֵינוֹ:

יא כְּנֶשֶׁר יָעִיר קִנּוֹ עַל־גּוֹזָלָיו יְרַחֵף יִפְרֹשׂ כְּנָפָיו

יִקָּחֵהוּ יִשָּׂאֵהוּ עַל־אֶבְרָתוֹ: יב יְהוָה בָּדָד יַנְחֶנּוּ

וְאֵין עִמּוֹ אֵל נֵכָר: שלישי יג יַרְכִּבֵהוּ עַל־בָּמֳתֵי אָרֶץ

וַיֹּאכַל תְּנוּבֹת שָׂדָי וַיֵּנִקֵהוּ דְבַשׁ מִסֶּלַע וְשֶׁמֶן

יתיר ו׳

אונקלוס

צָרְכֵיהוֹן בְּאַרְעָא מַדְבְּרָא וּבֵית צַחֲוָנָא אֲתַר דִּי לֵית מַיָּא אַשְׁרִנּוּן סְחוֹר סְחוֹר לִשְׁכִנְתֵּהּ אַלְפִנּוּן עַל פִּתְגָּמֵי אוֹרַיְתָא נַטְרִנּוּן כְּבָבַת עֵינֵיהוֹן: יא כְּנִשְׁרָא דִּמְחִישׁ לְקִנֵּהּ עַל בְּנוֹהִי מִתְחוֹפַף פָּרֵיס גַּדְפּוֹהִי מְקַבֵּלְהוֹן מְנַטְּלְהוֹן עַל תְּקוֹף אֶבְרוֹהִי: יב יְיָ בִּלְחוֹדוֹהִי עָתִיד לְאַשְׁרָיוּתְהוֹן בְּעָלְמָא דְּהוּא עָתִיד לְאִתְחַדָּתָא וְלָא יִתְקַיַּם קֳדָמוֹהִי פָּלְחַן טַעֲוָן: יג אַשְׁרִנּוּן עַל תָּקְפֵי אַרְעָא וְאוֹכְלִנּוּן בִּזַּת סָנְאֵיהוֹן וִיהַב

רש״י

בְּאֶרֶץ הַמִּדְבָּר, שֶׁקִּבְּלוּ עֲלֵיהֶם תּוֹרָתוֹ וּמַלְכוּתוֹ וְעֻלּוֹ, מַה שֶּׁלֹּא עָשׂוּ יִשְׁמָעֵאל וְעֵשָׂו, שֶׁנֶּאֱמַר (דב׳ ל״ג) וְזָרַח מִשֵּׂעִיר לָמוֹ הוֹפִיעַ מֵהַר פָּארָן: ובתהו ילל ישמן. אֶרֶץ צִיָּה וּשְׁמָמָה, מְקוֹם יִלְלַת תַּנִּינִים וּבְנוֹת יַעֲנָה, אַף שָׁם נִמְשְׁכוּ אַחַר הָאֱמוּנָה, וְלֹא אָמְרוּ לְמֹשֶׁה הֵיאַךְ נֵצֵא לְמִדְבָּרוֹת מְקוֹם צִיָּה וְשִׁמָּמוֹן?! כָּעִנְיָן שֶׁנֶּאֱמַר (יר׳ ב׳), לֶכְתֵּךְ אַחֲרַי בַּמִּדְבָּר: יסבבנהו. שָׁם סִבְּבָם וְהִקִּיפָם בַּעֲנָנִים וְסִבְּבָם בִּדְגָלִים לְאַרְבַּע רוּחוֹת וְסִבְּבָן בְּתַחְתִּית הָהָר שֶׁכְּפָאוֹ עֲלֵיהֶם כְּגִיגִית (עי׳ ספרי): יבוננהו. שָׁם בְּתוֹרָה וּבִינָה: יצרנהו. מִנָּחָשׁ שָׂרָף וְעַקְרָב וּמִן הָאֻמּוֹת: כאישון עינו. הוּא הַשָּׁחוֹר שֶׁבָּעַיִן שֶׁהַמָּאוֹר יוֹצֵא הֵימֶנּוּ. וְאוּנְקְלוֹס תִּרְגֵּם יִמְצָאֵהוּ יַסְפִּיקֵהוּ כָּל צָרְכּוֹ בַּמִּדְבָּר, כְּמוֹ (במ׳ י״א), מָצָא לָהֶם, (יהוש׳ י״ז) לֹא יִמָּצֵא לָנוּ הָהָר: יסבבנהו. אַשְׁרִינוּן סְחוֹר סְחוֹר לִשְׁכִינְתֵּיהּ, אֹהֶל מוֹעֵד בָּאֶמְצַע וְאַרְבָּעָה דְגָלִים לְאַרְבַּע רוּחוֹת: (יא) כנשר יעיר קנו. נִהֲגָם בְּרַחֲמִים וּבְחֶמְלָה, כַּנֶּשֶׁר הַזֶּה רַחֲמָנִי עַל בָּנָיו וְאֵינוֹ נִכְנָס לְקִנּוֹ פִּתְאוֹם עַד שֶׁהוּא מְקַשְׁקֵשׁ וּמְטָרֵף עַל בָּנָיו בִּכְנָפָיו בֵּין אִילָן לְאִילָן, בֵּין שׂוֹכָה לַחֲבֶרְתָּהּ, כְּדֵי שֶׁיֵּעוֹרוּ בָּנָיו וִיהֵא בָהֶם כֹּחַ לְקַבְּלוֹ (ספרי): יעיר קנו. יְעוֹרֵר בָּנָיו: על גוזליו ירחף. אֵינוֹ מַכְבִּיד עַצְמוֹ עֲלֵיהֶם אֶלָּא מְחוֹפֵף — נוֹגֵעַ וְאֵינוֹ נוֹגֵעַ (ירוש׳ חגי׳ ב׳) — אַף הַקָּבָּ״ה, שַׁדַּי לֹא מְצָאנֻהוּ שַׂגִּיא כֹחַ (איוב ל״ז) כְּשֶׁבָּא לִתֵּן תּוֹרָה לֹא נִגְלָה עֲלֵיהֶם מֵרוּחַ אַחַת אֶלָּא מֵאַרְבַּע רוּחוֹת, שֶׁנֶּאֱמַר ה׳ מִסִּינַי בָּא וְזָרַח מִשֵּׂעִיר לָמוֹ הוֹפִיעַ מֵהַר פָּארָן (דב׳ ל״ג), אֱלוֹהַּ מִתֵּימָן יָבוֹא (חבקוק ג׳) זוּ רוּחַ רְבִיעִית (ספרי): יפרש כנפיו יקחהו. כְּשֶׁבָּא לִטֹּל מִמָּקוֹם לְמָקוֹם אֵינוֹ נוֹטְלָן בְּרַגְלָיו כִּשְׁאָר־עוֹפוֹת, לְפִי שֶׁשְּׁאָר עוֹפוֹת יְרֵאִים מִן הַנֶּשֶׁר שֶׁהוּא מַגְבִּיהַּ לָעוּף וּפוֹרֵחַ עֲלֵיהֶם, לְפִיכָךְ נוֹשְׂאָן בְּרַגְלָיו, מִפְּנֵי הַנֶּשֶׁר, אֲבָל הַנֶּשֶׁר אֵינוֹ יָרֵא אֶלָּא מִן הַחֵץ, לְפִיכָךְ נוֹשְׂאָן עַל כְּנָפָיו, אוֹמֵר מוּטָב שֶׁיִּכָּנֵס הַחֵץ בִּי וְלֹא יִכָּנֵס בְּבָנַי, אַף הַקָּבָּ״ה (שמ׳ י״ט) וָאֶשָּׂא אֶתְכֶם עַל כַּנְפֵי נְשָׁרִים — כְּשֶׁנָּסְעוּ מִצְרַיִם אַחֲרֵיהֶם וְהִשִּׂיגוּם עַל הַיָּם הָיוּ זוֹרְקִים בָּהֶם חִצִּים וְאַבְנֵי בַּלִּיסְטְרָאוֹת, מִיַּד וַיִּסַּע מַלְאַךְ הָאֱלֹהִים וְגוֹ׳ וַיָּבֹא בֵּין מַחֲנֵה מִצְרַיִם וְגוֹ׳ (שמ׳ י״ד): (יב) ה׳ בדד ינחנו. נִהֲגָם בַּמִּדְבָּר בָּדָד וּבֶטַח: ואין עמו אל נכר. לֹא הָיָה כֹחַ בְּאֶחָד מִכָּל אֱלֹהֵי הַגּוֹיִם לְהֵרָאוֹת כֹּחוֹ וּלְהִלָּחֵם עִמָּהֶם. וְרַבּוֹתֵינוּ דְּרָשׁוּהוּ עַל הֶעָתִיד וְכֵן תִּרְגֵּם אוּנְקְלוֹס, וַאֲנִי אוֹמֵר דִּבְרֵי תוֹכָחָה הֵם לְהָעִיד הַשָּׁמַיִם וְהָאָרֶץ וּתְהֵא הַשִּׁירָה לָהֶם לְעֵד שֶׁסּוֹפָן לִבְגּוֹד וְלֹא יִזְכְּרוּ לֹא הָרִאשׁוֹנוֹת שֶׁעָשָׂה לָהֶם וְלֹא הַנּוֹלָדוֹת שֶׁהוּא עָתִיד לַעֲשׂוֹת לָהֶם, לְפִיכָךְ צָרִיךְ לְיַשֵּׁב הַדָּבָר לְכָאן וּלְכָאן. וְכָל הָעִנְיָן מוּסָב עַל זְכוֹר יְמוֹת עוֹלָם בִּינוּ שְׁנוֹת דֹּר וָדֹר, כֵּן עָשָׂה לָהֶם וְכֵן עָתִיד לַעֲשׂוֹת, כָּל זֶה הָיָה לָהֶם לִזְכּוֹר: (יג) ירכבהו על במתי ארץ. כָּל הַמִּקְרָא כְּתַרְגּוּמוֹ: ירכבהו וגו׳. עַל שֵׁם שֶׁאֶרֶץ יִשְׂרָאֵל

he surrounded him, he instructed him, he guarded him as the pupil of his eye. [11]As an eagle stirreth up her nest, hovereth over her young, spreadeth abroad her wings, taketh them, beareth them on her pinions. [12]*So* the Eternal alone did guide him, and *there was* no alien god with him. [13]He made him ride on the high places of the earth, that he might eat the produce of the fields; and he made him to suck honey out of the rock, and oil

רש"י

you self-contained): out of your midst come *your* priests, out of your midst *your* Levites, and out of your midst *your* kings — a city in which is everything (Siphre; Chul. 56b). **(7)** **זכר ימות עולם** REMEMBER THE DAYS OF OLD — what He did to previous *generations* who provoked Him to anger, **בינו שנות דר ודר** [CONSIDER] THE YEARS OF GENERATION AFTER GENERATION — the generation of Enosh over whom He caused the waters of the ocean to flow, and the generations of the flood whom He drowned by flood. Another explanation is: *If* you have not set your attention to the past (i.e. if you fail to remember the days of old, then) **בינו שנות דר ודר** CONSIDER *at least* THE YEARS OF GENERATION AND GENERATION so that you become conscious of *what might happen in* the future — that He has the power to bestow good upon you and to make you inherit the *blissful* days of Messiah and the world to come (cf. Siphre). **שאל אביך** ASK THY FATHER — these are the prophets who are termed fathers, as it is stated in *the history of* Elijah *that Elisha exclaimed when Elijah departed*, (2 Kings II. 12): "My father, my father, the chariot of Israel!" (cf. Siphre). **זקניך** THY ELDERS — these are the sages. **ויאמרו לך** AND THEY WILL TELL THEE *the events of* the former *days:* **(8)** **בהנחל עליון גוים** WHEN THE MOST HIGH DIVIDED TO THE NATIONS THEIR INHERITANCE — when the Holy One, blessed be He, gave those who provoked Him to anger their inheritance, He *afterwards* caused the flood to pass over them and He drowned them; **בהפרידו בני אדם** WHEN HE SEPARATED THE SONS OF ADAM — *i.e.* when He scattered the generation which witnessed the separation *of races*, He *also* had the power to remove them from the world, yet He did not do so, but **יצב גבלת עמים** HE FIRMLY ESTABLISHED THE BOUNDARIES OF THE NATIONS — He let them (the peoples) remain in existence and did not destroy them, **למספר בני ישראל** ACCORDING TO THE NUMBER OF THE CHILDREN OF ISRAEL — *i.e.* because of the number of the children of Israel that were in future to descend from Shem's sons, and in accordance with the number of seventy souls of the children of Israel who went down to Egypt He firmly established **גבלת עמים** THE NATIONS ACCORDING TO THEIR BOUNDARIES — *i.e.* seventy *separate* nations (cf. Siphre). **(9)** **כי חלק ה׳ עמו** FOR THE PORTION OF THE LORD, HIS PEOPLE — Why all this? (Why did He save them from destruction?) because His portion was comprised in them and was destined to come forth. And who is His portion? **עמו** HIS PEOPLE. And who is His people? **יעקב חבל נחלתו** JACOB THE ROPE OF HIS INHERITANCE — and he is the third amongst the patriarchs, who is endowed with three merits: the merit of his grandfather, the merit of his father and his own merit

רש"י

— thus altogether three — like a rope (חבל) that is made up of three strands. Only he and his sons became His inheritance, not, however, Ishmael, Abraham's son, nor Esau, Isaac's son (cf. Siphre), **(10)** ימצאהו בארץ מדבר HE FOUND HIM IN A DESERT LAND — *for* them (Jacob's sons) he found to be faithful to Him in the desert land, when they accepted His Torah, His sovereignty and His yoke, something that Ishmael and Esau had refused to do, as it is said, (XXXIII. 2) "And He shone from the Seir (Esau) unto them, He beamed from Mount Paran (Ishmael)" (cf. Rashi on that verse). ובתהו ילל ישמן AND IN THE DESOLATE HOWLING SOLITUDE — *i. e. in* a land of drought and desolation, a place of screeching monsters and ostriches; even there they adhered to their faith and did not say to Moses, *"But* how can we go out into the wilderness, a place of drought and desolation?" — just as it is stated, (Jer. II. 2) "[I remember thee the lovingkindness of thy youth, the love of thine espousals,] when thou wentest after me into the wilderness, [into a land that was not sown]" (cf. Rashi on Ex. XII. 39). יסבבנהו HE SURROUNDED HIM — there He surrounded them and encompassed them with the "clouds *of Glory*"; He surrounded them with the banners on their four sides; he surrounded them by the nether part of the mountain (Sinai), which He arched over them like a cask (cf. Siphre). יבוננהו HE INSTRUCTED HIM there in Torah and wisdom. יצרנהו HE GUARDED HIM from snakes, serpents and scorpions and from *hostile* nations, כאישון עינו AS THE אישון OF HIS EYE — that is the black in the eye from which the light comes[1]). Onkelos, however, rendered ימצאהו *by* "He provided Him" with all He needed in the wilderness. *It took the words to be of* the same *meaning* as, (Num. XI. 22) "[Shall the flocks . . . be slain for them] to suffice (ומצא) them?" *and* (Josh. XVII. 16) "The hill is not enough (ימצא) for us". יסבבנהו — *Onkelos renders this by* "He made them abide round about His Divine dwelling place" — the "tent of congregation" in the middle and the divisions *of the tribes* (lit., the banners) on the four sides (Jalk. 943). **(11)** כנשר יעיר קנו AS AN EAGLE STIRRETH UP ITS NEST — He guided them with mercy and pity like the eagle which is full of pity towards his young and does not enter its nest suddenly — before it beats and flaps with its wings above its young *passing* between tree and tree, between branch and branch, in order that its young may awake and have enough strength to receive it (Siphre). יעיר קנו *means,* AWAKENS ITS YOUNG (i. e. קן, "nest" is a term for young birds). על גוזליו ירחף IT HOVERETH OVER ITS YOUNG — it does not press heavily upon them, but hovers *above them* — touching them and yet not touching them. So too, the Holy One, blessed be He, (Job. XXXVII. 23) "The Almighty,

NOTES

1) See Appendix.

רש"י

we did not find Him to be too powerful in strength": when He came to give the Torah to Israel, He did not reveal Himself from one side, (thus concentrating His power at one point), but from four sides, as it is said, (XXXIII. 2) "The Lord came from Sinai, and shone forth from Seir unto them; He beamed from Mount Paran"; *also* (Hab. III. 3) "God came from Teman" — this is the fourth side (Siphre). יפרש כנפיו יקחהו [AS AN EAGLE ...] SPREADETH ABROAD ITS WINGS, TAKETH IT — When it comes to remove them (the young) from one place to another, it does not take them with its claws, as other birds do: because other birds are afraid of the eagle that soars so high and flies above them, therefore they carry them (the young) by their (the mother's) claws *for fear* of the eagle. But the eagle is afraid only of an arrow, therefore it carries them (the young) on its wings, saying, "It is better that the arrow pierce me than that it should pierce my young". So, too, the Holy One, blessed be He, *says*, (Ex. XIV. 4) "I bare you as on eagles' wings": when the Egyptians marched after them and overtook them at the *Red* Sea, they threw arrows and stone missiles at them, whereupon at once "The angel of God moved ... and came between the camp of Egypt [and the camp of Israel]" *that it might receive the arrows etc.* (Ex. XIV. 19—20 and Rashi thereon). **(12)** ה׳ בדד ינחנו THE LORD ALONE GUIDED THEM — *i. e.* He guided them in the wilderness alone (unassisted) *and yet* in security, ואין עמו אל נכר AND THERE WAS NO STRANGE GOD WITH HIM — *for* not one of the gods of the other peoples possessed the power to display its might and to war with them. — Our Rabbis, *however*, explained it as a *promise* referring to the future (cf. Siphre), and so, too, does Onkelos render it. But I say that they (the statements of this chapter) are words of reproof *which he said* with the view of calling heaven and earth as witnesses *against them*, and *also* in order that this song (cf. XXXI. 21) should be witness, because He knew (XXXI. 29) that they would in future prove faithless and would bear in mind neither the past (lit., the first) deeds that He performed for them nor those that would come to pass (lit., that would be born), which at a future time He would do for them. For this reason it is necessary to make the text fit in with this and with that (the past and the future). Indeed, the whole section is to be connected with (v. 7) "Remember the days of old (i. e., the past), consider the years of generation after generation" (the future) (cf. Rashi on that verse): Thus has He done for them and thus will He in the future do for them — all this they ought to bear in mind. **(13)** ירכבהו על במתי ארץ HE MADE HIM RIDE ON THE HIGH PLACES OF THE EARTH — The entire text (vv. 13 and 14) *is to be understood metaphorically* as the Targum *has it* (i. e., as referring to Eretz Israel). ירכבהו וגו׳ HE MADE HIM RIDE [UPON THE HIGH PLACES] — *This*

מֵחַלְמִישׁ צוּר: יד חֶמְאַת בָּקָר וַחֲלֵב צֹאן עִם־
חֵלֶב כָּרִים וְאֵילִים בְּנֵי־בָשָׁן וְעַתּוּדִים עִם־חֵלֶב
כִּלְיוֹת חִטָּה וְדַם־עֵנָב תִּשְׁתֶּה־חָמֶר: טו וַיִּשְׁמַן
יְשֻׁרוּן וַיִּבְעָט שָׁמַנְתָּ עָבִיתָ כָּשִׂיתָ וַיִּטֹּשׁ אֱלוֹהַ
עָשָׂהוּ וַיְנַבֵּל צוּר יְשֻׁעָתוֹ: טז יַקְנִאֻהוּ בְּזָרִים
בְּתוֹעֵבֹת יַכְעִיסֻהוּ: יז יִזְבְּחוּ לַשֵּׁדִים לֹא אֱלֹהַ
אֱלֹהִים לֹא יְדָעוּם חֲדָשִׁים מִקָּרֹב בָּאוּ לֹא שְׂעָרוּם

אונקלוס

לְהוֹן בִּזַּת שִׁלְטֵי קִרְוִין וְנִכְסֵי יָתְבֵי כְּרַכִּין תַּקִּיפִין: יד יְהַב לְהוֹן בִּזַּת מַלְכֵיהוֹן
וְשִׁלְטוֹנֵיהוֹן עִם עֲתַר רַבְרְבֵיהוֹן וְתַקִּיפֵיהוֹן עַמָּא דְאַרְעֲהוֹן וְאַחְסָנַתְהוֹן עִם בִּזַּת
חֵילֵיהוֹן וּמַשִׁרְיָתְהוֹן וְדַם גִּבָּרֵיהוֹן יִתְאֲשַׁד כְּמַיָּא: טו וַעֲתַר יִשְׂרָאֵל וּבְעַט אַצְלַח
תְּקוֹף קְנָא נִכְסִין וְשָׁבַק פָּלְחַן אֱלָהָא דַעֲבָדֵהּ וְאַרְגֵּיז קֳדָם תַּקִּיפָא דְפָרְקֵהּ:
טז אַקְנִיאוּ קֳדָמוֹהִי בְּפָלְחַן טַעֲוָן בְּתוֹעֲבָתָא אַרְגִּיזוּ קֳדָמוֹהִי: יז דַּבָּחוּ לְשֵׁדִין

רש"י

גָּבוֹהַּ מִכָּל הָאֲרָצוֹת: ויאכל תנובת שדי. אֵלּוּ פֵּרוֹת אֶרֶץ יִשְׂרָאֵל שֶׁקַּלִּים לָנוּב וּלְהִתְבַּשֵּׁל
מִכָּל פֵּרוֹת הָאֲרָצוֹת: וינקהו דבש מסלע. מַעֲשֶׂה בְּאֶחָד שֶׁאָמַר לִבְנוֹ בְּסִיכְנִי הָבֵא לִי
קְצִיעוֹת מִן הֶחָבִית, הָלַךְ וּמָצָא הַדְּבַשׁ צָף עַל פִּיהָ, אָמַר לוֹ זוֹ שֶׁל דְּבַשׁ הִיא! אָמַר
הַשְׁקַע יָדְךָ לְתוֹכָהּ וְאַתָּה מַעֲלֶה קְצִיעוֹת מִתּוֹכָהּ (ספרי): במתי ארץ. לְשׁוֹן גֹּבַהּ: שדי.
לְשׁוֹן שָׂדֶה: מחלמיש צור. תָּקְפּוֹ וְחָזְקוֹ שֶׁל סֶלַע, כְּשֶׁאֵינוֹ דָבוּק לַתֵּיבָה שֶׁלְּאַחֲרָיו נָקוּד
חַלָּמִישׁ וּכְשֶׁהוּא דָבוּק נָקוּד חַלְמִישׁ: ושמן מחלמיש צור. אֵלּוּ זֵיתִים שֶׁל גּוּשׁ חָלָב
(ספרי): (יד) חמאת בקר וחלב צאן. זֶה הָיָה בִּימֵי שְׁלֹמֹה, שֶׁנֶּאֱמַר (מ"א ד') עֲשָׂרָה
בָקָר בְּרִאִים וְעֶשְׂרִים בָּקָר רְעִי וּמֵאָה צֹאן: עם חלב כרים. זֶה הָיָה בִּימֵי עֲשֶׂרֶת הַשְּׁבָטִים,
שֶׁנֶּאֱמַר (עמוס ו') וְאֹכְלִים כָּרִים מִצֹּאן: חלב כליות חטה. זֶה הָיָה בִּימֵי שְׁלֹמֹה, שֶׁנֶּאֱמַר
וַיְהִי לֶחֶם שְׁלֹמֹה וְגוֹ': ודם ענב תשתה חמר. בִּימֵי עֲשֶׂרֶת הַשְּׁבָטִים הַשֹּׁתִים בְּמִזְרְקֵי יַיִן
(עמ' ו'): חמאת בקר. הוּא שׁוּמָן הַנִּקְלָט מֵעַל גַּבֵּי הֶחָלָב: וחלב צאן. חָלָב שֶׁל צֹאן, וּכְשֶׁהוּא
דָבוּק נָקוּד חֲלֵב, כְּמוֹ בַּחֲלֵב אִמּוֹ (שמ' כ"ג): כרים. כְּבָשִׂים: ואילים. כְּמַשְׁמָעוֹ: בני בשן.
שְׁמֵנִים הָיוּ: כליות חטה. חִטִּים שְׁמֵנִים כְּחֵלֶב כְּלָיוֹת וְגַסִּין כְּכוּלְיָא: ודם ענב. תִּהְיֶה שׁוֹתֶה יַיִן
טוֹב וְטוֹעַם יַיִן חָשׁוּב: חמר. יַיִן בִּלְשׁוֹן אֲרַמִּי חֲמַר, אֵין זֶה שֵׁם דָּבָר אֶלָּא לְשׁוֹן מְשֻׁבָּח בְּטַעַם,
ווי"נוש בְּלַעַז. וְעוֹד יֵשׁ לְפָרֵשׁ שְׁנֵי מִקְרָאוֹת הַלָּלוּ אַחַר תַּרְגּוּם שֶׁל אוּנְקְלוֹס אַשְׁרִינוּן עַל
תָּקְפֵי אַרְעָא וְגוֹ': (טו) עבית. לְשׁוֹן עוֹבִי: כשית. כְּמוֹ כָּסִיתָ, לְשׁוֹן כִּי כִסָּה פָנָיו בְחֶלְבּוֹ
(איוב ט"ו). כְּאָדָם שֶׁשָּׁמֵן מִבִּפְנִים וּכְסָלָיו נִכְפָּלִים מִבַּחוּץ, וְכֵן הוּא אוֹמֵר (שם) וַיַּעַשׂ
פִּימָה עֲלֵי כָסֶל: כשית. יֵשׁ לְשׁוֹן קַל בִּלְשׁוֹן כִּסּוּי, כְּמוֹ וְכֹסֶה קָלוֹן עָרוּם (מש' מ"ב),
וְאִם כָּתַב כִּשִּׂיתָ, דָּגוּשׁ, הָיָה נִשְׁמָע כִּסִּיתָ אֶת אֲחֵרִים, כְּמוֹ כִּי כִסָּה פָנָיו (איוב ט"ו):
וינבל צור ישעתו. גִּנָּהוּ וּבִזָּהוּ, כְּמוֹ שֶׁנֶּאֱמַר (יחז' ח') אֲחֹרֵיהֶם אֶל הֵיכַל ה' וְגוֹ', אֵין לְךָ
נִבּוּל גָּדוֹל מִזֶּה (ספרי): (טז) יקנאהו. הִבְעִירוּ חֲמָתוֹ וְקִנְאָתוֹ: בתועבת. בְּמַעֲשִׂים תְּעוּבִים,
כְּגוֹן מִשְׁכַּב זָכוּר וּכְשָׁפִים שֶׁנֶּאֱמַר בָּהֶם תּוֹעֵבָה: (יז) לא אלה. כְּתַרְגּוּמוֹ דְּלֵית בְּהוֹן

out of the flinty crag; [14]Clotted cream of the herd, and milk of the flock, with fat of fattened lambs, and rams of the breed of Bashan, and he-goats, with the fat of kidneys of wheat; and thou shalt drink the foaming blood of the grape. [15]But Jeshurun waxed fat, and kicked; thou art waxen fat, thou art grown thick, thou art covered *with fatness:* then he forsook God *who* made him, and lightly esteemed the Rock of his salvation. [16]They provoked him to jealousy with strange *gods*, with abominations provoked they him to anger. [17]They sacrificed unto devils, not being God; to gods whom they knew not, to new *gods that* came from near, whom your fathers reverenced not.

רש"י

expression is used because the land of Israel is higher than all other countries. ויאכל תנובת שדי THAT HE MIGHT EAT THE PRODUCE OF THE FIELDS — This refers to the fruits of the land of Israel which are quicker to shoot (נוב) and to ripen than all the fruits of other countries. וינקהו דבש מסלע AND HE MADE HIM SUCK HONEY OUT OF THE ROCK — Indeed it once happened that a man said to his son in Sichnin (a town in Galilee): "Bring me dried figs from the cask". He went and found the honey flowing over its brim. He said to him, "But this is a vat of h o n e y (not of figs)". *Thereupon* he said to him: "Put your hands deep into it and you will bring up figs from it" (Siphre)[1]). במתי ארץ is an expression denoting height. שדי has the same meaning as שדה, field. מחלמיש צור (lit., out of the flint of the rock) — *The meaning is:* the strength and the hardness of the rock. — When it is not connected with the following word (that is, when it is used in the absolute state) it is vowelled חַלָּמִישׁ (as in VIII. 15), whilst when it is connected (is in the construct state) it is punctuated חַלְמִישׁ, *as here*. ושמן מחלמיש צור AND OIL OUT OF THE FLINTY ROCK — this refers to the olives of Giscala (a place in Galilee) (Siphre). **(14)** חמאת בקר וחלב צאן [AND HE GAVE THEM TO EAT] CLOTTED CREAM OF THE HERD AND MILK OF THE FLOCK — This was in the days of Solomon, as it states (1 Kings V. 2—3): "[And Solomon's provision for one day was . . .] ten fat oxen, and twenty oxen (בקר) out of the pasture, and an hundred sheep (צאן)". עם חלב כרים WITH FAT OF FATTENED LAMBS — This was in the days of the "Ten Tribes" (the period of the Northern Kingdom), as it is said, (Amos VI. 4) "Who eat lambs (כרים) of the flock". חלב כליות חטה [WITH] THE FAT OF KIDNEYS OF WHEAT — This *again* was in the days of Solomon, as it is said, (1 Kings V. 2) "And Solomon's provision for one day was [thirty measures of f i n e f l o u r etc.]". ודם ענב תשתה חמר AND THOU SHALT DRINK THE FOAMING BLOOD OF THE GRAPE — *this again was in* the days of the "Ten Tribes' *as it is said*, (Amos VI. 6) "That drink wine in bowls". חמאת בקר is the cream that is gathered from the surface of the milk. וחלב צאן means, *and* milk of sheep (i. e. the first word is in the construct state); whenever it is connected with *the following word* it is vowelled חֲלֵב, as *in* (XIV. 21) "in the milk of (חֲלֵב) its mother". כרים *are* SHEEP. ואילים has its ordinary meaning: RAMS[2]). בני בשן RAMS OF THE BREED OF BASHAN — These were *very* fat. כליות חטה KIDNEYS OF WHEAT — wheat that is fat as is the fat of kidneys and the *kernels of* which are as large as kidneys. ודם ענב AND THE BLOOD OF THE GRAPE [THOU SHALT DRINK חמר] — *This means:* Thou shalt drink good wine, and taste wine of a fine and good quality. חמר — This word means wine *in general* in the Aramaic language, *but* t h i s (the word חמר in our verse) is not a noun but it means excellent in taste, vinos in O. F., *Engl. vinous*[3]). — One may also expound these two verses according to the Targum of Onkelos *which has:* אשרינון על תקפי ארעא וגו׳, He made them dwell upon the strong places of the earth etc.[4]). **(15)** עבית has the meaning

NOTES

For Notes 1—4 see Appendix.

אֲבֹתֵיכֶם: יח צוּר יְלָדְךָ תֶּשִׁי וַתִּשְׁכַּח אֵל מְחֹלְלֶךָ:
רביעי יט וַיַּרְא יְהוָה וַיִּנְאָץ מִכַּעַס בָּנָיו וּבְנֹתָיו:
כ וַיֹּאמֶר אַסְתִּירָה פָנַי מֵהֶם אֶרְאֶה מָה אַחֲרִיתָם
כִּי דוֹר תַּהְפֻּכֹת הֵמָּה בָּנִים לֹא־אֵמֻן בָּם: כא הֵם
קִנְאוּנִי בְלֹא־אֵל כִּעֲסוּנִי בְּהַבְלֵיהֶם וַאֲנִי אַקְנִיאֵם
בְּלֹא־עָם בְּגוֹי נָבָל אַכְעִיסֵם: כב כִּי־אֵשׁ קָדְחָה
בְאַפִּי וַתִּיקַד עַד־שְׁאוֹל תַּחְתִּית וַתֹּאכַל אֶרֶץ וִיבֻלָהּ
וַתְּלַהֵט מוֹסְדֵי הָרִים: כג אַסְפֶּה עָלֵימוֹ רָעוֹת חִצַּי

אונקלוס

דְּלֵית בְּהוֹן צְרוֹךְ דַּחֲלָן דְּלָא יְדַעֻנוּן חַדְתָּא דִּי מִקְּרִיב אִתְעֲבִידָא לָא אִתְעַסַּקוּ
בְּהוֹן אֲבָהָתְכוֹן: יח דַּחֲלָא תַקִּיפָא דִּבְרָאָךְ נְשֵׁיתָא וּשְׁבַקְתָּא פָּלְחַן אֱלָהָא
דַּעֲבְדָךְ: יט וּגְלֵי קֳדָם יְיָ וּתְקֵף רֻגְזֵהּ מִדְּאַרְגִּיזוּ קֳדָמוֹהִי בְּנִין וּבְנָן: כ וַאֲמַר
אֲסַלֵּק שְׁכִנְתִּי מִנְּהוֹן גְּלֵי קֳדָמַי מָא יְהֵי בְסוֹפֵיהוֹן אֲרֵי דָרָא דְּאַשְׁנִיו אִנּוּן בְּנַיָּא
דְּלֵית בְּהוֹן הֵימָנוּ: כא אִנּוּן אַקְנִיאוּ קֳדָמַי בְּלָא דַחֲלָן אַרְגִּיזוּ קֳדָמַי בְּפָלְחַן טָעֲוָן
וַאֲנָא אַקְנִנּוּן בְּלָא עַם בְּעַמָּא טַפְשָׁא אַרְגֵּזִנּוּן: כב אֲרֵי קְדוֹם תַּקִּיף כְּאֶשָּׁא נְפַק
מִקֳּדָמַי בִּרְגַז וְשֵׁיצִי עַד שְׁאוֹל אַרְעִית וְתוֹסֵף אַרְעָא וַעֲלַלְתַּהּ וְשֵׁיצִית עַד סְיָפֵי

רש"י

צרוך, אלו היה בהם צרוך לא היתה קנאה כפולה כמו עכשיו (ספרי): חדשים מקרב
באו. אפילו האמות לא היו רגילים בהם — גוי שהיה רואה אותם, היה אומר זה צלם
יהודי: לא שערום אבתיכם. לא יראו מהם — לא עמדה שערתם מפניהם, דרך שערות
האדם לעמוד מחמת יראה, כך נדרש בספרי. ויש לפרש עוד שערום לשון ושעירים
ירקדו שם, שעירים הם שדים, לא עשו אבותיכם שעירים הללו: (יח) תשי. תשכח.
ורבותינו דרשו כשבא להיטיב לכם אתם מכעיסין לפניו ומתישים כחו מלהיטיב לכם
(ספרי): אל מחללך. מוציאך מרחם, לשון יחולל אילות (תה' כ"ט), חיל כיולדה
(שם מ"ח): (כ) מה אחריתם. מה תעלה בהם בסופם: כי דור תהפכת המה. מהפכין
רצוני לכעס: לא אמן בם. אין גדולי נכרים בהם, כי הוריתים דרך טובה וסרו ממנה:
אמן. לשון ויהי אמן (אסת' ב'), נוררישור"ה בלעז: ד"א אמן לשון אמונה, כתרגומו.
אמרו בסיני נעשה ונשמע ולשעה קלה בטלו הבטחתם ועשו העגל (ספרי): (כא) קנאוני.
הבעירו חמתי: בלא אל. בדבר שאינו אלוה: בלא עם. באמה שאין לה שם, שנאמר
(יש' כ"ג) הן ארץ כשדים זה העם לא היה, בעשו הוא אומר (עובדיה א') בזוי אתה
מאד: בגוי נבל אכעיסם. אלו המינים, וכן הוא אומר (תה' י"ד) אמר נבל בלבו אין
אלהים (ספרי; יב' ס"ג): (כב) קדחה. בערה: ותיקד. בכם עד היסוד: ותאכל ארץ
ויבלה. ארצכם ויבולה (ספרי): ותלהט. ירושלים המיסדת על ההרים, שנאמר (תה' קכ"ה)
ירושלים הרים סביב לה: (כג) אספה עלימו רעות. אחביר רעה על רעה, לשון ספו
שנה על שנה (יש' כ"ט), ספות הרוה (דב' כ"ט), עלותיכם ספו על זבחיכם (יר' ז').
ד"א אספה אכלה, כמו פן תספה (בר' י"ט): חצי אכלה בם. כל חצי אשלים בהם.

[18]Of the Rock *that* bare thee thou art unmindful, and hast forgotten God that gave thee birth. [19]And when the Eternal saw *it*, he scorned *them*, because of the provocation of his sons, and of his daughters. [20]And he said, I will hide my face from them, I will see what their end *shall be*: for they *are* a froward generation of perversity, children in whom *is* no faith. [21]They have moved me to jealousy with *that which is* not God; they have provoked me to anger with their vanities: and I will move them to jealousy with *those who are* not a people; I will provoke them to anger with a debased nation. [22]For a fire flames in my wrath, and shall blaze unto the lowest hell, and shall consume the earth with her increase, and set on fire the foundations of the mountains. [23]I will exhaust *my* evils upon them: I will spend mine

רש"י

of "thickness" (stoutness), *it therefore means:* "*Thou hast waxed fat*". כשית is the same as כסית (ס and ש interchanging). It has the same meaning as *in* Job XV. 27) "Because he hath c o v e r e d (כסה) his face with h i s f a t n e s s" — like a person who is full of fat inside and whose flanks *therefore* lie in folds outside, as it goes on to state, (ib.) "and he made folds of fat on his flanks". כשית — There exists a Kal form (as is this word) in the sense of covering, as (Prov. XII. 16) "And a prudent man is covered with (וְכֹסֶה) shame". If it had written כִּשִּׁיתָ with a dagesh *in the* ש, it would imply, "Thou hast covered others (or other things)" (i. e., it would be transitive), as *in the text already quoted*, "For he hath covered (כִסָּה) his face"[1]). וינבל צור ישעתו AND HE LIGHTLY ESTEEMED THE ROCK OF HIS SALVATION — *This means*, He showed contempt for Him and scorned Him, as it is said, (Ez. VIII. 16) "[and, behold, . . . there were . . . men] with their buttocks towards the Temple of the Lord" — *surely*, there can be no greater contempt than this (see Rashi on this verse) (Siphre). **(16)** יקנאהו *means*, they made His anger and His jealousy (קנאה) glow. בתועבת WITH ABOMINATIONS — *i. e.* with abominable deeds such as pederasty and sorcery of which the term תועבה is used (cf. Lev. XVIII. 23 and Deut. XVIII. 10—12). **(17)** לא אלה — *Understand this* as the Targum *does: They sacrifice unto devils* in which is no utility, for if there were *at least* any utility in them *to the world* (as e. g., the sun, moon and stars) the provocation to anger would not be so intense (lit., double) as it *actually* is now (Siphre). חדשים מקרב באו [THEY SACRIFICED . . . TO GODS] THAT CAME UP RECENTLY — *i. e.* with which even the heathen nations were not familiar. *Indeed*, if a heathen saw them he would say, "This is a J e w i s h idol" (Siphre). לא שערום אבתיכם — *This means*, which your fathers feared not; *more literally it means:* Their hair (שער) did not stand up on end because of them — *for* it is the nature of a person's hair to stand up out of fear. Thus is it (the word שערום) explained in Siphre. But it is also possible to explain it as being connected with *the noun in* (Is. XIII. 21) "And שעירים shall dance there"; שעירים are demons (satyrs), *and the meaning of our verse would then be:* your fathers never made these satyrs. **(18)** תשי *means* THOU HAST FORGOTTEN. But our Rabbis explained *it thus:* whenever He was about to bestow good upon you, you provoked Him to anger and, *as it were*, weakened (תש) His power so that He could not do you good (Siphre). אל מחללך *means, God* Who has brought you forth out of the womb. It has the same meaning as *in* (Ps. XXIX. 9) "[The voice of the Lord] makes hinds to bring forth (יחולל)", *and* (ib. XLVIII. 7) "travail (חיל) as that of a woman in childbirth". **(20)** מה אחריתם [I WILL SEE] WHAT THEIR END SHALL BE — *i. e.* what will come upon them in the end[2]). כי דור תהפכת המה FOR THEY ARE A GENERATION OF PERVERSITY — *i. e.* they change (הפך) My goodwill into anger. לא אמן בם *means*, My training

NOTES

For Notes 1—2 see Appendix.

אֲכַלֶּה־בָּם׃ כד מְזֵי רָעָב וּלְחֻמֵי רֶשֶׁף וְקֶטֶב מְרִירִי
וְשֶׁן־בְּהֵמֹת אֲשַׁלַּח־בָּם עִם־חֲמַת זֹחֲלֵי עָפָר׃
כה מִחוּץ תְּשַׁכֶּל־חֶרֶב וּמֵחֲדָרִים אֵימָה גַּם־בָּחוּר
גַּם־בְּתוּלָה יוֹנֵק עִם־אִישׁ שֵׂיבָה׃ כו אָמַרְתִּי
אַפְאֵיהֶם אַשְׁבִּיתָה מֵאֱנוֹשׁ זִכְרָם׃ כז לוּלֵי כַּעַס
אוֹיֵב אָגוּר פֶּן־יְנַכְּרוּ צָרֵימוֹ פֶּן־יֹאמְרוּ יָדֵנוּ רָמָה

אונקלוס

טוּרַיָּא׃ כג אֱסַף עֲלֵיהוֹן בִּישָׁן מַכְתָּשַׁי אֲשֵׁיצֵי בְהוֹן׃ כד נְפִיחֵי כְפַן וַאֲכוּלֵי עוֹף
וּכְתִישֵׁי רוּחִין בִּישִׁין וְשֵׁן חֵיוַת בָּרָא אֲגָרֵי בְהוֹן עִם חֲמַת חִיוָיָא דְּזָחֲלִין
בְּעַפְרָא׃ כה מִבָּרָא תְּתַכֵּל חַרְבָּא וּמִתַּוָנַיָּא חַרְגַּת מוֹתָא אַף עוּלֵימֵיהוֹן אַף
עוּלֵמְתְהוֹן יָנְקֵיהוֹן עִם אֱנָשׁ סָבֵיהוֹן׃ כו אֲמָרִית אַחוֹל רֻגְזִי עֲלֵיהוֹן וַאֲשֵׁיצֵנּוּן
אֲבַטֵּל מִבְּנֵי אֱנָשָׁא דּוּכְרָנְהוֹן׃ כז אִלּוּלֵפוֹן רֻגְזָא דְסָנְאָה כְּנִישׁ דִּילְמָא יִתְרַבְרַב
בְּעֵל דְּבָבָא דִּילְמָא יֵימְרוּן יְדָנָא תְקִיפַת לָנָא וְלָא מִן קֳדָם יְיָ הֲוָת כָּל דָּא׃

רש״י

וּקְלָלָה זוֹ לְפִי הַפּוּרְעָנוּת לִבְרָכָה הִיא — חִצַּי כָּלִים וְהֵם אֵינָם כָּלִים (ספרי;
סוטה ט׳): (כד) מזי רעב. אוּנְקְלוֹס תִּרְגֵּם נְפִיחֵי כְפַן, וְאֵין לִי עֵד מוֹכִיחַ עָלָיו, וּמִשְּׁמוֹ
שֶׁל רַבִּי מֹשֶׁה הַדַּרְשָׁן מִטּוּלוּשָׁא שָׁמַעְתִּי שְׂעִירֵי רָעָב — אָדָם כָּחוּשׁ מְגַדֵּל שֵׂעָר עַל
בְּשָׂרוֹ: מזי. לְשׁוֹן אֲרַמִּי שְׂעַר מַזְיָא, דַּהֲוָה מְהַפֵּךְ בְּמַזְיָא (מגי׳ י״ח): ולחמי רשף.
הַשֵּׁדִים נִלְחֲמוּ בָהֶם, שֶׁנֶּאֱמַר וּבְנֵי רֶשֶׁף יַגְבִּיהוּ עוּף (איוב ה׳), וְהֵם שֵׁדִים: וקטב מרירי.
וּכְרִיתוּת שֵׁד שֶׁשְּׁמוֹ מְרִירִי, קֶטֶב כְּרִיתָה, כְּמוֹ אֱהִי קָטָבְךָ שְׁאוֹל (הושי י״ג): ושן בהמת.
מַעֲשֶׂה הָיָה וְהָיוּ הָרְחֵלִים נוֹשְׁכִין וּמְמִיתִין (ספרי): חמת זחלי עפר. אֶרֶס נְחָשִׁים
הַמְהַלְּכִים עַל גְּחוֹנָם עַל הֶעָפָר כְּמַיִם הַזּוֹחֲלִים עַל הָאָרֶץ; זְחִילָה לְשׁוֹן מְרוּצַת הַמַּיִם
עַל הֶעָפָר וְכֵן כָּל מְרוּצַת דָּבָר הַמְשַׁפְשֵׁף עַל הֶעָפָר וְהוֹלֵךְ: (כה) מחוץ תשכל חרב.
מִחוּץ לָעִיר תְּשַׁכְּלֵם חֶרֶב גְּיָסוֹת, ומחדרים אימה, כְּשֶׁבּוֹרֵחַ וְנִמְלָט חַדְרֵי לִבּוֹ נוֹקְפִים
עָלָיו מֵחֲמַת אֵימָה, וְהוּא מֵת וְהוֹלֵךְ בָּהּ (ספרי); ד״א ומחדרים אימה — בַּבַּיִת תִּהְיֶה אֵימַת
דֶּבֶר, כְּמָה שֶׁנֶּאֱמַר (ירי ט׳) כִּי עָלָה מָוֶת בְּחַלּוֹנֵינוּ, וְכֵן תִּרְגֵּם אוּנְקְלוֹס; ד״א מחוץ
תשכל חרב — עַל מַה שֶּׁעָשׂוּ בַחוּצוֹת, שֶׁנֶּאֱמַר וּמִסְפַּר חוּצוֹת יְרוּשָׁלַיִם שַׂמְתֶּם מִזְבְּחוֹת
לַבֹּשֶׁת (שם י״א); ומחדרים אימה, עַל מַה שֶּׁעָשׂוּ בְּחַדְרֵי חֲדָרִים, שֶׁנֶּאֱמַר אֲשֶׁר זִקְנֵי
בֵית יִשְׂרָאֵל עוֹשִׂים בַּחֹשֶׁךְ אִישׁ בְּחַדְרֵי מַשְׂכִּיתוֹ (יחי ח׳): (כו) אמרתי אפאיהם. אָמַרְתִּי
בְּלִבִּי אַפְאֶה אוֹתָם, וְיֵשׁ לְפָרֵשׁ אפאיהם אֲשִׁיתֵם פֵּאָה, לְהַשְׁלִיכָם מֵעָלַי הֶפְקֵר, וְדֻגְמָתוֹ
מָצִינוּ בְּעֶזְרָא (נחי ט׳) וַתִּתֵּן לָהֶם מַמְלָכוֹת וַעֲמָמִים וַתַּחְלְקֵם לְפֵאָה לְהֶפְקֵר, וְכֵן חִבְּרוֹ
מְנַחֵם. וְיֵשׁ פּוֹתְרִים אוֹתוֹ כְּתַרְגּוּמוֹ יֶחֱוֹל רוּגְזִי עֲלֵיהוֹן, וְלֹא יִתָּכֵן, שֶׁאִם כֵּן הָיָה לוֹ לִכְתּוֹב
אַאַפְאֵיהֶם, אַחַת לְשִׁמּוּשׁ וְאַחַת לִיסוֹד, כְּמוֹ אֲאַזֶּרְךָ (ישי מ״ה), אֲאַמִּצְכֶם בְּמוֹ פִי
(איוב ט״ז), וְהָאָלֶ״ף הַתִּיכוֹנָה אֵינָהּ רְאוּיָה בוֹ כְּלָל. וְאוּנְקְלוֹס תִּרְגֵּם אַחַר לְשׁוֹן הַבָּרַיְתָא
הַשְּׁנוּיָה בְּסִפְרֵי הַחוֹלֶקֶת תֵּיבָה זוֹ לְשָׁלֹשׁ תֵּיבוֹת, אָמַרְתִּי אַף אִי הֵם — אָמַרְתִּי בְּאַפִּי
אֶתְּנֵם כְּאִלּוּ אֵינָם שֶׁיֹּאמְרוּ רוֹאֵיהֶם עֲלֵיהֶם אַיֵּה הֵם: (כז) לולי כעס אויב אגור. אִם לֹא
שֶׁכַּעַס הָאוֹיֵב כָּנוּס עֲלֵיהֶם לְהַשְׁחִית, וְאִם יוּכַל לָהֶם וְיַשְׁחִיתֵם, יִתְלֶה הַגְּדֻלָּה בוֹ וּבֵאלֹהָיו
וְלֹא יִתְלֶה הַגְּדֻלָּה בִּי, וְזֶהוּ שֶׁנֶּאֱמַר פן ינכרו צרימו — יְנַכְּרוּ הַדָּבָר לִתְלוֹת גְּבוּרָתָם

arrows upon them. [24]*They shall be* emaciated with hunger, and devoured with burning heat, and with bitter destruction: I will also send forth the teeth of beasts upon them, with the fury of those crawling in the dust. [25]The sword without, and horror within, shall destroy both the young man and the virgin, the suckling with the man of gray hairs. [26]I said, I would scatter them into corners, I would make the remembrance of them to cease from among men: [27]Were it not that I was in dread of the wrath from the enemy, lest their adversaries should behave themselves strangely, *and* lest they should say, Our hand *is* exalted,

רש"י

is not evident in them, for I showed them the good way and they have deviated from it. אמן is of the same meaning as *in* (Esth. II. 7) "And he brought up (אמן) Hadassah". Nouriture in O. F. Another explanation of אמן: it has the same meaning as אמונה, faithfulness, as the Targum *takes it* ("in whom there is no faithfulness"). At Sinai they said, "We will do and we will hearken" and after a very short time they broke their promise and made the *golden* calf (Siphre). **(21)** קנאוני *means*, they made My anger glow (cf. Rashi on v. 16). בלא אל *means*, with something that is not a god[1]). **בלא עם** [I WILL MOVE THEM TO JEALOUSY] WITH THOSE WHO ARE NOT A PEOPLE — *i. e.* with a nation that has no reputation, as it states *e. g. of the Chaldeans* (Is. XXIII. 13), "Behold, the land of the Chaldeans, this people was not; [the Assyrians founded it . . .]", *and* of Esau it states (Obadia I. 2) "Thou art greatly despicable". **בגוי נבל אכעיסם** I WILL PROVOKE THEM TO ANGER WITH A DEBASED NATION — these are the "Minim", the heretics. So indeed, it states, (Ps. XIV. 1) "The heretic (נבל) hath said in his heart "There is no God" (Siphre; Jeb. 63b). **(22)** קדחה *means*, IT BURNS. **ותיקד** AND IT SHALL BLAZE in your midst to the very foundations (Rashi merely supplies the words "in your midst" and paraphrases עד שאול תחתית). **ותאכל ארץ ויבלה** AND IT SHALL CONSUME THE LAND WITH HER INCREASE — *i. e.*, y o u r land and its increase (Rashi means that ארץ does not mean "the ground", "the soil"). **ותלהט** AND IT SHALL SET ON FIRE [THE FOUNDATIONS OF THE MOUNTAINS] — *i. e.* Jerusalem that is founded on the mountains, as it is said, (Ps. CXXV. 2) "Jerusalem, mountains are round about it". **(23) אספה עלימו רעות** — *This means*, I will join evil to evil, **אספה** having the same meaning as *in* (Is. XXIX. 1) "add ye (ספו) year to year"; (Deut. XXIX. 18) "in order to add (ספות) the drunkenness to the thirst"; (Jer. VII. 21) "Add (ספו) your burnt offerings to your sacrifices". Another explanation of **אספה**: *it means*, "I will spend" (bring to an end so that there will be no more evils to bring upon them); similar to (Gen. XIX. 15) "lest thou be brought to an end (תספה)". **חצי אכלה בם** *means* all my arrows I will use to the full against them (i. e., there will be no arrows left). This curse according to *the wording in which* the punishment *is expressed*, implies a blessing: My a r r o w s will come to an end, but they *themselves* will not come to an end (i. e. they will never be exterminated) (Siphre; Sota 9a). **(24) מזי רעב** — Onkelos rendered *this* by "swollen by famine". I have, however, no convincing proof for this *meaning*. In the name of R. Moses the Preacher of Toulouse I have heard that it is the same as **שעירי רעב**, "h a i r y through hunger", *for* an emaciated person grows much hair on his flesh. In the Aramaic language the term for hair is **מזיא**, *as e. g. in the phrase (Meg. 18a)* "who was busying himself with his hair (**במזיא**)". **ולחמי רשף** — *This means*, the demons fight with them (לחם means "to battle"), — as it states, (Job. V. 7) "As the **בני רשף** fly upwards". and they are the demons (Ber. 5a). **וקטב מרירי** *means* and the destruction caused by a demon whose name is **מרירי**. *The word* **קטב** denotes "cutting off", "de-

NOTES

1) See Appendix.

וְלֹא יְהוָה פָּעַל כָּל־זֹאת׃ כח כִּי־גוֹי אֹבַד עֵצוֹת הֵמָּה
וְאֵין בָּהֶם תְּבוּנָה׃ חמישי כט לוּ חָכְמוּ יַשְׂכִּילוּ זֹאת
יָבִינוּ לְאַחֲרִיתָם׃ ל אֵיכָה יִרְדֹּף אֶחָד אֶלֶף וּשְׁנַיִם
יָנִיסוּ רְבָבָה אִם־לֹא כִּי־צוּרָם מְכָרָם וַיהוָה
הִסְגִּירָם׃ לא כִּי לֹא כְצוּרֵנוּ צוּרָם וְאֹיְבֵינוּ פְּלִילִים׃
לב כִּי־מִגֶּפֶן סְדֹם גַּפְנָם וּמִשַּׁדְמֹת עֲמֹרָה עֲנָבֵמוֹ
עִנְּבֵי־רוֹשׁ אַשְׁכְּלֹת מְרֹרֹת לָמוֹ׃ לג חֲמַת תַּנִּינִם
יֵינָם וְרֹאשׁ פְּתָנִים אַכְזָר׃ לד הֲלֹא־הוּא כָּמֻס עִמָּדִי
חָתוּם בְּאוֹצְרֹתָי׃ לה לִי נָקָם וְשִׁלֵּם לְעֵת תָּמוּט

אונקלוס

כח אֲרֵי עַם מְאַבְּדֵי עֵצָה אִנּוּן וְלֵית בְּהוֹן סוּכְלְתָנוּ׃ כט אִלּוּ חֲכִימוּ אִסְתַּכָּלוּ
בְּדָא סְבָרוּ מָא יְהֵי בְּסוֹפְהוֹן׃ ל אֵכְדֵין יִרְדּוֹף חַד אַלְפָא וּתְרֵין יַעְרְקוּן לְרִבּוֹתָא
אֱלָהֵן (אֲרֵי) תַּקִּיפְהוֹן מְסַרְנוּן וַייָ אַשְׁלְמִנּוּן׃ לא אֲרֵי לָא כְתָקְפָּנָא תָּקְפְּהוֹן וּבַעֲלֵי
דְבָבָנָא הֲווֹ דַיָּנָנָא׃ לב אֲרֵי כְּפֻרְעֲנוּת עַמָּא דִסְדוֹם פֻּרְעֲנוּתְהוֹן וְלָקוּתְהוֹן כְּעַם
עֲמוֹרָה מַחְתְּהוֹן בִּישִׁין כְּרֵישֵׁי חִוְיָן וְתַשְׁלְמַת עוֹבָדֵיהוֹן כִּמְרָרוּתְהוֹן׃ לג הָא
כִּמְרַת תַּנִּינַיָּא כָּס פֻּרְעֲנוּתְהוֹן וּכְרֵישׁ פִּתְנֵי חִוְיָן אַכְזְרָאִין׃ לד הֲלָא כָל עוֹבָדֵיהוֹן
גְּלַן קֳדָמַי גְּנִיזִין לְיוֹם דִּינָא בְּאוֹצְרָי׃ לה קֳדָמַי פֻּרְעֲנוּתָא וַאֲנָא אֲשַׁלֵּם לְעִדָּן

רש"י

בְּנָכְרִי שֶׁאֵין הַגְּדֻלָּה שֶׁלּוֹ — פן יאמרו ידנו רמה וגו׳: (כח) כי אותו גוי אבד עצות המה
ואין בהם תבונה. שֶׁאִלּוּ הָיוּ חֲכָמִים ישכילו זאת איכה ירדף וגו׳: (כט) יבינו לאחריתם.
יִתְּנוּ לֵב לְהִתְבּוֹנֵן לְסוֹף פּוּרְעָנוּתָם שֶׁל יִשְׂרָאֵל: (ל) איכה ירדף אחד מִמֶּנּוּ אלף
מִיִּשְׂרָאֵל: אם לא כי צורם מכרם וה׳ הסגירם. מְכָרָם וּמְסָרָם בְּיָדֵינוּ, דליבירר בלע״ז:
(לא) כי לא לצורנו צורם. כָּל זֶה הָיָה לָהֶם לָאוֹיְבִים לְהָבִין שֶׁהַשֵּׁם הִסְגִּירָם וְלֹא לָהֶם
וְלֵאלֹהֵיהֶם הַנִּצָּחוֹן, שֶׁהֲרֵי עַד הֵנָּה לֹא יָכְלוּ כְּלוּם אֱלֹהֵיהֶם כְּנֶגֶד צוּרֵנוּ, כִּי לֹא כְסַלְעֵנוּ
סַלְעָם; כָּל צוּר שֶׁבַּמִּקְרָא לְשׁוֹן סֶלַע: ואיבינו פלילים. וְעַכְשָׁיו אוֹיְבֵינוּ שׁוֹפְטִים אוֹתָנוּ,
הֲרֵי שֶׁצּוּרֵנוּ מְכָרָנוּ לָהֶם: (לב) כי מגפן סדם גפנם. מוּסָב לְמַעְלָה — אָמַרְתִּי בְּלִבִּי
אַפְאֵיהֶם וְאַשְׁבִּיתָה זִכְרָם לְפִי שֶׁמַּעֲשֵׂיהֶם מַעֲשֵׂי סְדוֹם וַעֲמוֹרָה: שדמת. שְׂדֵה תְּבוּאָה,
כְּמוֹ וּשְׁדֵמוֹת לֹא עָשָׂה אֹכֶל (חבק׳ ג׳), בְּשַׁדְמוֹת קִדְרוֹן (מ״ב כ״ג): ענבי רוש. עֵשֶׂב מַר:
אשכלת מררת למו. מַשְׁקֶה מַר רָאוּי לָהֶם, לְפִי מַעֲשֵׂיהֶם פּוּרְעָנוּתָם, וְכֵן תִּרְגֵּם אונקלוס
ותושלמת עובדיהון כמרריתהון: (לג) חמת תנינם יינם. כְּתַרְגּוּמוֹ הָא כִמְרַת תַּנִּינַיָּא כָּס
פּוּרְעָנוּתְהוֹן, הִנֵּה כִּמְרִירַת נְחָשִׁים כּוֹס מִשְׁתֵּה פּוּרְעָנוּתָם: וראש פתנים. כּוֹסָם שֶׁהוּא
אכזר לְנָשׁוּךְ, אוֹיֵב אַכְזָרִי יָבֹא וְיִפָּרַע מֵהֶם: (לד) הלא הוא כמס עמדי. כְּתַרְגּוּמוֹ,
כִּסְבוּרִים הֵם שֶׁשָּׁכַחְתִּי מַעֲשֵׂיהֶם, כֻּלָּם גְּנוּזִים וּשְׁמוּרִים לְפָנַי: הלא הוא — פְּרִי גַפְנָם
וּתְבוּאַת שַׁדְמוֹתָם — כמס עמדי: (לה) לי נקם ושלם. עִמִּי נָכוֹן וּמְזֻמָּן פּוּרְעָנוּת נָקָם,
וִישַׁלֵּם לָהֶם כְּמַעֲשֵׂיהֶם, הַנָּקָם יְשַׁלֵּם לָהֶם גְּמוּלָם. וְיֵשׁ מְפָרְשִׁים ושלם שֵׁם דָּבָר, כְּמוֹ

and the Eternal hath not effected all this. [28]For they *are* a nation of erring counsel, neither *is there any* understanding in them. [29]O that they were wise, *that* they understood this, *that* they would consider their latter end! [30]How should one pursue a thousand, and two put a myriad to flight, except their Rock had sold them, and the Eternal had shut them up? [31]For their rock *is* not as our Rock, even our enemies themselves *being* umpires. [32]For their vine *is* of the vine of Sodom, and of the fields of Gomorrah: their grapes *are* grapes of gall, their clusters *are* bitter: [33]Their wine *is* the poison of dragons, and the cruel venom of asps. [34]*Is* not this laid up in store with me, *and* sealed up among my treasures? [35]To me *belongeth* vengeance, and recompence; their foot shall totter in *due* time:

רש"י

struction", as *in* (Hos. XIII. 14) "I will be thy destruction (קטבך) O grave"[1]). ושן בהמת [I WILL SEND FORTH] THE TEETH OF CATTLE [UPON THEM] (i. e., even the teeth of cattle, not only of wild beasts) — It indeed happened once that lambs bit people and caused *their* death (Siphre; cf. Rashi on Lev. XXVI. 22). חמת זחלי עפר THE FURY OF THOSE CRAWLING IN THE DUST — *i. e.* the poison of serpents that crawl on their bellies upon the ground as the water trickles (זחל) upon the ground. The root זחל *properly* denotes the passage of water upon the dust, and *it is* similarly *used as here of* the passage of anything that proceeds in a shuffling manner upon the ground. **(25)** מחוץ תשכל חרב WITHOUT, THE SWORD SHALL BEREAVE — *This means,* outside the city will the sword of the hostile troops bereave them, ומחדרים אימה AND WITHIN, DREAD — when one flees and escapes, the recesses (חדרים) of his heart will vehemently beat out of dread, and he will gradually die through this (Siphre). Another explanation of ומחדרים אימה: In the house there will be the fear of pestilence, as it says, (Jer. IX. 20) "For the death is come up into our windows" (cf. B. Kam. 60b). So, too, did Onkelos translate it. Another explanation *of this verse:* מחוץ תשכל חרב — the sword shall destroy them on account of what they have done in the streets (חוצה; the prefix מ denotes the cause: on account of the streets), as it is said, (Jer. XI. 13) "According to the number of the streets of Jerusalem have you set up altars to the shameful thing"; ומחדרים אימה — on account of what they have done in the innermost chambers *of their houses,* as it is said, (Ez. VIII. 12) "[Have you seen] what the elders of the house of Israel do in the dark, every man in his marbled chambers?" **(26)** אמרתי אפאיהם *means,* I said in my heart, "I will אפאה them"[2]). One may explain אפאיהם *to mean:* I would make them as פאה, *i. e.* "as grain left in the corner of the field", to cast them away from Me as something free to all. We find a similar idea to this in Ezra (Neh. IX. 22)[3]), "And thou gavest them kingdoms and nations and didst set them aside as a corner (פאה)" — *i. e.,* as free to all. Thus (under this meaning) did Menachem *ben Seruk* classify it. Others expound it as the Targum does: My wrath (אף) will fall upon them. This is, however, not correct, for if it were so (i. e., if אפאיהם were connected with אף) it ought to have written אַאַפְאֵיהֶם, *with two Alephs,* the one as a servile letter (a prefix) and the other as a root letter, just as in (Is. XLV. 5) אאזרך, "I girded thee", *and* (Job. XVI. 5) "I would strengthen you (אאמצכם) with my mouth" (in both these cases the first letter of the root is א as it is in אף), and the middle א (that after the פ) would not be proper to be in it at all. Onkelos, however (in connecting the word with אף, anger), rendered it according to the explanation of a Boraitha that in taught in Siphre which divides this word into three words, אמרתי אף אי הם, *which means,* I said in My anger (אף) I will make them as though they were not *existent,* i. e., that those who are looking for them would ask about them,

NOTES

For Notes 1—3 see Appendix.

רַגְלָם כִּי קָרוֹב יוֹם אֵידָם וְחָשׁ עֲתִדֹת לָמוֹ׃ לו כִּי־יָדִין יְהוָה עַמּוֹ וְעַל־עֲבָדָיו יִתְנֶחָם כִּי יִרְאֶה כִּי־אָזְלַת יָד וְאֶפֶס עָצוּר וְעָזוּב׃ לז וְאָמַר אֵי אֱלֹהֵימוֹ צוּר חָסָיוּ בוֹ׃ לח אֲשֶׁר חֵלֶב זְבָחֵימוֹ יֹאכֵלוּ יִשְׁתּוּ יֵין נְסִיכָם יָקוּמוּ וְיַעְזְרֻכֶם יְהִי עֲלֵיכֶם סִתְרָה׃ לט רְאוּ עַתָּה כִּי אֲנִי אֲנִי הוּא וְאֵין אֱלֹהִים עִמָּדִי אֲנִי אָמִית

אונקלוס

דִּיגְלוֹן מֵאַרְעֲהוֹן אֲרֵי קָרִיב יוֹם תְּבָרְהוֹן וּמְבַע דַּעֲתִיד לְהוֹן׃ לו אֲרֵי יְדִין יְיָ דִּינָא דְעַמֵּהּ וּפֻרְעֲנוּת עַבְדוֹהִי צַדִּיקַיָּא יִתְפְּרַע אֲרֵי גְלֵי קֳדָמוֹהִי דִּבְעִדָּן דְּתִתְקַף עֲלֵיהוֹן מְחַת סָנְאָה יְהוֹן מְטַלְטְלִין וּשְׁבִיקִין׃ לז וְיֵימַר אָן דַּחַלְתְּהוֹן תַּקִּיפָא דַּהֲווֹ רְחִיצִין בֵּהּ׃ לח דִּי תְּרַב נִכְסַתְהוֹן הֲווֹ אָכְלִין שָׁתַן חֲמַר נִסְכֵּיהוֹן יְקוּמוּן כְּעַן וְיִסַעֲדוּנְכוֹן יְהוֹן עֲלֵיכוֹן מְגֵן׃ לט חֲזוֹ כְּעַן אֲרֵי אֲנָא אֲנָא הוּא וְלֵית אֱלָהּ בַּר מִנִּי אֲנָא מֵמִית

רש״י

וְשָׁלוֹם וְהוּא מְנֻזֶּרֶת וְהַדִּבֵּר אֵין בָּהֶם (יר׳ ה׳) — כְּמוֹ וְהַדִּבּוּר. וְאֵימָתַי אֲשַׁלֵּם לָהֶם? לעת תמוט רגלם. כְּשֶׁתִּתֹּם זְכוּת אֲבוֹתָם שֶׁהֵן סְמוּכִים עָלָיו׃ כי קרוב יום אידם. מִשֶּׁאֶרְצֶה לְהָבִיא עֲלֵיהֶם יוֹם אֵידָם קָרוֹב וּמְזֻמָּן לְפָנַי לְהָבִיא עַל יְדֵי שְׁלוּחִים הַרְבֵּה׃ וחש עתדת למו. וּמַהֵר יָבוֹאוּ הָעֲתִידוֹת לָהֶם׃ וחש. כְּמוֹ יְמַהֵר יָחִישָׁה (יש׳ ה׳)׃ עַד כָּאן הֵעִיד עֲלֵיהֶם מֹשֶׁה דִּבְרֵי תוֹכָחָה לִהְיוֹת הַשִּׁירָה הַזֹּאת לְעֵד, כְּשֶׁתָּבֹא עֲלֵיהֶם הַפֻּרְעָנוּת יֵדְעוּ שֶׁאֲנִי הוֹדַעְתִּים מֵרֹאשׁ, מִכָּאן וְאֵילָךְ הֵעִיד עֲלֵיהֶם דִּבְרֵי תַנְחוּמִין שֶׁיָּבוֹאוּ עֲלֵיהֶם כִּכְלוֹת הַפֻּרְעָנוּת, כְּכֹל אֲשֶׁר אָמַר לְמַעְלָה, וְהָיָה כִּי יָבֹאוּ עָלֶיךָ וְגוֹ׳ הַבְּרָכָה וְהַקְּלָלָה וְגוֹ׳ וְשָׁב ה׳ אֱלֹהֶיךָ אֶת שְׁבוּתְךָ וְגוֹ׳׃ (לו) כי ידין ה׳ עמו. כְּשֶׁיִּשְׁפֹּט אוֹתוֹ בְּיִסּוּרִין הַלָּלוּ הָאֲמוּרוֹת עֲלֵיהֶם, כְּמוֹ כִּי בָם יָדִין עַמִּים (איוב ל״ו) — יְיַסֵּר עַמִּים. כִּי זֶה אֵינוֹ מְשַׁמֵּשׁ בִּלְשׁוֹן דְּהָא, לָתֵת טַעַם לַדְּבָרִים שֶׁל מַעְלָה, אֶלָּא לְשׁוֹן תְּחִלַּת דִּבּוּר, כְּמוֹ (ויק׳ כ״ה) כִּי תָבֹאוּ אֶל הָאָרֶץ, כְּשֶׁיָּבוֹאוּ עֲלֵיהֶם מִשְׁפָּטִים הַלָּלוּ וְיִתְנֶחָם הַקָּבָּ״ה עַל עֲבָדָיו לָשׁוּב וּלְרַחֵם עֲלֵיהֶם׃ יתנחם. לְשׁוֹן הֶפֵּךְ הַמַּחֲשָׁבָה לְהֵיטִיב אוֹ לְהָרַע׃ כי יראה כי אזלת יד. כְּשֶׁיִּרְאֶה כִּי יַד הָאוֹיֵב הוֹלֶכֶת וְחוֹזֶקֶת מְאֹד עֲלֵיהֶם, וְאֶפֶס בָּהֶם עָצוּר וְעָזוּב׃ עָצוּר. נוֹשַׁע עַל יְדֵי עוֹצֵר וּמוֹשֵׁל שֶׁיַּעֲצוֹר בָּהֶם׃ עזוב. עַל יְדֵי עוֹזֵב; עוֹצֵר הוּא הַמּוֹשֵׁל הָעוֹצֵר בָּעָם שֶׁלֹּא יֵלְכוּ מְפֻזָּרִים בְּצֵאתָם לַצָּבָא עַל הָאוֹיֵב, בְּלַעַ״ז מיינטינ״דור; עצור. הוּא הַנּוֹשָׁע בְּמַעֲצוֹר הַמּוֹשֵׁל; עזוב, מְחֻזָּק, כְּמוֹ (נח׳ ג׳) וַיַּעַזְבוּ יְרוּשָׁלַיִם עַד הַחוֹמָה; אֵיךְ לֹא עֻזְּבָה עִיר תְּהִלָּה (יר׳ מ״ט), אינפורצדור׃ (לז) ואמר. הַקָּבָּ״ה עֲלֵיהֶם אי אלהימו שֶׁעָבְדוּ׃ צור חסיו בו. הַסֶּלַע שֶׁהָיוּ מִתְכַּסִּין בּוֹ מִפְּנֵי הַחַמָּה וְהַצִּנָּה, כְּלוֹמַר שֶׁהָיוּ בְּטוּחִין בּוֹ לְהָגֵן עֲלֵיהֶם מִן הָרָעָה׃ (לח) אשר חלב זבחימו הָיוּ אוֹתָן אֱלָהוֹת אוֹכְלִים, שֶׁהָיוּ מַקְרִיבִים לִפְנֵיהֶם, וְשׁוֹתִין יֵין נסיכם׃ יהי עליכם סתרה. אוֹתוֹ הַצּוּר יְהִי לָכֶם מַחְסֶה וּמִסְתּוֹר׃ (לט) ראו עתה. הָבִינוּ מִן הַפֻּרְעָנוּת שֶׁהֵבֵיא עֲלֵיכֶם וְאֵין לָכֶם מוֹשִׁיעַ וּמִן הַתְּשׁוּעָה שֶׁאוֹשִׁיעֲכֶם וְאֵין מוֹחֶה בְּיָדִי, אני אני הוא. אֲנִי לְהַשְׁפִּיל וַאֲנִי לְהָרִים׃ ואין אלהים עמדי. עוֹמֵד כְּנֶגְדִּי לִמְחוֹת׃

for the day of their calamity *is* nigh, and the things that shall come upon them make haste. [36]For the Eternal shall pronounce judgment on his people, and repent himself for his servants, when he seeth that *their* power is spent, and nothing is left, whether guarded, or forsaken. [37]And he shall say, Where *are* their gods, *their* rock in whom they trusted; [38]Who did eat the fat of their sacrifices, *and* drank the wine of their drink-offerings? let them rise up and help you, *and* be your protection. [39]See now that it is I, *even* I, and *there is* no god with me: I put to death,

רש"י

"Where are they (אי הם)?" **(27)** לולא כעס אויב אגור WERE IT NOT THAT THE WRATH OF THE ENEMY WAS אגור — *i. e.* were it not that the wrath of the enemy were heaped up (אגור) against them to destroy them, and if he does overpower them and destroy them, he will attribute the greatness to himself and to his god, and he will not attribute it to Me. That is the meaning of what is stated *immediately afterwards:* פן ינכרו צרימו — *i. e.* lest they treat the matter as arising from a stranger (ינכרו) by attributing their power to a stranger (נכרי) to whom the greatness, however, does not *actually* belong. פן יאמרו ידינו רמה וגו' LEST THEY SHOULD SAY, OUR HAND IS EXALTED etc. **(28)** כי FOR that *nation* גוי אבד עצות המה ואין בהם תבונה IS A NATION OF ERRING COUNSEL, NEITHER IS THERE ANY UNDERSTANDING IN THEM — for if they were wise (לו חכמו), ישכילו זאת THEY WOULD UNDERSTAND THIS *viz.*, איכה ירדף וגו' HOW COULD ONE PURSUE [A THOUSAND] etc. **(29)** יבינו לאחריתם THEY WOULD CONSIDER THEIR LATTER END — *i. e.* they would set their heart to comprehend the ultimate *reason for the* misfortune of the Israelites, **(30)** איכה ירדף אחד HOW COULD ONE of us PURSUE אלף A THOUSAND of the Israelites, אם לא כי צורם מכרם וה' הסגירם EXCEPT THEIR ROCK HAD SOLD THEM AND THE LORD HAD DELIVERED THEM — *this means:* had sold them and delivered the into our hands; delivrer in O. F. **(31)** כי לא כצורנו צורם FOR THEIR ROCK IS NOT AS OUR ROCK — all this the enemies should have understood, — that it is the Lord who delivered them (the Israelites) *into their hands*, and the victory is neither theirs nor their god's, for until now their gods could achieve nothing against our Rock, "for not as our Rock is their Rock". — *The word* צור wherever it occurs in Scripture is the equivalent of סלע, rock, — ואיבינו פלילים AND OUR ENEMIES ARE JUDGES — *i. e.* are now judges over us; it is evident therefore that our Rock must have delivered us over to them. **(32)** כי מגפן סדם גפנם FOR THEIR VINE IS OF THE VINE OF SODOM — This is to be connected with *what is stated* above, (v. 26, verses 27—31 being a parenthesis): "I said in My heart, I would scatter them into corners and make the remembrance of them cease ..." because (כי) their doings are as the doings of Sodom and Gomorrah. שדמת denotes fields of grain, as *in* (Hab. III. 17) "and the fields (שדמות) shall yield no corn"; (2 Chron. XXIII. 4) "in the fields (בשדמות) of

רש"י

Kedron". ענבי רוש [THEIR GRAPES ARE] GRAPES OF רוש — *The word denotes* a bitter herb. אשכלת מררת למו BITTER CLUSTERS SHALL BE THEIRS — *i. e.* a bitter drink is what they deserve: according to their actions should be their punishment. Onkelos also renders it thus: "the recompense of their actions shall be according to their bitterness". **(33)** חמת תנינם יינם THEIR WINE IS THE POISON OF DRAGONS — *Understand this* as the Targum *does:* הא כמרת תניניא כס פורענותהון *which means:* Behold, like the gall of serpents is the cup of the drink of their punishment, וראש פתנים AND AS THE VENOM OF ASPS is their cup — *venom,* which proves cruel (אכזר) to him who is bitten. *The sense is:* a cruel enemy will come and exact punishment from them. **(34)** הלא הוא כמס עמדי IS NOT THIS LAID UP IN STORE WITH ME — *Understand this* as the Targum *has it:* ("Are not all their doings open before me?") — *i.e.,* they believe that I have forgotten their doings, but *really* they are all laid by and kept with Me. הלא הוא IS NOT THIS — the fruit of their vine and the produce of their fields (i. e. their doings) כמס עמדי LAID UP IN STORE WITH ME?[1]) **(35)** לי נקם ושלם *means,* with Me is prepared and held in readiness the punishment of vengeance, and it will recompense them according to their doings. *As regards the word* ושלם, *it means that* vengeance will pay them their recompense (וְשִׁלֵּם is therefore a verb with the Vau conversive, the subject being the noun נקם which precedes it). — But some explain the word וְשִׁלֵּם as a noun, having the same meaning as שִׁלּוּם "recompense", when it would be of the same grammatical form as *the noun in the phrase* (Jer. V. 13) "And the דִּבֵּר is not in them", where it has the meaning of דִּבּוּר, "Divine utterance". And when will I recompense them? לעת תמוט רגלם AT THE TIME WHEN THEIR FOOT SHALL TOTTER — *i. e.* when the merit of their ancestors upon which they are relying (which is, as it were, their foot, their support) will become exhausted. כי קרוב יום אידם FOR THE DAY OF THEIR CALAMITY IS AT HAND — *i. e.* as soon as I shall desire to bring about the day of their calamity, it will be near at hand and held in readiness by Me — that I may bring it by *any of the* many agencies *I have*[2]). וחש עתדת למו *means,* AND THE THINGS THAT ARE TO COME (עתידות) UPON THEM WILL COME QUICKLY (חש) — *The word* חש has the same meaning as *the verb in* (Is. V. 19) "Let him make speed and hasten (יחישה)". — So far Moses exhorted them with words of reproof, so that this song should be witness *against them, i. e.,* that when the punishment would come upon them they would know (acknowledge) that I told them about this from the very beginning. From here onwards he exhorted them with a statement of the comfort that would come upon them when their punishment would have ended; *this being* similar to all that is stated above (XXX. 1—2)

NOTES

For Notes 1—2 see Appendix.

רש"י

"And it shall come to pass when [all these things] are come upon thee, the blessing and the curse, . . . then the Lord thy God will turn they captivity, etc.". **(36)** כי ידין ה' עמו — *This means,* when He will sentence them to all these sufferings that are mentioned concerning them. *The phrase has* the same meaning as (Job XXXVI. 31) "For by them ידין nations", *i. e.* He will chastise the nations. — This *word* כי has not the meaning of "because", giving the reason for the preceding statements, but it is an expression (a particle) beginning a n o w a statement, as (Lev. XXV. 2) "W h e n (וכי) ye will come into the land" (cf. Rashi on that passage). *The meaning is:* W h e n these judgments will come upon them, and the Lord will bethink Himself concerning His servants to have mercy on them again. יתנחם HE WILL REPENT — This is an expression for changing one's mind whether for good or for evil — כי יראה כי אזלת יד WHEN HE SEETH THAT THEIR POWER IS GOING ON — *i. e.* when He sees that the power of the e n e m i e s is constantly becoming exceedingly stronger over them, ואפס AND THERE IS NOT among them עצור ועזוב. עצור is one who is saved by a עוצר (a "restrainer") and ruler who would restrain them, עזוב *means one saved* by an עוזב. — *Now* an עוצר is a ruler who keeps the people in check that they should not march in scattered groups when they go into war against the enemy, maintenue in O. F., *Engl. maintainer. Consequently* עצור (the passive) is one who is saved through the restraint of the ruler. עזוב is one who is strengthened, as (Neh. III. 8) "and they fortified (ויעזבו) Jerusalem unto the broad wall"; (Jer. XLIX. 25) "How is this city of praise not helped (עזובה)!". In O. F. anforcede, *Engl., fortified*[1]). **(37)** ואמר AND HE, the Omnipresent, WILL SAY with regard to them אי אלהימו WHERE ARE THEIR GODS which they served, צור חסיו בו THE ROCK IN WHOM THEY TRUSTED — *i. e.* the rock beneath which they sought shelter (more lit., with which they covered themselves) from the heat and the cold; that is to say, "in which they trusted" that it would protect them against evil. **(38)** אשר חלב זבחימו THE FAT OF WHOSE SACRIFICES THEY, *i. e.* these gods — used to eat, which they offered to them, and which used to drink יין נסיכם THE WINE OF THEIR DRINK OFFERING. יהי עליכם סתרה LET IT BE YOUR PROTECTION — *i. e.*, let t h a t r o c k (v. 37) be a refuge and shelter to you. **(39)** ראו עתה SEE NOW — Realise now from the punishment which I have brought upon you and from which there was no one to save you, and, *on the other hand,* from the help which I will render you and there will be none who can prevent Me, אני אני הוא [THAT] IT IS I, EVEN I — I am He *Who have the power* to abase and it is I who have the power to raise, ואין אלהים עמדי AND THERE IS NO GOD WITH ME — *i. e.*

NOTES

1) See Appendix.

וַאֲחַיֶּה מָחַצְתִּי וַאֲנִי אֶרְפָּא וְאֵין מִיָּדִי מַצִּיל׃
ששי מ כִּי־אֶשָּׂא אֶל־שָׁמַיִם יָדִי וְאָמַרְתִּי חַי אָנֹכִי
לְעֹלָם׃ מא אִם־שַׁנּוֹתִי בְּרַק חַרְבִּי וְתֹאחֵז בְּמִשְׁפָּט
יָדִי אָשִׁיב נָקָם לְצָרָי וְלִמְשַׂנְאַי אֲשַׁלֵּם׃ מב אַשְׁכִּיר
חִצַּי מִדָּם וְחַרְבִּי תֹּאכַל בָּשָׂר מִדַּם חָלָל וְשִׁבְיָה
מֵרֹאשׁ פַּרְעוֹת אוֹיֵב׃ מג הַרְנִינוּ גוֹיִם עַמּוֹ כִּי דַם־

אונקלוס

וּמְחַיֵי מָחֵינָא וְאַף מַסֵינָא וְלֵית דְמִן יְדִי מְשֵׁזֵב׃ מ אֲרֵי אַתְקֵינִית בִּשְׁמַיָא בֵּית
שְׁכִנְתֵּי נַאֲמָרִית קַיָם אֲנָא לְעָלְמִין׃ מא אִם עַל חַד תְּרֵין כְּחֵזוּ בַרְקָא
מִסוֹף שְׁמַיָא וְעַד סוֹף שְׁמַיָא תִּתְגְלֵי חַרְבִּי וְתִתְקֵף בְּדִינָא יְדִי אָתֵיב
פֻּרְעֲנוּתָא לְסָנְאַי וּלְבַעֲלֵי דְבָבַי אֲשַׁלֵם׃ מב אֲרַוֵי גִירַי מִדְמָא וְחַרְבִּי תִּקְטוֹל
בְּעַמְמַיָא מִדַם קְטִילָן וְשִׁבְיָן לְאַעְדָאָה כִּתְרִין מֵרֵישׁ סָנְאָה וּבְעֵל דְבָבָא׃ מג שַׁבָּחוּ

רש״י

עמדי. דּוּגְמָתִי וְכָמוֹנִי: ואין מידי מציל הַפּוֹשְׁעִים בִּי: (מ) כי אשא אל שמים ידי. כִּי בַחֲרוֹן אַפִּי אֶשָּׂא יָדִי אֶל עַצְמִי בִּשְׁבוּעָה: ואמרתי חי אנכי. לְשׁוֹן שְׁבוּעָה הוּא, אֲנִי נִשְׁבָּע חַי אָנֹכִי: (מא) אם שנותי ברק חרבי. אִם אֲשַׁנֵּן אֶת לַהַב חַרְבִּי לְמַעַן הֱיוֹת לָהּ בָּרָק, שפלנ״דור: ותאחז במשפט ידי. לְהַנִּיחַ מִדַּת רַחֲמִים מֵאוֹיְבַי שֶׁהֵרַעוּ לָכֶם אֲשֶׁר אֲנִי קָצַפְתִּי מְעַט וְהֵמָּה עָזְרוּ לְרָעָה, וְתֹאחֵז יָדִי אֶת מִדַּת הַמִּשְׁפָּט לְהַחֲזִיק בָּהּ וְלִנְקוֹם נָקָם. אשיב נקם וגו׳. לָמְדוּ רַבּוֹתֵינוּ בָּאַגָּדָה מִתּוֹךְ לְשׁוֹן הַמִּקְרָא שֶׁאָמַר ותאחז במשפט ידי לֹא כְמִדַּת בָּשָׂר וָדָם מִדַּת הַקָּבָּ״ה, מִדַּת בָּשָׂר וָדָם זוֹרֵק חֵץ וְאֵינוֹ יָכוֹל לַהֲשִׁיבוֹ, וְהַקָּבָּ״ה זוֹרֵק חִצָּיו וְיֵשׁ בְּיָדוֹ לַהֲשִׁיבָם כְּאִלּוּ אוֹחֲזָן בְּיָדוֹ, שֶׁהֲרֵי בָרָק הוּא חִצּוֹ שֶׁנֶּאֱמַר כָּאן ברק חרבי ותאחז במשפט ידי, וְהַמִּשְׁפָּט הַזֶּה לְשׁוֹן פּוּרְעָנוּת הוּא, בְּלַעַז יושטיצ״יא: (מב) אשכיר חצי מדם הָאוֹיֵב, וחרבי תאכל בְּשָׂרָם: מדם חלל ושביה. זֹאת תִּהְיֶה לָהֶם מֵעֲוֹן דַּם חַלְלֵי יִשְׂרָאֵל וְשִׁבְיָה שֶׁשָּׁבוּ מֵהֶם: מראש פרעות איוב. מִפֶּשַׁע תְּחִלַּת פִּרְצוֹת הָאוֹיֵב, כִּי כְּשֶׁהַקָּבָּ״ה נִפְרַע מִן הָאֻמּוֹת פּוֹקֵד עֲלֵיהֶם עֲוֹנָם וַעֲוֹנוֹת אֲבוֹתֵיהֶם מֵרֵאשִׁית פִּרְצָה שֶׁפָּרְצוּ בְּיִשְׂרָאֵל: (מג) הרנינו גוים עמו. לָאוֹתוֹ הַזְּמַן יְשַׁבְּחוּ הָאֻמּוֹת אֶת יִשְׂרָאֵל, רְאוּ מַה שִּׁבְחָהּ שֶׁל אֻמָּה זוֹ, שֶׁדָּבְקוּ בְּהַקָּבָּ״ה בְּכָל הַתְּלָאוֹת שֶׁעָבְרוּ עֲלֵיהֶם וְלֹא עֲזָבוּהוּ! יוֹדְעִים הָיוּ בְּטוּבוֹ וּבְשִׁבְחוֹ: כי דם עבדיו יקום. שְׁפִיכוּת דְּמֵיהֶם, כְּמַשְׁמָעוֹ: ונקם ישיב לצריו. עַל הַגָּזֵל וְעַל הֶחָמָס, כְּעִנְיָן שֶׁנֶּאֱמַר (יואל ד׳) מִצְרַיִם לִשְׁמָמָה תִהְיֶה וֶאֱדוֹם לְמִדְבַּר שְׁמָמָה תִּהְיֶה מֵחֲמַס בְּנֵי יְהוּדָה וְאוֹמֵר (עובדיה י׳) מֵחֲמַס אָחִיךָ יַעֲקֹב וְגוֹ׳ (עי׳ ספרי): וכפר אדמתו עמו. וִיפַיֵּס אַדְמָתוֹ וְעַמּוֹ עַל הַצָּרוֹת שֶׁעָבְרוּ עֲלֵיהֶם וְשֶׁעָשָׂה לָהֶם הָאוֹיֵב: וכפר. לְשׁוֹן רִצּוּי וּפִיּוּס, כְּמוֹ אֲכַפְּרָה פָנָיו — אַנְחִינֵיהּ לְרוּגְזֵיהּ: וכפר אדמתו וּמַה הִיא אַדְמָתוֹ? עמו. כְּשֶׁעַמּוֹ מִתְנַחֲמִים אַרְצוֹ מִתְנַחֶמֶת, וְכֵן הוּא אוֹמֵר רָצִיתָ ה׳ אַרְצֶךָ, בַּמֶּה רָצִיתָ אַרְצֶךָ? שַׁבְתָּ שְׁבִית יַעֲקֹב (תה׳ פ״ה). — בְּפָנִים אֲחֵרִים הִיא נִדְרֶשֶׁת בְּסִפְרֵי וְנֶחְלְקוּ בָהּ רַבִּי יְהוּדָה וְרַבִּי נְחֶמְיָה, רַבִּי יְהוּדָה דוֹרֵשׁ כֻּלָּהּ כְּנֶגֶד יִשְׂרָאֵל, וְרַבִּי נְחֶמְיָה דוֹרֵשׁ אֶת כֻּלָּהּ כְּנֶגֶד הָאֻמּוֹת. רַבִּי יְהוּדָה דוֹרְשָׁהּ כְּלַפֵּי יִשְׂרָאֵל — (כו) אמרתי אפאיהם כְּמוֹ שֶׁפֵּרַשְׁתִּי, עַד (כז) ולא ה׳ פעל כל זאת. (כח) כי גוי אבד עצות המה, אִבְּדוּ תּוֹרָתִי שֶׁהִיא לָהֶם עֵצָה נְכוֹנָה, ואין בהם תבונה לְהִתְבּוֹנֵן (ל) איכה

and I make alive; I strike, and I heal: neither *is there any* that can deliver out of my hand. [40]For I lift up my hand to heaven, and say, I live for ever. [41]If I whet the lightning of my sword, and mine hand take hold on judgment, I will render vengeance to mine adversaries, and will repay them that hate me. [42]I will make mine arrows drunk with blood, and my sword shall devour flesh; *and that* with the blood of the slain and the captives, from the split head of the enemy. [43]Make, O ye nations, his people exult; for he will avenge the blood

רש"י

standing against Me to prevent this. עמדי *means*, who is my equal and like Me. ואין מידי מציל AND THERE IS NONE WHO CAN DELIVER OUT OF MY HAND those who rebel against Me. **(40)** כי אשא אל שמים ידי FOR I SHALL LIFT UP MY HAND TO HEAVEN — *This means;* for in My wrath I shall lift up My hand to Myself in an oath, ואמרתי חי אנכי — This is the expression of an oath: I SWEAR AS TRUE AS I LIVE [FOR EVER]. **(41)** אם שנותי ברק חרבי *means*, IF I SHALL WHET THE BLADE OF MY SWORD, so that it shall have a flash (ברק); splendeur *in O. F.*[1]). ותאחז במשפט ידי AND MY HAND TAKE HOLD ON JUDGMENT — *i. e., on strict j u s t i c e*, relinquishing (i. e. withdrawing) My attribute of mercy from My enemies who have done *so much* evil unto you, — for I was wrath a l i t t l e whilst they h e l p e d for evil, — but My hand shall grasp the attribute of j u s t i c e to hold fast to it in order to take vengeance, *as it states*, אשיב נקם וגו' I WILL RENDER VENGEANCE [TO MY ADVERSARIES]. — Our Rabbis derived in the Agada from the wording of the text which states, "And My hand shall hold the משפט fast", *that* the nature of the Holy One, blessed be He, is not like the nature of human beings: The nature of a human being is *that when* he shoots an arrow he cannot bring it back (i. e., cannot check its flight); the Holy One, blessed be He, however, shoots His arrows and it is in His power to bring them back as though He is still holding them in hand, for, you see, lightning is His arrow, for it states here ברק חרבי, "Lightning is my weapon, and my hand holds fast to משפט" (Mech. on Ex. XV. 3). This משפט (i. e., משפט according to this explanation) has the meaning of punishment, in O. F. justicia, *the execution of justice* (the third definition given by Rashi on Ex. XXVIII. 15 of this word). **(42)** אשכיר חצי מדם I WILL MAKE MY ARROWS DRUNK WITH BLOOD of the enemy, וחרבי תאכל AND MY SWORD SHALL DEVOUR their FLESH. מדם חלל ושביה FROM THE BLOOD OF THE SLAIN AND THE CAPTIVE — *i. e.*, this will happen to them because of the sin of those slain in Israel (i. e., on account of their blood; מדם), and because of the captives they have made amongst them, מראש פרעות אויב — because of the sin of even the very first (ראש) breach (פרעות) made by the enemy (פרעות = פרצות); because when the Holy One, blessed be He, exacts punishment from the *heathen* nations *for the wrongs they have inflicted upon Israel*, He visits on them their o w n sin and the sins of their ancestors, from the very first breach they have made in Israel. **(43)** הרנינו גוים עמו SING ALOUD, O YE NATIONS, OF HIS

NOTES

[1]) Rashi does not intend to suggest that ברק means blade. Since one cannot speak of whetting a flash he is compelled to paraphrase the text. The blade will be made so sharp that it will become exceedingly bright and will flash when it is being wielded.

עֲבָדָ֖יו יִקּ֑וֹם וְנָקָם֙ יָשִׁ֣יב לְצָרָ֔יו וְכִפֶּ֥ר אַדְמָת֖וֹ עַמּֽוֹ׃ פ

שביעי

מד וַיָּבֹ֣א מֹשֶׁ֗ה וַיְדַבֵּ֛ר אֶֽת־כָּל־דִּבְרֵ֥י הַשִּׁירָֽה־הַזֹּ֖את בְּאָזְנֵ֣י הָעָ֑ם ה֖וּא וְהוֹשֵׁ֥עַ בִּן־נֽוּן׃ מה וַיְכַ֣ל מֹשֶׁ֗ה לְדַבֵּ֛ר אֶת־כָּל־הַדְּבָרִ֥ים הָאֵ֖לֶּה אֶל־כָּל־יִשְׂרָאֵֽל׃ מו וַיֹּ֤אמֶר אֲלֵהֶם֙ שִׂ֣ימוּ לְבַבְכֶ֔ם לְכָל־הַדְּבָרִ֔ים אֲשֶׁ֧ר

אונקלוס

עַמְמַיָּא עַמֵּהּ אֲרֵי פֻּרְעֲנוּת עַבְדוֹהִי צַדִּיקַיָּא מִתְפְּרַע וּפֻרְעֲנוּת יָתֵיב לְסָנְאוֹהִי וִיכַפַּר עַל אַרְעֵהּ וְעַל עַמֵּהּ: מד וַאֲתָא מֹשֶׁה וּמַלִּיל יָת כָּל פִּתְגָּמֵי תֻשְׁבַּחְתָּא הָדָא קֳדָם עַמָּא הוּא וְהוֹשֵׁעַ בַּר נוּן: מה וְשֵׁיצִי מֹשֶׁה לְמַלָּלָא יָת כָּל פִּתְגָּמַיָּא הָאִלֵּין עִם כָּל יִשְׂרָאֵל: מו וַאֲמַר לְהוֹן שַׁווֹ לִבְּכוֹן לְכָל פִּתְגָּמַיָּא דִּי אֲנָא מַסְהֵד

רש״י

ירדף אחד מִן הָאֻמּוֹת אלף מֵהֶם, אם לא כי צורם מכרם **(לא)** כי לא כצורנו צורם הַכֹּל כְּמוֹ שֶׁפֵּרַשְׁתִּי עַד תַּכְלִית. וְרַ׳ נְחֶמְיָה דּוֹרְשָׁהּ כְּלַפֵּי הָאֻמּוֹת, כי גוי אבד עצות המה, כְּמוֹ שֶׁפֵּרַשְׁתִּי תְּחִלָּה עַד ואיבינו פלילים: **(לב)** כי מגפן סדם גפנם. שֶׁל אֻמּוֹת: ומשדמת עמרה וגו׳. וְלֹא יָשִׂימוּ לִבָּם לִתְלוֹת הַגְּדֻלָּה בִּי: ענבמו ענבי רוש. הוּא שֶׁאָמַר לולי כעס איוב אגור עַל יִשְׂרָאֵל לְהַרְעִילָם וּלְהַמְרִירָם, לְפִיכָךְ אשכלת מררת למו לְהַלְעִיט אוֹתָם עַל מַה שֶּׁעָשׂוּ לְבָנָי: **(לג)** חמת תנינם יינם. מוּכָן לְהַשְׁקוֹתָם עַל מַה שֶּׁעוֹשִׂין לָהֶם: **(לד)** כמס עמדי. אוֹתוֹ הַכּוֹס, שֶׁנֶּאֱמַר (תה׳ ע״ה) כִּי כוֹס בְּיַד ה׳ וְגוֹ׳: **(לה)** לעת תמוט רגלם. כְּעִנְיָן שֶׁנֶּאֱמַר תִּרְמְסֶנָּה רָגֶל (יש׳ כ״ו): **(לו)** כי ידין ה׳ עמו. בְּלָשׁוֹן זֶה מְשַׁמֵּשׁ כי ידין בִּלְשׁוֹן דְּהָא, וְאֵין יָדִין לְשׁוֹן יִסּוּרִין אֶלָּא כְּמוֹ כִּי יָרִיב אֶת רִיבָם מִיַּד עוֹשְׁקֵיהֶם. כי יראה כי אזלת יד וגו׳: **(לז)** ואמר אי אלהימו. הָאוֹיֵב יֹאמַר אֵי אֱלֹהֵימוֹ שֶׁל יִשְׂרָאֵל? כְּמוֹ שֶׁאָמַר טִיטוּס הָרָשָׁע כְּשֶׁגִּדֵּר אֶת הַפָּרֹכֶת (גיט׳ נ״ו), כְּעִנְיָן שֶׁנֶּאֱמַר (מיכה ז׳) וְתֵרֶא אֹיַבְתִּי וּתְכַסֶּהָ בוּשָׁה הָאוֹמְרָה אֵלַי אַיּוֹ ה׳ אֱלֹהָיִךְ: **(לט)** ראו עתה כי אני וגו׳. אָז יְגַלֶּה הַקָּבָּ״ה יְשׁוּעָתוֹ וְיֹאמַר ראו עתה כי אני אני הוא, מֵאִתִּי בָּאת עֲלֵיהֶם הָרָעָה וּמֵאִתִּי תָּבֹא עֲלֵיהֶם הַטּוֹבָה: ואין מידי מציל. שֶׁיַּצִּיל אֶתְכֶם מִן הָרָעָה אֲשֶׁר אָבִיא עֲלֵיכֶם: **(מ)** כי אשא אל שמים ידי. כְּמוֹ כִּי נָשָׂאתִי — תָּמִיד אֲנִי מַשְׁרֶה מְקוֹם שְׁכִינָתִי בַּשָּׁמַיִם, כְּתַרְגּוּמוֹ, אֲפִילוּ חַלָּשׁ לְמַעְלָה וְגִבּוֹר לְמַטָּה אֵימַת עֶלְיוֹן עַל הַתַּחְתּוֹן וְכָל שֶׁכֵּן שֶׁגִּבּוֹר לְמַעְלָה וְחַלָּשׁ מִלְּמַטָּה: ידי. מְקוֹם שְׁכִינָתִי, כְּמוֹ אִישׁ עַל יָדוֹ (במ׳ ב׳), וְהָיָה בְּיָדִי לְהִפָּרַע מִכֶּם, אֲבָל אָמַרְתִּי שֶׁחַי אָנֹכִי לְעוֹלָם, אֵינִי מְמַהֵר לִפָּרַע לְפִי שֶׁיֵּשׁ לִי שָׁהוּת בַּדָּבָר, אֲנִי חַי לְעוֹלָם וּבְדוֹרוֹת אַחֲרוֹנִים אֲנִי נִפְרָע מֵהֶם וְהַיְכוֹלֶת בְּיָדִי לִפָּרַע מִן הַמֵּתִים וּמִן הַחַיִּים; מֶלֶךְ בָּשָׂר וָדָם שֶׁהוּא הוֹלֵךְ לָמוּת מְמַהֵר נִקְמָתוֹ לְהִפָּרַע בְּחַיָּיו כִּי שֶׁמָּא יָמוּת הוּא אוֹ אוֹיְבוֹ וְנִמְצָא שֶׁלֹּא רָאָה נִקְמָתוֹ מִמֶּנּוּ אֲבָל אֲנִי חַי לְעוֹלָם, וְאִם יָמוּתוּ הֵם וְאֵינִי נִפְרָע בְּחַיֵּיהֶם, אֶפָּרַע בְּמוֹתָם: **(מא)** אם שנותי ברק חרבי. הַרְבֵּה אִם יֵשׁ שֶׁאֵינָם תְּלוּיִן, כְּשֶׁאֲשַׁנֵּן ברק חרבי ותאחז במשפט ידי, כּוּלוֹ כְּמוֹ שֶׁפֵּרַשְׁתִּי לְמַעְלָה: **(מד)** הוא והושע בן נון. שַׁבָּת שֶׁל דְּיוֹזְגִי הָיְתָה, נִטְּלָה רְשׁוּת מִזֶּה וְנִתְּנָה לָזֶה, הֶעֱמִיד לוֹ מֹשֶׁה מְתוּרְגְּמָן לִיהוֹשֻׁעַ שֶׁיְּהֵא דּוֹרֵשׁ בְּחַיָּיו, כְּדֵי שֶׁלֹּא יֹאמְרוּ יִשְׂרָאֵל בְּחַיֵּי רַבְּךָ לֹא הָיָה לְךָ לְהָרִים רֹאשׁ; וְלָמָּה קוֹרְאֵהוּ כָּאן הוֹשֵׁעַ? לוֹמַר שֶׁלֹּא זָחָה דַּעְתּוֹ עָלָיו שֶׁאַעַ״פּ שֶׁנִּתְּנָה לוֹ גְּדֻלָּה הִשְׁפִּיל עַצְמוֹ כַּאֲשֶׁר מִתְּחִלָּתוֹ (עי׳ ספרי): **(מו)** שימו לבבכם. צָרִיךְ אָדָם שֶׁיִּהְיוּ עֵינָיו וְלִבּוֹ וְאָזְנָיו מְכֻוָּנִים לְדִבְרֵי תוֹרָה, וְכֵן הוּא

of his servants, and will render vengeance to his adversaries, and make expiation *for* his ground, *and* his people. [44]And Moses came and spake all the words of this song in the ears of the people, he, and Hoshea the son of Nun. [45]And Moses finished speaking all these words to all Israel: [46]And he said unto them, Set your hearts unto all the words which

רש"י

PEOPLE — At that time (when I shall take vengeance on them) the nations will praise Israel: "See, how praiseworthy is this people, — that they have cleaved to the Holy One, blessed be He, amidst all the troubles which have passed over them, and have not forsaken Him, for they had *constantly* experienced His goodness and His excellence". כי דם עבדיו יקם FOR HE WILL AVENGE THE BLOOD OF HIS SERVANTS — *i.e.*, the s h e d d i n g of their blood, as *the phrase* usually implies. ונקם ישיב לצריו AND HE WILL RENDER VENGEANCE TO HIS ADVERSARIES for their robbery and their violence, just as it is stated, (Joel IV. 19) "Egypt shall be a desolation and Edom shall be a desolate wilderness, for the v i o l e n c e against the children of Judah ...", and it states *in another passage* (Obadiah 10) "For the v i o l e n c e against thy brother Jacob [shame shall cover thee]" (cf. Siphre). וכפר אדמתו עמו *means*, and He will propitiate His land and His people for the miseries that have passed over them and for that which the enemy has caused them. וכפר is an expression denoting appeasing and calming, as *e.g.* (Gen. XXXII. 21) אכפרה פניו *which is rendered in the Targum by* "I will appease his anger" (cf. Rashi on that verse). וכפר אדמתו AND HE WILL PROPITIATE HIS LAND — and what is His land? עמו HIS PEOPLE — when His people receives comfort His land, *too*, receives comfort, and so, too, it states, (Ps. LXXXV. 2) "Thou hast been favourable, O Lord, unto Thy l a n d" — whereby hast Thou been favourable unto Thy land? *The words that follow in the text give the answer:* "Thou hast brought back the captivity of Jacob" (T h y p e o p l e). — In a different manner is it (the section from v. 26 onwards) expounded in Siphre, and there is a difference of opinion regarding it between R. Judah and R. Nehemiah. R. Judah expounds the whole of it as having reference to Israel, whilst R. Nehemiah refers the whole of it as referring to the *other* nations. R. Judah explains it as reffering to Israel *as follows:* **(26)** אמרתי אפאיהם in the same manner as I have explained it, up to **(27)** ולא ה' פעל כל זאת. **(28)** כי גוי אבד עצות המה FOR THEY ARE A NATION LOSING COUNSEL, *i. e.*, they have lost My Torah, which was a fitting counsel for them, ואין בהם תבונה AND THERE IS NO UNDERSTANDING

רש"י

IN THEM to consider, **(30)** איכה ירדף אחד HOW ONE MAN of the nations COULD PURSUE אלף A THOUSAND of them, אם לא כי צורם מכרם EXCEPT THAT THEIR ROCK HAD DELIVERED THEM *into their power*. **(31)** כי לא כצורנו צורם — all as I have explained, right up to the end. — R. Nehemiah expounds it as referring to the *other* nations *as follows:* (28) כי גוי אבד עצות המה — This *he explains* as I have explained *it* at first up to (31): ואיבינו פלילים. — **(32)** כי מגפן סדם גפנם FOR AS THE VINE OF SODOM IS THEIR VINE — *i.e. the vine* of the *other* nations, ומשדמת עמרה AND OF THE FIELDS OF GOMORRAH etc., — and they do not set their mind to attribute the greatness to Me[1]). ענבמו ענבי רוש THEIR GRAPES ARE GRAPES OF GALL — This is what it stated *above* לולא כעס אויב אגור WERE IT NOT THAT THE ANGER OF THE ENEMY IS HEAPED UP against Israel *to destroy them* (cf. Rashi's explanation of אגור above) — *so, too, here: "their grapes are grapes of gall"*, to make them (the Israelites) reel and to embitter *their lives*, and therefore אשכלות מררות למו BITTER CLUSTERS ARE FOR THEM to make them swallow them for what they have done to My children. **(33)** חמת תנינם יינם WINE OF DRAGONS IS THEIR WINE — *i.e., the wine* prepared to give them to drink for what they have done to them (יינם "their wine" is not the wine which t h e y prepare, but that which is prepared f o r t h e m). **(34)** כמס עמדי IS IT NOT LAID WITH ME — *"it" means* that cup (which is implied in the word יינם, "the wine prepared for them"), as it states, (Ps. LXXV. 9) "For in the hand of the Lord is a cup ... [and the dregs thereof all the wicked of the earth shall drink them]". **(35)** לעת תמוט רגלם AT THE TIME THEIR FOOT (*i.e.*, of the enemies) SHALL TOTTER — this is similar to what is said, (Is. XXVI. 6) "The foot shall tread it down"[2]). **(36)** כי ידין ה׳ עמו — In this explanation, *in the phrase* כי ידין *the word* כי is used in the meaning of "because" (not as in the former explanation where it means "when"), and ידין is not an expression for sufferings (the meaning it was given above) but *it means as much as:* For He (God) will plead their cause (take their parts) against the power of their oppressors, כי יראה כי אזלת יד וגו׳, when He sees that the hand of the enemy waxes mighty, etc. **(37)** ואמר אי אלהימו AND HE SAYS WHERE IS THEIR GOD — *i.e., when* the e n e m y (cf. this with Rashi's previous explanation) will say, "Where is the God of Israel?" — even as Titus, the wicked, asked, when he pierced the curtain *of the Holy of Holies* (cf. Gitt. 56b), just as it is said, (Micah VII. 10) "Then my enemy shall see it, and shame shall cover her who said unto Me, Where is the Lord, thy God?" **(39)** ראו עתה כי אני וגו׳ *means*, then the Lord will display His saving power and will say, SEE NOW, THAT IT IS I, EVEN I — from M e came the evil upon

NOTES

For Notes 1—2 see Appendix.

רש"י

them (the Israelites) and from Me will good come upon them. ואין מידי מציל AND THERE IS NONE THAT CAN DELIVER OUT OF MY HAND — *i.e.* that can deliver you (the nations) from the evil which I shall *now* bring upon you. **(40)** כי אשא אל שמים ידי — *The first two words (continuing this exposition) are* as much as כי נשאתי, "Because I have lifted up", *and the text means:* everlasting I made the heaven the dwelling-place of My Glory, — as the Targum *takes it* ("For I have established in heaven the place of My Divine Glory") — *therefore there will surely be none that can deliver you,* for even when the weak person is above and the strong below, the fear of him that is above lies upon him that is below; how much more is this so when "*I*", the strong, am above and *you,* the weak, are below; — ידי *means* the place of My Divine Glory, as (Num. II. 17) "every man by his place (ידו)", — therefore I had the power to punish you *immediately*, but I said that I shall live for ever, *therefore* I need not hasten to exact punishment, because I have time for this matter: I live for ever and in later generations can punish them, for I have the power to exact punishment both from the living and the dead. A human king who is *always* going to die (may die at any moment), takes quick vengeance to punish during his lifetime, because either he or his enemy may die with the result that he would never behold his vengeance from him, but I live for ever, and if they (My enemies) should die and I shall not have exacted punishment from them during their lifetime, I can exact it when they are dead. **(41)** אם שנותי ברק חרבי — There are many *instances where the particle* אם is not used conditionally (i. e., it does not signify "if"). *Here, also:* when I shall whet ברק חרבי MY GLITTERING SWORD AND MY HAND SHALL HOLD FAST ON JUSTICE, *etc., etc.,* all as I have explained above. **(44)** הוא והושע בן נון HE AND HOSHEA THE SON OF NUN — It was the Sabbath of transmission of office (lit., "of two pairs" of judges): authority was taken from one and given to the other (Sota 13b). Moses appointed a Meturgeman[1]) for Joshua that he (Joshua) should hold *in public* an Halachic discourse during his (Moses') lifetime in order that the Israelites should not say *to him,* "During thy teacher's lifetime thou didst not dare to raise thy head!" — And why does it (Scripture) here call him Hosea (since his name had long since been changed to that of Joshua cf. Num. XIII. 16)? In order to indicate that he did not become overbearing, for although this dignity had been conferred upon him, he assumed a humble bearing as at the commencement *of his career* (cf. Siphre). **(46)** שימו לבבכם SET YOUR HEARTS [UNTO ALL THE WORDS WHICH I TESTIFY AGAINST YOU THIS DAY] — *Indeed,* it is necessary for

NOTES

[1]) See Appendix.

אָנֹכִי מֵעִיד בָּכֶם הַיּוֹם אֲשֶׁר תְּצַוֻּם אֶת־בְּנֵיכֶם לִשְׁמֹר לַעֲשׂוֹת אֶת־כָּל־דִּבְרֵי הַתּוֹרָה הַזֹּאת׃ מז כִּי לֹא־דָבָר רֵק הוּא מִכֶּם כִּי־הוּא חַיֵּיכֶם וּבַדָּבָר הַזֶּה תַּאֲרִיכוּ יָמִים עַל־הָאֲדָמָה אֲשֶׁר אַתֶּם עֹבְרִים אֶת־הַיַּרְדֵּן שָׁמָּה לְרִשְׁתָּהּ׃ פ מפטיר

מח וַיְדַבֵּר יְהוָה אֶל־מֹשֶׁה בְּעֶצֶם הַיּוֹם הַזֶּה לֵאמֹר׃ מט עֲלֵה אֶל־הַר הָעֲבָרִים הַזֶּה הַר־נְבוֹ אֲשֶׁר בְּאֶרֶץ מוֹאָב אֲשֶׁר עַל־פְּנֵי יְרֵחוֹ וּרְאֵה אֶת־אֶרֶץ כְּנַעַן אֲשֶׁר אֲנִי נֹתֵן לִבְנֵי יִשְׂרָאֵל לַאֲחֻזָּה׃ נ וּמֻת בָּהָר

אונקלוס

בְּכוֹן יוֹמָא דֵין דִּי תְפַקְּדִנּוּן יָת בְּנֵיכוֹן לְמִטַּר לְמֶעְבַּד יָת כָּל פִּתְגָּמֵי אוֹרָיְתָא הָדָא׃ מז אֲרֵי לָא פִתְגָּם רֵיקָא הוּא מִנְּכוֹן אֲרֵי הוּא חַיֵּיכוֹן וּבְפִתְגָּמָא הָדֵין תּוֹרְכוּן יוֹמִין עַל אַרְעָא דִּי אַתּוּן עָבְרִין יָת יַרְדְּנָא תַּמָּן לְמֵירְתַהּ׃ מח וּמַלִּיל יְיָ עִם מֹשֶׁה בִּכְרַן יוֹמָא הָדֵין לְמֵימָר׃ מט סַק לְטוּרָא דַעֲבָרָאֵי הָדֵין טוּרָא דִנְבוֹ דִּי בְּאַרְעָא דְמוֹאָב דִּי עַל אַפֵּי יְרֵחוֹ וַחֲזִי יָת אַרְעָא דִכְנַעַן דִּי אֲנָא יָהֵב לִבְנֵי יִשְׂרָאֵל לְאַחְסָנָא׃ נ וּמוּת בְּטוּרָא דִּי אַתְּ סָלֵק לְתַמָּן וְתִתְכְּנֵישׁ לְעַמָּךְ כְּמָא דְמִית

רש״י

אומר בֶּן אָדָם רְאֵה בְעֵינֶיךָ וּבְאָזְנֶיךָ שְׁמַע וְשִׂים לִבְּךָ (יח׳ מ׳)׃ וַהֲרֵי דְבָרִים קַל וָחוֹמֶר וּמַה תַּבְנִית הַבַּיִת שֶׁהוּא נִרְאֶה לָעֵינַיִם וְנִמְדָּד בְּקָנֶה צָרִיךְ אָדָם שֶׁיִּהְיוּ עֵינָיו וְאָזְנָיו וְלִבּוֹ מְכֻוָּנִין, לְהָבִין דִּבְרֵי תוֹרָה שֶׁהֵן כַּהֲרָרִין תְּלוּיִין בְּשַׂעֲרָה עַל אַחַת כַּמָּה וְכַמָּה (ספרי)׃ (מז) כי לא דבר רק הוא מכם. לֹא לְחִנָּם אַתֶּם יְגֵעִים בָּהּ, כִּי הַרְבֵּה שָׂכָר תָּלוּי בָהּ. כי הוא חייכם; ד״א אֵין לְךָ דָבָר רֵיקָן בַּתּוֹרָה שֶׁאִם תִּדְרְשֶׁנּוּ שֶׁאֵין בּוֹ מַתַּן שָׂכָר, תֵּדַע לְךָ שֶׁכֵּן אָמְרוּ חֲכָמִים וַאֲחוֹת לוֹטָן תִּמְנָע (ברי׳ ל״ו) וְתִמְנַע הָיְתָה פִילֶגֶשׁ וְגוֹ׳, לְפִי שֶׁאָמְרָה אֵינִי כְדַאי לִהְיוֹת לוֹ אִשָּׁה הַלְוַאי וְאֶהְיֶה פִּילַגְשׁוֹ, וְכָל כָּךְ לָמָּה לְהוֹדִיעַ שִׁבְחוֹ שֶׁל אַבְרָהָם שֶׁהָיוּ שִׁלְטוֹנִים וּמְלָכִים מִתְאַוִּים לִדָּבֵק בְּזַרְעוֹ (ספרי)׃ (מח) וידבר ה׳ אל משה בעצם היום הזה. בִּשְׁלֹשָׁה מְקוֹמוֹת נֶאֱמַר בְּעֶצֶם הַיּוֹם הַזֶּה, נֶאֱמַר בְּנֹחַ בְּעֶצֶם הַיּוֹם הַזֶּה בָּא נֹחַ וְגוֹמֵר (ברי׳ ז׳) — בְּמַרְאִית אוֹרוֹ שֶׁל יוֹם, לְפִי שֶׁהָיוּ בְנֵי דוֹרוֹ אוֹמְרִים בְּכָךְ וְכָךְ אִם אָנוּ מַרְגִּישִׁין בּוֹ, אֵין אָנוּ מַנִּיחִין אוֹתוֹ לִכָּנֵס בַּתֵּבָה, וְלֹא עוֹד אֶלָּא אָנוּ נוֹטְלִין כַּשִּׁילִין וְקַרְדּוּמוֹת וּמְבַקְּעִין אֶת הַתֵּבָה, אָמַר הַקָּבָּ״ה הֲרֵינִי מַכְנִיסוֹ בַּחֲצִי הַיּוֹם וְכָל מִי שֶׁיֵּשׁ בְּיָדוֹ כֹחַ לִמְחוֹת יָבֹא וְיִמְחֶה; בְּמִצְרַיִם נֶאֱמַר בְּעֶצֶם הַיּוֹם הַזֶּה הוֹצִיא ה׳ (שמ׳ י״ב), לְפִי שֶׁהָיוּ מִצְרִיִּים אוֹמְרִים בְּכָךְ וְכָךְ אִם אָנוּ מַרְגִּישִׁין בָּהֶם, אֵין אָנוּ מַנִּיחִין אוֹתָם לָצֵאת, וְלֹא עוֹד אֶלָּא אָנוּ נוֹטְלִין סַיָּפוֹת וּכְלֵי זַיִן וְהוֹרְגִין בָּהֶם, אָמַר הַקָּבָּ״ה הֲרֵינִי מוֹצִיאָן בַּחֲצִי הַיּוֹם וְכָל מִי שֶׁיֵּשׁ בּוֹ כֹחַ לִמְחוֹת יָבֹא וְיִמְחֶה; אַף כָּאן בְּמִיתָתוֹ שֶׁל מֹשֶׁה נֶאֱמַר בְּעֶצֶם הַיּוֹם הַזֶּה, לְפִי שֶׁהָיוּ יִשְׂרָאֵל אוֹמְרִים בְּכָךְ וְכָךְ אִם אָנוּ מַרְגִּישִׁין בּוֹ, אֵין אָנוּ מַנִּיחִין אוֹתוֹ, אָדָם שֶׁהוֹצִיאָנוּ מִמִּצְרַיִם וְקָרַע לָנוּ אֶת הַיָּם וְהוֹרִיד לָנוּ אֶת הַמָּן וְהֵגִיז לָנוּ אֶת הַשְּׂלָיו וְהֶעֱלָה לָנוּ אֶת הַבְּאֵר וְנָתַן לָנוּ אֶת הַתּוֹרָה, אֵין אָנוּ מַנִּיחִין אוֹתוֹ, אָמַר הַקָּבָּ״ה

I testify among you this day, which ye shall command your children to observe to do, all the words of this law. [47]For it *is* not a vain thing for you; because it *is* your life: and through this thing ye shall prolong *your* days upon the ground, whither ye pass over the Jordan to possess it. [48]And the Eternal spake unto Moses that self-same day, saying, [49]Go up into this mountain Abarim, *unto* mount Nebo, which *is* in the land of Moab, that *is* over against Jericho; and behold the land of Canaan, which I give unto the children of Israel for a possession: [50]And die in the mount

רש"י

a man that his eyes, his heart and his ears, should *all* be attentively directed to the words of the Torah, for so it states, (Ez. XL. 4) "Son of man, behold with thine eyes, and hear with thine ears, and set thine heart [upon all that I shall show thee]" (viz., the plan of the Temple). If in the case of the model of the Temple, which was being made visible to the eyes and was being measured by a rod, it was necessary for a man, *according to Scripture,* that his eyes, his ears and his heart be attentive, then in order to understand the words of the Torah which are like mountains suspended on a hair (i. e., numerous laws are derived from a single word of the Torah), how much the more is this necessary! **(47)** כי לא דבר רק הוא מכם FOR IT IS NOT A VAIN THING FOR YOU — it is not for nothing that you are to occupy yourselves laboriously with it, because much reward depends on it, כי הוא חייכם FOR IT IS YOUR LIFE (life is the reward). Another explanation: There is not one empty (ריק i. e., apparently superfluous) word in the Torah that, if you properly expound it, has not a grant of reward attached to it *for doing so.* You can know *this,* for so did our Rabbis say: *It states* (Gen. XXXVI. 22) "And Lotan's sister was Timna"; (ib. v. 32) "and Timna was concubine [to Eliphaz, Esau's son]". Why is this stated? Because she (Timna) said, "If I am unworthy to become his (Elphaz') wife, would that I would become his concubine!". And why all this (why does Scripture enter into all these details of her birth and marriage; of what interest is it to us)? To tell *you* in what distinction Abraham was held — that rulers and kings (Lotan was one of the chieftains of Seir, cf. Gen. XXXVI. 20—21) were eager to connect themselves *by marriage* to his descendants (Siphre; cf. Rashi on Gen. XXXVI. 12)[1]). **(48)** וידבר ה' אל משה בעצם היום הזה AND THE LORD SPAKE TO MOSES THAT SELF SAME DAY — In three places[2]) *in Scripture* the expression בעצם היום הזה is used. It states in *the narrative of* Noah (Gen. VII. 12) בעצם היום הזה entered Noah . . . [into the ark]" — *which means* in the glare of full daylight. Because his contemporaries said: By this and by that *we swear;* (cf. Note 2 on Deut. I. 1): If we notice him *about to do so* we will not let him enter the ark, and not only that, but we will take axes and hatchets and we will split the ark in pieces. Thereupon the Holy One, blessed be He, said, "See, I will let him enter at m i d d a y and anyone who has power to prevent *it,* let him come and prevent *it!*" Of Egypt, *too,* it states, (Ex. XII. 11) "The selfsame day the Lord did bring [the children of Israel out of the land of Egypt]": because the Egyptians said: By this and by that! If we notice them *about to do so,* we will not let them leave, and not only that, but we will take swords and *other* weapons and will kill them. Thereupon said the Holy One, blessed be He, "See, I will bring them forth in the middle of the day, and anyone who has power to prevent *it,* let him come and prevent *it!*" Here, too, regarding Moses' death, it states בעצם היום הזה, because the children of Israel said, By this and by that! If we notice him *about to ascend the mountain,* we will not let him do so, — the man who brought us out of Egypt, and divided the *Red* Sea for us, and brought the Manna down for us, and brought a flight of quails for us, and made the "well" rise, and gave us the Torah: we will not permit him *to go!*" Thereupon the

NOTES

For Notes 1—2 see Appendix.

אֲשֶׁר אַתָּה עֹלֶה שָׁמָּה וְהֵאָסֵף אֶל־עַמֶּיךָ כַּאֲשֶׁר־מֵת אַהֲרֹן אָחִיךָ בְּהֹר הָהָר וַיֵּאָסֶף אֶל־עַמָּיו׃ נא עַל אֲשֶׁר מְעַלְתֶּם בִּי בְּתוֹךְ בְּנֵי יִשְׂרָאֵל בְּמֵי־מְרִיבַת קָדֵשׁ מִדְבַּר־צִן עַל אֲשֶׁר לֹא־קִדַּשְׁתֶּם אוֹתִי בְּתוֹךְ בְּנֵי יִשְׂרָאֵל׃ נב כִּי מִנֶּגֶד תִּרְאֶה אֶת־הָאָרֶץ וְשָׁמָּה לֹא תָבוֹא אֶל־הָאָרֶץ אֲשֶׁר־אֲנִי נֹתֵן לִבְנֵי יִשְׂרָאֵל׃

ומפטירין שובה ישראל. בהושע בסימן י"ד. נ"כ כל"ב סימן

פ פ פ

לג א וְזֹאת הַבְּרָכָה אֲשֶׁר בֵּרַךְ מֹשֶׁה אִישׁ הָאֱלֹהִים אֶת־בְּנֵי יִשְׂרָאֵל לִפְנֵי מוֹתוֹ׃ ב וַיֹּאמַר יְהוָה

אונקלוס

אַהֲרֹן אֲחוּךְ בְּהוֹר טוּרָא וְאִתְכְּנִישׁ לְעַמֵּהּ׃ נא עַל דִּי שַׁקַּרְתּוּן בְּמֵימְרִי בְּגוֹ בְּנֵי יִשְׂרָאֵל בְּמֵי מַצּוּת רְקַם מַדְבְּרָא דְצִן עַל דִּי לָא קַדֵּשְׁתּוּן יָתִי בְּגוֹ בְּנֵי יִשְׂרָאֵל׃ נב אֲרֵי מִקָּבֵל תֶּחֱזֵי יָת אַרְעָא וּלְתַמָּן לָא תֵעוֹל לְאַרְעָא דִּי אֲנָא יָהֵב לִבְנֵי יִשְׂרָאֵל׃

א וְדָא בִּרְכְתָא דִּי בָרֵיךְ מֹשֶׁה נְבִיָּא דַּיְיָ יָת בְּנֵי יִשְׂרָאֵל קֳדָם מוֹתֵהּ׃ ב וַאֲמַר יְיָ מִסִּינַי אִתְגְּלִי וְזֵהוֹר יְקָרֵהּ מִשֵּׂעִיר אִתְחֲזִי לָנָא אִתְגְּלִי בִּגְבוּרְתֵּהּ מִטּוּרָא דְפָארָן

רש"י

הֲרֵינִי מַכְנִיסוֹ בַּחֲצִי הַיּוֹם וְכוּ' (ספרי): (נ) כאשר מת אהרן אחיך. בְּאוֹתָהּ מִיתָה שֶׁרָאִיתָ וְחָמַדְתָּ אוֹתָהּ, שֶׁהִפְשִׁיט מֹשֶׁה אֶת אַהֲרֹן בֶּגֶד רִאשׁוֹן וְהִלְבִּישׁוֹ לְאֶלְעָזָר וְכֵן שֵׁנִי וְכֵן שְׁלִישִׁי וְרָאָה בְּנוֹ בִּכְבוֹדוֹ, אָמַר לוֹ מֹשֶׁה, אַהֲרֹן אָחִי עֲלֵה לְמִטָּה וְעָלָה, פְּשׁוֹט יָדֶיךָ וּפָשַׁט, פְּשׁוֹט רַגְלֶךָ וּפָשַׁט, עֲצוֹם עֵינֶיךָ וְעָצַם, קְמוֹץ פִּיךָ וְקָמַץ, וְהָלַךְ לוֹ, אָמַר מֹשֶׁה אַשְׁרֵי מִי שֶׁמֵּת בְּמִיתָה זוֹ (ספרי): (נא) על אשר מעלתם בי. גְּרַמְתֶּם לִמְעוֹל בִּי: על אשר לא קדשתם אותי. גְּרַמְתֶּם לִי שֶׁלֹּא אֶתְקַדֵּשׁ, אָמַרְתִּי לָכֶם וְדִבַּרְתֶּם אֶל הַסֶּלַע (במ' כ'), וְהֵם הִכּוּהוּ וְהֻצְרְכוּ לְהַכּוֹתוֹ פְּעָמַיִם, וְאִלּוּ דִּבְּרוּ עִמּוֹ וְנָתַן מֵימָיו בְּלֹא הַכָּאָה, הָיָה מִתְקַדֵּשׁ שֵׁם שָׁמַיִם, שֶׁהָיוּ יִשְׂרָאֵל אוֹמְרִים וּמָה הַסֶּלַע שֶׁאֵינוֹ לְשָׂכָר וְלֹא לְפֻרְעָנוּת, אִם זָכָה אֵין לוֹ מַתַּן שָׂכָר וְאִם חָטָא אֵינוֹ לוֹקֶה, כָּךְ מְקַיֵּם מִצְוַת בּוֹרְאוֹ, אָנוּ לֹא כָּל שֶׁכֵּן: (נב) כי מנגד. מֵרָחוֹק: תראה וגו'. כִּי יָדַעְתִּי כִּי חֲבִיבָה הִיא לְךָ: ושמה לא תבוא. אִם לֹא תִרְאֶנָּה עַכְשָׁיו, לֹא תִרְאֶנָּה עוֹד בְּחַיֶּיךָ, עַל כֵּן אֲנִי אוֹמֵר לְךָ עֲלֵה וּרְאֵה:

לג (א) וזאת הברכה... לפני מותו. סָמוּךְ לְמִיתָתוֹ, שֶׁאִם לֹא עַכְשָׁיו אֵימָתַי (שם): (ב) ויאמר

whither thou goest up, and be gathered unto thy people; as Aaron thy brother died in mount Hor, and was gathered unto his people. [51]Because ye trespassed against me in the midst of the children of Israel at the waters of Meribah-Kadesh, in the desert of Zin; because ye sanctified me not in the midst of the children of Israel. [52]Yet thou shalt see the land before *thee;* but thou shalt not come thither unto the land which I give the children of Israel.

33. [1]And this *is* the blessing, wherewith Moses the man of God blessed the children of Israel before his death. [2]And he said, The Eternal

רש"י

Holy One, blessed be He, said, "Behold, I will bring him unto *his resting place* in the middle of the day, etc." (Siphre; cf. Rashi on Gen. XVII. 23). **(50)** כאשר מת אהרן אחיך [AND DIE] ... AS AARON THY BROTHER DIED — *i.e.*, and die by that death which you witnessed and for which you longed. For Moses stripped Aaron (before the latter's death) of his first (i.e., the upper) garment, similarly the second, and similarly the third, and attired Eliezer with them, and *thus* he (Aaron) beheld his son in his *new* dignity. Moses then said to him, "Aaron, my brother, ascend the bier", and he ascended; — "Stretch out thy hand", and he stretched it out; — "Stretch out thy leg", and he stretched it out; "Close thine eyes", and he closed them; — "Close thy mouth", and he closed it, and *thus* did he pass away! *Thereupon* Moses said, "Happy is he who will die a death like this!" (Siphre; cf. Rashi on Num. XX. 26). **(51)** על אשר מעלתם בי BECAUSE YE TRESPASSED AGAINST ME — *i.e.*, *because* you made *the people* to trespass against Me. על אשר לא קדשתם אותי BECAUSE YE SANCTIFIED ME NOT — *i.e.* because you brought it about that I was not sanctified; I said to you, "S p e a k to the rock!" They, however, smote it and had therefore to smite it twice. Had they, however, spoken to it, and it had given forth its water without being smitten, the Name of the Heaven would have been sanctified; for the Israelites would have said, "How is it with the rock which is subject neither to reward nor to punishment, for when it acts meritoriously it receives no reward and when it sins it is not punished? It fulfils so *obediently* the command of its Creator! — how much the more *should* we *do so!*" **(52)** כי מנגד *means*, BECAUSE FROM THE DISTANCE, תראה וגו׳ THOU SHALT SEE [THE LAND] etc.; for I know that it is dear unto thee, ושמה לא תבוא SINCE THOU SHALT NOT COME THITHER — If thou dost not see it n o w , thou wilt not see it at any time during thy lifetime, therefore I tell thee (v. 49) "Ascend and see it!"[1])

וזאת הברכה

33. (1) וזאת הברכה ... לפני מותו AND THIS IS THE BLESSING [WHEREWITH MOSES ... BLESSED THE CHILDREN OF ISRAEL] BEFORE HIS DEATH — *i.e.*, quite near to his death. "For" *said he,* "if not now, when?" (Siphre). **(2)** ויאמר ה׳ מסיני בא AND HE SAID, THE LORD CAME FROM

NOTES

[1]) See Appendix.

מִסִּינַי בָּא וְזָרַח מִשֵּׂעִיר לָמוֹ הוֹפִיעַ מֵהַר פָּארָן וְאָתָה מֵרִבְבֹת קֹדֶשׁ מִימִינוֹ °אֵשְׁדָּת לָמוֹ׃ ג אַף חֹבֵב עַמִּים כָּל־קְדֹשָׁיו בְּיָדֶךָ וְהֵם תֻּכּוּ לְרַגְלֶךָ יִשָּׂא מִדַּבְּרֹתֶיךָ׃ ד תּוֹרָה צִוָּה־לָנוּ מֹשֶׁה מוֹרָשָׁה קְהִלַּת יַעֲקֹב׃ ה וַיְהִי בִישֻׁרוּן מֶלֶךְ בְּהִתְאַסֵּף רָאשֵׁי עָם

°כתיב חד וקרי תרין

אונקלוס

ועמה רבון קדישין כתב ימינה מגו אשתא אוריתא יהב לנא: ג אף חביבנון לשבטיא כל קדישוהי בית ישראל בגבורא אפקנון ממצרים ואנון דמדברין תחות ענגך נטלין על מימרך: ד אוריתא יהב לנא משה מסרה ירתא לכנשת יעקב: ה והוא בישראל מלכא באתכנשות רישי עמא כחדא שבטיא דישראל:

רש"י

ה' מסיני בא. פתח תחלה בשבחו של מקום ואח"כ פתח בצרכיהם של ישראל, ובשבח שפתח בו יש בו הזכרת זכות לישראל, וכל זה דרך רצוי הוא, כלומר כדאי הם אלו שתחול עליהם ברכה (ספרי): מסיני בא. יצא לקראתם כשבאו להתיצב בתחתית ההר כחתן היוצא להקביל פני כלה, שנאמר לקראת האלהים (שמ' י"ט), למדנו שיצא כנגדם: וזרח משעיר למו. שפתח לבני עשו שיקבלו את התורה ולא רצו: הופיע מהר פארן. שהלך שם ופתח לבני ישמעאל שיקבלוה ולא רצו (ספרי): ואתה לישראל מרבבת קדש — ועמו מקצת רבבות מלאכי קדש ולא כלם ולא רבם, ולא כדרך בשר ודם שמראה כל כבוד עשרו ותפארתו ביום חפתו (שם): אש דת. שהיתה כתובה מאז לפניו באש שחורה על גב אש לבנה, נתן להם בלחות כתב יד ימינו (עי' תנח' בר' א'); ד"א אש דת כתרגומו, שנתנה להם מתוך האש: (ג) אף חבב עמים. גם חבה יתרה חבב את השבטים; כל אחד ואחד קרוי עם, שהרי בנימין לבדו היה עתיד להולד כשאמר הקדוש ברוך הוא ליעקב (בר' ל"ה), גוי וקהל גוים יהיה ממך: כל קדשיו בידך. נפשות הצדיקים גנוזות אתו, כענין שנאמר (ש"א כ"ה) והיתה נפש אדני צרורה בצרור החיים את ה' אלהיך (ספרי): והם תכו לרגלך. והם ראוים לכך, שהרי תוכו עצמן לתוך תחתית ההר לרגלך בסיני: תכו לשון פועלו, התוכו לתוך מרגלותיך: ישא מדברתיך. נשאו עליהם עול תורתך (ספרי): מדברתיך. המ"ם בו קרוב ליסוד, כמו (במ' ז'), וישמע את הקול מדבר אליו, ואשמע את מדבר אלי (יח' ב') כמו מתדבר אלי, אף זה, מדברתיך — מה שהיית מדבר להשמיעני לאמר להם, טי"ש פורפרלירש בלעז. ואונקלוס תרגם שהיו נוסעים על פי דבריך, והמ"ם בו שמוש, משמשת לשון מן. דבר אחר אף חבב עמים. אף בשעת חבתן של אמות העולם שהראית לאמות פנים שוחקות ומסרת את ישראל בידם, כל קדשיו בידך, כל צדיקיהם וטוביהם דבקו בך ולא משו מאחריך ואתה שומרם. והם תכו לרגלך. והם מתמצעים ומתכנסים לתחת צלך. ישא מדברתיך. מקבלים גזרותיך ודתותיך בשמחה, ואלה דבריהם: (ד) תורה אשר צוה לנו משה מורשה היא לקהלת יעקב, אחזנוה ולא נעזבנה: (ה) ויהי הקב"ה בישרון מלך; תמיד עול מלכותו עליהם בכל התאסף ראשי חשבון אסיפתם: ראשי. כמו (שמ' ל') כי תשא את ראש, ראוין אלו שאברכם. ד"א בהתאסף. בהתאספם יחד

came from Sinai, and shone forth from Seir unto them; he beamed from mount Paran, and he came from the myriads of his saints: from his right *hand went* a fire of the law for them. [3]Yea, he bare the people in his bosom: all his saints *are* in thy hand: and they sat down at thy feet; *every one* shall receive of thy decisions. [4]Moses commanded us a law, *even* the possession of the congregation of Jacob. [5]And he was king in Jeshurun, when the heads of the people

רש"י

SINAI — First he began with praise of the Omnipresent, and only afterwards did he begin with what concerned Israel; but in the praise *of God* with which he began there is *also* mention of Israel's merit. All this was by way of intercession, as though to say, "These are worthy that blessing should rest upon them" (Siphre). מסיני בא [THE LORD] CAME FROM SINAI — He went forth towards them when they were about to take their stand at the foot of the Mount, — as a bridegroom goes forth to welcome his bride, as it is said, (Ex. XIX. 17) "And Moses brought the people forth to m e e t God": this teaches us that He (God) was *Himself* going forth facing them (cf. Mech. and Rashi on the verse quoted). וזרח משעיר למו AND HE SHONE FORTH FROM SEIR UNTO THEM (the Israelites), because He first addressed Himself to the sons of Esau (the inhabitants of Seir) that they should accept the Law, but they refused, הופיע מהר פארן HE BEAMED FROM MOUNT PARAN, because He went there and addressed Himself to the sons of Ishmael (who dwelt in Paran, see Gen. XXI. 21) that they should accept it and they *also* refused (Siphre; Ab. Zar. 2b), ואתא AND HE CAME *therefore* to Israel מרבבת קדש[1]) — *i. e.* and with Him were a p a r t of the myriads of the holy angels, and not all of them and not *even* the majority of them: not as is the way of a human being who displays a l l the splendour of his riches and magnificence on his marriage day (Siphre). אשדת (lit., "fire, Law", or "fire of Law") — *i. e.* the Law which had been written before Him from olden times in black fire upon white fire. *The meaning of the verse is:* He gave to them (למו) upon the Tablets the writing of His right hand (cf. Jer. Tal. Shek. IX. 1). Another explanation of אש דת: *Understand this* as the Targum *has it:* a law which was given them from the midst of the fire (cf. Ex. XIX. 18). **(3)** אף חבב עמים YEA, HE LOVED THE PEOPLES — Also He loved the tribes with exceeding love. — Each individual tribe may be termed עם (or גוי), "a people", for, you see, Benjamin a l o n e was yet to be born when the Holy One, blessed be He, said to Jacob, (Gen. XXV. 11, see Rashi thereon) "A n a t i o n and a congregation of nations shall be of you". כל קדשיו בידך ALL HIS SAINTS ARE IN THY HAND — the souls of the righteous are stored up with Him, just as it is said, (I Sam. XXV. 29) "And the soul of my lord shall be bound up in the bundle of life with the Lord thy God" (Siphre). והם תכו לרגלך AND THEY SAT AT THY FOOT — And they are deserving of this, because they betook themselves right into the middle within the underpart of the mountain unto Thy foot at Sinai. — The word תכו expresses the idea of "they were acted upon" (a passive)[2]) — "they placed themselves right in the middle (תוך) between Thy feet". ישא מדברתיך EVERYONE RECEIVED THY WORDS — they bore upon themselves the yoke of the Law (Siphre). מדברתיך. The מ in it (in this word) has a close affinity to a root letter (i. e., it is an integral part of the noun and is not a prefix), as *in* (Num. VII. 89) "And he heard the voice uttering itself (מִדַּבֵּר) unto him", *and* (Ezek. II. 2) "And I heard Him that uttered Himself (מִדַּבֵּר) unto me", which is the same as מִתְדַּבֵּר (see Rashi on Num. VII. 89). So, too, this word מדברתיך denotes: that which Thou didst speak unto *Thyself* to make it audible to me that I might tell them; tes pourparlers in O. F., *Engl., thy utterances.* — Onkelos, however, translated it *in the sense* that they travelled in accordance

NOTES

For Notes 1—2 see Appendix.

יַ֖חַד שִׁבְטֵ֥י יִשְׂרָאֵֽל׃ ו יְחִ֥י רְאוּבֵ֖ן וְאַל־יָמֹ֑ת וִיהִ֥י
מְתָ֖יו מִסְפָּֽר׃ ס ז וְזֹ֣את לִֽיהוּדָה֮ וַיֹּאמַר֒ שְׁמַ֤ע
יְהוָה֙ ק֣וֹל יְהוּדָ֔ה וְאֶל־עַמּ֖וֹ תְּבִיאֶ֑נּוּ יָדָיו֙ רָ֣ב ל֔וֹ וְעֵ֥זֶר
מִצָּרָ֖יו תִּהְיֶֽה׃ פ שני
ח וּלְלֵוִ֣י אָמַ֔ר תֻּמֶּ֥יךָ וְאוּרֶ֖יךָ לְאִ֣ישׁ חֲסִידֶ֑ךָ אֲשֶׁ֤ר
נִסִּיתוֹ֙ בְּמַסָּ֔ה תְּרִיבֵ֖הוּ עַל־מֵ֥י מְרִיבָֽה׃ ט הָאֹמֵ֞ר
לְאָבִ֤יו וּלְאִמּוֹ֙ לֹ֣א רְאִיתִ֔יו וְאֶת־אֶחָיו֙ לֹ֣א הִכִּ֔יר

אונקלוס

ו יְחִי רְאוּבֵן לְחַיֵי עָלְמָא וּמוֹתָא תִנְיָנָא לָא יְמוּת וִיקַבְּלוּן בְּנוֹהִי אַחְסַנְתְּהוֹן בְּמִנְיָנְהוֹן: ז וְדָא לִיהוּדָא וַאֲמַר קַבֵּל יְיָ צְלוֹתֵיהּ דִיהוּדָא בְּמִפְּקֵהּ (בְּאַנְגָחָא) לִקְרָבָא וּלְעַמֵּהּ תָּתִיבִנֵּהּ לִשְׁלָם יְדוֹהִי יַעְבְּדָן לֵהּ פֻּרְעָנוּתָא לְסָנְאוֹהִי וְסָעִיד מִבַּעֲלֵי דְבָבוֹהִי הֲוֵי לֵהּ: ח וּלְלֵוִי אֲמַר תֻּמַּיָא וְאוּרַיָא אַלְבֵּשְׁתָּא לִגְבַר דְּאִשְׁתְּכַח חֲסִידָא קֳדָמָךְ דִּי נַסֵּיתֵיהּ בְּנִסֵּתָא וַהֲוָה שְׁלִים בַּחֲנְתֵּיהּ עַל מֵי מַצּוּתָא וְאִשְׁתְּכַח מְהֵימָן: ט דְּעַל אֲבוּהִי וְעַל אִמֵּהּ לָא רַחֵם כַּד חָבוּ מִן דִינָא וְאַפֵּי אֲחוּהִי וּבְנוֹהִי

רש"י

בַּאֲגוּדָּה אַחַת וְשָׁלוֹם בֵּינֵיהֶם, הוּא מַלְכָּם, וְלֹא כְּשֶׁיֵּשׁ מַחֲלוֹקֶת בֵּינֵיהֶם (ספרי): (ו) יחי ראובן. בָּעוֹלָם הַזֶּה, ואל ימת לָעוֹלָם הַבָּא, שֶׁלֹּא יִזָּכֵר לוֹ מַעֲשֵׂה בִלְהָה (עי' שם): ויהי מתיו מספר. נִמְנִין בְּמִנְיַן שְׁאָר אֶחָיו, דּוּגְמָא הִיא זוֹ, כְּעִנְיָן שֶׁנֶּאֱמַר (בר' ל"ה) וַיִּשְׁכַּב אֶת בִּלְהָה, וַיִּהְיוּ בְנֵי יַעֲקֹב שְׁנֵים עָשָׂר, שֶׁלֹּא יָצָא מִן הַמִּנְיָן: (ז) וזאת ליהודה. סָמַךְ יְהוּדָה לִרְאוּבֵן מִפְּנֵי שֶׁשְּׁנֵיהֶם הוֹדוּ עַל קִלְקוּל שֶׁבְּיָדָם, שֶׁנֶּאֱמַר אֲשֶׁר חֲכָמִים יַגִּידוּ וְגוֹ' לָהֶם לְבַדָּם וְגוֹ' וְלֹא עָבַר זָר בְּתוֹכָם (איוב ט"ו); וְעוֹד פֵּרְשׁוּ רַבּוֹתֵינוּ שֶׁכָּל אַרְבָּעִים שָׁנָה שֶׁהָיוּ יִשְׂרָאֵל בַּמִּדְבָּר הָיוּ עַצְמוֹת יְהוּדָה מִתְגַּלְגְּלִין בָּאָרוֹן מִפְּנֵי נִדּוּי שֶׁקִּבֵּל עָלָיו, שֶׁנֶּאֱמַר וְחָטָאתִי לְאָבִי כָּל הַיָּמִים (בר' מ"ד), אָמַר מֹשֶׁה מִי גָרַם לִרְאוּבֵן שֶׁיּוֹדֶה? יְהוּדָה וְכוּ' (סוטה ז'): שמע ה' קול יהודה. תְּפִלַּת דָּוִד וּשְׁלֹמֹה וְאָסָא מִפְּנֵי הַכּוּשִׁים, וִיהוֹשָׁפָט מִפְּנֵי הָעַמּוֹנִים, וְחִזְקִיָּה מִפְּנֵי סַנְחֵרִיב: ואל עמו תביאנו. לְשָׁלוֹם מִפְּנֵי הַמִּלְחָמָה: ידיו רב לו. יָרִיבוּ רִיבוֹ וְיִנְקְמוּ נִקְמָתוֹ: ועזר מצריו תהיה. עַל יְהוֹשָׁפָט הִתְפַּלֵּל עַל מִלְחֶמֶת רָאמוֹת גִּלְעָד, וַיִּזְעַק יְהוֹשָׁפָט וַה' עֲזָרוֹ (דה"ב י"ח); ד"א שמע ה' קול יהודה, כָּאן רָמַז לְשִׁמְעוֹן מִתּוֹךְ בִּרְכוֹתָיו שֶׁל יְהוּדָה, וְאַף כְּשֶׁחָלְקוּ אֶרֶץ יִשְׂרָאֵל נָטַל שִׁמְעוֹן מִתּוֹךְ גּוֹרָלוֹ שֶׁל יְהוּדָה, שֶׁנֶּאֱמַר (יהושע י"ט) מֵחֶבֶל בְּנֵי יְהוּדָה נַחֲלַת בְּנֵי שִׁמְעוֹן. וּמִפְּנֵי מָה לֹא יִחֵד לוֹ בְּרָכָה בִּפְנֵי עַצְמוֹ? שֶׁהָיָה בְלִבּוֹ עָלָיו עַל מַה שֶּׁעָשָׂה בַּשִּׁטִּים, כֵּן כָּתוּב בְּאַגָּדַת תְּהִלִּים:) (ח) וללוי אמר. וְעַל לֵוִי אָמַר: תמיך ואוריך. כְּלַפֵּי שְׁכִינָה הוּא מְדַבֵּר: אשר נסיתו במסה. שֶׁלֹּא נִתְלוֹנְנוּ עִם שְׁאָר הַמִּתְלוֹנְנִים: תריבהו וגו'. כְּתַרְגּוּמוֹ. ד"א תריבהו על מי מריבה, נִסְתַּקַּפְתָּ לוֹ לָבֹא בַעֲלִילָה, אִם מֹשֶׁה אָמַר שִׁמְעוּ נָא הַמֹּרִים, אַהֲרֹן וּמִרְיָם מֶה עָשׂוּ? (ספרי): (ט) האמר לאביו ולאמו לא ראיתיו. כְּשֶׁחָטְאוּ בָעֵגֶל וְאָמַרְתִּי מִי לַה' אֵלָי (שמ' ל"ב), נֶאֶסְפוּ אֵלַי כָּל בְּנֵי לֵוִי וְצִוִּיתִים לַהֲרוֹג אֶת אֲבִי אִמּוֹ וְהוּא מִיִּשְׂרָאֵל אוֹ אֶת אָחִיו מֵאִמּוֹ אוֹ בֶן בִּתּוֹ, וְכֵן עָשׂוּ. וְאִי אֶפְשָׁר לְפָרֵשׁ אָבִיו מַמָּשׁ

and the tribes of Israel were gathered together. [6]Let Reuben live, and not die; and let his men not be few. [7]And this *is* of Judah: and he said, Hear, Eternal, the voice of Judah, and bring him unto his people: let his hands be numerous for him; and be thou an help *to him* from his adversaries. [8]And of Levi he said, Thy Thummim and thy Urim *belong* to thy pious man, whom thou didst try at Massah, *and with* whom thou didst strive at the waters of Meribah; [9]Who said unto his father and to his mother, I have not seen him; neither did he acknowledge his brethren,

רש"י

with Thy words (only at Thy command), so that the מ in it is a servile letter (a prefix) used in the sense of מן. — Another explanation *of this verse:* אף חבב עמים, YEA, HE LOVED THE PEOPLES — even at the time of Thy love for the nations of the world — when Thou didst show unto the peoples a smiling (friendly) countenance and didst deliver Israel into their power, *even then* כל קדשיו בידך ALL HIS SAINTS WERE IN THY HAND — all their righteous and pious people clave to Thee and did not depart from Thee and Thou didst guard them, והם תכו לרגלך and they betook themselves right into the midst of, and gathered beneath Thy shadow, ישא מדברתיך they gladly accepted Thy decrees and Thy laws. And these were their words: **(4)** תורה THE LAW which צוה לנו משה MOSES COMMANDED US, מורשה is AN INHERITANCE to THE CONGREGATION OF JACOB: we have taken it and we will not abandon it. **(5)** ויהי AND HE WAS — *i. e.* the Holy One, blessed be He, *was* בישרון מלך KING IN JESHURUN: constantly was the yoke of His sovereignty upon them at all times[1]) when there gathered the head (בהתאסף ראשי), *i. e.*, the total number (the whole) of their assembly. *The word* ראשי *has the same meaning* as (Ex. XXX. 12) "When thou takest the total (ראש) of the children of Israel". *Consequently* they are worthy that I should bless them (and so I shall now begin the blessing: May Reuben live, etc.). — Another explanation of בהתאסף: When they assemble together in one band and there is peace between them, *only* then is He their King, but not when there is dissension among them (Siphre). **(6)** יחי ראובן LET REUBEN LIVE, in this world, ואל ימת AND LET HIM NOT DIE, in the world to come: that the incident of Bilhah be not remembered unto him (Siphre). ויהי מתיו מספר *lit.*, AND LET HIS MEN BE A NUMBER — let them be counted amongst the number of his other brothers. This is exactly similar to the idea that is expressed in the text, (Gen. XXXV. 22) "[And Reuben went] and lay with Bilhah [his father's wife]" ... "And the sons of Jacob were twelve", *which suggests* that he was not excluded from the number *of Jacob's sons.* **(7)** וזאת ליהודה AND THIS IS FOR JUDAH — He mentioned Judah immediately after Reuben because both of them made confession of the wrong that was theirs, as it is said, (Job XV. 18—19) "Because wise men have told *their sins* ... unto them alone [the land was given] and no stranger passed amidst them"[2]). Further our Rabbis explained that during the whole forty years that Israel was in the wilderness Judah's bones were moving about in his coffin because of the anathema that he had invoked upon himself, as it is stated *that he said* "If I do not bring him unto thee ... I shall be sinning against my father all days" (cf. Rashi thereon: "also in the world to come"). Moses said, "Who brought it about that Reuben confessed *his sin?*" Judah, etc.[3]) (Sota 7b; B. Kam. 92a). שמע ה' קול יהודה HEAR, O LORD, THE VOICE OF JUDAH — *Hear* the prayer of *Judah's descendants*, David and Solomon, and of Asa because of the Ethiopians, of Jehoshaphat because of the Ammonites and of Hezekiah because of Sannecherib. ואל עמו תביאנו AND BRING HIM TO HIS PEOPLE in peace from battle; ידיו רב לו LET HIS HANDS רב FOR HIM — let them successfully strive for him (רב) and avenge his wrongs, ועזר מצריו תהיה AND BE THOU A HELP TO HIM FROM HIS ADVERSARIES — He *here* prayed for Jehoshaphat with regard to the battle at Ramoth Gilead, *as it states*, (2 Chron.

NOTES
For Notes 1—3 see Appendix.

וְאֶת־בְּנוֹ לֹא יָדָע כִּי שָׁמְרוּ אִמְרָתֶךָ וּבְרִיתְךָ יִנְצֹרוּ:
יוֹרוּ מִשְׁפָּטֶיךָ לְיַעֲקֹב וְתוֹרָתְךָ לְיִשְׂרָאֵל יָשִׂימוּ
קְטוֹרָה בְּאַפֶּךָ וְכָלִיל עַל־מִזְבְּחֶךָ: יא בָּרֵךְ יְהֹוָה
חֵילוֹ וּפֹעַל יָדָיו תִּרְצֶה מְחַץ מָתְנַיִם קָמָיו וּמְשַׂנְאָיו
מִן־יְקוּמוּן: ס יב לְבִנְיָמִן אָמַר יְדִיד יְהֹוָה יִשְׁכֹּן
לָבֶטַח עָלָיו חֹפֵף עָלָיו כָּל־הַיּוֹם וּבֵין כְּתֵפָיו שָׁכֵן: ס
שלישי יג וּלְיוֹסֵף אָמַר מְבֹרֶכֶת יְהֹוָה אַרְצוֹ מִמֶּגֶד
שָׁמַיִם מִטָּל וּמִתְּהוֹם רֹבֶצֶת תָּחַת: יד וּמִמֶּגֶד
°בְּנֵי ק׳

אונקלוס

לָא נְסֵיב אֲרֵי נְטַרוּ מַטְּרַת מֵימְרָךְ וּקְיָמָךְ לָא אַשְׁנִיוּ: י כָּשְׁרִין אִלֵּין דַּיְלְפוּן דִּינָךְ לְיַעֲקֹב וְאוֹרָיְתָךְ לְיִשְׂרָאֵל יְשַׁוּוּן קְטֹרֶת בּוּסְמִין קֳדָמָךְ וּגְמִיר לְרַעֲוָא עַל מַדְבְּחָךְ: יא בָּרֵךְ יְיָ נִכְסוֹהִי וְקֻרְבַּן יְדוֹהִי תְּקַבֵּל בְּרַעֲוָא תְּבַר חַרְצָא דְסָנְאוֹהִי וּדְבַעֲלֵי דְבָבוֹהִי דְלָא יְקוּמוּן: יב לְבִנְיָמִן אֲמַר רְחִימָא דַיְיָ יִשְׁרֵי לְרָחְצָן עֲלוֹהִי יְהֵי מָגֵין עֲלוֹהִי כָּל יוֹמָא וּבְאַרְעֵהּ תִּשְׁרֵי שְׁכִנְתָּא: יג וּלְיוֹסֵף אֲמַר מְבָרְכָא מִן קֳדָם יְיָ אַרְעֵהּ עָבְדָא מִגְּדָנִין מִטַּלָּא דִשְׁמַיָּא מִלְּעֵלָּא וּמִמַּבּוּעֵי עֵינָן וּתְהוֹמִין דְּנָגְדִין מִמַּעֲמַקֵּי אַרְעָא מִלְּרָע: יד וְעָבְדָא מִגְּדָנִין וַעֲלָלָן מֵיבוּל שִׁמְשָׁא וְעָבְדָא

רש״י

וְאֶחָיו מֵאָבִיו וְכֵן בָּנָיו מִמַּשׁ, שָׁהֲרֵי לֵוִים הֵם, וּמִשְׁבָּט לֵוִי לֹא חָטָא מֵהֶם, שֶׁנֶּאֱמַר (שם) כָּל בְּנֵי לֵוִי: כִּי שָׁמְרוּ אִמְרָתֶךָ. לֹא יִהְיֶה לְךָ אֱלֹהִים אֲחֵרִים: וּבְרִיתְךָ יִנְצֹרוּ. בְּרִית מִילָה, שֶׁאוֹתָם שֶׁנּוֹלְדוּ בַּמִּדְבָּר שֶׁל יִשְׂרָאֵל לֹא מָלוּ אֶת בְּנֵיהֶם, וְהֵם הָיוּ מוּלִין וּמָלִין אֶת בְּנֵיהֶם: (י) יוֹרוּ מִשְׁפָּטֶיךָ. רְאוּיִין אֵלּוּ לְכָךְ: וְכָלִיל. עוֹלָה (יומא כ״ו): (יא) מְחַץ מָתְנַיִם קָמָיו. מְחַץ קָמָיו מַכַּת מָתְנַיִם, כָּעִנְיָן שֶׁנֶּאֱמַר (לה׳ ס״ט) וּמָתְנֵיהֶם תָּמִיד הַמְעַד, וְעַל הַמִּעוֹרְרִין עַל הַכְּהֻנָּה אָמַר כֵּן. דָּבָר אַחֵר רָאָה שֶׁעֲתִידִין חַשְׁמוֹנַאי וּבָנָיו לְהִלָּחֵם עִם הַיְּוָנִים וְהִתְפַּלֵּל עֲלֵיהֶם, לְפִי שֶׁהָיוּ מוּעָטִים — י״ב בְּנֵי חַשְׁמוֹנַאי וְאֶלְעָזָר — כְּנֶגֶד כַּמָּה רְבָבוֹת, לְכָךְ נֶאֱמַר בָּרֵךְ ה׳ חֵילוֹ וּפֹעַל יָדָיו תִּרְצֶה (ב״ר צ״ט): וּמְשַׂנְאָיו מִן יְקוּמוּן. מְחַץ קָמָיו וּמְשַׂנְאָיו מִהְיוֹת לָהֶם תְּקוּמָה: (יב) לְבִנְיָמִן אָמַר. לְפִי שֶׁבִּרְכַּת לֵוִי בַּעֲבוֹדַת הַקָּרְבָּנוֹת וְשֶׁל בִּנְיָמִין בְּבִנְיַן בֵּית הַמִּקְדָּשׁ, בְּחֶלְקוֹ, סְמָכָן זֶה לָזֶה, וְסָמַךְ יוֹסֵף אַחֲרָיו, שֶׁאַף הוּא מִשְׁכַּן שִׁילֹה הָיָה בָּנוּי בְּחֶלְקוֹ, שֶׁנֶּאֱמַר (תה׳ ע״ח) וַיִּמְאַס בְּאֹהֶל יוֹסֵף וְגוֹ׳, וּלְפִי שֶׁבֵּית עוֹלָמִים חָבִיב מִשִּׁילֹה לְכָךְ הִקְדִּים בִּנְיָמִין לְיוֹסֵף: חֹפֵף עָלָיו. מְכַסֶּה אוֹתוֹ וּמֵגֵין עָלָיו: כָּל הַיּוֹם. לְעוֹלָם, מִשֶּׁנִּבְחֲרָה יְרוּשָׁלַיִם לֹא שָׁרְתָה שְׁכִינָה בְּמָקוֹם אַחֵר: וּבֵין כְּתֵפָיו שָׁכֵן. בְּגֹבַהּ אַרְצוֹ הָיָה בֵּית הַמִּקְדָּשׁ בָּנוּי, אֶלָּא שֶׁנָּמוּךְ עֶשְׂרִים וְשָׁלֹשׁ אַמָּה מֵעֵין עֵיטָם, וְשָׁם הָיָה דַעְתּוֹ שֶׁל דָּוִד לִבְנוֹתוֹ, כִּדְאִיתָא בִּשְׁחִיטַת קֳדָשִׁים (זב׳ נ״ד) אָמְרִי נַתְתֵּי בֵיהּ פּוּרְתָּא, מִשּׁוּם דִּכְתִיב וּבֵין כְּתֵפָיו שָׁכֵן — אֵין לְךָ נָאֶה בְּשׁוֹר יוֹתֵר מִכְּתֵפָיו: (יג) מְבֹרֶכֶת ה׳ אַרְצוֹ. שֶׁלֹּא הָיְתָה בְּנַחֲלַת הַשְּׁבָטִים אֶרֶץ מְלֵאָה כָל טוּב כְּאַרְצוֹ שֶׁל יוֹסֵף (עי׳ ספרי): מִמֶּגֶד. לְשׁוֹן עֲדָנִים וְמָתְק: וּמִתְּהוֹם. שֶׁהַתְּהוֹם עוֹלֶה וּמְלַחְלֵחַ אוֹתָהּ

nor know his *own* children: for they have kept thy word, and guarded thy covenant. [10]They shall teach Jacob thy judgments, and Israel thy law: they shall put incense before thee, and whole burnt sacrifice upon thine altar. [11]Bless, Eternal, his substance, and accept favourably the work of his hands: strike through the loins of them that rise against him, and of them that hate him, that they rise not again. [12]*And* of Benjamin he said, The beloved of the Eternal shall dwell in safety by him; he shall harbour him all the day long, and he shall dwell between his shoulders. [13]And of Joseph he said, Blessed of the Eternal *be* his land, for the precious things of heaven, for the dew, and for the murmuring deep that croucheth beneath, [14]And for the precious fruits

רש"י

XVIII. 31) "And Jehoshaphat cried and the Lord helped him". Another explanation of שמע ה׳ קול יהודה HEAR, O LORD, THE VOICE OF JUDAH — Here in Judah's blessings he alluded to Simeon (שמע) (i. e., Simeon's blessing was included in that of Judah). And indeed, when they divided the land of Israel *amongst the tribes,* Simeon took *his portion* from amongst Judah's lot, as it is said, (Josh. XIX. 9) "Out of the allotment of the children of Judah was the inheritance of the children of Simeon" (cf. Siphre). [And why did he not assign to him (to Simeon) a separate blessing? Because he had something in his heart against him on account of what he had done at Shittim (Num. XXV. 14). Thus is it written in the Agada on the Psalms] (cf. Siphre). **(8)** וללוי אמר *means* AND OF LEVI HE SAID (not to Levi). תמיך ואוריך THY THUMMIM AND URIM — He is addressing God (not Levi). אשר נסיתו במסה WHOM THOU DIDST TRY WITH TRIALS — *since this is said in praise of the Levites, we may gather from it* that they did not murmur together with the other tribes. תריבהו וגו׳ THOU DIDST STRIVE WITH HIM [AT THE WATERS OF MERIBAH] — *Understand this* as the Targum *has it:* ("Thou didst put him to the test"). — Another explanation of תריבהו על מי מריבה: Thou didst seek an occasion against him to come with a pretext, *for* if Moses said, "Hear now, ye rebels", what sin did Aaron and Miriam commit? (why were they not allowed to enter the land?). **(9)** האמר לאביו ולאמו לא ראיתיו WHO SAID TO HIS FATHER AND TO HIS MOTHER, I HAVE NOT SEEN HIM — When they sinned in *the matter of* the golden calf and I said, "Who is on the Lord's side, let him come to me" (Ex. XXXII. 26), all the sons of Levi gathered themselves unto me, and I ordered them each to kill his mother's father, he being an ordinary Israelite, or his brother on the mother's side, or the son of his daughter *whose husband was an ordinary Israelite,* and thus did they do. — It is impossible to explain the term "his father" literally, and "his brothers" as being those on his father's side, and similarly *to understand* "his sons" literally, for really *all* these are Levites, and of the tribe of Levi no one sinned, as it is said, "[And there gathered unto me] all the tribe of Levi" (Siphre, Joma 66b). כי שמרו אמרתך BECAUSE THEY KEPT THY WORD, *viz.,* Thou shalt have no other gods, ובריתך ינצרו AND THEY GUARDED THY COVENANT *viz.,* the covenant of circumcision (Siphre on בהעלתך); for *as regards* those who were born in the wilderness, — *the fathers* who belonged to the ordinary Israelites did not circumcise their sons, whilst these (the Levites) were themselves circumcised and circumcised their sons. **(10)** יורו משפטיך THEY MAY TEACH THY JUDGMENTS (the emphasis is to be placed on "they") — they alone are worthy of doing this (cf. Onkelos). וכליל — *means* burnt-offering (which was entirely (כליל) burnt on the altar). **(11)** מחץ מתנים קמיו *means,* smite those who rise up against him with a smiting of the loins[1]), similar to the idea that is expressed, (Ps. LXIX. 24) "Make their loins continually to totter". It

NOTES

[1]) See Appendix.

תְּבוּאֹת שָׁמֶשׁ וּמִמֶּגֶד גֶּרֶשׁ יְרָחִים: טו וּמֵרֹאשׁ
הַרְרֵי־קֶדֶם וּמִמֶּגֶד גִּבְעוֹת עוֹלָם: טז וּמִמֶּגֶד אֶרֶץ
וּמְלֹאָהּ וּרְצוֹן שֹׁכְנִי סְנֶה תָּבוֹאתָה לְרֹאשׁ יוֹסֵף
וּלְקָדְקֹד נְזִיר אֶחָיו: יז בְּכוֹר שׁוֹרוֹ הָדָר לוֹ וְקַרְנֵי
רְאֵם קַרְנָיו בָּהֶם עַמִּים יְנַגַּח יַחְדָּו אַפְסֵי־אָרֶץ
וְהֵם רִבְבוֹת אֶפְרַיִם וְהֵם אַלְפֵי מְנַשֶּׁה: ס רביעי
יח וְלִזְבוּלֻן אָמַר שְׂמַח זְבוּלֻן בְּצֵאתֶךָ וְיִשָּׂשכָר

אונקלוס

מַגְדְּנִין מְרֵישׁ יְרַח בִּירַח: טו וּמֵרֵישׁ טוּרַיָּא בֻּכִּירַיָּא וּמִטּוּב רָמָן דְּלָא פָסְקָן:
טז וּמִטּוּב אַרְעָא וּמְלָאַהּ רַעֲוָא לֵהּ דִּשְׁכִנְתֵּהּ בִּשְׁמַיָּא וְעַל מֹשֶׁה אִתְגְּלִי בְּאַסְנָא
יֵתְיָן כָּל אִלֵּין לְרֵישָׁא דְּיוֹסֵף וּלְגַבְרָא פְּרִישָׁא דַּאֲחוֹהִי: יז רַבָּא דִּבְנוֹהִי זִיוָא לֵהּ
וּגְבוּרָן דְּאִתְעֲבִידָא לֵהּ מִקֳּדָם תַּקִּיפָא וְרוּמָא דִילֵהּ בִּגְבוּרְתֵּהּ עַמְמַיָּא יְקַטֵּל כַּחֲדָא
עַד סְיָפֵי אַרְעָא וְאִנּוּן רִבְוָתָא דְּבֵית אֶפְרַיִם וְאִנּוּן אַלְפַיָּא דְּבֵית מְנַשֶּׁה:
יח וְלִזְבוּלֻן אֲמַר חֲדִי זְבוּלֻן בְּמִפְּקָךְ לְאַגָּחָא קְרָבָא עַל בַּעֲלֵי דְבָבָךְ וְיִשָּׂשכָר

רש"י

מִלְמַטָּה; אַתָּה מוֹצֵא בְּכָל הַשְּׁבָטִים בִּרְכָתוֹ שֶׁל מֹשֶׁה מֵעֵין בִּרְכָתוֹ שֶׁל יַעֲקֹב:
(יד) וממגד תבואת שמש. שֶׁהָיְתָה אַרְצוֹ פְּתוּחָה לַחַמָּה וּמְמַתֶּקֶת הַפֵּרוֹת (ספרי): גרש
ירחים. יֵשׁ פֵּרוֹת שֶׁהַלְּבָנָה מְבַשַּׁלְתָּן וְאֵלּוּ הֵן קִשּׁוּאִין וּדְלוּעִין; ד"א גרש ירחים. שֶׁהָאָרֶץ
מְגָרֶשֶׁת וּמוֹצִיאָה מֵחֹדֶשׁ לְחֹדֶשׁ: (טו) ומראש הררי קדם. וּמְבֹרֶכֶת מֵרֵאשִׁית בִּשּׁוּל
הַפֵּרוֹת, שֶׁהֲרָרֶיהָ מַקְדִּימִין לְבַכֵּר בִּשּׁוּל פֵּרוֹתֵיהֶם. ד"א מַגִּיד שֶׁקְּדָמָה בְּרִיאָתָן לִשְׁאָר
הָרִים (שם): גבעות עולם. גְּבָעוֹת הָעוֹשׂוֹת פֵּרוֹת לְעוֹלָם וְאֵינָן פּוֹסְקוֹת מֵעוֹצֶר הַגְּשָׁמִים:
(טז) ורצון שכני סנה. כְּמוֹ שׁוֹכֵן סְנֶה; וּתְהֵא אַרְצוֹ מְבֹרֶכֶת — רְצוֹנוֹ וְנַחַת רוּחוֹ שֶׁל
הַקָּבָּ"ה הַנִּגְלֶה עָלַי תְּחִלָּה בַּסְּנֶה: רצון. נַחַת רוּחַ וּפִיּוּס, וְכֵן כָּל רָצוֹן שֶׁבַּמִּקְרָא:
תבואתה בְּרָכָה זוֹ לראש יוסף: נזיר אחיו. שֶׁהֻפְרַשׁ מֵאֶחָיו בִּמְכִירָתוֹ (עי' ספרי):
(יז) בכור שורו. יֵשׁ בְּכוֹר שֶׁהוּא לְשׁוֹן גְּדֻלָּה וּמַלְכוּת, שֶׁנֶּאֱמַר אַף אָנִי בְּכוֹר אֶתְּנֵהוּ
(תה' פ"ט), וְכֵן בְּנִי בְכֹרִי יִשְׂרָאֵל (שמ' ד') — מֶלֶךְ הַיּוֹצֵא מִמֶּנּוּ, וְהוּא יְהוֹשֻׁעַ שֶׁכֹּחוֹ קָשֶׁה
כְּשׁוֹר לִכְבּוֹשׁ כַּמָּה מְלָכִים: הדר לו. נָתוּן לוֹ, שֶׁנֶּאֱמַר וְנָתַתָּה מֵהוֹדְךָ עָלָיו (במ' כ"ז):
וקרני ראם קרניו. שׁוֹר כֹּחוֹ קָשֶׁה, וְאֵין קַרְנָיו נָאוֹת, אֲבָל רְאֵם קַרְנָיו נָאוֹת וְאֵין כֹּחוֹ
קָשֶׁה, נָתַן לִיהוֹשֻׁעַ כֹּחוֹ שֶׁל שׁוֹר וְיוֹפִי קַרְנֵי רְאֵם (ספרי): אפסי ארץ. שְׁלֹשִׁים וְאֶחָד
מְלָכִים אֶפְשָׁר שֶׁכֻּלָּם מֵאֶרֶץ יִשְׂרָאֵל הָיוּ? אֶלָּא אֵין לְךָ כָּל מֶלֶךְ וְשִׁלְטוֹן שֶׁלֹּא קָנָה לוֹ
פַּלְטֵרִין וַאֲחֻזָּה בְּאֶרֶץ יִשְׂרָאֵל שֶׁחֲשׁוּבָה לְכֻלָּם הִיא, שֶׁנֶּאֱמַר (יר' ג') נַחֲלַת צְבִי צִבְאוֹת
גּוֹיִם (עי' ספרי): והם רבבות אפרים. אוֹתָם הַמְנֻגָּחִים הֵם הָרְבָבוֹת שֶׁהָרַג יְהוֹשֻׁעַ שֶׁבָּא
מֵאֶפְרַיִם: והם אלפי מנשה. הֵם הָאֲלָפִים שֶׁהָרַג גִּדְעוֹן בְּמִדְיָן שֶׁנֶּאֱמַר (שופ' ח') וְזֶבַח
וְצַלְמֻנָּע בְּקַרְקֹר וגו': (יח) ולזבולן אמר. אֵלּוּ חֲמִשָּׁה שְׁבָטִים שֶׁבֵּרַךְ בָּאַחֲרוֹנָה — זְבוּלֻן
גָּד דָּן וְנַפְתָּלִי וְאָשֵׁר — כָּפַל שְׁמוֹתֵיהֶם לְחַזְּקָם וּלְהַגְבִּירָם, לְפִי שֶׁהָיוּ חַלָּשִׁים שֶׁבְּכָל
הַשְּׁבָטִים, הֵם הֵם שֶׁהוֹלִיךְ יוֹסֵף לִפְנֵי פַרְעֹה שֶׁנֶּאֱמַר (בר' מ"ז) וּמִקְצֵה אֶחָיו לָקַח
חֲמִשָּׁה אֲנָשִׁים, לְפִי שֶׁנִּרְאִים חַלָּשִׁים וְלֹא יָשִׂים אוֹתָם לוֹ שָׂרֵי מִלְחַמְתּוֹ: שמח זבולן

brought forth by the sun, and for the precious things put forth by the moon, [15]And for the chief things of the ancient mountains, and for the precious things of the lasting hills, [16]And for the precious things of the earth and fulness thereof, and *for* the will of him that dwelt in *the* bush: let *the blessing* come upon the head of Joseph, and upon the top of the head of him that was separated from his brethren. [17]The first-born of his herd is comeliness to him, and his horns *are like* the horns of a buffalo; with them he shall push the people together to the uttermost ends of the earth: and they *are* the myriads of Ephraim, and they *are* the thousands of Manasseh. [18]And of Zebulun he said, Rejoice, Zebulun, in thy going out; and, Issachar,

רש"י

was about those who contested the High priesthood that he spake thus. — Another explanation: He foresaw that Hasmon and his sons would in future war with the Greeks, and he therefore prayed for them, because they were few in number, *viz.*, the twelve sons of Hasmon and Eleazar against several myriads of the enemy. On this account he prayed ברך ה׳ חילו ופעל ידיו תרצה BLESS, O LORD, HIS ARMY AND ACCEPT FAVOURABLY THE WORK OF HIS HANDS (cf. Gen. R. 99; Tanch. on ויחי). ומשנאיו מן יקומון (The first word is, like קמיו, the object of the verb מחץ) — *i. e.* smite those who rise up against him and those who hate him (משנאיו), that they shall have no recovery. לבנימן אמר OF BENJAMIN HE SAID — Because the blessing given to Levi referred to the Temple service and that of Benjamin to the Temple being built in his territory he mentioned one after the other. He placed Joseph immediately after him (after Benjamin), for he too *had a Sanctuary in his territory:* the Tabernacle at Shiloh was erected in his territory, as it says, (Ps. LXXVIII. 67) "And he rejected the Tabernacle of Joseph" (v. 60 speaks of God forsaking the Tabernacle of Shiloh, the two verses being parallel). Because the "Eternal House" (the Temple) was more endeared *to God* than *the Tabernacle of* Shiloh, therefore he mentions Benjamin before Joseph (although Joseph was the elder), חֹפֵף עליו *means*, He lies over him and overspreads him[1]), כל היום ALL THE DAY — *i. e.*, for ever. From the day that Jerusalem was chosen *as the seat of the Temple*, the Divine Glory has never dwelt at any other place. ובין כתפיו שכן AND BETWEEN HIS SHOULDERS SHALL HE DWELL — On the highest spot of his (Benjamin's) land was the Temple built (cf. Siphre), except that it was twenty-three cubits lower than En Etam (Joma 31a),

NOTES

1) See Appendix.

רש"י

and originally *indeed* David's intention was to build it there, as it is stated in *the Treatise* "On the slaughter of Holy Sacrifices" (54b): People said to him (David), Let us place it a little lower, because it states, "And between his shoulders (which are lower than the head) shall He dwell" — and you have no finer part of an ox than his shoulders[1]). **(13)** מברכת ה' ארצו BLESSED OF THE LORD BE HIS LAND — *It is a fact* that there was in the inheritance of all the tribes no land so full of every good thing as Joseph's land. ממגד — this means dainties and sweet food. ומתהום [BLESSED OF THE LORD BE HIS LAND] BY THE DEEP — for the deep ascended and moistened it from below (תחת). — You will find that in the case of each tribe Moses' blessing corresponded in some way with Jacob's blessing (cf. for instance this verse with Joseph's blessing in Gen. XLIX. 23). **(14)** וממגד תבואת שמש AND BY THE PRECIOUS FRUITS BROUGHT FORTH BY THE SUN — for his land lay exposed to the sun and it therefore produced sweet fruit (Siphre). גרש ירחים [AND BY] THE PRECIOUS THINGS PUT FORTH BY THE MOON — There are some fruits which the moon brings to maturity, such are cucumbers and melons. — Another explanation of גרש ירחים: *this refers to fruits* which the earth puts forth and produces from month to month (cf. Onk.). **(15)** ומראש הררי קדם AND BY THE FIRST THINGS OF THE HILLS OF קדם (taken in the sense of: the hills of priority) — *The meaning is:* and it is blessed[1]) through the earliest ripening of the fruits, because its hills are earliest (קדם, "prior") to bring their fruits to maturity. — Another explanation: this tells us that their creation (the creation of the hills in the territory of Joseph) was prior (קדם) to that of all other hills (Siphre). גבעות עולם [AND THROUGH THE PRECIOUS THINGS OF] THE EVERLASTING HILLS — *i. e., of hills* which everlastingly (עולם) produce fruit, and do not cease *to do so* through restraint of rain. **(16)** ורצון שכני סנה — *the last two words* are the equivalent of שוכן סנה (the י being the suffix that sometimes appears in participles, for the most part in poetry). *The meaning is:* And may his land *further* be blessed through the favour (רצון) and satisfaction of the Holy One, blessed be He, who first revealed Himself to me in the thorn-bush (סנה). רצון *means* satisfaction and propitiation, and similar is *the meaning* wherever רצון occurs in Scripture. תבואתה LET IT COME — *i. e. let* this blessing *come* לראש יוסף ON JOSEPH'S HEAD. נזיר אחיו *means* THE ONE WHO WAS SEPARATED FROM HIS BRETHREN through his being sold.

NOTES

For Notes 1—2 see Appendix.

רש"י

(17) בכור שורו THE FIRSTBORN OF HIS OX — There is a *usage of the word* בכור that denotes greatness and sovereignty, as it is said, (Ps. LXXXIX. 28) "I will also make him a בכור" (i. e., a man of rank), and similarly (Ex. IV. 22) "My son, my firstborn (בכורי) is Israel". *The text means:* the king who will issue from him, and that is Joshua, whose strength will be mighty as that of an ox to subdue many kings, הדר לו HONOUR TO HIM — *i.e., honour* is given unto him, as it is said, (Num. XXVII. 20) "And thou shalt give of thy honour (הודך, a synonym of הדר) unto him" (Joshua). וקרני ראם קרניו AND HIS HORNS ARE THE HORNS OF A RE'EM — The ox — its strength is mighty but its horns are not beautiful, a Re'em, however — its horns are beautiful but its strength is not mighty: therefore it ascribes to Joshua the strength of an ox and the beauty of a Re'em's horns (Siphre). אפסי ארץ [NATIONS] OF THE ENDS OF THE EARTH — The thirty-one kings whom Joshua conquered — is it possible that they were all of the land of Israel? But there was no king or ruler who did not acquire for himself a palace and territory in the land of Israel because it was so estimable to all of them, as it is said *of Palestine,* (Jer. III. 19) "An inheritance, the desire of hosts of nations" (see Rashi on this verse). והם רבבות אפרים AND THEY ARE THE MYRIADS OF EPHRAIM — *i. e.,* those who are gored are[1]) the myriads whom Joshua, who was descended from Ephraim, slew. והם אלפי מנשה AND THEY ARE THE THOUSANDS OF MANASSEH — they are the thousands whom Gideon, *who was descended from Manasseh,* slew of Midian, as it is said, (Judg. VIII. 10) "And Zebah and Zalmunna were in Karkor [and their hosts with them, about fifteen thousand men, all that were left ... for there had fallen a hundred and twenty thousand men that drew sword]". **(18)** ולזבולן אמר AND OF ZEBULUN HE SAID — These five tribes whom he blessed last, Zebulun, Gad, Dan, Naphtali and Asher, it repeats their names[2]) in order to instil them with strength and power, because they were the weakest of all the tribes. They are the very same whom Joseph took to Pharaoh, as it is said, (Gen. XLVII. 2, cf. Rashi thereon) "And of the least of his brothers he took five men [and placed them before Pharaoh]" — because these looked weak, so that he (Pharaoh) should not appoint them his war officers. שמח זבולן בצאתך ויששכר באהליך REJOICE, ZEBULUN, IN THY

NOTES

[1]) The word והם refers to the peoples just mentioned: those whom "Joseph" was to gore with his horns.

[2]) See Appendix.

בְּאֹהָלֶיךָ: יט עַמִּים הַר־יִקְרָאוּ שָׁם יִזְבְּחוּ זִבְחֵי־
צֶדֶק כִּי שֶׁפַע יַמִּים יִינָקוּ וּשְׂפֻנֵי טְמוּנֵי חוֹל: ס
כ וּלְגָד אָמַר בָּרוּךְ מַרְחִיב גָּד כְּלָבִיא שָׁכֵן וְטָרַף
זְרוֹעַ אַף־קָדְקֹד: כא וַיַּרְא רֵאשִׁית לוֹ כִּי־שָׁם חֶלְקַת
מְחֹקֵק סָפוּן וַיֵּתֵא רָאשֵׁי עָם צִדְקַת יְהוָה עָשָׂה

אונקלוס

בְּמַהָכָךְ לְמֶעְבַּד זְמַנֵּי מוֹעֲדַיָּא בִּירוּשְׁלֵם: יט שִׁבְטַיָּא דְיִשְׂרָאֵל לְטוּר בֵּית מַקְדְּשָׁא יִתְכַּנְּשׁוּן תַּמָּן יִכְּסוּן נִכְסַת קוּדְשִׁין לְרַעֲוָא אֲרֵי נִכְסֵי עַמְמַיָּא יֵיכְלוּן וְסִימָא דְּמִטַּמְרָן בְּחָלָא מִתְגַּלְיָן לְהוֹן: כ וּלְגָד אֲמַר בְּרִיךְ דְּיַפְתֵּי לְגָד כְּלֵיתָא שָׁרֵי וְקָטִיל שִׁלְטוֹנִין עִם מַלְכִין: כא וְאִתְקַבֵּל בְּקַדְמֵיתָא דִּילֵהּ אֲרֵי תַמָּן בְּאַחֲסַנְתֵּהּ משֶׁה סָפְרָא רַבָּא דְיִשְׂרָאֵל קְבִיר וְהוּא נָפֵק וְעָל בְּרֵישׁ עַמָּא זַכְוָן קֳדָם יְיָ עֲבַד וְדִינוֹהִי

רש"י

בצאתך ויששכר באהליך. זבולן ויששכר עשו שותפות, זבולן לחוף ימים ישכן ויוצא לפרקמטיא בספינות ומשתכר ונותן לתוך פיו של יששכר, והם יושבים ועוסקים בתורה, לפיכך הקדים זבולן ליששכר שתורתו של יששכר על ידי זבולן היתה (ב"ר צ"ט): שמח זבולן בצאתך. הצלח בצאתך לסחורה: ויששכר. הצלח בישיבת אהליך לתורה, לישב ולעבר שנים ולקבוע חדשים, כמו שנאמר (דה"א י"ב) ומבני יששכר יודעי בינה לעתים... ראשיהם מאתים, ראשי סנהדרין היו עוסקים בכך, ועל פי קביעות עתיהם ועבוריהם (יט) עמים של שבטי ישראל הר יקראו — להר המוריה יאספו, כל אסיפה על ידי קריאה היא, ושם יזבחו ברגלים זבחי צדק: כי שפע ימים יינקו. יששכר וזבולן, ויהא להם פנאי לעסוק בתורה: ושפני טמוני חול. כסויי טמוני חול, טרית וחלזון וזכוכית לבנה היוצאים מן הים ומן החול, ובחלקו של יששכר וזבולן היה כמו שאמור במסכת מגלה (דף ו') זבולן עם חרף נפשו למות (שופ' ה') משום דנפתלי על מרומי שדה (שם), היה מתרעם זבולן על חלקו — לאחי נתת שדות וכרמים וכו' (ספרי): ושפני. לשון כסוי, כמו שנאמר (מ"א ו') ויספן את הבית, וספן בארז (שם ז') ותרגומו ומטלל בכיורי ארזא. ד"א עמים הר יקראו על ידי פרקמטיא של זבולן תגרי אמות העולם באים אל ארצו, והוא עומד על הספר והם אומרים הואיל ונצטערנו עד כאן נלך עד ירושלים ונראה מה יראתה של אמה זו ומה מעשיה, והם רואים כל ישראל עובדים לאלוה אחד ואוכלים מאכל אחד — לפי שהגוים אלוהו של זה לא כאלוהו של זה ומאכלו של זה לא כמאכלו של זה — והם אומרים אין אמה כשרה כזו ומתגיירין שם, שנאמר שם יזבחו זבחי צדק (ספרי): כי שפע ימים יינקו. זבולן ויששכר הים נותן להם ממון בשפע: (כ) ברוך מרחיב גד. מלמד שהיה תחומו של גד מרחיב והולך כלפי מזרח (שם): כלביא שכן. לפי שהיה סמוך לספר, לפיכך נמשל בארִיות, שכל הסמוכים לספר צריכים להיות גבורים (שם): וטרף זרוע אף קדקד. הרוגיהן היו נכרין, חותכים הראש עם הזרוע במכה אחת: (כא) וירא ראשית לו. ראה לטול לו חלק בארץ סיחון ועוג, שהיא ראשית כבוש הארץ: כי שם חלקת. כי ידע אשר שם בנחלתו חלקת שדה קבורת מחקק, והוא משה (עי' ספרי; סוטה י"ג). ספון. אותה חלקה ספונה וטמונה מכל בריה, שנאמר (דב' ל"ד) ולא ידע איש את קברתו: ויתא גד ראשי עם; הם היו הולכין לפני החלוץ בכבוש הארץ, לפי שהיו

in thy tents. [19]They shall call peoples unto the mountain: there they shall sacrifice sacrifices of righteousness: for they shall suck *of* the abundance of the seas, and *of* treasures secreted in the sand. [20]And of Gad he said, Blessed *be* he that extendeth Gad: he dwelleth as a lioness, and teareth the arm with the top of the head. [21]And he provided the first part for himself, because there is the portion set apart by the lawgiver; and he came with the heads of the people, he did the righteousness of the Eternal,

רש"י

GOING OUT, AND, ISSACHAR, IN THY TENTS — Zebulun and Issachar entered into a partnership: Zebulun dwelt at the harbour of ships and went out in ships to trade; he made profit and used to provide food for Issachar who sat *at home* and occupied themselves with the Torah. Consequently he mentioned Zebulun before Issachar (although the latter was the elder) because Issachar's knowledge of Torah was due to Zebulun. שמח זבולן בצאתך REJOICE, ZEBULUN, IN THY GOING FORTH — Be successful when thou goest out to trade, ויששכר AND ISSACHAR, be successful when thou sittest in thy tents (באהליך) to *study* the Torah — to sit *in the Sanhedrin* and to intercalate the years and to fix the day of New Moon, as it is said, (1 Chron. XII 33) "And of the children of Issachar, men that had understanding of the times, ... the heads of them were two hundred": as the heads of the Sanhedrin they used to busy themselves with this, and in accordance with their fixing of the seasons and their calculation of intercalary years, **(19)** עמים THE PEOPLES of the tribes of Israel הר יקראו THEY CALL TO THE MOUNTAIN, *i.e.*, they assembled[1]) at Mount Moriah *on the Festivals; — it speaks of calling them there because* every assembly was (took place) *in general by* means of a summons to it — and שם THERE יזבחו THEY SACRIFICED on the Festivals, זבחי צדק SACRIFICES OF RIGHTEOUSNESS. כי שפע ימים יינקו FOR OF ABUNDANCE OF THE SEAS SHALL THEY — Issachar and Zebulun — SUCK, and they will consequently have leisure to busy themselves with the study of the Torah. ושפני טמוני חול *means*, covered things that are hidden in the sand — the Tarith (a kind of fish: Rashi in his comment on the Talmudical passage afterwards quoted states that it is the tunny fish), the Chalazon (from which purple dye was obtained) and white glass (all valuable articles of commerce) which come out of the sea and the sand. This was in the territory of Issachar and Zebulun, as it is stated in Treatise Megillah (6a): *The Scriptural text (Judg. V. 18) is to be explained as follows:* "Zebulun was a people that cursed his soul even unto death" because that "Naphtali was on the high places of the field", *i. e.*, Zebulun complained about his territory, *saying*, To my brothers thou hast given fields and vineyards (whilst to me thou hast given hilly and mountainous land; to my brothers thou hast given land whilst to me thou hast given seas and rivers! God replied, "All thy brethren will be in need of thee", as it states, "And the treasures hidden in the sand", which the Talmud goes on to explain are the marine creatures Rashi mentions above, deriving each of them from the words of the text, For they shall suck ... of the concealed treasures of the sea). ושפני has the meaning of "covering", as it is said (1 Kings VI. 9) "And he covered (ויספן) the house"; (ib. VII. 3) וספן בארז, which the Targum renders by: "And it was covered with panels of cedar". — Another explanation of עמים הר יקראו THEY CALL THE PEOPLES TO THE MOUNTAIN — Through Zebulun's trading, merchants of the world's nations will come to his land, he living at the coast, and they will say, "Since we have taken so much trouble to *reach* here, let us go to Jerusalem and see what is the God of this people and what are His doings". When they behold all Israel serving one God and eating one kind of food (only that which is permissible to them), *they are astonished* because as regards the other nations,

NOTES
1) See Appendix.

וּמִשְׁפָּטָיו עִם־יִשְׂרָאֵל: ס חמישי כב וּלְדָן אָמַר דָּן גּוּר אַרְיֵה יְזַנֵּק מִן־הַבָּשָׁן: כג וּלְנַפְתָּלִי אָמַר נַפְתָּלִי שְׂבַע רָצוֹן וּמָלֵא בִּרְכַּת יְהוָה יָם וְדָרוֹם יְרָשָׁה: ס כד וּלְאָשֵׁר אָמַר בָּרוּךְ מִבָּנִים אָשֵׁר יְהִי רְצוּי אֶחָיו וְטֹבֵל בַּשֶּׁמֶן רַגְלוֹ: כה בַּרְזֶל וּנְחֹשֶׁת מִנְעָלֶךָ וּכְיָמֶיךָ

אונקלוס

עִם יִשְׂרָאֵל: כב וּלְדָן אֲמַר דָּן תַּקִּיף כְּגוּר אַרְיָוָן אַרְעֵהּ שָׁתְיָא מִן נַחֲלַיָּא דְּנָגְדִין מִן מַתְנָן: כג וּלְנַפְתָּלִי אֲמַר נַפְתָּלִי שְׂבַע רַעֲוָא וּמְלֵי בִּרְכָן מִן קֳדָם יְיָ מַעֲרַב יַם גִּנּוֹסַר וְדָרוֹמָא יֵרַת: כד וּלְאָשֵׁר אֲמַר בְּרִיךְ מִבִּרְכַּת בְּנַיָּא אָשֵׁר יְהֵי רַעֲוָא לַאֲחוֹהִי וְיִתְרַבֵּי בְּתַפְנוּקֵי מַלְכִין: כה תַּקִּיף כְּפַרְזְלָא וּנְחָשָׁא וּכְיוֹמֵי עוּלֵימוּתָךְ

רש״י

גִּבּוֹרִים, וְכֵן הוּא אוֹמֵר וְאַתֶּם תַּעַבְרוּ חֲמֻשִׁים לִפְנֵי אֲחֵיכֶם וְגוֹ׳ (יהוש׳ א׳): צדקת ה׳ עשה. שֶׁהֶאֱמִינוּ דִּבְרֵיהֶם וְשָׁמְרוּ הַבְטָחָתָם לַעֲבוֹר אֶת הַיַּרְדֵּן עַד שֶׁכָּבְשׁוּ וְחָלְקוּ: דָּ״א ויתא משה ראשי עם, צדקת ה׳ עשה עַל מֹשֶׁה אָמוּר (עי׳ ספרי): (כב) דן גור אריה. אַף הוּא הָיָה סָמוּךְ לַסְּפָר, לְפִיכָךְ מוֹשְׁלוֹ בַּאֲרָיוֹת (שם): יזנק מן הבשן. כְּתַרְגּוּמוֹ, שֶׁהָיָה הַיַּרְדֵּן יוֹצֵא מֵחֶלְקוֹ מִמְּעָרַת פַּמְיָאס, וְהִיא לֶשֶׁם שֶׁהִיא בְּחֶלְקוֹ שֶׁל דָּן, שֶׁנֶּאֱמַר (יהוש׳ י״ט) וַיִּקְרְאוּ לְלֶשֶׁם דָּן, וְזִנּוּקוֹ וְקִלּוּחוֹ מִן הַבָּשָׁן. דָּ״א מַה זִּנּוּק זֶה יוֹצֵא מִמָּקוֹם אֶחָד וְנֶחֱלָק לִשְׁנֵי מְקוֹמוֹת, כָּךְ שִׁבְטוֹ שֶׁל דָּן נָטְלוּ חֵלֶק בִּשְׁנֵי מְקוֹמוֹת, תְּחִלָּה נָטְלוּ בִּצְפוֹנִית מַעֲרָבִית — עֶקְרוֹן וּסְבִיבוֹתֶיהָ — וְלֹא סָפְקוּ לָהֶם, וּבָאוּ וְנִלְחֲמוּ עִם לֶשֶׁם שֶׁהִיא פַּמְיָאס, וְהִיא בִּצְפוֹנוֹת מִזְרָחִית — שֶׁהֲרֵי הַיַּרְדֵּן יוֹצֵא מִמְּעָרַת פַּמְיָאס וְהוּא בְּמִזְרָחָהּ שֶׁל אֶרֶץ יִשְׂרָאֵל וּבָא מֵהַצָּפוֹן לַדָּרוֹם, וְכָלֶה בִּקְצֵה יָם הַמֶּלַח שֶׁהוּא בְּמִזְרַח יְהוּדָה שֶׁנָּטַל בִּדְרוֹמָהּ שֶׁל אֶרֶץ יִשְׂרָאֵל — כְּמוֹ שֶׁמְּפֹרָשׁ בְּסֵפֶר יְהוֹשֻׁעַ, וְהוּא שֶׁנֶּאֱמַר (שם) וַיֵּצֵא גְּבוּל בְּנֵי דָן מֵהֶם וַיַּעֲלוּ בְנֵי דָן וַיִּלָּחֲמוּ עִם לֶשֶׁם וְגוֹ׳ — יָצָא גְּבוּלָם מִכָּל אוֹתוֹ הָרוּחַ שֶׁהִתְחִילוּ לִנְחוֹל בּוֹ (ספרי): (כג) שבע רצון. שֶׁהָיְתָה אַרְצוֹ שְׂבֵעָה כָּל רְצוֹן יוֹשְׁבֶיהָ: ים ודרום ירשה. יָם כִּנֶּרֶת נָפְלָה בְּחֶלְקוֹ, וְנָטַל מְלֹא חֶבֶל חֵרֶם בִּדְרוֹמָהּ, לִפְרוֹשׂ חֲרָמִים וּמִכְמוֹרוֹת (ב״ק פ״א): ירשה. לְשׁוֹן צִוּוּי, כְּמוֹ עֲלֵה רֵשׁ (דב׳ א׳), וְהַטַּעַם שֶׁלְּמַעְלָה בְּרֵי״שׁ מוֹכִיחַ, כְּמוֹ סְלַח, יְדַע, לְקַח, שְׁמַע, כְּשֶׁמּוֹסִיף בּוֹ ה״א יִהְיֶה הַטַּעַם לְמַעְלָה סְלָחָה, יְדָעָה, לְקָחָה, שְׁמָעָה, אַף כָּאן יְרָשָׁה לְשׁוֹן צִוּוּי, וּבְמָסוֹרֶת הַגְּדוֹלָה מָצִינוּ בְּאַלְפָא בֵּיתָא לְשׁוֹן צִוּוּי דְּטַעְמֵיהוֹן מִלְעֵיל: (כד) ברוך מבנים אשר. רָאִיתִי בְּסִפְרֵי אֵין לְךָ בְּכָל הַשְּׁבָטִים שֶׁנִּתְבָּרֵךְ בְּבָנִים כְּאָשֵׁר וְאֵינִי יוֹדֵעַ כֵּיצַד: יהי רצוי אחיו. שֶׁהָיָה מִתְרַצֶּה לְאֶחָיו בְּשֶׁמֶן אַנְפִּיקִינוֹן וּבְקַפְלָאוֹת, וְהֵם מְרַצִּין לוֹ בִּתְבוּאָה. דָּ״א יהי רצוי אחיו שֶׁהָיוּ בְּנוֹתָיו נָאוֹת, וְהוּא שֶׁנֶּאֱמַר בְּדִבְרֵי הַיָּמִים (דבה״א ז׳) הוּא אֲבִי בִרְזָיִת, שֶׁהָיוּ בְּנוֹתָיו נְשׂוּאוֹת לְכֹהֲנִים גְּדוֹלִים וּמְלָכִים הַנִּמְשָׁחִים בְּשֶׁמֶן זַיִת: וטבל בשמן רגלו. שֶׁהָיְתָה אַרְצוֹ מוֹשֶׁכֶת שֶׁמֶן כְּמַעְיָן, וּמַעֲשֶׂה שֶׁנִּצְטָרְכוּ אַנְשֵׁי לוּדְקִיָּא לְשֶׁמֶן, מִנּוּ לָהֶם פּוּלְמוּסְטוּס אֶחָד, כו׳ כִּדְאִיתָא בִּמְנָחוֹת (דף פ״ה): (כה) ברזל ונחשת מנעלך. עַכְשָׁו הוּא מְדַבֵּר כְּנֶגֶד כָּל יִשְׂרָאֵל שֶׁהָיוּ גִּבּוֹרֵיהֶם יוֹשְׁבִים בְּעָרֵי הַסְּפָר וְנוֹעֲלִים אוֹתָהּ שֶׁלֹּא יוּכְלוּ הָאוֹיְבִים לִכָּנֵס בָּהּ, כְּאִילוּ הִיא סְגוּרָה בְּמַנְעוּלִים וּבְרִיחִים שֶׁל בַּרְזֶל וּנְחֹשֶׁת. דָּ״א ברזל ונחשת מנעלך — אַרְצְכֶם נְעוּלָה בֶּהָרִים שֶׁחוֹצְבִין מֵהֶם בַּרְזֶל וּנְחֹשֶׁת, וְאַרְצוֹ שֶׁל אָשֵׁר הָיְתָה מַנְעוּלָהּ שֶׁל אֶרֶץ יִשְׂרָאֵל (ספרי): וכימיך דבאך. וּכְיָמִים שֶׁהֵם טוֹבִים לְךָ, שֶׁהֵן יְמֵי תְחִלָּתְךָ, יְמֵי נְעוּרֶיךָ, כֵּן יִהְיוּ יְמֵי זִקְנָתְךָ, שֶׁהֵם דּוֹאֲבִים זָבִים וּמִתְמוֹטְטִים. דָּ״א וכימיך דבאך כְּמִנְיַן יָמֶיךָ — כָּל הַיָּמִים אֲשֶׁר אַתֶּם עוֹשִׂים רְצוֹנוֹ שֶׁל מָקוֹם — יִהְיֶה דָבְאֶךָ, שֶׁכָּל הָאֲרָצוֹת

and his judgments with Israel. [22]And of Dan he said, Dan *is* a lion's whelp: he shall leap from Bashan. [23]And of Naphtali he said, O Naphtali, satisfied with favour, and full with the blessing of the Eternal: possess thou the west and the south. [24]And of Asher he said, *Let* Asher *be* blessed among sons; let him be acceptable to his brethren, and let him dip his foot in oil. [25]Thy *door*-locks *shall be* iron and copper; and as thy

רש"י

the god of one is not as the god of another, and the food of one is not as the food of another, so that they will say, "There is no nation as worthy as this". and they will therefore become proselytes to Judaism there, as it is said, "There shall they sacrifice sacrifices of righteousness" (Siphre). כי שפע ימים יינקו FOR OF THE ABUNDANCE OF THE SEAS SHALL THEY SUCK — "*they*" *means* Zebulun and Issachar; *for* the sea will give them wealth in abundance. **(20)** ברוך מרחיב גד BLESSED BE HE THAT ENLARGES GAD — this teaches us that Gad's territory extended far eastward[1]) (Siphre). כלביא שכן HE DWELLETH AS A LIONESS — Because he was near the border it therefore compares him to lions, for all who are near the border must be strong (that they may repulse attacks from neighbours[2]). וטרף זרוע אף קדקד TEARING THE ARM WITH THE CROWN OF THE HEAD — Those whom they slew could be easily recognised, because they used to cut off the head together with the arm at one blow. **(21)** וירא ראשית לו AND HE SAW THE FIRST PART FOR HIMSELF — *i. e.* he saw good to take for himself territory in the land of Sihon and Og, the subjugation of which was the beginning (ראשית) of the conquest of the Land, כי שם חלקת BECAUSE THERE WAS THE PORTION — *i. e.*, because h e k n e w that there in his territory was the portion of the field where was the grave of the מחקק, THE LAWGIVER, viz., Moses[3]), ספון HIDDEN — *i. e.* that field was hidden and concealed from every creature, as it is said (XXXIV. 6) "And no man knoweth his burial place". ויתא AND HE CAME — *i. e.* Gad *came* ראשי עם AT THE HEAD OF THE PEOPLE — They (the men of Gad) marched b e f o r e the armed men at the conquest of the Land, because they were mighty[4]), and thus does it state *that Joshua said to them*, (Josh. I. 14) "Ye shall pass armed b e f o r e your brethren, etc.". צדקת ה׳ עשה HE DID THE RIGHTEOUSNESS OF THE LORD — because they proved true to their word and kept their promise to cross the Jordan *and to remain there* until they (the Israelites) had conquered it and divided it *amongst the tribes*. Another explanation: ויתא AND HE — the *Lawgiver*, Moses — CAME ראשי עם AT THE HEAD OF THE PEOPLE, צדקת ה׳ עשה HE DID THE RIGHTEOUSNESS OF THE LORD — This, *too*, is spoken of Moses (cf. Siphre). **(22)** דן גור אריה DAN IS A LION'S WHELP — He, too, lived close to the border, and therefore it compares him to a lion (Siphre). יזנק מן הבשן HE SHALL LEAP FROM BASHAN — *Understand this* as the Targum *has it*: ("His land drinketh of the rivers that flow from Bashan") — for the Jordan issued from his territory (ירדן = ירד דן, "It comes down from Dan") — from the cave of Pameas that is identical with Leshem which is in the territory of Dan (cf. Bech. 55a), as it is said, (Josh. XIX. 47) "And they called Leshem, Dan", but its spurting (זנוק) and gushing forth (the source of the river) was from Bashan[5]). *Another explanation is:* Just as a gush of water issues from one place and divides itself *afterwards* into two directions, similarly the tribe of Dan took a portion in two places: first they took in the northwest, Ekron and its adjoining parts, and this did not suffice them, so they came and fought against Leshem, which is Pameas. and is in the north-east, — because the Jordan issued from the cave of Pameas which is in the east of the land of Israel and goes from north to south and ends at the extremity of the Salt Sea which is in the east of Judah

NOTES

1) The territory of this tribe was on the Eastern side of Jordan, and could extend therefore only towards the East.

For Notes 2—5 see Appendix.

דָּבְאֶֽךָ׃ כו אֵ֥ין כָּאֵ֖ל יְשֻׁר֑וּן רֹכֵ֤ב שָׁמַ֙יִם֙ בְּעֶזְרֶ֔ךָ וּבְגַאֲוָת֖וֹ שְׁחָקִֽים׃ ששי כז מְעֹנָה֙ אֱלֹ֣הֵי קֶ֔דֶם וּמִתַּ֖חַת זְרֹעֹ֣ת עוֹלָ֑ם וַיְגָ֧רֶשׁ מִפָּנֶ֛יךָ אוֹיֵ֖ב וַיֹּ֥אמֶר הַשְׁמֵֽד׃ כח וַיִּשְׁכֹּן֩ יִשְׂרָאֵ֨ל בֶּ֜טַח בָּדָ֗ד עֵ֣ין יַעֲקֹ֔ב אֶל־אֶ֖רֶץ דָּגָ֣ן וְתִיר֑וֹשׁ אַף־שָׁמָ֖יו יַ֥עַרְפוּ טָֽל׃ כט אַשְׁרֶ֨יךָ יִשְׂרָאֵ֜ל מִ֣י כָמ֗וֹךָ עַ֚ם נוֹשַׁ֣ע בַּֽיהוָ֔ה מָגֵ֣ן עֶזְרֶ֔ךָ וַאֲשֶׁר־חֶ֖רֶב גַּאֲוָתֶ֑ךָ וְיִכָּחֲשׁ֤וּ אֹיְבֶ֙יךָ֙ לָ֔ךְ וְאַתָּ֖ה עַל־בָּמוֹתֵ֥ימוֹ תִדְרֹֽךְ׃ ס שביעי לד א וַיַּ֨עַל מֹשֶׁ֜ה מֵעַרְבֹ֤ת מוֹאָב֙

אונקלוס

תָּקְפָּךְ׃ כו לֵית אֱלָהָא כֶּאֱלָהָא דְיִשְׂרָאֵל דִשְׁכִנְתֵּהּ בִּשְׁמַיָּא בְּסַעֲדָךְ וְתָקְפֵּהּ בִּשְׁמֵי שְׁמַיָּא׃ כז מְדוֹר אֱלָהָא דִי מִלְּקַדְמִין בְּמֵימְרֵהּ אִתְעֲבֵד עָלְמָא וְתָרֵיךְ מִקֳּדָמָךְ סָנְאָה וַאֲמַר שֵׁיצִי׃ כח וּשְׁרָא יִשְׂרָאֵל לְרוֹחְצָן בִּלְחוֹדוֹהִי כְּעֵין בִּרְכְתָא דְבָרְכִנּוּן יַעֲקֹב אֲבוּהוֹן לְאַרְעָא עָבְדָא עֲבוּר וַחֲמַר אַף שְׁמַיָּא דְעִלָּוֵיהוֹן יְשַׁמְשְׁנוּן בְּטַלָּא׃ כט טוּבָךְ יִשְׂרָאֵל לֵית דִּכְוָתָךְ עַמָּא דְּפֻרְקָנֵהּ (מִן) קֳדָם יְיָ תְּקוֹף בְּסַעֲדָךְ וּדְמִן קֳדָמוֹהִי נִצְחָן גְּבוּרְתָךְ וִיכַדְבוּן סָנְאָךְ לָךְ וְאַתְּ עַל פְּרִיקַת צַוְּארֵי מַלְכֵיהוֹן תִּדְרוֹךְ׃ א וּסְלֵיק מֹשֶׁה מִמֵּישְׁרָא דְמוֹאָב לְטוּרָא דִנְבוֹ רֵישׁ רָמָתָא דִי עַל אַפֵּי יְרֵחוֹ

רש"י

יִהְיוּ דוֹבְאוֹת כֶּסֶף וְזָהָב לְאֶרֶץ יִשְׂרָאֵל, שֶׁתְּהֵא מְבֹרֶכֶת בְּפֵרוֹת וְכָל הָאֲרָצוֹת מִתְפַּרְנְסוֹת הֵימֶנָּה וּמַמְשִׁיכוֹת לָהּ כַּסְפָּם וּזְהָבָם, אשקו"רנט, הַכֶּסֶף וְהַזָּהָב כָּלֶה מֵהֶם שֶׁהֵן מְזִיבוֹת אוֹתוֹ לְאַרְצְכֶם: (כו) אין כאל ישרון. דַּע לְךָ יְשֻׁרוּן שֶׁאֵין כָּאֵל בְּכָל אֱלֹהֵי הָעַמִּים וְלֹא כְּצוּרְךָ צוּרָם: רכב שמים. הוּא אוֹתוֹ אֱלוֹהַּ שֶׁבְּעֶזְרֶךָ וּבְגַאֲוָתוֹ הוּא רוֹכֵב שְׁחָקִים: (כז) מענה אלהי קדם. לְמָעוֹן הֵם הַשְּׁחָקִים לֵאלֹהֵי קֶדֶם, שֶׁקָּדַם לְכָל אֱלֹהִים וּבֵרַר לוֹ שְׁחָקִים לְשִׁבְתּוֹ וּמְעוֹנָתוֹ, וּמִתַּחַת מְעוֹנָתוֹ כָּל בַּעֲלֵי זְרוֹעַ שׁוֹכְנִים: זרעת עולם. סִיחוֹן וְעוֹג וּמַלְכֵי כְנַעַן שֶׁהָיוּ תָקְפּוֹ וּגְבוּרָתוֹ שֶׁל עוֹלָם, לְפִיכָךְ עַל כָּרְחָם יֶחֶרְדוּ וְיָזוּעוּ וְכֹחָם חָלַשׁ מִפָּנָיו, לְעוֹלָם אֵימַת הַגָּבוֹהַּ עַל הַנָּמוּךְ, וְהוּא שֶׁהַכֹּחַ וְהַגְּבוּרָה שֶׁלּוֹ בְּעֶזְרֶךָ: ויגרש מפניך אויב. ויאמר לך השמד אוֹתָם: מענה. כָּל תֵּיבָה שֶׁצְּרִיכָה לָמֶ"ד בִּתְחִלָּתָהּ הֵטִּיל לָהּ הֵ"א בְּסוֹפָהּ (יב' י"ג): (כח) בטח בדד. כָּל יָחִיד וְיָחִיד אִישׁ תַּחַת גַּפְנוֹ וְתַחַת תְּאֵנָתוֹ מְפֻזָּרִין וְאֵין צְרִיכִין לְהִתְאַסֵּף וְלֵישֵׁב יַחַד מִפְּנֵי הָאוֹיֵב: עין יעקב. כְּמוֹ וְעֵינוֹ כְּעֵין הַבְּדֹלַח (במ' י"א) כְּעֵין הַבְּרָכָה שֶׁבֵּרְכָם יַעֲקֹב, לֹא כְבָדָד שֶׁאָמַר יִרְמְיָה בָּדָד יָשַׁבְתִּי (יר' ט"ו), אֶלָּא כְּעֵין הַבְטָחָה שֶׁהִבְטִיחָם יַעֲקֹב (בר' מ"ח) וְהָיָה אֱלֹהִים עִמָּכֶם וְהֵשִׁיב אֶתְכֶם אֶל אֶרֶץ אֲבֹתֵיכֶם (עי' ספרי): יערפו. יִטְּפוּ: אף שמיו יערפי טל. אַף בִּרְכָתוֹ שֶׁל יִצְחָק נוֹסֶפֶת עַל בִּרְכָתוֹ שֶׁל יַעֲקֹב וְיִתֶּן לְךָ הָאֱלֹהִים מִטַּל הַשָּׁמַיִם וגו': (כט) אשריך ישראל. לְאַחַר שֶׁפֵּרַט לָהֶם הַבְּרָכוֹת, אָמַר לָהֶם מַה לִּי לִפְרוֹט לָכֶם כָּל דָּבָר? הַכֹּל שֶׁלָּכֶם: אשריך, מי כמוך, תְּשׁוּעָתְךָ בַּה', אֲשֶׁר הוּא מגן עזרך וחרב גאותך: ויכחשו איביך לך. כְּגוֹן הַגִּבְעוֹנִים שֶׁאָמְרוּ מֵאֶרֶץ רְחוֹקָה בָּאוּ עֲבָדֶיךָ וגו' (יהוש' ט'): ואתה על במותימו תדרך. כְּעִנְיָן שֶׁנֶּאֱמַר שִׂימוּ אֶת רַגְלֵיכֶם עַל צַוְּארֵי הַמְּלָכִים הָאֵלֶּה (שם י'):

days, *so shall* thy strength *be*. 26*There is* none like unto God, O Jeshurun, *who* rideth upon the heaven in thy help, and in his excellency on the sky. 27The God of ancient times *is thy* refuge, and underneath *are* the everlasting arms: and he shall drive away the enemy from before thee; and shall say, Exterminate! 28Israel dwelled in safety: the fountain of Jacob is solitary upon a land of corn and must; also his heavens shall drop down dew. 29Happy *art* thou, O Israel: who *is* like unto thee, O people saved by the Eternal, the shield of thy help, and who *is* the sword of thy excellency! and thine enemies shall be found liars unto thee; and thou shalt tread upon their high places.

34. 1And Moses went up from the plains of Moab unto the

רש״י

who took *his territory* in the southern part of the Land of Israel[1]), as is set forth in the Book of Joshua, and that is *the meaning of* what is said (Josh. XIX. 47) "And the border of the children of Dan went forth from them; for the children of Dan went up and fought against Leshem ... [and possessed it and dwelt therein]", *i. e.*, their border went forth from all that direction in which they first took their inheritance (Siphre). **(23)** שבע רצון [NAPHTALI IS] SATISFIED WITH DESIRE — *it means* that his land was full of everything that its inhabitants could desire. ים ודרום ירשה POSSESS THOU THE WEST (lit., the sea) AND THE SOUTH — The sea of Chinnereth fell to his portion and he received on its south a rope's length of fishing-coast for spreading out his nets and meshes (B. Kam. 81b; cf. Siphre). ירשה — *This word is* a form of the imperative, as *is the verb in* (I. 21), "Go up and take possession (רֵש)". The accent that is penultimate, on the ר, proves this. Just as *in the case of the ordinary imperative forms of the verbs*, סלח, ידע, לקח, שמע, when one adds a ה *at the end* the accent will be penultimate, *viz.*, סלחה, ידעה, לקחה, שמעה, here also ירשה is an imperative form[2]) In the Massora Magna we find *it included* in an alphabetical register of imperative forms the accent of which is on the penultima. **(24)** ברוך מבנים אשר LET ASHER BE BLESSED AMONGST SONS (or, "on account of sons") — I have found in the Siphre the following: You will find none of the tribes who was so blessed with children as Asher, but I do not know how this was so[3]). יהי רצוי אחיו LET HIM BE ACCEPTED OF HIS BRETHREN — *and this was so* for he favoured (רצה) his brother-tribes with oil of unripe olives (used for anointing the body) and fine fruits, and they paid him (רצה) with grain. — Another

NOTES

For Notes 1—3 see Appendix.

רש״י

explanation of יהי רצוי אחיו HE WILL BE ACCEPTABLE TO HIS BRETHREN — *this was so* because his daughters were beautiful (and were much sought in marriage), and this is what is stated in Chronicles (1 VII. 31) ["The sons of Asher . . . Malchiel] who was the father of ברזית", *which is explained to mean:* that his daughters were married to High Priests and Kings who were anointed with olive oil (זית) (Gen. R. 71; cf. Rashi on this verse). וטבל בשמן רגלו AND LET HIM DIP HIS FOOT IN OIL — *it means* that his land flowed with oil as a fountain: once it happened that the people of Laodicia were in need of oil; they appointed an agent (to purchase a large quantity and were able to do so only at a city of Asher; see Rashi on Gen. XLIX. 20), as it is related in Menachoth (85b). **(25)** ברזל ונחשת מנעלך THY LOCKS SHALL BE IRON AND COPPER — He is now addressing all Israel: *This prophecy was fulfilled* because their mighty men used to dwell in the border cities and, *as it were,* locked it (the country) so that the enemy should not be able to invade it, as though it were closely shut by locks and bars of iron and copper. Another explanation of ברזל ונחשת מנעלך: your land is locked in (surrounded) by mountains from which iron and copper is hewn, and the country of Asher was the "lock" of the Land of Israel (Siphre). וכימיך דבאך AND AS THY DAYS SO SHALL BE דבאך — *i.e.* and as the days that are thy best, — that is, the days of thy beginning, the days of thy youth, so shall be the days of thy old age, which דואבים. *i.e.* which flow away and decline (דבאך therefore means: the period of thy decline). Another explanation of וכימיך דבאך: as the number of thy days — all the days when thou didst perform the will of the Omnipresent, — shall be דבאך, thy flowing, *i.e.*, referring to the fact that all countries will make gold and silver f l o w into the land of Israel, because it will be blessed with fruits, and all countries will take their supply *of fruit* from it and will, *in payment,* pour into it their silver and gold; askorant *in O.F.: thus* their silver and gold will come to an end, because they will pour it into your land. **(26)** אין כאל ישרון THERE IS NONE LIKE GOD, O JESHURUN — Know, O Israel, that there is none like God amongst all the gods of the peoples, and that their rock is not as thy Rock. רכב שמים — *The meaning is:* A RIDER UPON THE HEAVEN is the God who is thy help, ובגאותו שחקים AND IN HIS MAJESTY HE RIDES UPON THE SKIES[1]). **(27)** מענה אלהי קדם. A DWELLING PLACE FOR THE ANCIENT GOD (This must be connected with the preceding): — The skies serve as a dwelling place for the ancient God, *i. e. the God* Who pre-existed (קדם) all gods, for He selected the skies as His residence and dwelling place[2]), ומתחת AND BENEATH His dwelling place, all the mighty men (men of strong arm, זרוע) dwell. זרעת עולם THE ARMS OF THE WORLD *are men such as* Sihon and Og and the kings of Canaan who were the strength and might of the world. Therefore, *since they are b e n e a t h God's dwelling place,* in spite

NOTES

1) See Appendix.

2) The translation therefore is: And in His majesty He rides upon the skies which He chose as a dwelling place for the Eternal God.

רש"י

of themselves they must tremble and quake, and their power prove frail in His presence, for always the fear of the one above falls upon him below, so that He, *being above,* to Whom therefore belong strength and power, is thy help. ויגרש מפניך אויב AND HE DROVE OUT THE ENEMY FROM BEFORE THEE, ויאמר AND HE SAID to thee השמד DESTROY them! מענה — Every word that requires ל at its beginning, place (you may place) a ה at its end *instead* (Jeb. 13b)[1]. בטח בדד [THEREFORE ISRAEL DWELT] IN SAFETY, ALONE — *This means,* every individual *dwelling* "each under his vine and under his fig-tree" (בטח; cf. 1 Kings V. 5 where the words Rashi quotes are preceded by לבטח), separated one from another (בדד, "alone"), because *after the enemy was driven out, as stated in the preceding verse,* they had no need to come together and to dwell in company on account of the enemy. עין יעקב — *The word* עין *has* the same meaning *here* as *in* (Num. XI. 7) "And its appearance (עינו) was as the appearance (עין) of Bdellium" (i. e., the word עין is used as a term of comparison, "as", "like"). *The meaning is: And Israel dwelt alone,* conformably to the blessing with which Jacob blessed them (cf. Targum); not like the בדד which J e r e m i a h used, (Jer. XV. 17), *viz.,* "I sat alone (בדד) [because of thy hand, for thou hast filled me with Thy indignation]", but conformably to the assurance which Jacob gave them, (Gen. XLVIII. 20) "And God shall be with you, and bring you back to the land of your fathers" (cf. Siphre)[2]. יערפו *means* THEY WILL DRIP. אף שמיו יערפו טל ALSO HIS HEAVENS SHALL DRIP DEW — Also Isaac's blessing will be added to Jacob's blessing: "And God shall give thee of the d e w o f h e a v e n, etc." (Gen. XXVII. 28). **(29)** אשריך ישראל HAPPY ART THOU, O ISRAEL — After he had recited unto them all these blessings in detail, he said to them, "Why should I detail e v e r y t h i n g to you? E v e r y t h i n g is yours: אשריך ... מי כמוך HAPPY ART THOU! ... WHO IS LIKE UNTO THEE! Thy help is in God (נושע בה'), Who is מגן עזרך THE SHIELD OF THY HELP and חרב גאותך THE SWORD OF THY EXCELLENCY; ויכחשו איביך לך AND THY ENEMIES SHALL DENY THEMSELVES AS SUCH UNTO THEE, e. g., the Gibeonites who said, (Joshua IX. 9) "Thy servants have come from a far land, etc." ואתה על במותימו תדרך AND THOU SHALT TREAD UPON THEIR HIGH PLACES, just as it is said, (ib. X. 24) "Put your feet upon the necks of these kings" (cf. Onkelos).

NOTES

1) This rule as formulated in the Talmud refers only to the locative ל, as in מצרימה which is equivalent to למצרים, "t o Egypt". Here Rashi applies it to the ל such as we find in XXVIII. 9: יקימך ... לעם, "He will establish thee a s a people". According to him, a verb has to be supplied: "And in His majesty He rides upon the skies, which He c h o s e as a dwelling place, etc.". The ה suffix of this character is usually toneless, the preceding syllable being accented, whilst here it has the tone. The singular form מענה as the equivalent of מעון occurs in Amos III. 4, and Ps. LXXVI. 3. Rashi appears to have been driven to this explanation of the ה in order to connect מענה with the preceding שחקים.

2) See Appendix.

אֶל־הַר נְבוֹ רֹאשׁ הַפִּסְגָּה אֲשֶׁר עַל־פְּנֵי יְרֵחוֹ
וַיַּרְאֵהוּ יְהוָה אֶת־כָּל־הָאָרֶץ אֶת־הַגִּלְעָד עַד־דָּן׃
ב וְאֵת כָּל־נַפְתָּלִי וְאֶת־אֶרֶץ אֶפְרַיִם וּמְנַשֶּׁה וְאֵת
כָּל־אֶרֶץ יְהוּדָה עַד הַיָּם הָאַחֲרוֹן׃ ג וְאֶת־הַנֶּגֶב
וְאֶת־הַכִּכָּר בִּקְעַת יְרֵחוֹ עִיר הַתְּמָרִים עַד־צֹעַר׃
ד וַיֹּאמֶר יְהוָה אֵלָיו זֹאת הָאָרֶץ אֲשֶׁר נִשְׁבַּעְתִּי
לְאַבְרָהָם לְיִצְחָק וּלְיַעֲקֹב לֵאמֹר לְזַרְעֲךָ אֶתְּנֶנָּה
הֶרְאִיתִיךָ בְעֵינֶיךָ וְשָׁמָּה לֹא תַעֲבֹר׃ ה וַיָּמָת שָׁם
מֹשֶׁה עֶבֶד־יְהוָה בְּאֶרֶץ מוֹאָב עַל־פִּי יְהוָה׃ ו וַיִּקְבֹּר

אונקלוס

וְאַחֲזְיֵיהּ יְיָ יָת כָּל אַרְעָא יָת גִּלְעָד עַד דָּן׃ ב וְיָת כָּל נַפְתָּלִי וְיָת אַרְעָא דְאֶפְרַיִם וּמְנַשֶּׁה וְיָת כָּל אַרְעָא דִיהוּדָה עַד יַמָּא מַעַרְבָא׃ ג וְיָת דָּרוֹמָא וְיָת מֵישְׁרָא בִּקְעֲתָא דִירֵחוֹ קַרְתָּא דְדִקְלַיָא עַד צֹעַר׃ ד וַאֲמַר יְיָ לֵהּ דָּא אַרְעָא דִי קַיֵּמִית לְאַבְרָהָם לְיִצְחָק וּלְיַעֲקֹב לְמֵימַר לִבְנָיךְ אֶתְּנִנַּהּ אַחֲזִיתָךְ בְּעֵינָךְ וּלְתַמָּן לָא תִעְבַּר׃ ה וּמִית תַּמָּן מֹשֶׁה עַבְדָּא דַיְיָ בְּאַרְעָא דְמוֹאָב עַל מֵימְרָא דַיְיָ׃ ו וּקְבַר

רש״י

לד (א) מערבת מואב אל הר נבו. כַּמָּה מַעֲלוֹת הָיוּ וּפְסָעָן מֹשֶׁה בִּפְסִיעָה אַחַת (סוטה י״ג)׃ את כל הארץ. הֶרְאָהוּ אֶת כָּל אֶרֶץ יִשְׂרָאֵל בְּשַׁלְוָתָהּ וְהַמְּצִיקִין הָעֲתִידִים לִהְיוֹת מְצִיקִין לָהּ׃ עד דן. הֶרְאָהוּ בְּנֵי דָן עוֹבְדִים עֲבוֹדָה זָרָה, שֶׁנֶּאֱמַר (שופ׳ י״ח) וַיָּקִימוּ לָהֶם בְּנֵי דָן אֶת הַפָּסֶל, וְהֶרְאָהוּ שִׁמְשׁוֹן שֶׁעָתִיד לָצֵאת מִמֶּנּוּ לְמוֹשִׁיעַ׃ (ב) ואת כל נפתלי. הֶרְאָהוּ אַרְצוֹ בְּשַׁלְוָתָהּ וְחֻרְבָּנָהּ, וְהֶרְאָהוּ דְבוֹרָה וּבָרָק מִקֶּדֶשׁ נַפְתָּלִי נִלְחָמִים עִם סִיסְרָא וְחַיָּלוֹתָיו׃ ואת ארץ אפרים ומנשה. הֶרְאָהוּ אַרְצָם בְּשַׁלְוָתָהּ וּבְחֻרְבָּנָהּ, וְהֶרְאָהוּ יְהוֹשֻׁעַ נִלְחָם עִם מַלְכֵי כְנַעַן שֶׁבָּא מֵאֶפְרַיִם, וְגִדְעוֹן שֶׁבָּא מִמְּנַשֶּׁה נִלְחָם עִם מִדְיָן וַעֲמָלֵק׃ ואת כל ארץ יהודה. בְּשַׁלְוָתָהּ וּבְחֻרְבָּנָהּ, וְהֶרְאָהוּ מַלְכוּת בֵּית דָּוִד וְנִצְחוֹנָם׃ עד הים האחרון. אֶרֶץ הַמַּעֲרָב בְּשַׁלְוָתָהּ וּבְחֻרְבָּנָהּ; דָּ״אַ אַל תִּקְרֵי הַיָּם הָאַחֲרוֹן אֶלָּא הַיּוֹם הָאַחֲרוֹן, הֶרְאָהוּ הַקָּבָּ״ה כָּל הַמְּאֹרָעוֹת שֶׁעֲתִידִין לֶאֱרֹעַ לְיִשְׂרָאֵל עַד שֶׁיִּחְיוּ הַמֵּתִים (ספרי)׃ (ג) ואת הנגב. אֶרֶץ הַדָּרוֹם. דָּ״אַ מְעָרַת הַמַּכְפֵּלָה שֶׁנֶּאֱמַר וַיַּעֲלוּ בַנֶּגֶב וַיָּבֹא עַד חֶבְרוֹן (במ׳ י״ג)׃ ואת הככר. הֶרְאָהוּ שְׁלֹמֹה יוֹצֵק כְּלֵי בֵית הַמִּקְדָּשׁ, שֶׁנֶּאֱמַר (מ״א ז׳) בְּכִכַּר הַיַּרְדֵּן יְצָקָם הַמֶּלֶךְ בְּמַעֲבֵה הָאֲדָמָה (ספרי)׃ (ד) לאמר לזרעך אתננה הראיתיך. כְּדֵי שֶׁתֵּלֵךְ וְתֹאמַר לְאַבְרָהָם לְיִצְחָק וּלְיַעֲקֹב, שְׁבוּעָה שֶׁנִּשְׁבַּע לָכֶם הַקָּבָּ״ה קִיְּמָהּ. וְזֶהוּ לֵאמֹר, לְכָךְ הֶרְאִיתִיהָ לְךָ, אֲבָל גְּזֵרָה הִיא מִלְּפָנַי שֶׁשָּׁמָּה לֹא תַעֲבֹר, שֶׁאִלּוּלֵי כָךְ הָיִיתִי מְקַיֶּמְךָ עַד שֶׁתִּרְאֶה אוֹתָם נְטוּעִים וּקְבוּעִים בָּהּ וְתֵלֵךְ וְתַגִּיד לָהֶם׃ (ה) וימת שם משה. אֶפְשָׁר מֹשֶׁה מֵת וְכָתַב וימת שם משה? אֶלָּא עַד כָּאן כָּתַב מֹשֶׁה, מִכָּאן וְאֵילָךְ כָּתַב יְהוֹשֻׁעַ. רַבִּי מֵאִיר אוֹמֵר אֶפְשָׁר סֵפֶר הַתּוֹרָה חָסֵר כְּלוּם וְהוּא אוֹמֵר לָקֹחַ אֵת סֵפֶר הַתּוֹרָה הַזֶּה? אֶלָּא הַקָּבָּ״ה אוֹמֵר וּמֹשֶׁה כוֹתֵב בְּדֶמַע (ספרי; ב״ב ט״ו,

mountain of Nebo, to the top of Pisgah, that *is* over against Jericho. And the Eternal shewed him all the land of Gilead, unto Dan. [2]And all Naphtali, and the land of Ephraim, and Manasseh, and all the land of Judah, unto the hindmost sea. [3]And the south, and the district, the deep valley of Jericho, the city of palm trees, unto Zoar. [4]And the Eternal said unto him, This *is* the land which I sware unto Abraham, unto Isaac, and unto Jacob, saying, I will give it unto thy seed: I have caused thee to see *it* with thine eyes, but thou shalt not pass over thither. [5]So Moses the servant of the Eternal died there in the land of Moab, according to the word of the Eternal. [6]And he buried

רש"י

34. (1) מערבת מואב אל הר נבו [AND MOSES WENT UP] FROM THE PLAINS OF MOAB TO MOUNT NEBO — There were several gradients *leading from the plain to the summit,* but Moses covered them in one step[1]) (Sota 13b). את כל הארץ [AND THE LORD SHOWED HIM] ALL THE LAND — He showed him all the land of Israel in its prosperity and the oppressors who in future time would oppress it. עד דן UNTO DAN — He showed him the children of Dan practising idolatry, as it is said, (Judg. XVIII. 30) "And the sons of Dan erected the graven image for themselves"; and He showed him *also* Samson who would in the future issue from him (Dan) as a deliverer (Siphre). **(2)** ואת כל נפתלי AND ALL NAPHTALI — He showed him his land *both* in its prosperity and in its ruin; and He showed him *also* Deborah and Barak of Kadesh-Naphtali warring with Sisera and his armies. ואת ארץ אפרים ומנשה AND THE LAND OF EPHRAIM AND MANASSEH — He showed him their land in its prosperity and in its ruin; and He showed him *also* Joshua who descended from Ephraim warring with the kings of Canaan, and Gideon who descended from Manasseh warring with Midian and Amalek. ואת כל ארץ יהודה AND ALL THE LAND OF JUDAH, in its prosperity and in its ruin; and He showed him *also* the kings of the house of Judah and their victories. ועד הים האחרון UNTO THE UTTERMOSR SEA — *i. e.,* the west country, in its properity and its ruin. — Another explanation: Read *this as though it did* not *state* הים האחרון but היום האחרון [UNTO] THE LATEST DAY — The Holy One, blessed be He, showed him all that would in future happen to Israel unto *the latest day* when the dead will again live (Siphre). **(3)** ואת הנגב *means* THE SOUTH COUNTRY. — Another explanation is, *that it refers to* the cave of Machpelah (which was in the Negeb), as it is said, (Num. XIII. 22) "And they went up to the south country, and came to Hebron" (where this cave was situated). ואת הככר AND THE PLAIN — He showed him Solomon casting the vessels of the Temple, as it is said, (1 Kings VII. 46) "In the plain (ככר) of the Jordan did the king cast them in the thick clay" (Siphre). **(4)** לאמר לזרעך אתננה הראיתיך TO SAY, TO THY SEED WILL I GIVE IT, I HAVE LET THEE SEE IT, *i. e.* in order that thou mayest go and say to Abraham, to Isaac and to Jacob: The oath which the Holy One, blessed be He, swore to you — that *oath* He hath fulfilled. This is the *force of* לאמר, "to say it", *viz., that thou mayest say it* — for that reason have I let thee see it. But it is a decree from Me that שמה לא תעבר THITHER THOU SHALT NOT PASS OVER; for were this not so, I would keep you alive *even* until you saw them planted and settled in it, and you would *then* go and tell them (the patriarchs). **(5)** וימת שם משה AND MOSES DIED THERE — Is it possible that Moses died, and *then* wrote: "And Moses died there"? But, thus far did Moses write, from here and onward Joshua wrote. Rabbi Meir said: But is it possible that the Book of the Torah would be short of anything at all, and yet it would state *before the account of Moses' death was written in it,* (XXXI. 26) "Take this book of the Torah"? But the Holy One, blessed be He, dictated this, and

NOTES

1) See Appendix.

אֹתוֹ בַגַּיְ בְּאֶרֶץ מוֹאָב מוּל בֵּית פְּעוֹר וְלֹא־יָדַע
אִישׁ אֶת־קְבֻרָתוֹ עַד הַיּוֹם הַזֶּה: ז וּמֹשֶׁה בֶּן־מֵאָה
וְעֶשְׂרִים שָׁנָה בְּמֹתוֹ לֹא־כָהֲתָה עֵינוֹ וְלֹא־נָס
לֵחֹה: ח וַיִּבְכּוּ בְנֵי יִשְׂרָאֵל אֶת־מֹשֶׁה בְּעַרְבֹת מוֹאָב
שְׁלֹשִׁים יוֹם וַיִּתְּמוּ יְמֵי בְכִי אֵבֶל מֹשֶׁה: ט וִיהוֹשֻׁעַ
בִּן־נוּן מָלֵא רוּחַ חָכְמָה כִּי־סָמַךְ מֹשֶׁה אֶת־יָדָיו
עָלָיו וַיִּשְׁמְעוּ אֵלָיו בְּנֵי־יִשְׂרָאֵל וַיַּעֲשׂוּ כַּאֲשֶׁר צִוָּה
יְהוָה אֶת־מֹשֶׁה: י וְלֹא־קָם נָבִיא עוֹד בְּיִשְׂרָאֵל
כְּמֹשֶׁה אֲשֶׁר יְדָעוֹ יְהוָה פָּנִים אֶל־פָּנִים: יא לְכָל־
הָאֹתֹת וְהַמּוֹפְתִים אֲשֶׁר שְׁלָחוֹ יְהוָה לַעֲשׂוֹת
בְּאֶרֶץ מִצְרָיִם לְפַרְעֹה וּלְכָל־עֲבָדָיו וּלְכָל־אַרְצוֹ:

אונקלום

יָתֵהּ בְּחַלְתָּא בְּאַרְעָא דְמוֹאָב לָקֳבֵל בֵּית פְּעוֹר וְלָא יְדַע אֱנַשׁ יָת קְבֻרְתֵּהּ עַד
יוֹמָא הָדֵין: ז וּמֹשֶׁה בַּר מְאָה וְעֶשְׂרִין שְׁנִין כַּד מִית לָא כָהָן עֵינוֹהִי וְלָא שְׁנָא
זִיו יְקָרָא דְאַפּוֹהִי: ח וּבְכוֹ בְּנֵי יִשְׂרָאֵל יָת מֹשֶׁה בְּמֵישְׁרַיָּא דְמוֹאָב תְּלָתִין יוֹמִין
וּשְׁלִימוּ יוֹמֵי בְּכִיתָא אֶבְלָא דְמֹשֶׁה: ט וִיהוֹשֻׁעַ בַּר נוּן מְלֵי רוּחַ חָכְמְתָא אֲרֵי
סְמַךְ מֹשֶׁה יָת יְדוֹהִי עֲלוֹהִי וְקַבִּילוּ מִנֵּהּ בְּנֵי יִשְׂרָאֵל וַעֲבַדוּ כְּמָא דִי פַקִּיד יְיָ
יָת מֹשֶׁה: י וְלָא קָם נְבִיָּא עוֹד בְּיִשְׂרָאֵל כְּמֹשֶׁה דִּי אִתְגְּלִי לֵהּ יְיָ אַפִּין בְּאַפִּין:

רש"י

מני ל': על פי ה': בִּנְשִׁיקָה: (ו) וַיִּקְבֹּר אֹתוֹ הַקָּבָּ"ה בִּכְבוֹדוֹ, רַבִּי יִשְׁמָעֵאל אוֹמֵר הוּא
קָבַר אֶת עַצְמוֹ. וְזֶהוּ אֶחָד מִשְּׁלֹשָׁה אֵתִין שֶׁהָיָה רַבִּי יִשְׁמָעֵאל דּוֹרֵשׁ כֵּן. כַּיּוֹצֵא בּוֹ בְּיוֹם
מְלֹאת יְמֵי נִזְרוֹ יָבִיא אֹתוֹ (במ' ו') – הוּא מֵבִיא אֶת עַצְמוֹ: כַּיּוֹצֵא בּוֹ וְהִשִּׂיאוּ אוֹתָם עָוֹן
אַשְׁמָה (ויק' כ"ב) וְכִי אֲחֵרִים מַשִּׂיאִין אוֹתָם? אֶלָּא הֵם מַשִּׂיאִים אֶת עַצְמָם: מוּל בֵּית
פְּעוֹר. קִבְרוֹ הָיָה מוּכָן שָׁם מִשֵּׁשֶׁת יְמֵי בְרֵאשִׁית לְכַפֵּר עַל מַעֲשֵׂה פְּעוֹר, וְזֶה אֶחָד מִן
הַדְּבָרִים שֶׁנִּבְרְאוּ בֵּין הַשְּׁמָשׁוֹת בְּעֶרֶב שַׁבָּת (אבות פ"ד; פס' נ"ד): (ז) לֹא כָהֲתָה עֵינוֹ
אַף מִשֶּׁמֵּת: לֹא נָס לֵחֹה. לַחְלוּחִית שֶׁבּוֹ, לֹא שָׁלַט בּוֹ רִקָּבוֹן וְלֹא נֶהְפַּךְ תּוֹאַר פָּנָיו:
(ח) בְּנֵי יִשְׂרָאֵל. הַזְּכָרִים, אֲבָל בְּאַהֲרֹן מִתּוֹךְ שֶׁהָיָה רוֹדֵף שָׁלוֹם וְנוֹתֵן שָׁלוֹם בֵּין אִישׁ
לַחֲבֵרוֹ וּבֵין אִשָּׁה לְבַעְלָהּ נֶאֱמַר כָּל בֵּית יִשְׂרָאֵל, זְכָרִים וּנְקֵבוֹת (פרדר"א פי"ז):
(י) אֲשֶׁר יְדָעוֹ ה' פָּנִים אֶל פָּנִים. שֶׁהָיָה לִבּוֹ גַס בּוֹ וּמְדַבֵּר אֵלָיו בְּכָל עֵת שֶׁרוֹצֶה, כְּעִנְיָן
שֶׁנֶּאֱמַר וְעַתָּה אֶעֱלֶה אֶל ה' (שמ' ל"ב), עָמְדוּ וְאֶשְׁמְעָה מַה יְצַוֶּה לָכֶם (במ' ט'):

him in the glen in the land of Moab, over against Beth-peor: but no man knoweth of his sepulchre unto this day. [7]And Moses *was* an hundred and twenty years old when he died: his eye was not dim, nor his natural force abated. [8]And the children of Israel wept for Moses in the plains of Moab thirty days: so the days of weeping *and* mourning for Moses were completed. [9]And Joshua the son of Nun was full of the spirit of wisdom; for Moses had laid his hands upon him: and the children of Israel hearkened unto him, and did as the Eternal commanded Moses. [10]And there arose not a prophet since in Israel like unto Moses, whom the Eternal knew face to face. [11]In all the signs

רש"י

Moses wrote it in tears (Siphre; B. Bath. 15a, Menach. 30a). על פי ה' BY THE COMMAND (lit., MOUTH) OF THE LORD — by the *Divine* kiss (M. Kat. 28a; cf. Rashi on Num. XX. 1). **(6)** ויקבר אתו AND HE BURIED HIM — *i. e.* The Holy One, blessed be He, in His glory, *buried him*. R. Ishmael, however, said, *It means:* "He buried himself". This (the word אתו) is one of the three *cases of* את *with a pronominal suffix* which R. Ishmael explained thus (as being reflexive and not accusative pronouns). Similar to it is, (Num. VI. 13; see Rashi thereon) "On the day when his naziritehood is fulfilled, he shall bring אתו", *i. e.* he shall bring (present) himself. Similar to it is, (Lev. XXII. 16) "And they will burden אותם with iniquity of trespass". But did others burden them (the priests) *with that iniquity?* But *the meaning is that* they burdened themselves. מול בית פעור OPPOSITE BETH PEOR — His grave was in readiness there ever since the six days of Creation, to atone for the incident regarding Peor (see Num. XXV.) (Sota 14a). This (Moses' grave) was one of the things that were created "between the twilights" on the even of the Sabbath *in the week of the Creation* (Aboth V. 6; Pes. 54a). **(7)** לא כהתה עינו HIS EYE WAS NOT DIM — even after he had died[1]). ולא נס לחו *means, nor did* the life-sap that was in him depart: decomposition had no power over him (had no effect on his body), and the appearance of his face had not changed[2]). **(8)** בני ישראל THE CHILDREN OF ISRAEL [WEPT] — *i. e.*, the men; but regarding Aaron, — because he pursued peace, and made peace between a man and his fellow, and between a woman and her husband, it is stated, (Num. XX. 29) "The whole house of Israel [wept for him]" — the men and the women (Pirke d'R. Eliezer Ch. 17). **(10)** אשר ידעו ה' פנים אל פנים WHOM THE LORD KNEW FACE TO FACE — *this means:* that he was familiar with Him and used to speak with Him at any time he desired, just as it is stated *that Moses said,* (Ex. XXXII. 30), "And now I will ascend to the Lord"; (Num. IX. 8) "Stay and I will hearken what God

NOTES

For Notes 1—2 see Appendix.

יב וּלְכֹל֙ הַיָּ֣ד הַחֲזָקָ֔ה וּלְכֹ֖ל הַמּוֹרָ֣א הַגָּד֑וֹל אֲשֶׁר֙ עָשָׂ֣ה מֹשֶׁ֔ה לְעֵינֵ֖י כׇּל־יִשְׂרָאֵֽל׃

ח ז ק

ומפטירין ויהי אחרי מות משה ביהושע א׳. ת״ח סימן גמו״ל.

אונקלוס

יא לְכָל אָתַיָּא וּמוֹפְתַיָּא דִּי שַׁלְחֵהּ יְיָ לְמֶעְבַּד בְּאַרְעָא דְמִצְרָיִם לְפַרְעֹה וּלְכָל עַבְדּוֹהִי וּלְכָל אַרְעֵהּ: יב וּלְכָל יְדָא תַּקִּיפָא וּלְכָל חֶזְוָנָא רַבָּא דִּי עֲבַד מֹשֶׁה לְעֵינֵי כָּל יִשְׂרָאֵל: חזק

רש״י

(יב) ולכל היד החזקה. שקִבֵּל אֶת הַתּוֹרָה בַּלּוּחוֹת בְּיָדָיו: ולכל המורא הגדול. נִסִּים וּגְבוּרוֹת שֶׁבַּמִּדְבָּר הַגָּדוֹל וְהַנּוֹרָא (עי׳ ספרי): לעיני כל ישראל. שֶׁנְּשָׂאוֹ לִבּוֹ לִשְׁבֹּר הַלּוּחוֹת לְעֵינֵיהֶם שֶׁנֶּאֱמַר וָאֲשַׁבְּרֵם לְעֵינֵיכֶם (דב׳ ט׳) וְהִסְכִּימָה דַּעַת הַקָּדוֹשׁ בָּרוּךְ הוּא לְדַעְתּוֹ, שֶׁנֶּאֱמַר אֲשֶׁר שִׁבַּרְתָּ (שמ׳ ל״ד) – יִישַׁר כֹּחֲךָ שֶׁשִּׁבַּרְתָּ: חזק.

and the wonders, which the Eternal sent him to do in the land of Egypt to Pharaoh, and to all his servants, and to all his land. [12]And in all that strong hand, and in all that great terribleness which Moses shewed before the eyes of all Israel.

רש״י

will command regarding you". **(12)** ולכל היד החזקה AND IN ALL THAT STRONG HAND — *this refers to the fact* that he received the Torah that was on the Tablets, in his hands[1]). ולכל המורא הגדול AND IN ALL THAT GREAT TERRIBLENESS — the miracles and mighty deeds that were *wrought* in the great and terrible wilderness (cf. Siphre). לעיני כל ישראל [WHICH MOSES SHOWED] BEFORE THE EYES OF ALL ISRAEL — *This refers to the fact* that his heart inspired him to shatter the Tablets before their eyes, as it is said, (IX. 17) "And I brake them before your eyes", and the opinion of the Holy One, blessed be He, *regarding this action* agreed with his opinion, as it is stated *that God said of the Tablets*, (Ex. XXXIV. 1) אשר שברת May thy strength be fitting (יישר; an expression of thanks and congratulation) because thou hast broken *them*[2]) (Jeb. 62a; Sabb. 87a).

חזק

NOTES

For Notes 1—2 see Appendix.

APPENDIX

PAGE 2

1) Since Moses proposed to rebuke them for all the sins they had committed at various places in which they encamped, it would have thrown great discredit on Israel had he recited so large a number of their delinquencies at length. He therefore contented himself with mentioning those places the names of which themselves formed an allusion to their sins. The translation of the verse according to Rashi is: These are the words of reproof which Moses addressed to Israel on the bank of the Jordan: they were concerning the wilderness, and concerning the plain, etc. The ב in במדבר and בערבה has the meaning of "on account of", "regarding".

2) In Siphre the reading is: ולא הייתם משיבים לו דבר כך וכך אם היינו וכו׳. It is evident from another passage in Siphre, quoted by Rashi in his comment on XXXII. 48, that the phrase כך וכך is used as an oath. In Deut. R. V. 15, the expression is בכך וכך, which may have been Rashi's reading here. The words כך וכך are an abbreviated form of an imprecation: may thus and thus happen to me! With it may be compared the Biblical form: כה יעשה אלהים וכה יוסף (1 Sam. III. 17) and its several variants in other passages. In all probability the phrase כך וכך is only an abbreviated form of this imprecation, being equivalent to כה ... וכה. Here the meaning is: You did not say a single word in reply! We swear that had we been there, etc. Since, however, all editions of Rashi have here the reading מכך וכך we have connected these words with what precedes and have translated accordingly.

3) In Arachin 15a it is stated that when the Israelites left the Red Sea they expressed their fear that the Egyptians too would leave it on another part of the shore and again pursue them (see Rashi on Ex. XIV. 30). This is the murmuring referred to here as having taken place at the Red Sea. The text cited to prove that they murmured after they left the Sea must therefore be translated as we have given it.

4) See our Note in the Appendix to Numbers on p. 191. To this we may add that there is another idiom containing mention of "plaster" with a similar sense as תפלו דברים viz., הטיח דברים. We may compare our phrase "to throw mud at a thing". The meaning would then be: they calumniated the manna.

PAGE 3

1) The Talmud, Taanith 29a, shows that the spies returned with the evil report regarding the land on the eighth day of Ab. Forty days, the period they took to spy out the land, from that date brings us back to the 29th day of Sivan, the forty days comprising two days in Sivan, the thirty in Tammuz (for the Talmud assumes that this month had that number of days) and nine in Ab. Cf., however, Tosaphot ד״ה אמר אביי, where the 30th of Sivan is counted as the first of the 40 days, the 29th, when Moses sent them on their expedition, not being reckoned. This is based upon the reading אותו היום ערב תשעה באב היה, whereas the correct reading is that of the עין יעקב which is: אותו לילה ליל תשעה באב היה, for the night when the people wept was that which followed the day of their return.

2) For the meaning of לבט as Rashi understands it, cf. Rashi on Hos. IV. 14.

3) The third reason given in Siphre is: that the person rebuked should harbour no ill-feeling against him who remonstrates with him, for one is not likely to do this in the case of a man on his death-bed. As regards the fourth reason, there are different readings in Siphre. In all likelihood, however, Siphre gives no fourth reason after the third, it having already stated one in reference to Reuben, that if, long before his death, a father reproves his son, the latter might leave him and betake himself to evil ways. Siphre, as given by Malbim, actually has this as the last reason: ושלא יניחו וילך, but there appears to be no MS. authority for this. The reading in Pesikta Zutarti: וכדי שיפרוש ממנו בשלום should probably read כדי and not וכדי, and is explanatory of the second reason, ולא יהא בלבו עליו, the meaning being: that he should harbour no ill-feeling against him so that then the dying man will depart from his son in peace. Had that

reading been intended as a further reason it would have stated ושיפרוש, parallel to ושלא which introduces the first two reasons. If, however, Siphre actually gives a fourth reason, in whatever form it appears in the variants (except that given by Malbim), the meaning will be: "In general there are four reasons why a man should rebuke his son only shortly before he dies", and the reason why Jacob did this in the case of Reuben must be regarded as a special case, applicable there only. — The question has been raised how the passage שלא יהא מוכיחו וחוזר ומוכיחו can be reconciled with the Talmudical statement (B. Mets. 31a) that the Biblical command (Lev. XIX. 17) הוכח תוכיח את עמיתך implies the duty of reproving one's fellow even a hundred times! The reply is that the Biblical command speaks of reproving the sinner when he is actually engaged in wrongdoing, whilst Siphre has in mind a reproof for past sins, to warn one against transgression in the future.

[4]) It is difficult to see why Siphre regards this admonition to have taken place shortly before Samuel's death, since according to the Biblical report, he spoke this not long after he had anointed Saul as king, and he appears to have lived a considerable period after this. Perhaps one may find an allusion to Samuel's death in his words (1 Sam. XII. 2) "Behold, I am old and grey-headed", these suggesting that he was under the impression that his death might occur at any moment. Shortly before this he is described as old (VIII. 1, 5). If so, Siphre must be brought into relation with the statement in Taanith 5b, that all the signs of old age suddenly fell upon him.

PAGE 4

[2]) Siphre has ובאו הר האמרי ואל כל שכניו, זה עמון וגו'. Ammon, Moab and Mount Seir, however, can be a description only of כל שכניו. Thus every geographical term in this verse is explained in Siphre except הר האמרי. Rashi therefore states כמשמעו: nothing need be said about this; it occurs frequently, and what district this describes is well known. Cf. our note, Numb. p. 85.

[3]) In Git. 57a, King Yannai is said to have had large territory in הר המלך. In the same passage it is also called by its Aramaic name טור מלכא. What is there related of this district is in Jer. Taan. IV. 8, and Midr. Lam. II. 2 told of הר שמעון. The two are therefore identical. In all probability both designations refer to Simeon, the first of the Hasmonean dynasty.

[4]) The דרום was a description of that part of Palestine extending from Lydda southwards. There was a town bearing that name in the district, and this may be identical with Lydda itself (cf. Jer. Pes. 17b with Bab. Pes. 62b, and with Jer. Sanh. 3b). The Sages of דרום are frequently mentioned in the Talmud. — In Yalkut the reading is ובשפלה ובנגב, זו שפלת דרום. In Siphre and Rashi ובנגב is joined with ובחוף הים to describe Ashkelon, Gaza and Caesarea, but חוף הים alone would sufficiently describe these coast cities. The reading in Yalkut therefore appears correct. The שפלה and נגב are mentioned together in Jos. X. 40, Jud. I. 9 and elsewhere. — The ס' הזכרון gives a MS. reading as follows: ובשפלה, זו שפלת לוד: ובנגב זו שפלת דרום.

PAGE 5

[1]) Neither Siphre nor Yalkut on this passage has the question מהו לאמר. Rashi appears to add this in order to show how Siphre derives the דרוש. — The words לא אוכל are taken, as frequently, in the sense of "I am not permitted".

PAGE 5b

[1]) The word כסופים has been interpreted in several ways, but it is most probably a corruption of פסיפסים (Greek ψῆφος), which denotes a cut and polished stone and is metaphorically used of a many-sided scholar, one, so to speak, of many facets.. In Aboth d'R. Nathan, Ch. 28, אבן פסיפס is defined as a scholar versed in every branch of Jewish law, such a stone having ארבע פיות מארבע רוחותיה. In מדרש תנאים (Ed. Hoffmann p. 7) the word of our text is actually explained thus אנשים . . . בחתיכה ובפסיפס, אנשים ותיקים וכשרים. Siphre Zutta (Ed. Horowitz, p. 161,

Note 4) on Numbers XXVII. 16, has: איש על העדה, שיהא . . . התיכה ופסיפס. Exactly what התיכה means in this connection is not quite clear, and S. Klein in his מאמרים שונים לחקירת הארץ p. 31 corrects this to חתיכת פסיפס. Siphre on Num. XI. 16 has אספה לי שבעים איש — שיהו . . . ווחיקים וכסיפים. Here, too, the last word should read פסיפסים. Yalkut has שיהו בעלי כ ש פ י ם! It should be noted that all these passages are comments on a Biblical text containing the word איש or אנשים. referring to a judge or religious leader. Cf. Klein ib., where he deals at length with the meaning of פסיפס.

2) The text is unsettled. Yalkut compares the חכם to the שולחני עני, and the נבון to the שולחני עשיר. The meaning of the comparison, however, is quite clear: the חכם can grasp what is told him, but cannot think a matter out for himself; the נבון is a מבין דבר מתוך דבר, he can puzzle out a matter, and is an original thinker, not dependent upon what has been taught him by others.

3) Neither Siphre, Deut. Rab. nor Yalkut on Ezek. III. 17 have חסר י׳, and, as a matter of fact, the word is not defective in the Biblical text. Chazkuni mentions that some editions have חסר א׳, but holds that this is incorrect. Heidenheim states that he found this reading in a MS. and defends it. According to him, the דרוש takes ואשימם as equivalent to וְאַאְשִׁימֵם from the root אשם ("to transgress", the א of the root coalescing with that of the pronominal prefix, as we find in וָעְשִׁיר (Zech. XI. 5). The meaning would then be: And I will place the transgression on them, viz., on their heads. Perhaps it would be better to take it as follows: And I will place the transgression on them, as your heads, — (the prefix in בראשיכם being the Beth essentiae). The דרוש certainly appears to take the word in the sense of "leaders" as in v. 15, for it speaks of דייניהם and the phrase בראשי דייניהם means no more than בראשיכם "on your leaders", as in the phrase "the sin be upon your head". This presupposes that the reading in Rashi is correct and the word must be read as וַאֲשָׁמָם, the translation being: "and their transgression will be upon your leaders". This, however, gives a wrong sense for Moses is addressing the whole people, and what is required is: "And y o u r transgression will be upon your leaders". We may obtain the required implication if we take the suffix in וַאֲשָׁמָם as referring to שבטיכם immediately preceding, when the meaning would be: and their transgression (that of the tribes = אשמותיהם של ישראל) will be on your leaders (Suggestion of Dr. Jacob Levy of Berlin).

4) Rashi, as often, quotes the Siphre in an abbreviated form whereby the connection between דיינין הרבה and אם אין מכירנו becomes somewhat loose. The full reading in Siphre, as quoted by Hoffmann, in his מדרש תנאים, is: אם לאו אני, בני, אם לא בני, בן בני ואנו מוליכין להן דורונות. If m a n y judges are appointed, there is always the possibility of my son or grandson being amongst them and I shall then have a friend at court; and if no relative of mine is appointed, I can send gifts to the judges and so purchase their favour. Yalkut I. 802 has a similar reading.

6) It is somewhat difficult to discover s e v e n qualifications in Jethro's words (Ex. XVIII. 21). In Deut. Rab. on this passage, it is stated that judges must possess seven qualifications and it enumerates them as follows: those possessed by the classes of men referred to here, חכמים, נבונים, ידועים and those possessed by men whom Jethro described, יראי אלהים, אנשי אמת, שונאי בצע. Rashi and Siphre, however, find four qualifications in Moses' words חכמים, נבונים, ידועים, (i. e. אנשים (צדיקים and Siphre probably takes אנשי חיל in Exodus as a general description designating men of worth (for it states there only that „Moses took אנשי חיל out of all Israel"), so that only three qualifications are given there. Moses is here repeating the narrative of Exodus. It is true that he states here that it was by God's command that he bade the peoople appoint Judges (cf. Rashi on v. 9), whilst in Exodus the suggestion is said to have come from Jethro. But Rashi there points out (Ex. XVIII. 19) that his father-in-law himself recommended that he should take counsel of God before acting on his advice. — Since the two narratives deal with the same incident, it must be assumed that where they differ they supplement each other. Thus Siphre feels justified in stating that all s e v e n qualifications

were mentioned by Jethro. — It should be noted that the qualifications which Jethro demanded in the men to be selected were of a religious character (for אנשי חיל designates men of moral worth; cf. אשת חיל, Ruth III. 11), whilst those mentioned here by Moses are of an external nature. Whether men really possessed the religious qualifications could not be known to the people, and since Moses was leaving the first selection to them (v. 13) he mentioned only those of which they could judge. — When it states that Moses could find men possessing no more than three qualifications it, of course, refers to three of the four which he mentioned to the people (cf. the Note in Friedmann's *Siphre)*. There is evidently a lacuna in Siphre which Rashi fills in by the words, אבל נכונים לא מצאתי for Siphre has: אנשים חכמים וידועים, זה אחד מז׳ מדות וכו׳.

PAGE 6

[1]) Siphre has: ראשיכם בכניסה ויציאה, נכנס ראשון ויוצא אחרון. But there is another reading (see Hoffmann in Midrash Tannaim), as follows: ראשיכם בכניסה ויציאה, נכנס ראשון ויוצא ראשון, and this appears to be correct, for Siphre, which Rashi follows, speaks of matters in which the people are to permit the judge to be first (ראשים). If they and the judge are about to enter or leave a building together, they are to give way to him.

[2]) Rashi supplies the words "and I appointed for you" in order that one might not understand that the court-officers like the שרי אלפים were selected from the ראשי שבטים.

[3]) It means: who merely reiterates his claim without adducing any evidence (see Siphre).

[4]) This statement, that the text may be explained in the sense that the Targum takes it, refers to the two explanations that follow, for in both of these the text is understood to mean: Ye shall hearken to the great man as to the unimportant man. In the former of these, the pleadings of the גדול are disregarded, in the latter, those of the קטון. The ש"ח and צידה לדרך (see Note in Berliner) hold that the word כתרגומו is ouf of place and should precede the very first comment in Rashi, thus: כתרגומו, שיהא חביב וגו׳. But this comment takes the text in the sense: "Ye shall listen to a small matter as to a great", and this is not what the Targum states. As the נתינה לגר points out, this would have been expressed by מלא וזעירא or פתגם וזעירא.

PAGE 7

[1]) On three occasions Scripture states that Moses was unable to decide a matter of law: a) in the case of the daughters of Zelophehad, b) in the case of פסח שני, c) in the case of the מקושש. Yet Rashi quotes the first only to show that he was punished for his arrogant utterance that he would decide every difficult matter. Probably Siphre, from which Rashi quotes, intends to suggest that God punishes מדה כנגד מדה. Here Moses said תקרבון אלי, and in the case of the בנות צלפחד Scripture tells us ויקרב משה את משפטן וכו׳. The same is the case with Samuel who said אנכי הראה and God told him: אל תבט אל מראהו!

[2]) The Mishna Sanhedrin IV. 1 mentions the following ten points in which civil cases differ from capital cases:

1. Civil cases may be decided by three; capital cases require at least twenty-three judges.
2. In civil cases they may first discuss the evidence either for or against the defendant; in capital cases they must first discuss that in his favour.
3. In civil cases a majority of one suffices for acquittal or condemnation; in capital cases a majority of one suffices for acquittal but a majority of at least two is required for condemnation.
4. In civil cases a revision of the verdict may take place either in favour of the defendant or against him, if further evidence is produced; in capital cases a revision can only take place in order to free him from the death penalty to which he has been sentenced.

5. In civil cases anyone, even a student of law who is listening to the proceedings, may plead either for or against the accused; in capital cases anyone may speak for but not against him.

6. In civil cases a judge may retract his view already expressed whether that was for or against the defendant; in capital cases he may retract only if that was against the accused.

7. In civil cases the judges discuss the evidence by day and may give their verdict after dark whether it be for or against; in capital cases both discussion and verdict must be during daytime.

8. In civil cases the decision may be given whether it be for or against the defendant on the same day as the evidence is discussed; in capital cases this is so only if the verdict is one of not guilty, but if it is found impossible to decide in favour of the accused, the matter must be postponed until the morrow in order to give an opportunity for discovering something in his favour.

9. In civil cases the eldest of the judges is the first to give his views; in capital cases the youngest does this first, for fear lest, out of respect for the President of the Court, he may express an agreement with him that he does not actually feel.

10. In civil cases any Israelite though of illegitimate birth (a ממזר) may act as judge; in capital cases only Priests and Levites, and Israelites whose descent is such that they may ally themselves by marriage with a priestly family.

PAGE 8

1) This seems to be derived from the word וירגלו which is the Piel or intensive form. This statement is not contradictory to that which Rashi makes on Num. XIII. 21; for there he is referring only to the first portion of their travel, that along the southern border from east to west, and the western border from south to north. Here, however, he is speaking of the w h o l e of the forty days' travelling during which period they thoroughly spied out the land.

3) The people here stress the fact that they have been brought forth from the land of Egypt, and this suggests a contrast between the land they have left and that into which God has promised to bring them, which, according to the spies' report, was a poor land. It should be noted, however, that Scripture gives as a reason for their refusal to enter upon the conquest of Canaan their fear of the Amorites, and not the soil's infertility. It would appear that לתת must be understood as ולתת, God's hatred being evidenced in two ways: (1) that He brought them out from a good land to bring them into an inferior one, and (2) that He brought them forth with the result that they are being delivered into the enemies' hands.

PAGE 11

2) This is derived from the repetition of the Divine Name, for it would have sufficed to say: ותשבו ותבכו לפני ה' ולא שמע בקלכם. Since the Tetragrammaton is an appellation for the M e r c i f u l God, the statement that God, who by nature is merciful, would not hearken to them, suggests that it was their own conduct that had brought about this change in the Divine character. In Bam. R. 17, which is Rashi's source, the reading is: עשיתם מדת הדין וגו' but, as מ"כ on the passage points out, this is an error.

PAGE 12

2) It appears strange that Scripture warns them: "Guard yourselves", when it has just stated: "They will be a f r a i d of you". But the meaning is: just because they are afraid, you may be inclined to attack them; I therefore bid you t o b e o n y o u r g u a r d (hold yourselves in check) that you contend not with them.

PAGE 14

[2]) The particle וגם connects this verse to the preceding. During the 38 years a very large number of those who, at the time when the spies brought back an evil report concerning the land, were 20 years old and upwards (אנשי המלחמה), died a natural death, but in addition to this (וגם) others died by a special visitation of God (למהר ולהמם), not in the ordinary course of nature, in order that the whole generation might perish during the forty years, since God decreed that none of them should enter the Land, and had they not died within this period their children must have continued to wander in the wilderness until their parents died a natural death.

[3]) Amongst the differences in meaning between the verbs אמר and דבר is the following: the former expresses the making of a communication without reference to the medium by which this is made; and if this be by speech, it may be either directly or by an intermediary. The latter denotes the utterance of the lips, the spoken word as the medium of communication, and is used of a friendly communication made without an intermediary: פה אל פה or פנים בפנים. Throughout this chapter when there is mention of God's making a communication to Moses (I. 42, II. 2, 9), we have ויאמר ה' אלי; here, however, it states, וידבר ה' אלי, and this is to be connected with what precedes in the following sense: But it was only after all the men of war had died that God's דבור came to me, — suggesting that during the time that the people were under God's displeasure He had made no direct and friendly communication to Moses. — Rashi brings out this sense of the root דבר by the explanatory phrases he adds to the original Midrash after the word דבור: בלשון חבה פנים אל פנים וישוב הדעת. Cf. Rashi on Taan. 30b and Rashbam on B. Bath. 121b.

[4]) On v. 8 Rashi has explained that they turned northward along the east side of the wilderness of Moab, travelling from south to north. There is no mention of any later change of direction. These verses state that they were passing the border of Moab, and approaching Ammon; it follows therefore that Ammon lay to the north of Moab.

PAGE 15

[1]) Rashi states that תחת כל השמים suggests that the sun stood still for Moses on the day of the battle with O g. But Scripture is speaking here of the war he waged against S i h o n not against Og! Evidently this is a l a p s u s c a l a m i, for in Ab. Zar. 25a Rashi himself states that it was in the battle with Sihon. It should be noted, however, that the Talmud derives it from the words אשר ישמעון את שמעך not from תחת כל השמים.

PAGE 16

[1]) The connection of the verses is as follows: אעברה בארצך וכו' עד אשר אעבור וכו' and אכל בכסף וכו' . . . ושתיתי, כאשר עשו לי בני עשו וכו'.

[2]) In all probability this is derived from the word החלתי which is taken in the sense of "I have made sick" or "I have weakened". However, the word may be taken in its customary meaning: I have b e g u n to give Sihon before thee. The b e g i n n i n g of Sihon's defeat is the defeat of his tutelary angel. On Isaiah XXIV. 21, "The Lord will punish t h e h o s t o f t h e h i g h h e a v e n on high, and the kings of the earth upon the earth", Rashi comments: יפיל שריהם תחלה "He will first cast down their tutelary angels". Here we probably have the origin of this legend. Cf. Exod. R. ch. 9, end of par. 8.

PAGE 19

[1]) Rashi compares שניר with the German "Schnee" and the Slavonic "snih". At first sight one is inclined to regard this as a form of popular etymology which must be rejected. It is surprising, however, that Onkelos also renders שניר by טור תלגא "snow-mountain", and it is of course absurd to suggest that so early a translator of the Bible should have had any knowledge of the German or

Slavonic languages. Siphre, too, on Num. XXV. 1, speaks of הר השלג probably referring to this mountain. One must therefore assume that the Targum follows some ancient tradition. Such a tradition existed also amongst the Arabs, for according to the Arab Geographers the name for חרמון is Dschebel el Thaldsch, i. e. "snow-mountain", as the Targum renders it. We see therefore that Rashi's explanation of שניר as "snow-mountain" is fairly old and based on a tradition common to the Hebrews and Arabs. Indo-European linguistic influences upon Palestine may have been derived from the Hittites who were settled in that country even at the time of Abraham. The theory that the Hittite language was Indo-European has been revived by Hrozny (Die Sprache der Hethiter, 1917). It has met with much support (see the literature in Cowley, "The Hittites", p. 42), although it is not yet universally accepted. Our text states that this mountain was termed Senir by the *Amorites*. That there was some affinity between the Hittites and the Amorites may be gathered from Ezekiel (XVI. 3, 4, 5) who says to Jerusalem: The Amorite was thy father, and thy mother was a Hittite. What is here stated of the foundation of Jerusalem was true of many other Canaanite cities. Where parents speak different languages their children usually adopt that of the mother, for they are brought into more constant contact with her than with the father. Hence if Senir was the *Hittite* name of the mountain, we can understand how Scripture states that the *Amorites* used to call it by this name. In Deut. IV. 48, the kingdom of the Amorites is said to have extended as far as this mountain, which was known by four different names. It is not improbable therefore that Senir was the name originally given to it by the Hittites, and that it is of Indo-European origin, being allied to the German and Slavonic forms of the word for snow. The final ר in שניר would correspond to the Indo-European suffix -ro. (Suggestion of Prof. Moses Buttenwieser of Berlin.)

PAGE 21

[1]) Rashi on Num. XII. 13 and Siphre thereon and on Num. XXVII. 15, state that there are *four* such passages and cite them. Siphre. here states merely: "This is one of the passages", and cites *five*. The additional passage is Ex. XVII. 4.

PAGE 22

[1]) The words אשר מי אל וגו' are not mere praise of God, but continue the idea expressed in the preceding words as they are explained by Rashi: that God pardons the penitent. God is not like a mortal king who must be guided by his counsellors, but He can remit the punishment if He wishes so to do. — It is strange that Rashi, who here follows the Siphre, speaks of a *human* king, whilst the text apparently speaks of a god (or king) in *heaven* and in earth. In all probability, however, the words אל בשמים ובארץ are taken as vocative: For who is there, O God in heaven and earth, that can do as Thou doest, i. e., can forgive? For all earthly kings must be guided by their counsellors and assessors, etc. The Lord, however, is God not only on earth but in *heaven also*, and is therefore not subject to that control to which an earthly monarch must submit.

[5]) Rashi makes the דרוש dependent upon some irregularity of spelling in the phrase קם לך. This irregularity is to be found in the form קָם instead of קום, the consonants suggesting a form קָם. Although this is either a perfect or a participle, it seems to be taken as a noun: "there is a standing unto thee", or, as Rashi puts it here אתה הוא העומד במקומך, and in Joshua on this verse: עמדת לך במחנה. The three explanations which Rashi gives there all arise from the anomalous spelling קם. It is therefore incorrect to read the Rashi: קום לך כתיב "It is written, Arise and go". — Neither Siphre nor Yalkut has קום לך כתיב and the following words אתה הוא . . . למלחמה. It would appear therefore that the text is taken in its literal sense: "Arise, why dost thou remain here in prayer. Did I not tell Moses that you were to go forth with the army to battle?"

PAGE 23

1) Rashi points out the connection between this verse with what precedes and follows: I am not permitted to enter the Promised Land on account of my sin, although I have prayed so earnestly that the sin should be forgiven. You, however, sinned grievously by idol-worship at Beth Peor, yet you can obtain pardon for this and admittance into Canaan: obey God's commands so that ye may come and possess the land.

PAGE 24

1) The verse actually means: For it, viz., study (שמירה) and obedience (עשיה), are your wisdom and your understanding in the eyes of the peoples. But study and obedience are not "wisdom" itself. Rashi therefore puts the idea into a more concrete form: through study and obedience the people will regard you as wise and understanding men.

2) This verse states the condition under which the peoples will regard them as wise. Rashi has explained verse 6 to mean that if they study and obey the commands the peoples will regard them as wise. This verse adds: But this is only (רק) if you are very careful not to forget what you have studied, for if you forget, you will observe the commands in an incorrect manner and you will be regarded as foolish.

PAGE 27

1) Rashi merely brings the phrase פסל תמונת כל into accord with that in v. 16: פסל תמונת כל סמל. Since כל here stands absolutely, unconnected with a following word, Rashi feels compelled to specify the class of object to which the word refers. Here it is the totality of objects (כל דבר). Similarly on XXVIII. 47 he explains the words מרב כל to signify כל טוב, every luxury.

PAGE 28

1) The Midrash derives this by repeating the words ולמקצה השמים, thus: Adam was upon the earth (על הארץ) and was up to the edge (i. e. the lower surface) of the heavens (ולמקצה השמים) and was also from one end of heaven (ולמקצה השמים) to the other end of heaven (עד קצה השמים).

PAGE 29

1) Rashi does not take ויבחר וגו׳ as the actual apodosis to ותחת כי, when the translation would be: And because He loved thy fathers, He therefore chose their descendants. He prefers to take ותחת כי as giving the reason for God's love displayed to Israel in the deeds just mentioned. The words ויבחר וגו׳ up to כיום הזה are resumptive of the preceding verses: And all this stated above He did because He loved thy fathers: for this reason it is that He did what I have mentioned — chose their descendants and brought thee forth from Egypt . . . to bring thee in, to give thee their land as at this day. — It may be that he felt compelled to connect these words with what precedes because of the copulative ו in ותחת, the only passage in which it occurs in the phrase תחת כי or תחת אשר. But a careful examination of all the other passages in which the conjunctions תחת and תחת כי in this sense occur (13 in all) will prove that there is only one (2 Chron. XXI. 12) in which it is certain that this phrase gives the reason for something mentioned after it. In two passages (Deut. XXVIII. 4) and (2 Kings XXII. 17) the connection of the conjunction is somewhat doubtful, but a good sense is obtained by taking it as giving the reason for what precedes. It may therefore have been the general usage of this phrase which caused Rashi to explain it here as referring to matters already mentioned, rather than as giving the reason for what is mentioned afterwards. If this be so, it is another example of Rashi's fine sense of the niceties of the Hebrew language.

PAGE 30

1) It will be found that when the phrase בעבר הירדן (or מעבר הירדן) is followed by a geographical description, it defines which side of the Jordan the speaker or writer has in mind. For עבר הירדן means no more than "the side of the Jordan", and there is almost invariably some addition to show which side is intended. In the few instances where this is not so, the context makes it plain. Rashi at the end of his next comment appears to point out that whenever עבר הירדן is spoken of, it is necessary to define the side because there is an east and a west side. — It has been suggested that עבר הירדן may originally have meant "the other side of the Jordan" having originated in Canaan proper (the west side of the river), and may have become a mere geographical term designating the land on the eastern side of the Jordan, familiar to the Jews in Egypt as part of the language transmitted to them from their ancestors who had once resided in Canaan. This would explain why the term is used to describe the eastern side of Jordan even by Moses and the Israelites dwelling on that side. The modern name "Trans-Jordania" for the territory east of the Jordan may be used with perfect propriety by the inhabitants of that district. Against this, however, it may be contended that if this were so, it would be unnecessary to add another geographical term, as e. g., here, בעבר הירדן מזרחה שמש, or as in I. 1, בעבר הירדן במדבר וכו'.

PAGE 31

1) Thus far Moses had been admonishing Israel, and his address contains no laws or commandments. Hence the statement "This is the Law which Moses set before the children of Israel" cannot refer to what precedes. It alludes to the legislation given in the following chapters.

2) According to Rashi vv. 44—49 must be explained as follows, v. 45 being in parenthesis: (44) This is the Law (a general term) which Moses set before the children of Israel; (45) These are those testimonies and statutes and judgments (i. e., this Law contains those testimonies, etc.), which Moses spake to the children of Israel w h e n t h e y left Egypt. Verse 46 must be connected with verse 44, stating w h e r e Moses set before the Israelites that Law which he had first given them when they left Egypt. It was on that side of the Jordan in the glen, etc., in the land of Sihon . . . whom Moses and the Israelites had conquered after they left Egypt and (47—49) whose land they took possession of from Aroer etc. It is unnecessary to supply the words אשר דבר (from v. 45) before v. 46, as Mizrachi does. It is this exposition which justifies the name משנה תורה, Deuteronomy, for the fifth book of the Torah.

PAGE 32

1) We have given the reading of the Pesikta; some editions have הלוקח instead המוכר, Behold, the p u r c h a s e r Himself was speaking to you. It is difficult to understand Berliner's statement that the two readings give the same meaning. The explanation that God is called the לוקח because He t o o k Israel to Himself as a people fails to bring this term into relation with the מוכר.

PAGE 35

1) The words ולא יסף are taken to mean: "And He did not continue". They refer not to קוֹל but to דָּבָר: "and He did not continue to speak in this manner."

PAGE 37

1) Siphre has מסודרים instead of מחודדים which is the reading in the Talmud. Siphre appears to take ושננתם from the same root as *Mishna:* there must be constant r e p e t i t i o n of the laws so that they are systematised. Cf. the term סדר of the Mishna. — It would appear that this דרוש, whichever of the two readings we take, understands לבניך in the sense of "for" (i. e. for the sake of) thy disciples: the words of the Torah shall be familiar in thy mouth for thy

disciples sake, — so that thou wilt be able to reply to their questions without any hesitation. It is difficult to fit the word into the sentence in any other way.

[2]) The word תלמיד occurs only once: 1 Chron. XXV. 8. — The statement that the teacher is called "father" is made because בן literally means a son and therefore presupposes a father. Siphre therefore points out that just as the meaning of בן is extended to denote disciple, the term אב is correspondingly extended to denote a teacher.

PAGE 38

[1]) Rashi is referring to the reading of this section (קריאת שמע) in the morning and evening; the text, however, is unsettled. As given here, Rashi is to be explained thus: Since Scripture states, "Thou shalt read the Shema when thou sittest in thy house, and when thou walkest by the way", it stresses the fact that this command refers to the usual manner of things — sitting in the house, and walking by the way, otherwise it would have stated only, בשבתך ובלכתך. Since it is a rule that a passage must be explained in accordance with its context, the words בשכבך ובקומך must refer to the customary times of retiring to sleep and of rising.

[2]) In Menachoth 34a there is a discussion as to whether a door which has only one post requires a Mezuzah or not. Rabbi Meir is of opinion that such is required. Some supercommentaries therefore translate Rashi as follows: Since the word is written מזוזת (singular), we may learn that a door requires but one post to make it liable to the law of Mezuzah. Rashi's wording, however, hardly suggests this. Berliner is of opinion that Rashi's source is the Midrash Mishlé. This was known in his days. Rabbi Ishmael there states that one need affix a Mezuzah to one post only, and the Sages accepted this as the Halachah (cf. his Rashi, 2nd ed., p. 427). We have translated Rashi in this sense.

PAGE 39

[1]) The connection between this and the preceding verse, according to Rashi, is as follows: The Lord thy God is in thy midst. Do not put God to the test as ye did at Massah, when ye asked "Is the Lord indeed in our midst, or not?". It should be noted that the word במסה has the definite article prefixed. In IV. 34, too, we have the plural of this word with the definite article, and Rashi there explains it by נסיונות "tests" in general. In order that the word here should not be taken in a similar sense, he refers to the incident that occured shortly after they left Egypt at the place which bore the name of Massah. It is not unusual for the names of places to have the definite article prefixed.

[2]) The preceding verse appears to cover the entire range of obedience: to observe the commandments of the Lord and His testimonies and His statutes. Nothing appears to be added to this by continuing: Thou shalt do that which is right and good in the eyes of the Lord. It will be noted, however, that the preceding verse inculcates obedience to those laws which God has commanded. This verse bids us do that which is good and fair in the eyes of God, even though this be not a duty imposed upon us by some specific command of God. It is therefore explained to be an injunction not to insist upon our rights as defined by the strict letter of the law, but to agree to a compromise when not to do so would bear harshly upon another.

PAGE 41

[1]) The argument is as follows: Scripture speaks here of two cases of intermarriage, 1) a Jewess becomes the wife of a heathen; 2) a heathen woman becomes the wife of a Jew, but gives only one reason for the prohibition of intermarriage, viz., "For he will turn aside thy son from following after Me". This evidently is the reason for the first prohibition, since the statement "he will

turn aside" naturally refers to a heathen husband (but see Rabbenu Tams's explanation of this, Kidd. 68b, Tos. s. v. בנך הבא וכו') and the son whom it is feared he will turn to idolatry must be h i s son, here, in relation to the person Moses is addressing, termed בנך, i. e. t h y descendant. Hence Scripture is concerned lest thy descendant born of thy Jewish daughter and a heathen father, may be seduced from his mother's faith. Scripture, however. does not offer any reason for the second prohibition by similarly stating, "For she (the heathen woman) will turn away thy son (i. e. thy grandson) from following after Me". Had it done so, it would be evident that Scripture was equally concerned about thy grandson, born of thy Jewish son and a heathen woman, as it was about thy grandson born of thy Jewish daughter and a heathen father. Since, however, it shows that it feels no concern about thy grandson who has a heathen mother, the reason can only be that it does not regard him as thy grandson, i. e. belonging by birth to the Jewish religion, and since it d o e s concern itself about thy grandson who has a Jewish mother the reason can only be that it d o e s regard him as thy grandson. — There appears to be a weak point in this argument. It is based upon the assumption that had Scripture in reference to the marriage of "his daughter to thy son" added, "For she will turn away thy son from following after Me", the term "thy son" would signify "thy grandson". However, it may be contended, that it would, more naturally, refer to "thy son" whom the heathen woman had married. But this cannot be so. The prohibition of intermarriage is based upon the fear lest the Jewish partner to the marriage be seduced from his religion, and there is no need for Scripture to express this fear. Moreover, if it had desired to express this, it should have made two statements in allusion respectively to the two cases of intermarriage here forbidden: כי יסיר את בתך מאחרי and ותסיר את בנך מאחרי. Rashi, therefore, has reason on his side when he holds that the logical deduction from the fact that Scripture gives only one reason is that it desires to stress the point that it is not concerned about the offspring of the marriage for the prohibition of which it offers no reason. It only mentions that case because it is concerned about "thy son" (the Jew), lest he by marriage with a heathen woman be seduced to idolatry. — The above is Rashi's explanation given on Kidd. 68b of how the law concerning the religion of the offspring of mixed marriages is to be deduced from these verses. Rabbenu Tam, however, deduces the law in another manner, referring כי יסיר וכו' to the words immediately proceding them, ובתו לא תקח לבנך. See Tosaph. there, ד"ה בנך הבא וכו'.

[2]) It is not easy to see what Rashi has in mind in stating that משמרו וכו' is the equivalent of מהמת שמרו וכו', and the author of the ס' הזכרון admits his inability to explain this comment. He is not resolving the infinitive with the pronominal suffix into its components, for he retains it in its original form. He is evidently explaining the prefix מ as meaning מחמת, "on account of", but exactly what other meaning of the prefix he intends to rule out is not clear.

PAGE 42

[2]) It is interesting to compare this comment with that on 1 Kings III. 6 where the Biblical text has a similar phrase: ותשמר לו את החסד. Rashi there observes: It is an expression denoting to fulfil one's promise, the same as, "And the Lord God will keep for you the covenant and the lovingkindness" (the text here). Here, too, — he continues — the meaning is: Thou hast confirmed thy words by keeping for him t h a t p r o m i s e o f l o v i n g k i n d n e s s which thou didst make to him. Similarly on Psalm CXLVI. 6, השמר אמת לעולם, he comments: He fulfils the confirmation of His promise. It is evident therefore that the author of the סי הזכרון is in error when he suggests that Rashi intends only to point out the use of the prefix ו, and that he abbreviates the words את הברית ואת החסד into הבטחתו, just as he compressed וארא אל אברהם אל יצחק ואל יעקב into וארא אל האבות. Rashi is concerned rather with pointing out that שמר in this connection denotes to keep a p r o m i s e, and that the ו introduces the principal sentence, this being one of the main usages of the prefix.

PAGE 43

[1]) The masculine and feminine forms of an adjective and noun usually have exactly the same meaning, in relation to the Hebrew root from which they are formed. Rashi in effect points out that this cannot be so here, for whilst עקרה designates a woman who cannot give birth, the corresponding relation in a man is שאינו מוליד.

PAGE 44

[1]) The root may be either המה, for from ראה we have רָאָם, "he saw them", or הום, since from שות we have שָׂתָם, "he placed them". From המם we find (2 Chron. XV. 6) הֲמָמָם, the verb being inflected as regular. From the noun מְהוּמָה that follows in this verse, it is evident that the root is הום, with the same meaning as the root המם. Cf. Kimchi's Dictionary s. v. הים, where attention is drawn to the difference in the vowels in the second syllable of the two words in language similar to that employed by Rashi.

PAGE 45

[1]) Scripture states that God's purpose in afflicting the Israelites and proving them was in order that He might know what was in their h e a r t s — whether they would keep His commands or not. It would appear, therefore, that the commands alluded to are such that obedience to them may never be displayed by the performance of any action. Such a command is: "Ye shall not put the Lord thy God to the test" which involves the injunction not to criticise God's dealings with them (cf. Rashi on VI. 16). — This comment should be compared with that on Ex. XVI. 4 ("I will rain bread for you from heaven and the people shall go out and collect only what is required for each day's food, in order that I may try them whether they will follow My law, or no"), where Rashi explains that this means whether they would observe the commands associated with the manna, viz., that they should not leave any overnight and that they should not go out on the Sabbath to collect it. In both instances Rashi points out what are the laws alluded to.

PAGE 46

[1]) This comment has commonly been taken to mean that Rashi states that t h o u g h t h e y w e n t b a r e f o o t their feet did not become swollen as is customary in such a case, and XXIX. 4 has been cited as evidence that they did n o t go barefoot, for it is there stated that their shoes did not wear out upon their feet. Much ingenuity has been shown in the attempt to reconcile Rashi here with the Biblical text there. But this is a misunderstanding of Rashi. His purpose is to point out that the text means no more than that they did not go barefoot. "Thy foot did not become swollen": this is what happens to those who walk barefoot, but y o u r feet never suffered in this manner, i. e., they never were without a covering.

PAGE 50

[1]) This statement is made in the Talmud, Meg. 21a, in order to reconcile this text (("I s a t in the mount") with X. 10 ("And I s t o o d in the mount"), it being pointed out that in the former verse the verb does not denote "to sit", but "to stay", as in I. 46, "And ye stayed (ותשבו) in Kadesh many days". However, מהרש"א calls attention to the fact that the two texts refer to different occasions: the one, to the first time Moses was on the mount after the Law had been given on Sinai, and the other to his third ascent, the suggestion being that it is quite possible that on the former occasion he s a t there (ואשב), and on the latter, he s t o o d (עמדתי) there. Consequently, the verb in our text may

well preserve its primary sense of "sitting". He solves this difficulty by pointing out the apparently superfluous words in X. 10, "And I stood in the mount as during the former days", so that in both instances the verb must denote "to stay".

PAGE 51

1) The text, "I have forgiven according to thy word" was, however, said by God not in reference to the sin of worshipping the golden calf, as Rashi states here, but to that of murmuring after the spies had brought back a bad report concerning Canaan (Num. XIV. 20). In all probability Tanchuma, which Rashi is quoting here, merely uses this Biblical text to express the idea it has in mind ("God said, I have completely forgiven them"), without actually meaning that God then used those very words. This, too, seems to be implied in the similar passage in Pirke d'R. Eliezer cited by Berliner in his note. Rashi on Ex. XXXIII. 11 in reference to this incident has only: ויאמר לו למשה סלחתי and not סלחתי כדברך.

3) No reason is stated why God was angry with Aaron. Rashi finds this in his having hearkened to the people's request to make the calf, even though he did this in the expectation that before they worshipped it Moses would return to them and they therefore would not do so (cf. Rashi on Exod. XXXII. 5). The making of the golden calf as a god to be adored cannot therefore be attributed to him, and this cannot be the cause of God's anger. It will be observed that throughout this narrative Moses does not speak of Aaron as having made the calf; it is, in every instance, stated that the people did so (cf. vv. 12, 16, 18, 21).

4) The words הלוך וכלות are not a quotation from a Biblical text as might be assumed from the word כמו that precedes them, nor are they a paraphrase of the catch-word טחון as might also be suggested by כמו. They appear to be out of place here and to have crept in from a comment of a similar character on III. 6, where Rashi uses them as an explanation of the infinitive החרם.

PAGE 52

1) Immediately after v. 19 Moses should have quoted the wording of his prayer. Since he interpolated after that verse mention of other matters connected with the incident of the golden calf, and even of matters not connected with it, such as their murmuring at various places during their wanderings, he is compelled to resume the narrative by again mentioning that he prayed to God, to serve as an introduction to the recital of the prayer. The wording of this verse (את ארבעים היום ואת ארבעים הלילה אשר התנפלתי) makes it evident that it refers to the same occasion. Note also here the statement כי אמר ה׳ להשמיד אתכם, and there קצף ה׳ עליכם להשמיד אתכם.

PAGE 56

1) The words כיום הזה are not to be connected with ויבחר בזרעם אחריהם בכם מכל העמים, for it was not on that day that God chose them. They form an independent phrase, the connection being: And He chose their descendants after them, viz., you ... even as this day, i. e., as is the case this day. (Note, that in the Rashi text the last words should read כיום הזה and not היום הזה.) All that Rashi does is to add mention of Israel's selection as this is expressed in the text, before כיום הזה in order to fill in that elliptical phrase.

2) As Rashi's comment stands here, it is not in accord with the Talmudical passage, Megilla 31a. Here, Rashi appears to regard the passage beginning at: "For the Lord your God is the God of gods" and ending at: "He executeth the judgment of the fatherless and the widow", as mention of God's power (and indeed it requires the exercise of the Divine power to deliver the helpless from those who would oppress them), and the following words, "And He loveth the stranger, etc.", as being mention of His humility. In the Talmud, however, it

is stated that God's power is shown in that He is God of gods and Lord of lords, whilst His humility displays itself in executing the judgment of the fatherless and widows and in loving the stranger. Similarly, in the quotations from the prophets, mention of God's humility is found in the text, "A father of the fatherless and a judge of the widows is God". The מהרש"א calls attention to this. We can discover no authority for this variation from the Talmudical passage, and it is unlikely that Rashi would himself have deviated from a text that must have been familiar to all, for it is given as part of the Service at the Termination of the Sabbath in the Machzor Vitry which was compiled by a pupil of Rashi. We suggest, therefore, that the passage הרי גבורה . . . ענותנתו has become displaced and should stand immediately after the word בממון, so that Rashi would then read ואדני האדנים . . . לפיסו בממון, הרי גבורה, ואצל גבורתו אתה מוצא ענותנתו, עושה משפט יתום ואלמנה ואוהב גר לתת לו לחם ושמלה, ודבר חשוב הוא וגו׳. This brings Rashi into accord with the Talmud and Prayer Book, except that these speak of גדולה and Rashi of גבורה. We have retained the reading found in all Rashi-texts but have translated it in such a manner as to bring the comment into agreement with the Talmudical version.

PAGE 59

1) The text is to be explained as follows: The land whither ye are going . . . is not as that part of the land of Egypt from which ye went forth. The term ארץ מצרים does not refer to the entire country, but is qualified by the following words אשר יצאתם משם. On Lev. XVIII. 3 Rashi comments in a similar manner on the words ארץ מצרים אשר ישבתם בה, explaining that they refer to "that part of the land of Egypt in which ye dwelt", and not to Egypt generally.

2) The term בקעה properly denotes a cleft, and may therefore be applied to a fissure below the ordinary level of the ground, the opposite of a mountain which is a projection above that level. Rashi holds that it cannot denote this here, because Scripture is speaking of the fertility of the soil (cf. his previous comment), and in such a fissure nothing will grow since rain-water would collect and remain there. He, therefore, states that it denotes a stretch of level land, a plain. Although this will not provide as extensive an area for sowing seed as the mountain, it nevertheless is capable of cultivation.

3) This דרוש appears to be a mere אסמכתא, a peg upon which to hang a well-known tradition. That everything was decided on New Year's Day was an accepted principle, and an allusion was found to this in the wording of our text. It will be observed that the word is written without the א that usually appears in it (רשית), and these letters form the name of the month that begins the year (תשרי).

4) The connection is: (11) It drinketh water of the rain of heaven; (13) and this will be so (והיה), if ye will hearken to My commandments, (14) for I shall give the rain of your land in its season.

5) Siphre, Jer. Berachoth (end) and Midr. Sam. (beginning) have the reading מגלת חסידים, whilst Yalkut reads מג׳ סתרים. In מדרש תנאים (ed. Hoffmann p. 42) the reading is מג׳ חריסים and Hoffmann, (Introduction p. VII.) suggests that this probably was the original reading. What חריסים exactly means is doubtful. Hoffmann is inclined to connect it with חרס, the "sun" and to attribute the מג׳ חריסים to the "Essenes" who used to offer prayers at "dawn and sunset" (עם דמדומי ח מ ה). It is interesting to note that in Men. 37a a certain ר׳ יוסי החורם (according to one reading ר׳ יוסי ה ח ו ר ס) is mentioned, and that in Sabb. 118b it is a ר׳ יוסי who states יהי חלקי ממתפללים עם דמדומי חמה, May my portion be with those who pray at דמדמי חמה! For a lengthy discussion of the matter cf. Hoffmann, ib. — Those who identify the Chasidim of the Talmud with the Essenes hold that the מג׳ חסידים was one of the books containing Essenic teachings.

6) If two people part from each other, one going direct east, the other direct west, at the end of one day they will be two days distance from each other.

PAGE 61

1) The translation is: And I will give them (דגנך תירשך ויצהרך) as grass in thy field for thy cattle.

2) It is not a consequence of giving grass for the cattle but refers to another matter. — This must be read together with the first comment in the preceding Rashi, because the words ואכלת ושבעת are introduced into the second explanation by implication.

3) That they would perish quickly from off their land is not a consequence of lack of rain and its attendant famine. It refers to an additional calamity with which God would visit them, viz., the punishment of exile. The mention of the g o o d land suggests that their sin of idolatory was due to the abundance of good which the land had given them. This idea is to be found elsewhere in Scripture: Cf. VIII. 10—14; XXXI. 20.

PAGE 63

1) Exactly what this statement signifies depends upon the meaning of נותן לפניכם. It may signify "to place at one's disposal", as in I. 8, נתתי לפניכם את הארץ (cf. I. 21, II. 31). But it is used also of promulgating laws ("setting" them forth), communicating them, as in 1 Kings IX. 6, Jer. XXVI. 4, XLIV. 10 and elsewhere. The verb שום, which is a synonym of נתן is also used in this sense, when followed by לפני: "These are thy judgments אשר תשים לפניהם, which thou shalt set before them" (Ex. XXI. 1); "and he placed before them (וישם לפניהם) all these words" (ib. XIX. 7). In XXXI. 1 Moses says: "And it shall be, that when there come upon thee all these things, the blessing and the curse which I have set before thee (נתתי לפניכם)". Similarly he says (ib. 19): "Life and death I have set before thee, the blessing and the curse". The blessings and the curses are those contained in chapter XXVIII. It is of course possible that our text refers to the same chapter, but this is unlikely, for after speaking here of "a" blessing and "a" curse, Moses in the very next paragraph speaks of t h e blessing and t h e curse being placed on Mounts Gerizim and Ebal; and it must be assumed therefore that the same blessing and curse are intended in the former passage as in the latter.

2) The phrase על מנת is usually rendered by "on condition that", and this is its meaning, more particularly in legal statements. But it often has the meaning "with the view that". It signifies this in the well-known dictum (Aboth I. 3), "Be not like servants who serve the master with the view of receiving (על מנת לקבל) a daily portion of food (פרס)". Other passages where it is used in this sense are: "He who studies with the view (על מנת) to teach" (ib. IV. 5); "He who tears with the intention (על מנת) of sewing two stitches" (Sabb. VII. 2). In these examples the phrase is followed by ל with the infinitive, but it is found also with ש (the equivalent of אשר) after it. Examples are: "An uncircumcised slave whom his master purchased with the intention of not (על מנת שלא) circumcising him" (Yeb. 48b); "The proselyte is told some of the Mitzvoth with the view that he should give (על מנת שיהא נותן) the gleaning of the field" (Mas. Gerim I.). — This appears to be the sense in which Rashi uses the phrase here: The blessing is set before them (i. e. communicated to them; see previous Note) w i t h t h e v i e w that they should hearken to God's commands. There is here the expression of a hope or belief that the recital of the blessing and curse will itself suffice to make them see the desirability of obedience to God. Such a hope or belief cannot, of course, be expressed in regard to the curse: hence the use of אם in v. 28. The question arises whether אשר will bear this meaning. That it may be so used is evident from the following passages: "Let us confuse their speech s o t h a t (i.e. with the view that, אשר) no man will understand the speech of his fellow" (Gen. XI. 7); "Gather the people together and I will let them hear my words with the view that (אשר) they may learn to fear Me" (IV. 10); "Thou shalt not go up by steps to my altar s o t h a t (אשר) thy nakedness be not uncovered" (Ex. XX. 26). — Rashi is therefore justified in paraphrasing אשר by על מנת אשר, where his "אשר" is used instead of the Rabbinical שֶׁ

which may follow על מנת. He probably used the fuller form אשר just because it is in the text. Hence אשר in the punctuated Rashi-text should be printed with vowels, since it is not the אשר of the Hebrew text upon which Rashi is commenting. To assume that this is so is to assume that Rashi added the phrase על מנת before the word אשר of the Hebrew text, as many super-commentaries on Rashi hold to be the case, but not one of them has satisfactorily explained why he should have done this.

[3]) Rashi has stated that the blessing and curse mentioned in verse 26, refer to those spoken of in connection with Mount Gerizim and Mount Ebal. (This may be the meaning of Rashi's words: האמורות בהר גריזים וכו'). But verse 12 of chapter XXVII. states that certain tribes stood on Mount Gerizim for the blessing and others on Mount Ebal for the curse. In that chapter, however, there are only curses (vv. 15—26) and no blessings. The Rabbis therefore deduced that each of the series of curses were first recited in a converse form, beginning with the word ברוך instead of with ארור.

PAGE 64

[1]) Rashi's statement להלן מן הירדן לצד מערב is intended to connect דרך מבוא השמש with בעבר הירדן. The term בעבר הירדן is generally accompanied by some geographical term showing which side of Jordan is intended; here it is the western side (see our Note on IV. 41). — According to Rashi, אחרי is not to be connected with what follows, but with what precedes, and it qualifies בעבר הירדן: "a long way behind the passage of the Jordan"; being almost equivalent to אחרי עבר הירדן. His arguments that the accents prove that אחרי is to be separated from דרך are by no means cogent. A disjunctive accent is frequently found on a word which, according to the sense, must be connected with what follows. The accents serve as marks of interpunctuation within the entire sentence, but also within the phrases of the sentence. No disjunctive accent, not even Athnach or Silluk, has always the same separating force. It has only a relative disjunctive force — relative, that is, to the disjunctive accents that precede or follow it, according as these be greater or lesser disjunctives than itself. In this very verse, would Rashi hold that because it bears Pashta the word בארץ is to be separated in sense from הכנעני? Or, to take an example more similar to the one in question, that in verse three of the next chapter the word ואשריהם, because it bears a Pashta and because it is followed by a word that begins with a Dagesh (תשרפון), is to be separated in sense from that word? The Hebrew Bible presents innumerable examples of this character, not only with Pashta, but with other disjunctive accents also. As Luzzatto points out, Rashi and his contemporaries were not thoroughly conversant with the rules that govern the setting of the accents. Indeed, the very fact that the disjunctive accent on אחרי is of less disjunctive force than that on הירדן (Rebia) proves that אחרי is more closely connected with what follows than with what precedes. If Rashi were correct, the sentence (Lev. XXV. 8) והיו לך ימי שבע שבתות השנים, which has word for word exactly the same accents as our sentence בעבר הירדן אחרי דרך מבוא השמש and which is also, word for word, of the same syntactical construction, since the words ימי שבע שבתות are each of them in the construct case as are each of the words אחרי דרך מבוא, the word ימי would be more closely connected in sense with לך than with שבע. We may compare also Genn. III. 22: פן ישלח ידו ולקח גם מעץ החיים, where it is evident that the word ולקח is to be directly connected with what follows and not with what precedes. As regards the names which Rashi here gives to the accents in question, it must be borne in mind that the names now current were not always in use, and that different writers employed different names for the same accent. — If the mention of שופר הפוך (our Mahpach) was really made by Rashi, he is in error here also. For if אחרי had to have a conjunctive accent to connect it with דרך, it would be Mercha, because in the phrase אחרי דרך the first word is accentuated on the last syllable and the second word on the first, and in such an event the conjunctive is always Mercha. In all probability the words שופר הפוך are a later gloss to במשרת made by someone who wished to state which conjunctive accent Rashi had in mind. As the conjunctive before Pashta

is ordinarily Mercha, he mentioned this as the accent which would be required here. Whether the first letter in דרך should bear a Dagesh or not depends upon the following rule: In a word that commences with one of the letters בגד כפת and which is preceded by a word that ends in an open syllable, the initial letter has no Dagesh. An exception to this rule is that when there is a pause between the two words, however, slight that pause may be, the initial letter takes the Dagesh. Rashi therefore states that it is evident that אחרי and דרך must be separated from one another in sense because the ד of דרך has a Dagesh, since this can happen only where there is a pause between the two words. However, he does not appear to remember that the pause need not necessarily be in the sense, but may be indicated by the first of the two words bearing a disjunctive accent!

2) As pointed out in Note 4 on p. 63 the Rabbis differ in Sota 33b as to the explanation of verse 30, and Rashi accepts the view of R. Judah. According to him, however, the Talmud explains מול הגלגל to mean סמוך לגלגל, and not רחוק מן הגלגל which there appears as the view of R. Judah's o p p o n e n t! Cf., however, קרבן העדה on Jer. Sota 7 end, which states that סמוך לגלגל in the Talmud is a printer's error and the text must read in both cases רחוק מן הגלגל, as Rashi has here.

3) This paragraph states that when God will have brought them into Canaan t o t a k e p o s s e s s i o n o f t h a t l a n d, they shall put the blessing etc. It appears superfluous to add: For ye shall pass over the Jordan to go in t o p o s s e s s the land ... and y e s h a l l p o s s e s s it. The very wording suggests: You may perhaps doubt whether God will fulfil His promise and that you will possess the land when He has brought you into it, so that you will be able to observe this command, I assure you, however, that ye w i l l pass over the Jordan, (suggesting God's miraculous intervention) to go in to possess the land, and ye w i l l, in consequence of a s i m i l a r intervention of God, possess it, and ye will be able to observe a l l the statutes, etc., not only this specific command. But for an exposition of this character, vv. 31—32 would have no place here. Had it been Scripture's intention to state that when they had come into the land and possessed it they should observe etc., the paragraph would better run in imitation of v. 29: והיה כי יביאך ה׳ אלהיך אל הארץ אשר אתה בא שמה לרשתה וירשתם אותה וישבתם בה, ושמרתם לעשות וכו׳ (cf. also XII. 29). Or it might have stated: והיה כי תבואו אל הארץ וירשתם אותה . . . ושמרתם וכו׳. The mention of crossing the Jordan to possess it, and the statement "And ye s h a l l possess it" afforded sufficient warrant for Siphre to give this exposition. The words אתם עוברים וכו׳ are a definite promise, just as they are in IV. 22: For I must die in this land, I shall not pass over the Jordan; b u t y e w i l l p a s s, a n d y e w i l l p o s s e s s this good land.

4) According to Rashi the translation is: "From all the places where the nations which ye shall possess offered worship ye shall destroy their gods which are upon every high hill etc.". This makes את אלהיהם the object of תאבדון and takes את כל המקמות in the sense of מאת כל המקמות (cf. Rashi מה תאבדון מ ה ם). The verb עבדו is used absolutely without a grammatical object. This is therefore a command to destroy idols, not the places where these were worshipped (cf. Ab. Zar. 45b).

PAGE 65

1) Although a מחובר לקרקע cannot become forbidden through being worshipped, as is derived from אלהיהם על ההרים ולא ההרים אלהיהם, this is so only if it is a n a t u r a l object like a mountain, a river, etc., but if anything has been produced by human agency (שיש בה תפיסת ידי אדם), as is the case with a tree that had been planted by men, it is not regarded as מחובר לקרקע and therefore must be destroyed.

2) The אזהרה למוחק is derived from ואבדתם את שמם . . . לא תעשון כן וכו׳ and the אזהרה לנותץ from ונתצתם את מזבחתם . . . לא תעשון כן וכו׳.

3) According to Rashi on v. 11, the term המקום אשר יבחר ה׳ alludes to Jerusalem, and if by לשכנו in this verse, the holy city was also intended there would be no

reason for omitting it in v. 11. It is therefore taken to allude to Shiloh where the Tabernacle (משכן) was first set up after the conquest of Canaan. It is to be understood as ולשכנו. The words that follow here: והבאתם שמה refer only to Shiloh, whilst the similar command regarding Jerusalem is to be found in v. 11 (שמה תביאו; cf. Rashi there).

4) Siphre explains the word זבחיכם to imply both שלמי יחיד and שלמי צבור. Mizrachi points out that the former term refers to שלמי נדבה and the latter to שלמי חובה and the reason why Rashi omits שלמי נדבה is, according to him, because these may be offered on במות also (cf. Rashi on v. 8) and our verse is mentioning those sacrifices which one may bring o n l y in the Sanctuary (והבאתם ש מ ה), and not on ב מ ו ת (cf. Rashi's comment on לא תעשון כן, v. 8). This is, however, not cogent. For there are also שלמי יחיד which are שלמי חובה viz., the שלמי שמחה which are offered on the Festivals, and Siphre might have in mind such שלמי חובה only, as Rashi has it. The reason, why he omits שלמי נדבה which may of course be offered in the Sanctuary is simply because these are implied in the word ונדריכם which denotes free-will offerings of any kind.

5) Rashi has explained that the words, "Thither ye shall bring" refer to eating the sacrifices at the Tabernacle at Shiloh. The term לפנים מן החומה, however, is properly applicable only to the Temple at Jerusalem, the corresponding phrase for the Tabernacle at Shiloh being בכל הרואה, meaning that the sacrifices may be eaten at any place from which Shiloh is visible (cf. Mishna Megilla I. 11; Zebachim 118a and Rashi on ib. 53a).

6) Rashi points out that the words אשר ברכך ה' do not refer to the words immediately preceding them, when the translation would be: "and ye shall rejoice ... ye and your household wherewith the Lord your God hath blessed thee", or "ye shall rejoice in every undertaking of the hand in which God hath blessed thee", but "and ye shall r e j o i c e, i. e. o f f e r f e a s t - o f f e r i n g s (since the festive rejoicing consists in eating meat of these offerings; cf. Pes. 109b) i n a c c o r d a n c e with God's blessing, אשר being the equivalent of כאשר. The meaning is: Bring festive-offerings in number according to your means.

PAGE 66

1) According to the Talmudical exegesis this section is intended to permit sacrifice on a "high place" (במה) at certain periods of Israel's history. (4) Ye shall not do so (e. g. offer sacrifices to God) wherever you chose (i. e. on a "high place"), (5) but only there where God will chose (Jerusalem), and at Shiloh (שכנו) (6) Thither (to Shiloh) shall ye bring your sacrifices of various kinds, (7) and eat them there, rejoicing in your sacrificial meal according as your means will permit. (8) But as soon as ye have crossed the Jordan (XI. 31), and until ye have a central sanctuary at Shiloh, ye may offer sacrifice elsewhere, viz., on a "high place"; however, ye shall even then not do as we do at the present time when, in the Tabernacle, ye offer both obligatory and voluntary sacrifices, but ye shall offer on a "high place" only that which each man feels it proper for him to sacrifice, i. e., voluntary offerings; (9) Because ye shall not by that time (before there is a central sanctuary) have complete rest and a full inheritance. (10) But when after ye have crossed the Jordan and God hath given you complete rest from your enemies, (11) Then, to the place that God shall choose to establish His Name there (Jerusalem) ye shall bring a l l your sacrifices, (12) And ye and your family and dependents shall rejoice there before the Lord. (13) Be very careful that you do not then bring your sacrifices wherever it seems good to y o u, but even then, under special cirumstances you may offer them outside the central sanctuary at a place which may be deemed proper to a p r o p h e t, (14) but, generally, you may do so only in the place that God hath chosen. — It is evident that the command that they may offer only at Jerusalem and Shiloh might have been stated in one paragraph. It is, however, stated of each separately in order to suggest that after Shiloh was destroyed and before the Temple was built at Jerusalem, i. e., during the period when no central sanctuary existed, the "high

places" were permitted in so far as voluntary offerings were concerned, and it is for this reason that vv. 8 and 9 are placed between the two commands. When, however, the Temple at Jerusalem was destroyed, "high places" did not again become permissible for sacrifices. Cf. Maim. הל' בית הבחירה I. 3 and VI. 15. — The Talmud distinguishes a במה קטנה, a private Bamah, upon which איש כל הישר בעיניו, every individual might offer only that which he brought as a voluntary sacrifice, from a במה גדולה, a communal Bamah, upon which the communal sacrifices (קרבנות צבור) might be offered when there was no sanctuary. Hence even during such a period there was to some degree a centralisation of the sacrificial service.

[2]) Cf. Rashi's comment on v. 8. Since he refers לא תעשון to the transition period between entering the land and definitely establishing the Sanctuary in Shiloh, he is bound to give כי לא באתם a future perfect meaning ("for ye shall not have come") and to עד עתה the meaning of "by that time".

PAGE 67

[1]) As Rashi has explained, this verse states that consecrated animals which have become blemished may be redeemed and eaten as ordinary food. Since the word רק has a limitating force and therefore excludes certain blemished animals from this law, it is only logical that those excluded are such as are suffering from what is recognized to be a transitory blemish, for when this disappears the animals are again fitted to serve as sacrifices.

PAGE 68

[1]) In Bech. 15a the prohibition to use the fleece of consecrated animals that have become blemished is derived from תזבח, which implies ולא גיזה, "You may slaughter it, but not use its fleece", whilst the prohibition to use the milk of such animals is derived in a similar way from the word בשר, which implies ולא חלב. Another view, however, is mentioned there (15b) that both גיזה and חלב are derived from the words תזבח ואכלת: what you are permitted to do is to slaughter and then to eat; no use must, however, be made of the animal as long as it is alive. It is this second way of deducing the law that Rashi is quoting here.

PAGE 68b

[2]) This verse states that the offerings mentioned in the previous verse must be eaten only in the place that God would select, by the worshipper, his family and servants, and the Levite. But amongst these offerings are the tithe of corn, wine and oil, sacrifices brought in consequences of a vow, and those that are entirely of a voluntary character (נדבות). The tithe of corn, etc., spoken of here can only be the מעשר שני, since the מעשר ראשון may be eaten at any place. The נדרים and נדבות must be such as are שלמים, for only such may be eaten. The Levite, however, had no claim on שלמים. Rashi therefore explains that the command to share these with the Levite is an injunction of a charitable character. If a Levite is in want, and you have no מעשר ראשון to give him because you have already distributed it amongst other Levites, treat him as an ordinary poor person and give him מעשר עני, and if you have already distributed this, let him share in the שלמים of which you eat. — This injunction is strengthened by being repeated in the next verse in the form of a negative command: not to forsake the Levite. The reason why the Levite was to take precedence to other poor only whilst the Israelites resided in Palestine is because his tribe alone had no territory assigned to it, and he was dependent upon the dues to which he was entitled. Outside Palestine, however, the poor Levite was at no greater disadvantage than any other poor man.

PAGE 69

[1]) This had specially to be forbidden because it is not included in the prohibition mentioned in v. 23 which speaks of the "blood which is the life", i. e. דם שהנפש יוצאה בו, the main gush of blood.

[2]) Blood contained in the limbs (דם האברים) is not forbidden under any circumstances, only if it has l e f t its o r i g i n a l place in the body (פירש ממקום למקום) e. g. if the blood contained in a muscle left that muscle and entered another one, or flowed out. But if it remains is its original place it is permitted to be eaten. For a detailed definition of the term פירש ממקום למקום cf. ש"ך on יו"ד סי' ע"ו ס"ק ב' and יד אפרים there.

[3]) This verse serves as a contrast to verse 21 which states that the animals, the flesh of which is intended for ordinary consumption (בשר תאוה) may be slaughtered and eaten outside Jerusalem (בשעריך) if one's place of residence is far distant from the holy city. "However, (רק)" it adds, "consecrated animals must be brought to the Temple", however, great the distance may be. They cannot be redeemed by their money's worth being expended in Jerusalem as is the case with מעשר שני when the distance from Jerusalem makes it difficult to carry them thither (לא תוכל שאתו); under any circumstances consecrated animals must be taken thither (תשא).

PAGE 70

[1]) In verses 6 and 11 of this chapter and elsewhere it has already been laid down that sacrifices must be offered only in the Temple. Consequently Siphre explains that this verse speaks of animals o u t s i d e Palestine that have been consecrated as an offering: these too thou shalt bring to the Temple. The Talmud (Temura 17b) derives that תמורות must be brought to the Temple from the words רק קדשיך, the term קדשים including also such as have only a sacred character through being substitutes for animals designated as sacrifices. It brings the young of consecrated animals under this law from the words: אשר יהיו לך, "Such consecrated animals as s h a l l b e t h i n e in future". — It will be evident therefore that when Rashi states: רק קדשיך, בא ללמד וכו', he does not mean that the law regarding the three classes of sacred animals he mentions is derived from the words רק קדשיך alone. There should be a וגו' after these words, for Siphre stresses the redundancy of the entire verse, and the Talmud makes its deductions from specific phrases in the verse.

[2]) The Siphra and the Siphre very often make the same remark that שמור in connection with the מצוות refers to s t u d y. The meaning is that the o r a l law which is liable to be forgotten since it was not fixed in writing must be kept in mind through constant studying and memorizing.

[3]) In Siphre there is a difference of opinion between R. Akiba and R. Ishmael as to whether הישר refers to one's attitude towards God and הטוב to the relations between man and man, or vice versa. Rashi adopts R. Akiba's view, probably because it is more reasonable to apply the expression "right", "correct" to relations between human beings whilst God alone knows whether an action can be described as "good" in an absolute sense.

[4]) Modern lexicographers also take the root נקש in the sense of knocking and striking, the meaning of our text being: "Lest thou be thrust (impelled) after them", and the verse in Psalms signifying: "Let the creditor strike (take aim at) all that he has" (cf. the Oxford Gesenius Lexicon, s. v.). In all the passages where this root occurs, this meaning assigned to it gives good sense in the context. — It is interesting to note that Rashi has selected the first of the three meanings that the Siphre gives to the word: שמא תמשך אחריהם או שמא תדמה להם או שמא תעשה כמעשיהם ויהיו לך למוקש. The second explanation is based on the Talmudical use of the verb in the sense of "comparing" (היקש, the "knocking" of one thing against another, i. e., of bringing them into relation one with the other, finding a similarity between two things). The third explanation takes the root נקש as having the same meaning as יקש "to ensnare".

[5]) In all probability Rashi takes אחרי השמדם in the sense of "since (i. e. because) they are destroyed", as in Gen. XLI. 39, אחרי הודיע אלהים אותך "Since

God hath made known all this unto thee". The words give one reason why they should be on their guard not to follow their example: Since you will see that they are destroyed, take heed, etc., for the fact that they have been exterminated should convince you of the error of their ways and that similar conduct on your part will result in your being exterminated also. — It is possible, however, to arrive at this explanation by assuming that Rashi took אחרי in a temporal sense, for these two meanings of אחרי merge almost imperceptibly into one another. All that Rashi intends to stress is that Scripture is not stating that you should be heedful not to be attracted by their mode of worship only after they have been destroyed, and that before this you need not be on your guard against imitating them.

PAGE 71

2) The reason why Rashi explains the verse in this way is because it is evidently intended to form a contrast to the enticements of the false prophet. He wishes you to become an apostate, therefore Scripture warns you: cling to the law of Moses; do not hearken to the voice of that false prophet (v. 4) but ובקלו תשמעו obey the voice of your true prophets. The false prophet said ונעבדם "let us seek other gods, other places of worship", but you are warned: ואתו תעבדו serve your God in His Sanctuary.

PAGE 72

1) I. e., before אשר כנפשך the word או is to be supplied, just as in the case of בן אמך [או].

2) The words אשר לא ידעת וכו' are of course the words of Scripture, not those of the seducer; similarly in v. 3 נלכה אחרי אלהים אחרים is to be connected with ונעבדם, and אשר לא ידעתם is a parenthesis.

3) If קצה הארץ were merely to define more closely the word הרחקים it would have sufficed to state הרחקים ממך עד קצה הארץ. Besides, as Malbim points out, the אתנח under ממך shows that the next words are not to be connected with those that precede.

PAGE 73

2) The case of a מסית is thus dealt with just contrary to that of an ordinary defendant. Cf. Rashi on Ex. XXIII. 7. It is evident that כי הרג תהרגנו is taken to mean: you must by any means try to put him to death.

3) In the Talmud, however, the law that Jerusalem can never be subject to the law of עיר הנדחת laid down in this section is deduced from the Scriptural statement: If thou hear in one of thy cities (עריך), because no person could designate Jerusalem as his city, it being an accepted principle that Jerusalem was never intended to be the possession of a particular tribe; it was a place of pilgrimage for all Israel. Rashi's comment is that of Siphre, and the last words must be explained to signify that Jerusalem was never intended to be the dwelling place of the people belonging to any particular tribe.

4) Rashi suggests that the full phrase is: תשמע אומרים לאמר. Cf. Gen. XXXVII. 17: כי שמעתי אמרים.

PAGE 74

2) The Mishnah Sanh. V. 1 enumerates the שבע חקירות: the witnesses are to be questioned in which of the seven שמיטות forming a jubilee the event occured (באיזה שבוע = שמיטה), in which year (באיזה שנה), in which month (באיזה חדש), on which day of the month (בכמה בחדש), on which day of the week (באיזה יום), in which hour of the day (באיזו שעה) and in which place (באיזה מקום). The בדיקות were questions relating to accompanying circumstances (e. g. of what colour were the clothes worn by the defendant during the act). The reason why the word ושאלת is referred to בדיקות, and ודרשת and וחקרת to חקירות is because the verb שאל means merely to put a question, whilst חקר and דרש denote diligent

inquiry. Since these terms by themselves imply a thorough examination the word היטב would be redundant unless it pointed to a special חקירה. We have thus three terms here implying חקירה: ודרשת, וחקרת and היטב, two in XIX. 8, and two in XVII. 4, thus altogether seven. It should be noted, however, that Siphre derives the necessity of בדיקות from והנה אמת נכון הדבר "and, behold, if the matter be established as true", whilst the Talmud (Sanh. 40b) derives it from ושאלת, as quoted by Rashi.

PAGE 75

1) The term תועבה is a comparative one, for what one person regards as an abomination another may deem to be perfectly agreeable. Thus a shepherd was looked upon by the Egyptians as תועבה (Gen. XLVI. 34). For this reason Scripture frequently states that a certain action or person is תועבת ה', an abomination unto the Lord. This is the meaning here. The text is not intended only as an introduction to the prohibition to eat unclean animals contained in the following verses, but is of a more general character. Every act that God has forbidden us to do, He has by virtue of that prohibition declared to be abominable, and in this verse Scripture forbids the eating of any animal which has been subjected to such a forbidden act. Thus, the boiling of meat in milk is forbidden; here the eating of such food is prohibited. Similarly a כהן is forbidden to make a blemish in a firstborn animal (see the following Note); here the eating of a firstborn animal that has been thus treated is prohibited.

2) Scripture states of an animal intended as a sacrifice, "It shall be perfect", and continues: כל מום לא יהיה בו "there shall be no blemish therein". In order to give a different meaning to these two injunctions that are apparently of an exactly similar character, the first is explained to mean that when an animal is consecrated as a sacrifice, it must be perfect, and the second, to forbid the making of a blemish in a perfect animal after it has been so consecrated. According to Rashi (on Bechor. 33a) this idea is obtained from the text by reading יהיה as יְהַיֶּה (or יַהְיֶה), causative forms of the verb, signifying: "one shall not cause a blemish to be in it". — It should be noted that whilst the example regarding בשר בחלב is given by the Talmud (Chull. 114b) as an illustration of the law, "Thou shalt not eat any abominable thing", that regarding the firstborn animal is from Siphre on this verse. Cf. Tosaphot Bech. 33a, ד"ה ומי קנים, where it is suggested that the derivation from this verse of the prohibition to eat such an animal is a mere אסמכתא.

3) This is the view of ר' אשי in Chull. 114b, whilst תנא דבי ר"י derives the איסור אכילה of בשר בחלב from one of the three passages of לא תבשל that occur in the Torah, as pointed out by Rashi in his comment on Ex. XXIII. 19 and XXXIV. 26. The reason why R. Ashi holds that it is not sufficient to derive the איסור אכילה from לא תבשל is probably the following: One might argue that one is forbidden to eat בב"ח because he has committed an עבירה by boiling the meat in milk which is prohibited by the text, but that it does not necessarily follow that if, for instance, a נוי or a קטן have boiled it, it is forbidden as food. This, according to ר' אשי, must be derived from לא תאכלו כל תועבה. Since the Torah has once forbidden boiling meat in milk it becomes ipso facto forbidden for food (כל שתיעבתי לך הרי הוא בבל תאכל). R. Ashi may therefore well share the view of תדבר"י that איסור אכילה of בב"ח if cooked by an adult Israelite to whom the prohibition of לא תבשל is addressed, is derived from לא תבשל, but holds that the איסור אכילה of בב"ח under any circumstances is derived from לא תאכלו כל תועבה. That Rashi has this in mind can be seen from his comment on the Talmudical passage: כל שתעבתי לך ... הרי הוא בבל תאכל עולמית בכל ענינין בין שבא בעבירה ובין שלא בא בעבירה כגון ע"י קטן או ע"י עובד כוכבים, מאחר שתעבתי לך אסור והרי תעבתי לך להתרחק מבישולו שלא לבשלם יחד. Accordingly Rashi's words here: והזהיר כאן על אכילתו must be taken in a similar sense, viz., על אכילתו עולמית בין שבא בעבירה בין שלא בא בעבירה. Cf. לב אריה on the Talmudical passage quoted.

PAGE 77

[1]) In Chul. 63b there is a difference of opinions between R. Chisda and R. Abahu as to the number of unclean birds. The former holds that this is twenty-four. However, neither here nor in Lev. XI. 13—19 is this total of such birds enumerated. It can only be arrived at by identifying ראה with דאה and איה with דיה (cf. Chul. 63a, last line). R. Abahu, who holds that ראה, which name suggests that the bird s e e s keenly (see Rashi), is identical with איה (on account of Hiob XXVII. 8: "which even t h e e y e o f t h e איה h a t h n o t s e e n"), arrives at a number of 23 only (since all the four ראה, דאה, איה and דיה are one; cf. ר' גרשום a. l. in the Wilna ed. of the Talmud). Rashi adopts R. Abahu's view although the general tradition is that there are 24 unclean birds (cf. Maimonides, פ"א מהל' מאכלות אסורות הי"ד), because the wording and the accentuation of the text are in favour of this: the particle את is missing before ראה and there is no אתנחתא beneath that word, so that the 3 names form more or less a unity, i. e., they are names of one and the same bird. — It should be noted that in Rashi's statement on v. 7, למה נשנו בבהמות מפני השסועה ובעופות מפני הראה, the words מפני השסועה mean: because the שסועה is an a d d i t i o n a l animal not mentioned a t a l l in Leviticus, whilst מפני הראה means: because of the ראה which is a new n a m e for a bird already mentioned in Leviticus.

[2]) In Jeb. 20a Raba explains that קדושה does not consist in refraining from what the Torah prohibits, because this is really the normal way of conduct, but in avoiding things which the Torah permits, in order to guard oneself against the infringement of Biblical laws. In support of this he quotes the well-known dictum: קדש עצמך במותר לך. See also Nachmanides on Lev. XIX. 1, where he points out that a person who confines himself o n l y to what the Torah permits may still be of a low character. — Rashi evidently follows Siphre on this verse. Friedmann in his Siphre places the second half of Rashi in brackets, and it would appear from his note that he incorporated it in the Siphre-text because Rashi so has it. The Malbim edition places the earlier portion in brackets. So far as we can discover the two halves of Rashi's comment are never found together in the Talmud. Rashi seems to have combined the two, so that the second portion becomes an explanation of the first. — The Rabad brings the Rashi in connection with the prohibition of איסור נבלה mentioned in the Biblical text. This permits the giving of נבלה to the גר or selling it to the נכרי. The Rabbis hold that a n y use of נבלה except eating is permitted, and that Scripture only mentions these by way of example. There is, however, an opinion that these are the o n l y purposes for which Scripture permits its use. If those who ordinarily hold the first view refrain from acting upon it in the presence of those who do not hold it, they attain to a high degree of קדושה, and it is this which the Torah enjoins by adding the words כי עם קדוש אתה to the law concerning נבלה.

PAGE 78

[1]) The Midrash translates thus: Thou shalt not cause the tender grain to cook (i. e. to be affected by heat — to become shrivelled up) whilst they are in the husks; therefore give thy tithes as is due. The term גדי, the y o u n g goat, is metaphorically used here for the young grain.

[2]) If the grain of a particular year has not been tithed by the time when the next year's grain has been gathered in, one must not set aside a quantity of the new crop to serve as tithe of the past year's produce, although by so doing one would be substituting a superior quality of grain — the new crop — for an inferior. It naturally follows that one must not give as tithe of the new grain an equivalent quantity of the old, for this would be substituting an inferior quality for the better.

[3]) Rashi makes it clear that כי יברכך is to be connected with כי לא תוכל שאתו and not with כי ירחק ממך המקום that immediately precedes. The meaning is: And if the journey be too much for thee so that thou art not able to carry the tithe when the Lord thy God will bless thee with plenteous harvest, because the place of pilgrimage is far distant from thy residence.

[4]) Therefore the 6th of the hermeneutic rules of Rabbi Ishmael applies which reads as follows: Two general propositions, separated from each other by a specification of particulars, include only such things as are similar to those specified.

[5]) According to the sixth of the hermeneutic rules of R. Ishmael (cf. previous Note) in our case therefore only such things may be bought for the money of מ״ש which have the characteristic of being ולד ולדות הארץ, thus fishes are excluded because they are products of water,. and not ולדות הארץ. It should be noted that in none of the Talmudical passages (Erub. 27b, Nazir 35b, B. Kam. 54b) where our text is expounded, is there any mention of the characteristic וראוי למאכל אדם, that the things purchased must be "fitted to be food for man" as found in Rashi.

[6]) Since Scripture offers as a reason for giving מעשר ראשון to the Levite the fact that he has no portion with the ordinary Israelite in his produce, it follows that any part of the produce to which the Levite has the same claim as the former himself is exempt from being tithed if the latter has appropriated it. — What Rashi states here is not found in Siphre on this verse, but on v. 29 where the same reason is given for permitting the Levite to come and take of the tithes. It fits in better with that passage where tithes in general are spoken of. In Siphre on our passage where the more or less vague statement is made not to forsake the Levite the same observation is made as Rashi offers on XII. 18.

PAGE 79

[1]) Rashi, following Siphre, states that from the words ואכלו ושבעו the Rabbis derived the law in Peah. VIII. 5: אין פוחתין לעני בגורן וכו׳. Both Rashi and Siphre on XXVI. 12 state, however, that this law is deduced from the words ואכלו בשעריך ושבעו in that text. According to the Talmud (Ned. 84b) these two Scriptural passages refer to different circumstances under which מעשר עני may be given. Here it is speaking of the מעשר עני המתחלק בתוך הגרנות, of "the מ״ע that is distributed in the barn on the fields" during the summer time (cf. Tosaph. Jeb. 100a ד״ה מעשר עני and ר״ן and רא״ש on Nedarim above). But the injunction ואכלו ושבעו cannot be explained to mean that the owner must not give the poor less than a certain quantity, for no question of "giving" arises since the text bids him to leave it (והנחת), i. e. leave it at the disposal of the poor who may come and take as they please (cf. Rashi on Nedarim). In chapter XXVI., however, Scripture speaks of מעשר עני המתחלק בתוך הבית, of "the מ״ע that is distributed indoors" during the winter, since it states there ונתת, "And thou hast given it". How then can Rashi and Siphre hold that the law אין פוחתין לעני בגורן is derived from ואכלו ושבעו in this passage which speaks of the produce being in the house? There are other difficulties also. See Malbim here on והנחת בשעריך who attempts to solve them (cf. also משנה למלך on פ״ו מהל׳ מתנות עניים הל׳ ז׳-י״ג).

[2]) This comment is liable to be misunderstood. The word ידו in Rashi is not a repetition of that word in the Hebrew text. It is part of the Rabbinical genitive, ידו של כל בעל משה, "the hand of every creditor", and Rashi is not merely placing the words of the text in a different order. The word ידו is not to be construed with משה, but is the accusative after שמוט. Rashi makes this plain by adding את before it. Since the infinitive here has the force of an imperfect the text is equivalent to: ישמוט את ידו כל בעל משה, Every possessor of a loan (בעל משה) shall drop his hand. Some MSS. of Rashi add: וכן הוא אומר למטה תשמט ידיך, as proof that יד is to be construed with the verb שמט where the two words occur together. — Rashi's explanation is against the Massoretic text, for מַשֵּׁה is the construct state of the noun, and the accents join it, as such, to ידו.

[3]) The statement: "Of an alien thou mayest exact it" implies: but of thy brother thou mayest not. Now there is a rule that a prohibition that is drawn by inference from a positive command has the force of a positive command (לאו הבא מכלל עשה עשה; cf. Rashi on XIV. 6). This is what Siphre means: the words of the text are implicitely a מ״ע. That this is the meaning of Siphre and

not that it is a command to exact a debt from an alien, has been clearly proved by Nachmanides in his ס' המצות. — Thus one who exacts a debt from his brother transgresses not only the לאו of לא תגוש but also an עשה.

PAGE 80

1) Rashi means that one must connect this with verse 4: Howbeit there shall be no needy amongst you ... but only if you will hearken etc. It is upon this explanation that the comment on אפס וכו' is based.

2) All that Rashi means is, that the roots עבט and לוה are both used in the same way: in the Kal they mean "to borrow" and in the Hiphil, "to lend". In referring to the root לוה he has in mind XXVIII. 12. The verb עבט is a denominative from עֲבֹט "a pledge", and in the Kal may mean to take possession of something already offered as a pledge, as in XXIV. 10, or to give a pledge, as here, i. e., to borrow. The Hiphil means, to cause a person to give a pledge, i. e. to give him a loan. It is possible, however, that the root has a meaning similar to that of עבת which is used in the sense of "to wind", "to weave", primarily meaning "to join". If so, it is a synonym of לוה, and the verses here and XXVIII. 12 will mean: And thou shalt bind many nations (i. e. make them obligated), but thou wilt not be bound. Hence we have עֲבֹת a cord, rope (strands bound together), as a synonym of חבל which, too, denotes a pledge. With עבת and עבט may be associated עבד, "to serve", to be obligated to a superior.

3) Siphre expresses this idea somewhat differently: אם אי אתה נותן לו סופך ליטול הימנו.

PAGE 81

1) I. e. והעבט תעביטנו is not explicative of פתוח תפתח, but it is an alternative: "Thou shalt open thy hand", i. e. give him a gift, or "thou shalt lend him".

2) The words "that which he laketh" refer to the needs that are personal to him, even though they be not the personal needs of another. It need hardly be pointed out that the derivation of "wife" from the word לו in Gen. II. 18 is a mere אסמכתא. Similarly, in the Talmud, Keth. 67b, the duty of providing the poor with a house is deduced from די מחסרו, and with furniture from אשר יחסר.

3) Rashi means that if this is a positive command, the words in XXIV. 15 must be a negative command, but this is of course not so. If it were, in our passage the poor person would be commanded to cry, whilst in the other he would be bidden not to cry.

4) The first לו appears to be redundant: it would have sufficed to state נתן תתן ולא ירע לבבך בתתך לו. It is therefore taken to suggest: you must give — but only to him, nobody else observing it.

5) Siphre has: If he said that he would give alms and he did so, he receives reward both for his promise and for his good deed. If he said that he would give and was afterwards unable to do so, he receives the reward for his promise, כשכר מעשה. It is the second paragraph of Siphre which Rashi has here abridged, substituting עם שכר מעשה for כשכר מעשה. Of course this alters the meaning, for there is no reason why in addition to being rewarded for his promise, he should receive also a reward for what he has not done, unless we apply the principle that God regards good intention as an actual deed (מחשבה טובה הקב"ה מצרפה למעשה). — In Tosephta פאה IV. we have somewhat similar: אם אמר ליתן ולא הספיק ליתן ... נותנים לו שכר על זה. — For the דרוש by which דבר is taken as utterance in a phrase of the same nature as this, cf. Rashi on Gen. XX. 18, ד"ה על דבר שרה.

6) According to Friedmann (Siphre a. l.) there is MS. authority for reading in Siphre the words מפני כן after על כן. If so, the question why Rashi explains על כן by מפני כן does not arise, since he is not explaining the words of the text but merely quoting Siphre, where מפני כן is part of a sentence explanatory of the text: מפני כן עצה טובה אני נותן לך לטובתך. The statement, "Therefore I command thee this day, saying, Thou shalt surely open thine hand" refers back to v. 8 where this command is given. Scripture promises (v. 10) that as a reward for observing this command God will bless the giver, and it adds here "Therefore I give thee

good advice — that thou shouldst observe this command". The super-commentaries state that Rashi has explained that על כן when preceded by כי (see Gen. XVIII. 5 and elsewhere) signifies הואיל, "since", "because", and that he here points out that when not preceded by כי, it has the meaning of "on account of this", "therefore". This, however, is not correct. A careful examination will show that Rashi there and elsewhere states that in the phrase כי על כן the two words על כן denote על אשר, "because", the phrase being elliptical, and he explains how in each case it should be filled in (see Rashi on Gen. XVIII. 5; Num. X. 31 and the passages there quoted). In Hos. VI. 5, also, Rashi paraphrases על כן by על אשר "because", citing texts where כי על כן occurs. Since the meaning "because" is more unusual than "therefore", Rashi points it out when על כן has this significance, but it is inexplicable why he should, on any passage, state that it there has the common meaning of "therefore" as the super-commentaries hold that he does here. The presence of the words מפני כן in this Rashi find their explanation only if they are taken as part of Siphre's comment.

[7]) Probably Siphre takes מצוך in the sense of addressing a charge on a person, recommending him to do something, not in the sense of actually c o m m a n d i n g.

PAGE 82

[1]) Throughout the Midrashic literature, terms from the verb ברך, "to bless", are explained to refer to increase and growth. Hence the waters of the Nile are spoken of as מתברכין. God is said to have "blessed" the seventh day in that on the sixth day there fell a d o u b l e portion of manna because of the Sabbath (cf. Rashi on Gen. II. 3 and Ex. XX. 11). In the priestly benediction (Num. VI. 24) the aspiration יברכך is explained by שיתברכו נכסיך, "May thy possessions increase" (see Rashi thereon). In Scripture itself the verb ברך is often connected with expressions that denote increase and growth. A consideration of such passages proves that "blessing" does not s h o w itself in growth and increase of good, but that "blessing" actually c o n s i s t s in multiplication of good. The verb itself appears to d e n o t e such increase; the meaning of "blessing" is a derived meaning.

PAGE 83

[1]) The Mishnah Arachim VIII. 7 states that a person may dedicate for priestly or sacred use any animal that he has undertaken to bring as a sacrifice (קדשיו). Since, however, such a sacrifice is already assigned to a holy purpose it follows that the above statement and any Biblical passage on which it is based (as e. g., our verse: Every firstborn animal ... thou shalt sanctify), can only mean that he may dedicate the monetary value of any right that he may possess in the animal after he has dedicated it for priestly or sacred use. A בכור was holy from its very birth (קדוש מרחם), and the owner after bringing it as a sacrifice must give its flesh to a priest (כהן). But he has the right to select the priest to whom this shall be given, and this right has a certain monetary value. A person may offer him a sum of money to permit a grandson or nephew of his who is a priest to have the flesh (his daughter or sister may have married a priest and the offspring of such a marriage is therefore a priest). This sum represents the owner's private interest in the animal (טובת הנאה), and if he dedicates a first-born animal, he must give such an amount of money to the Temple Treasury.

[2]) Rashi has omitted the last portion of the Mishna, which forbids a בכור (which is already holy from the very moment of its birth) to be dedicated as a sacrifice other than בכור on the altar. He did so because the two ways of reconciling our text with Lev. XXVII. 26 differ only in the explanation of our text, that of the other (לא יקדיש) being the same, and this he has already stated.

PAGE 84

[1]) Rashi really gives two explanations of שנה בשנה and he might have introduced the second by ד״א as he did in the case of כל הבכור ... תקדיש in v. 19.

PAGE 87

[2]) This statement is likely to be misunderstood since the word אך usually excludes something; here it appears to include. But it is not the word אך from which the obligation to include in the rejoicing the night preceding the eighth day is derived. Since Scripture has stated, (v. 14) "And thou shalt rejoice in thy festival, etc." the repetition of the same command here would be redundant unless it were intended to include something which is not implied here, for v. 14 includes only the seven days mentioned in v. 13. There are two periods not included in the rejoicing of שבעת ימים: namely, the first night (for no שלמים can be sacrificed on עיו"ט, since the rule is זביחה בשעת שמחה, and the זביחה cannot take place at night), and the eighth night which does not belong to the seven days. The redundance of והיית אך שמח cannot be intended to include both these days because אך has an excluding force. It is more logical to assume that it excludes the first night which is not preceded by שמחה than that it excludes the eighth night which is thus preceded. Hence the redundancy can only include the eighth night.

[3]) The עולות are the pilgrim's burnt offerings and their number depends on the pilgrim's means (נכסים). The number of שלמים which were eaten at the festive table by the members of the family (and the poor) varies according to whether the family is large or small. Rashi mentions only one of the possibilities. But there are others. a) He has a large family but small means, when he requires many שלמים and fewer עולות. b) He is rich and has a small family, when he brings many עולות and only a few שלמים. c) He has limited means and a small family, when he brings only a limited number both of עולות and שלמים.

[4]) I. e. if in a certain city there should be people of two different tribes two separate Sanhedrin must be appointed. — It should be noted that according to this explanation לשבטיך is the equivalent of ולשבטיך and has to be connected with בכל שעריך and not immediately with תתן לך.

[5]) These words are not an admonition to the judges to give true judgment, for this is contained in the following verse. The word ושפטו is almost equivalent to אשר ישפטו, the meaning being: Appoint such judges (שפטים ... תתן לך) who will judge the people with a just judgment.

[6]) Cf. our Note on ויצא פרח, Num. XVII. 23.

[7]) It cannot refer to favouring a person by giving judgment for him against the evidence, for this is included in the preceding prohibition: לא תטה משפט. It means, that even though you are determined to give a true judgment, you should not, whilst the parties are pleading, show more respect to the one than to the other. Cf. the next Rashi.

PAGE 88

[1]) The previous verse contains admonitions addressed to the judges including one that warns them not to wrest judgment. Rashi holds that the words צדק צדק וכו' cannot mean that the judges shall execute true judgment since this has already been stated in the previous verse, and therefore holds that they are addressed to the litigant.

PAGE 89

[1]) It is stated that 72 Jewish scholars translated or transcribed the Pentateuch into Greek at the request of king Ptolemy. They altered the wording of several passages the meaning of which was likely to be misunderstood (cf. Rashi on Ex. XII. 40, at end). This was one of them. For without the additional word לעבדם, the text might be taken to mean: the sun or the moon, or any of the host of heaven which I have not commanded that they should come into existence. This would imply the blasphemous idea that they exist without, or even against, God's will. — It is interesting to note that Siphre makes an observation on our passage from which it would appear that it had the word לעבדם in the text, for it reads: כשהוא אומר לעבדם להביא את המשתף. What the passage implies is therefore: I have commanded them to come into existence but I have

not commanded that they should be worshipped, but only that they should give light to the world. אשר לא צויתי need not therefore to be inverted into אשר צויתי שלא לעבדם as many commentators suggest.

[2]) It is true that this verse does not speak of עדים זוממים, but it is quoted in Mishnah Macc. I. 7 to draw this inference regarding them from it.

PAGE 91

[1]) Rashi points out that לא ירבה לו סוסים and ולא ישיב את העם מצרימה וכו' are not two separate commandments. They form one command that forbids the king to possess a large number of horses, and at the same time states why this is prohibited, — so that he may not send the people back to Egypt to purchase horses. The same phraseology occurs in the next verse: Neither shall he multiply wives unto himself, so that his heart turn not away from God.

PAGE 92

[1]) Rashi's mention of the Targum rendering of משנה התורה is made for the purpose of stating that there is another view besides that which he has just given. That takes משנה in the sense of double as in Gen. XLIII. 15 משנה כסף, whilst the rendering of Onkelos is based upon a derivation from a root containing the letters ש and נ equivalent in meaning to שנן, which Rashi takes as a synonym of speaking and uttering. It would seem therefore that he is of opinion that Onkelos rendered משנה by "copy", because in making a copy the scribe utters each word when he is writing it.

PAGE 93

[1]) In the ordinary editions of Rashi the text cited is Deut. X. 9. The Siphre to which Rashi refers is that on Num. XVIII. 24, and that is the text upon which the comment he quotes is made. — It is strange that Berliner, whilst quoting the Siphre in a footnote, על כן אמרתי למה נאמר וכו', fails to call attention to the fact that the text he prints in the Rashi is not that which Siphre has in mind.

[2]) This is Kalonimus ben Shabbethai of Rome. He became Rabbi at Worms about 1070. Rashi quotes him in his commentary on the Bible and in that on the Talmud. Other Bible commentators mention Scriptural and Talmudical expositions given by him. See Berliner, "Beiträge zur Geschichte der Raschi-Commentare", p. 11 ff.

PAGE 94

[1]) In the Talmud and Siphre the words חמש צאן עשיות are explained thus: שמעשות את בעליהן, "five lambs that cause their owner to fulfil the command of ראשית הגז" suggesting that a smaller number would not make it obligatory on their owner to give this to the priest.

PAGE 94a

[1]) It would seem that ד"א is an interpolation and that Rashi originally wrote only עוד למד וכו'. Either ד"א or עוד should be omitted.

PAGE 95

[4]) Not one prophet alone, as the singular נביא might suggest, will God raise up for you. At all times there will be godly men of whom you may make enquiry, but these will always be, as I am, one of your own people.

[5]) If a man claims that God has bidden him deliver a certain message to the people whilst, in fact, the message had been entrusted to another, such a claim makes him liable to death. The stress is to be laid on the pronominal suffix of the word צויתיו, "which I have not commanded him to speak".

[6]) The law that false prophets of these three categories are liable to death by the court is derived from this verse: The words את אשר לא צויתיו לדבר refer to

one who prophesies something which he has not heard from God; the same words, stressing the pronominal suffix in צויתיו (see previous Note) refer to one who prophesies what h e has not been commanded but which was spoken to his fellow-prophet; whilst he who prophesies in the name of an idol is, of course, mentioned in the words ואשר ידבר בשם אלהים אחרים. The law that three will die by a visitation of God is derived from v. 19 by reading the word יִשְׁמַע, first as יַשְׁמִיעַ, the man who will not proclaim My words, i. e., who suppresses his prophecy; secondly, by reading it as the text has it, יִשְׁמַע, "the man who will not hearken to My words", i. e., who transgresses the word spoken by Me through My prophet; and, thirdly, by reading it as יִשָּׁמַע (a tolerative Niphal), "the man who will not submit himself to hearken to My word", i. e., the prophet who disregards God's words spoken through him (see Rashi's use of נשמע on Sanh. 89a). It is of course possible to perceive mention of the last two persons in the text as it stands: "The man who will not hearken to My words", for this may include not only him to whom the prophet speaks, but also the prophet himself (see ש"ח).

PAGE 96

1) The particle כי is here taken in the sense of "when". This, as Rashi frequently points out, is the equivalent of אם which, according to the Talmud, is one of the four usages of the word כי.

2) The reason why Siphre, which Rashi quotes, refers our text to an event which was a c t u a l l y to happen and does not give וכי תאמר וכו' the sense of "p o s s i b l y", "p e r h a p s" you will say, etc.", referring it to a theoretical case, as he does e. g., in Ex. XXIII. 4, and Deut. VII. 7, is the following: The answer given by Scripture in v. 22: "When a prophet speaketh in the name of the Lord, if the thing follow not, nor come to pass, t h a t i s t h e t h i n g w h i c h t h e L o r d h a t h n o t s p o k e n" cannot be meant g e n e r a l l y — that in any case when the people might be doubtful whether the prophet speaks the truth or not the criterion will be whether the thing foretold will come to pass or not, since we find cases when God did not bring about that which He announced by the mouth of His prophet. Jonah, for instance, distinctly said in the name of the Lord, (Jonah III. 4) "Yet forty days and Nineveh shall be overthrown" and Scripture states, (ib. v. 10) "And God saw their works, that they turned from their evil way; and God repented of the evil which He hath said that He will do unto them; a n d H e d i d i t n o t". The text is therefore to be referred to some historical incident, and this is found in the prophecies of Jeremiah and Hananiah.

3) The first portion of this comment is from Siphre which takes תגור in the sense of "storing up" words, as in I. 17. The latter portion is Rashi's addition, understanding it in the sense of "fearing".

PAGE 97

2) Rashi holds that the root נדח primarily denotes movement of some kind (cf. נוד, נדר נדה). The meaning of the verse therefore is: And his hand moved with the axe to cut down the tree. The same verb is used in XX. 19 to describe the swinging of an axe.

3) The passage פן ירדף וכו' cannot be connected with what immediately precedes — that one who commits manslaughter shall flee to one of these cities, for there is no reason why Scripture should state that he shall flee thither lest the avenger of blood should overtake him b e c a u s e t h e w a y i s l o n g. Rashi therefore holds that it gives the reason for the injunctions in v. 3: the roads are to be maintained in perfect condition, and the cities of refuge must be located equidistant one from the other, lest the avenger of blood pursue the man and overtake him because the way is long. For this reason (על כן), Scripture continues, I command you to set aside t h r e e cities, and if your land extends itself, you shall assign three additional cities for this purpose. Rashi's words ערי מקלט רבים, many cities, anticipate the command in v. 8; the three cities already spoken of and the three to be set aside in the event of their territory becoming enlarged, are

the many cities he has in mind. Verses 4 and 5 are a parenthesis. Since Scripture states in v. 3 that one who slays a man (רוצח) shall flee to one of the cities of refuge, it feels compelled to explain forthwith under what circumstances (וזה דבר הרוצח) he may take sanctuary. Having done this, it resumes where it broke off after v. 3.

PAGE 99

1) Rashi on Sota 2b ד"ה ממשמע explains this as follows: The word עד in the singular implies one witness and there was no need for Scripture to add the numeral אחד. Since Scripture feels compelled to add the word אחד it is evident that the word עד where it is not followed by the numeral does not signify "witness", but the abstract noun עדות, "evidence", "testimony" and such always requires two witnesses.

2) In Sheb. 30a the arguments are set forth why these words must be taken to refer to witnesses. In addition, the following may also be advanced: The paragraph opens with a statement about witnesses and each verse, with the exception of this, alludes to these. There appears to be no cogent reason why this verse alone should speak only of the contending parties. It should be noted that this is a general law regarding witnesses and not an injunction concerning the witnesses in this specific case of what the Rabbis term עדים זוממים. As Rashi points out on Sota 2b, the term עד may be regarded here as the equivalent of עדות, "evidence", a meaning which עד has fairly frequently (Gen. XXXI. 44, Ex. XXII. 12, Deut. XXXI. 19, 21, 26 and elsewhere), and since Scripture has already enjoined (v. 15) that two witnesses are required to establish a matter, it rightly goes on to speak of the two witnesses standing before the Lord. — To find any mention of the contending parties it is necessary to understand אשר להם הריב as ואשר להם הריב וכו'. The Talmud itself in Sheb. 30a raises the objection that the absence of the copulative ו makes it unlikely that by the words "two men" Scripture is alluding to the witnesses, but refutes this objection by pointing out that v. 15 speaks of two witnesses. The idea that underlies this נ"ש is that v. 15 and all that follows really forms one paragraph primarily dealing only with witnesses.

3) It may appear strange that Rashi here repeats his comment on v. 15. It must, however, be remembered that the Rabbis explain that this paragraph refers to the following case: Two men assert that they were witnesses to a crime or transaction (e. g., the giving of money on loan) in a certain place and at a particular hour, and two others refute them by proving that these two were in their company elsewhere at the time in question. — The first pair of witnesses are termed עדים זוממים the second are מְזִימִים, (those who allege them to be such). — It might be assumed that, if it is proved that one of the first pair is a false witness for the reason already mentioned, he is to be adjuged an עד זומם and becomes subject to the punishment laid down in v. 19. Rashi therefore repeats the statement that although the singular עד is used here, the rule must be applied that it refers to two witnesses, and that consequently the punishment enacted for עדים זוממים cannot be inflicted upon one witness who, it has been proved, has given false evidence. It is necessary that both should be proved an עד זומם. From the observations of the ש"ח, it would seem that his Rashi had the comment on והנה עד שקר העד before that on ודרשו השופטים היטב, and in many editions it is so printed. It is evident that there is some confusion in the Rashi, for the words על פי המזימים אותם, if they have any meaning here, are best explained as we have translated them, and their connection with what follows would be as we have given it. But it is far from satisfactory, for על פי can hardly have the meaning we have attached to it, and the words שבודקים וחוקרים וכו' appear to repeat the preceding phrase, על פי וכו'. It would be well to amend the Rashi text by removing the words על פי המזימים אותם from their present position and placing them after a caption: שקר ענה באחיו. The result will be that the comment on ודרשו וכו' will state only that the examination referred to by Scripture is that of the second pair of witnesses, and that on שקר ענה באחיו will explain how the first pair have been proved false witnesses, viz., by the evidence of those

who assert that they have entered upon a conspiracy against their fellow (על פי המזימים אותם; see Nachmanides). Rashi on Ex. XXII. 6 makes a similar observation in explaining the text וגנב מבית האיש, where he adds: לפי דבריו, "according to the statement of the bailee". There is, however, no necessity to correct על פי in our Rashi into לפי, for the former expresses the required sense quite as well as the latter (see שם אפרים).

PAGE 101

1) Rashi is quoting the Siphre which has the word ספר, the meaning of which may have been unknown to his disciples; he therefore explains it, stating that it denotes: גבול ארצכם.

2) The Talmud derives this by a גז"ש. It says here ודבר הכהן and in Ex. XIX. 19: משה ידבר — just as Moses spoke Hebrew at the Revelation on Sinai so the משוח מלחמה has to speak Hebrew. Cf., however, תוס' Sota 42a s. v. הכי קאמר.

PAGE 102

1) The thought that another man may possibly dwell in the house he has built will divert his mind from the fighting, and his example may influence others to take flight with him (cf. Ibn Ezra and Nachmanides).

2) In verse 4, the army has already been assured that God will protect them. Why then need they apprehend death in battle? The three classes of men spoken of in vv. 5, 6 and 7 have been guilty of no sin that they need fear that this assurance of safety is not extended to them. Rashi therefore explains that death will be the well-deserved punishment for not obeying the summons of the priests to leave the ranks. The statement "let him return lest he die", implies that if he does not return he will certainly die as a punishment for not doing so. With this may be compared Rashi on Lev. XVI. 2: "Let him not come ... into the holy place, in order that he die not", where, he adds: שאם בא, הוא מת, "for if he d o e s come he will certainly die".

3) The reason why the last passage of the proclamation was said by the officers and not by the priest is obvious. Since he encouraged the whole people with the words (v. 3) "Let not your hearts faint, fear not, and hurry not precipitately, neither be ye terrified because of them", he could not even suggest that there might be faint-hearted amongst them. The officers, however, who took a more practical view, admonished those who, in spite of the encouragement of the priest, were afraid of the battle, to return lest they set a bad example to the others.

PAGE 103

1) The strangeness of the phrase with which Rashi begins this comment is due to the fact that he has abridged the statement of Siphre: אמרו מקבלים עלינו מסים ולא שעבוד שעבוד ולא מסים אין שומעים להם עד שיקבלו עליהם זו וזו.

2) One would expect Scripture to state: ועשית עמה מלחמה. The actual wording suggests the above comment.

3) Siphre on v. 10 has: להלחם עליה ולא להרעיבה ולא להצמיאה ולא להמיתה מיתת תחלואים. Scripture assumes here that you are permitted to f i g h t against a city, but not to inflict upon it the horrors of hunger, thirst and disease. If, however, it refuses your offer of peace and makes war against you, וצרת עליה, then you may inflict upon it even all these horrors. The strangeness of the word אף followed by the infinitive in Rashi is owing to his having omitted Siphre's comment on v. 10, where the infinitives corresponding to that in the text, להלחם, are perfectly natural. Siphre appears to have taken the word וצרת in the sense: then thou mayest inflict upon it צרות, troubles, misery.

4) According to this the ו of ונתנה introduces the apodosis; if you have first offered it terms of peace which have been refused, and you besiege it, God will assuredly give it into your hands.

[5]) For although the Girgashites emigrated to Africa (cf. Rashi on Ex. XXXIII. 2 and Note thereon), it was not to be assumed that if individuals of them remained amongst other nations they were to be exempt from the provisions of the law hero laid down. They were to be exterminated, — all according to what God had before commanded regarding them.

PAGE 104

[1]) Exactly what bearing this verse has upon the question is not quite clear. Friedmann in Siphre is of the opinion that it is cited to prove that ימים may denote t w o days, for since this is usually expressed by יוֹמַיִם, it might be argued that ימים implies three days, and רבים, four. This is by no means satisfactory. In Midrash Tannaim the reading is similar to Rashi, but in the text has ימים ר ב י ם for ימים ש נ י ם. Yalkut also cites the text in this non-Massoretic form and continues: ימים שנים רבים שלשה. The reading רבים instead of the Massoretic שנים is certainly more applicable to the text on which Rashi is commenting. In the edition printed in Malbim's Pentateuch we find the following: מגיד שתובע שלום שנים ושלשה ימים עד שלא נלחם בה ואע"ם שאין ראיה לדבר זכר לדבר שנאמר ויבא דוד ואנשיו צקלג ביום השלישי. This, of course, is incomprehensible, since it first deduces the law (מגיד) from the text and afterwards states: אין ראיה לדבר! Besides, the text cited is not to be found in Scripture. In all probability, 1 Sam. XXX. 1 is intended: כ ב ו א דוד ואנשיו צקלג ביום השלישי, which is taken to suggest that David had waited three days before entering the city, and that during that period he offered terms of peace. But there was no question of David fighthing against Ziklag for it had been given to him as a place of residence by Achish (1 Sam. XXVII. 6) some time previously.

PAGE 105

[1]) It is not against actual bloodshed that they are justifying themselves, for this is unnecessary, but they claim not to have been the c a u s e of his death even indirectly. The meaning of the verse is: Our hands have not caused his blood to be shed because we never saw him (ועינינו לא ראו) and had thus no opportunity to provide him with food and escort. The Mishnah Sota IX. 7 originally had no mention of מזונות and לויה, as is evident from the comments of Rashi and Bertinora. This crept in from a Baraita in Bab. Sota 46b, which is intended to explain the vagueness of the Mishnah. Rashi has here abridged this Baraita which reads: לא בא לידינו ופטרנוהו בלא מזונות, ולא ראינוהו והנחנוהו בלא לויה in which the two declarations made by the elders: ידינו לא שפכו את הדם הזה and ועינינו לא ראו receive each its explanation. Rashi has attached the mention of both מזונות and לויה to the second declaration. Rashi and the Babylonian Talmud explain the Biblical text and the Mishnah as referring to the murdered person, whilst the Palestinian Talmud holds that it is the murderer who is being spoken of (cf. Hirsch and Hoffmann a.l.).

[2]) It must be assumed that the p r i e s t s said these words because it is always the priests who bring about atonement, and otherwise their appearance at the ceremony (v. 5) would have no purpose at all.

[3]) The words ונכפר להם הדם are not part of the priests' declaration. This terminates at עמך ישראל. They are an assurance added by Scripture.

[4]) The statements ובערת הרע מקרבך (XIII. 6, XVII. 7, XIX. 19, XXII. 21, XXIV. 7) or ובערת הרע מישראל (XVII. 12, XXII. 22) are invariably preceded by the command to p u n i s h the wrong-doer, the meaning being: Punish the evil-doer and t h u s put the evil away from among you. Here, however, the corresponding phrase ואתה תבער וכו' is not preceded by the command to execute the murderer (since he is unknown), but by the bidding to perform a solemn ceremony of expiation for the innocent blood that has been shed. It will be seen from XIX. 12, 13, that the words בער דם הנקי are used of the execution of a murderer. The Rabbis therefore take our verse to signify: The elders and priests have made due expiation, since the murderer is unknown; but thou (ואתה) must on thy part put away the guilt of innocent blood from thy midst (i. e. put the

murderer to death), if (כי) thou wouldst do that which is right in the eyes of the Lord. This can, of course, only be done if the murderer is afterwards discovered. He cannot escape punishment even though the ceremony of expiation has been performed, for Scripture says, (Num. XXX. 33): "No expiation can be made for the land for the blood that is shed therein, except by the blood of him that shed it", — a statement that presupposes the discovery of the murderer.

5) Siphre has only: במלחמת הרשות הכתוב מדבר. What follows was added by Rashi as a proof of this statement. The author of the ס' הזכרון points out that the correct reading in Rashi is: אין לומר ושבית, and not ושביתו שביו, for these words may imply that Scripture is speaking of a מלחמת חובה, of a war waged against the Canaanites, the meaning being: and thou capturest its (the enemy's) captives, i. e., the captives taken by the Canaanites in a former war, and who are natives of other lands. The proof of Siphre's statement therefore lies only in the fact that Scripture permits the taking of captives (ושבית), and, for the time being, we are not concerned with the meaning of שביו.

6) See Rashi on Num. XXI. 1 and our Note thereon. From this it will be seen that שביו may denote those captives already taken by the enemy against whom the Israelites were waging war outside Palestine (מלחמת רשות), and may include therefore Canaanites whom that enemy had taken in a former war against Canaan. Similarly Rashi explains on XX. 11 that Canaanites resident in a city outside Palestine (cf. ib. 10) that surrenders to the Israelites without fighting may be kept alive.

7) The term אשת "woman" is a general term, and includes, therefore, both married and unmarried. — Heidenheim holds that the דרוש is derived from the use of the word אשת instead of אשה (cf. אשה יפת מראה Gen. XII. 11), since the word אשת, (he states) is never used except of a married woman. But surely he proves too much, for then the text would refer only to a married woman, and this is not the meaning of אפילו אשת איש.

8) According to the Talmud the apodosis begins with ולקחת לך לאשה, whilst according to the plain sense of the text it begins with v. 12 והבאתה אל תוך ביתך. That Scripture makes a concession to man's frailty is derived from the words יפת תאר which appear to be redundant, but are added because Scripture intends to point out that it is her beauty that induces him to do something which is morally objectionable.

9) Cf. Rashi on v. 14: והיה אם לא חפצת בה, where he states that Scripture tells him that ultimately he will hate her. The author of the ס' הזכרון raises the question why Rashi does not take this verse as a proof that he will in the end hate her, instead of deriving it from the juxtaposition of the paragraphs. He leaves the question בצ"ע! As a matter of fact Rashi might have quoted that verse, had he wished to prove the statement סופו להיות שונאה alone, but he wishes also to state וסופה להוליד ממנה בן סורר ומורה, and the proofs of the two statements, dependent one upon the other, is best derived from the sequence of the paragraphs.

PAGE 106

2) The super-commentaries explain that the certainty that he will ultimately hate her is implied in the word והיה, this expressing a statement of fact. This, however, is not so, for the word is to be connected with ושלחתה: "And it shall be . . . that thou shalt divorce her." The only inference from והיה would be that in the end he will divorce her, whilst Siphre, which Rashi follows, stresses the certainty of his hating her, thus pointing to the words אם לא חפצת בה as the source of the דרוש. This is to be found in the anomalous use of the perfect חפצת instead of the imperfect תחפץ (cf. XXV. 7: ואם לא יחפץ האיש, and Ruth III. 13: ואם לא יחפץ לגאלך). The text means: And it shall be, when (אם) thou hast found no delight in her, then thou shalt divorce her. This implies the certainty that at a later time he will no longer feel delight in her.

PAGE 107

1) In v. 16 it states את אשר יהיה לו "when he maketh his sons inherit that which is his", thus including everything that may be regarded as his, no matter

whether it is already in his possession or whether it will devolve upon him at a future date, whilst in our verse it states אשר ימצא לו "a double portion of all that shall be found with him', which implies only things which are actually in his possession.

[2]) It would appear that no more can logically be deduced from these statements than that the blasphemer is to suffer both stoning and hanging, or that one found guilty of a sin similar to blasphemy (i. e. idolatry) is subject to both penalties. The latter is indeed the view of the Sages according to whom the Halachah is fixed. R. Eliezer, however, deduces that all who are put to death by stoning must afterwards be hanged. He applies the hermeneutical principle of רבוי and מיעוט. According to this, where Scripture employs a general term that extends a law to everything (רבוי) of a certain class and afterwards in a later verse uses a term that limits it to a particular member of that class (מיעוט), the intention is to exclude from the application of the law only those individuals of the class that are dissimilar to the particular member and to include only those similar to it. Here it states that if anyone deserves death and he is put to death (והומת), he must be hanged (ותלית). This seems to imply that he must afterwards be hanged never mind which of the four kinds of death penalty was inflicted upon him. In the next verse it states that hanging is to be the punishment of the blasphemer (קללת אלהים תלוי), who according to Leviticus XXIV. 15—16 must be stoned. We deduce, therefore, from the rule of רבוי and מיעוט where the terms occur in different verses, that all who are put to death by stoning must afterwards be hanged, for there are to be excluded from hanging after death all who are not similar to the blasphemer so far as the mode of execution (stoning) is concerned (cf. Sanh. 45b and Rashi thereon). — Mizrachi points out that Rashi is here compelled to follow the view of R. Eliezer, against the Halachah, in order to bear out the סמיכות הפרשיות mentioned at the beginning of his comment on this verse. For if we assume that the בן סורר ומורה whom Scripture sentences to death by stoning is not also to be hanged (since he is neither a blasphemer nor an idolator, as the Sages require for stoning and hanging), the reason for the juxtaposition of the paragraphs falls to the groun̈nd. — On B. Mets. 83b ד"ה על נערה המאורסה, Rashi also states שהיא בסקילה וכל הנסקלין נתלין. Evidently Rashi there, too, prefers to explain the מעשה דכובס according to R. Eliezer in order to avoid the forced explanation given by Tosaphot in Sota 8b ד"ה מי שנתחייב סקילה, with reference to the Talmudical passage in B. Metsia.

PAGE 108

[1]) It is quite possible to translate this verse as containing two principal sentences: Thou shalt not see thy brother's ox or lamb go astray, but thou shalt hide thyself from them. This, of course, is not its meaning. It is of the same syntactical construction as Exodus XXXIII. 20: לא יראני האדם וחי, where we have imperfect with לא followed by a perfect with Vau conversive. In both of these sentences the negative statement may be replaced by a condition with a negative consequence, for they are equivalent to אם תראה ... לא תתעלם and אם יראני האדם לא יחיה. Rashi clearly brings this out by substituting תתעלם (an imperfect) for התעלמת (a perfect), and by replacing the ו by שֶׁ, for what is forbidden is not the "seeing" but the "hiding thyself".

[2]) If the animal is in a cemetery and is seen by a priest (who is forbidden to enter such a place), or if it is an old man or a man of distinction with whose dignity it is not compatible to lead an animal through the streets, or, finally, if one would be more out of pocket through returning it to the owner than the animal is worth, he is not obliged to return it.

[3]) Tho word אחיך is taken to be the object not the subject of the sentence: "until there is a searching (a cross-examination) of thy brother".

[4]) It will be observed that in verses 1 and 4 the Hithpael, התעלם, is followed by מ with the pronominal suffix denoting the object from which one hides oneself. Here the verb is used without such an addition. Rashi therefore repeats his comment made on verse 1 to point out that the word has the same meaning

here as there, for the clause might signify: "thou mayst not conceal thyself", so that the owner cannot recover what he has lost. It should be noted that the Targum has two different renderings of the verb. In vv. 1 and 4 it has ותתכבש, whilst here, according to the ordinary editions, it has לאתכסאה. It appears to have taken it in the sense of "thou mayst not hide thyself" (cf. נתינה לגר and לחם ושמלה on this passage).

5) According to the Talmud (B. Mets. 32a) the meaning is not that one must raise the animal, but that he must raise the burden that has fallen from it, i. e., re-load the animal. Exodus XXIII. 5, however, which speaks of h e l p i n g when an ass is c r o u c h i n g under its burden, speaks of removing its load (cf. Rashi on that passage).

PAGE 109

1) The words לא תקח האם על הבנים may also signify: "thou shalt not take the mother t o g e t h e r w i t h (על) the young". Targ. Jon. takes it as Rashi does, for he translates לא תסב אמא מ ע ל בניה (cf. also Tosefta and Tur Jore Deah § 292).

2) This may be suggested by the words ולא תשים דמים ב ב י ת ך, it should not be t h i n e house where blood is shed. Cf. also Sabb. 32a and Sanh. 8a.

3) This is the view of R. Josiah, according to whom the Halachah is fixed (cf. Ber. 22a: נהגי עלמא ... כר״י בכלאים), whilst R. Jonathan holds that the command is transgressed if only one kind of seed is sown together with the kernels of grapes. Rashi in Kidd. 39a (ד״ה לא קיי״ל כר״י) states that he does not know whence R. Josiah deduces that t w o kinds of grain are required besides the חרצן. Indeed in the case of a f i e l d where Scripture uses a similar expression (Lev. XIX. 19): שדך לא תזרע כלאים, R. Josiah admits that if even only two different kinds of seed are sown, one has transgressed this command. Tosaph. (Kidd. 39a ד״ה לא קיי״ל כר״י) gives the following reasion for R. Josiah's view: Whilst any piece of soil, no matter whether it has been sown or not, may be called שדה, this is not so in the case of כרם, for this term can be used only of soil that is already sown with kernels of grapes. The words לא תזרע כרמך כלאים thus imply, according to R. Josiah: Thy vineyard (i. e., land already sown with kernels of grapes) thou shalt not sow with anything that is i n i t s e l f כלאים, i. e., with two different kinds of seed (e. g. wheat and barley). If therefore it is for the first time that one sows different kinds of seed into the soil he transgresses the command כרמך לא תזרע כלאים only if he sows e. g. חטה a n d שעורה b e s i d e s חרצן. In Bech. 54a, however, Tosaph. (ד״ה דגן ודגן וכו׳) gives another reason: that the words תזרע כלאים suggest that there must be כלאים (i. e. two different kinds) of g r a i n (זרעים), whilst the vine which is a tree does not come under the term זרע.

PAGE 111

2) Rashi emphasises that she cannot be punished unless she had been unfaithful a f t e r "betrothal", for the following reason: Scripture prescribes no punishment for a woman who was unchaste b e f o r e betrothal (cf. Exod. XXII. 15 which speaks of בתולה אשר ל א ארשה). In verse 23 of this chapter, however, it is enacted that a woman מארשה, "betrothed", who is a consenting party to her own dishonour, is to be stoned. It follows therefore that the wife who is here said to be convicted of pre-nuptial unchastity and is sentenced to be stoned on that account must have been guilty of this after she was "betrothed" (שזנתה אחר אירוסין). Indeed, the very wording of the paragraph suggests this. She is described as a married woman who is a נערה. Before this she was a קטנה and, as such, not punishable for wrongdoing. She must therefore have been unchaste whilst she was a נערה. This state of womanhood, however, lasts only six months. Since the ארוסין, "betrothal", usually took place at least twelve months before the נישואין, the actual marriage (Keth. 5a), she must therefore have become a נערה after the "betrothal" and it follows that if on her marriage she was found to have previously been unchaste she can be punished only if it is legally proved that she had become so after her "betrothal" (cf. Hoffmann

a. l.). It should be observed that the term "betrothal" does not correctly describe the ceremony of ארוסין. Except that she did not leave her parents' house for that of her "betrothed", she was regarded as his wife in every respect and could not marry another unless she received a divorce.

PAGE 113

[1]) Rashi does not state this on v. 2 because there the meaning of לא יבא בקהל ה׳ is not ambiguous. There is no reason why one suffering from the infirmities mentioned should be excluded from the congregation, and the meaning can therefore only be that owing to his bodily condition he must not marry an Israelite woman for he can beget no children. One might, however, assume that the ממזר who is born in incest or adultery, and the Ammonites and the Moabites who were descended from men so born (Gen. XIX. 37, 38) should be excluded from the Jewish community. Rashi therefore states that in these two cases לא יבא בקהל means that they may not enter into marriage with an Israelite woman.

[2]) Siphre gives the phrase this meaning because of the apparantly redundant word דבר, for it would have sufficed to say על אשר לא קדמו. Moreover the phrase בדבר בלעם is used (Num. XXXI. 16) of the counsel given by Balaam (cf. Rashi). The connection with the words that follow is somewhat difficult; we must supply before them ועל אשר or ואשר as in the second half of the verse. The suggestion is: the very same people who did not meet you with plain bread and water when you were in want, thought nothing of following Balaam's counsel to invite you to a banquet (cf. Num. XXV. 2) in order to lure you to idolatory and immorality.

PAGE 114

[1]) It will be seen that whilst Rashi comments only on לא תדרש שלומם, the text he cites refers only to טובתם. Hence there should be a וגו׳ after the caption. Siphre has in addition, and as the first portion of its comment: מכלל שנ׳ וקראת עליה לשלום יכול אף אלו כן, ת״ל לא תדרש שלומם, since it states (XX. 10) that one must offer peace to a city which one proposes to attack, it may be assumed that this must be done to Ammonite and Moabite cities also; therefore it states here "Thou shalt not seek their peace". — The reading in Yalkut is, however, as Rashi has it.

[2]) Dukes, in his translation of Rashi, follows Elias Levitas in distinguishing between the meanings of לגמרי and מכל וכל. The former denotes "entirely", the latter "utterly" (all in all). Hence, according to Rashi, the text means: Thou shalt e n t i r e l y not abhor an Edomite (i. e. not abhor him at all); thou shalt not abhor an Egyptian u t t e r l y , but thou mayest abhor him to a certain degree. According to Dukes Rashi holds the same view regarding a certain Halachah as does the רא״ש, viz., that at the present time an Edomite may marry an Israelitess immediately after he has become a proselyte, whilst this is forbidden in the case of an Egyptian and is permitted only to his descendants from the third generation. But it is quite evident from Rashi's comment on v. 9, וכן מצרים וכו׳, that he draws no distinction between the Edomite and the Egyptian. Both terms לגמרי and מכל וכל have the same meaning.

[3]) Rashi makes it clear that לא תתעב does not mean "thou shalt not abhor him at all", because exclusion from the congregation, even though it be only for two generations, does actually involve some degree of abhorrence. But the meaning is: although you have good reason to abhor him for he did not act with you as a brother, nevertheless do not abhor him utterly, for a f t e r a l l he is thy brother, but admit him in the third generation.

[4]) The meaning is not: If there be among you any man that is not clean ... and he goeth abroad out of the camp, then he shall not come within the camp.

[5]) Scripture states: "He shall go forth from the camp; he shall not come within the camp". The first half of the verse speaks, of course, of the unclean person leaving the מחנה ישראל in which portion of the military formation he was stationed. The second half, which forbids him to enter the camp, must therefore refer to the מחנה לויה. It naturally follows that he may not enter the מחנה שכינה, for this has a higher degree of sanctity than the מחנה לויה.

PAGE 115

[1]) Rashi means that והיה לפנות ערב וכו׳ is not a command, for, in fact, the בעל קרי may immerse himself at any time of the day, but Scripture recommends that he should do this before sunset, since it is after sunset only that he is permitted to come into the camp.

[2]) The term מחוץ למחנה here implies the three camps for both here and in v. 11 it speaks of the unclean soldier leaving his camp, and the second half of v. 11 forbids him to enter the מחנה לויה and the מחנה שכינה. Rashi uses the term מחוץ לענן and not מחוץ לשלש מחנות because Scripture gives as a reason for this command the fact that the Divine Glory displays itself in the midst of the camp, and this was done by means of the ענני כבוד. Rashi suggests that the repetition of the word מחנה implies: Thou shalt have a place for relieving thyself distant from the spot where God's glory displays itself.

[3]) Probably Rashi intends to rule out the Targum which has ולא יתחזי בך (there shall not be seen in thee), taking the verb יראה in an impersonal sense: and no one shall see in thee etc. Since the verse speaks of God being in the camp, and nothing offensive to Him being permissible in the camp, he prefers to take "God" as the subject of the sentence.

[4]) A slave who takes refuge in Jewish territory must not be handed back to his master resident outside Palestine. He must not be returned to the idolatrous influences by which he was surrounded, even though he be the slave of an Israelite.

PAGE 116

[2]) It is true that this is the view of בית שמאי whilst בית הלל, according to whom the Halachah is fixed, take the apparently redundant words גם שניהם to imply "these two only". Yet Rashi prefers to take it in the sense בית שמאי gave it because the word גם usually implies a רבוי not a מיעוט, as, indeed, the Talmud itself states (ib.) גם לב״ה קשיא "the word גם in this connection cannot be satisfactorily explained according to ב״ה".

[3]) The verb נשך in relation to interest is a denominative from the noun נֶשֶׁךְ, "interest". The Kal signifies "to take interest", "to lend on interest", as at the the end of this verse: "interest of anything which is lent on interest (יִשָּׁךְ)". The Hiphil used here has a causative sense, so that the text is to be translated: "Thou shalt not cause thy brother to take interest", i. e. thou shalt not pay him interest. This command is addressed to the borrower.

[4]) This paragraph is placed in brackets in all editions of Rashi, as being a later addition to the text. Anyhow the word ואח״כ is incorrect as the verse cited is from Leviticus. In all probability it should be amended to ובמקום אחר, as, e. g., Ex. XXII. 24, Lev. XXV. 36 etc.

[5]) One does, however, transgress the positive command (Deut. XI. 5—6 ובאתם שמה — — והבאתם שמה) on the first festival that one pilgrims to Jerusalem without fulfilling his vows.

[6]) In chapter XVI. the three festivals are enumerated and the section closes with the words: שלש פעמים בשנה יראה כל זכורך, Three times in the year shall all thy males appear before the Lord, בחג המצות בחג השבעות ובחג הסכות. The enumeration of the festivals appears to be unnecessary and is taken by the Talmud to suggest that the prohibition that follows, "and they shall not appear before the Lord empty" (i. e. without bringing with them the sacrifices that they had vowed; cf. Rashi ib.) is transgressed only if the three festivals have elapsed without the worshipper having fulfilled his vow.

[7]) It appears that Rashi takes the entire phrase מוצא שפתיך תשמר to imply an עשה that is additional to the ל״ת of לא תאחר in the previous verse, and we have translated accordingly (see also Tosaph. R. Hash. 6a, ד״ה תשמור זו מצות ל״ת). It should be noted, however, that in Siphre cited in the above Talmudical passage both an עשה and a ל״ת are derived from this text: מוצא שפתיך זו מצות עשה תשמר זו מצות ל״ת, and Rashi himself observes that מוצא שפתיך implies a positive command because by these two words Scripture evidently means: "Fulfil what is gone forth from thy lips" (דמסתמא הכי אמר קרא מוצא שפתיך קיים). He

seems to have felt that this is somewhat forced, and therefore preferred in his commentary here to regard the text as containing only a מ״ע, this being closer to the פשט. — The Rashi, however, will bear an interpretation that will bring it in accord with Siphre: The statement מוצא שפתיך תשמר imposes a מ״ע on a לאו, since it is cast in a positive form, but contains the word תשמר which always implies a negative command (see Rashi on XIII. 1). But this is not what the words ליתן עשה על ל״ת usually mean, for the ל״ת is one that is mentioned elsewhere.

PAGE 117

[1]) Rashi seems to hold that the translation of the text is: then it shall be, when (כי) she does not find favour in his eyes because he has discovered some unseemly matter in her, he shall write her a bill of divorcement. This implies two things: that she should not find favour in his eyes if he discovered in her some unseemly matter, and that under these circumstances he should divorce her. It follows, therefore, that it is his duty to divorce her, because she ought not to find favour in his eyes, i. e. he should not condone what she has done.

PAGE 118

[1]) This means that if a man had divorced his wife because the waters of ordeal (Num. V.) had proved that she was unfaithful, he must not again take her to wife even though, after receiving the divorce, she had not remarried. Siphre finds this suggested by the words אחרי אשר הטמאה. Scripture states that if a woman was divorced for a reason other than proven infidelity, her former husband may not remarry her if she has become the wife of another, אחרי אשר הטמאה. Now the prohibition to remarry his former wife stands good whether the second marriage became dissolved by the death of the husband or by his divorcing his wife (v. 3). It is evident, therefore, that the words אחרי אשר הטמאה mean that the divorced wife is regarded as unclean so far as her first husband is concerned only because of the marital relation with another, although this had been legalised by marriage. These words surely apply with all the more force to a woman who had defiled herself by infidelity whilst a married woman (a סוטה). Consequently a man who has divorced her on this account may not again take her to wife, for she is טמאה to him even though she has not remarried. — It should be noted that throughout Numbers V terms of the verb טמא are constantly applied to a סוטה. — It may be, however, that Rashi understands הטמאה in the sense of נאסרה, "she has become forbidden", i. e., to her husband. On Judges XIII. 7 he explains the words ואל תאכלי כל טומאה by: ואל תאכלי דברים האסורים לנזיר, things that are forbidden as food to a Nazarite. If this be so, the interpretation of the text will be as follows: Her first husband who sent her away may not take her again to be his wife, and similarly in the case of a woman after she has become forbidden to him (אחרי אשר הטמאה). The latter words would therefore include the סוטה, a wife whose guilt had been proved by the waters of ordeal, and who was therefore forbidden to her husband. — This explanation is more in accord with Jeb. 11b: טומאה בהדיא כתיב בה, ונסתרה והיא נטמאה למיקם עלה בלאו. See also ס׳ הזכרון on our text.

[2]) Rashi points out that the subject of the sentence has to be supplied from the preceding word בצבא: and *the matter of* the army shall not be his concern in any way, and that עליו refers to the man at the beginning of the verse. Nachmanides, however, takes איש as the subject of the sentence and refers עליו to צבא, when the translation is: "When a man taketh a new wife, he shall not go out to the host, nor shall he travel about (ולא יעבר) because of it (עליו, i. e. because of the host) for any matter". That those who leave the army after the priest's address are not exempt from service of a non-military nature whilst the newly-wedded man is exempt, is derived by stressing the word עליו in the text: No army matter shall devolve upon him, implying that there are some men who, although they are free from service in the field, are bound to supply food etc., for the army.

3) The idea of remaining a t h o m e is better expressed by נקי יהיה בביתו.

4) The text might have read: נקי הוא לביתו. The use of the verb "to be" instead of the pronoun is taken to refer to a status additional to that which is mentioned in the text. Thus all the three cases mentioned in XX. 5—7 are indicated in this verse. Evidently this was derived by way of analogy from chapter XX., — just as there one who has built a house or planted a vineyard has the same law as one who has betrothed a woman, so here, too.

5) Since a reason is given why he must not take these, — because he taketh a man's life (i. e. his tools for preparing food) in pledge, it is quite logical to extend this prohibition also to the taking of anything that is intended for a similar purpose.

6) See Note on p. 197 of this edition of *Numbers* (Note 4 on Num. XV. 33). Neither Mechilta on Exod. XXI. 16 nor Siphre on XVII. 12 has the word והתראה but this is i m p l i e d in the fact that l e g a l e v i d e n c e is required wherever Scripture uses the term מצא u n d e r s i m i l a r c i r c u m s t a n c e s (i. e. where the death penalty, or lashes or monetary punishment is involved).

PAGE 119

1) Since it speaks of a pledge of a n y kind, these words cannot mean "sleeping i n the pledge", for the pledge may not be bed-clothes.

2) The meaning is: ולך תהיה צדקה is not a s u b o r d i n a t e clause to וברכך when the translation would be: "and he will bless thee s o t h a t it be righteousness unto thee, etc." but the passages are co-ordinate with each other: "and he will bless thee a n d it will be righteousness unto thee", God's judgement of thy deeds being independent of the gratitude of the poor. Cf. Rashi on v. 15 where we have a similar construction: ולא יקרא עליך והיה בך חטא — and where he makes a similar comment.

3) In Lev. XIX. 13 Rashi states that לא תעשק את רעך means: thou shalt not wrong thy neighbour by withholding his wages as a hired servant. This refers to any neighbour whether he be well-to-do or poor, and includes therefore, both the well-to-do hired servant and the poor one. Scripture desires to increase the punishment of the master who wrongs his poor workman, and therefore makes him the subject of a special prohibition, so that the avaricious employer is punished for transgressing the command given here and that in Lev. XIX. 13, whilst the offence against the well-to-do workman is punishable only under the latter command.

4) According to this דרוש, the words אשר בארצך are co-ordinate with עני ואביון: Thou shalt not withhold the pay of any hired servant who is poor and needy . . . nor the pay of anything, that is on thy land, i. e. cattle or tools used for work in the field. In all probability agricultural instruments are intended (see Epstein, תורה תמימה).

PAGE 121b

1) The word לפניו is taken not as referring to the judge ("in his presence"), but to the culprit ("on his front", i. e. his chest). The more natural way of expressing the former idea would be: והפילו השפט לפניו. Rashi's caption shows how the words of the text are to be connected: והפילו השפט, והכהו לפניו כדי רשעתו, i. e. on his front sufficient for רשעתו, for one part of his wickedness. The next verse enjoins that the number must not exceed 40 (according to the Rabbis 39), and tradition holds that all criminals sentenced to flogging must receive this number if they are physically fit to do so. Consequently, כדי רשעתו cannot mean that they shall flog him according as his wickedness d e s e r v e s , but is taken in the sense given by Rashi.

2) Heidenheim points out that the words ואינו נקוד במספר למד שהוא דבק לומר are missing from an old MS. of Rashi and that Mizrachi does not appear to have had this reading in his copy. From the Talmud Macc. 22b it is evident that the דרוש is based only upon the sequence of the words במספר ארבעים, and Rashi himself states this in his comment on the Mishna. There is no MS. authority for reading בְּמִסְפָּר in the Biblical text.

3) The judge who is *commanded* to strike the criminal is, however, bidden not to inflict even a single lash more than the law prescribes. If he does so, he is a transgressor. It follows therefore that, if one is under no obligation to strike his fellow (as a judge is), he transgresses the law if he does so.

4) Rashi has shown that an ox may not be muzzled before it begins to thresh the corn to remain so whilst it is engaged on that work. Consequently, the enquiry "Why, then, is threshing mentioned?" cannot mean: Why is it mentioned *at all*? for some mention of it is necessary, otherwise the question of muzzling it before it begins its work could not have been raised. The enquiry really refers not to mention of threshing in *general*, but to the form of the Hebrew word here used, i. e., "Why does it state בדישו, *whilst* it is threshing the corn?", and the answer is that this is used only as an example of operations *during the performance of which* those engaged in it must not be prevented from eating of the food-stuff upon which they are working. — Rashi's source is Siphre where the text is uncertain. See Malbim on this verse.

PAGE 122

1) It appears from v. 6 (see Rashi) that the reason for the levirate marriage lies in matters of inheritance. Hence both the deceased and his brother who is to marry the former's widow, must stand in some reciprocal relation as regards the law of inheritance. This is only so if the two brothers have the same father, for in the law of inheritance those who have the same mother but a different father are not regarded as brothers.

2) According to the Halachah a man is not permitted to marry his brother's widow, if the former left a descendant of any kind, male or female. He might, however, at his death, have such a descendant of illegitimate birth, or one born of a former marriage. Consequently, an enquiry is necessary whether he has any such descendants. Such an enquiry is found by the Talmud to be suggested by the words אין לו, which are similar in sound to עין לו (cf. Rashi).

3) For various reasons (see Hoffmann ad locum) the Talmud rejects what appears to be the literal meaning viz., that the first son born of the levirate marriage shall succeed in the name of the dead brother. There is some difficulty, however, in fitting the phrase אשר תלד into the Halachic interpretation and many attempts, cited in Hoffmann, have been made to do this. In addition to these, Biberfeld (in "Jahrbuch der Jüdisch-Literarischen Gesellschaft", vol. I., p. 228 ff.) gives a new explanation: he takes אשר תלד as a parenthesis and translates the words by "*supposing that she is capable of bearing*", which is exactly what the Rabbis derive from these words.

PAGE 123

1) This is not of course a prohibition to have large and small weights, one of a pound and another of an ounce, for one cannot trade without these. It forbids the possession of two weights both purporting to be, e. g., a pound, one being over and the other under the correct weight. These "contradict" one another: if the one is a pound weight, the other is not. According to the Talmud it is forbidden even to *possess* such false weights, even if one does not employ them in commercial transactions.

PAGE 124

3) Rashi follows Siphre in here explaining the terms זית שמן and דבש although there is no mention of them in this verse. In all likelihood the reason is as follows: Rashi has just spoken of seven products and has enumerated them, including amongst them these two. If, however, זית שמן are *two* species (olives and oil) then there will be eight products of the soil, whilst if דבש denotes bee-honey, there will be only six. He therefore explains what these two are, in order to show that there are neither more nor fewer than seven. Similarly on Exodus

XXXIV. 26, where it speaks of the first fruits of the ground, Rashi enumerates the seven species including דבש, and adds that this is date honey. Why he does not there define זית שמן is not apparent.

PAGE 125

[2]) The purpose of the worshipper here is, as Rashi points out (v. 5) to declare the lovingkindness of God. The culmination of this is that God has given him a fruitful land (v. 9). In recognition of this he offers a symbolical expression of his gratitude to God: And now I bring the first fruits of the land which Thou, O Lord, hast given me (v. 10). All this is preceded by a statement to the priest of the purpose of the ceremony. The bringing of the first fruits is an act of gratitude, an acknowledgement that the land was his by the grace of God. This is the meaning of Siphre: Thou shalt say to the priest that thou art not ungrateful, not unmindful of God's past favours. The worshipper shows this by his declaration: I declare this day by bringing the first fruits that I have come unto the land which the Lord sware unto our fathers to give us. — That והגדתי "I declare" may be used not only of a verbal utterance but also of some act by which one's intention is made evident may be seen from 1 Sam. XXIV. 18: 2 Sam. XIX. 7. The root נגד means "to be conspicuous" (cf. נגד in front, in sight of); in Hiphil it means "to make plain", and this may be either by speech or by deed.

[4]) See Note in Genesis p. 277 on the פּוֹעֵל conjugation. The word אֹבֵד is the imperfect of this conjugation not the Kal participle. The Neginoth have been placed in order to point to this translation, ארמי with Pashta, אבד אבי with Munach and Zokef, thus connecting these two words: A Syrian | attempted to destroy my father. The translation, "A wandering Syrian | was my father" would require ארמי אבד with Mahpach and Pashta and אבי with Zokef. If one intones the passage according to these two methods of punctuating it, the difference in meaning becomes obvious.

[5]) The statement is not a continuation of the previous one, for Jacob did not go down into Egypt as a consequence of Laban's attempt to destroy him. The worshipper goes on to tell of another similar attempt — a second instance of the lovingkindness of God.

PAGE 126

[1]) Siphre has: "This place" denotes the Temple. It cannot mean "the Land of Israel", for this is immediately afterwards mentioned in the words "And He hath given us this land". Rashi really abridges Siphre: "this place" refers to the Temple, because "this land" can only mean what it always means, viz., the Land of Israel.

[2]) Verse 4 states that the priest takes the basket from the worshipper's hand for the purpose of waving it (see Rashi) after which the declaration is made. Here it states that having made this, the worshipper places it before the Lord. It follows therefore that he must have again taken it in his hand in the interim. If he had to do this after he concluded the declaration Scripture should have given a similar direction to that in v. 4: And thou shalt take the basket from before the altar, and shalt place it before the Lord (referring to two different positions in front of the altar). It cannot be imagined that the worshipper interrupts his declaration by taking up the basket whilst he is making it. Consequently the only point in the ceremony when he can do this is after it has been first placed before the altar. That it has to be waved before it was first placed there is deduced from Lev. VII. 30 (see Menach. 61a).

[3]) Rashi points out that בשנה השלישת is not to be connected with כי תכלה when the translation would be: "When thou hast finished in the third year tithing all the tithes of thy increase". For this might refer to the tithes of the two previous years and imply that the removal has to take place after two years, which is, however, not the case, as Rashi goes on to prove from the passage XIV. 28 where it distinctly states that the removal has to take place at the end (מקצה) of the third year. The words בשנה השלישת are therefore

the equivalent of שבשנה השלישית and the translation is: "When thou hast finished tithing all the tithes of thy increase of the third year".

4) The ביעור took place on ערב פסח (cf. Mishna מ"ש V. 6), whilst the וידוי was made on the afternoon of the last day of the festival (ib. Mishna 10). The words בערב הפסח in Rashi therefore refer to ביעור only.

5) The tithe has to be given from the produce of each year. The year is not that in which it is gathered but that in which it began to bud (חנטה). The fruits which budded in the third year are therefore subject to tithes as produce of the third year (i. e. to מעשר ראשון and מעשר עני), even though they do not ripen and are harvested until after Tabernacles of the fourth year. Consequently, since it is deduced by way of analogy that the ביעור has to take place on a festival after they have been gathered, the earliest festival in the fourth year is Passover. What is said of the fourth year applies also to the seventh, for in the sixth year there is no מעשר שני but מעשר עני, and it is therefore, in so far as tithes are concerned, exactly comparable to the third year.

PAGE 128

1) We have followed Mizrachi in our translation of מלברכך וכו'. Others explain that Rashi means: I have not forgotten to pronounce the benediction (ברכה): על הפרשת מעשרות. Against this, however, is the suffix in מלברכך, for one would except מלברך, whilst in support of it are the words על הפרשת מעשרות. But on Ber. 40b where from this text is deduced what should be the wording of the benedictions in general, and where the Talmud has לא עברתי מלברכך, Rashi explains that this refers to the recital of the benediction. The Talmud continues with the exposition of the verse, thus: ולא שכחתי מלהזכיר שמך (ומלכותך) עליו. Maas. Sheni V. 11 has: לא שכחתי מלברכך ומלהזכיר שמך עליו and Siphre: לא שכחתי מלהזכיר שמך ולברכך. Since Rashi himself adds here the words על הפרשת מעשרות the balance of probability is that here, too, he is referring to the recital of the appropriate benediction, for the Talmud on Berachoth also has the suffix (מלברכך). He omits mention of הזכרת השם because he is here only concerned to explain the Biblical text in its connection with the benediction for הפרשת מעשרות, and not as proof for the correct wording of the benedictions in general.

2) As a matter of fact there was no obligation to bring tithes of produce to the Temple (cf. הגהות רש"ש on מע"ש פ"ה מי"ב). Yet it would appear that at a later period this was done (see Nehem. X. 40), following the bidding of the prophet Malachi (see Mal. III. 10; cf. בית האוצר there and in Nehem. X. 39). The phrase לשמע בקול ה' is used when obedience to a prophet is intended (cf. Rashi, following Siphre, on XIII. 5: ובקלו תשמעו, בקול נביאו). This explains Siphre and Rashi here: I have hearkened to the voice of the Lord, i. e. I have brought the tithe to the Temple, even as the prophet has bidden me do. — It must be remembered that in explaining the Torah the Rabbis often read into it allusions to later practices which were ordained by the prophets or the Rabbis themselves. Cf. also חידושי הגאון רבינו אליהו on מע"ש פ"ה מי"ב.

PAGE 129

1) The text may mean: Bless the land which thou hast given us, even as thou didst swear unto our fathers to bless it, so that it will become a land flowing, etc. Or it may mean: Bless the land which thou hast given us, even as thou hast sworn to our fathers to give us a land flowing etc. But nowhere do we find that God made any promise to the patriarchs to bless the land that it might become a land flowing etc., or to give them a land that was already so fertile. The connection of the various clauses is as follows: Bless the land — which thou hast given us in fulfilment of thy oath that thou wouldst give it to us, — a land flowing etc. The words ארץ זבת וכו' are in apposition to and descriptive of האדמה. Similarly in XXVII. 3 (הארץ אשר ה' אלהיך נותן לך ארץ זבת וכו') the phrase זבת וכו' is separated from the word it describes (הארץ) by a phrase referring to God having given them the land, and there, as here, the sentence has to be resumed in consequence of the intervention of this phrase, by repeating the word ארץ before זבת וכו' (here by inserting ארץ to correspond with האדמה).

[2]) The דרוש is based upon these words apart from their context, and connects them with the preceding section treating of the first fruits. It is the expression of a fervent hope uttered by the recipient of a gift that the donor may be blessed by God so that he may be in a position to repeat this kindness; God (a בת קול) exclaims: You have this year brought Me the gift of thy first fruits; may you make yourselves worthy of My blessing that you may do so next year also (see Tanchuma on this passage).

[4]) The reading of Rashi is unsettled: Cf. Luzzatto, the ס' הזכרון and Berliner. In Talmud Sota to which Rashi refers us the three sets of stone are: those erected by Moses in the land of Moab, by Joshua in mid Jordan (Josh. IV. 9), and by him again at Gilgal (ib. 20). That Moses set up stones is deduced by the Talmud from a comparison between Deut. I. 5 and XXVII. 8, the expression באר occurring in both texts. In his commentary on the Talmudical passage Rashi points out that the stones at Gilgal were those of which the altar on Mount Ebal had been constructed (and on this account the Talmud does not mention the latter). Our reading in Rashi, however, speaks of these as being different from those at Gilgal.

PAGE 135

[1]) The word אָבְדָךְ may be a pausal form of a segolate noun, אֵבֶד, with the pronominal suffix, as קָדְשְׁךָ from קֹדֶשׁ. It would then mean "thy destruction". Or it may be the pausal form with the pronominal suffix of the infinitive Kal of אבד, corresponding to the non-pausal form אָבְדְךָ, in v. 20. Rashi points out that it is the latter. He does not state this on v. 20 for the non-pausal form cannot give rise to error. The verb אבד is intransitive, signifying "to perish", "to be lost"; consequently the suffix ך cannot be accusative, and עד אבדך cannot mean "until these plagues have destroyed thee". It is a subjective suffix, and the words mean "until thou art destroyed". Rashi cites the Targum as proof of this translation. Construct infinitives must be rendered as finite verbs (cf. בשכבך ובקומך "when thou layest down and when thou risest up"), and the Targum here substitutes the verb תיבד for the infinitive, the subjective character of the suffix being shown by the prefix ת in this verb. Rashi then resolves the word אבדך into its elements, viz., an infinitive and pronoun, and explains that the word therefore signifies שתכלה מאליך "thou, of thyself, wilt perish", i. e., the g r a m m a t i c a l f o r m of the word does not suggest w h o it is that will bring about thy destruction, but states nothing more than that thou wilt perish. In the resolution, however, of the infinitive we meet with a difficulty that appears insurmountable if the text is correct. The entire comment is directed to show that the suffix is not accusative and yet Rashi resolves the word into an infinitive and an accusative pronoun (אותך)! If we compare similar comments in Rashi we must conclude that אותך is an error for אַתָּה. He often resolves an infinitive with a subjective suffix into an infinitive with the appropriate nominative prononun. On Gen. XI. 6 he states that החילם is the equivalent of להתחיל הם, on Ex. XVI. 3 that מוּתֵנוּ is the equivalent of למות אנחנו, and he cites other infinitives resolving them in the same manner; on Ex. XXIX. 46 that לשכני is לשכון אני. Similarly, we might expect here עד אבוד אתה, and this is undoubtedly the correct reading. See also Notes on Gen. p. 263 and Ex. p. 243, 264 at foot of page. It is true that in the above examples Rashi prefixes the ל to the infinitive; here, however, he could not do so because he explains the word in its connection with עד that precedes it, and he could not have stated that the phrase was the equivalent of עד לֶאֱבֹד אתה.

PAGE 136

[1]) On Gen. XXVI. 20 Rashi explains that עֵשֶׂק denotes ערעור, dispute. Here, too, he takes the root עָשַׁק in the same sense, the passive participle עָשׁוּק signifying, "thou wilt be the subject of ערעור", of dispute.

[2]) Exactly what the root שגל primarily denoted is doubtful. The noun שֵׁגָל is used of a queen (Neh. II. 6; Ps. XLV. 10). But the Massorites regarded the

word in our text as an obscene term and replaced it by another. Similarly in v. 24 they replaced ובעפלים by ובטחרים for the same reason. — On תקון סופרים see Genesis, p. 266. Rashi uses this term here in reference to the substitution of one word for another, but this instance is not included in any of the lists of תקון סופרים that occur in Rabbinic literature.

PAGE 138

1) This is the only occurrence of the Piel of ירש. Rashi insists that the Hiphil of this verb denotes driving out (cf. also on Num. XIV. 24, and ib. XXXII. 39), yet he takes the Hiphil in Ex. XV. 9 (תורישמו) in the sense of impoverishing, as in מוריש ומעשיר (1 Sam. I. 2)!

2) These words are not to be joined with those that immediately precede, when the translation would be, "Because thou didst not serve the Lord in gladness on account of having abundance of everything", which would mean that the gladness was due to their affluence. They are to be connected with עבדת: "Because thou didst not serve the Lord . . . out of abundance of everything", i. e., whilst you had everything. Thus we have the contrast with the next verse: Therefore thou shalt serve thy enemies . . . in lack of everything. Rashi also rules out the following translation which is, however, quite good and in consonance with the following verse: Because thou didst not serve the Lord . . . because you had abundance of all, i. e., your riches were the c a u s e of your apostacy.

3) The words כאשר ידאה הנשר are not to be construed with מרחוק, "from afar". The meaning is not, "The Lord will bring against thee a nation from afar", even as the eagle comes from afar i. e., from a very great distance. They are to be connected with ישא and describe h o w God will bring the nation from afar. The simile of the flying eagle suggests a sudden and unexpected attack on its prey, due to its irresistible advance and swiftness of movement. God will bring the enemy from afar, unexpectedly (פתאום), none having opposed its progress (דרך מצלחת), and by a rapid movement of its troops (ויקלו סוסיו).

PAGE 140

1) The plural suffix in מסניהם refers to מדוה, although this is singular. It is a constructio ad sensum, the noun implying all kinds of diseases. For the same reason the text continues: and t h e y shall cleave unto thee.

PAGE 141

1) In v. 47 the phrase תחת אשר denotes "because", a meaning that it cannot have here. It signifies "instead of", the only other passage in which it occurs in this sense being Ezek. XXXVI. 34. If a noun follows, תחת is used instead of תחת אשר (cf. Gen. II. 18 and frequently).

2) This is a Talmudic דרוש intended to remove the harshness of the statement that God will rejoice because of the misfortunes that befall the wicked. It is based upon the use of the word יָשִׂישׂ, which, so far as its grammatical form is concerned, may be of the Hiphil conjugation, and therefore has a causative force. Really it is Kal, since the root שִׂישׂ exists as well as שׂוּשׂ. All words in the imperfect Kal are formed from שִׂישׂ, except in Isaiah XXXV. 1.

PAGE 142

1) It should be noted that in Men. 103b the words ופחדת יומם ולילה upon which Rashi offers no comment are similarly explained as referring to one who can buy corn for one week only. Rashi omits this because the דרוש does not arise as naturally out of the text as it does out of the words of the first and the last passages where the term חייך is evidently taken by the Rabbis in the sense of מחיתך, "thy sustenance", "thy food". Cf. מהרש"א in ח"א a. l. — A somewhat parallel idea occurs in Gen. R. 91,6 on Gen. XLII. 2: "And he (Jacob) said, Behold, I have heard that there is corn in Egypt: go down (רדו שמה) and buy grain

for us", which is explained to suggest שכל הלוקח תבואה מן השוק ירידה כתיב בו, Whoever is compelled to buy corn from the market Scripture regards as one who has "come down" in the world. Cf. also פתיחתא דאסתר רבה, ch. I.

PAGE 143

1) The text does not mean that until that day God had not given them a heart to comprehend the trials and the signs and the great wonders just mentioned. It signifies that they had not fully comprehended *what these implied* — the many mercies that God had shown them, and how He had guided and fed them in the wilderness and had given them the territory of the Amorites. The "cleaving to God" mentioned by Rashi is that which is mentioned at the end of the comment: by their request that the Torah should be entrusted to them they had shown their willingness to cleave to God, and they had thereby that day become the people of the Lord.

PAGE 144

1) Mizrachi states that he does not know how Rashi deduces that the assembly took place on the day of Moses' death: He suggests that this is implied in the word היום, for this expression is used in XXXI. 1 of the day when Moses died. The lawgiver said to them: "I have called you together *this day*", suggesting that there was no other day remaining for him when he could do this. Similarly on XXXIII. 1 Rashi states that the blessing was spoken by Moses *immediately* before his death, שאם לא עכשיו אימתי.

3) The statement that the Gibeonites *also* acted cunningly suggests that they were not the only people who did so. Tanchuma, which is Rashi's source, does not mean that these Canaanites *succeeded* in deceiving Moses. They asked, as the Gibeonites did, for terms of peace, and Moses made them hewers of wood and drawers of water. — Rashi on Josh. IX. 4 has an interesting comment on the force of the word גם in that verse, explaining it otherwise than Tanchuma does.

4) Since the verb עבר is intransitive the pronominal suffix ך cannot denote the object. It is subjective. If it represented an object, the verb would have to be transitive, and להעבירך would be required in the text. Rashi adds that the pronominal suffix has the same force as the suffix כם in לעשתכם אתם. It is quite certain there that the object is אתם; hence כם must represent the subject.

5) The first words in this Rashi should correctly read as follows: דרך העברה כך היא, כורתי בריתות עושין וכו׳. Rashi uses a similar phrase in his comment on Lev. XVI. 23: וסדר המקראות לפי העבודות כך הוא. The word היו in Rashi is an error for היא. If it is allowed to remain, the words: היו כורתי בריתות עושין form an awkward phrase, and would read better if היו were placed before עושין.

6) The purpose of the covenant now to be made was not for God to take the Israelites as His people for they were already His. It was that He might *keep* them for His people, — to obligate them to remain His people. It is not to place *Him* under an obligation to remain their God, for this He had already promised them and had bound Himself by an oath to their ancestors.

PAGE 145

1) The word נצבים is taken in the sense of "standing *firm*", "enduring" (קימים). — In the translation of Rashi the full-stop after the words "in His presence", and in the Rashi text that after קימים לפניו should be deleted. The sense runs on without any break.

2) *Punishment* will come upon them in consequence of sin, but not complete annihilation as a nation. Indeed they are assured (XXX. 1 ff.) that *when these things come upon them* in exile they will turn again to God and God will turn again to them. Hence the sufferings in fulfilment of the curses will be the cause of giving them permanence before God.

3) An objection might be raised to the foregoing reason why the section נצבים is placed in juxtaposition to the chapter containing the curses, for it is not in *immediate* juxtaposition, verses 1 to 8 of this chapter separating the two

sections. Rashi anticipates this objection by stating that those verses contain comforting words uttered after the threats of punishment made in the previous chapter, even as the words אתם נצבים which follow them imply such a comforting idea. Hence the words אתם נצבים וכו' merely carry on the theme of the preceding eight verses, and may be regarded as forming with them a seticon that follows immediately after the chapter containing the curses. — The ordinary editions have the reading אתם ראיתם אשר עשיתי. This can only be Exodus XIX. 4, but this has no connection with our subject. It is obvious from Rashi's mention of הפרשה של מעלה that the text intended is v. 1 of this chapter.

4) It is evident that the words כי אתם ידעתם do not state the reason why the covenant is being made not with the Israelites of that age alone but with future generations also. They explain why they must be placed under an oath to remain God's people (v. 12), — because they have become acquainted with the corrupt doings of the Egyptians and other nations, and some of them may be induced to imitate their doings and, lapsing into idolatory, cease to be God's people.

PAGE 146

1) Apparently the term "blessing" hardly applies here; it is rather a matter of refusing to believe that the threatened curse will fall upon him. Rashi therefore states that in spite of this the word here does signify "blessing", but, being the Hithpael form, where the subject of the verb is himself the recipient of the action, it means he "will bless himself". Since, however, it is followed by בלבבו, the statement that he will bless himself in his heart can only mean that he imagines that he will be blessed. Rashi does not cite the forms והתגלח and והתפלל as proofs that והתברך is of the Hithpael conjugation, for this is quite unnecessary. Besides, had this been his purpose he would have written: התגלח and התפלל. The addition of the prefix ו to each of these examples shows that these words are quotations from Biblical texts. They are to be found in Lev. XIII. 33 and 1 Kings VIII. 42. Rashi has explained that והתברך בלבבו denotes: יחשוב בלבו וכו' i. e. that it has a future sense — that it is a perfect with Vau conversive. He therefore instances these words which are exactly similar in grammatical form and also have a future meaning, for the context shows that the prefix is not the copulative ו and that the verbs do not refer to the past. In spite of the ingenuity displayed by the super-commentaries in explaining why Rashi quotes these two verbs, this appears to us to be his one and only reason for doing so, and a comparison with his comment on Genesis VI. 9 will make it evident that it is the tense of the verb that he has in mind. There, too, he quotes the text from Kings והתפלל as an example of a perfect Hithpael with Vau conversive (לשון עבר, אלא שהוי"ו שבראשו הפכו להבא).

2) Mizrachi had למען in his Rashi, not לפי, and we have accepted this reading in our translation. The ordinary reading gives no sense. The Targum, which Rashi cites, has בדיל which is its rendering of למען. The usage of למען should be noted. In rhetorical passages the issue of a line of action, though really undesigned, is represented by למען, sometimes ironically, as if it were actually designed. The sinner does not say: שלום יהיה לי for the purpose that God may punish him etc., but his utterance has this effect (cf. Rashi's words וגורם עתה וכו'). Other examples of this use of למען are to be found in Isaiah XXX. 1; XLIV. 9; Jer. XXXII. 29; Hosea VIII. 4. Instructive as a contrast to the idea contained in our text is Psalm LI. 6: Against thee have I sinned . . . in order that (למען) . . . Thou mightest be justified when thou judgest, — that is, by manifesting thy justice in judgment on my sin.

3) It frequently happens that the use of an infinitive leaves it in doubt as to who is the subject of that verb. In our text the words: in order to add (ספות) etc., may mean, "In order that he (the sinner) may add", or "In order that 'I' may add". Rashi takes them in the latter sense, the "I" referring to God. It could of course refer to the speaker of the preceding words, so that these are a continuation of the sinner's statement, but this is impossible in view of the meaning Rashi attaches to הרוה and הצמאה. He therefore quotes Onkelos in support of his explanation, for it is evident from his addition of לָה that God is the speaker.

PAGE 147

1) This must be combined with the second explanation of ולא חלק להם that follows, quoted from the Targum: They worshipped other gods whose divine power they had never experienced, for these had never conferred upon them any benefits. In some editions of Rashi the comment on ולא חלק להם is given before that on לא ידעום in order to connect the two more immediately. This was the reading in Mizrachi's copy. Nachmanides, however, quotes the Rashi in the sequence of the clauses as found in the Biblical text. The explanation of אשר לא ידעום is derived from the repetition of the word אלהים, the meaning being: they worshipped other gods, whom they knew not as as אלהים, as a true God, i. e., as one who had acted towards them as a god should act. The words are equivalent to: אשר לא ידעום לאלהים.

PAGE 148

1) The dots placed over letters in the Hebrew text are intended to call the readers attention to some teaching contained in the words so marked. What exactly this is, must be decided in each particular instance. Albo (Ikkarim, III. 22) states that for the purpose of the teaching that is to be derived from the dotted words these may be regarded as non-existent in the text. If the words לנו ולבנינו be omitted, the text may be thus explained: Secret things are the concern of the Lord, and He will always punish the wrongdoer, the nation having no responsibility for these; and also open sins עד, until i. e. until they cross the Jordan. From that time, however, Israel must corporately bear the responsibility of sins committed publicly by an individual if they do not punish him for his wrong-doing. Rashi states the reason of this: because when they had crossed the Jordan and entered into a covenant on Mount Gerizim and Ebal they thereby made themselves responsible for one another. — Our editions have a mark also above the ע of עד, and the Talmudical passage which was Rashi's source (Sanh. 43b) also mentions this. But parallel passages in Rabbinic literature make no mention of the ע bearing the mark. On the whole question of the dots in this passage see *Blau*, Massoretische Untersuchungen, pp. 32, 33, 57, 58. The translations given by *Ginsburg*, "Introduction to the Hebrew Bible", p. 331 have no basis in explanations of the text given in any authoritative Rabbinic source.

PAGE 150

1) Exactly why Rashi states ואף בגליות וכו' is not clear. It may be that he desired to suggest that the former of the two explanations is not tenable, for the use of the same phrase regarding heathen nations would imply that the Shechinah is with them too in their exile. Or it may be that he wishes to infer that what he states, in his second explanation, of the deliverance of exiles from the land of their enemies applies also to h e a t h e n exiles. If this is Rashi's intention the word "however" must be removed from the translation. There is a third possibility, viz., that he perceives a difficulty in the second explanation as well as in the first: that since the text ואתם תלקטו וכו' has a reference to the Israelites only, we must limit this description of the deliverance to them alone, and yet the same phrase is used of those belonging to other nations! — In the ordinary editions the quotation at the end of this Rashi is, ושבתי את שבות בני עמון. But there is no such text. Of the Ammonites it is said, (Jer. XLIX. 6) א ש י ב את שבות בני עמון, and this is inapplicable since the verb is the Hiphil form and the דרוש itself is based upon the use of the Kal where one would expect the Hiphil. We have followed Berliner and others in replacing this by Jer. XLVIII. 47, but we are of opinion that the text intended is Ezek. XXIX. 14: ושבתי את שבות מצרים, for the דרוש requires not only the Kal form of שב but also t h a t t h i s s h o u l d b e f o l l o w e d b y את in the sense of, "And I will return with the exiles". No other text of this character satisfies these two conditions.

[2]) We have translated in the sense in which the Talmud takes this statement of Abdimi. It is quoted there in support of the thesis that one must make every effort and must avail oneself of every device in order to attain to a complete knowledge of the Torah (see Rashi Erub. 55a top of page). Apart from this Talmudical application, Abdimi's statement may mean: The Torah is not distant from thee; it is not in heaven for were this so, you would have (אתה צריך) to ascend to heaven to bring the Torah down to earth if you desired to study it, but the word is very nigh unto thee. — Abdimi appears to take the words מי יעלה וכו׳ as expressing a wish: It is not in heaven; if it were, it would be for you to say (לאמר), "Who will go up", i.e., would that some one would go up and bring the Torah to us. Such a wish is expressed by מי יתן, but also by מי alone as in 2 Sam. XV. 4, XXIII. 15 and perhaps in Num. XI. 4, 18. See also Rashi on Mal. I. 10: מי גם בכם. הלואי שיקום איש טוב בכם. In the Rashi text the last word should be read לְלָמְדָהּ (or לְלוּמְדָהּ, a Rabbinic spelling of the same word), "to learn it", for לְלַמְּדָהּ denotes "to teach it".

PAGE 155

[2]) The combination of אלהי with נֵכָר occurs several times in the sense of foreign gods. It cannot denote this here because נֵכַר is construct, and has to be connected with הארץ that follows. The term נֵכַר הארץ therefore, according to Rashi, denotes "the peoples of the land". In all probability he does not intend us to imply that נכר actually means "peoples", for the Hebrew noun is singular and not plural. The word נֵכָר is properly an abstract noun denoting "strangeness" ("alien-dom" or "alien-ship", if we may coin such terms). Hence אלהי נכר הארץ signifies "the gods of the foreign population of the land".

PAGE 158

[1]) Rashi on XI. 17 states that ואבדתם מהרה is not a consequence of the heavens being restrained so that the heavens give no rain and the earth does not yield its produce, but that it is a punishment additional to these. He follows up this idea, bringing it into connection with the command that the witnesses must be the first to take part in inflicting punishment and the people only afterwards. Heavens and earth as witnesses will first punish Israel, and other nations afterwards.

[2]) The text of Rashi as given here and in the ordinary editions requires a slight emendation. It should read as follows: תורה שנתתי לישראל היא חיים לעולם. — This verse contains mention of what heaven and earth are to hear. The term לקחי denotes the Torah, the לֶקַח טוב of which Proverbs IV. 2 speaks. God tells Israel that the Torah is life-producing even as the rain and the dew ("My Torah drops as the rain, etc."), and when death comes upon them in consequence of their sin, heaven and earth are to testify that they heard this addressed to Israel. — As regards the last words in the Rashi כאשר יערפו השמים טל ומטר, they are apparently intended to explain the כ in כמטר and כטל, — My doctrine droppeth as rain, i. e. as the heavens drop rain, etc. Or the word כאשר may denote "when", and the translation would be: The Torah ... is life to the world as is the rain when the heavens drop both dew and rain, anticipating Rashi's comment on חול כטל. Another explanation of these words is as follows: The Torah ... is life to the world even as the heavens drop dew and rain that are productive of life.

PAGE 159

[1]) The word צדיק is a noun of the Piel form from the root צדק. The verb in this conjugation denotes "to declare righteous". Hence the noun describes one who has been declared righteous. It is taken in this sense by Rashi on Exodus XXIII. 7: וזה צדיק הוא שנצדק בבית דין. — The term ישר Rashi regards as descriptive of what man regards as right and proper (XII. 28). Hence Rashi takes only the

epithet צדיק as referring to God, in the sense that He is One whose creatures acknowledge the justice of His dealings with them. What induces Rashi to explain the words צדיק וישר הוא thus, may be the following: These terms are of a more general character than those that precede: הצור תמים פעלו וכו'. These are a kind of פרט, a specification of God's qualities, whilst צדיק וישר form, as it were, a כלל, if they are taken in their ordinary meanings. In a eulogy of God this would be a somewhat unusual manner of describing His attributes, and Rashi therefore felt himself obliged to read into these apparently more comprehensive terms some meaning of a more specific character. He can do this only in the case of צדיק, for, if he is to regard ישר as an appellation of God, he can discover in it no more than he has already found in צור and ואין עול, since these three terms are equated in Ps. XCII. 16: להגיד כי ישר ה' צורי ולא עולתה בו.

[2]) Mizrachi quotes Rashi without a second caption בניו מומם, and the comment continues without a break from בניו היו unto ולא מומו, except that for the last word he reads מום שלו. It is, however, better to let the caption remain and to explain the entire Rashi as follows. He first explains the force of the word בניו: it is used here for the express purpose of pointing to the baseness of their ingratitude to God; — They were His children and one would not expect this of children. The idea is repeated in the next verse: Do ye thus requite the Lord? ... Is He not thy father? By the next words והשחתה שהשחיתו היא מומם, Rashi shows what it is that is their fault, viz., "the corruption" which they have wrought is their fault. The noun is implicit in the verb שחת (see, however, further on). Having given this free paraphrase of the two words, Rashi repeats them as a caption in order to show how this paraphrase arises from the juxtaposition of the words: that the suffix in מומם refers to בניו, and that it has to be explained, "It is their fault and not that of God". In other words, the phrase בניו מומם is in poetic parallelism to the first member of this half of the verse: Corruption is theirs, not His. We have an equation of השחתה and מום in Lev. XXII. 25: משחתם בהם מום בם. — As for the word שִׁחֵת this may be a verb, the singular being used for the plural since it refers to the individuals of a people, but it may be a noun of the form שִׁלֵּם and דִּבֵּר (cf. Rashi on XXXII. 35). In the Targum, too, its rendering חבילו may be a noun with the suffix ו, a type of Aramaic nouns of which Rashi himself speaks in his comment on Gen. XXVIII. 17, and where his citation of שכלתנו as a noun of this form may be a reference to Daniel V. 11.

PAGE 160a

[1]) Some super-commentaries are of opinion that since Rashi says היא השחור, he is not explaining the term אישון, but is merely stating what it designates, viz., the black in the eye, the pupil. This is certainly not correct. On Proverbs VII. 2 he states: שחור של עין שהוא דומה לחשך, whilst on ib. XX. 20 he makes it even clearer that he takes the word itself as meaning "blackness", "darkness": כהנשיך וכהשחיר החשך. The infinitive forms are due to his explaining the Keri, בֶּאֱשׁוּן (the Ketib is בְּאִישׁוֹן), which he regards as an infinitive.

PAGE 161

[1]) Bertinora on מעשרות פ"ב מ"ז suggests that קציעות are dried figs that are so hard that they must be cut with an instrument (מקצוע) reserved for that purpose. (Hence even from figs as hard as a rock honey used to flow). This may be so, but as an explanation of the incident at Sichnin it is unnecessary, for Siphre has וינקהו דבש מסלע, כגון סיכני וחברותיה. It is evident, therefore, that the soil of Sichnin and the surrounding district was of a rocky character, and the story merely relates that even from such ground fruit honey was obtained.

[2]) The expressions here are either unusual or metaphorical and Rashi therefore explains them. The term אילים, however, was well known and Rashi therefore observes, כמשמעו, which means no more than: You know what אילים are and no explanation is necessary.

[3]) On Isaiah XXVII. 2 Rashi explains כרם חמר as a vineyard that produces good wine. Ps. LXXV. 9 where the text has יין חָמַר (a verb) he renders it as חזק. In both instances he gives the same French translation as here. When he states that חֶמֶר is not שם דבר he means that it is not a noun that is the proper name of an object (דבר), but that it is the name given to wine because it describes it as possessing some quality that is inherent in it or that has been acquired by it. The term חֶמֶר therefore does not denote wine in general but describes wine in its foaming state, the root חמר signifying to ferment, to bubble, to foam. Hence, when חמר is used of wine the word denotes the most excellent wine, wine of strong taste. The translation of the text therefore is: And the blood of grapes shalt thou drink — foaming wine. The French term is used of that which has vinous qualities.

[4]) Rashi at the beginning of his comment on v. 13 has already stated: כל המקרא כתרגומו. Here he states that the two verses may also be explained according to the Targum of Onkelos. One of these two statements must be deleted. Dessauer in his translation of Rashi refers כתרגומו in v. 13 to the Targum of Jonathan ben Uzziel (i. e. the Jerusalem Targum), probably because on this verse he speaks of the Targum of Onkelos. But surely Rashi would not have used of the Jerusalem Targum the term כתרגומו which everywhere in his commentary denotes that of Onkelos. It may be regarded as certain that Rashi never used the Jerusalem Targum on the Pentateuch as a source (see Berliner's Rashi, 2nd ed., p. 433, and his *Beiträge zur Geschichte der Raschi-Commentare*, pp. 28, 29). It appears better to strike out the first of the two references to a Targum, for what follows is in agreement neither with Onkelos nor with the Jerusalem Targum. According to the former, the two verses allude to enjoying the spoil taken from the enemy, whilst the latter gives a translation of the Hebrew text that is remarkably literal, and contains not the slightest suggestion that the produce of which the Israelites ate was that of Palestine, as is given in detail by Rashi.

PAGE 162

[1]) The Rashi-text requires correction. It should read: כשית, כמו כָּסִיתָ. The similarity extends both to the interchange of the consonants in ש and ס, and to the grammatical form of the verb. The text from Job is not cited as an example of the root כסה in the Piel, but only to show that the verb in our text signifies "to be covered with fat". — In the translation the text from Proverbs should be rendered: And a prudent man covers (conceals) his shame. Rashi is pointing out that whilst it is true that the transitive meaning "to cover" is usually expressed by the Piel form of the verb כסה, the Kal is also used transitively to denote that the person who covers does so for himself. In this sense the Kal occurs only in this and a similar passage in the same chapter of Proverbs (v. 23). So far as the verb in our text is concerned it may be rendered as intransitive: thou art covered with fat; but in order to avoid the implication that others have been the cause of this and to suggest that the Israelites have themselves brought this about, Rashi prefers to take it in the meaning: Thou hast covered thyself.

[2]) Their end will naturally be death; of this there can be no doubt. But the meaning is: I will see what calamity will befall them as a result of My hiding My face from them.

PAGE 163

[1]) The text does not mean: They have provoked Me through having no God (בלא in the sense of בלי; cf. Jer. XXII. 13; Lam. I. 6 and elsewhere), and I will provoke them without a people; i. e. I will not employ other nations as the instruments of My anger. The terms לא אל and לא עם are compound nouns that express negation of the qualities that are inherent in the simple noun. The

terms signify "a no-god", "a no-people": a god and a people that do not deserve these names. The lexicons give several examples of this usage of לא preceding a noun.

PAGE 164

[1]) Rashi equates קטב with קצב "to cut". On the text in Hosea he also takes קטבך as connected with "cutting" but in the sense of "decreeing" (קוטב עליך גזרת שאול), just as חתך, גזר and other verbs that signify "cutting" also denote "deciding". The latter English word is itself an example of this idea, for it is connected with Latin caedere, to cut.

[2]) Rashi resolves the word into a verb and an accusative pronominal suffix הֵם, the equivalent of אֹתָם, "them". This is the only example of הֵם as a verbal suffix. The י that precedes it is the original י that re-appears in certain forms of ל"ה verbs. After resolving the word, Rashi explains what אפאה אתם means. He is not giving two explanations: (1) אפאה אתם and (2) אשיתם פאה, as some super-commentaries state. If it were so, he would have written as he often does: ועוד יש לפרש. He takes אפאיהם as a denominative from פֵּאָה, the corner of the field the grain of which was left uncut, and was הפקר, at the disposal of any poor who chose to gather it. The verb therefore implies abandoning the people to their fate (להשליכם מעלי). — It is interesting to note that on Neh. IX. 22 Rashi uses the idea of "corner" in a different sense: God separated (ותחלקם) the Israelite from other peoples setting them in one corner without mingling with the nations of the world. Here, however, it is the kingdoms and nations whom God had delivered into Israel's hands (ותתן להם ממלכות ועממים) who are set aside as a corner to be the prey of Israel.

[3]) The chapters that are now the Book of Nehemiah were regarded as part of the Book of Ezra even in Talmudic times (cf. Sanh. 93b).

PAGE 165a

[1]) Rashi is explaining the singular pronoun הוא. The text means no more than: Is not this mentioned above laid up with Me, — referring to the evil conduct spoken of here under the figure of the vine of Sodom and the fields of Gomorrah. Hence also the singular form כמוס. — Similarly in the explanation of this verse given later on, the word הוא refers to כוס implied in the expressions used in the previous verse.

[2]) Moses, in the name of God, is not speaking of the immediate future, — that very soon after the day he was addressing Israel calamity would befall them. The words are parallel in meaning to לי נקם ושלם (cf. the similarity of Rashi's language: here, קרוב ומזומן לפני, there, עמי נכון ומזומן). They signify that when God will resolve to punish them, the means of doing so will be near at hand. — It is possible that Rashi takes the verse thus: When (כי) the day of their calamity is near at hand, what is to happen to them will happen quickly. The ו of וחש introduces the apodosis, as often.

PAGE 165b

[1]) Cf. Rashi on Exodus XXIII. 5, where he cites this phrase and the text from Nehemiah as examples of the root עזב in the sense of helping. There, however, he omits the passage in Jeremiah.

PAGE 167a

[1]) On vv. 27 and 31 Rashi makes a similar comment which is perfectly appropriate there, but which, at first sight, would appear to have very little bearing upon the catchword here. It should not, however, be overlooked that we have a וגו׳ in Rashi after the catchword ומשדמת עמרה which appears to be superfluous since he immediately afterwards comments on the whole verse phrase by phrase. But what Rashi means is this: According as I first explained the text it refers to Israel up to the end of verse 26, and then again from verse 32 onwards,

verses 27—31 referring to the other nations (cf. Rashi on v. 32: מוסב למעלה וכו׳). R. Judah, however, refers the entire text (including vv. 27—31) to the Israelites (עד תכלית). Where I differed from R. Judah was therefore my explanation of vv. 27—31. Note, says Rashi, that R. Nehemiah also explains the text other than I do, but the difference in his case begins at verse 32 (כי מגפן סדום גפנם) which I have referred to Israel (connecting it with verse 26 thus: אמרתי אפאיהם . . . כי מגפן סדום וכו׳), whilst he refers not only vv. 27—31 to the nations, in accordance with my explanation, but also verse 32 (כי מגפן סדום גפנם) and what follows (וגו׳), viz., ענבימו ענבי רוש. According to him it is not only because they (the אומות) are a nation of erring counsel (אובד עצות) that they will fail to attribute the greatness to Me, but also because they are of a base character (כי מגפן סדום גפנם ומשדמת עמרה ענבימו ענבי רוש). — Having shown how R. Nehemiah expounds the text in its entirety Rashi goes on to point out how the words ענבימו ענבי רוש are to be connected with those that follow: אשכלת מררת למו.

[2]) What application this text has is far from clear. It speaks of the victor's feet treading upon the ruins of the city he has destroyed. Possibly Rashi intends to suggest that even as one speaks of the victor's feet being strong and trampling vigorously upon his enemies, so one may speak of the feet of the conquered tottering in his weakness.

PAGE 167b

[1]) By the term Meturgeman here is not meant the Synagogue officer who translated into Aramaic the Sabbath scriptural and prophetical lessons. In later times in Babylon the head of the academy was always attended by an officer bearing this name to whom he whispered an outline of his Halachic discourse which the Meturgeman told at length and in a popular form to the audience. Consequently if Moses gave Joshua a Meturgeman he thereby appointed the latter to fill his place as the religious teacher of the Israelites.

PAGE 168

[1]) The Talmud, Sanh. 99b, states that king Manasseh poked fun at this Biblical passage since it appeared to him unnecessary for Scripture to enter into such details of birth and marriage of so unimportant a person as Timna. — Siphre on this passage which is Rashi's source here (whilst on Gen. XXXVI. 12 he follows Midrash Rabba more closely), draws a moral from Timna's anxiety to ally herself to Abraham's family; consequently what Scripture states concerning her is not without significance, as king Manasseh assumed.

[2]) On Gen. XVII. 23, Rashi gives a similar explanation of why Scripture states there that Abraham circumcised himself בעצם היום הזה, following Gen. R. on that passage. Here he follows Siphre which omits this instance. — As regards the sense in which the דרוש understands the word עצם, see our note in *Genesis*, p. 31. — Neither Siphre nor Rashi means that the phrase בעצם היום הזה occurs only three (or four) times in Scripture, but that only in these passages will it bear an interpretation of this character.

PAGE 169

[1]) The author of the ס׳ הזכרון states that he does not understand what Rashi intends to explain in this comment. Mizrachi, too, involves himself in a difficulty regarding the meaning of the ו in the word ושמה, because he takes ושמה לא תבא as giving the reason for the command in v. 49, "Ascend the mount . . . and behold the land". But this is not Rashi's meaning. The entire verse states the reason for this command. It is to be connected with v. 49 as follows: Ascend the mount . . . and behold the land, . . . because from afar thou mayst see it since thou art not permitted to go thither. The meaning is: Go up and behold the land from the summit of the mountain, for I will permit you to see it from afar since the land is so dear to you and since you will not enter it. — Rashi frequently employs this method of interpretation concluding

with על כן or לפיכך etc., when he explains that a verse beginning with כי, "because", is to be connected with an earlier verse, especially when there are other verses intervening. See, e. g., on XXIX. 15 where he shows that כי אתם ידעתם וכו' states the reason why they are assembled to enter into a covenant with God (vv. 9—11). There, too, he concludes with a phrase similar to that which he uses here: לפיכך אני צריך להשביעכם (see our note on this passage). — We have mentioned Mizrachi's difficulty: that he is unaware of any passage in which the prefix ו denotes "because" (אבל לא ידעתי אנה מצא וי"ו במקום כי), a meaning he assumes it has in consequence of his holding that ושמה לא תבא gives the reason for God's command that Moses should ascend the mount and behold the land from there. And yet on XXXIII. 3 he takes the ו of והם תכו in this sense, as Rashi does, explaining the text by מפני שישראל תווכו לתוך מרגלותיך!

PAGE 170

1) In this verse we have מ prefixed to words to denote the point of departure: God came *from* Sinai and shone forth *from* Seir; He beamed forth *from* Paran. In the words that follow, ואתא מרבבות קדש, one might involuntarily feel inclined to carry on this idea: And He came from the myriads of holy angels, i. e., He left them and came alone. Rashi therefore points out that this is not the meaning. The prefix is the partitive מ, denoting a portion taken from the whole class, and signifying "some of". Stock examples of this usage are Gen. IV. 3, "And he brought some of the fruit (מפרי) of the ground"; ib. XXX. 14, "Give me some of the mandrakes (מדודאי) of thy son". The text means that God came *having with Him* some of the myriads of angels.

2) Rashi takes תֻּכּוּ from the same root as תָּוֶךְ "the middle". It is a passive, our Pual: "they were placed in the midst". This does not mean, however, that they were placed there by others but by themselves. This passive is the equivalent of the Hithpael or the Niphal used in that sense. In the Rashi text, the word הִתָּוְכוּ is a misprint for הִתַּוְּכוּ, a Hithpael form, a contraction of הִתְתַּוְּכוּ, the equivalent of תָּוְכוּ עצמן by which Rashi explained the word above. (Or it may be a Hophal הָתְוְכוּ or הֻתְוְכוּ; it is not at all certain what form Rashi intended). In the alternative explanation which he afterwards offers, he renders the word by מתמצעים and מתכנסים, both Hithpaels. On Genesis VIII. 12 he speaks of וַיִּיָּחֶל (a Niphal) being a התפעל form, whilst ib. XXIV. 65 he instances Niphal forms to illustrate וַתִּתְכָּס, a Hithpael (see our note on וייחל, Genesis, p. 262). How closely the Hithpael and the Niphal approximate in meaning may be seen from a comparison of the following: ויתחבא האדם ואשתו (Gen. III. 8) with וָאֵחָבֵא in the next verse; ונברכו בו כל גויי הארץ (ib. XVIII. 18) with והתברכו בו גוים (Jer. IV. 2); כי נבאשו בדוד (2 Sam. X. 6) with כי התבאשו עם דוד (1 Chron. XIX. 6). Rashi would equate any passive form (not only Niphal) with the Hithpael, if that passive expressed the idea that the subject of the verb is acted upon by himself and not by others, as is the case with תֻּכּוּ in our text.

PAGE 171

1) Rashi points out, firstly, that the subject of ויהי is not Moses mentioned in the preceding verse, but God; secondly, that בהתאסף is not an allusion to some particular occasion when the Israelites accepted God as their King: it states that *whenever* they assemble (בכל התאסף), they acknowledge God as their Head. Rashi interrupts his comment to explain how he arrives at the meaning he attaches to ראשי (viz. ,that it signifies the same as in Exodus XXX. 12), and then resumes with the words ראויין אלו שאברכם. Mizrachi, however, divides the Rashi text into two independent portions. The first ends at עליהם: Constantly was the sovereignty of His kingdom upon them. The second reads as follows, omitting the interpolated explanation of ראשי: At all times when there gathers the whole of their assembly they are worthy that I should bless them (and so I shall now begin the blessing, etc.). In favour of this is the absence

of ו before ראויין, but a caption בהתאסף is required before the words בכל התאסף and some ordinary editions of Rashi place it here. Berliner, however, makes no mention of such a reading. Whichever of these two explanations is accepted, this Rashi must be read together with the second interpretation (the ד"א) of the preceding verse: Even when the peoples of the world are in the ascendancy and have Israel in their power, the latter remain loyal to God, exclaiming: The God-given Torah is Israel's heritage and we will never abandon it. Thus God is King in Israel at all times, etc.

2) Rashi in his commentary on Job and on the Talmud (Sota 7b), shows the bearing of this passage on the question why Moses blessed Judah immediately after Reuben. It is to be understood as follows: Because the wise men, Reuben and Judah, had the same merit, — that they declared their sins and did not conceal them from their father . . . therefore no stranger passed among them. i. e., Judah was blessed by Moses immediately after Reuben, the blessing given to no other tribe intervening. — The words להם לבדם נתנה הארץ are omitted in this interpretation of the text, but the Talmud offers an explanation of them as an allusion to Reuben and Judah receiving one reward for their avowal of wrongdoing.

3) Not only the bones of Joseph did the Israelites take with them when they left Egypt (Exod. XIII. 9), but also those of all Jacob's sons (cf. Rashi ib.). Whilst, however, the skeletons of the others remained intact in their coffins and thus retained the semblance of a human form, that of Judah fell to pieces and the limbs rolled about in the coffin. According to the Rabbis (cf. Sota 7b; Macc. 12b; B. Kam. 92a), Moses mentioned Judah immediately after Reuben in order to bring to remembrance his merit in connection with Reuben. The Rabbis translate the text as follows: "Should Reuben live and not die (i. e. should his intact skeleton make the impression of a living human being), whilst וזאת ליהודה, — whilst this (a dismembered body) should be the fate of Judah? Was it not Judah who brought it about that Reuben confessed his sin?" — It is true that according to the Midrash (Gen. R. s. 84, ch. 19) Reuben had already repented of his sin with Bilhah by the time when Joseph was sold (cf. Rashi on Gen. XXXVII. 29), whilst Judah's confession of his sin with Tamar took place later (cf. Rashi on Gen. XXXVIII. 1). The point, however, is that Reuben did not make public confession until he was induced to do so by Judah's example (cf. Tos. Macc. 11b. ד"ה מי גרם לראובן).

PAGE 172

1) The Hebrew literally states: Smite the loins, those who rise against him. According to the Hebrew idiom we must supply some such word as מכת before מתנים. The construction is what is known as the "accusative of respect": Smite those who rise against him as regards their loins. Cf. Ps. III. 8: הכית את כל איבי לחי, "Thou hast smitten all my enemies as regards (i. e. on) the cheek". — The citation of the text from the sixty-ninth Psalm is made in order to point out what the smiting of the loins implies: it denotes to make the enemies' loins totter, — render them powerless. Mizrachi is puzzled at Rashi's inverting the order of the words in the text; he states they might have been explained thus: מחץ מכת מתנים קמיו. But Rashi had a fine feeling for the Hebrew idiom. He knew that in all constructions of this character, the direct accusative follows the verb, as in the text from Psalm III quoted above. It is exceptional to find the verb followed immediately by the accusative of respect as here.

PAGE 173

1) Rashi's words מכסה ומגין do not mean that God protects Benjamin (i. e. the Temple which was erected in his territory), but that He lies above it, hovers over it, — that the Shechinah is ever present there. This is evident from what follows in Rashi: that the Shechinah has never dwelt at any other place than

Jerusalem since the day that city was selected as the seat of the Temple. — The use of מגין in this sense is frequent in Rashi. See, e. g., his comment on Exod. XXXV. 12: כל דבר המגין בין למעלה בין מכנגד קרוי מסך וסכך and ib. XL. 3.

PAGE 173a

1) Mention of the ox appears out of place here. Into a דרוש from Siphre Rashi, however, has woven another from the Talmud, Zeb. 54b. Siphre has: ובין כתפיו שכן. מה שור זה אין בו נאה מכתפיו, כך בית המקדש גבוה [נאה] מכל העולם. It goes on to show that Palestine is located higher than other lands and that the Temple was the highest point in that land. It further states that a strip of land in the shape of the head of an ox projected from Benjamin's territory into that of Judah and upon this the Temple was built. Hence the mention of the shoulder of an ox. It is therefore evident that the passage in Rashi commencing at אלא שנמוך and ending at משום דכתיב ובין כתפיו שכן is a parenthesis, and that what precedes and follows this passage is a modification of the quotation from Siphre. — Both in Rashi and Siphre נאה should be amended to גבוה.

2) Verse 13 states that Joseph's land is blessed by reason of its fruits (ממגד). The next verse also begins with ממגד and it is evident that the idea of the blessing contained in v. 13 must be continued here. But the first half of v. 14 apparently speaks of hills and only the second half mentions fruits (וממגד). Rashi therefore explains that we must nevertheless supply the words מברכת ה' ארצו from v. 13, because ומראש הררי קדם refers to f r u i t s that grow on the hills. Consequently, the verse begins with an equivalent of the word ממגד, and the idea of v. 13 is to be continued here.

PAGE 173b

2) In the blessing itself the names of these tribes are not repeated, for they occur for the first time in the formula that introduces the blessing: And of Zebulun he said, "Rejoice, Zebulun, etc."; And of Gad he said, "Blessed be He that enlargeth Gad", etc., — and similarly with the other tribes. It is therefore difficult to understand how these tribes could have been instilled with strength when they heard their blessing pronounced by Moses since they heard their names only once. Possibly it means that future generations of these tribes will feel strengthened when they r e a d the blessing in the Torah.

PAGE 174

1) Mizrachi has misunderstood this Rashi. He reads the word as יֵאָסְפוּ, taking עמים של שבטי ישראל as the subject of that verb, and consequently is compelled to admit his ignorance as to why there is mention in this blessing of Zebulun and Issachar of the tribes being assembled at Mount Moriah. But the word should be read יַאסְפוּ (or יַאֲסֵפוּ, its pausal form), "they assemble", in a t r a n s i t i v e sense; the subject is the Sanhedrion the members of which belonged to the tribe of Issachar just mentioned, and the object of the verb is the tribes of Israel. The Rashi is a continuation of the preceding: The Sanhedrin, by their knowledge of the rules governing the calculation of the Calendar, thereby assemble the tribes at Mount Moriah on the pilgrimage festivals. The grammatical form of יאספו in Rashi therefore corresponds exactly to that of יקראו in the text. For עמים signifying the individual tribes, see Rashi's first explanation of אף חבב עמים (v. 3).

PAGE 175

2) and 4) Siphre has no mention of the necessity that exists for those dwellling near the border to be strong. Rashi has enumerated Gad amongst the weak tribes. On Gen. XLVII. 2 he points out that there is another version which states that the tribes whose names are repeated are those that were the strongest. It would seem that Rashi has such a version in mind when he suggests here that

Gad was strong and states this distinctly on the catchword ויתא. So far as the Rashi here is concerned it may not mean that Gad p o s s e s s e d great strength. It is a blessing to be realised in the future, as may be seen from Rashi's addition to Siphre שכל הסמוכים לספר צ ר י כ י ם להיות גבורים.

3) Moses, however, died on Nebo which is in the territory of Reuben. Legend relates that from the mountain summit the body of the lawgiver was borne on the pinions of the Shechinah a distance of four miles and interred in the land of Gad.

5) Bashan is not part of the territory of Dan. Rashi therefore states that the text must be understood as the Targum renders it: that Dan's land drinketh of the rivers that f l o w from Bashan. The Jordan took its rise from Bashan. — When Rashi states that this river issued from Dan's territory (יוצא מחלקו) he means that from its source in Bashan it was a mere trickle, and became a r i v e r only after leaving the cave of Pameas which was in the land of Dan.

PAGE 176

1) Rashi has stated that Pameas is in the north-east and he shows that this is so: Pameas was, we know, in the east, and Jordan flows from north to south a l o n g t h e e a s t, for it ends at the Salt Sea which is at the e a s t of Judah whose territory was in the south. Hence Jordan must begin at the n o r t h -east, and since it begins at Pameas that city must be located at the north-east of Palestine.

2) The word יְרֻשָּׁה is not a noun of the form צְדָקָה, בְּרָכָה, when the meaning would be: West and South are a possession for him. Such nouns are accented on the last syllable whilst יְרֻשָּׁה has the accent penultimate. The lengthened infinitives are of the form שִׁמְעָה which becomes שְׁמָעָה in pause, as is יְרֻשָּׁה in our text. There are other examples of verbs פ״י which retain the י in the imperative. Thus in Ezek. XXIV. 3 we have יְצֹק and in 1 Kings XVIII. 34 יִצְקוּ, both of which are imperatives.

3) So far as we are aware no satisfactory explanation of this Siphre has been given. Rabbenu Judah b. Eliezer in בעלי התוספות על התורה states that if we compare the figures in Num. I with those in Num. XXVI, we shall find that Asher's increase was larger than that of any other tribe. This is correct if we exclude Manasseh, but the reason he gives for doing so is weak. Even if we reckon Ephraim and Manasseh as one tribe (that of Joseph), these together give an excess of 12,500 whilst Asher's increase was 11,900. It has been suggested that Rabbenu Judah refers to p r o p o r t i o n a t e increase. But Benjamin's increase was 28.8 per cent, and Asher's 28.6 per cent. — Perhaps we should bring this Siphre into relation with a Midrash to be found in Tanchuma ויחי, 13, Gen. R. XCIX. 12 and ס׳ אליהו רבא (Friedmann's Ed. p. 92). Tanchuma has: מאשר שמנה לחמו, שבנותיו נאות, שנאמר באשרי כי אשרוני בנות, וכן הוא אומר ברוך מבנים אשר יהי רצוי אחיו ע״י ב נ ו ת י ו. The Siphre would mean: No tribe was so blessed (i. e. praised) by the men-folk (בנים) of Israel, and was held in such high favour by them, as was Asher, on account (על ידי) of the beauty of its women.

PAGE 176a

1) The text is not a statement that God will ride upon the heavens to come to their help. It is a declaration of God's power, — that none can withstand the God who is Israel's help, since He is in heaven which He chose as His abode, and Israel's enemies are on earth, and those below must always prove weaker in war than those who attack them from above.

PAGE 176b

2) The text in Jeremiah suggests that God is not with the Israelites in their distress, whilst Jacob promised that He w o u l d be with them.

PAGE 177

[1]) Since the entire Book of Deutoronomy was spoken by Moses in the plains of Moab it appears superfluous to state that he ascended from there to the Mount Nebo. The words are therefore taken to mean that he ascended direct from the plain to the summit of the mountain. This appears to be the force of the prefix מ. Similarly Rashi on מן ההר אל העם (Ex. XIX. 14) has: מלמד שלא היה משה פונה לעסקיו אלא מן ההר אל העם, Moses went direct from the mountain to the people.

PAGE 178

[1]) The text is not taken to signify that in his old age his eye had not become dim. The words are read with במתו that precedes them: in his death (i. e. when he was dead) his colour (עינו) was not dimmed.

[2]) "Decomposition had no power over him" is an explanation of לא נס לחה; "the appearance of his face had not changed", explains לא כהתה עינו, where עינו is taken in the sense of "colour", as in ועינו כעין הבדלח (Num. XI. 7).

PAGE 179

[1]) The Midrash states that the Tablets were of extraordinary weight, and a strong hand was required to hold them.

[2]) On Sabb. 87a Rashi explains that this דרוש takes אשר in the sense of אישר, declaring happy, congratulating: אִשְּׁרוֹ וברכו על שבירתן: God congratulated Moses on having broken the tablets. The words אשר שברת therefore signify: Happy art thou that thou hast broken them. This may be expressed by the colloquial term of congratulation, יישר כחך. It is not at all likely, in view of Rashi's explanation quoted above, that he connects יישר with אֲשֶׁר. For a דרוש where the relative אֲשֶׁר is connected with אַשְׁרֵי, see Rashi on Lev. IV. 22.

תם ונשלם בע"ה יתברך, עש"ק, אסרו חג הפסח,

oooo

שנת ופעל ידיו תרצה לפ"ק.

לוח ראשי תיבות

א״א = אברהם אבינו
א״א = אי אמרת
א״א = אי אפשר
אא״א = אלא אם כן
אדה״ר = אדם הראשון
או׳ = אומר (אומרים)
אוה״ע = אומות העולם
אח״כ = אחר כך
א״י = ארץ ישראל
א״כ = אם כן
א״נ = אי נמי
אע״ג = אף על גב
אע״פ = אף על פי
אפי׳ = אפילו
א״צ = אין צריך, אין צריכין
א״ר = אמר רב, אמר רבי
א״ת = אל תקרי
א״ת = אם תאמר
את״ל = אם תמצי לומר
ב״ב = בבא בתרא
ב״ד = בית דין
בד״א = במה דברים אמורים
ב״ה = בית הלל
ב״ה = בית המקדש
בה״כ = בית הכנסת
בהמ״ד = בית המדרש
בהמ״ק = בית המקדש
בה״ש = בין השמשות
בו״ד = בשר ודם
בכ״מ = בכל מקום
במ׳ = במדבר
במד״ר = במדבר רבה
בע״כ = בעל כרחו
בר׳ = בראשית
ב״ר = בראשית רבה
ב״ש = בית שמאי
בש״א = בית שמאי אומרים
גז״ש = גזירה שוה
ד״א = דבר אחר
דא״א = דאמרי אינשי
דב״ר = דברים רבה
ד״ה = דברי הכל
דהי״א = דברי הימים א׳
דהי״ב = דברי הימים ב׳
דנ׳ = דניאל
ד״ס = דברי סופרים
הלמ״מ = הלכה למשה מסיני
הקב״ה = הקדוש ברוך הוא
ואצ״ל = ואין צריך לומר
וא״ת = ואם תאמר
וגו׳ = ונומר
ויק״ר = ויקרא רבה
וכ״ת = וכי תימא
זא״ז = זו או זו, זה את זה
ז״ל = זכרונם לברכה
חכ״א = חכמים אומרים
י״א = יש אומרים
יה״כ = יום הכפורים
יצ״ט = יצר טוב
יר׳ = ירמיה
יש׳ = ישעיה
כ״מ = כל מקום
כלו׳ = כלומר
כ״ע = כולי עלמא
לה״ק = לשון הקדש
לה״ר = לשון הרע
לעוה״ב = לעולם הבא
ל״ת = לא תעשה
מ״א = מדרש אגדה
מ״א = מלכים א׳
מ״ב = מלכים ב׳
מה״ד = מן הדין
מוצ״ש = מוצאי שבת
מלה״ד = משל למה הדבר דומה
ממ״ה = מלך מלכי המלכים
מ״ט = מה טעם
ממ״נ = ממה נפשך
מ״ע = מצות עשה
מע״ט = מעשים טובים
מע״ר = מעשר ראשון
מע״ש = מעשר שני
מרע״ה = משה רבנו עליו השלום
סד״א = סלקא דעתך אמינא
סי׳ = סימן
סנה׳ = סנהדרין
עאכ״ו = על אחת כמה וכמה
ע״ה = עם הארץ
עה״ב = עולם הבא
עה״ז = עולם הזה
עה״ר = עין הרע
ע״ז = עבודה זרה
עיו״ט = ערב יום טוב
ע״כ = עד כאן, על כן
ע״מ = על מנת
ע״פ = על פי
פ״א = פעם אחת
פדר״א = פרקי דר׳ אליעזר
פי׳ = פירש
ק״ו = קל וחומר
קמ״ל = קא משמע לן
ר׳ = רב, רבי, רבן, רבנו
ר״א = ר׳ אלעזר, ר׳ אליעזר
ראב״י = ר׳ אליעזר בן יעקב
ראב״ע = ר׳ אלעזר בן עזריה
רבש״ע = רבונו של עולם
ר״ג = רבן גמליאל
ר״ה = ראש השנה
רה״י = רשות היחיד
רה״ר = רשות הרבים
ריב״ז = רבן יוחנן בן זכאי
ריב״ל = ר׳ יהושע בן לוי
ר״ל = ריש לקיש
ר״נ = רב נחמן, ר׳ נחמיה
ר״ע = ר׳ עקיבא
רשב״א = ר׳ שמעון בן אלעזר
רשב״ג = רבן שמעון בן גמליאל
שה״ש = שיר השירים
שופ׳ = שופטים
שמו״ר = שמות רבה
שנ׳ = שנאמר
ת״א = תרגום אונקלוס
תה״מ = תחיית המתים
ת״ח = תלמיד חכם, תלמידי חכמים
ת״כ = תורת כהנים
ת״ל = תלמוד לומר
תנח׳ = תנחומא

LIST OF ABBREVIATIONS

Ab. = Aboth (Mishnah).
Ab. d' R. N. = Aboth d' Rabbi Nathan (a late Talmudic treatise).
Ab. Zar. = Abodah Zarah (Talmud).
B. Bath. = Baba Bathra (Talmud).
B. Kam. = Baba Kamma (Talmud).
B. Mets. = Baba M'tsi'a (Talmud).
Bekh. = B'khoroth (Talmud).
Ber. = B'rakhoth (Talmud).
Chag. = Chagigah (Talmud).
Chall. = Challah (Mishnah, Tosefta and Y'rushalmi).
Chull. = Chullin (Talmud).
Deut. = Deuteronomy, Book of.
Deut. R. = Deuteronomy Rabbah (Midrash Rabbah to Deut.).
Erub. = Erubin (Talmud).
Esth. = Esther, Book of.
Esth. R. = Esther Rabbah (Midrash Rabbah to Esther).
Ex. = Exodus, Book of.
Ex. R. = Exodus Rabbah (Midrash Rabbah to Sh'moth).
Ez. = Ezekiel, Book of.
Gen. = Genesis, Book of.
Gen. R. = Genesis Rabbah (Midrash Rabbah to B'reshith).
Hab. = Habakkuk, Book of.
Hag. = Haggai, Book of.
Hor. = Horayoth (Talmud).
Hos. = Hosea, Book of.
Isa. = Isaiah, Book of.
Jer. = Jeremiah, Book of.
Jon. = Jonah.
Josh. = Joshua, Book of.
Jud. = Judices, Book of Judges.
Ker. = K'rithoth (Talmud).
Keth. = K'thuboth (Talmud).
Kidd. = Kiddushin (Talmud).
Kil. = Kilayim (Mishnah, Tosefta and Talmud Y'rushalmi).
Kin. = Kinnim (Mishnah).
Koh. R. = Koheleth Rabbah (Midrash Rabbah to Ecclesiastes).
Lam. = Lamentations, Book of.
Lam. R. = Lamentations Rabbah (Midrash Rabbah to Lam.; Ekhah Rabbathi).
Lev. = Leviticus, Book of.
Lev. R. = Leviticus Rabbah (Midrash Rabbah to Leviticus, Vayyikra Rabbah).
M. Kat. = Mo'ed Katon (Talmud).
Maas. Sh. = Ma'åser Sheni (Mishnah, Tosefta and Talmud Y'rushalmi).
Maasr. = Ma'asroth (Mishnah, Tosefta and Talmud Y'rushalmi).
Macc. = Maccoth (Talmud).
Makhsh. = Makhshirin (Mishnah and Tosefta).
Mal. = Malachi, Book of.
Meg. = M'gillah (Talmud).
Meil. = M''ilah (Talmud).
Men. = M'nachoth (Talmud).
Mic. = Micah, Book of.
Midd. = Middoth (Mishnah).
Midr. = Midrash.
Mikv. = Mikvaoth (Mishnah and Tosefta)
Nah. = Nahum, Book of.
Naz. = Nazir (Talmud).
Neg. = N'ga'im (Mishnah and Tosefta).
Neh. = Nehemiah, Book of.
Ned. = N'darim (Talmud).
Nidd. = Niddah (Talmud).
Num. = Numeri, Book of (Numbers).
Num. R. = Numeri Rabbah (Midrash Rabbah to Numbers, B'midbar Rabbah).
Ob. = Obadiah, Book of.
Ohol. = Oholoth (Ahiloth, Mishnah and Tosefta).
Par. = Parah (Mishnah and Tosefta).
Pes. = Pesachim (Talmud).
Prov. = Proverbs, Book of.
Ps. = Psalms, Book of.
R. Hash. = Rosh hash-Shanah (Talmud).
Ruth R. = Ruth Rabbah (Midrash Rabbah to Ruth).
Sabb. = Sabbath (Talmud).
Sam. = Samuel, Book of.
Sanh. = Sanhedrin (Talmud).
Shebi. = Sh'biith (Mishnah, Tosefta and Y'rushalmi).
Shebu. = Sh'buoth (Talmud).
Shek. = Sh'kalim (Mishnah, Tosefta and Y'rushalmi, also a pericope in P'sikta).
Sot. = Sotah (Talmud).
Succ. = Succah (Talmud).
Taan. = Ta'anith (Talmud).
Tanch. = Midrash Tanchuma.
Targ. = Targum.
Tem. = T'murah (Talmud).
Ter. = T'rumoth (Mishnah, Tosefta and Y'rushalmi).
Tosef. = Tosefta.
Treat. = Treatise (tractatus, Massekheth).
Ukts. = 'Uktsin (Mishnah and Tosefta).
Yad. = Yadayim (Mishnah and Tosefta).
Yalk. = Yalkuṭ (Collectanea from Talmudim, Midrashim &c.).
Zab. = Zabim (Mishnah and Tosefta).
Zeb. = Z'baḥim (Talmud).
Zech. = Zechariah, Book of.
Zeph. = Zephaniah, Book of.

סדר ההפטרות

שמות הטעמים לפי סדר האשכנזים

זַרְקָא֮ סֶגוֹל֒ מֻנַּח רְבִ֗יעַ פָּזֵ֡ר תְּלִישָׁא֠ גְדוֹלָה קַדְמָ֨א וְאַזְלָ֜א
תְּלִישָׁא֩ קְטַנָּה֩ מַהְפַּ֤ךְ פַּשְׁטָא֙ זָקֵף֔ קָטֹ֕ן זָקֵף֕ גָּד֗וֹל דַּרְגָּ֧א
תְּבִ֛יר מֵרְכָ֥א טִפְחָ֖א אֶתְנַחְתָּ֑א אַזְלָ֜א גֵּ֜רֵשׁ גֵּרְשַׁ֞יִם יְתִ֚יב
פְּסִ֣יק ׀ שַׁלְשֶׁ֓לֶת יֶ֪רַח בֶּן יוֹמ֪וֹ קַרְנֵ֟י פָרָ֟ה מֵרְכָ֦א כְפוּלָ֦ה
טִפְחָ֖א מֶֽתֶג מַקַּף־ ס֥וֹף פָּסֽוּק׃

שמות הטעמים לפי סדר הספרדים

זַרְקָא֮ מַקַּף־שׁוֹפָ֣ר הוֹלֵ֣ךְ סְגוֹלְתָּא֒ פָּזֵ֡ר גָּד֗וֹל יָרֵ֪חַ בֶּן יוֹמ֪וֹ
קַרְנֵ֟י פָרָ֟ה גַּעְיָ֨א תַּלְשָׁ֨א אַזְלָ֜א גְּרִ֜ישׁ פָּסֵ֣ק ׀ רְבִ֗יעַ שׁוֹפָ֣ר
מְהוּפָּ֤ךְ קַדְמָ֨א תְּרֵ֨י קַדְמִ֨ין זָקֵ֔ף קָטֹ֕ן זָקֵ֕ף גָּד֗וֹל שַׁלְשֶׁ֓לֶת
שְׁנֵ֞י גְרִישִׁ֞ין תְּרֵ֨י טַעֲמֵ֨י דַּרְגָּ֧א תְּבִ֛יר מַאֲרִ֥יךְ טַרְחָ֖א אַתְנָ֑ח
רָפֵ֗א דָּגֵ֚שׁ יְתִ֚יב תְּרֻצָה שְׁבוֹלֶת מַפִּיק בְּהֵא שְׁוָא
גַּעְיָ֨א גַּעְיָ֨א שְׁוָא ס֥וֹף פָּסֽוּק׃

ואלה לפי סדר האיטאליאני

זַרְקָא֮ שְׁרֵ֗י פָּזֵ֡ר גָּד֗וֹל קַרְנֵ֟י פָרָ֟ה תַּלְשָׁ֨א תַּרְסָא֩ לְגַרְמֵ֣יהּ ׀
רְבִ֗יעַ פְּסִ֣יק שַׁלְשֶׁ֓לֶת קַדְמָ֨א אַזְלָ֜א זָקֵף֕ גָּד֗וֹל זָקֵף֔ קָטֹ֕ן שְׁנֵ֞י
גְרִישִׁ֞ין תְּרֵ֨ין חוּטְרִ֨ין דַּרְגָּ֧א תְּבִ֛יר טַרְחָ֖א מַאֲרִ֥יךְ שׁוֹפָ֣ר עִלּ֦וּי
שׁוֹפָ֣ר הָפ֤וּךְ שׁוֹפָ֣ר יְתִ֚יב שְׁנֵ֨י פַשְׁטִ֨ין סְמִ֥יךְ־אַתְנָ֑ח יֶ֪רַח בֶּ֪ן
יוֹמ֪וֹ גֵּ֜רֵשׁ ס֥וֹף פָּסֽוּק׃

ברכת ההפטרה.

קודם קריאת ההפטרה ואחר שגמר הגולל יברך המפטיר ברכה זו:

בָּרוּךְ אַתָּה יְיָ אֱלֹהֵינוּ מֶלֶךְ הָעוֹלָם אֲשֶׁר בָּחַר בִּנְבִיאִים טוֹבִים וְרָצָה בְדִבְרֵיהֶם הַנֶּאֱמָרִים בֶּאֱמֶת בָּרוּךְ אַתָּה יְיָ הַבּוֹחֵר בַּתּוֹרָה וּבְמשֶׁה עַבְדּוֹ וּבְיִשְׂרָאֵל עַמּוֹ וּבִנְבִיאֵי הָאֱמֶת וָצֶדֶק:

אחר ההפטרה יברך המפטיר ד' ברכות אלו:

בָּרוּךְ אַתָּה יְיָ אֱלֹהֵינוּ מֶלֶךְ. הָעוֹלָם צוּר כָּל־הָעוֹלָמִים צַדִּיק בְּכָל הַדּוֹרוֹת הָאֵל הַנֶּאֱמָן הָאוֹמֵר וְעוֹשֶׂה הַמְדַבֵּר וּמְקַיֵּם שֶׁכָּל־דְּבָרָיו אֱמֶת וָצֶדֶק:

נֶאֱמָן אַתָּה הוּא יְיָ אֱלֹהֵינוּ וְנֶאֱמָנִים דְּבָרֶיךָ וְדָבָר אֶחָד מִדְּבָרֶיךָ אָחוֹר לֹא־יָשׁוּב רֵיקָם כִּי אֵל מֶלֶךְ נֶאֱמָן (וְרַחֲמָן) אָתָּה· בָּרוּךְ אַתָּה יְיָ הָאֵל הַנֶּאֱמָן בְּכָל־דְּבָרָיו:

רַחֵם עַל־צִיּוֹן, כִּי הִיא בֵּית חַיֵּינוּ וְלַעֲלוּבַת נֶפֶשׁ תּוֹשִׁיעַ בִּמְהֵרָה בְיָמֵינוּ· בָּרוּךְ אַתָּה יְיָ מְשַׂמֵּחַ צִיּוֹן בְּבָנֶיהָ:

שַׂמְּחֵנוּ יְיָ אֱלֹהֵינוּ בְּאֵלִיָּהוּ הַנָּבִיא עַבְדֶּךָ וּבְמַלְכוּת בֵּית דָּוִד מְשִׁיחֶךָ בִּמְהֵרָה יָבֹא וְיָגֵל לִבֵּנוּ עַל־כִּסְאוֹ לֹא־יֵשֵׁב זָר וְלֹא יִנְחֲלוּ עוֹד אֲחֵרִים אֶת־כְּבוֹדוֹ· כִּי בְשֵׁם קָדְשְׁךָ נִשְׁבַּעְתָּ לּוֹ שֶׁלֹּא יִכְבֶּה נֵרוֹ לְעוֹלָם וָעֶד· בָּרוּךְ אַתָּה יְיָ מָגֵן דָּוִד:

עַל־הַתּוֹרָה וְעַל־הָעֲבוֹדָה וְעַל־הַנְּבִיאִים וְעַל־יוֹם הַשַּׁבָּת הַזֶּה שֶׁנָּתַתָּ־לָּנוּ יְיָ אֱלֹהֵינוּ לִקְדֻשָּׁה וְלִמְנוּחָה לְכָבוֹד וּלְתִפְאָרֶת· עַל־הַכֹּל יְיָ אֱלֹהֵינוּ אֲנַחְנוּ מוֹדִים לָךְ וּמְבָרְכִים אוֹתָךְ יִתְבָּרַךְ שִׁמְךָ בְּפִי כָּל־חַי תָּמִיד לְעוֹלָם וָעֶד: בָּרוּךְ אַתָּה יְיָ מְקַדֵּשׁ הַשַּׁבָּת:

בשבת ור"ח מוציאין ב' ספרים בראשון קורין שבעה גברי בפרשת השבוע וקדיש לעילא. ובספר שני קורין פרשה זו:

וּבְיוֹם הַשַּׁבָּת שְׁנֵי־כְבָשִׂים בְּנֵי־שָׁנָה תְּמִימִם וּשְׁנֵי עֶשְׂרֹנִים סֹלֶת מִנְחָה בְּלוּלָה בַשֶּׁמֶן וְנִסְכּוֹ: עֹלַת שַׁבַּת בְּשַׁבַּתּוֹ עַל־עֹלַת הַתָּמִיד וְנִסְכָּהּ: פ

וּבְרָאשֵׁי חָדְשֵׁיכֶם תַּקְרִיבוּ עֹלָה לַיהוָה פָּרִים בְּנֵי־בָקָר שְׁנַיִם וְאַיִל אֶחָד כְּבָשִׂים בְּנֵי־שָׁנָה שִׁבְעָה תְּמִימִם: וּשְׁלֹשָׁה עֶשְׂרֹנִים סֹלֶת מִנְחָה בְּלוּלָה בַשֶּׁמֶן לַפָּר הָאֶחָד וּשְׁנֵי עֶשְׂרֹנִים סֹלֶת מִנְחָה בְּלוּלָה בַשֶּׁמֶן לָאַיִל הָאֶחָד: וְעִשָּׂרֹן עִשָּׂרוֹן סֹלֶת מִנְחָה בְּלוּלָה בַשֶּׁמֶן לַכֶּבֶשׂ הָאֶחָד עֹלָה רֵיחַ נִיחֹחַ אִשֶּׁה לַיהוָה: וְנִסְכֵּיהֶם חֲצִי הַהִין יִהְיֶה לַפָּר וּשְׁלִישִׁת הַהִין לָאַיִל וּרְבִיעִת הַהִין לַכֶּבֶשׂ יָיִן זֹאת עֹלַת חֹדֶשׁ בְּחָדְשׁוֹ לְחָדְשֵׁי הַשָּׁנָה: וּשְׂעִיר עִזִּים אֶחָד לְחַטָּאת לַיהוָה עַל־עֹלַת הַתָּמִיד יֵעָשֶׂה וְנִסְכּוֹ:

הפטרת שבת וראש חדש

בשבת ור"ח מפטירים השמים כסאי, ונדחה הפטרה זו מפני הפטרת שבת וחנוכה ופ' שקלים ופ' החדש, גם מפני הפטרת שמעו דפ' מסעי; אבל בפ' ראה ור"ח מפטירים השמים כסאי ואח' מפטירים בכי הפ' רני עקרה בצירוף עניה סערה.

בישעיה סימן ס"ו.

כֹּה אָמַר יְהוָה הַשָּׁמַיִם כִּסְאִי וְהָאָרֶץ הֲדֹם רַגְלָי אֵי־זֶה בַיִת אֲשֶׁר תִּבְנוּ־לִי וְאֵי־זֶה מָקוֹם מְנוּחָתִי: וְאֶת־כָּל־אֵלֶּה יָדִי עָשָׂתָה וַיִּהְיוּ כָל־אֵלֶּה נְאֻם־יְהוָה וְאֶל־זֶה אַבִּיט אֶל־עָנִי וּנְכֵה־רוּחַ וְחָרֵד עַל־דְּבָרִי: שׁוֹחֵט הַשּׁוֹר מַכֵּה־אִישׁ זוֹבֵחַ הַשֶּׂה עֹרֵף כֶּלֶב מַעֲלֵה מִנְחָה דַּם־חֲזִיר מַזְכִּיר לְבֹנָה מְבָרֵךְ אָוֶן גַּם־הֵמָּה בָּחֲרוּ בְּדַרְכֵיהֶם וּבְשִׁקּוּצֵיהֶם נַפְשָׁם חָפֵצָה: גַּם־אֲנִי אֶבְחַר בְּתַעֲלֻלֵיהֶם וּמְגוּרֹתָם אָבִיא לָהֶם יַעַן קָרָאתִי וְאֵין עוֹנֶה דִּבַּרְתִּי וְלֹא שָׁמֵעוּ וַיַּעֲשׂוּ הָרַע בְּעֵינַי וּבַאֲשֶׁר לֹא־חָפַצְתִּי

בְּחָרוּ׃ שִׁמְעוּ דְּבַר־יְהֹוָה הַחֲרֵדִים אֶל־דְּבָרוֹ אָמְרוּ אֲחֵיכֶם
שֹׂנְאֵיכֶם מְנַדֵּיכֶם לְמַעַן שְׁמִי יִכְבַּד יְהֹוָה וְנִרְאֶה בְשִׂמְחַתְכֶם
וְהֵם יֵבֹשׁוּ׃ קוֹל שָׁאוֹן מֵעִיר קוֹל מֵהֵיכָל קוֹל יְהֹוָה מְשַׁלֵּם
גְּמוּל לְאֹיְבָיו׃ בְּטֶרֶם תָּחִיל יָלָדָה בְּטֶרֶם יָבוֹא חֵבֶל לָהּ
וְהִמְלִיטָה זָכָר׃ מִי־שָׁמַע כָּזֹאת מִי רָאָה כָּאֵלֶּה הֲיוּחַל אֶרֶץ
בְּיוֹם אֶחָד אִם־יִוָּלֵד גּוֹי פַּעַם אֶחָת כִּי־חָלָה גַּם־יָלְדָה צִיּוֹן
אֶת־בָּנֶיהָ׃ הַאֲנִי אַשְׁבִּיר וְלֹא אוֹלִיד יֹאמַר יְהֹוָה אִם־אֲנִי
הַמּוֹלִיד וְעָצַרְתִּי אָמַר אֱלֹהָיִךְ׃ שִׂמְחוּ אֶת־יְרוּשָׁלַםִ וְגִילוּ בָהּ
כָּל־אֹהֲבֶיהָ שִׂישׂוּ אִתָּהּ מָשׂוֹשׂ כָּל־הַמִּתְאַבְּלִים עָלֶיהָ׃ לְמַעַן
תִּינְקוּ וּשְׂבַעְתֶּם מִשֹּׁד תַּנְחֻמֶיהָ לְמַעַן תָּמֹצּוּ וְהִתְעַנַּגְתֶּם מִזִּיז
כְּבוֹדָהּ׃ כִּי־כֹה ׀ אָמַר יְהֹוָה הִנְנִי נֹטֶה־אֵלֶיהָ כְּנָהָר שָׁלוֹם
וּכְנַחַל שׁוֹטֵף כְּבוֹד גּוֹיִם וִינַקְתֶּם עַל־צַד תִּנָּשֵׂאוּ וְעַל־בִּרְכַּיִם
תְּשָׁעֳשָׁעוּ׃ כְּאִישׁ אֲשֶׁר אִמּוֹ תְּנַחֲמֶנּוּ כֵּן אָנֹכִי אֲנַחֶמְכֶם
וּבִירוּשָׁלַםִ תְּנֻחָמוּ׃ וּרְאִיתֶם וְשָׂשׂ לִבְּכֶם וְעַצְמוֹתֵיכֶם כַּדֶּשֶׁא
תִפְרַחְנָה וְנוֹדְעָה יַד־יְהֹוָה אֶת־עֲבָדָיו וְזָעַם אֶת־אֹיְבָיו׃ כִּי־
הִנֵּה יְהֹוָה בָּאֵשׁ יָבוֹא וְכַסּוּפָה מַרְכְּבֹתָיו לְהָשִׁיב בְּחֵמָה אַפּוֹ
וְגַעֲרָתוֹ בְּלַהֲבֵי־אֵשׁ׃ כִּי בָאֵשׁ יְהֹוָה נִשְׁפָּט וּבְחַרְבּוֹ אֶת־כָּל־
בָּשָׂר וְרַבּוּ חַלְלֵי יְהֹוָה׃ הַמִּתְקַדְּשִׁים וְהַמִּטַּהֲרִים אֶל־הַגַּנּוֹת
אַחַר אַחַד בַּתָּוֶךְ אֹכְלֵי בְּשַׂר הַחֲזִיר וְהַשֶּׁקֶץ וְהָעַכְבָּר יַחְדָּו
יָסֻפוּ נְאֻם־יְהֹוָה׃ וְאָנֹכִי מַעֲשֵׂיהֶם וּמַחְשְׁבֹתֵיהֶם בָּאָה לְקַבֵּץ
אֶת־כָּל־הַגּוֹיִם וְהַלְּשֹׁנוֹת וּבָאוּ וְרָאוּ אֶת־כְּבוֹדִי׃ וְשַׂמְתִּי בָהֶם
אוֹת וְשִׁלַּחְתִּי מֵהֶם ׀ פְּלֵיטִים אֶל־הַגּוֹיִם תַּרְשִׁישׁ פּוּל וְלוּד
מֹשְׁכֵי קֶשֶׁת תֻּבַל וְיָוָן הָאִיִּים הָרְחֹקִים אֲשֶׁר לֹא־שָׁמְעוּ אֶת־
שִׁמְעִי וְלֹא־רָאוּ אֶת־כְּבוֹדִי וְהִגִּידוּ אֶת־כְּבוֹדִי בַּגּוֹיִם׃ וְהֵבִיאוּ

אֶת־כָּל־אֲחֵיכֶם ׀ מִכָּל־הַגּוֹיִם ׀ מִנְחָה לַיהוָה בַּסּוּסִים וּבָרֶכֶב וּבַצַּבִּים וּבַפְּרָדִים וּבַכִּרְכָּרוֹת עַל הַר קָדְשִׁי יְרוּשָׁלִַם אָמַר יְהוָה כַּאֲשֶׁר יָבִיאוּ בְנֵי יִשְׂרָאֵל אֶת־הַמִּנְחָה בִּכְלִי טָהוֹר בֵּית יְהוָה׃ וְגַם־מֵהֶם אֶקַּח לַכֹּהֲנִים לַלְוִיִּם אָמַר יְהוָה׃ כִּי כַאֲשֶׁר הַשָּׁמַיִם הַחֲדָשִׁים וְהָאָרֶץ הַחֲדָשָׁה אֲשֶׁר אֲנִי עֹשֶׂה עֹמְדִים לְפָנַי נְאֻם־יְהוָה כֵּן יַעֲמֹד זַרְעֲכֶם וְשִׁמְכֶם׃ וְהָיָה מִדֵּי־חֹדֶשׁ בְּחָדְשׁוֹ וּמִדֵּי שַׁבָּת בְּשַׁבַּתּוֹ יָבוֹא כָל־בָּשָׂר לְהִשְׁתַּחֲוֺת לְפָנַי אָמַר יְהוָה׃ וְיָצְאוּ וְרָאוּ בְּפִגְרֵי הָאֲנָשִׁים הַפֹּשְׁעִים בִּי כִּי תוֹלַעְתָּם לֹא תָמוּת וְאִשָּׁם לֹא תִכְבֶּה וְהָיוּ דֵרָאוֹן לְכָל־בָּשָׂר׃

וְהָיָה מִדֵּי־חֹדֶשׁ בְּחָדְשׁוֹ וּמִדֵּי שַׁבָּת בְּשַׁבַּתּוֹ
יָבוֹא כָל־בָּשָׂר לְהִשְׁתַּחֲוֺת לְפָנַי אָמַר יְהוָה׃

הפטרה לערב ראש חדש שחל בשבת

בשבת וערב ר"ח מפטירין של **מחר חדש**. ונדחה הפטרה זו מפני פ' שקלים ופ' החדש, וברוב קהלות **פולין** וביהם נדחה גם מפני **עניה סערה** בפ' ראה, אבל בק"ק **ספ"ד** ורוב **אשכנז** מפטירין של **מחר חדש** בפ' ראה וער"ח, ומחברין **עניה סערה** עם **רני עקרה** בפ' **כי תצא.**

בשמואל א' סימן כ'.

וַיֹּאמֶר־לוֹ יְהוֹנָתָן מָחָר חֹדֶשׁ וְנִפְקַדְתָּ כִּי יִפָּקֵד מוֹשָׁבֶךָ׃ וְשִׁלַּשְׁתָּ תֵּרֵד מְאֹד וּבָאתָ אֶל־הַמָּקוֹם אֲשֶׁר־נִסְתַּרְתָּ שָּׁם בְּיוֹם הַמַּעֲשֶׂה וְיָשַׁבְתָּ אֵצֶל הָאֶבֶן הָאָזֶל׃ וַאֲנִי שְׁלֹשֶׁת הַחִצִּים צִדָּה אוֹרֶה לְשַׁלַּח־לִי לְמַטָּרָה׃ וְהִנֵּה אֶשְׁלַח אֶת־הַנַּעַר לֵךְ מְצָא אֶת־הַחִצִּים אִם־אָמֹר אֹמַר לַנַּעַר הִנֵּה הַחִצִּים ׀ מִמְּךָ וָהֵנָּה קָחֶנּוּ ׀ וָבֹאָה כִּי־שָׁלוֹם לְךָ וְאֵין דָּבָר חַי־יְהוָה׃ וְאִם־כֹּה אֹמַר לָעֶלֶם הִנֵּה הַחִצִּים מִמְּךָ וָהָלְאָה לֵךְ כִּי שִׁלַּחֲךָ יְהוָה׃ וְהַדָּבָר אֲשֶׁר דִּבַּרְנוּ אֲנִי וָאָתָּה הִנֵּה יְהוָה בֵּינִי וּבֵינְךָ עַד־עוֹלָם׃ וַיִּסָּתֵר דָּוִד בַּשָּׂדֶה וַיְהִי הַחֹדֶשׁ וַיֵּשֶׁב

הַמֶּ֙לֶךְ֙ עַל־הַלֶּ֖חֶם לֶאֱכֽוֹל׃ וַיֵּ֣שֶׁב הַ֠מֶּלֶךְ עַל־מ֨וֹשָׁב֜וֹ כְּפַ֣עַם ׀
בְּפַ֗עַם אֶל־מוֹשַׁב֙ הַקִּ֔יר וַיָּ֙קָם֙ יְה֣וֹנָתָ֔ן וַיֵּ֥שֶׁב אַבְנֵ֖ר מִצַּ֣ד שָׁא֑וּל
וַיִּפָּקֵ֖ד מְק֥וֹם דָּוִֽד׃ וְלֹֽא־דִבֶּ֥ר שָׁא֛וּל מְא֖וּמָה בַּיּ֣וֹם הַה֑וּא כִּ֚י
אָמַר֙ מִקְרֶ֣ה ה֔וּא בִּלְתִּ֥י טָה֛וֹר ה֖וּא כִּֽי־לֹ֥א טָהֽוֹר׃ וַיְהִ֗י מִֽמָּחֳרַ֤ת
הַחֹ֙דֶשׁ֙ הַשֵּׁנִ֔י וַיִּפָּקֵ֖ד מְק֣וֹם דָּוִ֑ד וַיֹּ֤אמֶר שָׁאוּל֙ אֶל־יְהוֹנָתָ֣ן בְּנ֔וֹ
מַדּ֜וּעַ לֹא־בָ֧א בֶן־יִשַׁ֛י גַּם־תְּמ֥וֹל גַּם־הַיּ֖וֹם אֶל־הַלָּֽחֶם׃ וַיַּ֥עַן
יְהוֹנָתָ֖ן אֶת־שָׁא֑וּל נִשְׁאֹ֨ל נִשְׁאַ֥ל דָּוִ֛ד מֵעִמָּדִ֖י עַד־בֵּ֥ית לָֽחֶם׃
וַיֹּ֡אמֶר שַׁלְּחֵ֣נִי נָ֡א כִּ֣י זֶבַח֩ מִשְׁפָּחָ֨ה לָ֜נוּ בָּעִ֗יר וְה֤וּא צִוָּה־לִי֙
אָחִ֔י וְעַתָּ֗ה אִם־מָצָ֤אתִי חֵן֙ בְּעֵינֶ֔יךָ אִמָּ֥לְטָה נָּ֖א וְאֶרְאֶ֣ה אֶת־
אֶחָ֑י עַל־כֵּ֣ן לֹא־בָ֔א אֶל־שֻׁלְחַ֖ן הַמֶּֽלֶךְ׃ וַיִּֽחַר־אַ֤ף שָׁאוּל֙ בִּיה֣וֹנָתָ֔ן
וַיֹּ֣אמֶר ל֔וֹ בֶּֽן־נַעֲוַ֖ת הַמַּרְדּ֑וּת הֲל֣וֹא יָדַ֗עְתִּי כִּֽי־בֹחֵ֤ר אַתָּה֙ לְבֶן־
יִשַׁ֔י לְבָ֨שְׁתְּךָ֔ וּלְבֹ֖שֶׁת עֶרְוַ֥ת אִמֶּֽךָ׃ כִּ֣י כָל־הַיָּמִ֗ים אֲשֶׁ֤ר בֶּן־
יִשַׁי֙ חַ֣י עַל־הָאֲדָמָ֔ה לֹ֥א תִכּ֖וֹן אַתָּ֣ה וּמַלְכוּתֶ֑ךָ וְעַתָּ֗ה שְׁלַ֨ח
וְקַ֤ח אֹתוֹ֙ אֵלַ֔י כִּ֥י בֶן־מָ֖וֶת הֽוּא׃ וַיַּ֙עַן֙ יְה֣וֹנָתָ֔ן אֶת־שָׁא֖וּל אָבִ֑יו
וַיֹּ֧אמֶר אֵלָ֛יו לָ֥מָּה יוּמַ֖ת מֶ֥ה עָשָֽׂה׃ וַיָּ֨טֶל שָׁא֧וּל אֶֽת־הַחֲנִ֛ית
עָלָ֖יו לְהַכֹּת֑וֹ וַיֵּ֙דַע֙ יְה֣וֹנָתָ֔ן כִּֽי־כָ֥לָה הִ֛יא מֵעִ֥ם אָבִ֖יו לְהָמִ֥ית
אֶת־דָּוִֽד׃ וַיָּ֧קָם יְהוֹנָתָ֛ן מֵעִ֥ם הַשֻּׁלְחָ֖ן בָּֽחֳרִי־אָ֑ף וְלֹא־אָכַ֞ל
בְּיוֹם־הַחֹ֤דֶשׁ הַשֵּׁנִי֙ לֶ֔חֶם כִּ֤י נֶעְצַב֙ אֶל־דָּוִ֔ד כִּ֥י הִכְלִמ֖וֹ אָבִֽיו׃
וַיְהִ֣י בַבֹּ֔קֶר וַיֵּצֵ֧א יְהוֹנָתָ֛ן הַשָּׂדֶ֖ה לְמוֹעֵ֣ד דָּוִ֑ד וְנַ֥עַר קָטֹ֖ן עִמּֽוֹ׃
וַיֹּ֣אמֶר לְנַעֲר֔וֹ רֻ֗ץ מְצָא־נָא֙ אֶת־הַ֣חִצִּ֔ים אֲשֶׁ֥ר אָנֹכִ֖י מוֹרֶ֑ה
הַנַּ֣עַר רָ֔ץ וְהוּא־יָרָ֥ה הַחֵ֖צִי לְהַעֲבִרֽוֹ׃ וַיָּבֹ֤א הַנַּ֙עַר֙ עַד־מְק֣וֹם
הַחֵ֔צִי אֲשֶׁ֥ר יָרָ֖ה יְהוֹנָתָ֑ן וַיִּקְרָ֨א יְהוֹנָתָ֜ן אַחֲרֵ֣י הַנַּ֗עַר וַיֹּ֙אמֶר֙
הֲל֥וֹא הַחֵ֖צִי מִמְּךָ֥ וָהָֽלְאָה׃ וַיִּקְרָ֤א יְהוֹנָתָן֙ אַחֲרֵ֣י הַנַּ֔עַר מְהֵרָ֥ה
ח֖וּשָׁה אַֽל־תַּעֲמֹ֑ד וַיְלַקֵּ֞ט נַ֤עַר יְהֽוֹנָתָן֙ אֶת־הַ֣חִצִּ֔ים וַיָּבֹ֖א אֶל־

סאל ק׳ סהחצים ק

אֲדֹנָיו׃ וְהַנַּעַר לֹא־יָדַע מְאוּמָה אַךְ יְהוֹנָתָן וְדָוִד יָדְעוּ אֶת־
הַדָּבָר׃ וַיִּתֵּן יְהוֹנָתָן אֶת־כֵּלָיו אֶל־הַנַּעַר אֲשֶׁר־לוֹ וַיֹּאמֶר לוֹ
לֵךְ הָבֵיא הָעִיר׃ הַנַּעַר בָּא וְדָוִד קָם מֵאֵצֶל הַנֶּגֶב וַיִּפֹּל
לְאַפָּיו אַרְצָה וַיִּשְׁתַּחוּ שָׁלֹשׁ פְּעָמִים וַיִּשְּׁקוּ ׀ אִישׁ אֶת־רֵעֵהוּ
וַיִּבְכּוּ אִישׁ אֶת־רֵעֵהוּ עַד־דָּוִד הִגְדִּיל׃ וַיֹּאמֶר יְהוֹנָתָן לְדָוִד
לֵךְ לְשָׁלוֹם אֲשֶׁר נִשְׁבַּעְנוּ שְׁנֵינוּ אֲנַחְנוּ בְּשֵׁם יְהוָה לֵאמֹר
יְהוָה יִהְיֶה ׀ בֵּינִי וּבֵינֶךָ וּבֵין זַרְעִי וּבֵין זַרְעֲךָ עַד־עוֹלָם׃

הפטרת דברים

בישעיה סימן א׳

חֲזוֹן יְשַׁעְיָהוּ בֶן־אָמוֹץ אֲשֶׁר חָזָה עַל־יְהוּדָה וִירוּשָׁלָם בִּימֵי עֻזִּיָּהוּ
יוֹתָם אָחָז יְחִזְקִיָּהוּ מַלְכֵי יְהוּדָה׃ שִׁמְעוּ שָׁמַיִם וְהַאֲזִינִי
אֶרֶץ כִּי יְהוָה דִּבֵּר בָּנִים גִּדַּלְתִּי וְרוֹמַמְתִּי וְהֵם פָּשְׁעוּ בִי׃
יָדַע שׁוֹר קֹנֵהוּ וַחֲמוֹר אֵבוּס בְּעָלָיו יִשְׂרָאֵל לֹא יָדַע עַמִּי
לֹא הִתְבּוֹנָן׃ הוֹי ׀ גּוֹי חֹטֵא עַם כֶּבֶד עָוֺן זֶרַע מְרֵעִים בָּנִים
מַשְׁחִיתִים עָזְבוּ אֶת־יְהוָה נִאֲצוּ אֶת־קְדוֹשׁ יִשְׂרָאֵל נָזֹרוּ
אָחוֹר׃ עַל־מֶה תֻכּוּ עוֹד תּוֹסִיפוּ סָרָה כָּל־רֹאשׁ לָחֳלִי וְכָל־
לֵבָב דַּוָּי׃ מִכַּף־רֶגֶל וְעַד־רֹאשׁ אֵין־בּוֹ מְתֹם פֶּצַע וְחַבּוּרָה
וּמַכָּה טְרִיָּה לֹא־זֹרוּ וְלֹא חֻבָּשׁוּ וְלֹא רֻכְּכָה בַּשָּׁמֶן׃ אַרְצְכֶם
שְׁמָמָה עָרֵיכֶם שְׂרֻפוֹת אֵשׁ אַדְמַתְכֶם לְנֶגְדְּכֶם זָרִים אֹכְלִים
אֹתָהּ וּשְׁמָמָה כְּמַהְפֵּכַת זָרִים׃ וְנוֹתְרָה בַת־צִיּוֹן כְּסֻכָּה
בְכָרֶם כִּמְלוּנָה בְמִקְשָׁה כְּעִיר נְצוּרָה׃ לוּלֵי יְהוָה צְבָאוֹת
הוֹתִיר לָנוּ שָׂרִיד כִּמְעָט כִּסְדֹם הָיִינוּ לַעֲמֹרָה דָּמִינוּ׃ שִׁמְעוּ
דְבַר־יְהוָה קְצִינֵי סְדֹם הַאֲזִינוּ תּוֹרַת אֱלֹהֵינוּ עַם עֲמֹרָה׃
לָמָּה לִּי רֹב־זִבְחֵיכֶם יֹאמַר יְהוָה שָׂבַעְתִּי עֹלוֹת אֵילִים וְחֵלֶב
מְרִיאִים וְדַם פָּרִים וּכְבָשִׂים וְעַתּוּדִים לֹא חָפָצְתִּי׃ כִּי תָבֹאוּ
לֵרָאוֹת פָּנָי מִי־בִקֵּשׁ זֹאת מִיֶּדְכֶם רְמֹס חֲצֵרָי׃ לֹא תוֹסִיפוּ
הָבִיא מִנְחַת־שָׁוְא קְטֹרֶת תּוֹעֵבָה הִיא לִי חֹדֶשׁ וְשַׁבָּת קְרֹא

מִקְרָא לֹא־אוּכַל אָוֶן וַעֲצָרָה׃ חָדְשֵׁיכֶם וּמוֹעֲדֵיכֶם שָׂנְאָה
נַפְשִׁי הָיוּ עָלַי לָטֹרַח נִלְאֵיתִי נְשֹׂא׃ וּבְפָרִשְׂכֶם כַּפֵּיכֶם
אַעְלִים עֵינַי מִכֶּם גַּם כִּי־תַרְבּוּ תְפִלָּה אֵינֶנִּי שֹׁמֵעַ יְדֵיכֶם
דָּמִים מָלֵאוּ׃ רַחֲצוּ הִזַּכּוּ הָסִירוּ רֹעַ מַעַלְלֵיכֶם מִנֶּגֶד עֵינָי
חִדְלוּ הָרֵעַ׃ לִמְדוּ הֵיטֵב דִּרְשׁוּ מִשְׁפָּט אַשְּׁרוּ חָמוֹץ שִׁפְטוּ
יָתוֹם רִיבוּ אַלְמָנָה׃ לְכוּ־נָא וְנִוָּכְחָה יֹאמַר יְהוָה אִם־יִהְיוּ
חֲטָאֵיכֶם כַּשָּׁנִים כַּשֶּׁלֶג יַלְבִּינוּ אִם־יַאְדִּימוּ כַתּוֹלָע כַּצֶּמֶר
יִהְיוּ׃ אִם־תֹּאבוּ וּשְׁמַעְתֶּם טוּב הָאָרֶץ תֹּאכֵלוּ׃ וְאִם־תְּמָאֲנוּ
וּמְרִיתֶם חֶרֶב תְּאֻכְּלוּ כִּי פִּי יְהוָה דִּבֵּר׃ אֵיכָה הָיְתָה לְזוֹנָה
קִרְיָה נֶאֱמָנָה מְלֵאֲתִי מִשְׁפָּט צֶדֶק יָלִין בָּהּ וְעַתָּה מְרַצְּחִים׃
כַּסְפֵּךְ הָיָה לְסִיגִים סָבְאֵךְ מָהוּל בַּמָּיִם׃ שָׂרַיִךְ סוֹרְרִים
וְחַבְרֵי גַּנָּבִים כֻּלּוֹ אֹהֵב שֹׁחַד וְרֹדֵף שַׁלְמֹנִים יָתוֹם לֹא יִשְׁפֹּטוּ
וְרִיב אַלְמָנָה לֹא־יָבוֹא אֲלֵיהֶם׃ לָכֵן נְאֻם הָאָדוֹן יְהוָה
צְבָאוֹת אֲבִיר יִשְׂרָאֵל הוֹי אֶנָּחֵם מִצָּרַי וְאִנָּקְמָה מֵאוֹיְבָי׃
וְאָשִׁיבָה יָדִי עָלַיִךְ וְאֶצְרֹף כַּבֹּר סִיגָיִךְ וְאָסִירָה כָּל־בְּדִילָיִךְ׃
וְאָשִׁיבָה שֹׁפְטַיִךְ כְּבָרִאשׁוֹנָה וְיֹעֲצַיִךְ כְּבַתְּחִלָּה אַחֲרֵי־כֵן
יִקָּרֵא לָךְ עִיר הַצֶּדֶק קִרְיָה נֶאֱמָנָה׃ צִיּוֹן בְּמִשְׁפָּט תִּפָּדֶה
וְשָׁבֶיהָ בִּצְדָקָה׃

הפטרת ואתחנן

בישעיה סימן מ׳.

נַחֲמוּ נַחֲמוּ עַמִּי יֹאמַר אֱלֹהֵיכֶם׃ דַּבְּרוּ עַל־לֵב יְרוּשָׁלַםִ
וְקִרְאוּ אֵלֶיהָ כִּי מָלְאָה צְבָאָהּ כִּי נִרְצָה עֲוֺנָהּ כִּי לָקְחָה
מִיַּד יְהוָה כִּפְלַיִם בְּכָל־חַטֹּאתֶיהָ׃ קוֹל קוֹרֵא בַּמִּדְבָּר פַּנּוּ
דֶּרֶךְ יְהוָה יַשְּׁרוּ בָּעֲרָבָה מְסִלָּה לֵאלֹהֵינוּ׃ כָּל־גֶּיא יִנָּשֵׂא

וְכָל־הַר וְגִבְעָה יִשְׁפָּלוּ וְהָיָה הֶעָקֹב לְמִישׁוֹר וְהָרְכָסִים
לְבִקְעָה׃ וְנִגְלָה כְּבוֹד יְהוָה וְרָאוּ כָל־בָּשָׂר יַחְדָּו כִּי פִּי יְהוָה
דִּבֵּר׃ קוֹל אֹמֵר קְרָא וְאָמַר מָה אֶקְרָא כָּל־הַבָּשָׂר חָצִיר
וְכָל־חַסְדּוֹ כְּצִיץ הַשָּׂדֶה׃ יָבֵשׁ חָצִיר נָבֵל צִיץ כִּי רוּחַ יְהוָה
נָשְׁבָה בּוֹ אָכֵן חָצִיר הָעָם׃ יָבֵשׁ חָצִיר נָבֵל צִיץ וּדְבַר אֱלֹהֵינוּ
יָקוּם לְעוֹלָם׃ עַל הַר־גָּבֹהַּ עֲלִי־לָךְ מְבַשֶּׂרֶת צִיּוֹן הָרִימִי בַכֹּחַ
קוֹלֵךְ מְבַשֶּׂרֶת יְרוּשָׁלִָם הָרִימִי אַל־תִּירָאִי אִמְרִי לְעָרֵי יְהוּדָה
הִנֵּה אֱלֹהֵיכֶם׃ הִנֵּה אֲדֹנָי יְהוִה בְּחָזָק יָבוֹא וּזְרֹעוֹ מֹשְׁלָה לוֹ
הִנֵּה שְׂכָרוֹ אִתּוֹ וּפְעֻלָּתוֹ לְפָנָיו׃ כְּרֹעֶה עֶדְרוֹ יִרְעֶה בִּזְרֹעוֹ
יְקַבֵּץ טְלָאִים וּבְחֵיקוֹ יִשָּׂא עָלוֹת יְנַהֵל׃ מִי־מָדַד בְּשָׁעֳלוֹ
מַיִם וְשָׁמַיִם בַּזֶּרֶת תִּכֵּן וְכָל בַּשָּׁלִשׁ עֲפַר הָאָרֶץ וְשָׁקַל בַּפֶּלֶס
הָרִים וּגְבָעוֹת בְּמֹאזְנָיִם׃ מִי־תִכֵּן אֶת־רוּחַ יְהוָה וְאִישׁ עֲצָתוֹ
יוֹדִיעֶנּוּ׃ אֶת־מִי נוֹעָץ וַיְבִינֵהוּ וַיְלַמְּדֵהוּ בְּאֹרַח מִשְׁפָּט וַיְלַמְּדֵהוּ
דַעַת וְדֶרֶךְ תְּבוּנוֹת יוֹדִיעֶנּוּ׃ הֵן גּוֹיִם כְּמַר מִדְּלִי וּכְשַׁחַק
מֹאזְנַיִם נֶחְשָׁבוּ הֵן אִיִּים כַּדַּק יִטּוֹל׃ וּלְבָנוֹן אֵין דֵּי בָּעֵר
וְחַיָּתוֹ אֵין דֵּי עוֹלָה׃ כָּל־הַגּוֹיִם כְּאַיִן נֶגְדּוֹ מֵאֶפֶס וָתֹהוּ
נֶחְשְׁבוּ־לוֹ׃ וְאֶל־מִי תְּדַמְּיוּן אֵל וּמַה־דְּמוּת תַּעַרְכוּ־לוֹ׃
הַפֶּסֶל נָסַךְ חָרָשׁ וְצֹרֵף בַּזָּהָב יְרַקְּעֶנּוּ וּרְתֻקוֹת כֶּסֶף צוֹרֵף׃
הַמְסֻכָּן תְּרוּמָה עֵץ לֹא־יִרְקַב יִבְחָר חָרָשׁ חָכָם יְבַקֶּשׁ־לוֹ
לְהָכִין פֶּסֶל לֹא יִמּוֹט׃ הֲלוֹא תֵדְעוּ הֲלוֹא תִשְׁמָעוּ הֲלוֹא הֻגַּד
מֵרֹאשׁ לָכֶם הֲלוֹא הֲבִינֹתֶם מוֹסְדוֹת הָאָרֶץ׃ הַיֹּשֵׁב עַל־
חוּג הָאָרֶץ וְיֹשְׁבֶיהָ כַּחֲגָבִים הַנּוֹטֶה כַדֹּק שָׁמַיִם וַיִּמְתָּחֵם
כָּאֹהֶל לָשָׁבֶת׃ הַנּוֹתֵן רוֹזְנִים לְאָיִן שֹׁפְטֵי אֶרֶץ כַּתֹּהוּ עָשָׂה׃
אַף בַּל־נִטָּעוּ אַף בַּל־זֹרָעוּ אַף בַּל־שֹׁרֵשׁ בָּאָרֶץ גִּזְעָם וְגַם

נָשַׁף בָּהֶם וַיִּבָשׁוּ וּסְעָרָה כַּקַּשׁ תִּשָּׂאֵם׃ וְאֶל־מִי תְדַמְּיוּנִי
וְאֶשְׁוֶה יֹאמַר קָדוֹשׁ׃ שְׂאוּ־מָרוֹם עֵינֵיכֶם וּרְאוּ מִי־בָרָא אֵלֶּה
הַמּוֹצִיא בְמִסְפָּר צְבָאָם לְכֻלָּם בְּשֵׁם יִקְרָא מֵרֹב אוֹנִים וְאַמִּיץ
כֹּחַ אִישׁ לֹא נֶעְדָּר׃

הפטרת עקב

בישעיה סימן מ"ט

וַתֹּאמֶר צִיּוֹן עֲזָבַנִי יְהוָה וַאדֹנָי שְׁכֵחָנִי׃ הֲתִשְׁכַּח אִשָּׁה עוּלָהּ
מֵרַחֵם בֶּן־בִּטְנָהּ גַּם־אֵלֶּה תִשְׁכַּחְנָה וְאָנֹכִי לֹא אֶשְׁכָּחֵךְ׃
הֵן עַל־כַּפַּיִם חַקֹּתִיךְ חוֹמֹתַיִךְ נֶגְדִּי תָּמִיד׃ מִהֲרוּ בָּנָיִךְ מְהָרְסַיִךְ
וּמַחֲרִבַיִךְ מִמֵּךְ יֵצֵאוּ׃ שְׂאִי סָבִיב עֵינַיִךְ וּרְאִי כֻּלָּם נִקְבְּצוּ
בָאוּ־לָךְ חַי־אָנִי נְאֻם־יְהוָה כִּי כֻלָּם כַּעֲדִי תִלְבָּשִׁי וּתְקַשְּׁרִים
כַּכַּלָּה׃ כִּי חָרְבֹתַיִךְ וְשֹׁמְמֹתַיִךְ וְאֶרֶץ הֲרִסֻתֵךְ כִּי עַתָּה
תֵּצְרִי מִיּוֹשֵׁב וְרָחֲקוּ מְבַלְּעָיִךְ׃ עוֹד יֹאמְרוּ בְאָזְנַיִךְ בְּנֵי שִׁכֻּלָיִךְ
צַר־לִי הַמָּקוֹם גְּשָׁה־לִּי וְאֵשֵׁבָה׃ וְאָמַרְתְּ בִּלְבָבֵךְ מִי יָלַד־לִי
אֶת־אֵלֶּה וַאֲנִי שְׁכוּלָה וְגַלְמוּדָה גֹּלָה ׀ וְסוּרָה וְאֵלֶּה מִי גִדֵּל
הֵן אֲנִי נִשְׁאַרְתִּי לְבַדִּי אֵלֶּה אֵיפֹה הֵם׃ כֹּה־אָמַר אֲדֹנָי
יְהוִה הִנֵּה אֶשָּׂא אֶל־גּוֹיִם יָדִי וְאֶל־עַמִּים אָרִים נִסִּי וְהֵבִיאוּ
בָנַיִךְ בְּחֹצֶן וּבְנֹתַיִךְ עַל־כָּתֵף תִּנָּשֶׂאנָה׃ וְהָיוּ מְלָכִים אֹמְנַיִךְ
וְשָׂרוֹתֵיהֶם מֵינִיקֹתַיִךְ אַפַּיִם אֶרֶץ יִשְׁתַּחֲווּ־לָךְ וַעֲפַר רַגְלַיִךְ
יְלַחֵכוּ וְיָדַעַתְּ כִּי־אֲנִי יְהוָה אֲשֶׁר לֹא־יֵבֹשׁוּ קוָֹי׃ הֲיֻקַּח מִגִּבּוֹר
מַלְקוֹחַ וְאִם־שְׁבִי צַדִּיק יִמָּלֵט׃ כִּי־כֹה ׀ אָמַר יְהוָה גַּם־שְׁבִי
גִבּוֹר יֻקָּח וּמַלְקוֹחַ עָרִיץ יִמָּלֵט וְאֶת־יְרִיבֵךְ אָנֹכִי אָרִיב וְאֶת־
בָּנַיִךְ אָנֹכִי אוֹשִׁיעַ׃ וְהַאֲכַלְתִּי אֶת־מוֹנַיִךְ אֶת־בְּשָׂרָם וְכֶעָסִיס
דָּמָם יִשְׁכָּרוּן וְיָדְעוּ כָל־בָּשָׂר כִּי אֲנִי יְהוָה מוֹשִׁיעֵךְ וְגֹאֲלֵךְ

אֲבִיר יַעֲקֹב: כֹּה אָמַר יְהֹוָה אֵי זֶה סֵפֶר כְּרִיתוּת אִמְּכֶם
אֲשֶׁר שִׁלַּחְתִּיהָ אוֹ מִי מִנּוֹשַׁי אֲשֶׁר־מָכַרְתִּי אֶתְכֶם לוֹ הֵן
בַּעֲוֺנֹתֵיכֶם נִמְכַּרְתֶּם וּבְפִשְׁעֵיכֶם שֻׁלְּחָה אִמְּכֶם: מַדּוּעַ בָּאתִי
וְאֵין אִישׁ קָרָאתִי וְאֵין עוֹנֶה הֲקָצוֹר קָצְרָה יָדִי מִפְּדוּת וְאִם־
אֵין־בִּי כֹחַ לְהַצִּיל הֵן בְּגַעֲרָתִי אַחֲרִיב יָם אָשִׂים נְהָרוֹת
מִדְבָּר תִּבְאַשׁ דְּגָתָם מֵאֵין מַיִם וְתָמֹת בַּצָּמָא: אַלְבִּישׁ שָׁמַיִם
קַדְרוּת וְשַׂק אָשִׂים כְּסוּתָם: אֲדֹנָי יֱהֹוִה נָתַן לִי לְשׁוֹן לִמּוּדִים
לָדַעַת לָעוּת אֶת־יָעֵף דָּבָר יָעִיר ׀ בַּבֹּקֶר בַּבֹּקֶר יָעִיר לִי אֹזֶן
לִשְׁמֹעַ כַּלִּמּוּדִים: אֲדֹנָי יֱהֹוִה פָּתַח־לִי אֹזֶן וְאָנֹכִי לֹא מָרִיתִי
אָחוֹר לֹא נְסוּגֹתִי: גֵּוִי נָתַתִּי לְמַכִּים וּלְחָיַי לְמֹרְטִים פָּנַי לֹא
הִסְתַּרְתִּי מִכְּלִמּוֹת וָרֹק: וַאדֹנָי יֱהֹוִה יַעֲזָר־לִי עַל־כֵּן לֹא
נִכְלָמְתִּי עַל־כֵּן שַׂמְתִּי פָנַי כַּחַלָּמִישׁ וָאֵדַע כִּי־לֹא אֵבוֹשׁ:
קָרוֹב מַצְדִּיקִי מִי־יָרִיב אִתִּי נַעַמְדָה יָּחַד מִי־בַעַל מִשְׁפָּטִי
יִגַּשׁ אֵלָי: הֵן אֲדֹנָי יֱהֹוִה יַעֲזָר־לִי מִי־הוּא יַרְשִׁיעֵנִי הֵן כֻּלָּם
כַּבֶּגֶד יִבְלוּ עָשׁ יֹאכְלֵם: מִי בָכֶם יְרֵא יְהֹוָה שֹׁמֵעַ בְּקוֹל
עַבְדּוֹ אֲשֶׁר ׀ הָלַךְ חֲשֵׁכִים וְאֵין נֹגַהּ לוֹ יִבְטַח בְּשֵׁם יְהֹוָה
וְיִשָּׁעֵן בֵּאלֹהָיו: הֵן כֻּלְּכֶם קֹדְחֵי אֵשׁ מְאַזְּרֵי זִיקוֹת לְכוּ ׀ בְּאוּר
אֶשְׁכֶם וּבְזִיקוֹת בִּעַרְתֶּם מִיָּדִי הָיְתָה־זֹּאת לָכֶם לְמַעֲצֵבָה
תִּשְׁכָּבוּן: שִׁמְעוּ אֵלַי רֹדְפֵי צֶדֶק מְבַקְשֵׁי יְהֹוָה הַבִּיטוּ אֶל־
צוּר חֻצַּבְתֶּם וְאֶל־מַקֶּבֶת בּוֹר נֻקַּרְתֶּם: הַבִּיטוּ אֶל־אַבְרָהָם
אֲבִיכֶם וְאֶל־שָׂרָה תְּחוֹלֶלְכֶם כִּי־אֶחָד קְרָאתִיו וַאֲבָרְכֵהוּ
וְאַרְבֵּהוּ: כִּי־נִחַם יְהֹוָה צִיּוֹן נִחַם כָּל־חָרְבֹתֶיהָ וַיָּשֶׂם מִדְבָּרָהּ
כְּעֵדֶן וְעַרְבָתָהּ כְּגַן־יְהֹוָה שָׂשׂוֹן וְשִׂמְחָה יִמָּצֵא בָהּ תּוֹדָה
וְקוֹל זִמְרָה:

הפטרת ראה

ואם היום ר"ח או מחר חדש נוהגים בק"ק פפד"מ להפטיר בשל ר"ח או מחר חדש. אבל בהרבה קהלות נוהגים להפטיר עניה סערה ולהוסיף של מחר חדש, אבל של ר"ח אין מוסיפין, ויש קהלות מוסיפין גם של ר"ח.

בישעיה סימן נ"ד.

עֲנִיָּ֥ה סֹעֲרָ֖ה לֹ֣א נֻחָ֑מָה הִנֵּ֨ה אָנֹכִ֜י מַרְבִּ֤יץ בַּפּוּךְ֙ אֲבָנַ֔יִךְ וִיסַדְתִּ֖יךְ בַּסַּפִּירִֽים׃ וְשַׂמְתִּי֙ כַּֽדְכֹד֙ שִׁמְשֹׁתַ֔יִךְ וּשְׁעָרַ֖יִךְ לְאַבְנֵ֣י אֶקְדָּ֑ח וְכָל־גְּבוּלֵ֖ךְ לְאַבְנֵי־חֵֽפֶץ׃ וְכָל־בָּנַ֖יִךְ לִמּוּדֵ֣י יְהֹוָ֑ה וְרַ֖ב שְׁל֥וֹם בָּנָֽיִךְ׃ בִּצְדָקָ֖ה תִּכּוֹנָ֑נִי רַחֲקִ֤י מֵעֹ֙שֶׁק֙ כִּי־לֹ֣א תִירָ֔אִי וּמִ֨מְּחִתָּ֔ה כִּ֥י לֹֽא־תִקְרַ֖ב אֵלָֽיִךְ׃ הֵ֣ן גּ֥וֹר יָג֛וּר אֶ֖פֶס מֵאוֹתִ֑י מִי־גָ֥ר אִתָּ֖ךְ עָלַ֥יִךְ יִפּֽוֹל׃ הִן֩ אָֽנֹכִ֨י בָּרָ֜אתִי חָרָ֗שׁ נֹפֵ֙חַ֙ בְּאֵ֣שׁ פֶּחָ֔ם וּמוֹצִ֥יא כְלִ֖י לְמַעֲשֵׂ֑הוּ וְאָנֹכִ֛י בָּרָ֥אתִי מַשְׁחִ֖ית לְחַבֵּֽל׃ כָּל־כְּלִ֞י יוּצַ֤ר עָלַ֙יִךְ֙ לֹ֣א יִצְלָ֔ח וְכָל־לָשׁ֛וֹן תָּֽקוּם־אִתָּ֥ךְ לַמִּשְׁפָּ֖ט תַּרְשִׁ֑יעִי זֹ֡את נַחֲלַת֩ עַבְדֵ֨י יְהֹוָ֧ה וְצִדְקָתָ֛ם מֵאִתִּ֖י נְאֻם־יְהֹוָֽה׃ ה֤וֹי כָּל־צָמֵא֙ לְכ֣וּ לַמַּ֔יִם וַאֲשֶׁ֥ר אֵין־ל֖וֹ כָּ֑סֶף לְכ֤וּ שִׁבְרוּ֙ וֶֽאֱכֹ֔לוּ וּלְכ֣וּ שִׁבְר֗וּ בְּלוֹא־כֶ֛סֶף וּבְל֥וֹא מְחִ֖יר יַ֥יִן וְחָלָֽב׃ לָ֤מָּה תִשְׁקְלוּ־כֶ֙סֶף֙ בְּֽלוֹא־לֶ֔חֶם וִיגִיעֲכֶ֖ם בְּל֣וֹא לְשָׂבְעָ֑ה שִׁמְע֨וּ שָׁמ֤וֹעַ אֵלַי֙ וְאִכְלוּ־ט֔וֹב וְתִתְעַנַּ֥ג בַּדֶּ֖שֶׁן נַפְשְׁכֶֽם׃ הַטּ֤וּ אָזְנְכֶם֙ וּלְכ֣וּ אֵלַ֔י שִׁמְע֖וּ וּתְחִ֣י נַפְשְׁכֶ֑ם וְאֶכְרְתָ֤ה לָכֶם֙ בְּרִ֣ית עוֹלָ֔ם חַֽסְדֵ֥י דָוִ֖ד הַנֶּאֱמָנִֽים׃ הֵ֥ן עֵ֛ד לְאוּמִּ֖ים נְתַתִּ֑יו נָגִ֥יד וּמְצַוֵּ֖ה לְאֻמִּֽים׃ הֵ֣ן גּ֤וֹי לֹֽא־תֵדַע֙ תִּקְרָ֔א וְג֛וֹי לֹֽא־יְדָע֥וּךָ אֵלֶ֖יךָ יָר֑וּצוּ לְמַ֙עַן֙ יְהֹוָ֣ה אֱלֹהֶ֔יךָ וְלִקְד֥וֹשׁ יִשְׂרָאֵ֖ל כִּ֥י פֵאֲרָֽךְ׃

הפטרת שפטים

בישעיה סימן נ"א.

אָנֹכִ֧י אָנֹכִ֛י ה֖וּא מְנַחֶמְכֶ֑ם מִי־אַ֤תְּ וַתִּֽירְאִי֙ מֵאֱנ֣וֹשׁ יָמ֔וּת וּמִבֶּן־אָדָ֖ם חָצִ֥יר יִנָּתֵֽן׃ וַתִּשְׁכַּ֞ח יְהֹוָ֣ה עֹשֶׂ֗ךָ נוֹטֶ֤ה שָׁמַ֙יִם֙ וְיֹסֵ֣ד

*הנה ק'

אָ֫רֶץ וַתְּפַחֵד֩ תָּמִ֨יד כָּל־הַיּ֜וֹם מִפְּנֵ֣י חֲמַ֣ת הַמֵּצִ֗יק כַּאֲשֶׁ֥ר כּוֹנֵ֖ן
לְהַשְׁחִ֑ית וְאַיֵּ֖ה חֲמַ֥ת הַמֵּצִֽיק: מִהַ֥ר צֹעֶ֖ה לְהִפָּתֵ֑חַ וְלֹא־יָמ֣וּת
לַשַּׁ֔חַת וְלֹ֥א יֶחְסַ֖ר לַחְמֽוֹ: וְאָֽנֹכִי֙ יְהוָ֣ה אֱלֹהֶ֔יךָ רֹגַ֥ע הַיָּ֖ם וַיֶּהֱמ֣וּ
גַּלָּ֑יו יְהוָ֥ה צְבָא֖וֹת שְׁמֽוֹ: וָאָשִׂ֤ים דְּבָרַי֙ בְּפִ֔יךָ וּבְצֵ֥ל יָדִ֖י כִּסִּיתִ֑יךָ
לִנְטֹ֤עַ שָׁמַ֙יִם֙ וְלִיסֹ֣ד אָ֔רֶץ וְלֵאמֹ֥ר לְצִיּ֖וֹן עַמִּי־אָֽתָּה: הִתְע֤וֹרְרִי
הִֽתְע֙וֹרְרִי֙ ק֣וּמִי יְרֽוּשָׁלִַ֔ם אֲשֶׁ֥ר שָׁתִ֛ית מִיַּ֥ד יְהוָ֖ה אֶת־כּ֣וֹס
חֲמָת֑וֹ אֶת־קֻבַּ֜עַת כּ֣וֹס הַתַּרְעֵלָ֗ה שָׁתִ֖ית מָצִֽית: אֵין־מְנַהֵ֣ל
לָ֔הּ מִכָּל־בָּנִ֖ים יָלָ֑דָה וְאֵ֤ין מַחֲזִיק֙ בְּיָדָ֔הּ מִכָּל־בָּנִ֖ים גִּדֵּֽלָה:
שְׁתַּ֤יִם הֵ֙נָּה֙ קֹֽרְאֹתַ֔יִךְ מִ֖י יָנ֣וּד לָ֑ךְ הַשֹּׁ֧ד וְהַשֶּׁ֛בֶר וְהָרָעָ֥ב
וְהַחֶ֖רֶב מִ֥י אֲנַחֲמֵֽךְ: בָּנַ֜יִךְ עֻלְּפ֥וּ שָׁכְב֛וּ בְּרֹ֥אשׁ כָּל־חוּצ֖וֹת
כְּת֣וֹא מִכְמָ֑ר הַֽמְלֵאִ֥ים חֲמַת־יְהוָ֖ה גַּעֲרַ֥ת אֱלֹהָֽיִךְ: לָכֵ֞ן שִׁמְעִי־
נָ֣א זֹ֔את עֲנִיָּ֖ה וּשְׁכֻרַ֥ת וְלֹ֥א מִיָּֽיִן: כֹּֽה־אָמַ֞ר אֲדֹנַ֣יִךְ יְהוָ֗ה
וֵאלֹהַ֙יִךְ֙ יָרִ֣יב עַמּ֔וֹ הִנֵּ֥ה לָקַ֛חְתִּי מִיָּדֵ֖ךְ אֶת־כּ֣וֹס הַתַּרְעֵלָ֑ה
אֶת־קֻבַּ֙עַת֙ כּ֣וֹס חֲמָתִ֔י לֹא־תוֹסִ֥יפִי לִשְׁתּוֹתָ֖הּ עֽוֹד: וְשַׂמְתִּ֙יהָ֙
בְּיַד־מוֹגַ֔יִךְ אֲשֶׁר־אָמְר֥וּ לְנַפְשֵׁ֖ךְ שְׁחִ֣י וְנַעֲבֹ֑רָה וַתָּשִׂ֤ימִי כָאָ֙רֶץ֙
גֵּוֵ֔ךְ וְכַח֖וּץ לַעֹבְרִֽים: עוּרִ֥י עוּרִ֛י לִבְשִׁ֥י עֻזֵּ֖ךְ צִיּ֑וֹן לִבְשִׁ֣י ׀ בִּגְדֵ֣י
תִפְאַרְתֵּ֗ךְ יְרֽוּשָׁלִַ֙ם֙ עִ֣יר הַקֹּ֔דֶשׁ כִּ֣י לֹ֥א יוֹסִ֛יף יָבֹא־בָ֥ךְ ע֖וֹד
עָרֵ֥ל וְטָמֵֽא: הִתְנַעֲרִ֧י מֵעָפָ֛ר ק֥וּמִי שְּׁבִ֖י יְרֽוּשָׁלִָ֑ם הִֽתְפַּתְּחוּ֙
מֽוֹסְרֵ֣י צַוָּארֵ֔ךְ שְׁבִיָּ֖ה בַּת־צִיּֽוֹן: כִּי־כֹה֙ אָמַ֣ר יְהוָ֔ה חִנָּ֖ם
נִמְכַּרְתֶּ֑ם וְלֹ֥א בְכֶ֖סֶף תִּגָּאֵֽלוּ: כִּ֣י כֹ֤ה אָמַר֙ אֲדֹנָ֣י יְהוִ֔ה
מִצְרַ֤יִם יָֽרַד־עַמִּ֙י בָרִֽאשֹׁנָ֖ה לָג֣וּר שָׁ֑ם וְאַשּׁ֖וּר בְּאֶ֥פֶס עֲשָׁקֽוֹ:
וְעַתָּ֤ה מַה־לִּי־פֹה֙ נְאֻם־יְהוָ֔ה כִּֽי־לֻקַּ֥ח עַמִּ֖י חִנָּ֑ם מֹשְׁלָ֤יו יְהֵילִ֙ילוּ֙
נְאֻם־יְהוָ֔ה וְתָמִ֥יד כָּל־הַיּ֖וֹם שְׁמִ֥י מִנֹּאָֽץ: לָכֵ֛ן יֵדַ֥ע עַמִּ֖י שְׁמִ֑י
לָכֵן֙ בַּיּ֣וֹם הַה֔וּא כִּֽי־אֲנִי־ה֥וּא הַֽמְדַבֵּ֖ר הִנֵּֽנִי: מַה־נָּאו֜וּ עַל־

*הַמַפְטִיר ק׳   *מַשְׁלָיו ק׳

הֶהָרִים רַגְלֵי מְבַשֵּׂר מַשְׁמִיעַ שָׁלוֹם מְבַשֵּׂר טוֹב מַשְׁמִיעַ
יְשׁוּעָה אֹמֵר לְצִיּוֹן מָלַךְ אֱלֹהָיִךְ: קוֹל צֹפַיִךְ נָשְׂאוּ קוֹל יַחְדָּו
יְרַנֵּנוּ כִּי עַיִן בְּעַיִן יִרְאוּ בְּשׁוּב יְהוָה צִיּוֹן: פִּצְחוּ רַנְּנוּ יַחְדָּו
חָרְבוֹת יְרוּשָׁלָ͏ִם כִּי־נִחַם יְהוָה עַמּוֹ גָּאַל יְרוּשָׁלָ͏ִם: חָשַׂף
יְהוָה אֶת־זְרוֹעַ קָדְשׁוֹ לְעֵינֵי כָּל־הַגּוֹיִם וְרָאוּ כָּל־אַפְסֵי־אָרֶץ
אֵת יְשׁוּעַת אֱלֹהֵינוּ: סוּרוּ סוּרוּ צְאוּ מִשָּׁם טָמֵא אַל־תִּגָּעוּ
צְאוּ מִתּוֹכָהּ הִבָּרוּ נֹשְׂאֵי כְּלֵי יְהוָה: כִּי לֹא בְחִפָּזוֹן תֵּצֵאוּ
וּבִמְנוּסָה לֹא תֵלֵכוּן כִּי־הֹלֵךְ לִפְנֵיכֶם יְהוָה וּמְאַסִּפְכֶם אֱלֹהֵי
יִשְׂרָאֵל:

הפטרת כי תצא

בישעיה סימן נ"ד (עיין בף נח)

רָנִּי עֲקָרָה לֹא יָלָדָה פִּצְחִי רִנָּה וְצַהֲלִי לֹא־חָלָה כִּי־רַבִּים
בְּנֵי־שׁוֹמֵמָה מִבְּנֵי בְעוּלָה אָמַר יְהוָה: הַרְחִיבִי ׀ מְקוֹם
אָהֳלֵךְ וִירִיעוֹת מִשְׁכְּנוֹתַיִךְ יַטּוּ אַל־תַּחְשֹׂכִי הַאֲרִיכִי מֵיתָרַיִךְ
וִיתֵדֹתַיִךְ חַזֵּקִי: כִּי־יָמִין וּשְׂמֹאול תִּפְרֹצִי וְזַרְעֵךְ גּוֹיִם יִירָשׁ
וְעָרִים נְשַׁמּוֹת יוֹשִׁיבוּ: אַל־תִּירְאִי כִּי־לֹא תֵבוֹשִׁי וְאַל־תִּכָּלְמִי
כִּי־לֹא תַחְפִּירִי כִּי בֹשֶׁת עֲלוּמַיִךְ תִּשְׁכָּחִי וְחֶרְפַּת אַלְמְנוּתַיִךְ
לֹא תִזְכְּרִי־עוֹד: כִּי בֹעֲלַיִךְ עֹשַׂיִךְ יְהוָה צְבָאוֹת שְׁמוֹ וְגֹאֲלֵךְ
קְדוֹשׁ יִשְׂרָאֵל אֱלֹהֵי כָל־הָאָרֶץ יִקָּרֵא: כִּי־כְאִשָּׁה עֲזוּבָה
וַעֲצוּבַת רוּחַ קְרָאָךְ יְהוָה וְאֵשֶׁת נְעוּרִים כִּי תִמָּאֵס אָמַר
אֱלֹהָיִךְ: בְּרֶגַע קָטֹן עֲזַבְתִּיךְ וּבְרַחֲמִים גְּדֹלִים אֲקַבְּצֵךְ:
בְּשֶׁצֶף קֶצֶף הִסְתַּרְתִּי פָנַי רֶגַע מִמֵּךְ וּבְחֶסֶד עוֹלָם רִחַמְתִּיךְ
אָמַר גֹּאֲלֵךְ יְהוָה: כִּי־מֵי נֹחַ זֹאת לִי אֲשֶׁר נִשְׁבַּעְתִּי מֵעֲבֹר
מֵי־נֹחַ עוֹד עַל־הָאָרֶץ כֵּן נִשְׁבַּעְתִּי מִקְּצֹף עָלַיִךְ וּמִגְּעָר־בָּךְ:

כִּי הֶהָרִים יָמוּשׁוּ וְהַגְּבָעוֹת תְּמוּטֶינָה וְחַסְדִּי מֵאִתֵּךְ לֹא־יָמוּשׁ וּבְרִית שְׁלוֹמִי לֹא תָמוּט אָמַר מְרַחֲמֵךְ יְהוָה׃

ואותן הקהלות, ובאיזו ק"ק ספרד"ם, שמנהגם לדלוג עניה סוערה של פ׳ ראה מפני שהפטרת ר"ח או מחר חדש, נוהגין להוסיף כאן עניה סוערה אם היתה נדחת מפ׳ ראה.

הפטרת כי תבוא

בישעיה סימן ס׳.

קוּמִי אוֹרִי כִּי־בָא אוֹרֵךְ וּכְבוֹד יְהוָה עָלַיִךְ זָרָח׃ כִּי־הִנֵּה הַחֹשֶׁךְ יְכַסֶּה־אֶרֶץ וַעֲרָפֶל לְאֻמִּים וְעָלַיִךְ יִזְרַח יְהוָה וּכְבוֹדוֹ עָלַיִךְ יֵרָאֶה׃ וְהָלְכוּ גוֹיִם לְאוֹרֵךְ וּמְלָכִים לְנֹגַהּ זַרְחֵךְ׃ שְׂאִי סָבִיב עֵינַיִךְ וּרְאִי כֻּלָּם נִקְבְּצוּ בָאוּ־לָךְ בָּנַיִךְ מֵרָחוֹק יָבֹאוּ וּבְנֹתַיִךְ עַל־צַד תֵּאָמַנָה׃ אָז תִּרְאִי וְנָהַרְתְּ וּפָחַד וְרָחַב לְבָבֵךְ כִּי־יֵהָפֵךְ עָלַיִךְ הֲמוֹן יָם חֵיל גּוֹיִם יָבֹאוּ לָךְ׃ שִׁפְעַת גְּמַלִּים תְּכַסֵּךְ בִּכְרֵי מִדְיָן וְעֵיפָה כֻּלָּם מִשְּׁבָא יָבֹאוּ זָהָב וּלְבוֹנָה יִשָּׂאוּ וּתְהִלֹּת יְהוָה יְבַשֵּׂרוּ׃ כָּל־צֹאן קֵדָר יִקָּבְצוּ לָךְ אֵילֵי נְבָיוֹת יְשָׁרְתוּנֶךְ יַעֲלוּ עַל־רָצוֹן מִזְבְּחִי וּבֵית תִּפְאַרְתִּי אֲפָאֵר׃ מִי־אֵלֶּה כָּעָב תְּעוּפֶינָה וְכַיּוֹנִים אֶל־אֲרֻבֹּתֵיהֶם׃ כִּי־לִי ׀ אִיִּים יְקַוּוּ וָאֳנִיּוֹת תַּרְשִׁישׁ בָּרִאשֹׁנָה לְהָבִיא בָנַיִךְ מֵרָחוֹק כַּסְפָּם וּזְהָבָם אִתָּם לְשֵׁם יְהוָה אֱלֹהַיִךְ וְלִקְדוֹשׁ יִשְׂרָאֵל כִּי פֵאֲרָךְ׃ וּבָנוּ בְנֵי־נֵכָר חֹמֹתַיִךְ וּמַלְכֵיהֶם יְשָׁרְתוּנֶךְ כִּי בְקִצְפִּי הִכִּיתִיךְ וּבִרְצוֹנִי רִחַמְתִּיךְ׃ וּפִתְּחוּ שְׁעָרַיִךְ תָּמִיד יוֹמָם וָלַיְלָה לֹא יִסָּגֵרוּ לְהָבִיא אֵלַיִךְ חֵיל גּוֹיִם וּמַלְכֵיהֶם נְהוּגִים׃ כִּי־הַגּוֹי וְהַמַּמְלָכָה אֲשֶׁר לֹא־יַעַבְדוּךְ יֹאבֵדוּ וְהַגּוֹיִם חָרֹב יֶחֱרָבוּ׃ כְּבוֹד הַלְּבָנוֹן אֵלַיִךְ יָבוֹא בְּרוֹשׁ תִּדְהָר וּתְאַשּׁוּר יַחְדָּו לְפָאֵר מְקוֹם מִקְדָּשִׁי וּמְקוֹם רַגְלַי אֲכַבֵּד׃ וְהָלְכוּ אֵלַיִךְ שְׁחוֹחַ

בְּנֵי מְעַנַּיִךְ וְהִשְׁתַּחֲווּ עַל־כַּפּוֹת רַגְלַיִךְ כָּל־מְנַאֲצָיִךְ וְקָרְאוּ
לָךְ עִיר יְהוָה צִיּוֹן קְדוֹשׁ יִשְׂרָאֵל׃ תַּחַת הֱיוֹתֵךְ עֲזוּבָה וּשְׂנוּאָה
וְאֵין עוֹבֵר וְשַׂמְתִּיךְ לִגְאוֹן עוֹלָם מְשׂוֹשׂ דּוֹר וָדוֹר׃ וְיָנַקְתְּ
חֲלֵב גּוֹיִם וְשֹׁד מְלָכִים תִּינָקִי וְיָדַעַתְּ כִּי אֲנִי יְהוָה מוֹשִׁיעֵךְ
וְגֹאֲלֵךְ אֲבִיר יַעֲקֹב׃ תַּחַת הַנְּחֹשֶׁת אָבִיא זָהָב וְתַחַת הַבַּרְזֶל
אָבִיא כֶסֶף וְתַחַת הָעֵצִים נְחֹשֶׁת וְתַחַת הָאֲבָנִים בַּרְזֶל וְשַׂמְתִּי
פְקֻדָּתֵךְ שָׁלוֹם וְנֹגְשַׂיִךְ צְדָקָה׃ לֹא־יִשָּׁמַע עוֹד חָמָס בְּאַרְצֵךְ
שֹׁד וָשֶׁבֶר בִּגְבוּלָיִךְ וְקָרָאת יְשׁוּעָה חוֹמֹתַיִךְ וּשְׁעָרַיִךְ תְּהִלָּה׃
לֹא־יִהְיֶה־לָּךְ עוֹד הַשֶּׁמֶשׁ לְאוֹר יוֹמָם וּלְנֹגַהּ הַיָּרֵחַ לֹא־
יָאִיר לָךְ וְהָיָה־לָךְ יְהוָה לְאוֹר עוֹלָם וֵאלֹהַיִךְ לְתִפְאַרְתֵּךְ׃
לֹא־יָבוֹא עוֹד שִׁמְשֵׁךְ וִירֵחֵךְ לֹא יֵאָסֵף כִּי יְהוָה יִהְיֶה־לָּךְ
לְאוֹר עוֹלָם וְשָׁלְמוּ יְמֵי אֶבְלֵךְ׃ וְעַמֵּךְ כֻּלָּם צַדִּיקִים לְעוֹלָם
יִירְשׁוּ אָרֶץ נֵצֶר מַטָּעוֹ° מַעֲשֵׂה יָדַי לְהִתְפָּאֵר׃ הַקָּטֹן יִהְיֶה
לָאֶלֶף וְהַצָּעִיר לְגוֹי עָצוּם אֲנִי יְהוָה בְּעִתָּהּ אֲחִישֶׁנָּה׃

הפטרת אתם נצבים

בישעיה סימן ס״א.

שׂוֹשׂ אָשִׂישׂ בַּיהוָה תָּגֵל נַפְשִׁי בֵּאלֹהַי כִּי הִלְבִּישַׁנִי בִּגְדֵי־יֶשַׁע
מְעִיל צְדָקָה יְעָטָנִי כֶּחָתָן יְכַהֵן פְּאֵר וְכַכַּלָּה תַּעְדֶּה
כֵלֶיהָ׃ כִּי כָאָרֶץ תּוֹצִיא צִמְחָהּ וּכְגַנָּה זֵרוּעֶיהָ תַצְמִיחַ כֵּן ׀
אֲדֹנָי יְהוִה יַצְמִיחַ צְדָקָה וּתְהִלָּה נֶגֶד כָּל־הַגּוֹיִם׃ לְמַעַן צִיּוֹן
לֹא אֶחֱשֶׁה וּלְמַעַן יְרוּשָׁלִַם לֹא אֶשְׁקוֹט עַד־יֵצֵא כַנֹּגַהּ צִדְקָהּ
וִישׁוּעָתָהּ כְּלַפִּיד יִבְעָר׃ וְרָאוּ גוֹיִם צִדְקֵךְ וְכָל־מְלָכִים כְּבוֹדֵךְ
וְקֹרָא לָךְ שֵׁם חָדָשׁ אֲשֶׁר פִּי יְהוָה יִקֳּבֶנּוּ׃ וְהָיִית עֲטֶרֶת
תִּפְאֶרֶת בְּיַד־יְהוָה וּצְנוֹף° מְלוּכָה בְּכַף־אֱלֹהָיִךְ׃ לֹא־יֵאָמֵר

°מטעי ק׳ °וצניף ק׳

לָךְ עוֹד עֲזוּבָ֔ה וּלְאַרְצֵךְ לֹא־יֵאָמֵר עוֹד שְׁמָמָ֔ה כִּי לָךְ יִקָּרֵא
חֶפְצִי־בָ֗הּ וּלְאַרְצֵךְ בְּעוּלָ֔ה כִּי־חָפֵץ יְהֹוָה֙ בָּ֔ךְ וְאַרְצֵךְ תִּבָּעֵל:
כִּי־יִבְעַל בָּחוּר בְּתוּלָ֔ה יִבְעָל֖וּךְ בָּנָ֑יִךְ וּמְשׂ֤וֹשׂ חָתָן֙ עַל־כַּלָּ֔ה
יָשִׂ֥ישׂ עָלַ֖יִךְ אֱלֹהָֽיִךְ: עַל־חוֹמֹתַ֣יִךְ יְרוּשָׁלִַ֗ם הִפְקַ֙דְתִּי֙ שֹֽׁמְרִ֔ים
כָּל־הַיּ֧וֹם וְכָל־הַלַּ֛יְלָה תָּמִ֖יד לֹ֣א יֶחֱשׁ֑וּ הַמַּזְכִּרִים֙ אֶת־יְהֹוָ֔ה
אַל־דֳּמִ֖י לָכֶֽם: וְאַל־תִּתְּנ֥וּ דֳמִ֖י ל֑וֹ עַד־יְכוֹנֵ֞ן וְעַד־יָשִׂ֧ים אֶת־
יְרוּשָׁלִַ֛ם תְּהִלָּ֖ה בָּאָֽרֶץ: נִשְׁבַּ֧ע יְהֹוָ֛ה בִּימִינ֖וֹ וּבִזְר֣וֹעַ עֻזּ֑וֹ אִם־
אֶתֵּן֩ אֶת־דְּגָנֵ֙ךְ ע֤וֹד מַֽאֲכָל֙ לְאֹ֣יְבַ֔יִךְ וְאִם־יִשְׁתּ֤וּ בְנֵֽי־נֵכָר֙
תִּ֣ירוֹשֵׁ֔ךְ אֲשֶׁ֖ר יָגַ֣עַתְּ בּֽוֹ: כִּ֤י מְאַסְפָיו֙ יֹאכְלֻ֔הוּ וְהִֽלְל֖וּ אֶת־יְהֹוָ֑ה
וּֽמְקַבְּצָ֥יו יִשְׁתֻּ֖הוּ בְּחַצְר֥וֹת קָדְשִֽׁי: עִבְר֤וּ עִבְרוּ֙ בַּשְּׁעָרִ֔ים פַּנּ֖וּ
דֶּ֣רֶךְ הָעָ֑ם סֹ֣לּוּ סֹ֤לּוּ הַֽמְסִלָּה֙ סַקְּל֣וּ מֵאֶ֔בֶן הָרִ֥ימוּ נֵ֖ס עַל־
הָֽעַמִּֽים: הִנֵּ֣ה יְהֹוָ֗ה הִשְׁמִ֙יעַ֙ אֶל־קְצֵ֣ה הָאָ֔רֶץ אִמְרוּ֙ לְבַת־צִיּ֔וֹן
הִנֵּ֥ה יִשְׁעֵ֖ךְ בָּ֑א הִנֵּ֤ה שְׂכָרוֹ֙ אִתּ֔וֹ וּפְעֻלָּת֖וֹ לְפָנָֽיו: וְקָֽרְא֥וּ לָהֶ֛ם
עַם־הַקֹּ֖דֶשׁ גְּאוּלֵ֣י יְהֹוָ֑ה וְלָךְ֙ יִקָּרֵ֣א דְרוּשָׁ֔ה עִ֖יר לֹ֥א נֶעֱזָֽבָה:
מִי־זֶ֣ה ׀ בָּ֣א מֵֽאֱד֗וֹם חֲמ֤וּץ בְּגָדִים֙ מִבָּצְרָ֔ה זֶ֚ה הָד֣וּר בִּלְבוּשׁ֔וֹ
צֹעֶ֖ה בְּרֹ֣ב כֹּח֑וֹ אֲנִ֛י מְדַבֵּ֥ר בִּצְדָקָ֖ה רַ֥ב לְהוֹשִֽׁיעַ: מַדּ֥וּעַ אָדֹ֖ם
לִלְבוּשֶׁ֑ךָ וּבְגָדֶ֖יךָ כְּדֹרֵ֥ךְ בְּגַֽת: פּוּרָ֣ה ׀ דָּרַ֣כְתִּי לְבַדִּ֗י וּמֵֽעַמִּים֙
אֵֽין־אִ֣ישׁ אִתִּ֔י וְאֶדְרְכֵ֣ם בְּאַפִּ֔י וְאֶרְמְסֵ֖ם בַּֽחֲמָתִ֑י וְיֵ֤ז נִצְחָם֙
עַל־בְּגָדַ֔י וְכָל־מַלְבּוּשַׁ֖י אֶגְאָֽלְתִּי: כִּ֛י י֥וֹם נָקָ֖ם בְּלִבִּ֑י וּשְׁנַ֥ת
גְּאוּלַ֖י בָּֽאָה: וְאַבִּיט֙ וְאֵ֣ין עֹזֵ֔ר וְאֶשְׁתּוֹמֵ֖ם וְאֵ֣ין סוֹמֵ֑ךְ וַתּ֤וֹשַֽׁע
לִי֙ זְרֹעִ֔י וַֽחֲמָתִ֖י הִ֥יא סְמָכָֽתְנִי: וְאָב֤וּס עַמִּים֙ בְּאַפִּ֔י וַֽאֲשַׁכְּרֵ֖ם
בַּֽחֲמָתִ֑י וְאוֹרִ֥יד לָאָ֖רֶץ נִצְחָֽם: חַֽסְדֵ֣י יְהֹוָ֣ה ׀ אַזְכִּיר֮ תְּהִלֹּ֣ת
יְהֹוָה֒ כְּעַ֕ל כֹּ֥ל אֲשֶׁר־גְּמָלָ֖נוּ יְהֹוָ֑ה וְרַב־טוּב֙ לְבֵ֣ית יִשְׂרָאֵ֔ל
אֲשֶׁר־גְּמָלָ֥ם כְּֽרַֽחֲמָ֖יו וּכְרֹ֣ב חֲסָדָֽיו: וַיֹּ֙אמֶר֙ אַךְ־עַמִּ֣י הֵ֔מָּה

בָּנִים לֹא יְשַׁקֵּרוּ וַיְהִי לָהֶם לְמוֹשִׁיעַ: בְּכָל־צָרָתָם ׀ לֹא צָר
וּמַלְאַךְ פָּנָיו הוֹשִׁיעָם בְּאַהֲבָתוֹ וּבְחֶמְלָתוֹ הוּא גְאָלָם וַיְנַטְּלֵם
וַיְנַשְּׂאֵם כָּל־יְמֵי עוֹלָם:

הפטרת וילך

כמנהג הספרדים, וכן מנהג ק"ק ספד"מ כשהפרשיות נפרדות; אבל כשהן מחוברין מפטירין שוש אשיש של פ' נצבים ומפטירין שובה בפ' האזינו עד ופושעים יכשלו בם, ואח"כ אומרים תקעו שופר וגו'.

בהושע סימן י"ד.

שׁוּבָה יִשְׂרָאֵל עַד יְהוָה אֱלֹהֶיךָ כִּי כָשַׁלְתָּ בַּעֲוֹנֶךָ: קְחוּ עִמָּכֶם
דְּבָרִים וְשׁוּבוּ אֶל־יְהוָה אִמְרוּ אֵלָיו כָּל־תִּשָּׂא עָוֺן וְקַח־
טוֹב וּנְשַׁלְּמָה פָרִים שְׂפָתֵינוּ: אַשּׁוּר ׀ לֹא יוֹשִׁיעֵנוּ עַל־סוּס
לֹא נִרְכָּב וְלֹא־נֹאמַר עוֹד אֱלֹהֵינוּ לְמַעֲשֵׂה יָדֵינוּ אֲשֶׁר־בְּךָ
יְרֻחַם יָתוֹם: אֶרְפָּא מְשׁוּבָתָם אֹהֲבֵם נְדָבָה כִּי שָׁב אַפִּי
מִמֶּנּוּ: אֶהְיֶה כַטַּל לְיִשְׂרָאֵל יִפְרַח כַּשּׁוֹשַׁנָּה וְיַךְ שָׁרָשָׁיו
כַּלְּבָנוֹן: יֵלְכוּ יֹנְקוֹתָיו וִיהִי כַזַּיִת הוֹדוֹ וְרֵיחַ לוֹ כַּלְּבָנוֹן: יָשֻׁבוּ
יֹשְׁבֵי בְצִלּוֹ יְחַיּוּ דָגָן וְיִפְרְחוּ כַגָּפֶן זִכְרוֹ כְּיֵין לְבָנוֹן: אֶפְרַיִם
מַה־לִּי עוֹד לָעֲצַבִּים אֲנִי עָנִיתִי וַאֲשׁוּרֶנּוּ אֲנִי כִּבְרוֹשׁ רַעֲנָן
מִמֶּנִּי פֶּרְיְךָ נִמְצָא: מִי חָכָם וְיָבֵן אֵלֶּה נָבוֹן וְיֵדָעֵם כִּי יְשָׁרִים
דַּרְכֵי יְהוָה וְצַדִּקִים יֵלְכוּ בָם וּפֹשְׁעִים יִכָּשְׁלוּ בָם ׃ מִי־אֵל
כָּמוֹךָ נֹשֵׂא עָוֺן וְעֹבֵר עַל־פֶּשַׁע לִשְׁאֵרִית נַחֲלָתוֹ לֹא־הֶחֱזִיק
לָעַד אַפּוֹ כִּי־חָפֵץ חֶסֶד הוּא: יָשׁוּב יְרַחֲמֵנוּ יִכְבֹּשׁ עֲוֺנֹתֵינוּ
וְתַשְׁלִיךְ בִּמְצֻלוֹת יָם כָּל־חַטֹּאתָם: תִּתֵּן אֱמֶת לְיַעֲקֹב חֶסֶד
לְאַבְרָהָם אֲשֶׁר־נִשְׁבַּעְתָּ לַאֲבֹתֵינוּ מִימֵי קֶדֶם:

הפטרת וילך

כמנהג האשכנזים. (ובק"ק ספרד"ם מפטירים שובה כשהפרשיות נפרדות ומוסיפים בסוף תקעו שופר בציון עד ולא יבשו עמי לעולם לקמן בפ' האזינו, אבל כשהפרשיות נצבים וילך מחוברות מפטירים שובה בפ' האזינו.)

בישעיה סימן נ"ה.

דִּרְשׁוּ יְהוָה בְּהִמָּצְאוֹ קְרָאֻהוּ בִּהְיוֹתוֹ קָרוֹב: יַעֲזֹב רָשָׁע דַּרְכּוֹ
וְאִישׁ אָוֶן מַחְשְׁבֹתָיו וְיָשֹׁב אֶל־יְהוָה וִירַחֲמֵהוּ וְאֶל־
אֱלֹהֵינוּ כִּי־יַרְבֶּה לִסְלוֹחַ: כִּי לֹא מַחְשְׁבוֹתַי מַחְשְׁבוֹתֵיכֶם
וְלֹא דַרְכֵיכֶם דְּרָכָי נְאֻם יְהוָה: כִּי־גָבְהוּ שָׁמַיִם מֵאָרֶץ כֵּן
גָּבְהוּ דְרָכַי מִדַּרְכֵיכֶם וּמַחְשְׁבֹתַי מִמַּחְשְׁבֹתֵיכֶם: כִּי כַּאֲשֶׁר
יֵרֵד הַגֶּשֶׁם וְהַשֶּׁלֶג מִן־הַשָּׁמַיִם וְשָׁמָּה לֹא יָשׁוּב כִּי אִם־הִרְוָה
אֶת־הָאָרֶץ וְהוֹלִידָהּ וְהִצְמִיחָהּ וְנָתַן זֶרַע לַזֹּרֵעַ וְלֶחֶם לָאֹכֵל:
כֵּן יִהְיֶה דְבָרִי אֲשֶׁר יֵצֵא מִפִּי לֹא־יָשׁוּב אֵלַי רֵיקָם כִּי אִם־
עָשָׂה אֶת־אֲשֶׁר חָפַצְתִּי וְהִצְלִיחַ אֲשֶׁר שְׁלַחְתִּיו: כִּי־בְשִׂמְחָה
תֵצֵאוּ וּבְשָׁלוֹם תּוּבָלוּן הֶהָרִים וְהַגְּבָעוֹת יִפְצְחוּ לִפְנֵיכֶם רִנָּה
וְכָל־עֲצֵי הַשָּׂדֶה יִמְחֲאוּ־כָף: תַּחַת הַנַּעֲצוּץ יַעֲלֶה בְרוֹשׁ °תַּחַת
הַסִּרְפַּד יַעֲלֶה הֲדַס וְהָיָה לַיהוָה לְשֵׁם לְאוֹת עוֹלָם לֹא יִכָּרֵת:
כֹּה אָמַר יְהוָה שִׁמְרוּ מִשְׁפָּט וַעֲשׂוּ צְדָקָה כִּי־קְרוֹבָה יְשׁוּעָתִי
לָבוֹא וְצִדְקָתִי לְהִגָּלוֹת: אַשְׁרֵי אֱנוֹשׁ יַעֲשֶׂה־זֹּאת וּבֶן־אָדָם
יַחֲזִיק בָּהּ שֹׁמֵר שַׁבָּת מֵחַלְּלוֹ וְשֹׁמֵר יָדוֹ מֵעֲשׂוֹת כָּל־רָע: וְאַל־
יֹאמַר בֶּן־הַנֵּכָר הַנִּלְוָה אֶל־יְהוָה לֵאמֹר הַבְדֵּל יַבְדִּילַנִי יְהוָה
מֵעַל עַמּוֹ וְאַל־יֹאמַר הַסָּרִיס הֵן אֲנִי עֵץ יָבֵשׁ: כִּי־כֹה ׀ אָמַר
יְהוָה לַסָּרִיסִים אֲשֶׁר יִשְׁמְרוּ אֶת־שַׁבְּתוֹתַי וּבָחֲרוּ בַּאֲשֶׁר
חָפָצְתִּי וּמַחֲזִיקִים בִּבְרִיתִי: וְנָתַתִּי לָהֶם בְּבֵיתִי וּבְחוֹמֹתַי יָד
וָשֵׁם טוֹב מִבָּנִים וּמִבָּנוֹת שֵׁם עוֹלָם אֶתֶּן־לוֹ אֲשֶׁר לֹא יִכָּרֵת:
וּבְנֵי הַנֵּכָר הַנִּלְוִים עַל־יְהוָה לְשָׁרְתוֹ וּלְאַהֲבָה אֶת־שֵׁם יְהוָה

°ותחת ק'

לִהְיוֹת לוֹ לַעֲבָדִים כָּל־שֹׁמֵר שַׁבָּת מֵחַלְּלוֹ וּמַחֲזִיקִים בִּבְרִיתִי׃
וַהֲבִיאוֹתִים אֶל־הַר קָדְשִׁי וְשִׂמַּחְתִּים בְּבֵית תְּפִלָּתִי עוֹלֹתֵיהֶם
וְזִבְחֵיהֶם לְרָצוֹן עַל־מִזְבְּחִי כִּי בֵיתִי בֵּית־תְּפִלָּה יִקָּרֵא לְכָל־
הָעַמִּים׃ נְאֻם אֲדֹנָי יֱהוִֹה מְקַבֵּץ נִדְחֵי יִשְׂרָאֵל עוֹד אֲקַבֵּץ
עָלָיו לְנִקְבָּצָיו׃

הפטרת האזינו

כמנהג האשכנזים. שובה ישראל עד ופשעים יכשלו בם, ואח"כ אומרים תקעו. ובק"ק פפד"מ מפטירין וידבר דוד דלקמן, חוץ אם הוא שבת תשובה, אז מפטירים שובה ישראל עד ופשעים יכשלו בם ואח"כ תקעו.

ביואל סימן ב׳.

תִּקְעוּ שׁוֹפָר בְּצִיּוֹן קַדְּשׁוּ־צוֹם קִרְאוּ עֲצָרָה׃ אִסְפוּ־עָם קַדְּשׁוּ
קָהָל קִבְצוּ זְקֵנִים אִסְפוּ עוֹלָלִים וְיֹנְקֵי שָׁדָיִם יֵצֵא חָתָן
מֵחֶדְרוֹ וְכַלָּה מֵחֻפָּתָהּ׃ בֵּין הָאוּלָם וְלַמִּזְבֵּחַ יִבְכּוּ הַכֹּהֲנִים
מְשָׁרְתֵי יְהוָה וְיֹאמְרוּ חוּסָה יְהוָה עַל־עַמֶּךָ וְאַל־תִּתֵּן נַחֲלָתְךָ
לְחֶרְפָּה לִמְשָׁל־בָּם גּוֹיִם לָמָּה יֹאמְרוּ בָעַמִּים אַיֵּה אֱלֹהֵיהֶם׃
וַיְקַנֵּא יְהוָה לְאַרְצוֹ וַיַּחְמֹל עַל־עַמּוֹ׃ וַיַּעַן יְהוָה וַיֹּאמֶר לְעַמּוֹ
הִנְנִי שֹׁלֵחַ לָכֶם אֶת־הַדָּגָן וְהַתִּירוֹשׁ וְהַיִּצְהָר וּשְׂבַעְתֶּם אֹתוֹ
וְלֹא־אֶתֵּן אֶתְכֶם עוֹד חֶרְפָּה בַּגּוֹיִם׃ וְאֶת־הַצְּפוֹנִי אַרְחִיק
מֵעֲלֵיכֶם וְהִדַּחְתִּיו אֶל־אֶרֶץ צִיָּה וּשְׁמָמָה אֶת־פָּנָיו אֶל־הַיָּם
הַקַּדְמֹנִי וְסֹפוֹ אֶל־הַיָּם הָאַחֲרוֹן וְעָלָה בָאְשׁוֹ וְתַעַל צַחֲנָתוֹ כִּי
הִגְדִּיל לַעֲשׂוֹת׃ אַל־תִּירְאִי אֲדָמָה גִּילִי וּשְׂמָחִי כִּי־הִגְדִּיל יְהוָה
לַעֲשׂוֹת׃ אַל־תִּירְאוּ בַּהֲמוֹת שָׂדַי כִּי דָשְׁאוּ נְאוֹת מִדְבָּר כִּי־
עֵץ נָשָׂא פִרְיוֹ תְּאֵנָה וָגֶפֶן נָתְנוּ חֵילָם׃ וּבְנֵי צִיּוֹן גִּילוּ וְשִׂמְחוּ
בַּיהוָה אֱלֹהֵיכֶם כִּי־נָתַן לָכֶם אֶת־הַמּוֹרֶה לִצְדָקָה וַיּוֹרֶד לָכֶם
גֶּשֶׁם מוֹרֶה וּמַלְקוֹשׁ בָּרִאשׁוֹן׃ וּמָלְאוּ הַגֳּרָנוֹת בָּר וְהֵשִׁיקוּ

הַיְקָבִים תִּירוֹשׁ וְיִצְהָר׃ וְשִׁלַּמְתִּי לָכֶם אֶת־הַשָּׁנִים אֲשֶׁר אָכַל
הָאַרְבֶּה הַיֶּלֶק וְהֶחָסִיל וְהַגָּזָם חֵילִי הַגָּדוֹל אֲשֶׁר שִׁלַּחְתִּי בָּכֶם׃
וַאֲכַלְתֶּם אָכוֹל וְשָׂבוֹעַ וְהִלַּלְתֶּם אֶת־שֵׁם יְהוָה אֱלֹהֵיכֶם אֲשֶׁר־
עָשָׂה עִמָּכֶם לְהַפְלִיא וְלֹא־יֵבשׁוּ עַמִּי לְעוֹלָם׃ וִידַעְתֶּם כִּי
בְקֶרֶב יִשְׂרָאֵל אָנִי וַאֲנִי יְהוָה אֱלֹהֵיכֶם וְאֵין עוֹד וְלֹא־יֵבשׁוּ
עַמִּי לְעוֹלָם׃

הפטרת האזינו

כמנהג הספרדים, וכן בק"ק פפד"מ, אם פרשת האזינו אחר יה"כ.

בשמואל ב׳ סימן כ"ב.

וַיְדַבֵּר דָּוִד לַיהוָה אֶת־דִּבְרֵי הַשִּׁירָה הַזֹּאת בְּיוֹם הִצִּיל יְהוָה
אֹתוֹ מִכַּף כָּל־אֹיְבָיו וּמִכַּף שָׁאוּל׃ וַיֹּאמַר יְהוָה סַלְעִי
וּמְצֻדָתִי וּמְפַלְטִי־לִי׃ אֱלֹהֵי צוּרִי אֶחֱסֶה־בּוֹ מָגִנִּי וְקֶרֶן יִשְׁעִי
מִשְׂגַּבִּי וּמְנוּסִי מֹשִׁעִי מֵחָמָס תֹּשִׁעֵנִי׃ מְהֻלָּל אֶקְרָא יְהוָה
וּמֵאֹיְבַי אִוָּשֵׁעַ׃ כִּי אֲפָפֻנִי מִשְׁבְּרֵי־מָוֶת נַחֲלֵי בְלִיַּעַל יְבַעֲתֻנִי׃
חֶבְלֵי שְׁאוֹל סַבֻּנִי קִדְּמֻנִי מֹקְשֵׁי־מָוֶת׃ בַּצַּר־לִי אֶקְרָא יְהוָה
וְאֶל־אֱלֹהַי אֶקְרָא וַיִּשְׁמַע מֵהֵיכָלוֹ קוֹלִי וְשַׁוְעָתִי בְּאָזְנָיו׃
°וַתִּגְעַשׁ וַתִּרְעַשׁ הָאָרֶץ מוֹסְדוֹת הַשָּׁמַיִם יִרְגָּזוּ וַיִּתְגָּעֲשׁוּ כִּי־
חָרָה לוֹ׃ עָלָה עָשָׁן בְּאַפּוֹ וְאֵשׁ מִפִּיו תֹּאכֵל גֶּחָלִים בָּעֲרוּ
מִמֶּנּוּ׃ וַיֵּט שָׁמַיִם וַיֵּרַד וַעֲרָפֶל תַּחַת רַגְלָיו׃ וַיִּרְכַּב עַל־כְּרוּב
וַיָּעֹף וַיֵּרָא עַל־כַּנְפֵי־רוּחַ׃ וַיָּשֶׁת חֹשֶׁךְ סְבִיבֹתָיו סֻכּוֹת חַשְׁרַת־
מַיִם עָבֵי שְׁחָקִים׃ מִנֹּגַהּ נֶגְדּוֹ בָּעֲרוּ גַּחֲלֵי־אֵשׁ׃ יַרְעֵם מִן־
שָׁמַיִם יְהוָה וְעֶלְיוֹן יִתֵּן קוֹלוֹ׃ וַיִּשְׁלַח חִצִּים וַיְפִיצֵם בָּרָק
•וַיְהֻמֹּם׃ וַיֵּרָאוּ אֲפִקֵי יָם יִגָּלוּ מֹסְדוֹת תֵּבֵל בְּגַעֲרַת יְהוָה
מִנִּשְׁמַת רוּחַ אַפּוֹ׃ יִשְׁלַח מִמָּרוֹם יִקָּחֵנִי יַמְשֵׁנִי מִמַּיִם רַבִּים׃

°ויתגעש ק׳ •ויהם ק

יַצִּילֵנִי מֵאֹיְבִי עָז מִשֹּׂנְאַי כִּי אָמְצוּ מִמֶּנִּי׃ יְקַדְּמֻנִי בְּיוֹם אֵידִי
וַיְהִי יְהוָה מִשְׁעָן לִי׃ וַיֹּצֵא לַמֶּרְחָב אֹתִי יְחַלְּצֵנִי כִּי־חָפֵץ בִּי׃
יִגְמְלֵנִי יְהוָה כְּצִדְקָתִי כְּבֹר יָדַי יָשִׁיב לִי׃ כִּי שָׁמַרְתִּי דַּרְכֵי
יְהוָה וְלֹא רָשַׁעְתִּי מֵאֱלֹהָי׃ כִּי כָל־°מִשְׁפָּטָו לְנֶגְדִּי וְחֻקֹּתָיו לֹא־
אָסוּר מִמֶּנָּה׃ וָאֶהְיֶה תָמִים לוֹ וָאֶשְׁתַּמְּרָה מֵעֲוֺנִי׃ וַיָּשֶׁב יְהוָה
לִי כְּצִדְקָתִי כְּבֹרִי לְנֶגֶד עֵינָיו׃ עִם־חָסִיד תִּתְחַסָּד עִם־גִּבּוֹר
תָּמִים תִּתַּמָּם׃ עִם־נָבָר תִּתָּבָר וְעִם־עִקֵּשׁ תִּתַּפָּל׃ וְאֶת־עַם
עָנִי תּוֹשִׁיעַ וְעֵינֶיךָ עַל־רָמִים תַּשְׁפִּיל׃ כִּי־אַתָּה נֵירִי יְהוָה
וַיהוָה יַגִּיהַּ חָשְׁכִּי׃ כִּי בְכָה אָרוּץ גְּדוּד בֵּאלֹהַי אֲדַלֶּג־שׁוּר׃
הָאֵל תָּמִים דַּרְכּוֹ אִמְרַת יְהוָה צְרוּפָה מָגֵן הוּא לְכֹל הַחֹסִים
בּוֹ׃ כִּי מִי־אֵל מִבַּלְעֲדֵי יְהוָה וּמִי־צוּר מִבַּלְעֲדֵי אֱלֹהֵינוּ׃
הָאֵל מָעוּזִּי חָיִל וַיַּתֵּר תָּמִים °דַּרְכּוֹ׃ מְשַׁוֶּה °רַגְלָיו כָּאַיָּלוֹת
וְעַל־בָּמֹתַי יַעֲמִדֵנִי׃ מְלַמֵּד יָדַי לַמִּלְחָמָה וְנִחַת קֶשֶׁת־נְחוּשָׁה
זְרֹעֹתָי׃ וַתִּתֶּן־לִי מָגֵן יִשְׁעֶךָ וַעֲנֹתְךָ תַּרְבֵּנִי׃ תַּרְחִיב צַעֲדִי
תַּחְתֵּנִי וְלֹא מָעֲדוּ קַרְסֻלָּי׃ אֶרְדְּפָה אֹיְבַי וָאַשְׁמִידֵם וְלֹא
אָשׁוּב עַד־כַּלּוֹתָם׃ וָאֲכַלֵּם וָאֶמְחָצֵם וְלֹא יְקוּמוּן וַיִּפְּלוּ תַּחַת
רַגְלָי׃ וַתַּזְרֵנִי חַיִל לַמִּלְחָמָה תַּכְרִיעַ קָמַי תַּחְתֵּנִי׃ וְאֹיְבַי תַּתָּה
לִּי עֹרֶף מְשַׂנְאַי וָאַצְמִיתֵם׃ יִשְׁעוּ וְאֵין מֹשִׁיעַ אֶל־יְהוָה וְלֹא
עָנָם׃ וְאֶשְׁחָקֵם כַּעֲפַר־אָרֶץ כְּטִיט־חוּצוֹת אֲדִקֵּם אֶרְקָעֵם׃
וַתְּפַלְּטֵנִי מֵרִיבֵי עַמִּי תִּשְׁמְרֵנִי לְרֹאשׁ גּוֹיִם עַם לֹא־יָדַעְתִּי
יַעַבְדֻנִי׃ בְּנֵי נֵכָר יִתְכַּחֲשׁוּ־לִי לִשְׁמוֹעַ אֹזֶן יִשָּׁמְעוּ לִי׃ בְּנֵי
נֵכָר יִבֹּלוּ וְיַחְגְּרוּ מִמִּסְגְּרוֹתָם׃ חַי־יְהוָה וּבָרוּךְ צוּרִי וְיָרֻם
אֱלֹהֵי צוּר יִשְׁעִי׃ הָאֵל הַנֹּתֵן נְקָמֹת לִי וּמוֹרִיד עַמִּים תַּחְתֵּנִי׃
וּמוֹצִיאִי מֵאֹיְבָי וּמִקָּמַי תְּרוֹמְמֵנִי מֵאִישׁ חֲמָסִים תַּצִּילֵנִי׃

°משפטיו ק׳ °דרכי ק׳ °רגלי ק׳

עַל־כֵּן אוֹדְךָ יְהוָה בַּגּוֹיִם וּלְשִׁמְךָ אֲזַמֵּר׃ מִגְדִּיל° יְשׁוּעוֹת מַלְכּוֹ
וְעֹשֶׂה־חֶסֶד לִמְשִׁיחוֹ לְדָוִד וּלְזַרְעוֹ עַד־עוֹלָם׃

ויש מפטירים אותה ביחזקאל סימן י״ז.

כֹּה אָמַר אֲדֹנָי יְהוִה וְלָקַחְתִּי אָנִי מִצַּמֶּרֶת הָאֶרֶז הָרָמָה
וְנָתָתִּי מֵרֹאשׁ יֹנְקוֹתָיו רַךְ אֶקְטֹף וְשָׁתַלְתִּי אָנִי עַל הַר־
גָּבֹהַּ וְתָלוּל׃ בְּהַר מְרוֹם יִשְׂרָאֵל אֶשְׁתֳּלֶנּוּ וְנָשָׂא עָנָף וְעָשָׂה
פֶרִי וְהָיָה לְאֶרֶז אַדִּיר וְשָׁכְנוּ תַחְתָּיו כֹּל צִפּוֹר כָּל־כָּנָף בְּצֵל
דָּלִיּוֹתָיו תִּשְׁכֹּנָּה׃ וְיָדְעוּ כָּל־עֲצֵי הַשָּׂדֶה כִּי אֲנִי יְהוָה הִשְׁפַּלְתִּי
עֵץ גָּבֹהַּ הִגְבַּהְתִּי עֵץ שָׁפָל הוֹבַשְׁתִּי עֵץ לָח וְהִפְרַחְתִּי עֵץ יָבֵשׁ
אֲנִי יְהוָה דִּבַּרְתִּי וְעָשִׂיתִי׃ וַיְהִי דְבַר־יְהוָה אֵלַי לֵאמֹר׃ מַה־
לָּכֶם אַתֶּם מֹשְׁלִים אֶת־הַמָּשָׁל הַזֶּה עַל־אַדְמַת יִשְׂרָאֵל לֵאמֹר
אָבוֹת יֹאכְלוּ בֹסֶר וְשִׁנֵּי הַבָּנִים תִּקְהֶינָה׃ חַי־אָנִי נְאֻם אֲדֹנָי
יְהוִה אִם־יִהְיֶה לָכֶם עוֹד מְשֹׁל הַמָּשָׁל הַזֶּה בְּיִשְׂרָאֵל׃ הֵן כָּל־
הַנְּפָשׁוֹת לִי הֵנָּה כְּנֶפֶשׁ הָאָב וּכְנֶפֶשׁ הַבֵּן לִי־הֵנָּה הַנֶּפֶשׁ
הַחֹטֵאת הִיא תָמוּת׃ וְאִישׁ כִּי־יִהְיֶה צַדִּיק וְעָשָׂה מִשְׁפָּט
וּצְדָקָה׃ אֶל־הֶהָרִים לֹא אָכָל וְעֵינָיו לֹא נָשָׂא אֶל־גִּלּוּלֵי בֵּית
יִשְׂרָאֵל וְאֶת־אֵשֶׁת רֵעֵהוּ לֹא טִמֵּא וְאֶל־אִשָּׁה נִדָּה לֹא יִקְרָב׃
וְאִישׁ לֹא יוֹנֶה חֲבֹלָתוֹ חוֹב יָשִׁיב גְּזֵלָה לֹא יִגְזֹל לַחְמוֹ לְרָעֵב
יִתֵּן וְעֵירֹם יְכַסֶּה־בָּגֶד׃ בַּנֶּשֶׁךְ לֹא־יִתֵּן וְתַרְבִּית לֹא יִקָּח מֵעָוֶל
יָשִׁיב יָדוֹ מִשְׁפַּט אֱמֶת יַעֲשֶׂה בֵּין אִישׁ לְאִישׁ׃ בְּחֻקּוֹתַי יְהַלֵּךְ
וּמִשְׁפָּטַי שָׁמַר לַעֲשׂוֹת אֱמֶת צַדִּיק הוּא חָיֹה יִחְיֶה נְאֻם אֲדֹנָי
יְהוִה׃ וְהוֹלִיד בֶּן־פָּרִיץ שֹׁפֵךְ דָּם וְעָשָׂה אָח מֵאַחַד מֵאֵלֶּה׃
וְהוּא אֶת־כָּל־אֵלֶּה לֹא עָשָׂה כִּי גַם אֶל־הֶהָרִים אָכַל וְאֶת־
אֵשֶׁת רֵעֵהוּ טִמֵּא׃ עָנִי וְאֶבְיוֹן הוֹנָה גְּזֵלוֹת גָּזָל חֲבֹל לֹא יָשִׁיב

° מגדול ק׳

וְאֶל־הַגִּלּוּלִים֙ נָשָׂ֣א עֵינָ֔יו תּוֹעֵבָ֖ה עָשָֽׂה: בַּנֶּ֤שֶׁךְ נָתַן֙ וְתַרְבִּ֣ית
לָקַ֔ח וָחָ֖י לֹ֣א יִֽחְיֶ֑ה אֵ֣ת כָּל־הַתּוֹעֵב֤וֹת הָאֵ֙לֶּה֙ עָשָׂ֔ה מ֣וֹת יוּמָ֔ת
דָּמָ֖יו בּ֥וֹ יִהְיֶֽה: וְהִנֵּ֣ה הוֹלִ֣יד בֵּ֗ן וַיַּ֛רְא אֶת־כָּל־חַטֹּ֥את אָבִ֖יו
אֲשֶׁ֣ר עָשָׂ֑ה וַיִּרְאֶ֔ה וְלֹ֥א יַעֲשֶׂ֖ה כָּהֵֽן: עַל־הֶֽהָרִים֙ לֹ֣א אָכָ֔ל
וְעֵינָיו֙ לֹ֣א נָשָׂ֔א אֶל־גִּלּוּלֵ֖י בֵּ֣ית יִשְׂרָאֵ֑ל אֶת־אֵ֥שֶׁת רֵעֵ֖הוּ לֹ֥א
טִמֵּֽא: וְאִישׁ֙ לֹ֣א הוֹנָ֔ה חֲבֹל֙ לֹ֣א חָבָ֔ל וּגְזֵלָ֖ה לֹ֣א גָזָ֑ל לַחְמ֤וֹ
לָרָעֵ֣ב נָתָ֔ן וְעֵרֹ֖ם כִּסָּה־בָֽגֶד: מֵעָנִ֞י הֵשִׁ֣יב יָד֗וֹ נֶ֤שֶׁךְ וְתַרְבִּית֙
לֹ֣א לָקָ֔ח מִשְׁפָּטַ֣י עָשָׂ֔ה בְּחֻקּוֹתַ֖י הָלָ֑ךְ ה֤וּא לֹ֣א יָמוּת֙ בַּעֲוֺ֣ן
אָבִ֔יו חָיֹ֖ה יִֽחְיֶֽה: אָבִ֞יו כִּֽי־עָ֣שַׁק עֹ֗שֶׁק גָּזַל֙ גֵּ֣זֶל אָ֔ח וַאֲשֶׁ֥ר לֹא־
ט֖וֹב עָשָׂ֣ה בְּת֣וֹךְ עַמָּ֑יו וְהִנֵּה־מֵ֖ת בַּעֲוֺנֽוֹ: וַאֲמַרְתֶּ֕ם מַדֻּ֛עַ לֹא־
נָשָׂ֥א הַבֵּ֖ן בַּעֲוֺ֣ן הָאָ֑ב וְהַבֵּ֞ן מִשְׁפָּ֤ט וּצְדָקָה֙ עָשָׂ֔ה אֵ֥ת כָּל־
חֻקּוֹתַ֛י שָׁמַ֥ר וַיַּעֲשֶׂ֥ה אֹתָ֖ם חָיֹ֥ה יִֽחְיֶֽה: הַנֶּ֥פֶשׁ הַחֹטֵ֖את הִ֣יא
תָמ֑וּת בֵּ֣ן לֹא־יִשָּׂ֣א ׀ בַּעֲוֺ֣ן הָאָ֗ב וְאָב֙ לֹ֣א יִשָּׂא֙ בַּעֲוֺ֣ן הַבֵּ֔ן צִדְקַ֤ת
הַצַּדִּיק֙ עָלָ֣יו תִּֽהְיֶ֔ה וְרִשְׁעַ֥ת *רָשָׁ֖ע עָלָ֣יו תִּֽהְיֶֽה: וְהָרָשָׁ֗ע כִּ֤י
יָשׁוּב֙ מִכָּל־חַטֹּאתָו֙ אֲשֶׁ֣ר עָשָׂ֔ה וְשָׁמַר֙ אֶת־כָּל־חֻקּוֹתַ֔י וְעָשָׂ֥ה
מִשְׁפָּ֖ט וּצְדָקָ֑ה חָיֹ֥ה יִֽחְיֶ֖ה לֹ֥א יָמֽוּת: כָּל־פְּשָׁעָיו֙ אֲשֶׁ֣ר עָשָׂ֔ה
לֹ֥א יִזָּכְר֖וּ ל֑וֹ בְּצִדְקָת֥וֹ אֲשֶׁר־עָשָׂ֖ה יִֽחְיֶֽה: הֶחָפֹ֤ץ אֶחְפֹּץ֙ מ֣וֹת
רָשָׁ֔ע נְאֻ֖ם אֲדֹנָ֣י יֱהֹוִ֑ה הֲל֛וֹא בְּשׁוּב֥וֹ מִדְּרָכָ֖יו וְחָיָֽה: וּבְשׁ֣וּב
צַדִּ֤יק מִצִּדְקָתוֹ֙ וְעָ֣שָׂה עָ֔וֶל כְּכֹ֣ל הַתּוֹעֵב֗וֹת אֲשֶׁר־עָשָׂ֤ה הָֽרָשָׁע֙
יַעֲשֶׂ֣ה וָחָ֔י כָּל־צִדְקֹתָו֙ אֲשֶׁר־עָשָׂ֔ה לֹ֣א תִזָּכַ֑רְנָה בְּמַעֲל֤וֹ אֲשֶׁר־
מָעַ֔ל וּבְחַטָּאת֥וֹ אֲשֶׁר־חָטָ֖א בָּ֥ם יָמֽוּת: וַאֲמַרְתֶּ֕ם לֹ֥א יִתָּכֵ֖ן
דֶּ֣רֶךְ אֲדֹנָ֑י שִׁמְעוּ־נָא֙ בֵּ֣ית יִשְׂרָאֵ֔ל הֲדַרְכִּי֙ לֹ֣א יִתָּכֵ֔ן הֲלֹ֥א
דַרְכֵיכֶ֖ם לֹ֥א יִתָּכֵֽנוּ: בְּשׁוּב־צַדִּ֧יק מִצִּדְקָת֛וֹ וְעָ֥שָׂה עָ֖וֶל וּמֵ֣ת
עֲלֵיהֶ֑ם בְּעַוְל֥וֹ אֲשֶׁר־עָשָׂ֖ה יָמֽוּת: וּבְשׁ֣וּב רָשָׁ֗ע מֵֽרִשְׁעָתוֹ֙ אֲשֶׁ֣ר

ⁱ וַיֵּרֶא ק'   ᵇ הֵרָשַׁע ק'   ᶜ חַטֹּאתָיו ק'   ᵈ מִדְּרָכָיו ק'   ᵉ צִדְקֹתָיו ק'

עָשָׂה וַיַּעַשׂ מִשְׁפָּט וּצְדָקָה הוּא אֶת־נַפְשׁוֹ יְחַיֶּה׃ וַיִּרְאֶה וַיָּשׁוב°
מִכָּל־פְּשָׁעָיו אֲשֶׁר עָשָׂה חָיוֹ יִחְיֶה לֹא יָמוּת׃ וְאָמְרוּ בֵּית
יִשְׂרָאֵל לֹא יִתָּכֵן דֶּרֶךְ אֲדֹנָי הַדְּרָכַי לֹא יִתָּכְנוּ בֵּית יִשְׂרָאֵל
הֲלֹא דַרְכֵיכֶם לֹא יִתָּכֵן׃ לָכֵן אִישׁ כִּדְרָכָיו אֶשְׁפֹּט אֶתְכֶם
בֵּית יִשְׂרָאֵל נְאֻם אֲדֹנָי יֱהֹוִה שׁוּבוּ וְהָשִׁיבוּ מִכָּל־פִּשְׁעֵיכֶם
וְלֹא־יִהְיֶה לָכֶם לְמִכְשׁוֹל עָוֹן׃ הַשְׁלִיכוּ מֵעֲלֵיכֶם אֶת־כָּל־
פִּשְׁעֵיכֶם אֲשֶׁר פְּשַׁעְתֶּם בָּם וַעֲשׂוּ לָכֶם לֵב חָדָשׁ וְרוּחַ חֲדָשָׁה
וְלָמָּה תְמוּתוּ בֵּית יִשְׂרָאֵל׃ כִּי לֹא אֶחְפֹּץ בְּמוֹת הַמֵּת נְאֻם
אֲדֹנָי יֱהֹוִה וְהָשִׁיבוּ וִחְיוּ׃

°וישב ק׳